सामाजिक क्रांति के दस्तावेज
(भाग-2)

सामाजिक क्रांति के दस्तावेज

भारतीय नवजागरण के अग्रदूतों के लेखन और भाषण से एक चयन

(भाग-2)

संपादक

शंभुनाथ

वाणी प्रकाशन

वाणी प्रकाशन
4695, 21-ए, दरियागंज, नयी दिल्ली 110 002

शाखा
अशोक राजपथ, पटना 800 004

फ़ोन : +91 11 23273167 फ़ैक्स : +91 11 23275710

www.vaniprakashan.in
vaniprakashan@gmail.com
sales@vaniprakashan.in

SAMAJIK KRANTI KE DASTAVEJ-2
edited by Shambhunath

ISBN : 978-81-8143-135-6
History/Social Science

संस्करण 2004
आवृत्ति 2017
मूल्य : ₹1500

रजौरिया प्रिंटर्स, दिल्ली-110 093 में मुद्रित

वाणी प्रकाशन का लोगो मक़बूल फ़िदा हुसेन की कूची से

अनुक्रम

दादाभाई नौरोजी
जोतिबा फुले
महादेव गोविंद रानाडे
विष्णुशास्त्री चिपलूणकर
गोपाल गणेश आगरकर
बाल गंगाधर तिलक
पंडिता रमाबाई
ताराबाई शिंदे
गोपालकृष्ण गोखले
भीमराव अंबेडकर

दादाभाई नौरोजी
1825-1917

मुंबई के एक पारसी परिवार में जन्म। भारतीय राष्ट्रीयता के जनक, गणित के प्राध्यापक और भारत की दुरवस्था की ओर ब्रिटिश पार्लियामेंट का ध्यान आकर्षित करने वाले पहले भारतीय। भारत के हितों के लिए दशकों तक विभिन्न ब्रिटिश अधिकारियों को आवेदन-प्रतिवेदन भेजते रहे। उनकी माँग थी कि ब्रिटिश साम्राज्य में अंग्रेजों को जो नागरिक अधिकार प्राप्त हैं, वे भारतवासियों को भी मिलें। उन्होंने भारत की दरिद्रता की ओर इशारा करते हुए बताया कि किस तरह भारत का धन लगातार ब्रिटेन चला जा रहा है। उन्होंने कभी ब्रिटिश राज का विरोध नहीं किया। वे लिबरल पार्टी के टिकट पर 1892 में ब्रिटिश संसद के सदस्य चुने गए। 1886, 1893 और 1906 में भारतीय राष्ट्रीय कांग्रेस के तीन बार अध्यक्ष बने।

कलकत्ते के दूसरे कांग्रेस-अधिवेशन में अध्यक्षीय भाषण

आप लोगों ने आज मुझे जो सम्माननीय आसन प्रदान किया है, उसके लिए मैं आप लोगों का कितना कृतज्ञ हूँ, यह कहने की आवश्यकता नहीं। मैंने पहले सोचा कि शायद यह बंगाल ने बंबई का पिछले साल का बदला लिया है, क्योंकि हम लोगों ने पिछले साल एक बंगाली को—श्री सुरेंद्रनाथ बनर्जी को—अपने यहाँ सभापति का आसन प्रदान किया था। पर सच पूछिए, तो हम लोगों ने श्रीमान बनर्जी को बंगाल का आदर करने के विचार से सभापति नहीं चुना था, बल्कि हम उन्हें इस आसन के लिए सबसे अधिक योग्य और उपयुक्त समझते थे, इसी से हमने उन्हीं को अपनी कांग्रेस का अध्यक्ष बनाया। अब मैं देखता हूँ, मेरा यह चुनाव बंगाल की ओर से बंबई को बदला दिए जाने के ख्याल से नहीं किया गया है, वरन् जैसा कि प्रस्तावक और अनुमोदक महोदयों ने कहा है, आप लोगों ने मुझे इस आसन के योग्य समझकर

ही यहाँ ला बिठाया है। ईश्वर करे, आप लोगों की यउ आशा पूरी हो और आप लोगों ने जो कृपा कर मेरे प्रति इतनी दया दिखाई और मेरी इतनी बड़ाई कर डाली है, उसका मैं यथार्थ पात्र प्रमाणित होऊँ, परंतु ऐसा हो चाहे नहीं हो, किंतु जब देश के इतने बड़े-बड़े आदमियों ने मेरे प्रति इतने दया-भरे शब्द कहे हैं तब मैं कैसे कहूँ, कि मेरे मन में गर्व का उदय नहीं हुआ है! इसके लिए मैं आप लोगों के प्रति अपनी हार्दिक कृतज्ञता प्रकट करता हूँ। (करतल-ध्वनि)

आपके भूतपूर्व चेयरमैन ने भिन्न-भिन्न प्रांतों के प्रतिनिधियों का हृदय से स्वागत किया है, उसके बदले में मैं उनको और उनके साथ-साथ अपने समस्त बंगाली बंधुओं की अपनी और भिन्न-भिन्न प्रांतों से आए हुए प्रतिनिधियों की ओर से इस प्रकार के उत्तम स्वागत के लिए हार्दिक धन्यवाद देता हूँ। अभी तक जैसा कुछ स्वागत हुआ है और अगले कई दिनों में जैसा कुछ होने की आशा दिखाई दे रही है, उससे मेरे मन में यह बात निस्संदेह बैठ गई है कि हम लोग अपनी इस कलकत्ता-यात्रा की बहुत सी बातें बहुत दिनों तक भूल न सकेंगे। (तालियाँ)

केवल दो ही दिन पहले मुझे कांग्रेस का अ़ध्यक्ष बनने और भाषण देने के लिए कहा गया था, अतएव मैंने बहुत डरते-डरते आप लोगों की यह आज्ञा शिरोधार्य की थी। इसीलिए यदि मुझसे कुछ त्रुटियाँ हों, तो उनके लिए मैं आप लोगों से अग्रिम क्षमा माँग लेता हूँ। (घोर करतल ध्वनि)

इस तरह की कांग्रेस का संगठन भारतीय इतिहास की एक अत्यंत महत्त्वपूर्ण घटना है। मैं आप लोगों से पूछता हूँ कि हिंदू-साम्राज्य के उन गौरवमय दिनों में जब विक्रम जैसे राजाओं का यहाँ शासन था, भिन्न-भिन्न श्रेणी के हिंदुओं का क्या ऐसा जमाव होना संभव था? क्या सब लोग एक राष्ट्र की भाँति सम्मिलित स्वर से किसी विषय पर बोलने को तैयार हो सकते थे? इसके बाद मुसलमानी अमलदारी में—औरों की तो बात ही जाने दीजिए, बादशाह अकबर के ही राज्यकाल में—इस तरह की एक सभा होनी क्या कभी संभव थी, जहाँ सब जातियों और श्रेणियों के लोग एक भाषा में और एक तरह की आशाओं और आकांक्षाओं से प्रेरित होकर अपने मनोभाव प्रकाशित करें?

फिर, हमारे यहाँ इस प्रकार एकत्रित होने का मतलब क्या है? हम लोग यहाँ अपनी भविष्यत् भलाई-बुराई के प्रश्नों पर विचार करने के लिए इकट्ठे हुए हैं। यह हमारा सौभाग्य है कि हम एक ऐसे शासन के नीचे हैं, जो इस तरह के जमाव को संभव बनाए हुए है। (तालियाँ)

यह महारानी विक्टोरिया और इंग्लैंड के सभ्य पुरुषों के शासन का ही प्रताप है कि हम यहाँ बेरोकटोक जमा होकर, स्वतंत्रता के साथ अपने मन की बातें निर्भय और निर्बाध रूप से प्रकाशित कर सकते हैं। ऐसी बात सिवा अंग्रेजी राज्य के और किसी राज्य में होनी संभव नहीं। अब मैं आप लोगों से यह पूछता हूँ कि क्या यह

कांग्रेस राज-विद्रोह और विप्लव की जननी है? (नहीं-नहीं की आवाज) अथवा यह अंग्रेजी राज्य की नींव को और भी मजबूत बनाने वाली है? (जरूर-जरूर की आवाज) इसका यही एक उत्तर हो सकता है, जो अभी आप लोगों ने दिया है, क्योंकि हम लोगों को इस राज्य के द्वारा किए हुए विविध उपकारों का भलीभाँति ज्ञान है और यह कांग्रेस उसकी उदारता का एक अन्यतम प्रमाण है। यदि अंग्रेजी राज्य न होता, तो मैं यहाँ आने का कदापि साहस न करता; क्योंकि तब मुझे इस बात का भय लगा रहता कि कहीं मेरे पीछे मेरे बाल-बच्चे मार न डाले जाएँ और मेरा माल-मत्ता लूट न लिया जाए। आप लोग भी शायद ही यहाँ इतनी जल्दी आ सकते, क्योंकि यहाँ आने में तो पहले महीनों का समय लग जाता था। ये सब छोटी-मोटी बातें ही हमें अंग्रेजी राज्य के असंख्य और उत्तम सुफलों की याद करा देती हैं। परंतु अभी हमारी और भी भलाई होने को है, जिसके लिए हमें इन अंग्रेजों का कृतज्ञ होना ही पड़ेगा। हमें जो अंग्रेजी शिक्षा मिली है, वह अंग्रेजी राज्य का ही एक सुफल है। अंग्रेजों ने यहाँ के शासन की बागडोर हाथ में लेते हुए सच्चे हृदय से यह बात कही थी कि हिंदुस्तान को हम लोग परमात्मा की सौंपी हुई एक पवित्र धरोहर समझते हैं और हम लोग इसका ऐसा उत्तम शासन करेंगे, जिससे हमारी भी बड़ाई हो और परमात्मा भी प्रसन्न हों। (घोर करतल ध्वनि) ऐसी अवस्था में जब हम इस राज्य के सुफलों को प्रत्यक्ष देख रहे हैं और जिन्हें यहाँ दुहराना महज भारत में अंग्रेजी सल्तनत की तवारीख पढ़ सुनाना है—तब भला यह कैसे संभव हो सकता है कि हम सब कुछ समझ बूझकर भी इस राज्य की जड़ खोद डालने की तैयारी करेंगे? (तालियाँ)

बात बड़ी टेढ़ी है। यहाँ हमें मनुष्य की तरह खुले कंठ बात कहनी होगी और पहले यह कह देना होगा कि हम पूरे राजभक्त हैं, अंग्रेजी राज्य के सुफलों को जानते-मानते हैं, जो शिक्षा हमें दी जा रही है, या जो नई रोशनी हमारी आँखों के सामने लाई गई है, जिसकी बदौलत हम अँधेरे से उजाले में आए हैं, जो हमें साफ दिखा रही है कि राजा प्रजा के लिए है—प्रजा राजा के लिए नहीं—यह सब हमने अंग्रेजों से ही पाया है और इसीलिए हम एशिया के निरंकुश शासन के अंधकार से निकल कर अंग्रेजी सभ्यता के स्वातंत्र्य के प्रकाश में आने को उत्सुक हैं। (तालियाँ) पर सवाल तो यह है कि क्या गवर्नमेंट हमारा विश्वास करती है? क्या वह यह मानती है कि हम जी से सच्चे राजभक्त हैं और अंग्रेजी राज्य पर विश्वास और भरोसा रखते हैं? क्या वह इस बात को स्वीकार करती है कि हम यहाँ अंग्रेजी हुकूमत को बनी रहने देना चाहते हैं? क्या वह इस बात से भिज्ञ है कि हम तर्क और मुक्ति से उसका आधिपत्य स्वीकार कर चुके हैं और हम मानते हैं कि हमारा बहुत कुछ स्वार्थ भी उससे सधा है? यदि हमारे शासक कांग्रेस की-सी एक बड़ी संस्था के द्वारा प्रकट किए गए विचःरों द्वारा हमारे सच्चे मनोभावों का पता पा जाएँ, तो हमारे लिए यह

बड़े ही संतोष का विषय होगा। सौभाग्य से हमारे पास कुछ ऐसे प्रमाण हैं जिनके बल पर मैं आप लोगों से कहने का साहस कर सकता हूँ कि हमारे शासकों में से कुछ लोग तो अवश्य इस बात को मानने लगे हैं कि हम जो कुछ कहते हैं, वह सच है अर्थात् हम अंग्रेजी राज्य को उलट देना नहीं चाहते और हम जो स्पष्ट बातें कभी-कभी कह देते हैं, वह उभय पक्ष की भलाई के ही विचार से कहते हैं। उनका भी यही ख्याल है, जैसा कि लार्ड रिपन भी कह चुके हैं कि हिंदुस्तान की भलाई में ही इंग्लैंड की भी भलाई है। पहला प्रमाण आज से 25 वर्ष पहले सर बार्टर फ्रेअर द्वारा प्रकट वे उद्गार हैं, जो उन्होंने शिक्षितों के विषय में प्रकट किए थे। उन्हें देश के लोगों का बहुत अच्छा ज्ञान था और इसी के लिए उनका शिक्षित संप्रदाय को दिया हुआ यह प्रशंसा-पत्र बहुत मूल्य रखता है। उन्होंने कहा था—"आज मैं जहाँ कहीं जाता हूँ, वहीं अंग्रेजी सरकार की नीति के अच्छे-अच्छे जानकारों को देख पाता हूँ, जो हिंदुस्तान के लिए विचित्र होने पर भी इस नीति को ठीक-ठिकाने से चलाने में बहुज्ञता और योग्यता का परिचय देते हैं। ऐसे लोग शिक्षित संप्रदाय में अनेक हैं।" यह प्रशंसा-पत्र हमारी नेकनीयती का अच्छा सबूत है और इससे यह बात भलीभाँति प्रमाणित हो जाती है कि हम लोग अपने देश की जनता को शासकों से मिलाने वाले मध्यस्थ का काम कर रहे हैं। अब देखिए, स्वयं गवर्नमेंट आफ इंडिया क्या कहती है? 8 जून, 1880 को जो डिस्पैच (खरीता) यहाँ से विलायत में भारत-सचिव के पास भेजा गया था, उसमें भारत-सरकार ने लिखा था—"परंतु भारत की प्रजा ने बिना डराए-धमकाए या हथियार का भय दिखाए ही अंग्रेजी हुकूमत के सामने सिर झुका दिया है, क्योंकि हम शांति और न्याय की रक्षा कर रहे हैं तथा यहाँ के लोगों की भौतिक उन्नति के लिए बहुत कुछ किया और अब भी करते चले जाते हैं। इसके सिवा हिंदुस्तान के बाहर या भीतर ऐसी कोई शक्ति भी नहीं दिखलाई देती जो हमारी जगह छीन सके।" इसके सिवा उसी खरीते में यह भी कहा गया था कि भारतीयों को इस बात का विश्वास है कि ब्रिटिश-शक्ति के सिवा और कोई शक्ति नहीं है, जो वर्तमान अवस्था में भारत में शांति रखती हुई आगे के लिए उन्नति की राह खोल देने में समर्थ हो। यह तो हुई सर्व-साधारण की प्रशंसा। अब देखिए, शिक्षित संप्रदाय के विषय में उसी खरीते में लिखा था—"पढ़े-लिखे भारतीयों को तो यह कल्पना भी दुःखदायिनी है कि अंग्रेजी राज्य यहाँ से उठ जाए, क्योंकि वे जानते हैं कि इसके उठ जाने से मार-काट, लूट-पाट, अराजकता और गोलमाल के सिवा और कुछ नतीजा नहीं निकलेगा।" (करतल ध्वनि)

अतएव हमें यह मानना ही पड़ेगा कि हमारे शासक हमें पहचानते हैं, हमारे उद्देश्यों को समझते और हमारी राजभक्ति को सच्ची मानते हैं, अतएव यदि कोई अज्ञानी, स्वार्थी, उत्तरदायित्वशून्य, दुष्ट-प्रकृति मनुष्य या दल हमारी निंदा करे, हम पर राजविद्रोह का अपराध लगाए, तो हमें उसकी कुछ भी परवा नहीं करनी चाहिए।

अपने शासकों पर पूरा विश्वास रखते हुए हमें अपनी बातें स्पष्टता, सरलता और नम्रता के साथ निर्भय होकर कहनी चाहिए, क्योंकि बुद्धिमान और सज्जनगण अपने शासकों से किसी तरह की रियायत चाहते समय इसी ढंग से माँगा करते हैं। यद्यपि अंग्रेजों ने हमारे लिए बहुत कुछ किया है, तथापि उनका कर्तव्य पूरा-पूरा पालित नहीं हुआ है—अभी बहुत कुछ करने को बाकी है। यही बात वे स्वयं भी कहा करते हैं। वे आज भी आवश्यकता के अनुसार कुछ न कुछ करते रहने की स्पृहा प्रकट करते हैं; परंतु हमें किस बात की आवश्यकता है, इसको सोच-विचार कर उनसे कहना हमारा काम है। (करतल-ध्वनि)

इतना कहकर अब मैं उस आनंददायक प्रसंग को छेड़ना चाहता हूँ, जो अगले साल हमारे सम्मुख आने वाला है। मुझे तो सबसे पहले इसी का जिक्र करना चाहिए था, परंतु मैंने जानबूझ कर इसे अब तक के लिए रोक रखा था, क्योंकि पहले मुझे शासकों और शासितों का संबंध दिखला देना बहुत ही जरूरी लगा। वह प्रसंग महारानी की जुबिली है। (जोर की तालियाँ) मुझे यह देखकर बड़ी प्रसन्नता हुई है कि कांग्रेस ने इस विषय को सबसे पहले प्रस्ताव में रखा है और इस प्रकार भारतीय प्रजा की ओर से उदाराशया महारानी को बधाइयाँ देने की ठहरा ली है। (तालियाँ) हम लोगों को तो इस प्रसंग पर अपने सौभाग्य की भी प्रशंसा करनी चाहिए, क्योंकि हमारे ऊपर आधी सदी तक एक ऐसी सुयोग्य महारानी का शासन बना रहा, जो सब सद्गुणों की खान हैं और उस वृहद साम्राज्य पर शासन करने की पूर्णतया अधिकारिणी हैं, जिसमें कभी सूर्य अस्त नहीं होता। (घोर करतल-ध्वनि) हममें से प्रत्येक भारतीय की यही शुभेच्छा होनी चाहिए कि अभी महारानी बहुत-बहुत दिन जिएँ और ऐसा ही उदार तथा ज्ञान-प्रकाशक शासन जारी रखें, जिससे अधिकाधिक सम्मान बढ़े और वे अपनी समस्त प्रजा की विशेष भक्ति भाजन बनी रहें। (देर तक करतल ध्वनि)

इसके बाद अब यदि मैं थोड़ी देर के लिए कांग्रेस के विचारणीय विषयों से बाहर की कुछ बातें करूँ, तो आप लोग कृपा कर मुझे क्षमा करेंगे।

कुछ लोगों का कहना है कि कांग्रेस को सामाजिक सुधार का काम भी अपने हाथों में लेना चाहिए और चूँकि अब तक हम लोगों ने इस बारे में कुछ भी नहीं किया है, इसलिए बहुत से लोग हमारी निंदा भी करते हैं। कांग्रेस के किसी मेंबर के दिल में सामाजिक सुधार की शायद ही वैसी लगन होगी जैसी मेरे दिल में है, परंतु महाशय! हर काम के लिए उचित समय, स्थिति, स्थान और समूह का होना आवश्यक हुआ करता है। देश-काल और पात्र देखकर ही कहीं कोई बात छेड़ी जाती है। यहाँ हम लोग अपने शासकों पर अपनी राजनीतिक आकांक्षाओं को प्रकट करने के ही लिए इस राजनीतिक सभा में आकर एकत्र हुए हैं, सामाजिक सुधार पर विचार करने के लिए नहीं—अतएव यदि सामाजिक सुधार पर विचार न करने के लिए जो लोग हमें दोष दें, वे हाउस-आफ-कामन्स को भी गणित या प्राकृतिक विज्ञान के

विषय में विचार न करने के लिए दोष दे सकते हैं। इसके सिवाय यहाँ भिन्न मतों, संप्रदायों और जातियों के हिंदू, जिनमें कितने ही फिर्के हैं—पारसी, सिक्ख, ब्राह्मण आदि सभी तरह के भारतवासी आकर जमा हुए हैं। इस तरह के समस्त जातियों से भरे हुए जलसे में भिन्न-भिन्न जातियों और संप्रदायों की त्रुटियों पर कहाँ तक विचार किया जा सकता है? खास अपनी जाति या संप्रदाय के अतिरिक्त हम अन्य किसी जाति या संप्रदाय के रीति-रिवाजों की बात थोड़े ही जानते हैं? इस तरह की एक सार्वजनिक संस्था भला किसी जाति-विशेष या संप्रदाय-विशेष के सुधारों की क्या खाक विवेचना कर सकती है? जिस संप्रदाय की बात हो, उसी के अंतर्भुक्त व्यक्ति उसकी त्रुटियों और अपेक्षित सुधारों का हाल अच्छी तरह जान सकते हैं। राष्ट्रीय महासभा को तो केवल उन्हीं प्रश्नों पर विचार करना चाहिए, जिसमें सारा राष्ट्र प्रत्यक्ष रूप से भाग ले सके और इस तरह के सामाजिक सुधार तो जातीय संस्थाओं के ही हाथ में छोड़ देने चाहिए, वे ही उन्हें भलीभाँति निपटा लेंगी। इसका मतलब यह नहीं है कि हम लोग इन सुधारों का कुछ महत्त्व नहीं समझते। जिसके आँख-कान हैं, वह प्रत्येक जाति या संप्रदाय की भलाई की बात सोचे बिना नहीं रह सकता। एक बार जहाँ आप अपने कार्यों पर, अपने कर्तव्यों पर और अपनी जवाबदेहियों पर विचार करने लगेंगे, वहाँ आपको अपने पड़ोसियों और अपनी जाति वालों का ख्याल आए बिना न रहेगा और आप अपने चारों ओर देखकर अपनी त्रुटियों पर अवश्य ही लक्ष्य करने लग जाएँगे। हमें यह अच्छी तरह मालूम है कि आजकल प्रत्येक जाति अपनी विवेक-बुद्धि के अनुसार अथवा जितनी शिक्षा उसके अंतर्गत मनुष्यों को मिली है, उसके अनुसार, अपनी जातीय उन्नति का कार्य बड़े ठिकाने के साथ कर रही है। जहाँ तक मैं समझता हूँ, इस प्रसंग में किसी खास जाति का नाम लेने की कोई जरूरत नहीं है। मुसलमान भाई इस बात को अच्छी तरह जानते हैं कि उनके सजातीयगण शिक्षा का अभाव दूर करने के लिए कैसा प्रयत्न कर रहे हैं, क्योंकि इस जाति को सबसे अधिक शिक्षा की आवश्यकता है। हिंदूगण भी यथाशक्ति अपनी उन त्रुटियों को दूर करने में लगे हुए हैं, जिनका दूर किया जाना वे आवश्यक समझते हैं। शायद यहाँ किसी जाति के ऐसे सुयोग्य और सर्वोत्तम मनुष्य आए बिना नहीं रहे हैं, जो अपने सजातीय बंधुओं की सामाजिक, धार्मिक और नैतिक स्थिति के सुधार की कामना न रखते हों और उस कामना को सफल करने की चेष्टा न करते हों। परंतु एक दूसरी जाति वाले को तो उन अभाव आवश्यकताओं की बात मालूम ही नहीं हो सकती। अतएव सब सुयोग्य मनुष्य अपने-अपने संप्रदाय की उन्नति का आप ही प्रयत्न करें, यही उचित है। यह बात कांग्रेस जैसी एक सार्वजनिक संस्था के कार्य क्षेत्र से बाहर की है।

अब मैं यहाँ विगत कांग्रेस के विषय में कुछ कहना चाहता हूँ। विगत अधिवेशन के बाद ही बहुत कुछ उन्नति देखने में आई है, जिससे यह विश्वास होता है कि

यदि हम उचित और न्यायपूर्ण अधिकारों के लिए प्रार्थना करें, तो ब्रिटिश सरकार हमारी माँगें अवश्य पूरी करेगी। अतएव हम लोगों को इंग्लैंड की न्याय-बुद्धि पर विश्वास करना चाहिए और यह समझ रखना चाहिए कि अंग्रेज जाति अपनी नेकनीयती साबित करने के लिए बहुत कुछ दे सकती है।

गत बार कांग्रेस में हम लोगों ने एक राजकीय कमीशन नियुक्त करने का प्रस्ताव किया था, किंतु दुर्भाग्य का विषय है कि इंग्लैंड के प्रभुओं ने हमारी यह प्रार्थना स्वीकार नहीं की। उनका कहना है कि इससे यहाँ के अधिकारियों की मान-मर्यादा में बट्टा लग जाएगा और सारी मशीन के पुर्जे बिखर जाएँगे। परतु ऐसा कहना तो हमारे भारतीय प्रभुओं की योग्यता का निरादर करना है। मैं लार्ड डफरिन जैसे परिपक्व अनुभव वाले मनुष्य को देखकर कह सकता हूँ कि उनकी तरह एक विशाल साम्राज्य के सुचतुर शासक का दिल यह सुनकर हरगिज नहीं काँप सकता कि यहाँ की स्थिति का पता लगाने के लिए एक राजकीय कमीशन नियुक्त होने वाला है। यह युक्ति एकदम ही लचर है। हम लोग यह बात एक बार फिर कह देना चाहते हैं कि विलायत में बैठी हुई पार्लियामेंटरी कमिटी वहीं के गवाहों के बयान सुनकर हिंदुस्तान की हालत का पता हरगिज नहीं पा सकती। यह बात स्पष्ट है कि यहाँ आकर आँखों सब देख लेने पर उन्हें जितनी बातों का पता मिल सकता है, उतनी बातों का पता वहाँ महज कानों सुनी बातों से नहीं लग सकता। खैर, अभी तो इतना ही संतोष है कि पार्लियामेंट का विचार है कि एक कमिटी स्थापित की जाए, परंतु यह कमिटी एक ओर तो हमारे स्थानीय अधिकारियों का हाथ बहुत कुछ रोकती है और दूसरी ओर हमें भी अपनी वास्तविक आकांक्षाओं को प्रकट करने से रोकती है।...

ऊपर की वक्तृता से ही हमें अपने वर्तमान वाइसराय के इरादों और इस कमीशन के बनाए जाने के बारे में की जाने वाली कोशिशों का पता चल जाता है। इससे उनकी नेकनीयती और हमारे साथ हमदर्दी झलकती है। जब मैं लार्ड डफरिन को याद करता हूँ—न केवल वर्तमान राजप्रतिनिधि के रूप में—बल्कि उनके अन्यान्य सद्गुणों का विचार करके—तब मुझे इस बात का विश्वास ही नहीं होता कि उनके जैसा मनुष्य किसी जाति की भलाई या राजनीतिक उन्नति की साधना के संबंध में सहानुभूतिशून्य होगा। लार्ड डफरिन ने 'टाइम्स' को जो पत्र लिखे थे, उनसे कुछ थोड़े से अंश चुनकर मैंने विलायत के हालबर्न टाउनहाल की सभा में सुनाए थे। आप में से बहुतों को वे अंश याद भी होंगे। इसी से तो यह बात मेरे दिमाग में नहीं आती कि ऐसा सहृदय मनुष्य भी क्योंकर हमारे प्रति सहानुभूतिशून्य हो सकता है। इस विषय में मैं केवल इतना ही कहूँगा कि चूँकि हमें वाइसरायों और गवर्नरों की इच्छाओं और विचारों को जानते रहने की बड़ी लालसा रहती है, इसलिए मैंने अपने कई मित्रों से, जो सत्य बातों का पता रखते हैं और जिन पर मैं पूरा-पूरा विश्वास

कर सकता हूँ, सुना है कि हमारे वर्तमान वाइसराय के विचार बड़े ही उदार हैं और वे शिक्षित समुदाय की इस माँग को देखकर, कि हमारा भी अब देश की सरकार में हाथ होना चाहिए—न तो कुढ़ते हैं, न डरते हैं, उलटा वे इसे बहुत ही अच्छा समझते हैं। वाइसराय की हैसियत से उनको हर बात हर तरफ से देखकर वही रास्ता अख्तियार करना पड़ता है, जो उचित और सुरक्षित हो। तो भी हम लोगों को इस बात का विश्वास रखना चाहिए कि वे हमारे साथ सच्ची और गहरी सहानुभूति रखते हैं तथा हमें उनके हाथों अपनी भलाई होने की आशा भी करनी चाहिए।

अब प्रश्न यह है कि क्या विलायत में बैठे हुए भारत के स्टेट सेक्रेटरी और अन्यान्य अधिकारी-वर्ग भी हम पर ऐसी ही दया और हमारी माँगों के बारे में ऐसा ही खुश-ख्याल रखते हैं? कमीशन का प्रस्ताव ही स्टेट-सेक्रेटरी के इरादों को जाहिर कर देता है। उसमें लिखा है—"अपने उद्देश्य के अनुसार यह कमीशन ऐसी पक्की स्कीम तैयार करेगा, जिसमें अधिक रद्दोबदल की जरूरत न हो। वह भारतीयों को अच्छी-अच्छी नौकरियाँ दिलाने की व्यवस्था करने में पूरे इंसाफ से काम लेगा।"

इससे हमें मालूम हो जाता है कि हमारे सबसे बड़े अधिकारी की हमारी माँगों के बारे में क्या इच्छा है? अब इस अनुसंधान के लिए हम लोग उनको धन्यवाद देते हैं और आशा करते हैं कि हम भी सब किसी को अपनी माँगों के उचित होने का विश्वास दिला सकेंगे और यह साबित कर सकेंगे कि हमारी दलीलें सही हैं।

हमारे शासकों की इच्छा क्या है, इसे जानने के लिए आज से 53 वर्ष पहले चले जाइए, जबकि स्वयं हम लोग यह नहीं जानते थे कि हमारे अधिकार क्या हैं? उसी समय इंग्लैंड के राजनीतिक पुरुषों से, अपनी स्वातंत्र्यप्रियता से प्रेरित होकर हिंदुस्तान के प्रति इंग्लैंड की नीति कैसी होनी चाहिए, यह बात बतलाई थी। उस समय बड़ी लंबी-चौड़ी और मार्के की बहसें हुई थीं—हर पहलू से इस सवाल पर विचार किया गया था। प्रजा को अधिक राजनीतिक अधिकार प्रदान करने की हानियों और हिंदुस्तान के लोगों के अयोग्य होने पर भी विचार हुए बिना न रहा, पर अंत में सबका सार यही निकला कि इंग्लैंड को भारत के प्रति न्यायपूर्ण नीति ही रखनी चाहिए, सारी मनुष्य जाति के छठे भाग को हर तरह से उन्नत बनाने की चेष्टा करनी चाहिए। भारत को अंग्रेजों को परमात्मा की सौंपी हुई एक धरोहर समझनी चाहिए, जिसकी रक्षा करने में हम कर्तव्य के परिष्कृत पथ से कभी विचलित न होंगे। उस अवसर पर मेकाले ने तो यहाँ तक कह डाला था कि हिंदुस्तान हमारे हाथ से चला जाए, सो अच्छा; पर हाँ, अपना शासन आप करने लायक हो, तभी निकले, लेकिन यह मुझे गवारा नहीं कि हिंदुस्तानी प्रजा हमारी गुलाम बनी रहे और लोग अंग्रेज अफसरों की जूतियाँ झाड़ते हुए खुशामदी टट्टू बने रहें। (करतल-ध्वनि) यही 1833 की नीति का सार है। उस साल जो कानून बना, उसमें साफ लिखा गया कि—"उक्त देशों के अधिवासी अथवा महारानी के राज्य में जन्म लेने वाला कोई व्यक्ति, किसी

धर्म, जन्म-स्थान, वंश, वर्ण या इसी तरह के अन्य विभेदों के कारण कंपनी के अधीन कोई स्थान, पद या नौकरी पाने से वंचित न होने पाएगा।''

इससे अधिक न हम माँगते हैं, न माँग सकते हैं। हम इस कमीशन या गवर्नमेंट से केवल यही इतना चाहते हैं कि आज से 50 वर्ष पहले, जब हम निरे बछिया के ताऊ थे और यह भी नहीं जानते थे, कि हमें क्या मिला है और क्या माँगना चाहिए उस समय जो दान ग्रेट ब्रिटेन ने हमें बिना माँगे दे डाला था, उसे ही अब आप लोग अमल में लाना शुरू कर दें—कोरे कागज पर ही लिखा न रहने दें। (करतल-ध्वनि)

खैर, इसके बाद ही एक विपत्ति की आँधी आई और हम सब लोग बड़े कष्ट में पड़े। ईश्वर की दया से इसमें अंग्रेजों की जीत रही। जब इन लोगों ने अपने तमाम संकट हटा लिए, कुल दुश्मनों को ठिकाने लगा दिया, तब अंग्रेज जाति एक बार फिर वही उदार, पवित्र और उच्च भाव लिए हुए सामने आई तथा हमारे सामने वही प्रसिद्ध घोषणा रखी, जो कि 1833 के कानून से भी बढ़कर निकली तथा जिसे हमें अपने स्वतंत्रता का एक अभय वर समझना चाहिए। इस घोषणा की बातों को यहाँ दुहराने की कोई जरूरत नहीं है; क्योंकि उसकी एक-एक बात हम सबके दिलों पर खुदी हुई है; परंतु यह हमारी स्वाधीनता की ऐसी अभय-वाणी है, कि हमें प्रत्येक बालक को, जो बोलना सीख रहा हो, इसे कंठस्थ करा देना चाहिए। इस घोषणा में 1833 वाली नीति की पुष्टि ही नहीं की गई है, बल्कि कुछ और अधिकार दिए गए हैं। इसमें हमारी वर्तमान और भावी आकांक्षाओं के बीज निहित हैं। (तालियाँ) अब हमें केवल गवर्नमेंट और कमीशन के सामने जाकर इसे दुहरा देना है और उन्हें यह बतला देना है कि हम जो कुछ चाहते हैं, वह तो हमें इस घोषणा द्वारा पहले से मिला हुआ है। अब हम केवल यही चाहते हैं कि उस घोषणा में जो कुछ शब्दों में लिखा हुआ है, वही अब कार्य-रूप में परिणत किया जाए। (तालियाँ) मैं यहाँ एक-एक बात गिनाना नहीं चाहता, क्योंकि यदि मैं इसी का ब्यौरेवार वर्णन करने लगूँ, तो घंटों लगातार बोलता रह जाऊँ और इतने पर भी जी भर सभी बातें शायद ही सुना सकूँगा। मैंने जितना कुछ कहा है उससे हमारे शासकों को मालूम हुए बिना नहीं रह सकता, कि यह मजबूती स्वयं उन्हीं की हुई है। (तालियाँ) अतएव, अब मैं इस विषय को यहीं छोड़ देना ठीक समझता हूँ।

दूसरा प्रस्ताव व्यवस्थापिका सभाओं की उन्नति और विस्तार के संबंध में है। इस विषय में मेरे पहले के अध्यक्ष ने इतनी बातें कह डाली हैं कि अब मेरे लिए बहुत कुछ कहने को नहीं रह गया। मैं इस विषय में इतना कहना आवश्यक समझता हूँ कि हमलोग इस विषय में और भी अग्रसर होने की आशा रखते हैं और एक ऐसी स्कीम तैयार करने का विचार कर रहे हैं, जिससे कौंसिलों में हमारे चुने हुए प्रतिनिधि पर्याप्त संख्या में पहुँचें। मैं यह कहने की जरूरत नहीं समझता कि इससे गवर्नमेंट को ही लाभ होगा, क्योंकि अभी वह चाहे जो कानून पास कर देती है हम

लोग उससे नाराज होने के सिवा कभी खुश नहीं होते। इसमें शक नहीं कि आज भी कौंसिलों में हमारे अपने आदमी मौजूद हैं; पर हमें उनसे किसी मामले में कैफियत तलब करने का कोई अख्तियार नहीं है; क्योंकि वे हमारे चुने हुए प्रतिनिधि नहीं हैं। इसलिए सरकार के बनाए हुए किसी कानून के संबंध में हमारे मन में जो असंतोष पैदा होगा, उसे वह किसी तरह दूर नहीं कर सकती। अगर इन सभाओं में हमारे भी प्रतिनिधि होंगे, तो यदि कोई ऐसा अप्रिय कानून बन जाएगा, जिसे हम पसंद न कर सकें, तो गवर्नमेंट भी प्रजा की नाराजगी से बहुत कुछ बच जाएगी, क्योंकि उस हालत में वह कह सकेगी कि यह तुम्हारे ही आदमियों की सलाह से बनाया गया है, हम लोगों ने उन्हें तुम्हारा प्रतिनिधि समझ कर, उनकी इच्छा को अनुकूल पाकर इस कानून को पास किया है। इसके सिवा अंग्रेज अफसर चाहे कितने भी बुद्धिमान और चतुर क्यों न हों—और तो और, स्वर्ग से उतरे हुए फरिश्ते ही क्यों न हों—परंतु वे कदापि हम लोगों की तरह किसी बात को देख-सुन या सोच-समझ नहीं सकते। (तालियाँ) यह उनकी बुराई नहीं है, बल्कि यह तो स्वाभाविक बात है। दूसरी बात हो ही नहीं सकती। इसलिए यदि आपके मन के भावों को प्रकट करने वाले प्रतिनिधि उक्त सभाओं में पहुँचेंगे, तो इसमें कोई संदेह नहीं कि आपको कुछ हितकारिणी और संतोषदायिनी वस्तुएँ भी प्राप्त हो जाएँगी। इसमें कोई संदेह नहीं कि जिससे आपका हित और संतोष होगा, उससे सरकार का भी निश्चय ही होगा।

इसी सिलसिले में मैं पार्लियामेंट में भारतीय प्रतिनिधि पहुँचाने का प्रसंग भी छेड़ देना अच्छा समझता हूँ। यहाँ की सरकार किस ढंग से, किस रीति पर कार्य करे—इसका निश्चय विलायत की पार्लियामेंट करती है। सवाल चाहे व्यवस्थापिका सभाओं का हो या सरकारी नौकरियों का, किसी विषय का सुधार तब तक नहीं हो सकता, जब तक पार्लियामेंट के कानों पर जूँ नहीं रेंगेगी और वह वर्तमान कानूनों में फेर-फार न करे। दुःख की बात तो यह है कि पार्लियामेंट में एक भी ऐसा भारतीय नहीं है, जो हिंदुस्तान के भाव वहाँ वालों पर प्रकट कर सके। यह बात बड़े जोरों से पार्लियामेंट के कई अंग्रेज मेंबरों ने मुझसे कही थी और वे इसे एक बड़ी भारी कमी समझते हैं कि इस पार्लियामेंट में कोई भारतीय मेंबर नहीं है।

जो प्रश्न इस कांग्रेस के सम्मुख उपस्थित किए जाने वाले हैं, उनमें एक भारत की घोर दरिद्रता पर कांग्रेस की ओर से गहरी सहानुभूति प्रदर्शित करना भी है। लोग कहते हैं कि यदि हम लोग सरकारी नौकरियों में घुसने की चेष्टा करते हैं, तो केवल कुछ पढ़े-लिखे लोगों की इच्छा पूरी करने का प्रयत्न करते हैं। पर यदि आप इस प्रश्न पर अच्छी तरह विचार करेंगे, तो आपको मालूम होगा कि इस तरह बड़ी-बड़ी सरकारी नौकरियाँ पाने की चेष्टा कर, हम भारत व्यापी दरिद्रता का ही सवाल हल करने की कोशिश करते हैं। हाँ, एक बात के लिए मैं अपने आपको धन्यवाद दिए बिना नहीं रह सकता। मैं अपनी ओर से भारत की दरिद्रता का प्रमाण आपको नहीं

देता, बल्कि दो वर्ष पहले सर ईवलिन वारिंग ने जो कहा था, वह आपको सुना देना चाहता हूँ। उन्होंने स्पष्ट शब्दों में कहा था,–"भारतवर्ष के लोग बड़े ही दरिद्र हैं।" हमारे वर्तमान अर्थ मंत्री भी यही बात कहते हैं। परंतु हमारे दुःखों के बहुत से कारणों में यही एक कारण सबसे प्रधान है कि हम परम दरिद्र हैं। यह एक शुभ चिह्न है, कि हमारे अंग्रेज प्रभु भी इस बात को समझने लगे हैं। करेंसी के बारे में जो बहस हुई थी, उसके संबंध में हिंदुस्तान के सेक्रेटरी आफ स्टेट ने एक पत्र 26 जनवरी, 1886 को खजाने के उच्च अधिकारी को लिखा था। उस पत्र में उन्होंने कुछ ऐसी बातें लिखी थीं, जिनसे प्रमाणित होता है कि हमारे शासक अब इस समस्या को स्वयं अनुभव करने लगे हैं और इसे हल करने की चेष्टा भी करना चाहते हैं–अब वे शुतुरमुर्ग की तरह इस ओर आँखें बंद किए रखना नहीं चाहते। जब पहले मैंने भारत की दरिद्रता की बात उठाई थी और कहा था कि बड़ी-बड़ी तनख्वाहें देकर विलायती अफसरों को शासन विभाग में रखने से ही यह दरिद्रता हमारे सिर घहराई है, तब कितने लोग मुझ पर हँसे थे परंतु आज हमारे सबसे बड़े अधिकारी भी उसी विचार का समर्थन करते हैं। उक्त पत्र में हमारे स्टेट सेक्रेटरी ने लिखा था–"कर निर्धारण और मालगुजारी के मामलों में हिंदुस्तान की हालत कुछ विचित्र ढंग की है, इसलिए नहीं कि हिंदुस्तान के लोग हर तरह के परिवर्तन से घबराते हैं, जैसा कि प्रत्येक बार नया कर लगाए जाने पर देखने में आता है, बल्कि वर्तमान शासन की रीति के कारण भी है, जिनके अनुसार सिर्फ विदेशी ही शासन और सेवा विभागों में घुसे हुए हैं। नए करों को सरकार का न तो ज्ञान है, न उसका कुछ हाथ है बल्कि उन लोगों को जिनके ऊपर इस देश के शासन का उत्तरदायित्व है, इस बात को लेकर बड़ी फिक्र है। नए कर विदेशी शासन के अवश्यंभावी परिणाम हैं। इनसे जो रुपया वसूल होता है, वह प्रायः भारत से बाहर ही खर्च होता है। यह एक प्रकार का राजनीतिक संकट है।"

हमें इस बात का विश्वास रखना चाहिए कि इंग्लैंड की प्रजा अवश्य ही यह सवाल करेगी कि सौ वर्ष अंग्रेजी शासन के नीचे रहकर भी हिंदुस्तान के लोग इतने दरिद्र क्यों हैं और भारत के प्रभु लोग भी यह देखकर अवश्य ही आश्चर्य प्रकट करेंगे कि जहाँ वे हिंदुस्तान को धन की खान समझे बैठे थे, वहाँ वह ऐसा दीन-दरिद्र क्यों निकला?

सच पूछिए, तो हमारे परम दुर्भाग्य से भारत की प्रसिद्ध संपत्तिशालिता बड़ी भ्रम में डालने वाली है और जबतक कौंसिलों में हमारे सच्चे प्रतिनिधि नहीं पहुँचते और हमारे प्रभुओं को यह नहीं बतलाते कि वे क्यों हमारी जड़ खोद रहे हैं और हमारी दरिद्रता को दूर करने के लिए सरकार पर दबाव नहीं डालते, तब तक कुछ भी नहीं हो सकता। ब्रिटिश राज्य से हमारा जो कुछ हित हुआ है या हमारे शासकों के हमारे विषय में जो ऊँचे-ऊँचे लक्ष्य और उद्देश्य हैं, वे सब हवा हो जाएँगे, यदि

हमारा देश इसी तरह दिन-दिन दरिद्रता के समुद्र में डूबता चला गया। पहले कुछ लोग मुझे छिद्रान्वेषी और दोषदर्शी ही बतलाया करते थे, पर अब तो हमारे प्रभु भी यह स्वीकार कर रहे हैं कि हम बड़े दरिद्र हैं। अतएव कांग्रेस का यह उचित और एकांत कर्तव्य है कि देशव्यापी दरिद्रता को दूर करने के प्राथमिक उपाय काम में लाए जाने का उद्योग करे, इस विषय में अपने विचार खूब स्पष्टतया प्रकट करे। मैं यह बात जानता हूँ कि इंग्लैंड को भारत का हित हृदय से स्वीकार है और यदि हम लगातार उच्च स्तर से इंग्लैंड के बहुव्यस्त कानों में अपनी आवाज पहुँचाते रहे, तो हमारा कहना कभी व्यर्थ न जाएगा।...

कम से कम मुझे तो आशा है कि यदि हम लोग अपने आपके प्रति सच्चे साबित हों और जैसी उदार शिक्षा हमने पाई है, उसके अनुसार अपनी आत्मा के प्रति न्याय कर सकें, बोलने की जो स्वतंत्रता मिली है, उसको काम में लाकर स्पष्ट भाषण कर सकें, तो अवश्य ही सरकार हमारी बातें सुनेगी और हमारी उचित माँगें पूरी करेगी। (घोर करतल-ध्वनि)

अंत में मैं आप लोगों को मुझे सम्मान के इस आसन पर बिठाने के लिए एक बार फिर हृदय से धन्यवाद देता हूँ और बंगाली भाइयों की इस खातिरदारी के लिए समस्त प्रतिनिधियों की ओर से धन्यवाद दिए देता हूँ।

—1886

अनुवाद : **मानवी गुप्ता**

ज्योतिबा फुले
1827-1890

पूरा नाम जोतिराव गोविंदराव फुले। महाराष्ट्र के प्रमुख समाज सुधारक और दलितों के दार्शनिक। इन्होंने किसानों और स्त्री की गुलामी के सवालों को भी उठाया। शिवाजी का पंवारा लिखा। 'गुलामगीरी' उनका प्रसिद्ध ग्रंथ है। उन्होंने 'सत्य शोधक समाज' की स्थापना करके दलितों और गरीबों की जिंदगी में उत्थान लाने के लिए व्यापक स्तर पर प्रयत्न किया। मराठा जाति के स्वाभिमान के प्रति भी चिंता। 1882 में तिलक और आगरकर की जेल से रिहाई पर उनका एक साथ अभिनंदन। इस तरह साम्राज्यवाद-विरोध और जातिवाद-विरोध के बीच बौद्धिक सेतु का निर्माण। दलितों के बीच नवजागरण के सबसे बड़े स्तंभ।

'गुलामगीरी' की प्रस्तावना

आज सैकड़ों वर्षों से भारत में दलित व पीड़ित शूद्र-अतिशूद्र आदि ब्राह्मण वर्ग के अधीन होकर नाना प्रकार के कष्ट सहन कर रहे हैं। इस बात पर विचार करते हुए हमें आगे इस निर्णय पर भी पहुँचने की आवश्यकता है कि इन नाना प्रकार के कष्टों से दलित व पीड़ित वर्ग को किस प्रकार छुटकारा दिलाया जाए।

संभवतः इस देश में ब्राह्मणों का शासन तीन हजार से भी अधिक वर्षों से है। विदेशी आर्यों ने इस देश के मूल निवासियों पर विजय प्राप्त करने के बाद उन्हें गुलाम और लाचार बनाकर समाज की मुख्यधारा से काट दिया। समय बीतने के साथ-साथ यह सभी बातें विस्मृत हो गईं। आर्यों ने अपने हितों की रक्षा हेतु कई प्रयत्न किए। मूल निवासियों की आर्यों पर निर्भरता बढ़ती गई। बाद में उन्हें शिक्षा और प्रमुख कार्यों से बहिष्कृत कर अज्ञानी बनाया गया, ताकि वे इन आर्य कूटनीतिज्ञों की चालाकी का विरोध न कर सकें।

ब्राह्मणों ने इन पर अपना पूर्ण प्रभुत्व स्थापित कर निजी स्वार्थ साधन हेतु कई 'ईश्वर प्रदत्त' ग्रंथों की रचना की। उन 'ईश्वर प्रदत्त' ग्रंथों में शूद्रों के उत्पन्न

करने का उद्देश्य यह बताया गया था कि वह सेवा भाव से ऊपर के तीनों वर्णों की गुलामी करें और उन्हें प्रसन्न रखें ताकि अगले जन्म में उन्हें शूद्र जाति में जन्म न लेना पड़े। इन ग्रंथों के अध्ययन से बुद्धिजीवी वर्ग यह समझ जाएगा कि यह कपोलकल्पित हैं या सचमुच, ईश्वर द्वारा रचे गए या नहीं।

ऐसे वेदों और पुराणों के कारण ब्राह्मण वर्ग ने सर्वशक्तिमान, ब्रह्मांड तथा पदार्थ के रचयिता परमेश्वर द्वारा रचित सृष्टि का भी महत्त्व कम करके आँका। इनके ऐसे कृत्यों के कारण इन्हें बंधु कहते हुए शर्म आती है। इसका कारण यह भी है कि इनके (ब्राह्मण) निजी स्वार्थ को छोड़कर न्यायिक रूप से इस बात पर ध्यान दे तो वह भी अवश्य स्वीकार करेगा।

इन ग्रंथों का मनन कर अन्य बुद्धिजीवी वर्ग (यथा अंग्रेज, फ्रेंच, जर्मन, अमेरिकी) यह मानने को बाध्य होगा कि ब्राह्मणों ने शूद्र वर्ग को गुलाम बनाए रखा। ब्राह्मणों का महत्त्व सर्वोपरि रखा गया है, और अन्य बुद्धिजीवी वर्गों व शूद्रों को नीचा प्रदर्शित किया गया है। अंग्रेजों ने यह स्वीकार किया है कि ब्राह्मणों ने अपने स्वार्थ के लिए शूद्रों व अतिशूद्रों को अपना दास बनाया है।

इन स्वरचित ग्रंथों के कारण ब्राह्मणों ने ईश्वर की महानता को निम्न श्रेणी प्रदान की। जिस ईश्वर ने सभी धर्मों व श्रेणियों के मनुष्यों की सृष्टि की और प्रत्येक वस्तु के उपभोग का अवसर दिया, ब्राह्मणों ने उसके नाम से मिथ्यावादी ग्रंथों की रचना की और ग्रंथों में स्वयं को श्रेष्ठ व अन्य सभी को हीन बना दिया। हमारे ब्राह्मण बंधु यह भी कह सकते हैं कि जब उनके ग्रंथ असत्य हैं व ईश्वर रचित नहीं हैं तब शूद्रों व अतिशूद्रों के पूर्वजों ने इन पर अविश्वास क्यों नहीं प्रकट किया? आज भी ज्यादातर लोग इन पर विश्वास रखते हैं। इस प्रश्न के विषय में यही कहा जा सकता है कि इस समय के सुधरे हुए हालात में सभी को अपनी स्पष्ट बात कहने का अधिकार है, परंतु यदि किसी उदार व चतुर मनुष्य के पास कोई ठग किसी बड़ी हस्ती का सिफारिशी पत्र लेकर जाता है तो वह भी इस धोखेबाजी में फँस जाता है (भले ही थोड़े समय के लिए) इसी प्रकार स्वार्थी ब्राह्मणों ने निजी स्वार्थवश ईश्वर के नाम से झूठे ग्रंथों की रचना कर शूद्रों को बेवकूफ बनाया है और आज भी वे अपनी हरकतों से बाज नहीं आ रहे हैं।

इन ब्राह्मण-ग्रंथों में शूद्रों को अज्ञानी बताकर ब्राह्मणों की महत्ता का अतिरंजित वर्णन किया गया है। शूद्रों के मन-मस्तिष्क में यह बिठाने का प्रयत्न किया गया है कि ब्राह्मण ईश्वर के समतुल्य हैं। उन्हें वही सम्मान देना चाहिए जो ईश्वर के योग्य है। इस महान अपराध के लिए ब्राह्मणों को ईश्वर का जवाबदेह होना होगा। इनके उपदेशों को शूद्रों के मन-मस्तिष्क पर इतना गहन प्रभाव पड़ चुका है कि वे अपने जागरूक व बुद्धिजीवी समाज सुधारकों से, जो उन्हें इस मानसिक दासता से मुक्ति दिलाने हेतु तत्पर हैं तथा शोषक वर्ग के विरुद्ध लड़ने को कमर कसे हुए

हैं, उनकी अवहेलना कर यह शूद्र वर्ग अपनी स्थिति से संतुष्ट होकर दास्य भाव को पूर्ण रूपेण ग्रहण कर चुका है।

इस परोपकारी बुद्धिजीवी वर्ग को हमें दासत्व से मुक्ति दिलाने में कोई स्वार्थ नहीं है बल्कि उसे अपने प्राणों की बाजी लगाकर यह कार्य करना पड़ रहा है। इसमें उस बुद्धिजीवी वर्ग का क्या हित है? इस विषय में सोचने पर यह बात भी ध्यान में आती है कि मनुष्य मात्र को अपनी वैचारिक व आर्थिक आजादी पाने का पूरा हक है और यह अनिवार्यतः आवश्यक भी है। जब मनुष्य स्वतंत्र होगा तो अपनी स्वभावगत प्रक्रिया के फलस्वरूप अपनी अभिव्यक्ति दूसरों पर लिखित या मौखिक रूप से अवश्य करेगा। स्वतंत्रता के अभाव में यह प्रक्रिया और स्वतंत्र तथा हितकारी विचार अभिव्यक्ति के अभाव में स्वयमेव नष्ट हो जाएँगे।

मनुष्य स्वतंत्र रहने पर अपने समाज में वे अधिकार, जो उसके हित में प्रकृति के नियमानुसार हैं, दिलाने के लिए स्वार्थी लोगों द्वारा बाधाएँ खड़ी करने पर भी पीछे नहीं हटेगा। उन अधिकारों को पाकर वह प्रसन्न होगा। उस परोपकारी मनुष्य का उद्देश्य केवल यह होता है कि वह अपने समाज को जागृत कर सके, उन्हें स्वार्थी तत्त्वों से सावधान कर स्वतंत्रता दिला सके। अपनी इसी महान उद्देश्य की पूर्ति हेतु वह स्वयं को दाँव पर लगाता है। यह एक सराहनीय व परोपकारी कार्य है। इस उत्तम उद्देश्य के कारण वे जहाँ भी गए महान यश के भागी बने हैं। आगे भी उन्हें ऐसे कामों में सफलता प्राप्त होती रहे, यह हमारी कामना है।

दक्षिणी अमेरिका और अफ्रीका में सैकड़ों वर्षों से दास प्रथा का प्रचलन था। ये दास दूसरे देशों से पकड़ लाए जाते थे। संपूर्ण विश्व में इस बात को लेकर क्षोभ व्याप्त था। अमेरिका और ब्रिटेन के कुछ सुधारवादियों के संघर्ष और अपनी जान की बाजी लगा देने पर इस कुप्रथा का अंत हुआ। बहुत से कुलीनों को वर्षों बाद अपने प्रियजनों से भेंट का सुअवसर मिला। यह विछोह उस समय उनके लिए दारुपण हो रहा था। उन परोपकारी महापुरुषों का कार्य सराहनीय है। यदि इन गुलाम और विवश लोगों की दशा पर सुधारवादियों की कृपादृष्टि न पड़ती तो वे अपने प्रियजनों की याद में उनसे मिलने की उत्कट अभिलाषा मन में संजोए, पानी में से निकाली हुई मछली की भाँति तड़प-तड़प कर जान दे देते। जानवरों की तरह दासों को पकड़कर ले जाने और उन्हें खरीद कर काम लेने वाले दुष्ट प्रकृति के लोग, क्या इन दासों को अच्छी तरह रखते और व्यवहार करते रहे होंगे? क्या उनके मन में यह विचार भी उठता होगा कि बेरहमी से पकड़कर लाए गए लोगों के स्वजन इनके विछोह में तड़पते नहीं होंगे? उन क्रूर जनों के तो नहीं किंतु दासों के पारिवारिक जन असह्य दुख से बिलखते रहते थे और ईश्वर से भी प्रार्थना करते रहते थे कि हे भगवान! अब हमारे ऊपर दया करो, हमें दुख से मुक्त करो, हमसे अब दुख सहा नहीं जाता। इस असहनीय दशा का अंत अब क्या हमारे प्राणांत के साथ ही होगा। इस संकटमय

परिस्थिति में विचार करते-करते उनकी रातें बीत जातीं। इनकी दशा का संपूर्ण वर्णन करने के लिए हमारे पास पर्याप्त शब्द भी होंगे, इस पर हमें संदेह है। (आश्चर्य है कि ईश्वर के भक्त को कष्ट से मुक्त करने वाला कोई भगवद् अवतार पृथ्वी पर नहीं आया और न ही उसने उनकी प्रार्थना को सुना)। अमेरिका के लोग साधुवाद के पात्र हैं, जिन्होंने सैकड़ों वर्षों से चली आ रही इस कुप्रथा को समाप्त कर गरीब-अनाथ लोगों को क्रूर लोगों के अन्याय-अत्याचार से मुक्त किया और उनकी सुख-सुविधा का प्रबंध किया (अमेरिका के तत्कालीन राष्ट्रपति अब्राहम लिंकन को इसीलिए इतिहास में स्मरणीय सम्मान प्राप्त हुआ। गुलामी प्रथा समाप्त करने के कारण कट्टरपंथियों ने उनकी हत्या भी कर दी।)

भारत के शूद्रों और अतिशूद्रों को अन्यों की अपेक्षा (अमेरिका की गुलामी प्रथा समाप्त होने से) अधिक संतोष मिल रहा होगा, क्योंकि दासता का जीवन व्यतीत करने से मनुष्य को कितना क्लेश सहन करना पड़ता है, इसका प्रत्यक्ष अनुभव उन दासों के अतिरिक्त अन्य किसी को नहीं हो सकता। भारत के दासों और अमेरिका और अफ्रीका आदि के दासों में केवल इतना ही अंतर है कि भारत के दासों को आर्य ब्राह्मणों ने विजित कर दास बनाया और विदेशी दासों को दुष्ट लोगों ने जबरन पकड़कर यकायक दास बनाया। शेष सभी बातों में परिस्थितियाँ समान हैं, कोई अंतर नहीं है। विदेशी दासों को जिन संकटों का सामना करना पड़ा, उन सभी संकटों को भारत के शूद्रों-अतिशूद्रों को ब्राह्मणों की ओर से सहन करना पड़ा। इनकी यातनाओं की गाथा सुनकर किसी पाषाण हृदय को भी रुलाई आ सकती है, जब जान-बूझ कर इनसे लात-घूसों से काम लिया जाता था। कड़ी धूप में बैलों के स्थान पर इन्हें जोतकर हल चलाया जाता था, कुछ भी एतराज करने पर बैलों की तरह कोड़े मारकर जख्मी कर दिया जाता था। इतनी कड़ी मेहनत का काम लेने के बाद क्या इनके खान-पान की ठीक व्यवस्था भी की जाती थी? कत्तई नहीं। बिल्कुल बात मत कीजिए। दिन में एक बार भी खाना मिल जाता तो दूसरी बार नहीं मिलना था। निकृष्ट किस्म का अन्न उन्हें दिया जाता था, वह भी अल्प मात्रा में जिससे उनकी उदरपूर्ति भी नहीं हो पाती थी और भूखे पेट रहकर सब्र करना पड़ता था। दिन भर सीना-तोड़ मेहनत कर मुँह से खून निकल आने तक काम लेने के बाद रात्रि में जानवरों के बाड़े आदि गंदी जगहों पर सोने के लिए छोड़ दिया जाता था। काम से थके हुए ये गरीब बेसहारे लोग धरती पर मुर्दों की तरह पड़ जाते, किंतु उनकी नींद से बोझिल आँखों में नींद का नामोनिशान नहीं होता था, क्योंकि मालिक कब पुकारे, उनको शंका बनी रहती और दूसरी ओर भूख बेचैन किए रहती थी, साथ ही मालिक के चाबुक की मार से सारा शरीर लहूलुहान होकर वेदना सताती रहती और वे कराह-कराह कर रातें गुजारते थे। इसके अतिरिक्त पारिवारिक जनों की याद और अपने बच्चों के दुख का अनुभव कर रोते रहते थे। अश्रुधारा के बीच वे भगवान से भी प्रार्थना

करते कि हमें दुःखों से मुक्त कर, हमसे अब कष्ट सहन नहीं होते, अच्छा हो हमारी जान ले लो। इन दासों के कष्टों का वर्णन करने के लिए साहित्य में शब्दों का अभाव है। शूद्रों-अतिशूदों को ब्राह्मणों द्वारा जो कष्ट झेलने पड़े उनको सुनकर साधारण हृदयधारी मनुष्य का अंतःकरण ही नहीं, वरन् जड़वत कठोर पाषाण भी पिघलकर अश्रुधारा बन जाए। वह भी इतनी अधिक मात्रा में कि पृथ्वी पर जल ही जल दिखाई पड़े। दास बनाने वालों के वंशज ब्राह्मण बंधु जो अपने पूर्वजों की भाँति बज्र हृदयधारी न होकर यदि कोमल अंतःकरण के हैं तो उन्हें ऐसा आभास होगा कि असमय ही जलमय प्रलय हो गई। दयालु अंग्रेजी सरकार को बिल्कुल ज्ञान नहीं है कि शूद्रों-अतिशूद्रों के साथ ब्राह्मणों ने कितना अत्याचार किया है और आज भी कर रहे हैं। यदि वे इस संबंध में जाँच-पड़ताल करें और पूछताछ करें तभी उनकी समझ में आएगा कि भारत का इतिहास लिखते समय उनसे इतिहास का एक बहुत बड़ा महत्त्वपूर्ण भाग छूट गया है। यदि उन्हें दलितों के कष्ट की जानकारी मिल जाती तो अपने ग्रंथों में दीन-हीन अवस्था में पहुँचे हुए लोगों की करुण गाथा का सजीव वर्णन कर देते। इनके असीमित कष्टों की उपमा पर कवियों को भी खेद होगा कि उन्होंने अपने काव्य में करुण रस की-सी जीवंत उपमाओं के होते हुए भी उन्होंने कल्पना का आश्रय लेकर अनर्थक श्रम किया जबकि वे अपने श्रम को सहजता से बचा सकते थे। रक्त-मांस पेशियों की दृष्टि से सभी मानव प्राणी एक से हैं। जब यह विचार दलितों को ज्ञात होता है तब उनको परम कष्ट होता है और इसमें कोई आश्चर्य भी नहीं है क्योंकि ब्राह्मण राज्य में उन्हें जो महान कष्ट झेलने पड़े, उनका स्मरण होते ही हृदय भयभीत होकर काँप उठता है। आज का दलित समाज कष्टों के विषय में जानकर ही जब इतना दुखी हो उठता है तब यह भी उसके मन में विचार आना है कि केवल कष्टमय गाथा इतनी अधिक दारुण है तो जिन्होंने इसे सहन किया होगा उनकी मनोदशा कैसी रही होगी। इसकी जानकारी हमें अपने ब्राह्मण बंधुओं के ग्रंथों से मिलती है। ब्राह्मण परशुराम को अपना मुख्य अधिपति बताते हैं। साथ ही यह भी गर्व कर नहीं अघाते हैं कि परशुराम ने इस देश के मूल निवासी क्षत्रियों के साथ क्रूरतापूर्ण व्यवहार किया। यह बात उनके ग्रंथों में विस्तारपूर्वक लिखी है। परशुराम की उग्रता के संबंध में लिखा है कि उसने कई बार (21 बार) क्षत्रियों को सपरिवार नष्ट किया। क्षत्रियों का संहार करने के बाद उनकी विधवा स्त्रियों के गोद से उनके चार-चार, पाँच-पाँच महीने के निर्दोष बालकों तक को छीनकर, तनिक भी दया न कर दुष्टतापूर्वक जान से मार दिया, दुष्ट परशुराम इतने पर भी संतुष्ट नहीं हुआ। उसने अनेक स्त्रियों को, जो पतिविहीन होकर अनाथ बन गई थीं और अपने पेट में पल रहे गर्भ की रक्षा हेतु जंगलों में इधर-उधर भाग रही थीं, शिकारी की भाँति पीछा कर उन्हें पकड़ लाया और जब उसे ज्ञात हुआ कि किसी स्त्री के पुत्र हुआ है तो वह तुरंत आकर उसकी हत्या कर देता था।

जब इस प्रकार की वास्तविकता उनके ग्रंथों से हमें ज्ञात होती है कि ब्राह्मण उन क्षत्रियों के विरोधी थे तब ब्राह्मणों के सभी दुष्कृत्य, जिन्हें हम सपने में भी नहीं सोच सकते, उसका बहुत-सा अंश उन्होंने मिटा भी दिया होगा। इसमें कोई संदेह नहीं है। कारण यह कि कोई व्यक्ति अपने मुँह से अपनी बुराई नहीं करता। यह वास्तव में आश्चर्य की बात है कि अपने ग्रंथों में उन्होंने परशुराम द्वारा इक्कीस बार क्षत्रियों के संहार की घटना का वर्णन किया है। इस संबंध में हमारी समझ में यह विचार आता है कि परशुराम के कृत्यों का वर्णन उन्होंने दूसरों की जानकारी के लिए अपने ग्रंथों में नहीं लिखा होगा। एक मशहूर कहावत है कि हथेली से सूरज को नहीं छिपाया जा सकता। वास्तविकता यह है कि जितनी इसे छिपा सकते थे, छिपाया होगा और जब कोई इलाज नहीं बचा होगा तभी उन्हें इसे लिख कर प्रकट करने को बाध्य होना पड़ा।

ब्राह्मणों द्वारा लिखित वास्तविकता पर विचार करने से अत्यंत कष्ट होता है। परशुराम ने जब गर्भवती स्त्रियों का पीछा किया होगा तो उन्हें कितनी मुसीबत झेलनी पड़ी होगी। जिन कुलीन स्त्रियों ने कभी घर के बाहर कदम न रखा होगा और न ही जिन्हें भागने की आदत रही होगी तथा जिनके सेवक उनकी सभी आवश्यक वस्तुओं को लाकर उन्हें घर पर ही देते होंगे, भयभीत होकर भागने में उन्हें कितनी यातना हुई होगी–वर्णन नहीं किया जा सकता। दूसरी बात यह है कि इन नारियों ने अपने पतियों का हित-चिंतन कर ही पति की बदौलत सुखमय जीवन बिताया था। पेट के गर्भ का बोझ लेकर सूर्य की भीषण ज्वाला-सी धूप में अनजाने रास्तों से भागना कितना कष्टदायी रहा होगा। भागने की आदत न होने के कारण पैर लड़खड़ाते रहे होंगे, पत्थरों और चट्टानों पर कभी-कभी गिरती होंगी, सिर पर कभी चोट लगती होगी और कभी हाथों पर चोट के कारण खून बहता होगा। जब वह सुनती होंगी कि परशुराम उनका पीछा कर रहा है तो वह भयभीत होकर और तेज भागती होंगी। कोमल पैरों में काँटे चुभते होंगे, वे लहूलुहान हो जाती होंगी। कड़ी धूप में तवे के समान जलती हुई चट्टानों और धरती पर उनके नंगे पैरों में छाले पड़ जाते होंगे। गौर वर्ण वाली महिलाओं की कोमल कांति नीली होकर काली पड़ जाती होगी, रो-रोकर उनके मुँह में झाग भर जाता होगा। कई दिन तक दाना-पानी के लिए भी मोहताज बनी रही होंगी और पेट के गर्भ की पीड़ा से कराहती हुई विचार करती होंगी कि इस क्लेश से यदि धरती फट जाए तो उसमें गिरकर मुक्त हो जाएँ।

अश्रुपूरित नेत्रों से क्या उन्होंने विह्वल हो ईश्वर से प्रार्थना नहीं किया होगा–'हे प्रभु! हमारे ऊपर यह कैसा वज्रपात हो रहा है? हम बलहीन हैं और इसीलिए हमें अबला कहा जाता है। हमारे पास हमारे पति का जो बल था उसे दुष्ट ने छीन लिया। यह दशा देखकर भी तुम निर्दयी होकर हमारा अंत देख रहे हो? हमारे पति का प्राण लेकर जिसने हम अबलाओं पर शस्त्र उठाया और अपने इस कुकृत्य द्वारा हम पर

पुरुषार्थ जताता रहा है, ऐसे दुष्ट का घोर अपराध देखकर समर्थवान होकर भी तू मुँह में उँगली दबाकर चुप बैठा है? जब इस प्रकार वे ईश्वर की आराधना व करुणा क्रंदन कर रही होंगी उसी समय परशुराम ने आकर उनको पकड़ लिया होगा। उनके शोक की सीमा क्या रही होगी? उनमें से कुछ स्त्रियों ने शोकाकुल होकर प्राण त्याग दिया होगा। शेष ने अत्यंत दीनभाव से उस दुष्ट परशुराम की विनती की होगी–'हे परशुराम! आपसे हमारा यही अंतिम निवेदन है कि हमारे पेट में पल रहे बालक के प्राण न लो। हम सब मिलकर तुम्हारे सामने हाथ फैलाकर भिक्षा माँगती हैं कि दानस्वरूप हमारे बालक को दे दो। यदि आवश्यक हो तो हमारे प्राण ले लो। हमारे पति की तुमने हत्या कर हमें विधवा बना दिया है, हम सभी प्रकार के सुखों से वंचित हो चुकी हैं। हमें अब इसके पश्चात् संतान प्राप्ति की आशा नहीं रह गई है। हमारे समस्त आशाओं का केंद्र केवल यही संतान रह गई है, अतः इसकी जान लेकर हमें मृत्युपर्यंत शोकसागर में क्यों डुबो रहे हो? हम तुम्हारी धर्म पुत्री हैं। हमें संतान की भीख दे दो। केवल इतनी ही दया हमारे ऊपर करो।' उपरोक्त प्रकार के करुण क्रंदन पर भी उस परशुराम के अंतःकरण में दयाभाव नहीं जागृत हुआ होगा। वह उन प्रसूता स्त्रियों के बालकों को छीनने लगा होगा। अपने बालकों की रक्षा हेतु उन स्त्रियों ने पुनः सर झुकाकर कहा होगा कि बालक के प्राण लेना ही तुम्हें अभीष्ट है तो पहले हमारी जान ले लो। फिर बाद में बालक को उसने छीन लिया होगा, उस समय का वर्णन करने में हमारी लेखनी शक्तिहीन हो रही है। चाहे कुछ भी हो उस परशुराम ने जब उन बालकों की हत्या उनकी माताओं के सामने की होगी तब कुछ ने अपनी छाती पीटी होगी, कुछ ने अपने केश नोंचे होंगे और कुछ ने मुँह में मिट्टी भरकर जान दे दी होगी, कुछ ने शोकाकुल होकर असह्य वेदना से प्राण त्याग दिया होगा, कुछ पागल होकर इधर-उधर हा पुत्र! हा पुत्र! कहकर भटकी होंगी। इन कारुणिक शोकग्रस्त दृश्यों का वर्णन हमें क्या ब्राह्मणों द्वारा प्राप्त हो सकता है? नहीं, कदापि नहीं।

ब्राह्मणों के मुख्याधिकारी परशुराम ने इस प्रकार सैकड़ों क्षत्रियों का बध कर इनकी पत्नियों और पुत्रों की दुर्दशा की। इसके बावजूद ब्राह्मणों ने उसे सर्वशक्तिमान परमेश्वर, समस्त जगत को उत्पन्न करने वाला कहने के लिए उन्हें बाध्य कर दिया। यह आश्चर्यजनक नहीं तो क्या है? परशुराम के बाद भी क्षत्रियों के साथ कम छल नहीं किया गया? जो भी किया जा सकता था किया गया। अनेक की दुर्दशा कर, दीवारों में जिंदा चुनवा दिया। इसके अतिरिक्त यदि कोई शूद्र नदी के किनारे अपने कपड़े धो रहा हो और वहाँ से उसके धोने से पानीं के छींटे उठकर आए हैं तो वह आग बबूला होकर अपना कोई बर्तन शूद्र के सिर पर फेंककर मारता था, जिसके कारण खून से लथपथ होकर वह गिर पड़े और होश आने पर कपड़े बटोर कर घर की ओर भाग जाए। शासन पर भी ब्राह्मणों का प्रभुत्व था। किसी प्रकार की शिकायत करने पर उल्टी सजा शिकायत करने वाले को दी जाती थी। ऐसी थी उस समय

की समाज व्यवस्था जिसको सुनकर रोंगटे खड़े हो जाएँ।

एक तकलीफ हो तो बयान किया जाए। शूद्रों-अतिशूद्रों को इस प्रकार के अनेक दुःख झेलने पड़ते थे। प्रातःकाल मनुष्य की परछाई लंबी होती है और इस काल में यदि किसी अछूत को व्यापार या उद्यम के सिलसिले में घर से बाहर निकलना पड़ता था और यदि सामने से कोई ब्राह्मण किसी सवारी से आ रहा होता था तब उसे जमीन पर दूर जाकर बैठ जाना पड़ता था, ताकि उसकी परछाई से विप्र महादेय अपवित्र न हो जाएँ और कहीं जाने-अनजाने विप्र पर उसकी छाया पड़ ही जाए अथवा उन्हें संदेहमात्र हो जाए तो मरते दम तक पिटाई होती थी। मार-पीट कर विप्र नदी में स्नान कर पवित्र होता था। ब्राह्मणों की बस्ती से गुजरते समय थूकने के लिए बर्तन गले में लटकाना पड़ता था ताकि अछूत उसी में थूके और यदि कहीं उसका थूक या लार रास्ते में गिर जाए तथा कहीं किसी विप्र ने देख लिया या उसे संदेह हो जाए तो फिर उसकी शामत ही आ जाती थी।

इसी प्रकार के अनेक संकटों का सामना करते-करते बहुत अछूत त्रस्त हो गए। वे अपने संकटों से मुक्ति की प्रतीक्षा, उसी प्रकार कर रहे थे जिस प्रकार एक कैदी अपने इष्ट-मित्रों, भाई-बहनों और बाल-बच्चों से मिलने के लिए अथवा स्वतंत्रतापूर्वक घूमने के लिए करता है। उनकी प्रतीक्षा का अंत तब हुआ जब इस देश में अंग्रेजी राज्य कायम हुआ। अंग्रेजों के आगमन के बाद ये बहुत कुछ ब्राह्मणी दासता से मुक्त हो गए, जिसके लिए वे अंग्रेजी शासन के आभारी और ऋणी हैं। अतः उनके उपकार को वे कभी नहीं भूलेंगे। अंग्रेजों ने वास्तव में इस देश में आकर शूद्र-अतिशूद्रों को हजारों वर्ष के बंदी जीवन से मुक्त कर उनके परिवार के लोगों को सुख-शांति के दिन दिखाए, वरना ब्राह्मणों ने इन्हें पता नहीं कब मिट्टी में मिला दिया होता।

यह भी सत्य है कि इन शूद्रों और अतिशूद्रों की संख्या ब्राह्मणों से दस गुने से भी अधिक है। फिर भी किस प्रकार एक अल्पसंख्यक जाति ने बहुजन समाज को धूल-धूसरित कर दिया? इस प्रश्न का उत्तर स्पष्ट है कि एक चतुर आदमी दस आदमियों के मन-मस्तिष्क को अपनी ओर झुकाकर उन पर नियंत्रण स्थापित कर सकता है। दूसरा कारण यह है कि यदि वे अज्ञानी एक मत के होते तो उस चतुर आदमी की नहीं चलती। विभिन्न मत और विभिन्न विचारों के होने के कारण उन अज्ञानियों को नियंत्रित करने में उस चतुर आदमी को विशेष कठिनाई का सामना नहीं करना पड़ा।

शूद्रों-अतिशूद्रों, दलितों के विचार में भिन्नता थी। ब्राह्मणों ने इनमें वैरभाव निरंतर बनाए रखने के लिए योजनाबद्ध ढंग से कार्य किया ताकि वे सदैव उनके गुलाम बने रहें। इसके लिए उन्होंने जाति भेद के ढोंगी सिद्धांत की रचना की और इस हेतु अनेक स्वार्थपूर्ण ग्रंथों की रचना किया और इन ग्रंथों को अज्ञानी बहुजनों के मन में प्रविष्ट किया।

जिन लोगों ने इन ब्राह्मणों के साथ धीरज और साहस के साथ संघर्ष किया। उनका पृथक वर्ग बनाया और पूर्ण रूप से बदला चुकाने की नीयत से इनको और इनकी भावी संतानों को अछूत बना दिया। यही नहीं, दूसरी शूद्र जाति जैसे माली (सैनी) और कुर्मी आदि के भी दिल में यह बात बिठाई कि इन्हें स्पर्श न करें। अंततः इन अछूतों का व्यवसाय बंद हो गया और वे मरे हुए जानवर खाने को बाध्य हो गए, क्योंकि अन्न प्राप्त करना इनके लिए कठिन हो गया था। मृत पशुओं का मांसाहार खाते देखकर अन्य शूद्र जाति के लोग, जो इन अछूतों के ही परिवार के थे, बड़े अहंकार से अपने को सैनी, कुर्मी, स्वर्णकार, प्रजापति, कुंभकार, शिल्पकार, विश्वकर्मा (लुहार) आदि मानकर इनसे पृथक हो गए। यद्यपि ये शूद्र ही कहे जाते रहे किंतु अपने व्यवसाय और उद्यम के नाम पर अलग-अलग वर्गों में बँट गए और अपने अछूत भाइयों से घृणा करने लगे। ब्राह्मणों की गुप्त चाल इनके पल्ले नहीं पड़ी। उधर उनके भाई अछूत बनकर अनाज के दानों के लिए मोहताज हो कर भीख माँगने पर मजबूर हो गए और जब वे अपने अन्य शूद्र भाइयों के दरवाजे पर पहुँचते तो उन्हें अपने निकट के संबंधियों की धिक्कार और डाँट ही नहीं वरन् लाठी-डंडे की मार भी सहनी पड़ती थी।

इस प्रकार ब्राह्मणों ने अन्य ब्राह्मणेतर जातियों के साथ अन्यायपूर्ण व्यवहार तो किया ही, इसके साथ ही उन्हें अनगिनत जातियों में बाँटकर एक तरह से उन्हें सजा सुना दी। फिर अपने अधीन रखकर उन्हें पूर्णरूप से गुलाम बना लिया और जातिवाद का निर्माण कर सभी शूद्र जातियों के विचारों में विभिन्नता सृजन किया। इसका प्रतिफल यह हुआ कि जैसा चाहा सबको अपने इशारे पर नचाया। कहावत है दो का झगड़ा तीसरे का लाभ। अर्थात् ब्राह्मणों ने जातिभेद पैदाकर सबको आपस में लड़वा दिया और उनका पोषण कर ऐशो-आराम का जीवन व्यतीत कर रहे हैं।

जैसा कि ऊपर बताया गया है कि अंग्रेजी सरकार के आ जाने से शूद्र-अतिशूद्र शारीरिक गुलामी से मुक्त हो गए। यह बात यदि सच मान ली जाए तब भी खेद है कि हमारी दयालु सरकार ने हमारी शिक्षा व्यवस्था को दुर्लभ बना दिया है, जिससे हमारे लोग अज्ञानी बने हुए हैं और ब्राह्मणों के कृत्रिम ग्रंथों को सुन-सुनकर मानसिक गुलाम बने हुए हैं। दूसरी ओर ब्राह्मण सरकारी कामों के द्वारा सबको और सरकार को लूट रहे हैं। इस ओर सरकार का ध्यान भी नहीं जा रहा है। सरकार को इस लूट की ओर ध्यान देकर-हमें ब्राह्मणों द्वारा निर्मित मानसिक दासता के जाल से मुक्त कराना चाहिए।

—1873

हंटर शिक्षा आयोग के समक्ष बयान

...उच्च शिक्षा के क्षेत्र में, सभी बड़े कार्यालयों में ब्राह्मणों का वास्तविक वर्चस्व सरकारी नीति की चौंकानेवाली प्रवृत्तियों में से एक है। यदि सरकारी तंत्र के लोगों के मन में रैयत का कल्याण है, यदि गाली देने वालों को रोकना सरकार का कर्तव्य बनता है, तो उसके लिए आवश्यक है कि इस वर्चस्व को दिन-प्रतिदिन कम किया जाए, ताकि सरकारी सेवाओं में ब्राह्मणों के अलावा अन्य जातियों को भी लाया जा सके। शायद कुछ लोगों को ऐसा लगे कि शिक्षा की वर्तमान अवस्था में ऐसा करना संभव नहीं है। हमारा उत्तर केवल यह है कि यदि सरकार उच्च शिक्षा (जिनको पाने वाले खुद समर्थ हैं) की ओर कम ध्यान दे और जनसाधारण की शिक्षा की ओर ज्यादा ध्यान दे, तो ऐसे लोगों के समूह को प्रशिक्षित करने में कोई कठिनाई नहीं होगी, जो भलीभाँति शिक्षित होंगे और नैतिकता तथा आचार में अपेक्षाकृत अच्छे होंगे।...

यह लिखने का मेरा उद्देश्य अपने शूद्र भाइयों को केवल यह बताना नहीं है कि किस प्रकार वे ब्राह्मणों के द्वारा छले गए हैं, बल्कि उच्च शिक्षा पद्धति के अनिष्टकारी पक्षों की ओर सरकार की आँखें खोलना भी है।

मैं आशा करता हूँ कि सरकार वर्षों से चली आ रही शिक्षा प्रणाली की त्रुटियों पर ध्यान देगी, उच्च वर्ग के चश्मे से देखने वाले लोगों तथा लेखकों पर कम विश्वास करेगी और मेरे शूद्र भाइयों को दासता के उस जाल से जो ब्राह्मणों ने उनके चारों ओर साँप के केंचुल जैसा बुन रखा है, मुक्त करने का महान कार्य अपने हाथों में लेगी। मेरे जिन शूद्र भाइयों ने शिक्षा पाई है, उनका यह एक महत्त्वपूर्ण काम है कि वे अपने साथियों की सही तस्वीर सरकार के सामने पेश करें, तथा ब्राह्मणों की गुलामी से अपने को मुक्त करने के लिए अपनी पूरी शक्ति के साथ प्रयास करें। प्रत्येक गाँव में शूद्रों के लिए पाठशालाएँ खुलें, लेकिन शिक्षक ब्राह्मण न हों। शूद्र देश के स्नायुतंत्र और जीवनप्राण हैं। यह केवल उन पर है, ब्राह्मणों पर नहीं कि सरकार उनकी आर्थिक और राजनीतिक सभी विपदाओं से छुटकारा दिलाने की ओर ध्यान दें। यदि शूद्रों का मन और मस्तिष्क प्रसन्न और संतुष्ट कर दिया जाए, तो ब्रिटिश सरकार को भविष्य में उनकी राजभक्ति के विषय में भय की कोई आवश्यकता नहीं है।...

इस बात के लिए संदेह की कम गुंजाइश है कि इस प्रेसीडेंसी के साधारण जनों के लिए शिक्षा की बहुत उपेक्षा की गई है। यद्यपि इस समय प्राथमिक पाठशालाओं की संख्या कुछ वर्ष पहले की तुलना में अधिक है। फिर भी पूरे समुदाय की जरूरत की तुलना में यह संख्या पर्याप्त नहीं है।...

गाँवों में अत्यधिक गरीबी के कारण तथा मवेशियों एवं खेतों की देख-रेख

करने के लिए बच्चों की बहुत अधिक जरूरत के कारण खेती करने वाले लोगों में से अधिकांश ही शिक्षा के प्रति उदासीन हैं। पाठशालाओं की संख्या में वृद्धि के साथ-साथ पढ़ने वालों के लिए वार्षिक, अर्द्धवार्षिक पुरस्कारों तथा वजीफे आदि की व्यवस्था करके उन्हें विशेष रूप से प्रेरित करने और शिक्षा के प्रति उनमें अनुराग उत्पन्न करने की जरूरत है। मैं समझता हूँ कि जनसाधारण के लिए प्राथमिक शिक्षा एक निश्चित उम्र जैसे कम से कम 12 वर्ष तक अनिवार्य कर दिया जाना चाहिए। इन प्राथमिक विद्यालयों के प्रति मुसलमान भी उदासीन हैं, क्योंकि मराठी और अंग्रेजी के प्रति उनकी अनिच्छा स्पष्ट है। कुछ मुस्लिम प्राथमिक पाठशालाएँ हैं, जहाँ उनकी अपनी भाषा पढ़ाई जाती है। व्यावहारिक रूप से महार, मांग्स और अन्य छोटी जातियाँ प्रायः सभी पाठशालाओं से जाति-पूर्वाग्रहों के कारण निष्कासित ही हैं, क्योंकि बड़ी जातियों के बच्चों के साथ इनके बच्चों को बैठने की अनुमति नहीं है। फलस्वरूप सरकार द्वारा इनके लिए कुछ विशेष विद्यालय खोले गए हैं। किंतु ऐसे विद्यालय केवल बड़े शहरों में हैं।...

प्रेसीडेंसी के कुछ विद्यालयों के प्रति सम्मान के साथ मैं इस बात की ओर ध्यान आकर्षित करना चाहता हूँ कि इन विद्यालयों में दी जा रही शिक्षा संतोषजनक नहीं है। यह व्यवस्था इस अर्थ में अधूरी है कि यह छात्रों के भावी जीवन के लिए व्यावहारिक एवं उपयोगी सिद्ध नहीं होती है। वर्तमान शिक्षा-पद्धति में समुदाय की आवश्यकता के अनुरूप विकास की क्षमता है, यदि इसमें ऐसे सुधार प्रभावी किए जाएँ, जिनसे ये भविष्य में उपयोगी हो सकें, व्यवहार में लाई जा रही शिक्षण पद्धति और पढ़ाए जाने वाले विषय दोनों में निम्नलिखित व्यापक संशोधनों की आवश्यकता है।

(क) अभी प्राथमिक पाठशालाओं में नियुक्त शिक्षकों में प्रायः सभी ब्राह्मण हैं। इनमें से कुछ तो सामान्य प्रशिक्षण-कालेजों से हैं और शेष सभी अप्रशिक्षित हैं। उनका वेतन बहुत कम है, शायद ही 10 रुपए से अधिक हो। उनकी उपलब्धियाँ बहुत थोड़ी हैं। लेकिन, जैसा कि है, ये सभी अव्यावहारिक लोग हैं। इनसे पढ़ने वाले छात्र अनुपयोगी बातें सीखते हैं और ऐसी नौकरी पाने की चेष्टा करते हैं जो इन्हें अपने पूर्वजों से मिले व्यवसाय-व्यवहार की उपेक्षा तथा कठिन परिश्रम-साध्य या स्वतंत्र पेशे से अलग रहना सिखाती है। मैं समझता हूँ कि प्राथमिक पाठशालाओं के लिए शिक्षकों को प्रशिक्षित होना चाहिए। जहाँ तक संभव हो, उन्हें कृषक या इससे जुड़े समुदाय का होना चाहिए, ताकि वे छात्रों के साथ आजादी से हिल-मिल सकें और उनकी (छात्रों की) आवश्यकताओं तथा इच्छाओं को उन ब्राह्मण शिक्षकों की अपेक्षा अधिक समझ सकें, जो धार्मिक पूर्वाग्रहों के कारण अपने को इन बातों से उदासीन रखते हैं।

(ख) शिक्षण के क्रम में पढ़ना, मोदी लिखना, बालबोध, हिसाब-किताब, सामान्य इतिहास, सामान्य भूगोल तथा व्याकरण का प्रारंभिक ज्ञान शामिल होना चाहिए।

साथ ही इसमें कृषि संबंधी मौलिक तथ्य, नैतिक कर्तव्य के कुछ पाठ और निरोग रहने के लिए आरोग्यशास्त्र की भी बातें होनी चाहिए।

(ग) प्राथमिक पाठशालाओं की देखरेख करने वाली संस्था अक्षम और दोषपूर्ण है। वर्ष में एक बार किसी उप-निरीक्षक के दौरे से शायद ही कोई उल्लेखनीय लाभ होता है या हो सकता है। इन सभी विद्यालयों का निरीक्षण यदि अकसर न हो सके तो त्रैमासिक अवश्य होना चाहिए। मैं यह राय भी देना चहूँगा कि इन विद्यालयों का निरीक्षण कई बार अचानक और बिना पूर्व सूचना दिए भी होना चाहिए। जिला या ग्राम अधिकारियों पर अनेक तरह के कार्य-भार होने के कारण इस मामले में इन पर विश्वास नहीं किया जा सकता, क्योंकि इन्हें सही ढंग से निरीक्षण करने का समय शायद ही मिलता हो और जब ये ऐसा करते भी हैं तो निश्चित ही इनका निरीक्षण अपूर्ण और दिखावा मात्र होता है। समय-समय पर यूरोपियन निरीक्षकों की सेवा भी वांछनीय है, जो सामान्य रूप से शिक्षकों पर बहुत प्रभावी नियंत्रण कर पाएँगे।

(घ) प्राथमिक पाठशालाओं की संख्या बढ़ाई जाए—

(1) शिक्षित और प्रमाणपत्र प्राप्त शिक्षकों द्वारा संचालित देशी पाठशालाओं का उपयोग करते हुए और इन्हें उदारतापूर्वक अनुदान देते हुए,

(2) स्थानीय करों का आधार-भाग इन प्राथमिक विद्यालयों के लिए सुनिश्चित करते हुए,

(3) सभी नगरपालिकाओं को कानूनी रूप से उनके क्षेत्र के अंतर्गत पड़ने वाली प्राथमिक पाठशालाओं की व्यवस्था संभालने के लिए बाध्य करते हुए, तथा

(4) प्रादेशिक या राजकीय कोष से पर्याप्त अनुदान की व्यवस्था करते हुए।

विद्यार्थियों को पुरस्कार और छात्रवृत्ति, शिक्षकों को योग्यता के आधार पर वेतन और भत्ता प्रोत्साहन के रूप में दिया जाना, इन विद्यालयों को अधिक सक्षम बनाने में सहायक होगा।...

पूरे देश में कुछ समय से यह शोर मचा हुआ है कि सरकार ने उच्च शिक्षा के लिए पर्याप्त सहायता दी है, जबकि जनसाधारण के लिए शिक्षा की उपेक्षा की गई है। यह शोर कुछ हद तक सत्य है, यद्यपि उच्च शिक्षा से लाभान्वित होने वाला वर्ग इसे सीधे स्वीकार नहीं कर सकता है। लेकिन उच्च शिक्षा से लाभ को नकारने से अपने देश के किसी भी शुभचिंतक का यह आशय नहीं हो सकता कि सरकार वर्तमान समय में उच्च शिक्षा के लिए अपनी सहायता बंद कर दे। ऐसे सभी लोगों की यही इच्छा होगी कि समाज के जिस वर्ग को राजनीतिक चातुर्य से वंचित किया गया है, उसकी उन्नति की भी उतनी ही चिंता की जानी चाहिए, जितनी की दूसरे वर्ग के लिए की जाती है। भारत में शिक्षा अभी भी शैशवावस्था में है। इसलिए हमारा यह कहना है कि उच्च शिक्षा के लिए दी जा रही किसी भी राजकीय सहायता

का बंद होना सामान्य रूप से शिक्षा-प्रसार में बाधा के सिवाय कुछ और नहीं हो सकता।

उच्च और धनी वर्ग के लोगों, विशेषतः ब्राह्मण और प्रभुवर्ग, का जीवनयापन कलम द्वारा होता है। उनमें शिक्षा के प्रति रुचि जग गई है। अतः जहाँ तक इन वर्गों का संबंध है, उच्च शिक्षा से सरकारी सहायता धीरे-धीरे घटाई या हटाई जा सकती है, किंतु मध्य एवं निम्न वर्गों के लिए, जिनमें उच्च शिक्षा के क्षेत्र में कोई उल्लेखनीय प्रगति संभव नहीं हो पाई है, सरकारी अनुदान बंद होने से बहुत कठिनाइयाँ आ जाएँगी। अनुदान बंद हो जाने की स्थिति में लड़कों को उनकी अपनी इच्छा के विपरीत अक्षम और सांप्रदायिक विशेषतः शिक्षा की शरण में लौटना होगा और इससे उद्देश्य के क्षतिग्रस्त होने के अलावा और कुछ घटित नहीं हो सकता। इस शिक्षा के किसी भी चरण की जिम्मेदारी किसी भी निजी संस्था को नहीं सौंपी जा सकती। आने वाले दिनों में मंत्रालय और कार्यपालिका दोनों स्तरों पर संपूर्ण शिक्षा प्रबंधन सरकार के हाथों में ही होगा। उच्च और प्राथमिक दोनों स्तरों पर छात्रों की देखरेख और उनके प्रति सुविचार की आवश्यकता है। इसका निर्वाह सरकार ही कर सकती है।

विद्यालयों या महाविद्यालयों से सरकार और सरकारी अनुदान का हटना न केवल शिक्षा के प्रसार को बाधित करेगा बल्कि उस निष्पक्षता पर भी आघात पहुँचाएगा, जो इस देश की विभिन्न राष्ट्रीयताओं और धार्मिक पंथों के कारण जरूरी है और जिसका प्रसारण एवं प्रोत्साहन सरकार का उद्देश्य रहा है। सरकार द्वारा पीछे हटना एक निश्चित सीमा तक धनी और उच्च वर्ग में स्थानीय उद्देश्य के लिए आत्मनिर्भरता की भावना जागृत कर सकता है। किंतु इससे शिक्षा का उद्देश्य इतना क्षतिग्रस्त हो जाएगा कि इस बुराई को दूर करने में आत्मनिर्भरता की इस उमंग को वर्षों लग जाएँगे। उन क्षमतावान शिक्षित लोगों को जो सरकारी सेवाओं में नहीं जाते, उदार अनुदान का आश्वासन देकर विद्यालय खोलने के लिए प्रेरित किया जा सकता है। लेकिन अपने जीवन-यापन के लिए सिर्फ अपने भरोसे पर ऐसा करने के लिए कोई तैयार नहीं होगा। इसमें संदेह ही है कि ऐसे निजी प्रयास स्थायी तौर पर हो सकेंगे या वे अच्छी तरह से थोड़ा भी सफल हो सकेंगे। पूना में श्री विष्णु शास्त्री चिपलूणकर और श्री भावे द्वारा खोले गए निजी विद्यालय ऐसे हैं जिन्हें पर्याप्त सरकारी अनुदान दिया जा सकता है। ये सक्षम रूप से सेवा दे सकते हैं किंतु इससे ही उच्च विद्यालय की आवश्यकता पूरी नहीं हो जाती।...

सरकारी उच्च विद्यालयों में दी जा रही शिक्षा का स्वरूप बिल्कुल उपयोगी नहीं है और न ही सामान्य जीवन की आवश्यकता के लिए जरूरी है। यह क्लर्क और स्कूल-अध्यापक बनाने के लिए ठीक है। मैट्रिकुलेशन की परीक्षा शिक्षकों और विद्यार्थियों दोनों की एकाग्रता और चिंतनशीलता को अनावश्यक रूप से लील डालती है। शिक्षण के निर्धारित पाठ्यक्रम में व्यावहारिक पक्ष नहीं है, जो छात्रों के भविष्य

के लिए, स्वतंत्र जीवनयापन के लिए उपयोगी हो।...

यदि बी.ए.–एम.ए. की डिग्रियाँ देने वाले विश्वविद्यालय निजी अध्ययन को मान्यता दें, तो बहुत से युवक इसमें अपना समय देंगे। उनको ऐसा करने देना ज्ञान के प्रसार का प्रयत्न होगा। इसके बहुत से उदाहरण हैं कि बहुतों के लिए अनेक कारणों से कॉलेज में पढ़ाई जारी रखना संभव नहीं हो पाता है। यदि विश्वविद्यालयों द्वारा निजी तौर पर अध्ययन की स्वीकृति मिल जाए तो देश का व्यापक रूप से कल्याण होगा और उच्च शिक्षा के लिए जनता की जेब पर पड़ने वाले भार को भी बहुत हद तक कम किया जा सकेगा।

छात्रवृत्ति देने वाली सरकारी पद्धति जिस रूप में सरकारी विद्यालयों में मौजूद है, वह वहाँ तक दोषपूर्ण है ही, जहाँ तक यह उसी वर्ग को अनावश्यक प्रोत्साहन देती है जो सर्वसाधारण वर्ग की कीमत पर शिक्षा के प्रति अनुरागी हो चुका है। इस पद्धति को इस प्रकार संयोजित करना चाहिए कि छात्रवृत्ति पाने वालों में कुछ वे भी लाभ पाएँ जिनमें शिक्षा के प्रति रुझान और विकास अभी शुरू ही हुआ है।

प्रतियोगिता द्वारा पुरस्कृत करने की पद्धति चाहे वह बिल्कुल निष्पक्ष ही क्यों न हो, अन्य वर्गों में शिक्षा का प्रसार नहीं कर सकती।

शिक्षित नागरिकों की वेतन पाने वाली सेवाओं के प्रति लालसा के प्रश्न पर सम्मान के साथ यह याद किया जाना चाहिए कि शिक्षित नागरिकों में, बहुलांश ब्राह्मण और उच्चवर्गीय ही हैं, जो नौकरी पाते हैं। किंतु स्कूलों-कॉलेजों से उत्तीर्ण होकर निकलने वाले या प्रशिक्षण पाए सभी शिक्षित नागरिक तकनीकी या व्यावहारिक पक्ष की कमी के कारण सरकारी नौकरियों में स्थान नहीं पाते। ऐसे व्यक्ति अन्य किसी निजी या वेतनदायी कामों में अपने को लगा पाने में कठिनाई का अनुभव करते हैं। इसीलिए शोर मचा हुआ है कि बाजार में ऐसे शिक्षित जनों का बाहुल्य हो गया है, जो वेतनाश्रित काम नहीं पाते हैं। यह एक निश्चित सीमा तक सत्य हो सकता है कि कुछ खास पेशों में जन-बहुलता हो। लेकिन इससे यह प्रकट नहीं होता कि ऐसे वेतनदायक पेशे नहीं बचे हैं, जिनमें वे अपने को न लगा सकें। पूरे तौर पर देश में पढ़े-लिखे लोगों की संख्या अपेक्षाकृत बहुत कम है और हमें विश्वास है कि वह दिन बहुत दूर नहीं है, जब पढ़े-लिखे लोगों की संख्या वर्तमान संख्या से सौ गुनी होगी और सभी उचित तथा कमाऊ पेशे में लगे होंगे और नौकरी की तलाश में नहीं होंगे।

अंत में शिक्षा आयुक्त से निवेदन करना चाहूँगा कि वे अधिक उदारता के साथ स्त्रियों की प्राथमिक शिक्षा के प्रसार के लिए भी उपाय निकालें।

–पुणे, 19 अक्टूबर, 1882

अनुवाद : उदयराज सिंह

बालविवाह पर मत

बालविवाह पर मैं बी.एम. मालाबारी के विचारों से सहमत हूँ। आशा करता हूँ कि इस देश की प्रबुद्ध सरकार देश के अभागे व्यक्तियों के कष्ट कम करने का प्रयास करेगी। बी.एम. मालाबारी वैदिक शास्त्र के रचयिताओं द्वारा बनाए गए रीति-रिवाजों के तात्कालिक प्रभाव में नहीं हैं इसलिए वे भारत में बालविवाह पर ऐसी उल्लेखनीय विवेचना कर पाए हैं, जिसके लिए भविष्य में शूद्रादि-अतिशूद्र और ब्राह्मण विधवाएँ निःसंदेह उन्हें दुआएँ देंगी। अब मैं इस देश के शोषित आदिवासियों के संदर्भ में कुछ निवेदन करना चाहूँगा।

बालविवाह के बाद दोनों पक्षों के बीच यदि कोई सामान्य मतभेद भी हो जाए तो बेचारी लड़की को जीवन भर कष्ट भोगना पड़ता है। विवाह के पश्चात् कन्या पक्ष की कोई खोट अगर वर पक्ष की जानकारी में आ जाती है तो निर्दोष लड़की भी जाति-बहिष्कृत हो जाती है। पत्नी से यदि पति की उम्र कम हो तो स्थिति और बदतर हो जाती है। पत्नी को न तो भरपेट खाना मिलता है न ही तन ढँकने के लिए पर्याप्त वस्त्र। उसकी समुचित देख-भाल भी नहीं होती। यहाँ तक कि उसे अपने समृद्ध पिता के साथ भी नहीं रहने दिया जाता है। यदि लड़की के ससुर जाहिल और गरीब हैं तो भरपेट भोजन के अभाव में उसका विकास बाधित रहता है। संक्षेप में, वह एक अमेरिकी दास की तुलना में कहीं ज्यादा काम के बोझ से चौबीसों घंटे दबी रहती है। ऐसी स्थिति में उसका जीना मुहाल हो जाता है और वह आत्महत्या के लिए बाध्य हो जाती है। गाँव के मुखिया, सरपंच और पुलिस की मुट्ठी गर्म कर ऐसी घटनाओं को दबा दिया जाता है। विवाह के कारण पहले से ही कर्ज में डूबे बहुत सारे गरीब सास-ससुर अपनी वधू के असामयिक निधन के कारण आर्थिक रूप से और भी बर्बाद हो जाते हैं। इसके अलावा लड़का जब बड़ा होकर समझदार हो जाता है, वह अपनी पत्नी को नापसंद करता है और अपनी पसंद का एक और विवाह कर लेता है। एक बार ऐसा कर लेने के बाद वह बेधड़क हो जाता है और वह दो-तीन यहाँ तक कि चार-चार शादियाँ कर लेता है। परिणामस्वरूप उसका परिवार असंतुष्ट, दुर्व्यवहारी और झगड़ालू किस्म का हो जाता है। ये नादान सौतें एक-दूसरे को न केवल अपने विष-बाण से उपकृत करती रहती हैं, बल्कि कई बार तो अपने पति को भी इससे वंचित नहीं रखतीं।

बंगाल के प्रबुद्ध हिंदुओं ने इन दिनों विश्वविद्यालयी स्नातकों को कई उत्कृष्ट परामर्श दिए हैं। वे समझते हैं कि शिक्षित समाज में यह एक अच्छी शुरुआत होगी। लेकिन मेरा मत यह है कि उनके विचार सर्वग्राही तो नहीं ही हैं, यहाँ तक कि शूद्रों की सभी श्रेणियों तथा अतिशूद्रों द्वारा भी ग्राह्य नहीं हैं, क्योंकि बहुत थोड़े से ही

शूद्र विश्वविद्यालय की शिक्षा तक जा पाते हैं और अतिशूद्रों को तो ऊँची जाति के बच्चों के साथ प्राथमिक विद्यालय में बैठकर पढ़ने और सीखने की ही अनुमति नहीं मिलती है। सरकार के ऊँचे पदों पर तथाकथित ऊँची जाति के हिंदू हैं। वे अपनी धूर्त्तता और बदनीयती से धर्म और राजनीति की सोद्देश्य गलत व्याख्या करते हैं। नतीजन समाज में मध्य और निम्न जाति के लोग विवेकशील नहीं हो पाते हैं। वे विवेकशील तभी हो पाते हैं जब सरकार कोई सख्त कदम उठाती है। इसलिए सरकार के समक्ष मेरा प्रस्ताव है कि उन्नीस वर्ष से कम उम्र के युवक और ग्यारह वर्ष से कम उम्र की युवती को विवाह की अनुमति न दी जाए। ऐसा किए जाने पर दोनों पक्ष के अभिभावकों को आर्थिक रूप से दंडित किया जाए। दंडस्वरूप प्राप्त राशि का इस्तेमाल हिंदुओं की मध्य और नीची जाति की शिक्षा पर किया जाए। लेकिन यह शिक्षा ब्राह्मण शिक्षकों के द्वारा न दी जाए। ब्राह्मण शिक्षक छात्रों को पढ़ाते समय धर्म की गलत अवधारणा उनके दिमाग में विकसित करते हैं और उन्हें भटका देते हैं। हम पाते हैं कि सिंधिया, होल्कर और दूसरे छोटे राजा भी धर्म की ओट में दिनदहाड़े लूटे जाते हैं। उन्हें अपने काश्तकारों को जरूरत पड़ने पर उचित राहत देने की बजाए मनमाने ढंग से कर वसूली के लिए अभिप्रेरित किया जाता है। मेरा यह दृढ़ विश्वास है कि अंग्रेजी शिक्षा से निपुण बड़ौदा के वर्तमान शासक महामहिम अशिक्षित काश्तकारों को शिक्षित करने और उनकी स्थिति को और बेहतर बनाने की दिशा में भरपूर प्रयास करेंगे।

बाध्यतामूलक वैधव्य पर मत

अब मैं उन ब्राह्मण महिलाओं के बाध्यतामूलक वैधव्य जैसे संवेदनशील मुद्दे पर विमर्श करूँगा। वैदिक संस्थान ने पुरुषों को बहु-विवाह की अनुमति पक्षपातपूर्ण तरीके से दी है। इसने उन्हें चरित्रहीनता का शिकार बनाया है। जब पुरुषों की काम-वासना वैध पत्नी से तृप्त हो जाती है, तब वह कामुकता में नयापन के लिए वेश्यागामी हो जाता है। इसकी वजह से वह उनसे यौन रोग का आयात करता है और अपने एवं पत्नी के लिए महँगी चिकित्सा के लिए बाध्य होता है। परंतु चिकित्सा से न तो वह ठीक होता है और न ही उसकी पत्नी। साथ ही संतान की संभावना भी जाती रहती है। जीवन की इस विषादपूर्ण स्थिति में रात में पत्नी के किसी कार्यवश बाहर जाने पर लंपट पति न केवल उसे शक की निगाह से देखता है, बल्कि उसे चरित्रहीन भी समझता है। वह अपनी इस धारणा की वजह से पत्नी को बार-बार प्रताड़ित करता है। वृद्धावस्था में अपने चरित्र के काले धब्बों को धोने के आशय

से, अपनी संतुष्टि के लिए, निर्लज्ज पुरुष धार्मिक व्यक्ति बन जाता है और प्रस्तर मूर्तियों की उपासना के लिए मंदिर में किराए पर वेश्याओं को लाकर नृत्य और गायन कराता है। इस चरित्रहीन व्यक्ति की मृत्यु के बाद उसकी तरुण और सुंदर पत्नी को पुनर्विवाह के लिए वैदिक मत से अनुमति नहीं मिलती। वह अपने सारे आभूषण उतार देती है। उसके निकट संबंधी बलात् उसका सिर मुड़वा देते हैं। उसे न भरपेट भोजन मिलता है और न तन ढँकने को पर्याप्त कपड़े मिलते हैं। उसे किसी आनंदोत्सव एवं मांगलिक या धार्मिक अनुष्ठान में शामिल होने की अनुमति नहीं होती है। वस्तुतः उसे सांसारिक आनंद से बहिष्कृत कर दिया जाता है, यहाँ तक कि उसके साथ एक अपराधी अथवा पशु से भी बदतर व्यवहार किया जाता है। वैदिक मत ब्राह्मण पुरुषों को अपने से निम्न जाति की कन्या से पहली पत्नी के जीवन काल में ही विवाह की अनुमति तो देता है परंतु उसकी स्वजातीय विधवा बहन को पुनर्विवाह की अनुमति नहीं देता। इस तरह के पक्षपातपूर्ण और अन्यायी विधान अनिवार्य रूप से आर्य विधवाओं को हृदय विदारक और जघन्य जीवन जीने को बाध्य करता है। अपनी उपरोक्त बात को प्रमाणित करने के लिए एक घटना का बयान कर रहा हूँ। मेरा एक ब्राह्मण मित्र है। उसका नाम राय साहेब सदाशिव बुल्लाल गोंडे है। वह इनाम आयोग में अधिकारी है। उसने अपने घर पर खाना बनाने के लिए एक ब्राह्मणी विधवा को नौकरी पर रखा है। उसका नाम काशीबाई है। गरीब काशीबाई एक सम्मानित परिवार की व्यावहारकुशल और सुंदर युवती है। वह साहसी भी है। उसने कई महीनों तक उसके घर पर काम किया। लेकिन काशीबाई के पड़ोस में शास्त्रीबूबा नाम का एक चतुर और धूर्त ब्राह्मण रहता था। उसने इस अबोध महिला को फुसलाने का हर संभव प्रयास किया। काशीबाई ने शुरू में उसके दिए प्रलोभन का मुकाबला किया, परंतु अंततः वह उसकी आकांक्षा का शिकार हुई और कुछ ही दिनों बाद गर्भवती हो गई। बाद में उस धूर्त्त ने उसे गर्भपात के लिए सहमत किया। उसने कई जहरीली दवाओं के सेवन से इसकी कोशिश की, परंतु इसमें नाकाम रही। नौ महीने पूरे होने पर काशीबाई ने एक सुंदर लड़के को जन्म दिया और बदनामी से बचने के लिए उस अबोध बच्चे की हत्या चाकू से कर दी और उसके शव को कुएँ में डाल दिया। यह कुआँ मेरे उस ब्राह्मण मित्र के घर के पिछवाड़े में है। दो दिन के बाद पुलिस ने उसे संदेह के आधार पर गिरफ्तार कर लिया। पूना के सेशनकोर्ट में उस पर मुकदमा चला और उसे आजीवन कैद की सजा मिली। काशीबाई ने यह अपराध अपने ब्राह्मण समाज में बदनामी से बचने के लिए किया। काशीबाई की यह कहानी वैदिक संस्थानों के अन्यायी और पक्षपाती चरित्र को जनता के सामने लाती है। ऐसी कहानी लोगों को संत्रस्त करती है।

काशीबाई को सजा मिलने के तुरंत बाद मैंने पूना वाले घर के अहाते में ब्राह्मण जाति की विधवाओं के लिए एक आश्रयस्थल बनाया, यद्यपि मेरे अपने खर्च के लिए

भी पर्याप्त साधन मेरे पास नहीं थे। रास्ते के उस चौराहे की दीवार पर एक मुद्रित नोटिस चिपकाई गई थी, जहाँ ब्राह्मण रहते थे। अब तक इस आश्रयस्थल में 35 गर्भवती विधवाएँ आई हैं और बच्चों को जन्म दिया है। पाँच बच्चे जीवित हैं और तीस बच्चे काल-कवलित हुए हैं। निश्चित तौर से उनकी माताओं ने गर्भ में उन्हें नष्ट करने के लिए जहरीली दवाइयों का सेवन किया होगा। यह उसी का परिणाम है। बहुत सारी सुंदर और असहाय, अबोध युवती विधवाएँ इस सड़ी-गली सामाजिक व्यवस्था की वजह से वेश्यावृत्ति करने को मजबूर हुई हैं या किसी के घर बैठ गई हैं। ये सब सभ्रांत ब्राह्मण परिवार की विधवाएँ हैं। यह वैदिक सामाजिक व्यवस्था कितनी जघन्य और पतनशील है, जो ब्राह्मण विधवाओं को दयनीय और बेशर्म जिंदगी जीने के लिए विवश करती है तथा किस तरह से नारीत्व का हनन करती है, यह वर्णन करते हुए शर्म आ रही है।

निष्कर्षतः मैं अंग्रेजी शासन से यह निवेदन करता हूँ कि वैदिक धार्मिक कठोर विधान से इन विधवाओं को मुक्त कराए। इसलिए मैं यह अनुरोध करता हूँ कि किसी भी नाई को इन अभागी ब्राह्मण विधवाओं का मुंडन करने की अनुमति न हो। वैदिक रीति-रिवाज का पक्षपात इससे स्वतःसिद्ध है कि अगर विधवाओं को पुनर्विवाह का अधिकार नहीं है तो विधुरों को यह अधिकार क्यों है? अगर विधुरों को यह अधिकार दिया जाता है तो असहाय विधवाओं को भी पुनर्विवाह का अधिकार अनिवार्य रूप से दिया जाए। इसमें कोई संदेह नहीं है कि स्वार्थी और धूर्त्त किस्म के कानून निर्माताओं ने ही शास्त्र में स्त्रियों के लिए ऐसे अन्यायी और अतार्किक विधान रचे हैं।

अनुवाद : **राज्यवर्द्धन**

सत्य

गणपतराव दर्याजी थोरात : हमें किसको सत्य आचरण करने वाला कहना चाहिए?
जोतिराव फुले : सत्य आचरण करने वाले के संबंध में कुछ नियम दे रहा हूँ, वे निम्न प्रकार हैं :

1. हम सभी के निर्माणकर्ता ने सभी जीव-प्राणियों को पैदा किया है। लेकिन उनमें नर और नारी दोनों जन्म से ही स्वतंत्र हैं। वे दोनों सभी अधिकारों का उपभोग करने के योग्य बनाए गए हैं, यह जो लोग स्वीकार करते हैं, उन्हीं को सत्य आचरण करने वाला कहना चाहिए।

2. नारी हो या पुरुष, वह अपने निर्माणकर्ता के इस विशाल आकाश में स्थित अनंत सूर्यमंडलों को और उनके ग्रहों-उपग्रहों को या किसी विचित्र तारे को या किसी

धातु-पत्थर की मूर्ति को निर्माता के अलावा न पूजता हो तो, उसको सत्य आचरण करने वाला जानना चाहिए।

3. हम सभी के निर्माणकर्ता द्वारा उत्पन्न की हुई सभी चीजों का पूरी तरह से सभी प्राणियों को उपभोग करने की अनुमति न देते हुए निर्माता के नाम से बेमतलब अर्पण करके उसका खोखला नाम स्मरण जो लोग नहीं करते, उनको सत्य आचरण करने वाला जानना चाहिए।

4. जो हम सभी के निर्माणकर्ता द्वारा पैदा किए हुए सभी प्राणियों को सभी चीजों का मनचाहे उपभोग करके उनको निर्माता का आभार मानकर उसका गौरव करने देता है, उसको सत्य आचरण करने वाला जानना चाहिए।

5. विश्वकर्ता द्वारा निर्मित सभी प्राणियों के लिए जो किसी भी प्रकार की बेमतलब की परेशानी नहीं पैदा करता, उसको सत्य आचरण करने वाला जानना चाहिए।

6. हम सभी के निर्माता ने सभी नारी-पुरुषों को सभी मानवी अधिकारों का मुख्य हकदार बनाया है। उनमें किसी व्यक्ति या कुछ व्यक्तियों का समूह किसी व्यक्ति पर जोर-जबर्दस्ती नहीं कर सकता और उस तरह जोर-जबर्दस्ती न करने वाले व्यक्ति को ही सत्य आचरण करने वाला जानना चाहिए।

7. हम सभी के निर्माता ने सभी मानव नारी-पुरुषों को धार्मिक तथा राजनीतिक स्वतंत्रता दी है, उससे किसी दूसरे व्यक्ति को किसी भी प्रकार की हानि नहीं पहुँचाई जा सकती, यह मानकर जो कोई अपनी तरह दूसरे व्यक्ति के हकों को जानकर दूसरों को सताता नहीं, उसको सत्य आचरण करने वाला जानना चाहिए।

8. हम सभी के निर्माता ने प्राणियों को पैदा किया है। उनमें हर एक नारी मात्र एक पुरुष से अपना ब्याह करके बाकी पुरुषों को भाई माने, ऐसे ही हर एक पुरुष एक नारी को अपनी बीवी बनाकर बाकी नारियों को अपनी बहनें माने। इस तरह जो नारी या पुरुष एक-दूसरे के साथ बड़ी खुशी से भाई-बहन की तरह आचरण करता है, उसको सत्य आचरण करने वाला जानना चाहिए।

9. हम सभी के निर्माता ने सभी नारियों को या पुरुषों को सभी मानवी अधिकारों के बारे में जो चाहे वे विचार या अपने मनचाहे मतों को अभिव्यक्त करने के लिए, लिखने के लिए और प्रसिद्ध करने के लिए स्वतंत्रता दी है। लेकिन इन विचारों से और इन मतों से किसी भी व्यक्ति को किसी भी प्रकार की हानि नहीं होनी चाहिए, इसकी खबर जो रखता है, उसको सत्य आचरण करने वाला जानना चाहिए।

10. हम सभी के निर्माता की व्यवस्था से जो सभी नारी-पुरुष दूसरों के धर्म के बारे में मतभिन्नता की वजह से या राजनीतिक कारणों से उनको किसी भी तरह नीच नहीं मानते और न उनका शोषण करते हैं, उनको सत्य आचरण करने वाला जानना चाहिए।

11. हम सभी के निर्माता ने सभी नारी-पुरुषों को धर्म के संबंध में स्थानिक या क्षेत्रीय अधिकारों के पद उनकी योग्यता के अनुसार और सामर्थ्य के अनुसार मिलना चाहिए, इसके लिए उनको समर्थ बनाया है, ऐसी बातों को जो लोग स्वीकार करते हैं, उनको सत्य आचरण करने वाला जानना चाहिए।

12. हम सभी के निर्माता के नियमों के अनुसार सभी मानव नारी-पुरुषों में धर्म, स्थानीय और क्षेत्रीयता संबंधी हर मनुष्य की स्वतंत्रता, संपत्ति संरक्षण और उसके जुल्म से बचाव करने के बारे में जो लोग कठिनाइयाँ पैदा नहीं करते, उनको सत्य आचरण करने वाला जानना चाहिए।

13. नारी या पुरुष जो लोग अपने माता-पिता से बुढ़ापे में सलाह-मंत्रणा करते हैं और अन्य बुजुर्गों को सम्मान देते हैं या जो माता-पिता से सलाह-मंत्रणा करके अन्य बुजुर्गों को सम्मान देनेवालों को बड़ा आदर देते हैं, उनको सत्य आचरण करने वाला जानना चाहिए।

14. नारी या पुरुष, जो हकीम की आज्ञा के बिना अफीम, भाँग, मद्य आदि नशीले पदार्थों का सेवन करके हर तरह से अन्याय करने में नहीं लगा होता या नशीले पदार्थ सेवन करने वाले को आसरा नहीं देता, उसको सत्य आचरण करने वाला जानना चाहिए।

15. खटमल, जूँ, पिस्सू आदि जंतु, बिच्छू, साँप, बाघ, सिंह, लकड़बग्घे आदि जानवरों और उसी तरह लोभी मानव, दूसरे मानव प्राणी की हत्या करने वाले या आत्महत्या करने वालों को छोड़कर जो नारी या पुरुष दूसरे मानव प्राणियों की हत्या नहीं करता या हत्या करने वाले की सहायता नहीं करता, उसको सत्य आचरण करने वाला जानना चाहिए।

16. नारी या पुरुष, जो अपने फायदे के लिए दूसरे का नुकसान करने के लिए झूठ नहीं बोलता, या झूठ बोलनेवाले की मदद नहीं करता, उसको सत्य आचरण करने वाला जानना चाहिए।

17. नारी या पुरुष, जो व्यभिचार नहीं करता या व्यभिचार करने वालों का सम्मान नहीं करता, उसको सत्य आचरण करने वाला जानना चाहिए।

18. नारी या पुरुष, जो किसी भी प्रकार की चोरी नहीं करता या चोरों की मदद नहीं करता, उसको सत्य आचरण करने वाला जानना चाहिए।

19. नारी या पुरुष, जो घृणा से दूसरों के मकान को या उनके सामान को जलाता नहीं या आग लगानेवालों से कोई संबंध नहीं रखता, उसको सत्य आचरण करने वाला जानना चाहिए।

20. नारी या पुरुष, जो स्वयं के स्वार्थ के लिए न्याय से राज करने वाली रियासतों पर या राज्य पर या सारी प्रजा द्वारा मुखिया बनाए हुए प्रतिनिधि के विरोध में विद्रोह करके लाखों परिवारों को बर्बाद नहीं करता या विद्रोह करने वालों को पनाह नहीं

देता, उसको सत्य आचरण करने वाला जानना चाहिए।

21. नारी या पुरुष, जो 'सारी दुनिया के कल्याण के लिए यह धर्म पुस्तक बनाई गई है' कहकर बड़ी बकवास करता है, किंतु उस धर्म पुस्तक को अपनी बगल में दबाकर दूसरे लोगों को दिखाता तक नहीं, ऐसे दुष्ट बड़ाईखोरों से जो शुद्ध रहते हैं और उन पर भरोसा नहीं करते, उनको सत्य आचरण करने वाला जानना चाहिए।

22. नारी या पुरुष, जो अपने परिवारों के साथ, अपने भाई-बहनों को, अपने रिश्तेदारों को और अपने दोस्तों को बड़े घमंड से खानदानी श्रेष्ठ मानकर स्वयं को पवित्र नहीं मानता और सभी मानव प्राणियों को खानदानी नफरत के जरिए अपवित्र मानकर उनको नीच नहीं मानता, उसको सत्य आचरण करने वाला जानना चाहिए।

23. नारी या पुरुष, जो प्राचीनकाल में घृणा से लिखे गए ग्रंथों की शिक्षा के आधार पर कुछ मानव समाजों को खानदानी गुलाम नहीं मानता या उनको दास मानने वालों की परवाह नहीं करता, उसको सत्यवर्तन करने वाला जानना चाहिए।

24. नारी या पुरुष, जो अपने लोगों की प्रभुता कायम रखने के लिए स्कूल में पढ़ाते समय अन्य लोगों के बच्चों से परायेपन का व्यवहार नहीं करता या स्कूल में पढ़ाते समय परायेपन का व्यवहार करने वालों का निषेध करता है, उसको सत्यवर्तन करने वाला जानना चाहिए।

25. नारी या पुरुष, जो न्यायमूर्ति के पद पर विराजमान होने के बाद अन्यायी लोगों का, उनको जुर्म के अनुसार सजा देने में कोई कसर बाकी नहीं रखता या अन्याय करने वालों का निषेध करता है, उसको सत्यवर्तन करने वाला जानना चाहिए।

26. नारी या पुरुष, जो खेती का काम करके या अन्य प्रकार की कारीगरी करके पेट पालनेवालों को श्रेष्ठ मानता है, और किसानों की सहायता करने वालों का आदर-सत्कार करता है, उसको सत्य आचरण करने वाला जानना चाहिए।

27. नारी या पुरुष, जो चमार के घर का ही क्यों न हो, बेगारी का काम करके अपना पेट पालनेवालों को नीच नहीं मानता बल्कि उस काम में मदद करने वालों की प्रशंसा करता है, उसको सत्य आचरण करने वाला जानना चाहिए।

28. नारी या पुरुष, जो स्वयं कोई व्यवसाय किए बगैर ही बेमतलब धार्मिकता का दिखावा नहीं करता और अज्ञानी लोगों को नवग्रहों का डर बताकर उनको लूट करके नहीं खाता या उसके बारे में किताबों की रचना करके अपना पेट नहीं पालता, उसको सत्य आचरण करने वाला जानना चाहिए।

29. नारी या पुरुष, जो श्रद्धावान मूर्ख को फुसलाकर खाने के लिए ब्रह्मर्षि का स्वांग रचाकर उनको राख-धूप नहीं देता या वैसे काम के लिए किसी भी प्रकार की मदद नहीं करता, उसको सत्य आचरण करने वाला जानना चाहिए।

30. नारी या पुरुष, जो काल्पनिक भगवान की शांति करने के बहाने आसन लगाकर अज्ञानी जनों को लूटकर खाने के लिए जपजाप करके अपना पेट नहीं भरता

या उसके लिए किसी भी प्रकार की सहायता नहीं करता, उसको सत्य आचरण करने वाला जानना चाहिए।

31. नारी या पुरुष, जो अपना पेट पालने के लिए अज्ञानी जनों में कलह पैदा नहीं करता या उसके लिए मदद करने वालों की छाया को छूना भी पसंद नहीं करता, उसको सत्य आचरण करने वाला जानना चाहिए।

32. नारी या पुरुष, जो हम सभी के निर्माता द्वारा पैदा किए हुए प्राणियों में से मानव नर-नारियों में किसी भी प्रकार की पसंदगी-नापसंदगी रखे बगैर उनका खाना-पीना और पहनना आदि के बारे में किसी भी प्रकार का विधि-निषेध किए बगैर ही उनके साथ पवित्र मन से आचरण करता है, उसको सत्य आचरण करने वाला जानना चाहिए।

33. नारी या पुरुष, जो सभी मानव नर-नारियों में किसी के प्रति पसंदगी-नापसंदगी रखे बगैर उनमें से महारोगी को, अपाहिज को और बेसहारा बच्चों को अपनी क्षमता के अनुसार मदद करता है या मदद करने वाले को सम्मान देता है, उसको सत्य आचरण करने वाला जानना चाहिए।

—1889

श्राद्ध

गोविंद गणपतराव काले : श्राद्ध का मतलब क्या है?

जोतिराव फुले : मरे हुए पुरखों के उद्देश्य से पुत्रों-पौत्रों द्वारा ब्राह्मणों को भोजनदान, पिंडदान देते रहना, यही इस श्राद्ध का प्रधान कर्म है।

गोविंद : इसका मतलब शूद्रादि-अतिशूद्रों के पुत्रों-पौत्रों को अपने मृत माता-पिता तथा पुरखों के उद्देश्य से आर्य ब्राह्मणों को भोजनदान, पिंडदान देते रहना चाहिए, ऐसा ही होता है?

जोतिराव : शूद्रादि-अतिशूद्रों के घर में आर्य ब्राह्मणों को भोजन ग्रहण नहीं करना चाहिए, इसके लिए मनुस्मृति आदि ग्रंथों में कहा गया है कि "राजा ने यदि भोजन ग्रहण किया तो उसके बल का पतन होता है। शूद्र का भोजन ग्रहण करने से उम्र का पतन होता है। सुनार का भोजन ग्रहण करने से भी उम्र का पतन होता है। और चमार का भोजन ग्रहण करने से यश की हानि होती है।" इस तरह और "शूद्र उपाध्याय (याजक) जितने ब्राह्मणों को अपने बदन से स्पर्श कर लें, उन सभी ब्राह्मणों को दान देने पर दान देने वाले मनुष्य को उस दान से किसी भी प्रकार के फल की प्राप्ति नहीं होती।" उसी तरह मनुस्मृति में कहा गया है कि "ब्राह्मणों

के घर के भोजन को अमृत की तरह मानना चाहिए और शूद्रों के घर के भोजन को खून के समान। इसलिए शूद्रों के घर का भोजन वर्ण के आधार पर घटिया दर्जे का है।" लेकिन फिर यहाँ कोई संदेह खड़ा कर सकता है कि हम शूद्रों के घर का भोजन नहीं ग्रहण करते, कच्चा अनाज ही स्वीकार करते हैं, इसलिए कच्चे अनाज (रसद) में दोष नहीं है। ऐसा कहेंगे तो ऐसे कच्चे अनाज के बारे में प्रमाण इस प्रकार है कि "शूद्रों के यहाँ का जो कच्चा अनाज है उसको शूद्रान्न कहना चाहिए। और पका हुआ जो भोजन होगा उसको जूठा (उच्छिष्ट) समझना चाहिए। इसलिए शूद्रों के घर के दोनों प्रकार के भोजन का त्याग करना चाहिए। क्योंकि इन दोनों प्रकार के भोजनों से ब्राह्मण दोषी होता है।"

गोविंद : फिर गरुड़ पुराण में मृत पुरखों के नाम से दान करने के बारे में जो कहा गया है वह सब काल्पनिक है, यह आपके बोलने से सिद्ध होता है या नहीं?

जोतिराव : धूर्त्त, स्वार्थी, निकम्मे आर्य भट्ट ब्राह्मणों ने अपना पेट पालने के लिए कच्छ, मच्छ आदि पुराणों जैसे ग्रंथों की रचना की है। उन्होंने गरुड़ पुराण जैसे पाखंड को अपनी कल्पना से लिखा है, इसके लिए बृहस्पति नाम के महापुरुष के ग्रंथों का प्रमाण दे रहा हूँ वह इस प्रकार है :

ततश्च जीवनोपायो ब्राह्मणविदितस्त्विह।
मृतानां प्रेतकार्याणि न त्वन्य विद्यते क्वचित्।।

गोविंद : इस महाविद्वान बृहस्पति के प्रमाण से यह सिद्ध होता है कि शूद्रादि-अतिशूद्रों के लड़के-लड़कियों को अपने मृत माता-पिता के नाम से धूर्त आर्य ब्राह्मणों को सुवर्णदान, शय्यादान, छत्रदान, गौदान और जूतियों आदि का दान नहीं देना चाहिए।

जोतिराव : अरे बाबा, इसमें किस बात का संदेह है? क्योंकि शूद्रादि-अतिशूद्रों के माता-पिता के जिंदा रहने पर उन्होंने उनको दाने-दाने के लिए सताया और उनके मरने के बाद उनके नाम से धूर्त आर्य ब्राह्मणों को सुवर्ण दान देने से उसके बारे में उनके मृत पुरखों को कहाँ, किस प्रकार का और कब लाभ होगा? वैसे तो उन्होंने अपने माता-पिता को कपड़ों-लत्तों से परेशान किया। लेकिन उनके मरने के बाद उनके नाम से धूर्त आर्य ब्राह्मणों को शय्यादान करके उनको नरम बिछौने पर लेटने के लिए अवसर प्रदान करा दिया, इसलिए उनके मृत पुरखों को कब, कहाँ और किस प्रकार का आराम, सुख मिलने वाला है? उसी प्रकार उन्होंने अपने माता-पिता को धूप में तड़फड़ाते रखा और अब उनके मरने के बाद उनके नाम से धूर्त आर्य ब्राह्मणों को जूतियाँ दान देने से उनके मृत पुरखों को जूता पहन कर चलने का सुख कब, कहाँ और किस तरह से मिलने वाला है? इन सभी बातों को सिद्ध नहीं किया जा सकता, इसलिए धूर्त आर्य ब्राह्मणों के बारे में बृहस्पति का कहना सही है या झूठ, इसके बारे में आप अपनी दृष्टि से सोचिए। बस, यही काफी है।

गोविंद : फिर शूद्रादि-अतिशूद्रों ने अपने मृत माता-पिता के नाम से आर्य ब्राह्मणों को यदि दान नहीं किया तो उनकी स्थिति किस प्रकार की रहेगी?

जोतिराव : वाह, खास सवाल है! धूर्त आर्य ब्राह्मणों के मृत माता-पिता की स्थिति ठीक बनाने के लिए वे भी क्या शूद्रादि-अतिशूद्रों को भी कुछ दान करते हैं?

गोविंद : आर्य भट्ट ब्राह्मणों के माता-पिता की स्थिति ठीक बनाने के लिए वे लोग शूद्रादि-अतिशूद्रों को कुछ भी दान नहीं करते।

जोतिराव : फिर धूर्त आर्य ब्राह्मणों के मृत माता-पिता की स्थिति किस प्रकार से ठीक-ठाक रहती होगी, इसके बारे में तुमको क्या लगता है?

गोविंद : शूद्रादि-अतिशूद्रों के मृत माता-पिता की स्थिति ठीक करने के लिए धूर्त आर्य ब्राह्मण अपने पाँव का तीर्थोदक पिलाकर उससे यदि दान लेते हैं तो ये ब्राह्मण लोग अपने मृत माता-पिता की स्थिति ठीक करने के लिए शूद्रादि-अतिशूद्रों के पाँव का तीर्थजल क्यों नहीं पीते? लेकिन वे उनका तीर्थजल भी नहीं पीते और न उनको दान ही देते हैं। इसी की वजह से ब्राह्मणों के पुरखे स्वर्ग के रास्ते के बीचों-बीच में लटकते रहते होंगे, ऐसा मुझे लगता है। लेकिन शूद्रादि-अतिशूद्रों को अपने मृत माता-पिता के उपकारों से मुक्ति पाने के लिए क्या करना चाहिए?

जोतिराव : शूद्रादि-अतिशूद्रों के माता-पिता के मरते ही उनके परिवारजन, भाई-बहन, रिश्तेदार और मित्र सभी उनके घर पर आकर मृत शरीर की व्यवस्था करने के लिए उनको हर तरह की सहायता करते हैं। उसके वारिस बनने के लिए, उनके उपकारों से मुक्त होने के लिए मृत व्यक्ति के तेरहवें दिन अपने सामर्थ्य के अनुसार पुत्र सभी को भोजन खिलाते हैं और उन सभी के गले में फूलों की माला पहनाते हैं। उसी प्रकार अपनी क्षमता के अनुसार कुछ दान देते हैं। और अपने-अपने स्कूलों में जाने वाले उनके लड़के-लड़कियों को खुशी में खिलौने दान करते हैं। और हर साल अपने माता-पिता का स्मरण हो, इसलिए अपनी क्षमता के अनुसार हर साल वे श्राद्ध करते हैं और उसमें अपने परिवार जनों को, रिश्तेदारों-मित्रों को भोजन करवाते हैं। उसी तरह किसी की भी पसंदगी-नापसंदगी का ख्याल किए बगैर हम सभी के निर्माता के नाम से स्कूल जाने वाले बेसहारा लड़के-लड़कियों को मामूली भी सहयोग हमने दिया तो हमारा मनुष्य जन्म में आना सार्थक हो गया, समझ लीजिए।

—1889

महादेव गोविंद रानाडे

1842-1901

महाराष्ट्र के महान समाज सुधारक। एक रूढ़िवादी परिवार में जन्म। कुछ वर्षों तक प्राध्यापन के बाद पूना की अदालत में जज। इस दौरान बालविवाह एवं पर्दा प्रथा का विरोध, विधवा विवाह का समर्थन और स्त्री की स्वतंत्रता के लिए बड़े पैमाने पर कार्य। प्रार्थना समाज के आरंभिक सदस्यों में से एक। इसका गठन केशवचंद्र सेन के मुंबई दौरे के बाद किया गया था। 1887 में 'इंडियन नेशनल सोशल कांफ्रेंस' की स्थापना की, जिसकी सभा कांग्रेस के वार्षिक अधिवेशनों के पीछे-पीछे ही होती थी। 1890 में पश्चिमी भारत के औद्योगिक संघ की स्थापना। औद्योगिक और व्यापारिक क्षेत्र में सुधारों की प्रस्तावना। इनके निर्माणात्मक कार्यों और निःस्वार्थ सेवा भावना ने न केवल देशभक्ति की लहर पैदा की, बल्कि हजारों नवयुवकों को नई दिशा दी। तिलक से वैचारिक टकराहट। दूसरे के विचारों की कद्र करने वाले, धैर्यवान, व्यावहारिक और उदारवादी।

समाज सुधार

हमारे मित्र स्वर्गीय जस्टिस तैलंग ने जो कार्य किए हैं उनका मुख्य सार यह है कि सामयिक दशा की आवश्यकताओं के अनुसार वे एक उत्तम आदर्श-चरित्र थे। इस बात की कल्पना करना आप लोगों के लिए सुगम नहीं है कि इस समय में आप में से बहुत से लोगों को समझदार होने के कारण एक प्रकार से दोहरा जीवन–अर्थात् दो प्रकार के सुधार, दो प्रकार के धर्म और दो प्रकार की प्रवृत्तियों के बीच में, जीवन व्यतीत करना पड़ता है। हमको परस्पर-विरोधी प्रवृत्तियों के अनुसार चलना पड़ता है। संभव है कि आप लोगों में कुछ सज्जन ऐसे हों जो यह समझते हों कि इस प्रकार विभक्त और परस्पर-विरोधी प्रवृत्तियों में ही जीवन बिताने की कोई आवश्यकता नहीं है। इनमें से बहुत से लोग प्राचीन प्रथा के अनुसार रहन-सहन रखना चाहते हैं, यद्यपि गत काल और गत अवस्था के लौट कर आने की कोई आशा नहीं की

जा सकती है। यह लोग समझते हैं कि समय ने किसी प्रकार फेरफार नहीं किया है और जिस प्रकार उनके पूर्वज दूसरे देशवासियों से अलग रहते हुए अपने सब कामकाज कर सके थे वैसे ही हम भी सब कर सकेंगे और अपना हित-साधन बिना किसी बाहरी संयोग या सहायता के कर सकेंगे। दूसरी ओर हममें से कुछ ऐसे हैं जिनको भूतकाल की कुछ याद ही नहीं रही और न उसका कुछ अपने से अब संबंध मानते हैं। अपने पूर्वजों के रहन-सहन से किसी प्रकार संबंध न रखते हुए वे समझते हैं कि हमको सब व्यवस्था वर्तमान और भविष्य काल की आवश्यकताओं को देख कर कर लेनी चाहिए। इन दोनों में मध्यवर्ती जनों की थोड़ी संख्या में हम भी हैं। हम भूतकाल की ओर सम्मान की दृष्टि से देखते हैं, और ईश्वर-कृपा से अपने कल्याण के लिए जो हम नवीन स्थिति में आ गए हैं इसी संयोग के अनुसार हम प्राचीन व्यवस्था में धीरे-धीरे सुधार देखने की इच्छा करते हैं। हम प्राचीन व्यवस्था को बिलकुल त्याज्य नहीं समझते। पर उसके साथ-साथ नवीन व्यवस्था का संयोग चाहते हैं। ऐसी दशा होने से हमारे मित्र और विपक्षी दोनों ही हमारे अभिप्रायों को अच्छी तरह नहीं समझ सकते। इस वर्ग के लोगों में जो प्राचीन और नवीन का संयोग चाहते हैं, मिस्टर तैलंग अग्रसर थे और इस कार्य के लिए स्वात्मार्पण करने वाले थे।

मिस्टर तैलंग और उनके मित्रों को इस संबंध में जो कष्ट उठाना पड़ता है उसे हमारे यूरोपियन मित्र नहीं समझ सकते। उनको हमारी स्थिति में आकर इसका ज्ञान हो सकता है, या उस समय की दशा पर विचार कर हमारी दशा को जान सकते हैं। जब कि उनके पूर्वज वर्तमान संस्थाओं की सत्ता और नवीन विचारों का बल, इन दोनों शक्तियों के बीच झूलते थे। ग्रीस और रोम दोनों स्थिति-परिवर्तन चक्र में पड़ चुके थे। मेलाकूथन और इरेजमस दोनों ल्यूथर के समय में ही हो गए हैं। सर टामस मोर और लार्ड बेकन भी कालविनिस्टो (Calvinisto) के प्रारंभ काल में हो गए हैं। हमारी स्थिति उन लोगों से विशेष जटिल है। क्योंकि एक ही विषय या संबंध में नहीं बल्कि जीवन-व्यापार की अनेक दशाओं में सामाजिक, धार्मिक, राजकीय और औद्योगिक ऐसी अनेक शाखाओं में—हम को वही कठिनाई होती है। कर्त्तव्य मार्ग में हमको बड़ी सावधानी से चलना पड़ता है कि जिससे कि अमुक कर्त्तव्यों के पालन में, दूसरे कर्त्तव्यों के पालन में विरोध न हो सके।

—1893 अभिभाषण, मुंबई

एक पत्र

तुम्हारा यह मत है कि सामाजिक व्यवहार में भूतकाल बिल्कुल भुला देने योग्य है।

यह बात ठीक नहीं है। जो कुछ हमने पहले किया है उसका यथार्थ में नाश नहीं हुआ है। हमारे पूर्वज जो हमारे लिए कर गए हैं वह भी पूर्णतः नाश को प्राप्त नहीं हुआ है। यह सब गतकाल के कर्म हमारी उन्नति या अवनति के सजीव कारण हैं। अब इनको अपनी उन्नति के साधन बनाना या उसके विपरीत कारण बनाना हर एक मनुष्य के कर्माधीन है। वर्तमान समय में भी जितना हम चाहते हैं उतना नहीं कर सकते। तुम्हारे वर्तमान समय के कार्य इतने होने चाहिए कि तुम्हारे और तुम्हारे पूर्वजों के कार्य सब छिप जाएँ। जो लोग वास्तव में बुद्धिमान हैं उनसे ऐसा होना संभव है और इसी पर हमारे उद्धार की आशा अवलंबित है। यदि कोई भी कार्य निश्चय कर लेने से ही पूर्ण हो जाता तो फिर शिक्षा की कोई आवश्यकता न रहती और न किसी प्रकार की कोई कठिनाई ही होती। यदि तुम यह ख्याल करते हो कि मिस्टर तैलंग जैसे महानुभाव आंतरिक इच्छा के अभाव से या लोकापवाद के भय से अथवा लोगों को बुरा न मालूम हो इस विचार से पीछे हटते थे तो तुम भूल करते हो। जो लोग प्राचीन प्रथा के अनुसार बर्तते हैं वह लोकप्रिय होते हैं और जो भूतकाल को बिसार कर नवीन पद्धति के अनुसार चलते हैं वह सुख भोगते हैं। मिस्टर तैलंग या उनके से और सज्जन लोकप्रियता या सुख कुछ भी प्राप्त नहीं कर सकते। क्योंकि भूतकाल के अनुसार वे पूर्ण रीति से चल नहीं सकते और उनको बिल्कुल छोड़ भी नहीं सकते। हमारे दृष्टि-स्थल में यही बड़ा फेर है।

—1893

मद्रास अभिभाषण

किसी मनुष्य की सफलता राजनैतिक एवं सामाजिक स्थिति, धार्मिक विचार और चरित्र पर अवलंबित है। यदि उसमें इन बातों की कमी हो और निज कर्त्तव्य-पालन में इन साधनों से वह वंचित हो तो उन्नति के बजाय वह अवनति का कारण हो जाता है। नेशनल कांग्रेस, जातीय महासभा की सोशल कांफ्रेंस अर्थात् सुधारक सभा छोटी बहन है। छोटी बहन की सहायता बिना बड़ी बहन अपने निर्दिष्ट कार्य में यथेच्छ सफलता प्राप्त नहीं कर सकती।

सज्जनो! इस दक्षिण प्रदेश में जहाँ एक हजार वर्ष पूर्व से धार्मिक, सामाजिक और नैतिक सुधार-संबंधी चर्चा आरंभ हुई थी वहाँ आज हम सब प्रांतों से एकत्र हुए हैं। पिछले सात वर्षों में हम लोग देश में जुदे-जुदे स्थानों पर सम्मिलित हुए थे, आज यहाँ पर एकत्र होने का संतोषजनक अवसर आया है। इस प्रदेश के भक्तों ने तमिल भाषा में जो भजन बनाए हैं वे ऐसे महत्त्व के हैं कि उनको पाँचवें वेद

का स्थान दिया जाता है। वैवाहिक और अन्य मांगलिक अवसरों और धर्मक्रियाओं में आचार्य लोग उनका प्रयोग करते हैं। बारह सौ वर्ष हुए, अद्वैत मत के महान् आचार्य ने बुद्ध और ईरानी मतवादियों के मतों का खंडन किया था। उनके दो सौ वर्ष बाद विशिष्टाद्वैत और द्वैत मत के आचार्य उत्पन्न हुए जिन्होंने बहुत कुछ सुधार किया और ज्ञान और योग-मार्ग से भक्ति-मार्ग को प्रधान बतलाया। यह महान् आचार्य इस प्रदेश के गत एक हजार वर्ष में जो धार्मिक उन्नति हुई है उसके मूल कारण थे। दूसरे वैष्णव संप्रदाय के आचार्य रामानंद, बंगाल के चैतन्य और सिक्ख धर्म के स्थापक नानक इन सबने दक्षिणी तत्त्वज्ञानियों के सिद्धांतों के आधार पर अपने मतों की योजना की और उनको फैलाया। रामानुजाचार्य और उनके बाद जो उनकी गद्दी पर बैठे उन्होंने समाज-सुधार का काम सबसे पहले किया। वे विधवा की दुःखदायिनी स्थिति पर करुण दृष्टि से देंखते थे और उनसे जो हो सकता था वह उनके कष्टनिवारण के लिए किया। वे नीच वर्ण के हिंदुओं पर दया करते थे और उनकी उन्नति के उपाय करते थे। उन सब बातों के होते हुए उसी दक्षिण प्रदेश के मुख्य स्थान में राजा सर टी. माधवराव के प्रयत्न से सोशल कांफ्रेंस का जन्म हुआ, यह भी उपयुक्त ही हुआ है। मेरा खयाल है कि इसका जन्म होने से अब तक, सात वर्ष में, उसमें आशाजनक सामाजिक सुधार हुआ है। कुछ लोगों का कहना है कि गत सात वर्षों में राजनैतिक और सामाजिक संबंध में हमारा उद्योग व्यर्थ गया है और जो विज्ञप्ति हमने प्रजावर्ग से की है उसका कुछ असर नहीं हुआ। राजनैतिक विषयों में जो सफलता आपको प्राप्त हुई है वह आप लोगों को विशेष रूप से मालूम हो चुकी है। सामाजिक दशा में जो सुधार हुआ है मैं उसके संबंध में कुछ कहने का साहस करता हूँ। हिंदुस्तान के मध्यवर्ती देशी राज्यों की ओर देखने से मालूम होता है कि किसी न किसी प्रकार के समाज-सुधार का आरंभ वहीं से हुआ है। और इससे इस बात का प्रमाण मिलता है कि प्रजा सुधार की आवश्यकता समझने लगी है। रजवाड़े राजनैतिक और औद्योगिक आंदोलनों में अग्रभाग लें यह संभव नहीं है तो भी उदयपुर, जयपुर, जोधपुर, प्रतापगढ़, सिरोही, डूँगरपुर इत्यादि राजपूताने की 17 रियासतों के अधिपति 'वाल्टरकृत राजपुत्र-हितकारिणी सभा' के सभासद हुए हैं। उन्होंने ऐसे नियम बनाए हैं कि जिससे विवाहादि और कर्मक्रिया में जो अंधाधुंध अपव्यय होता है उसमें कमी हो और छोटे-बड़े सभी अपनी मान-मर्यादा के अनुसार अपने काम कर सकें और साथ-साथ अपनी जाति और उसकी शाखाओं में उन्होंने बालविवाह-संबंधी उत्तम नियम बनाए हैं और वे अपना काम बड़े उत्साह से कर रहे हैं। बड़ौदा के श्रीमंत महाराजा साहब ने अपने राज्य और उसके आस पास के महाजन और कणबी-वर्ग की प्रार्थना पर उन लोगों की जाति में सुधार करने का प्रयत्न किया है। खंभात के नवाब ने भी ऐसा ही काम किया है। आपके दक्षिण प्रदेश के निकटवर्ती मैसूर राज्य के महाराजा ने भी अपनी राज्य-सभा की अनुमति

से गत वर्ष ही ऐसा नियम बनाया है जिससे बालविवाह और वृद्ध पुरुषों के साथ छोटी अवस्था की लड़कियों से विवाह न हो सकें। उस नियम के अनुसार आठ वर्ष से कम उम्र की कन्या का विवाह नहीं हो सकता और चौदह वर्ष से कम अवस्था की लड़की का विवाह पचास वर्ष से ऊपर अवस्था वाले पुरुष के साथ नहीं हो सकता। कश्मीर के महाराजा ने अपने राज्य में स्थापित सुधार-समिति के प्रमुख का आसन स्वीकार किया है। इतना ही नहीं, बल्कि ऐसा प्रयास किया है कि किसी के मरने पर रोने-पीटने वालों को किराए पर बुलाना, और विवाह कर देने के बाद पिता का अपनी पुत्री का मुँह न देख सकना, इस तरह की कुरीतियाँ दूर हो जाएँ। और बड़ौदा, इंदौर, कपूरथला, भावनगर, मोरवी, गोंडल, बर्दवान, कूचविहार और कोल्हापुर के राजा लोग तथा दूसरे कितने ही राजा-महाराजा विलायत-यात्रा कर आए हैं और अपने साथ में निज कुटुंबियों और सहचरों को लेकर समुद्र पार हो आए हैं और इस प्रकार विदेश-गमन का मार्ग खोलने में आगे बढ़े हैं। हमारा यह कहना नहीं है कि यह सब उन्नति कांफ्रेंस के कारण हुई है परंतु जिस उत्साह के कारण इस कांफ्रेंस की आवश्यकता बताई जाती है उसी उत्साह से इस प्रकार के सुधार देशी रजवाड़ों में अपने आप होते चले जा रहे हैं। सुधार के लिए जुदे-जुदे राज्यों में जुदे-जुदे प्रकार से सफलतापूर्वक प्रयत्न हो रहा है। मैसूर में कानून से सुधार किया गया है और गायकवाड़ के राज्य में जाति की सूचना से वही काम किया गया है। और रजवाड़ों में शासक-वर्ग की आज्ञा के अनुसार सुधार हुआ है। हमारी गवर्नमेंट परदेशी है, वह भी राजपूताने के सुधार की ओर लोगों का ध्यान होने से उत्तेजित हुए बिना रहेगी नहीं। परंतु हम को इसकी आवश्यकता नहीं है। सरकार भी इस काम में पड़ना उचित नहीं समझेगी। सरकार तो विद्या का प्रचार कर हर विद्यार्थी को अपना कर्त्तव्य बता देती है। तो भी विशेष आवश्यकता समझने पर सरकार कुछ करने को तैयार हो जाती है। दक्षिण की नीच जातियों में अमुक देवता को प्रसन्न करने के लिए मनुष्य की पीठ में लोहे का कड़ा डाल कर लटकाने की जो रीति थी उसको सरकार ने अपनी आज्ञा द्वारा बंद किया है और बंबई तथा वायव्य प्रांतों में राजपूत और कणबी लोगों में विवाह में जो बहुत धन नष्ट होता था उसको कम करने के लिए भी व्यवस्था की है। प्रजा के हित के लिए सम्मति-वय का कानून भी बनाया है परंतु उस कानून के बनाने के समय प्रजा ने उसका घोर विरोध किया था, उससे वह अप्रसन्न हो गई है। और अब समाज-सुधार के मामले में सरकार हाथ डालने में हिचकती है। परंतु यह जान कर मुझे आनंद होता है कि माननीय मधुस्वामी आयर की कमेटी के परामर्श के अनुसार सरकार मलाबार के विवाह-संबंधी कानून के बिल पर विचार करना चाहती है और बंगाल में भी माननीय बाबू बिहारीलाल को धारा-सभा में सुधार-संबंधी एक प्रस्ताव पेश करने की आज्ञा मिली है। इस प्रकार सरकार और देशी राज्य भी सुधार की आवश्यकता और उसके महत्त्व को समझते जाते हैं। और ऐसा जान पड़ता है

कि ईश्वर सबकी प्रेरणा इस कार्य की ओर कर रहा है।

कदाचित् आप लोगों में से कोई सज्जन यह कहेंगे कि सरकार की ओर से जो सुधार हो वह सच्चा सुधार नहीं है। प्रजा का ध्यान उस ओर आप ही आप जाना चाहिए। इस संबंध में हमको अब यह बात देखनी चाहिए कि गत 7 वर्ष में प्रजा ने इस विषय में कुछ किया है या नहीं। हिंदुस्तान के उत्तर पश्चिम—देश में 6-7 शहरों में इससे भी भारी सभा और बड़े उत्साह से हाल में होती है। उत्तर में कायस्थों की बड़ी सभा की बैठक मथुरा में गत वर्ष हुई थी। वैश्य कांफ्रेंस गत वर्ष लाहौर में हुई थी और इस साल शाहजहाँपुर में होने वाली है। भार्गवों ने अपनी सभा लखनऊ में की थी। उदीच्य-सभा बंबई में और जैनों एवं मुसलमानों की अहमदाबाद में हुई थी। मुसलमानों की कांफ्रेंस में वेश्या के नाच और विवाह में अधिक धन-व्यय के प्रति अप्रसन्नता प्रकट की गई थी। पंजाब में जुदी-जुदी जातियों ने अपनी-अपनी सभाएँ स्थापित की हैं जिनमें सरणी, कायस्थ और खालसा-सभा मुख्य हैं। आपकी तरफ भी श्रीमाधव तीरपट में अपनी सभा कर रहे हैं। यह सब कार्य प्रत्येक जाति-मंडल की ओर से हो रहा है और वे अमुक प्रस्तावों को स्वीकृत कर उनको कार्यरूप में परिणत करते हैं। इस कारण यह कांफ्रेंस इन संस्थाओं से अपने उद्देश्य की पूर्ति में बड़ी सहायता की आशा रखती है।

देश के कितने ही भागों में यदि अनेक सभाएँ सुधार के विषय में उपयोगी हो रही हैं तो दूसरी ओर धार्मिक संस्थाएँ भी जैसे आर्य-समाज, धर्ममहामंडल और सनातन-सभाएँ तथा इस प्रकार की दूसरी समिति आदि भी स्वतंत्र रूप से कोई न कोई सुधार का उपयोगी कार्य कर रही हैं। आर्यसमाज ने इस संबंध में आश्चर्यजनक कार्य किया है। उसकी ओर से मद्यपान-निषेधक सभा स्थापित हुई है और ऐसे विषयों पर गीत बनाए गए हैं जिनको शुभ प्रसंगों पर स्त्रियाँ गाती हैं। उसने पुनर्विवाह को उत्तेजना दी है, बालकों और कन्याओं के लिए कॉलेज और मदरसे बनाए हैं, और अनेक प्रकार से उदारतापूर्वक यत्न किया है। संक्षेप में कहें तो समाज-सुधार के लिए जो कुछ करने की आवश्यकता है वह सब आर्यसमाज ने पंजाब में किया है। बंगाल में भी ब्रह्मसमाज के लोगों ने अपने लिए विवाह का विशेष कानून बनवा कर सुधार-विषयक कितनी ही बातों में हमसे आगे उन्नति कर ली है।

जाति-सभा और धार्मिक संस्थाओं के अतिरिक्त तीसरे वर्ग की और संस्थाएँ भी हैं जिनमें से मदरास की हिंदू सोशल रिफार्म एसोसिएशन है, जिसके वार्षिकोत्सव में हम यहाँ एकत्र हुए हैं। बिलारी का सन्मार्ग-समाज, बरार सोशल रिफार्म एसोसिएशन, अहमदाबाद और सिन्ध एसोसिएशन, बंबई, मदरास, वर्धा इत्यादि स्थानों में पुनर्विवाहोत्तेजक मंडली और इसी प्रकार की अनेक संस्थाएँ हैं जो समाज-सुधार के लिए उद्योग कर रही हैं और अपने सभासदों तथा कार्यकर्त्ताओं की प्रतिज्ञाओं पर विश्वास कर अपना काम कर रही हैं। पहले दोनों वर्गों की संस्थाओं के बराबर यद्यपि तीसरी संस्था सत्ता

नहीं रखती है तो भी यह अपना कार्य कर रही है। इन तीनों प्रकार की संस्थाओं के उपरांत देश में और भी संस्थाएँ हैं जैसे जुदे-जुदे स्थानों में मद्यपान-निषेधक और सद्वर्तन-समिति आदि। यह भी आवश्यक कार्यों में योग देती हैं।

इस जागृति का परिणाम यह मालूम होता है कि लोगों का ध्यान सद्व्यवहार, और परोपकार-वृत्ति के नीति-नियमों की आवश्यकता की ओर जाने लगा है। और यह बात सुधार-संबंधी हमारे उद्देश्यों की पूर्ति में बड़े महत्त्व की तथा आशाजनक मालूम होती है। प्रजा में इस वृत्ति के उपजाने की ओर सरकार का भी ध्यान गया है। इसी वृत्ति के कारण जीवित प्राणियों का वध, छूत रोगों का कानून, प्लेग में स्त्रियों पर होने वाले अनौचित्य इत्यादि के विरुद्ध प्रजा में आंदोलन हुआ था। मद्यपान का निषेध करने के लिए जो लोगों में चर्चा उठी है, उसका परिणाम यह हुआ है कि सरकार को इस विषय की जाँच करने के लिए दो कमीशन बिठाने पड़े हैं। धर्म के नाम पर जो असंख्य रुपए मंदिर इत्यादि को दिए जाते हैं उनको विशेष उपयोगी कार्य में लगाने की हलचल हो रही है। वेश्याओं का नाच और आचरण की शिथिलता के विरुद्ध जो लोगों का पक्ष होता जाता है वह भी इसी वृत्ति का कारण माना जा सकता है। इसी प्रकार नीच जातियों की सहायता करने और उनकी दशा सुधारने की लोगों में प्रवृत्ति देखी जाती है। बाल-विधवाओं की क्लेशदायक दशा की ओर भी लोगों का ध्यान विशेष आकर्षित होता जाता है। कलकत्ता, अहमदाबाद और पूना में विधवा-आश्रम खोले गए हैं और परीक्षा के लिए बाल-विधवाओं के पुनर्विवाह भी कराए जा चुके हैं। एक से अधिक स्त्रियों से विवाह करने की रीति और लड़की बेचने का रिवाज दिन-दिन उठता जाता है। परंतु इसका एकदम अदृश्य होना असंभव है। 75 से अधिक पुनर्विवाह मेरे प्रांत में हुए हैं और भी होते जाते हैं। इन सब बातों से प्रत्यक्ष जान पड़ता है कि सुधारपक्ष बलवान होता हुआ उन्नति करता जा रहा है।

मुझे आशा है कि इन सब बातों से मैं यह दिखा सका हूँ कि गत सात वर्षों में हमारी कांफ्रेंस ने जो काम किया है, वह औद्योगिक और राजनैतिक सुधार से तुलना योग्य है। मद्रास एसोसिएशन के सभासद चाहे थोड़े हैं तो भी समय के अनुसार वे अपना काम तन-मन से कर रहे हैं। यह उनके लिए बड़े संतोष की बात है। वे लोग जलते हुए अंगारे की तरह हैं जिनकी अग्नि निरुत्साह से शांत नहीं हो सकती। उनकी जैसी प्रवृत्ति भारतवर्ष में सब जगह देखने में आती है और यदि इस समय उनका पक्ष और उसके लिए उनके कार्य और उत्साह लोगों को अप्रसन्न करते हैं परंतु अंत में उनको विजय प्राप्त होगी और यह लोग सफल-मनोरथ होंगे।

मद्रास एसोसिएशन की वेश्या-नाच के विपक्ष में जो हलचल हुई है उसको पंजाब वालों ने भी अपने सिर उठाया है। सारा पंजाब इस विषय में एकमत होने लगा है। अहमदाबाद के हिंदू और मुसलमानों ने भी ऐसा प्रस्ताव स्वीकार किया है।

रावलपिंडी, धारवाड़, बेलारी, मछलीपट्टन आदि जगहों में भी यह बात प्रस्तावरूप से पास हुई है और उनके अनुसार कार्य करने का भी प्रयत्न हो रहा है।

मैसूर राज्य ने बड़ी हिम्मत से जिस प्रकार बालविवाह को रोकने के लिए जो कानून बनाया है उसका उल्लेख ऊपर हो चुका है। राजपूताने में भी इस हानिकारक प्रथा को निर्मूल करने के लिए कानून बनाए जाते हैं। समस्त देश का ध्यान बालविवाह से होने वाली हानियों की ओर तथा उसमें आवश्यक सुधार की ओर आकर्षित हो रहा है। किसी किसी जाति ने तो लड़कों और लड़कियों की उम्र विवाह के लिए निश्चित कर दी है। जैसे भार्गवों ने 12, मथुरा के चौबों ने 13, और महाजनों ने 12 वर्ष की अवस्था लड़की के विवाह के लिए निश्चित की है। इससे ऐसा जान पड़ता है कि इस विषय में सदा के लिए सुधार हो जाने में विशेष काल नहीं लगेगा। गत वर्ष बारह पुनर्विवाह हुए थे। कितनी ही जाति के पंच और सरदारों ने अग्रसर होकर पुनर्विवाह की आज्ञा माँगने के लिए अपने जाति-भाइयों से प्रस्ताव किए हैं।

विलायत-यात्रा कर आने वालों के साथ कैसा व्यवहार होने लगा है और उनको फिर जाति में ले लेने के बारे में एक मामला मद्रास में और दो बंगाल में ऐसे हुए हैं जिनसे जाति वालों की ओर से संतोष होता है। मिस्टर चेटी आर्मू ने हमारे देशी ब्राह्मणों को बिना विरोध के फिर जाति में ले लिया है। बंगाल की कायस्थ जाति ने मिस्टर उपेंद्रनाथ दास को—जो विलायत हो आए हैं और अंग्रेज स्त्री से अपना विवाह कर लाए हैं जिससे उनके पुत्र भी हुए हैं—बिरादरी में ले लिया। पंजाब के आर्य समाज ने और एक सिक्ख-सभा ने बारह मनुष्यों को, जो मुसलमान हो गए थे, शुद्ध कर जाति में ले लिया है। सुधारक वर्ग में और प्राचीन प्रथा का अनुकरण करने वालों में, दोनों में परस्पर अच्छा संबंध होता जाता है, यह भी बड़े संतोष की बात है। मुझे शंका होती है कि मैंने आपका बहुत समय लिया है। हमने जो कार्य उठाया है उसको पूरा करने के लिए अंतःकरण से प्रयत्न करने के अतिरिक्त ईश्वर पर श्रद्धा, अगाध धैर्य और परोपकारवृत्ति जैसे महान् गुणों की भी आवश्यकता है। हम इन गुणों का सदा मनन करते हुए यदि दृढ़ता से कर्त्तव्य पालन करते रहें तो अपने पूर्वजों की उच्च स्थिति, जो इतिहास में वर्णित है, उसको प्राप्त कर सकेंगे। ऐसा करने से ईश्वर भी अवश्य सहायता करेगा। यदि हमको दुःख भोगना पड़ता है तो वह हमारे भूतकाल और वर्तमान के पापों का फल है। अपने पापों को धो डालेंगे तो कीर्त्ति की किरण अपने आप प्रकाश करने लगेगी। ऐसी आशा के साथ यह भी हमको निश्चय समझ लेना चाहिए कि हम शुभ कार्य में भाग ले रहे हैं और जिस प्रमाण से हम यत्न करेंगे उसी प्रमाण से सफलता प्राप्त करेंगे।

—1894, सोशल कांफ्रेंस

मुंबई अभिभाषण

जिस धार्मिक हलचल को हमारे साधु धर्मोपदेशकों ने 'भागवत धर्म' का नाम दिया है, उसकी उत्पत्ति और गत 2000 वर्ष में उसके प्रचार के विषय पर मैं कुछ वर्षों से अपने विचार आप लोगों के सन्मुख इस आसन पर से और दूसरे अवसरों पर प्रकट कर रहा हूँ। इसी 'भागवत धर्म' का एक प्रतिबिंब वा शाखारूप हमारा समाज भी है। 'भागवत धर्म' का मुख्य लक्षण उसका Protestant होना है अर्थात् प्रचलित धर्म में जिन कुरीतियों और अत्याचारों का समावेश है उसके विरुद्ध आपत्ति करना है। यहूदियों की तरह हम लोगों में भी बराबर सत्पुरुषों का जन्म हुआ है। उन्होंने अपने जीवन, रहन-सहन और उपदेशों से कुरीतियों और अत्याचारों का प्रतिकार किया है जिनके कारण वास्तविक धर्म और उसका यथार्थ स्वरूप ढक जाता है, इस कारण से 'भागवत धर्म' को हम निःसंकोच होकर प्रोटेस्टेंट वा संस्कृत हिंदू-धर्म कह सकते हैं। इस धार्मिक हलचल के लक्षणों की ओर, जिसने हमारा बड़ा लाभ किया है और जो भविष्य में और विशेष रूप से करेगी, मैं आपका ध्यान खींचना चाहता हूँ। हमारे विद्यार्थी यूरोप की प्रोटेस्टेंट हलचल को जानते हैं। परंतु यह बात बहुत से लोग नहीं जानते कि अंतःकरण की जिस शुद्धि और मन के संस्कार की जिस प्रवृत्ति का परिणाम प्रोटेस्टेंट धर्म था वैसी ही शक्तिशाली प्रवृत्ति इस देश में उसी समय उत्पन्न हुई थी और उसका भी परिणाम वैसा ही हुआ था। क्रिश्चियन-धर्म के प्रोटेस्टेंट लोग गिरजाघरों में और विद्यालयों में लैटिन भाषा के विरोधी हुए। मर्यादा-विहीन वैराग्यमय भावना, बात-बात में धर्मक्रिया और पादरी की उपस्थिति की आवश्यकता, धर्मोपदेशकों के आचार-भ्रष्ट जीवन, यात्रा, उपवास, पादरी से अपने पापकर्मों के स्वीकार करने से क्षमा प्राप्त करना, और दोषादोष में धर्म-गुरुओं के मनमाने सिद्धांतों को मानना—इन सब बातों का विरोध प्रोटेस्टेंट लोगों ने किया था; और मूर्तिपूजा, मृत संतों की अस्थि का पूजन, और निरर्थक विधि-संस्कारों पर भी आक्षेप किया था। इस निषेध से वे लोग अपने समाज में ही केवल सुधार नहीं कर सके थे बल्कि उनके विपक्षी रोमन केथोलिक लोगों को भी बाध्य होकर अपनी बहुत-सी कुरीतियाँ दूर करनी पड़ी थीं। और रोमन केथोलिक चर्च को बहुत से संस्कार कर लेने पर फिर वही पद और सत्ता प्राप्त हो गई जो कि एक प्राचीन और प्रतिष्ठित संप्रदाय की होती है। ल्यूथर, केलविन, नोक्स और लेटिमर, जो कि प्रोटेस्टेंट प्रवृत्ति के मुख्य लोग थे, इन लोगों के मर जाने पर भी सुधार की आवश्यकता रही थी। प्रचलित पंथ में एक प्रकार की कठोरता आ जाया करती है और उसमें एक ऐसी दारुण सत्ता आ जाती है कि उसके रीति-रिवाज दृढ़ हो जाते हैं और धर्म के असली सिद्धांत उनमें लुप्त हो जाते हैं। धर्म के भाव का अभाव हो जाता है और प्रचलित रीति वा नियमों का पूर्ण साम्राज्य हो जाता

है। ऐसे ही प्रचलित धर्म में दूषण और मलीनता के विरुद्ध सत्रहवीं शताब्दी में प्यूरिटन्स और कवेनेंटटर लोगों ने प्रयत्न किया था और पिछली शताब्दी में वेसलेयस और मेथोडिस्ट्स ने किया था। अब हमारे देश में जो धार्मिक हलचल उत्पन्न हुई उसकी ओर ध्यान देना चाहिए। मुझको यह कह देना आवश्यक है कि इस हलचल का हाल जो मैं आप लोगों के सम्मुख कहता हूँ वह साधु-संतों के जीवन-चरित्र पर अवलंबित है। यह जीवन-चरित्र हम उपस्थित सज्जनों में से किसी के लिखे नहीं हैं। नानाजी, उद्धवचिद्धन, और प्रियदास के लिखे हुए हैं, जिनके आश्रय पर से महीपति ने 100 चरित्र एकत्र कर सौ वर्ष पूर्व एक पुस्तकरूप में लिखे हैं। महीपति के ग्रंथ में 100 साधुओं के चरित्रों का वर्णन है जिसमें से 50 महाराष्ट्र के हैं और बाकी भारतवर्ष के हैं। इनमें से 10 साधुनी हैं, 10 मुलसमान हैं, 40 ब्राह्मण और बाकी 40 दूसरी जाति के हिंदू हैं। इन पिछले 40 में सब जाति और पेशे के लोग शामिल हैं जैसे कि कसाई, जुलाहे, सुनार, नाई, महार, राजा, किसान, साहूकार और सिपाही। इससे स्पष्ट है कि इस धार्मिक हलचल में सब तरह के लोगों ने भाग लिया था। संसार भर में हमको ऐसी दूसरी मिसाल नहीं मिलती जहाँ कि धर्मोद्धार के लिए छोटी स्थिति के मनुष्यों ने ऐसा परिश्रम किया हो और उसमें अपने पवित्र जीवन और शील तथा नम्रता से, न कि बाहुबल से, ऐसी सफलता प्राप्त की हो। जब तक कि कोई आंदोलन सर्वमान्य नहीं हो जाता है तब तक उसके निमित्त निराशा हुआ करती है। ब्रह्म-समाज, आर्य-समाज और हमारे प्रार्थना-समाज में भी यह न्यूनता है। अभी तक इन संस्थाओं का प्रभाव साधारण जन-समाज पर नहीं पड़ा है। केवल वही लोग इसके प्रभाव-क्षेत्र में आए हैं जिनका मन एक विशेष प्रकार के विचारों के अधीन रहा है। इसी कारण धार्मिक हलचल के इतिहास को जानना परम आवश्यक है। ऊपर जिन साधु-संतों के नाम आए हैं वे सब पाँच छह सौ वर्ष में हो गए थे और अब भी ऐसे साधुओं का होना संभव है। अब हमको यह देखना चाहिए कि इन महात्माओं ने अपने-अपने समय और स्थिति के अनुसार धर्मोद्धार के लिए क्या-क्या काम किए। इनकी धार्मिक हलचल से न तो कोई युद्ध हुए हैं, न रक्त की नदियाँ बहाई गई हैं; न किसी पर अत्याचार हुआ और न किसी को दंड दिया गया। जैसे दैवी शक्ति हममें अपना काम चुपचाप करती है इसी तरह उन्होंने भी अपना कार्य चुपचाप और स्थिरता से किया। इन महात्माओं ने संस्कृत-भाषा की अपेक्षा प्रचलित भाषा का आदर किया और अपने अपने समय में निज-भाषा साहित्य को उन्नत किया। प्राचीन भाषा और प्रचलित भाषा में जो झगड़ा है वह नया नहीं है। सदा से चला आता है। तुकाराम और एकनाथ की इस बात पर पंडित लोग बेतरह बिगड़े थे कि उन्होंने शास्त्रीय ज्ञान और प्राचीन विद्या को प्रचलित भाषा में लिख कर मामूली आदमियों के समझने योग्य बनाया था। तुकाराम और एकनाथ के ग्रंथों को पंडितों ने पानी में डाल दिया था परंतु ऐसा कहा जाता है कि वरुण देवता ने उनका नाश नहीं किया बल्कि रक्षा की। ऐसा ही

विवाद वामन पंडित और रामदास में और शल्यरसाल तथा नामदेव के बीच हुआ था। वामन संस्कृत का विद्वान् था इसलिए प्रचलित भाषा बोलने में अपमान समझता था। परंतु रामदास के संसर्ग से उसका यह घमंड दूर हो गया। इसी प्रकार शल्यरसाल ब्राह्मण ने रामायण का भाषांतर किया था। अपनी विद्वत्ता का उसे बड़ा गर्व था। दैवी सूचना उसको यह हुई थी कि अपने ग्रंथ को नामदेव नामक दर्जी महात्मा से शुद्ध कराए। अंत में इन महात्माओं को विजय प्राप्त हुई। भारतवर्ष के प्रत्येक प्रांत में जो प्रचलित भाषा की उन्नति हुई है वह उस धर्मोद्धार के प्रमाण की सूचक है जो उस प्रांत में ऐसे महात्माओं के कारण हुआ है। इन साधुओं ने इस बात पर भी आक्षेप किया था कि यांत्रिक धर्म-क्रियाओं से धार्मिक वृत्ति की वृद्धि होती है। धार्मिक क्रियाओं का प्रयोजन यह होता है कि वे धार्मिक वृत्ति के उन्नत होने में सहायक हों। परंतु यदि इनका साधन रूप न जानते हुए यह व्यवहार में लाई जाएँ तो वृत्ति को कुंठित कर देती हैं और हृदय के भक्ति-भाव और पवित्रता के साधन होने के बदले साध्य हो जाती हैं। प्रत्येक महात्मा ने अपने सदाचार से लोगों को शिक्षा दी है। इस कार्य में उनको इतनी सफलता प्राप्त नहीं हुई जितनी भाषा-संबंधी कार्य में हुई परंतु स्मृतिकाल के रिवाजों का आजकल की व्यवस्था से मिलान करने पर यह स्पष्ट मालूम होता है कि इन महात्माओं ने हमारी प्रचलित रीतियों को सुगम और सरल बना कर कितने महत्त्व का काम किया है। हठयोग और उस क्रिया से प्राप्त सिद्धि के विरुद्ध भी इन्होंने आक्षेप किए थे। इस काम में उनको पूर्ण सफलता हुई है। हमारे देश-भाई अब इस बात को समझ गए हैं कि सिद्धि प्राप्त करने का प्रयत्न कैसी मूर्खता का है और यदि सिद्धि मिल भी जाए तो उससे कुछ विशेष लाभ नहीं होता। ज्ञानदेव के साथ चांगदेव का और स्वयं ज्ञानदेव से नामदेव का जो झगड़ा हुआ था, वह इस बात का उत्तम दृष्टांत है।

(चांगदेव ने सिद्धि प्राप्त कर शेर पर सवारी की थी और उसको साँप के चाबुक से चलाया था; तो ज्ञानदेव ने दीवार पर सवारी की और उसको चला दिया। ज्ञानदेव ने अपने योगबल से शरीर छोटा कर कुँए में उतर कर पानी पी लिया तो नामदेव ने एक कुँए में इतना पानी भर दिखाया कि वह ऊपर उमड़ कर आ गया।)

चौथा आक्षेप जाति-भेद पर था। उनका यह प्रयत्न था कि इन भेदभावों में शिथिलता हो जाए। ऊपर जिन साधुओं के नाम लिए गए हैं उनमें नाई, चमार, महार और कसाई तक शामिल हैं। स्त्रियाँ और मुसलमान भी हैं। इस बात से मालूम होता है कि जैसी विशाल दृष्टि इन महात्माओं की थी वैसी कहीं देखने में नहीं आती। इस संबंध में एकनाथ, कबीर, रामदास और तुकाराम का प्रयत्न सर्वोत्तम था और यद्यपि इसमें यथेच्छ और स्थायी सफलता नहीं हुई है परंतु फिर भी बहुत कुछ सुधार हुआ है। हिंसा, अपवित्रता, मनुष्य और पशु का बलिदान, क्रूर देवताओं की उपासना, शाक्त पंथ—इन सब के विरुद्ध भी इन लोगों ने आक्षेप किए थे। और इसमें उनको

पूर्ण सफलता प्राप्त हुई है। नानक और कबीर के विशेष उन्नत पंथों ने मूर्तिपूजा को त्याज्य माना है परंतु और महात्माओं ने मूर्तिपूजा का विरोध नहीं किया; पर अनेक ईश्वर का विरोध अवश्य किया है। यह सब महात्मा केवल एक ईश्वर के मानने वाले थे। अनेक और परस्पर द्वेषी देवी-देवताओं पर आक्षेप कर जो झगड़ा इन्होंने उठाया था वह वास्तव में बड़ी वीरता से उठाया गया था। उनका यह कहना था कि ईश्वर बड़ा दयालु है और उसको प्राणिमात्र की एक-सी चिंता है। प्रत्येक प्राणी को वह माँ-बाप से भी अधिक प्यार करता है। स्नेही ईश्वर अपने भक्तजनों से बातचीत करता हुआ, उनके साथ रहकर उनके दुःख को दूर करता है—ऐसी जो ईश्वर की भावना है वह हमारे लिए एक अमूल्य धनराशि है। इसमें संदेह नहीं कि ईश्वर और उसके भक्तों के संबंध में बहुत सी ऐसी झूठी कथाएँ और गल्प भी प्रचलित हैं कि जिनको सुनकर हँसी आती है। भारतवर्ष में जो धार्मिक सुधारों की हलचल उत्पन्न हुई थी उसके ये मुख्य लक्षण हैं। यदि हममें अपने पूर्वजों के लिए पूज्यभाव है तो इस भागवत धर्म की पद्धति के अनुसार ही हमको चलना चाहिए।

—1895, प्रार्थना समाज, मुंबई

अमरावती अभिभाषण

जिसकी हमको अत्यंत आवश्यकता है उस स्त्री-शिक्षा की स्थिति अब तक मंद ही है। इतना अवश्य हुआ है कि प्रजा की जागृति जो भारतवर्ष में अब देखने में आती है उसको सब लोग हितकर समझते हैं और अपनी बहिनों में नैतिक लक्षणों और मानसिक शक्तियों के विकास की आवश्यकता सब मानते हैं। हमको आशा है कि हमारे देश की स्त्रियाँ थोड़े समय में ऊँचे प्रकार की शिक्षा प्राप्त कर उत्तम गृहिणी बनकर समाज-सुधार में बड़ी सहायक होंगी।

(एक अंश)

—1897, सोशल कांफ्रेंस

एक बातचीत

पारसी सज्जन—"मिस्टर रानाडे, आप धर्म को क्यों छेड़ते हैं? यदि लोग उसमें कोई सुधार करना नहीं चाहते तो उसके लिए आप क्यों प्रयत्न करते हैं? 'ईश्वर' और

'स्वर्ग' इन बातों में परिश्रम करने से तो दुनिया की दूसरी उपयोगी बातों में परिश्रम करना विशेष उपयोगी होगा।''

रानाडे—''भारतवर्ष धर्मों की जन्मभूमि है। अच्छा हो या बुरा, हम तो सदा धर्म और ईश्वर का ही विचार करते हैं। और ऐसा करने से हम रुक नहीं सकते। ईश्वर और धर्म जन्म से ही हमारे रक्त में मिले हुए हैं। हम उनको छोड़ना भी चाहें तो भी वे हमारा पीछा नहीं छोड़ेंगे।''

पुनरुत्थान बनाम सुधार

एक ओर नए धार्मिक संप्रदाय के लोग हम पर अत्यधिक रूढ़िवादी होने का आरोप लगाते हुए हमारी निंदा करते हैं तो दूसरी ओर घोर परंपरावादी और रूढ़िवादी वर्ग हम पर यह आरोप लगाता है कि हम ज्यादा ही क्रांतिकारी हैं। इनके अनुसार हमारा प्रयास पुनरुत्थान का होना चाहिए, न कि सुधार का। घोर परंपरावादियों के इस खेमे में मेरे अनेक मित्र भी हैं और उनका आदर्श वाक्य यह है कि हमारा उद्देश्य सुधार नहीं, बल्कि पुनरुत्थान होना चाहिए। वे पुराने तरीकों की वापसी की वकालत करते हैं तथा पुराने अनुमोदनों और विधानों के लिए आग्रह करते हैं। यहाँ भी, जैसा कि ऊपर के उदाहरण में कहा गया है, लोग अपने शब्दों के महत्त्व को समझे बिना बोलते हैं। जब हमें अपनी संस्थाओं और प्रथाओं को पुनर्जीवित करने के लिए कहा जाता है तो परेशानी इस बात की होती है कि हमें किन चीजों को पुनर्जीवित करने के लिए कहा जा रहा है। दरअसल हमारे इतिहास के किस काल विशेष को पुराना माना जाए? क्या वैदिक काल को, स्मृतियों के काल को, पुराणों के काल को या मुसलमान या आधुनिक हिंदू काल को? हमारी प्रथाएँ विकास की धीमी प्रक्रिया के साथ और कुछ मामलों में क्षय एवं भ्रष्टाचार के कारण समय-समय पर बदलती रही हैं और समूचे काल की क्रमबद्धता को तोड़े बिना हम किसी काल विशेष पर रुक नहीं सकते। जब मेरे पुनरुत्थानवादी मित्र मेरे समक्ष अपनी दलीलें रखते हैं तो वे गोलमोल बातें करते हैं और उनसे इस प्रश्न का कोई हल नहीं निकलता कि हमें किस चीज को पुनजीर्वित करना है। क्या हम अपने लोगों की पुरानी आदतों को पुनजीर्वित करें जब हमारी जाति के अत्यधिक पवित्र समझे जाने वाले लोग सभी प्रकार के विद्वेषों और भ्रष्टाचार में शामिल थे। वे हर तरह के पशुओं का भक्षण करते थे, और तरह की निषिद्ध चीजों का पान करते थे। जिसके कारण हमारे देश के जीवों और वनस्पतियों का भारी नुकसान हुआ। उन पुराने दिनों के पुरुष और देवता जिन निषिद्ध चीजों को खाते और पीते थे, उनकी सिफारिश का साहस आज कोई भी पुनरुत्थानवादी

नहीं कर सकता। क्या हम बारह प्रकार के पुत्रों या आठ प्रकार के विवाहों को फिर से चालू करें, जिनमें स्त्री को बंदी बनाना भी शामिल है और वर्णसंकर विवाह तथा अवैध संभोग को मान्यता दी गई है? क्या हम अपने भाई की मृत्यु के बाद उनकी विधवा पत्नियों के साथ मिलकर पुत्र पैदा करने हेतु नियोग पद्धति को पुनः चालू करें? क्या हम वैवाहिक बंधनों में बँधे ऋषियों और ऋषि पत्नियों द्वारा अपनाई जाने वाली पुरानी स्वच्छंदता को फिर से चालू करें? क्या हम वर्ष दर वर्ष होने वाले पशु-बलि के शतमेध को पुनः चालू करें, जिसमें देवता को खुश करने के लिए मनुष्य तक की बलि दी जाती थी? क्या हम अश्लीलता और आचारिक व्यभिचारिता से मुक्त बाईं ओर की शक्ति-पूजा को पुनः चालू करें? क्या हम सती और शिशुहत्या की प्रथा को पुनः चालू करें या जीवित व्यक्ति को नदी में फेंक देने या चट्टानों पर पटककर मारने या हुकों में लटकाने या जगन्नाथ के रथ के पहिए के नीचे कुचलने की प्रथा को पुनः चालू करें? क्या हम ब्राह्मण और क्षत्रिय के बीच भयानक युद्ध को या आदिवासियों के निर्दयतापूर्वक उत्पीड़न और अपमान की प्रथा को पुनः चालू करें? क्या हम एक पत्नी के अनेक पति और एक पति की अनेक पत्नियों की प्रथा को पुनः चालू करें? क्या हम ब्राह्मणों को कहें कि वे जमींदार और सज्जन नहीं बनें और उन्हें भिखारी एवं राजा का आश्रित बना रहने दें जैसा कि पुराने समय में था? ये उदाहरण यह बताने के लिए पर्याप्त हैं कि प्राचीन प्रथाओं और अभ्यासों को पुनर्जीवित करने की योजना से परमगति प्राप्त नहीं होगी और वे व्यावहारिक नहीं हैं। यदि ये प्रथाएँ अच्छी और लाभकारी थीं तो हमारे बुद्धिमान पूर्वजों ने उन्हें बदला ही क्यों? यदि वे खराब और घातक थीं तो इतने युगों के बाद कोई उन्हें पुनः चालू करने के लिए कैसे दावा कर सकता है? इसके अतिरिक्त लोग शायद यह भूल रहे हैं कि एक जीवंत समाज में पुनर्जीवन संभव नहीं है। मृत और दफनाए हुए और जले हुए लोग सदा के लिए मृत, दफन और जल गए हैं और इसीलिए मृत अतीत कभी भी पुनर्जीवित नहीं हो सकता, सिवाय इसके कि पुरानी सामग्री को नई संगठित चीज के रूप में पुनर्निर्मित कर दिया जाए। यदि पुनर्जीवन असंभव है तो विवेकशील लोगों के समक्ष सुधार ही एकमात्र विकल्प है और अब यह पूछा जा सकता है कि वह कौन-सा सिद्धांत है जिस पर यह सुधार आधारित हो? इस विषय के बारे में लोगों के विचार बहुत ही अस्पष्ट हैं। बहुतों को ऐसा लगता है कि यह बाहरी रूप है जिसे बदलना है और यदि उसे बदल दिया जाए तो हमारे रास्ते की सारी कठिनाइयाँ समाप्त हो जाएँगी। यदि हम अपने बाह्य आचरण और प्रतिभाओं को बदलते हैं अर्थात् एक खास तरीके से बैठते हैं या एक खास प्रकार से चलते हैं तो उनके अनुसार हमारा काम पूरा हो जाता है। मैं समझता हूँ कि सुधार के बारे में अधिकांश पूर्वग्रह इस गलत समझदारी के कारण हैं। बाहरी रूप नहीं, बल्कि आंतरिक रूप ही अर्थात् सोच और विचार बाहरी रूप का निर्धारण करते हैं और यदि सही सुधार करना है

तो सोच और विचार को बदलना होगा।

अब हमें यह सोचना है कि वे आंतरिक रूप या विचार क्या रहे हैं जिन्होंने पिछले तीन हजार वर्षों में हमारे पतन की गति को तीव्रतर कर दिया है? संक्षेप में ये विचार थे—अलगाव, आंतरिक चेतना की आवाज की अपेक्षा बाह्य ताकतों और शक्तियों के सामने आत्मसमर्पण, वंश और जन्म के कारण मानव-जीवन के बीच काल्पनिक अंतर की अवधारणा, बुरे या गलत कार्यों के प्रति निष्क्रिय मौनस्वीकृति, लौकिक कल्याण के प्रति सामान्य तटस्थता और भाग्यवाद पर भरोसा। ये हमारी प्राचीन सामाजिक व्यवस्था के मूल विचार रहे हैं। उन्होंने अपने स्वाभाविक परिणामों के रूप में विद्यमान पारिवारिक व्यवस्थाओं को जन्म दिया है जहाँ औरतें पूरी तरह पुरुषों के अधीन हैं और नीची जातियाँ ऊँची जातियों के अधीन हैं और मनुष्य मानवता के अपने स्वाभाविक सम्मान से वंचित है। हम जिन बुराइयों को समाप्त करना चाहते हैं वे सभी इन विचारों की विद्यमानता के परिणाम हैं। ये इन स्वयंसिद्ध परिकल्पनाओं के परिणाम मात्र हैं। ये हमारे कुछ लोगों को अपने विवेक से यह महसूस करने से रोकते हैं कि वे वस्तुतः क्या हैं। वे न तो अपने साथियों से बेहतर हैं, न खराब हैं और यह कि मनुष्य चाहे जैसा भी लबादा ओढ़ ले, वह उन शक्तियों और प्रतिष्ठा को प्राप्त करने का हकदार नहीं हो सकता जिसका पात्र वह नहीं है। जब तक यह विचार हमारे मस्तिष्क में कार्य करता रहेगा, हम अपने बाहरी रूप और रिवाजों को बदलते रहेंगे और परिवर्तन के लिए किसी भी रूप में पीछे नहीं रहेंगे। इन विचारों ने युगों से हमारे चरित्र को प्रभावित किया है और हमने, जैसा कि सेंट पाल ने कहा है, उनके द्वारा उत्पन्न परिणामों के आधार पर उनके अच्छे और बुरे गुणों को पहचाना है और आज चूँकि ये परिणाम घातक हो रहे हैं, कोई भी इसका विरोध नहीं करता और न ही इसके प्रति संदेह व्यक्त करता है और इस सच्चाई से जो शिक्षा भविष्य में मार्गदर्शन हेतु हमें लेनी है, वह यह है कि इन विचारों की धारा अवश्य बदलनी चाहिए तथा हमने पुरानी प्रथाओं के प्रति जो पूजाभाव प्रदर्शित किए हैं उनकी जगह अब नए विचारों की पूजा करें और उन्हें सम्मान दें। अलगाव की जगह हम भाईचारे और व्यापक भ्रातृत्व को जन्म दें। इस समय हर व्यक्ति की अभिलाषा है कि वह सबसे छोटे समुदाय का सदस्य बनके गौरवान्वित महसूस करे ओर वह जिनके साथ खानपान करे, वैवाहिक संबंध स्थापित करे या मिले-जुले उनकी संख्या कम से कम हो। तभी उसकी संपूर्णता और पवित्रता बरकरार रह सकती है। सबसे पवित्र व्यक्ति वह है जो अपना भोजन स्वयं पकाता है और अपने निकटतम मित्र तक की छाया भी अपने द्वारा पकाए भोजन पर नहीं पड़ने देता। अतः प्रत्येक जाति और प्रत्येक समुदाय की प्रवृत्ति है कि वह व्यावहारिक जीवन में स्वयं को छोटी से छोटी जाति और समुदाय में बाँट ले। दर्शन और धर्म में भी यह सर्वाधिक स्वीकृत तथ्य है कि ज्ञान कुछ ही लोगों के लिए है और मुक्ति केवल कुछ दीक्षा प्राप्त लोगों के लिए

ही संभव है क्योंकि केवल उन्हीं के पास पवित्रता और ज्ञान का वैशिष्ट्य होता है और शेष मानव जाति को तथाकथित धर्म के रंग के साथ निर्जनता में भटकने, अंधविश्वासों और दुष्कर्मों तक के सामने नतमस्तक होने के लिए छोड़ देना चाहिए ताकि वे आदरणीय बने रहें। अब यह सब बदलना चाहिए। विचारों के नए रूप, जैसा कि ऊपर कहा गया है, भाईचारे के आधार पर निर्मित हैं, जो बाहरी जगत के साथ मेलजोल की क्षमता पैदा करते हैं और हृदय को स्निग्ध करते हैं, जिसमें अपनत्व का बंधन होता है। यदि आप कर सकें तो अपने मित्रों और सहभागियों की परिधि को धीरे-धीरे और सावधानी के साथ बड़ा करें, पर जन-जन में विद्यमान भौतिक गुणों की पहचान की प्रवृत्ति अवश्य होनी चाहिए। यह सहानुभूति और शक्ति को जन्म देगा। यह इस बोध के साथ आपके हाथों को मजबूत करेगा कि बहुसंख्यक लोग आपके साथ हैं, न कि आपके विरुद्ध या आपसे निचले स्तर के हैं, जैसा कि आप मूर्खतावश सोचते हैं।

दूसरा विचार, जो हमारी लाचारी का मूल कारण है, वह यह बोध है कि हम हमेशा बच्चे बना रहना चाहते हैं, बाहरी नियंत्रण के अधीन रहना चाहते हैं और अपनी चेतना तथा अपने तर्कों को संपूर्ण नहीं तो सर्वोच्च मानते हुए आत्मनियंत्रण का गौरव प्राप्त करने की कोशिश नहीं करते ताकि अपने आचरणों को सही दिशा दे सकें। संपूर्ण विगत इतिहास इस भ्रांत धारणा के कारण किए गए विध्वंस का भयंकर साक्षी है। इसमें कोई शक नहीं कि हम बच्चे हैं, पर हम ईश्वर के बच्चे हैं, न कि मनुष्य के। और ईश्वर की आवाज ही एक मात्र आवाज है जिसे सुनने के लिए हम बाध्य हैं। हाँ यह जरूर है कि हम जब चाहें उसे नहीं सुन सकते, क्योंकि लंबे समय तक लापरवाही और बाहरी मदद पर निर्भरता के कारण हमने अपने भीतर की चेतना की आत्मिक ऊर्जा को सुन्न कर दिया है। हमलोगों में से बहुत सारे लोग किसी चीज को सही या गलत, पुण्य या पापमय सिर्फ इसलिए मानते हैं कि स्वयं को बुद्धिमान मानने वाले किसी व्यक्ति ने ऐसा कह दिया है। कर्तव्य और दायित्व सिर्फ इसलिए कर्तव्य और दायित्व नहीं हैं कि हम उन्हें वैसा मानते हैं, बल्कि इसलिए हैं कि बुद्धिमान के रूप में प्रतिष्ठित किसी व्यक्ति ने उन्हें वैसा लिख दिया है। आचरण और शिष्टाचार के छोटे मामलों में यह बाहरी आदेश अपना प्रभाव दिखाए बिना नहीं रहता। लेकिन जब हम दूसरों की इच्छाओं पर इस लाचार निर्भरता के कारण स्वयं को पूरी तरह समर्पित कर देते हैं तो इसमें कोई आश्चर्य नहीं कि हम अपने जीवन के सभी मामलों में बच्चे की तरह लाचार हो जाते हैं। अब जिस पर नए विचार को इस लाचारी और निर्भरता की जगह आना चाहिए वह सभी प्राधिकारों को विध्वंस करने वाला विद्रोही विचार नहीं, बल्कि स्वतंत्रता का विचार हो, जो हमारे भीतर स्थित ईश्वर की आवाज के प्रति उत्तरदायी हो। वर्तमान की तरह ही अतीत के महान और विवेकी लोग भी हमारे लिए सम्माननीय हैं, परंतु उन्हें हमारे और

हमारे ईश्वर के बीच नहीं आना चाहिए, जो बड़े और छोटे हममें से प्रत्येक के हृदय में ईश्वरीय सिद्धांत के रूप में प्रतिष्ठित हैं। यह आत्मसम्मान जो हमारे भीतर के ईश्वर के प्रति सम्मान का बोधक है, हमें स्वयं में उत्पन्न करना है। यह एक बहुत ही कोमल पौधा है जिसे बड़ा होने में वर्षों लगते हैं। लेकिन हममें शक्ति और क्षमता है और हमारा स्वयं के प्रति यह कर्तव्य है कि इस कार्य को पूरा करें। हम सभी मानव प्राधिकारों का सम्मान करें, सभी पैगंबरों और श्रुतियों का आदर करें, लेकिन इस सम्मान और आदर को चेतना अर्थात हमारे भीतर के ईश्वरीय आदेश के रास्ते में कभी नहीं आने दें।

इस प्रकार इसमें कोई संदेह नहीं कि एक व्यक्ति दूसरे व्यक्ति से प्राकृतिक क्षमता और प्रवृत्ति की दृष्टि से भिन्न होता है और हमारे विकास में वंश और जन्म का पर्याप्त महत्त्व होता है, किंतु उसी समय यह भी सच है कि वे केवल एकमात्र कारक नहीं हैं जो आवश्यकता के सिद्धांत के तहत सही और गलत के लिए हमारे जीवन की पूरी दिशा को निर्धारित करते हैं। वंशानुक्रम और जन्म अनेक बातों को व्याख्यायित करते हैं किंतु यह कर्म का सिद्धांत सभी चीजों की व्याख्या नहीं कर सकता। सबसे खराब स्थिति यह है कि वह उस रहस्य को नहीं खोलता जो पुरुष और स्त्री को वैसा बनाता है जैसा वे वस्तुतः हैं, अर्थात ईश्वर का प्रतिबिंब और छवि। हमारे मनोवेग और हमारी मनोभावनाएँ, हमारे गौरव और हमारी आकांक्षाएँ इन एजेंसियों को शक्ति प्रदान करती हैं, और उनकी मदद से कर्म का सिद्धांत हमारी विजय को संपूर्णता प्रदान करता है और अधिकाधिक मामलों में हमें समर्पण के लिए बाध्य करता है। नया विचार जो यहाँ आना चाहिए, वह यह है कि यह कर्म का सिद्धांत नियंत्रित किया जा सकता है और उचित प्रकार से प्रशिक्षित इच्छा के द्वारा उसे रोका जा सकता है। जब वह हमारी इच्छा की तुलना में किसी बड़ी इच्छा के अधीन कर लिया जाता है। इसे हम अपने दैनिक जीवन में देखते हैं और आवश्यकताएँ तथा भाग्य, जैसा कि हमारे शास्त्रों में कहा गया है, हमारे विकास के मार्ग में बड़ी बाधाएँ हैं, यदि हम स्वयं को कर्तव्य के सिद्धांत के प्रति समर्पित करते हैं। मैं मानता हूँ कि इस भ्रांत धारणा को खत्म करना बहुत कठिन है, संभवतः पुराने विचारों से भी कठिन, परंतु इसे समाप्त करना ही होगा, यदि इस जीवन और पीढ़ी में संभव नहीं हुआ तो अगले जीवन और अगली पीढ़ियों में इसे समाप्त करना होगा, यदि हम अपने पूरे स्वरूप में उठ खड़ा होना चाहते हैं।

जिस चौथे पुराने रूप और विचार की ओर मैं यहाँ संकेत करना चाहूँगा, वह है मानव जीवन की अपरिहार्य अवस्था के रूप में गलत और बुरे कार्यों के प्रति हमारी मौन स्वीकृति, जिसके बारे में हमें बहुत चिंतित होने की जरूरत नहीं है। समस्त मानव जीवन निस्सार और एक सपना है और इसको लेकर हम बहुत चिंतित नहीं होते। जीवन के बारे में यह दृष्टिकोण दरअसल अपने बदतर रूप में नास्तिकता है।

कोई भी पुरुष या स्त्री वस्तुतः पशु बने बिना नहीं रह सकता जो यह नहीं समझता या महसूस करता कि गलत और बुरे कार्य, अशुचिता और दुर्वृत्ति, अपराध और दुर्गति और सभी प्रकार के पाप दरअसल हमारी दीर्घकालीन पशु वृत्तियाँ हैं। यह हमारे भीतर का जानवर है जो हमें अशुचिता और दुर्वृत्ति के प्रति अंधा बना देता है और उन्हें आकर्षक भी बना देता है। हमारे पुजारी कहते हैं कि हमारे मंदिरों में नर्तकियाँ अवश्य होनी चाहिए, क्योंकि भगवान का काम भी इन अपवित्र अप्सराओं के बिना नहीं चल सकता। अशुचिता के प्रति हमारी मौन स्वीकृति का यह एक आदर्श उदाहरण है। संसार में मदोन्मत्तता होनी ही चाहिए, गरीबी और दीनता तथा नृशंसता होनी ही चाहिए, धोखेबाजी और ताकत होनी ही चाहिए, चोर और उन्हें सजा देने के लिए कानून भी होने ही चाहिए। इसमें शक नहीं कि ये सारी चीजें सच हैं और उनके अस्तित्व को अस्वीकार करने का कोई तुक नहीं है पर पवित्रता और सच्चाई के नाम पर इन सभी के प्रति मौनस्वीकृति मत दें, इन बुराइयों को अपने कलेजे से नहीं लगाएँ और उनका पोषण नहीं करें। उनका संपर्क जहरीला है, प्राणघातक से कम नहीं है, क्योंकि यह मारता तो नहीं है परंतु व्यक्ति को नष्ट-भ्रष्ट अवश्य कर देता है। हमारी प्रकृति की सही मर्यादा और मानव की नियति का स्वस्थ बोध ही इस जहर का श्रेष्ठ इलाज और प्रतिकार है। मैं समझता हूँ कि मैंने काफी कुछ कह दिया है जो आपके विचारशील मस्तिष्क को समझाएँगे कि वह कौन-सी चीज है जिसमें हमें सुधार करना है। सभी इस बात को स्वीकार करते हैं कि हम विकृत हो गए हैं। हमने अपना स्वरूप खो दिया है, हम सैकड़ों जगहों से झुक गए हैं और टेढ़े हो गए हैं, हमारी आँखें निषिद्ध चीजों के प्रति लालसा से भरी हैं, हमारे कान अपने पड़ोसियों की बुराइयों को सुनने के लिए व्यग्र हैं, हमारी जिह्वा निषिद्ध फलों को चखने के लिए लालायित है, हमारे हाथों में दूसरों की संपत्ति हड़पने के लिए खुजली हो रही है, हमारा पेट अपाच्य भोजन से अस्तव्यस्त है। हम अपने पैरों से नहीं चल सकते, बल्कि बैसाखी और सहारे की खोज कर रहे हैं। यह हमारा वर्तमान सामाजिक राजधर्म है। पर अब हम इस विकृति को समाप्त करना चाहते हैं और इसे समाप्त करने का एकमात्र तरीका यह है कि हम स्वयं को श्रेष्ठ विचारों और रूपों के अनुशासन के अधीन रखें, जिनकी चर्चा मैंने संक्षेप में ऊपर की है। सुधारक का यही कार्य है। बालविवाह और जबरदस्ती थोपे गए वैधव्य की प्रथा में सुधार, संयम और शुचिता, अंतर्जातीय विवाह, निचली जातियों का उत्थान और धर्मान्तरण कर चुके लोगों की पुनः धर्म में वापसी, हमारी दान और खैरात की बेहतर व्यवस्था। यही सुधार है। ये पुराने विचारों के प्रभावों को रोकते हैं और नई प्रवृत्तियों के विकास को बढ़ावा देते हैं। सुधारक को स्वयं की प्रकृति के प्रकाश और गर्मी से भरना होगा, और वह यह कार्य अपने को और अपने परिवेश को परिशोधित करके और बेहतर बनाकर ही कर सकता है। उसे अपने परिवार, गाँव, जाति और राष्ट्र को एक दूसरे तथा

नए साँचे में ढालना होगा और यही कारण है कि सामाजिक सुधार ही हमारा अनिवार्य कर्तव्य है। और जैसा कि मैंने पहले कहा है, पुनरुत्थान असंभव है, उतना ही असंभव जितना पूरी जनसंख्या को दूसरे धर्म में परिवर्तित करना। यदि यह संभव भी हो, तो हमारे लिए इसका एकमात्र उपयोग तभी होगा जब सुधार हमें और हमारे परिवेश को उन्नत कर दें, यदि वे हमें और अधिक मजबूत, और अधिक साहसी सहिष्णु और बड़े कार्यों को संपादित करने हेतु महत् गुणों से संपन्नकर वैशिष्ट्य से युक्त सच्चा पुरुष बनाएँ, हमारी सभी सहानुभूतियाँ पूरी तरह जागृत और परिशोषित हों और यदि हमारे मस्तिष्क और हृदय परिशोधित और पवित्र इच्छा के साथ मिलकर कार्य करें तो वे हमें अपने अस्तित्व की मर्यादा और हमारे अस्तित्व की उच्च नियति को महसूस कराते हैं, हमें सभी को प्यार करने, सबके साथ मिलकर कार्य करने तथा सबके प्रति सहानुभूति का भाव रखने की शिक्षा देते हैं।

—1897

अनुवाद : **अवधेश प्रसाद सिंह**

विष्णुशास्त्री चिपलूणकर

1850-1882

1874 में 'निबंधमाला' मासिक पत्रिका शुरू की। 'न्यू इंग्लिश स्कूल', 'चित्रशाला' 'किताबखाना' आदि संस्थानों की स्थापना। आधुनिक मराठी भाषा के जनक, उत्कृष्ट निबंधकार और राष्ट्रवादी तरुणों के प्रेरक।

लोकाभ्रम

ग्रहों के योग पर आधारित शुभ-अशुभ की मान्यता सभी जगहों पर है परंतु अपने देश में इनके बिना कुछ भी प्रारंभ नहीं होता। रसोईघर में चूल्हा रखने से लेकर किसी विशेष कार्य या अभियान के लिए बाहर निकलने तक सभी अवसरों के लिए ग्रहों की अनुकूलता देखी जाती है।

शकुन विद्या का अंग्रेजी नाम Augury है। संस्कृत में पक्षी के लिए एक पर्याय 'शकुनि' है और उपर्युक्त अंग्रेजी शब्द की व्युत्पत्ति भी Aris (एक पक्षी) से हुई है। इससे ज्ञात होता है कि शकुन या शगुन देखने के लिए पक्षी को प्रमुखता दी जाती थी।

सुबह के प्रहर में सियार/लोमड़ी देखना, बाईं आँख फड़कना, दाहिनी भुजा फड़कना आदि शुभ शकुन माने जाते हैं। इसी प्रकार घर से बाहर निकलते ही सुहागिन औरत का पानी से भरी गगरी लिए हुए सामने से आना उत्कृष्ट शकुन माना जाता है। मैं कुछ पुराने घरानों की यह विशेषता भी बताता हूँ कि जब किसी महत्त्वपूर्ण कार्य के लिए महाशय को बाहर निकलना हो तो कुछ औरतें उपरोक्त शकुन करने की पूर्व तैयारी के साथ रहती हैं और महाशय के बाहर निकलते ही सामने से आने का उपक्रम करती हैं। इतना ही नहीं, जिस मार्ग से उन्हें गुजरना है उस मार्ग में किसी प्रकार का अपशकुन न हो—इसकी खबरदारी के लिए पहले ही सेवकों को भेजकर पूरा बंदोबस्त कर दिया जाता है। यह सब पढ़ कर सभी प्रबुद्धों को हँसी

आए बिना नहीं रहेगी। एक तो शकुन-अपशकुन है हीं भ्रम या भ्रांति, उस पर अपनी सुविधानुसार किसी चीज को अपशकुन मान कर, उसे हटाकर शकुन में बदलने की जानबूझ कर कोशिश करना और फिर उस शकुन से शुभत्व की मान्यता जोड़ना मूर्खता की पराकाष्ठा ही हुई। यह रंगमंच पर राम या भीम की भूमिका में रावण या जीमूतमल्ल को पराजित करके अपने शौर्य को प्रदर्शन योग्य मानने जैसा ही हास्यास्पद है। मूर्खता के एक रूप को जब प्रवेश मिलने लगता है तो उसके अन्य भाई-बंधु भी आस-पास पहुँच ही जाते हैं।

किसी भी बात को सच मानने के लिए अनुभव सिद्ध प्रमाण आवश्यक होता है, परंतु लोकभ्रम के विभिन्न रूपों में ऐसा बिल्कुल नहीं होता।

अगर किसी ने शकुन-अपशकुन की सच्चाई पर शंका व्यक्त की तो पूछा जाएगा कि आज तक जो देश-भर के इतने लोग इस बात पर विश्वास करते हैं, क्या उन सबने कोई प्रमाण देखे बिना ही विश्वास किया होगा? ऐसा मत हजारों-लाखों लोगों का है और यही बड़ा सयाना है जो इतने लोगों को ज्ञान सिखाने आया है। आज तक जो लोग हुए सब मूर्ख ही थे क्या? इस प्रकार किसी विषय के सही या गलत होने का प्रमाण उसके स्वरूप के आधार पर न देख बहुमत की ओर नजर रखना दूसरी भूल है।

शरीर के बारे में कहा जा सकता है कि जिस तरफ अधिकांश लोग हों उधर जाना सुरक्षित होता है, परंतु मन के बारे में ऐसा मानना गलत है।

हजारों लोग एक ओर हों और दूसरी ओर उनसे भिड़ने वाला एक अकेला व्यक्ति हो तो वह तत्क्षण चीर दिया जाएगा इसमें शंका नहीं। परंतु मन के संबंध में बिल्कुल उल्टी बात होती है–अर्थात जिस आदमी के पास मजबूत प्रमाण है वह अपने विपरीत करोड़ों लोगों पर भी भारी पड़ता है। ठीक भी है, जिसके पास दीपक है, उस दीपक पर अँधेरे के पहाड़ भी आकर गिरें तो वह भला डगमगाएगा क्या?

कालिदास का कथन है–"जो ज्ञानी हैं वे दोनों पक्ष देखकर सही का अनुसरण करना पसंद करते हैं परंतु मूर्खों की स्थिति सदा अलग होती है। उनका मत हमेशा दूसरों पर अवलंबित रहता है।"

संसार की रहनी ही ऐसी है। एक बार जो मान्यता बन गई, सभी उसी का अनुसरण करते हैं। वह सही है या गलत, इस बारे में विचार करने की बात किसी के मन में नहीं आती। ऐसा विचार करने की योग्यता भी थोड़े लोगों में ही होती है।

इसी कारण लोक-शिक्षा का जितना फैलाव हो, उतना ही देश के लिए हितकारी होता है, क्योंकि शिक्षा के कारण लोगों के भ्रमजाल टूटते हैं और उनमें सत्यासत्य को समझने एवं चुनने का सामर्थ्य विकसित होने लगता है। परंतु जहाँ इसका प्रसार नहीं होता वहाँ गतानुगतिकत्व ही रहता है–वहाँ कैसा प्रमाण, कैसा अनुभव?

शकुन भ्रांति का ही एक रूप है। इससे क्या अनर्थ होता है, वह भी जरा देखें। मात्र भ्रम होने के कारण जब वह मन से जुड़ जाता है तो मन दुर्बल होने लगता है। सद्‌असद् विवेचन की जो उत्कृष्ट शक्ति परमेश्वर ने मनुष्य को दी है, वह अज्ञान से जन्मे इस भ्रम से कुंठित होती है। व्यवहार में इसके कारण अनेक नुकसान हुए हैं और हो रहे हैं।

शकुनादि जब तक पशु-पक्षियों पर आधारित थे, तब तक बहुत खराब बात हुई—ऐसा नहीं कहा जा सकता। उल्लू आदि पक्षियों या बिल्ली, गदहा आदि जानवरों का मनुष्य जितना बुरा मान ले पर इससे उनका कुछ बुरा नहीं होता यानी मनुष्य के द्वारा उनकी मानहानि होती है, ऐसा कुछ नहीं घटता। परंतु इस शुभाशुभ का स्वरूप जब प्रत्यक्ष मनुष्य के संदर्भ में बनता है तब यह मानव की मूर्खता और उद्धटता है।

मनुष्य जाति का अपने में से ही एक दूसरे को बिना वजह अपशकुनी, अमंगल मानना अत्यंत लज्जास्पद है। हमारे यहाँ विशेषतः प्रचलित अपशकुन के कुछ रूपों पर चर्चा करूँ। पहला महत्त्वपूर्ण अपशकुन विधवा स्त्रियों से संबंधित है। इस अत्यंत करुण विषय पर क्षण-भर विचार करने से ही जिसका हृदय खेद और संताप से भर नहीं जाता उसे पाषाण हृदय एवं अधमाधम कहने में कोई हर्ज नहीं।

एक तो स्त्रियों का जीवन पराधीन होता है, उन पर संसार-दुख का लगातार भारी बोझ रहने से उनकी स्थिति अत्यंत कठिन होती है। उस पर वैधव्य योग से जब उनका सारा आधार ही टूट जाता है तब तो विपत्ति की सीमा ही नहीं होती है। हमारे देश में उनकी जो स्थिति दिखाई पड़ती है, उससे अधिक दुःखद स्थिति अन्यत्र बहुत कम होती होगी। अन्य लोग दुःख और तकलीफ की अवस्था में हों तो झट सबकी दया और सहानुभूति के पात्र हो जाते हैं, परंतु वही स्थिति अनाथ विधवाओं के लिए विपरीत नतीजे ले आती है। वैधव्य दुःख की वेदना सहन न कर सकने वाली बेचारी स्त्रियों को अपना पतिव्रत धर्म निबाहने के लिए, सुष्ट-दुष्ट जैसा भी पति हो, उसकी चिता पर अपनी देह की आहुति देने की तैयारी होनी चाहिए, यदि नहीं तो आमरण पूर्णतः तपस्वी वृत्ति से सिर्फ उसी के नाम के साथ रहना है। इस महादुःख के प्रति किसी को दर्द का एहसास नहीं होता, उल्टे यह उसी के प्रारब्ध का फल है—कहकर ताने कसे जाते हैं। अपने देश की यह स्थिति अत्यंत लांछनास्पद है—इसमें कोई शंका नहीं।

केवल दैवयोग से प्राप्त होने वाली स्थिति विशेष के कारण मनुष्य को मंगल या अमंगल मानना कितना बड़ा अन्याय है।

स्त्रियों का वैधव्य यदि उनके अशुभत्व का कारण है तब पिता, भाई, बहिन आदि किसी के मरने पर उनके रिश्तेदारों का मुँह भला क्यों देखा जाए?

ऐसी निष्पाप स्त्री का दर्शन यदि शुभ नहीं है तो कपास-भर कुंकुम लगाने

वाली नगरभवानी, जिसने स्त्रियों के सहज भूषण लज्जा का पूर्णतः त्याग कर मनुष्यत्व को कलंक लगाया है, उस वेश्या के बाह्य वेश के आधार पर उसका दर्शन शुभ हो गया क्या?

—'लोकभ्रम' निबंधमाला-अंक 14

अखबार और पुस्तक

आज भाषा के संबंध में जो प्रयत्न चल रहे हैं वे प्रमुखतया समाचार पत्रों के संदर्भ में हैं। पिछले आठ-दस वर्षों से इस क्षेत्र में जितने सुधार हुए और दिन-ब-दिन होते जा रहे हैं वैसे सुधार पुस्तकों के संदर्भ में नहीं हो रहे हैं, यह आश्चर्यजनक है। विद्या का इतना प्रसार होने और उसके साधनों में इतनी वृद्धि होने पर सामान्यतः अब तक समाचार पत्रों ने जितनी प्रगति की है, उतनी प्रगति पुस्तकों के मामले में क्यों नहीं हुई? मुझे लगता है कि इसकी दो-तीन वजहें हो सकती हैं।

पहली वजह है, मराठी भाषा के प्रति विद्वानों की उपेक्षा और दूसरी, समाचार पत्र पढ़ने की ओर नए-पुराने सभी लोगों की प्रवृत्ति।

सामान्यतः लोगों में जो नई समझ दिखाई पड़ती है, उसका कारण समाचार पत्र ही है। लोगों में एक विशेष प्रकार के ज्ञान का प्रचार करने में भी यह उपयोगी रहा है—इस दृष्टि से यह अभिनंदनीय है। फिर भी यह लिखना आवश्यक लगता है कि लोग समाचार पत्रों की उपादेयता वास्तविक रूप में नहीं जानते। उनके ख्याल में समाचार पत्र ही ज्ञान प्राप्ति का परम साधन है, इसके अतिरिक्त ज्ञानप्राप्ति का कोई मार्ग ही नहीं है। इस समझ का उत्कृष्ट प्रमाण आज के पुस्तकालयों की स्थिति से मिलता है। पुस्तकालय सुधार का एक महत्त्वपूर्ण माध्यम है—यह मानकर ही छोटे-छोटे गाँवों तक में इसकी स्थापना किए जाने की सूचना पढ़ने में आती है। परंतु एक बार स्थापना-समारोह का अक्षत डाल दिया गया कि बस सब कुछ संपन्न। पुस्तकों को हाथों का स्पर्श क्वचित ही मिलता है।

इस प्रकार मोटे-मोटे ग्रंथों को ध्यान से पढ़कर ज्ञान-भंडार में वृद्धि करने की अपेक्षा लोगों का आग्रह क्षणिक महत्त्व की बातों से मन बहलाने और लोगों के साथ गप्प मारने लायक सामान्य जानकारी हासिल करने की ओर अधिक दिखता है।

तीसरा कारण, अखबार चलाना पुस्तक लिखने से अधिक सरल होना हो सकता है। खबरें आदि तो सभी अखबार एक-दूसरे से लेते हैं, नोटिस, परिपत्र, विज्ञापन आदि के द्वारा बहुत-सा भाग भर जाता है और आमदनी भी होती है। संपादक को लिखने के लिए कोई न कोई सामयिक विषय मिल ही जाता है।

सबसे महत्त्वपूर्ण बात यह है कि अखबार में चाहे कितनी ही महत्त्वपूर्ण बात क्यों न हो, लोगों में अधिक समय तक वह टिकती नहीं। पाठक पहले तो तेजी से पढ़ जाते हैं परंतु दूसरा अंक आने तक पिछला पीछे छूट जाता है। लेकिन पुस्तकों के साथ ऐसा नहीं होता। पुस्तक प्रकाशित करने के लिए हर बार कुछ नया लिखना होता है, सदा दूसरों के उद्धरणों और लेखन से काम नहीं चल सकता। इसके अतिरिक्त पुस्तक में लिखा हुआ सदा सामने रहता है और चर्चा भी काफी समय तक होती है।

—विष्णु पदी

वक्तृता

लोकसत्तात्मक राज्य में जब समाज या सभा के बहुमत के आधार पर ही राज्य-शासन चलता है तब बुद्धिमान पुरुषों को ऐसे समाज या सभा को एकचित्त करके अपने विचारों को समर्थन दिलाने के लिए वक्तृता के समान दूसरा कोई हथियार नहीं हो सकता। जिसके पास यह कला पूरी तरह है, समझना चाहिए कि उसकी मुट्ठी में सभी हैं!

—विष्णु पदी

अनुवाद : **नीरा नाहटा**

गोपाल गणेश आगरकर

1856-1895

महाराष्ट्र के सतारा जिले के 'टेम्भु' नामक गाँव के एक साधारण परिवार में जन्म। महाविद्यालयीन शिक्षा के दौरान बाल गंगाधर तिलक के संपर्क में आए। वह पुणे के एक क्रांतिकारी राष्ट्रवादी संगठन से जुड़े। लोकजागृति और लोक शिक्षा के प्रचार हेतु 1880 में 'न्यू इंगलिश स्कूल' की स्थापना। पुणे से 1881 में मराठी में 'केसरी' नामक पत्र का प्रकाशन किया एवं अंग्रेजी में 'मराठा' नाम का अखबार निकाला। 1892 में पुणे में सुप्रसिद्ध 'फर्ग्यूसन कॉलेज' के प्राचार्य नियुक्त हुए। अपनी युवा अवस्था में ही 'जॉन स्टुअर्ट मिल' और 'हर्बर्ट स्पेन्सर' के विचारों से प्रभावित होने के कारण आजन्म विवेकवादी दृष्टिकोण के समर्थक रहे। वह राजनीति की अपेक्षा सामाजिक परिवर्तन को अधिक महत्त्व देते थे। अतः 1887 में 'केसरी' एवं 'मराठा' पत्रों को छोड़ कर 1888 में स्वतंत्र रूप से उन्होंने 'सुधारक' नामक पत्र प्रारंभ किया।

धर्म का आरंभ

धर्म के संबंध में लिखने वाले किसी भी मनुष्य के अपने तद्विषयक विचार चाहे कैसे भी क्यों न रहें, उसे यह बात अवश्य ध्यान रखनी चाहिए कि जिस विषय का आकलन सिर्फ मनुष्य का सच ही होता है मात्र इतना ही नहीं है, परंतु जो विषय मनुष्य के मस्तिष्क में विचारवृत्ति पैदा होने के पश्चात किसी भी रूप में आने लगता है, फिर उसकी स्थिति में चाहे कितना ही परिवर्तन क्यों न हो गया हो तब भी उसके मस्तिष्क से जो समूल कभी निकलता ही नहीं, ऐसे विषय पर लिखने के लिए अत्यधिक शांति और संतुलन का सहारा लेना चाहिए। काम, क्रोध, मद, मत्सर, दया, अनुकंपा, लोभ इत्यादि पतनशील वृत्तियाँ जैसे मनुष्य में स्वभावतः मौजूद होती हैं, वैसे ही धर्म वृत्ति भी स्वाभाविक रूप से मौजूद होती है। जैसे अन्य वासनाएँ या वृत्तियाँ होती हैं वैसी ही धर्मवृत्ति या धर्म वासना को भी समझना चाहिए। मनुष्यों की मनोवृत्तियों पर क्या स्वाभाविक है और क्या बाह्य आरोपित, ऐसा कभी नहीं कहा जा सकता है। अब

जिस वृत्ति के कारण मनुष्य की सामाजिक स्थिति में विशेष सुख की प्राप्ति होती हो, या हो सकने की संभावना हो, उसे प्रयत्नपूर्वक गोपनीय रूप से संरक्षित करने से वह उतनी ही दृढ़ होगी व विस्तृत होगी, तथा जिस वृत्ति के कारण समाज से पीड़ा पहुँचती हो या पहुँचने की संभावना हो उसकी बाड़ को खोंट डालना, धीरे-धीरे उसे समूल नष्ट करने का प्रयत्न करना, यह एक स्वाभाविक बात है। इस बात का उन वृत्तियों के अस्तित्व से कहीं कोई संबंध नहीं है, वह मनुष्य की अपनी विशिष्ट स्थिति के अनुसार ही अस्तित्व में आती है।

धर्म के संबंध में लिखते समय एक संतुलन बनाए रखने का और एक बड़ा कारण यह है कि दूसरी किसी भी अन्य वृत्ति की अपेक्षा इस (धार्मिक) वृत्ति के कारण मनुष्य के आचरण पर और विचारों पर महत्त्वपूर्ण प्रभाव पड़ा है। अंतःकरण पर जिस वृत्ति का पक्का असर पड़ने से राज्यसिंहासन पर आरूढ़ राजा अधिकार और ऐश्वर्य का त्याग कर देते रहे हों, अपने अभिन्न मित्रों को छोड़कर वन-वन भटकने तथा कंदमूल फल खाने का कष्टपूर्ण रास्ता चुन लेते हों, जिस वृत्ति के कारण विवाहित स्त्रियाँ अपने पुरुषों तथा विवाहित पुरुष अपनी स्त्रियों की परवाह न करके अपनी मनःशुद्धि के मंतव्य हेतु आगा-पीछा न देखते हों, माता-पिता के वात्सल्य का मोहपाश तोड़ उनके विषय में उदासीन हो जाते हों, किंवा उनके विनाश के प्रति तनिक भी शंकित हुए बगैर उन्हें छोड़ देते हों, ऐसी वृत्ति के प्रबल होने पर नाना तरह की यातनाएँ सहने, जला देने, डूब जाने और जमीन में गड़ जाने तक को मनुष्य तैयार हो जाता हो और एक राष्ट्र के दूसरे पर वर्चस्व होने की स्थिति में दूसरे देश के मनुष्यों को जलाने, काट डालने और लूटने तथा जो चाहे सो करने में जिसे बिल्कुल भी भय न लगता हो, सारांश यह कि जो वृत्ति कभी-कभी लोगों की नीतिमत्ता, विद्या, भूतकाल में दया तथा सदाचार की पराकाष्ठा पर पहुँचने में सहायक रही हो, वही कभी-कभी दुस्साहस, क्रूरता, विचारहीनता और अमानवीयता की सीमाएँ लाँघ जाती हो, तो ऐसी वृत्ति के विषय में लिखने तथा बोलने में अत्यधिक सजगता और धैर्य रखना चाहिए, यह आवश्यक है। ऐसा न करने पर किसी पक्ष का लाभ न होकर उलटे हानि होने की ही संभावना अधिक होती है। जो विचार सामान्य मनुष्यों की वृत्ति में कील से ठोंक दिए जाने के समान जड़ दिए गए हों और जिनके प्रबल आग्रह स्थाई हो गए हों, ऐसी स्थिति में बात करते समय पर्याप्त सावधानी अपेक्षित होती है। यह जितना अधिक कहा जाए उतना ही थोड़ा है।

मनुष्य ने एक बार पूर्णावस्था प्राप्त कर ली होगी पर तभी वह किसी कारणवश भ्रष्ट हो गया यह मत मुझे जमता नहीं, जैसा कि बताया है उन पाठकों और श्रोताओं को ध्यान में रख रहा हूँ। मेरी अल्प समझ के अनुसार मनुष्य की पूर्णावस्था अभी आने को है। संभवतः अभी हमारी दृष्टि के सम्मुख जो विश्व है और जिस पृथ्वी पर हम रहते हैं, वह विश्व और वह पृथ्वी अस्तित्व में आने से पूर्व दूसरा एक विश्व

तथा दूसरी एक पृथ्वी रही हो, उस पर हमारे जैसे प्राणी भी रहे हों, वे शायद पूर्णावस्था में रहे होंगे। वे किसी कारण पतित हो गए हों और उस विश्व व उस पृथ्वी का लोप हो गया हो, ऐसा होना चाहिए, यदि यह मान लें तो भी इसका कोई लाभ नहीं दिखाई देता। एक तो ऐसा मानने का कोई ठोस आधार नहीं है और यदि वैसा मान भी लें तो आज हमारी आँखों के सामने जो सृष्टि है और जिस भूमि पर हम आज निवास कर रहे हैं, वहाँ कभी एक बार पूर्णावस्था रही होगी यह मानने की कोई स्थिति नहीं है। हम आज जिस विश्व में रह रहे हैं उसके पूर्व कोई दूसरा विश्व या दूसरी सृष्टि रही थी या नहीं, इस विवाद का कोई औचित्य नहीं है, क्योंकि आज हमारे पास उस काल्पनिक पूर्ण विश्व का इतिहास समझने के उपयुक्त कारण (प्रमाण) ही नहीं हैं। तब हमारा जो वाद-विवाद का विषय हो वह आज के संदर्भों में समस्त विश्व को लेकर, विशेषतः उसके अंतर्गत हमारी अपनी भौगोलिक परिस्थितियों को लेकर हो और उससे भी अधिक प्राणियों में जो अति श्रेष्ठ प्राणी हैं, अर्थात मनुष्य को लेकर चर्चा होनी सर्वथा उचित है।

मनुष्य के अंतःकरण में धर्मवृत्ति नैसर्गिक है, जैसा कि ऊपर बताया गया है। उससे भी आगे ऐसा समझने की अपेक्षा यह कि मनुष्य के लिए वह चाहिए, उस अवस्था में ही यह वृत्ति अधिक स्पष्ट दिखाई देती है। जिस तरह की किसी विशिष्ट परिस्थिति में यह वृत्ति दिखाई देने लगती है उन अर्थों में उसके बीज सूक्ष्म अणुओं के रूप में मनुष्य के हृदय में मौजूद होने चाहिए यह स्पष्ट है। किंतु इसके मूर्त (दृश्य) होने में कुछ जगहों पर काफी समय लगता है। कुछ ऐसे प्राणी भी होते हैं जिन्हें मनुष्य मानने के अलावा कोई इलाज नहीं है। उनकी भाषा में देव, धर्म आदि के अर्थ सूचक शब्द ही नहीं होते। तब जिस वस्तु की कल्पना ही यदि न रही हो तो उसको प्राप्त करने की भी आवश्यकता नहीं होगी। क्योंकि जिसने एक बार भाषा का उपयोग समझ लिया उसके कुछ दिनों बाद, उसे मन में जो चाहिए उसकी अभिव्यक्ति के लिए शब्द योजना भी करनी होती है। एक व्यक्ति का दूसरे के मन की भाषा समझने के लिए इससे अधिक (शब्दों से) प्रभावी और सशक्त कोई और साधन भी नहीं है। जिन लोगों को भाषा का उपयोग भी समझ में आने लगता है पर जिनके पास धर्मविषयक कल्पना व्यक्त करने वाले शब्द नहीं दिखते, वे भी धर्म के संबंध में विचार करते होंगे, तब ऐसा करने का मतलब यह हुआ कि पशु पक्षी, कीट पतंगादि निम्न कोटि के प्राणी भी किसी सृष्टिकर्ता के विषय में प्रतिदिन मन ही मन ध्यान और प्रार्थना करते होंगे, कुछ ऐसा बोलने जैसा ही है।

प्राणियों के शब्दों से और कभी-कभी उनकी बाह्याकृति (हाव-भाव) से हम यह अनुमान लगा सकते हैं कि उनके मन में क्या-क्या विचार पैदा होते हैं। जिस बात के बारे में उपरोक्त दोनों क्रियाएँ अनुपस्थित (अनभिव्यक्त) रहें, तब यह सोचना कि वे फिर भी उस विषय या बात के बारे में चिंतन करते हैं, ऐसा सोचना आग्रह

के अतिरिक्त और क्या होगा? परंतु दूसरे को यही बात तब भी सिद्ध करते नहीं बनेगी। तब धर्म संबंधी अज्ञान के बारे में लोगों को बताने से चाहे कुछ भी क्यों न हो, फिर भी जिस भी व्यक्ति को अर्वाचीन न्याय, मीमांसा, पदार्थ विज्ञान आदि सिद्धांत मान्य होते हों और सत्य व ज्ञान की खोज में जगह-जगह भटकने वाले शोधार्थियों द्वारा प्रकाशित पुस्तकों को, जिन्होंने थोड़ा-बहुत देखा हो, उन मनुष्यों की विशिष्ट स्थिति में, उनके अंतःकरण में किसी भी प्रकार की धर्म कल्पना नहीं थी ऐसा मानना पड़ेगा। पर जैसे-जैसे इस कल्पना का आविर्भाव होने लग गया तब यह कल्पना मनुष्य की अन्य कल्पनाओं के परिणाम में शैशवावस्था में ही रही होगी।

आदिम मनुष्यों में (वनों में रहते हुए) धूप, वर्षा, बादल, बिजली, बाढ़ आदि निर्जीव प्राकृतिक क्रियाओं और चीता, भालू, शेर जैसे वन्य पशुओं से बचाव करने का अज्ञान होने से उनमें भय उत्पन्न हुआ, अतः अपने मनोविकारों के क्षुब्ध और संतुष्ट होने के भावों को उन्होंने अलौकिक ही मान लिया। चमत्कार, भय इन दोनों की स्वीकृति और समन्वय की प्रतिक्रिया ने धर्म-कल्पना का आरंभ किया। मित्रता और शत्रुता के भावों के उदय होने पर, वस्तु एवं पदार्थ पूजा अस्तित्व में आई। बाह्य सृष्टि में वस्तु समुदाय एवं वनस्पति समुदाय में अपने जैसा ही मन होगा, यह कल्पना करने पर प्रारंभ में निर्जीव वस्तुओं यथा वृक्ष, नदी, पर्वत, जल, अग्नि सभी को मनुष्य ने देवता स्वरूप माना, और कालांतर में उसकी इस कल्पना को पर लगते गए।

धर्म विचार का विस्तार

सृष्टि में एक ही वस्तु-समुदाय के दो भाग होते हैं, सचेतन और अचेतन, ऐसी कल्पना करने में कोई हर्ज नहीं है। अचेतन वस्तुओं में चंद्रमा और सूर्य से लेकर अत्यंत सूक्ष्म परमाणु तक और चेतन वस्तुओं में शैवाल से लेकर मनुष्यों तक अनेकों छोटे-छोटे कीट, पशु, प्राणी और वृक्ष-वनस्पति आदि का समावेश माना जा सकता है। या निर्जीव पदार्थ, वृक्ष-वनस्पति और प्राणी ऐसे तीन वर्ग भी माने जा सकते हैं। धर्म-संबंध में इन तीनों श्रेणी की वस्तुओं का विचार करने पर ऐसा दिखता है कि प्रत्येक देश में लोगों ने विशिष्ट स्थिति में इन वर्गों में प्रत्येक वर्ग से कोई न कोई वस्तु देवता मानी है। यह वस्तु अधिष्ठान या वस्तु के अंदर देवता मानने का विश्वास आदिकाल में भी आज जैसा ही था और उनकी पूजा पद्धति में बहुत अंतर नहीं दिखता यह कहना जल्दबाजी होगी।

मनुष्यों के समान ही देवताओं को भूख और प्यास से कष्ट होता होगा, भूख लगने पर वे मांस या धान्य खाते होंगे तथा प्यास लगने पर मदिरा और जल पीते

होंगे, यह कल्पना स्वीकृत रही है। जिस बात से मनुष्यों को दुःख होता है उसी बात से देवताओं को भी। जिस प्रकार मनुष्य की मृत्यु होती है उसी प्रकार देवताओं की भी (अवधि में अंतर हो सकता है) जिस रीति से मनुष्य जन्म लेता है, देवता भी उसी रीति से जन्मते रहे हैं। दोनों में अंतर सिर्फ मात्रात्मक ही रहा है। मनुष्यों की वासना से देवताओं की वासना सदैव प्रबल रही है, मनुष्यों के कर्तव्यों की अपेक्षा देवताओं के कर्तव्य सदैव बड़े रहे हैं। और उनकी उपभोग सामर्थ्य तथा आयु मनुष्यों से कहीं अधिक बड़ी थी। देवताओं की भी आपसी लड़ाइयाँ और शांति-समझौते होते रहे हैं, वे एक-दूसरे की स्त्रियाँ भगाकर ले जाते रहे हैं या व्यभिचार करते रहे हैं और उनके पातिव्रत्य का हरण करते रहे हैं। यदि मनुष्य समूहों में या व्यक्तियों में युद्ध हुआ है तो देवता अपने-अपने भक्तों की मदद करने के लिए आते रहे हैं। चाहे किसी भी देश के मनुष्यों के इतिहास और तत्कालीन विचारों की जानकारी ढूँढ़ निकालिए, उनके देवताओं के संबंध में इस प्रकार की काल्पनिक जानकारी पाए बिना आप नहीं रह सकते। सृष्टि की मुख्य-मुख्य निर्जीव वस्तुओं को प्रथम सचेतनत्व प्रदान कर और क्रिया-कारण संबंध भाँप कर जैसे-जैसे कार्यकारण संबंधों का विकास होता गया, वैसे-वैसे ही इच्छित गुणों को उनमें से निकाल कर मनुष्यों ने वृक्ष-वनस्पतियों, निर्जीव वस्तुओं और प्राणियों पर सहज ही आरोपित कर दिया एवं देवत्व की प्रतिष्ठा कर दी। ऐसा वेदों तथा अन्य पुराने ग्रंथों में स्पष्ट दिखाई देता है। कालांतर में ये धारणाएँ दृढ़ होती गईं और उनका भरपूर विस्तार ब्राह्मण वर्ग ने अपने एवं कबीला प्रमुखों के हित साधन हेतु किया।

धर्म का विकास

यह प्रतिपादित किया जा चुका है कि मनुष्य ने अपने अज्ञान की अवस्था में, बाह्य सृष्टि में सचेतन और अचेतन वस्तुओं के कार्य व्यापार के परिणामों से प्रभावित होकर, अं्तःकरण में उनकी प्रतिक्रियास्वरूप छवि निर्मित कर ली, और अपनी मनोवृत्ति को चेतन, अचेतन पदार्थों में आरोपित एवं स्थापित करके, निर्जीव वस्तुओं, प्राणियों एवं वनस्पतियों की, और अंततः ईश्वर की पूजा करना प्रारंभ किया। इन वस्तुओं की पूजा का कोई अर्थ नहीं, ऐसी समझ कि इनके अंदर मनुष्य के अपने मनोभावों की प्रतिच्छवि है यह मानना गलत है। मनुष्य ही प्राणियों में सर्वाधिक श्रेष्ठ प्राणी है, निर्जीव व सजीव वस्तुओं व प्राणियों का कार्यव्यापार स्वाभाविक रूप से प्रकृति के नियमानुसार चलता है। यदि इन वस्तुओं को अपना काम अपनी तरह से ही करना होता है, तब इन पर क्रोधित होने से, इन्हें सजा देने से, या इनकी प्रार्थना करने

से कुछ भी हासिल न होगा। अपितु इनके कार्य व्यापार को देख समझ कर, तदनुसार ही अपनी भौतिक कार्यसिद्धि करनी चाहिए। मनुष्य मन को ऐसी परिपक्वता हासिल करने में काफी समय लगता है। जिन मनुष्यों की ऐसी समझदारी बनी है वे वनस्पति-पूजकों और ईश्वर-पूजकों के नाम रखते हैं (चिढ़ाते हैं) और उन्हें मूर्ख समझते हैं, पर यह उनके व्यवहार की कुछ अंशों में चूक ही कही जाएगी। यदि छोटे बच्चों से हम यह कहने लगें कि पृथ्वी और सूर्य के मध्य चंद्रमा आने से ग्रहण लगता है, और वे बच्चे इस बात को न समझ पाएँ, तब उन पर क्रोधित होना निरर्थक है। कोई भी कठिन बात समझाने से पहले उसके घटकों का ज्ञान होना आवश्यक है। जैसे चीनी, चावल, केसर, पानी और अग्नि की जानकारी के बिना मीठा भात कैसे बन सकता है? वैसे ही शास्त्रों के अभ्यास हेतु कार्यकारण संबंध जानने के लिए सच्चा निश्चय कैसे करें, जिन्हें यह कठिन लगता हो, उन्हें दूसरों को मूर्ख कहने का और धिक्कारने का कोई हक नहीं है।

किसी आदिम या अज्ञानी मनुष्य के मन में क्या है, यह बिल्कुल समझ में नहीं आता है, इसलिए पहली स्थिति में उसे दो तरह की चेतना का आभास होता है। उसे जागृतावस्था और सुप्तावस्था के अनुभवों में बहुत भेद नहीं दिखाई देता। पहली स्थिति में सुख-दुःख का अनुभव उसे जितना सच लगता है, उतना ही दूसरी स्थिति में भी लगता है। जिस तरह सोए हुए मनुष्य की एक प्रकार की चेतना मंद होकर दूसरे प्रकार की चेतना आगे आती है, उसी तरह मृत मनुष्य में, एक प्रकार का व्यक्तित्व नष्ट होने से दूसरे तरह का व्यक्तित्व उपस्थित होता है (अस्तित्वाभास)। और वह व्यक्ति अपने लिए एक प्रकार से मौजूद न होकर (यथार्थ), दूसरी तरह से चैतन्य होगा (कल्पना), एवं आसपास ही अपने मन को भटकाते रहेगा। यह कल्पना धर्म विकास की पहली अवस्था में प्रत्येक स्थान पर अस्तित्व में आई। आपके मृत सगे संबंधियों का शरीर यदि नहीं रहा तो भी उनकी आत्मा नष्ट नहीं हुई, यह विश्वास सभी जगह आदिम लोगों में जड़ जमा गया, और इसके बाद ही धीरे-धीरे पदार्थपूजा, प्राणीपूजा और वनस्पति तथा ईश्वरपूजा अस्तित्व में आई। जीवित रहने पर जिसका व्यवहार आपसे अच्छा रहा, सुखपूर्ण रहा, वह मरने के बाद पिशाच (प्रेत) या वायुरूप में निरंतर आपसे परामर्श करता है, ऐसी कल्पना उत्पन्न होने पर, उसकी प्रसन्नता हेतु उसकी चिता पर या गाड़े जाने के स्थान पर उसकी प्रिय वस्तुओं का अर्पण, उसकी प्रार्थना करने तथा किसी संकट में उसकी सलाह लेने व सहायता माँगने की प्रथा जन्म लेती है। सारांश यह कि जीवित मनुष्य जिस तरह दूसरों का ख्याल रखता रहा, मरने के पश्चात भी उसी परंपरा का अवलंबन करने का प्रचार होता चला गया। इसके विपरीत जो जीवित अवस्था में आपके प्रतिकूल रहा, वह मरने के बाद भी आपको कष्ट देता रहेगा, यह मान्यता दृढ़ होने पर मृतात्मा को तरह-तरह के कर्मकांडों से वश में करने या शांत करने के लिए किए गए काल्पनिक उपायों का भी प्रचार

बढ़ा। इस भय से मुक्ति हेतु वनस्पति और प्राणी आराधना का भी सहारा लिया गया। मृत पूर्वजों के गुण नदी, पर्वत, जंगल से आभासित होने की कल्पना के फलस्वरूप इन्हें पूर्वजों का रूप मान लिया गया। कालांतर में चंद्र, सूर्य तथा तारों में भी आदि मनुष्यों ने, अपने पितर-पूर्वजों की प्रतिच्छवि देखी। प्रकृति के साथ अपनी इच्छाओं और मान्यताओं का तारतम्य बैठ जाने से धर्म कल्पना अधिक फलने-फूलने लगी।

भिन्न-भिन्न देश, काल एवं परिस्थिति में विभिन्न समूहों द्वारा जो देवता एवं प्रेत कल्पित एवं निर्मित किए गए, उन्हें अपना मानने की भावनात्मक प्रक्रिया से उस मनुष्य समूह में उनकी श्रेष्ठता का भाव पनपा। और यही श्रेष्ठता का भाव कालांतर में युद्ध और शौर्य प्रदर्शन के लिए जिम्मेदार बना।

यह स्पष्ट है कि समस्त धर्म कल्पना एवं ईश कल्पना एक अज्ञान पर आधारित है, जिसमें मनोगत विश्वास की महती भूमिका है। जो लोग इस तरह की बात करते हैं, उन्हें नास्तिक कहा जाता है। यानि असत् को सत् और सत् को असत मानने की, पुरानी यह जो परिपाटी है, इसे संपूर्णतः समझकर ही इसका निराकरण किया जाना उचित है।

अनुवाद : **शैलेंद्र चौहान**

सामाजिक सुधार के लिए अत्यंत अनुकूल है, आज का समय

राजनैतिक दृष्टि से अभी हम मृतप्राय ही हैं। परंतु जिन्होंने हममें यह राजनैतिक शून्यता भर दी है, उन्हीं के सान्निध्य से हमारी सामाजिक और धार्मिक मूढ़ता पर आघात होने लगे हैं। अंग्रेज हमें जो शिक्षा दे रहे हैं, उनके राज्य में विचार स्वातंत्र्य का जो अधिकार हमें प्राप्त हो रहा है, उस शिक्षा और विचार स्वातंत्र्य के बल पर हममें एक जागृति आने लगी है। इसका उपयोग हम चाहें तो अपने कल्याण के लिए कर सकते हैं। बहुतों की मान्यता है कि सुधार का प्रारंभ राजकीय सुधार से होना चाहिए। राजनैतिक सुधार के संबंध में अधिक मतभेद नहीं है। इसलिए इस ओर बढ़ने में प्रत्यक्षतः कोई विरोध दिखाई नहीं देता। स्वतंत्रता सभी को प्रिय है। हमारे लिए राजनैतिक सुधार का मतलब है, अपनी खोई हुई आजादी की पुनःप्राप्ति के लिए प्रयत्न करना। यह बात जितनी हम महाराष्ट्रीयों को प्रिय है, उतनी ही बंगवासियों, तैलंगों, कन्नड़ बोलने वालों, पारसियों, गुजरातियों, मुसलमानों एवं अन्य सभी को

प्रिय है। इसीलिए इसमें विचारों की एकता आसान है और यह होने भी लगी है।

सामाजिक ओर धार्मिक सुधार के संबंध में बात ऐसी नहीं है। यहाँ हमारी वस्तु किसी ने छीन ली है और हमें उसे पुनःप्राप्त करना है, ऐसा न होकर उल्टे हमारी स्थिति जैसी भी है उत्तम है, उसमें फेरफार का प्रयत्न करना मानो गुनाह है—हममें से बहुतों की ऐसी ही मान्यता है। उन्हें लगता है कि कुछ लोग जो पागलों की तरह सामाजिक और धार्मिक सुधार के पीछे पड़े हैं, वे बेवजह समाज में असंतोष एवं कलह पैदा कर रहे हैं, वे बिना किसी लाभ के खुद को अप्रिय बना रहे हैं। यदि ये ऐसा न करें तो, अनेक लोग राजकीय, व्यापारिक, शैक्षणिक एवं अन्य सामान्य सुधार एकमत से करने के लिए तैयार हो जाएँगे, जो सभी को प्रिय भी है। सामाजिक और धार्मिक मामलों में टंटे खड़े करने के कारण राजकीय मामलों में एक दिल से काम करना कठिन हो गया है। ऐसा आरोप लगाने वालों से हमारा प्रश्न है कि अंग्रेजों ने जब आप लोगों को जीता, तब आप में किसी प्रकार का सामाजिक या धार्मिक झगड़ा नहीं था। उस समय राजनीतिक सत्ता भी आपके हाथों में थी। आप धार्मिक और सामाजिक मामलों में भी एकमत थे। ऐसा होने पर भी आप विदेशी शत्रु से हार क्यों गए? सैन्य बल, द्रव्य बल, संख्या बल सफलता के सभी बाह्य उपकरण आपके हाथों में थे और धार्मिक, सामाजिक मामलों में भी कोई मतभेद नहीं था, फिर आपकी ऐसी बुरी पराजय क्यों हुई? आप पच्चीस-चालीस वर्षों में ही इतने हतवीर्य कैसे हो गए? हमें ऐसा लगता है कि पेशवाई के पतन का कारण यह था कि हमारी सामाजिक एवं धार्मिक स्थिति जैसी होनी चाहिए थी, वैसी नहीं थी। अब आगे भी अपनी स्थिति सुधारने और उसे टिकाए रखने के लिए हमें अपनी गृहस्थिति और धर्माचार को सुधारने का पहले प्रयत्न करना चाहिए। इस कार्य के लिए अत्यंत अनुकूल काल वर्तमान काल ही है। यह उत्तम राजनैतिक स्थिति, उत्तम गृहस्थिति और उत्तम धर्मपद्धति का ही फल है। इसलिए इन दोनों को सुधारने की पहल करनी चाहिए।...

प्राणियों के शरीर में जिस प्रकार मस्तिष्क, हृदय और पेट ये तीन प्रमुख भाग हैं, उसी प्रकार समाज रूपी शरीर के राज्याचार धर्माचार और समाजाचार तीन प्रमुख भाग हैं। यद्यपि दिखने में तीनों समान महत्त्व के दिखाई देते हैं, परंतु सूक्ष्म रूप से विचार करने पर इनसे किसी का महत्त्व कम और किसी का ज्यादा समझ में आता है। इनमें जो अधिक महत्त्व का है उसके विकास पर इतर दोनों का विकास भी निर्भर है। इस धारणा के आधार पर कुछ लोगों का कहना है कि प्राणियों के शरीर व्यापार को यथास्थित चलते रहने में जिस प्रकार सर्वप्रथम उसका मस्तिष्क स्वच्छ रहना जरूरी है उसी प्रकार समाज रूपी शरीर को व्यवस्थित ढंग से चलाने के लिए शासन-पद्धति यानी राज्य व्यवस्था ठीक होनी चाहिए। उसमें यत्किंचित बिगाड़ होने पर सारे शरीर में बीमारी फैलेगी।

दूसरों का मानना है कि राज्य पद्धति की इतनी महिमा गाने का कोई अर्थ

नहीं है। रक्त शुद्ध करने का साधन हृदय यदि ठीक हो और धड़कनों का चलना सही हो, तभी प्रकृति ठीक रहती है और शरीर के अन्य अवयवों का भी समुचित विकास होता है। रक्त दूषित हुआ नहीं कि सब कुछ विकार ग्रस्त हो जाता है, उसका दूषित न होना मजबूत हृदय पर आधारित है। कहने का तात्पर्य यह है कि जिस प्रकार शरीर की अन्य इंद्रियों की अपेक्षा इसका ध्यान रखना आवश्यक है, उसी प्रकार समाज-शरीर का हृदय धर्म है, इसके बारे में भी लोगों को पूरी सावधानी रखनी चाहिए। धर्म संशोधन लोगों का आद्य कर्त्तव्य है।

धर्मद्वेष, धर्मग्लानि, धर्म शैथिल्य, धर्मावहेलना जैसे समाज की रुग्णता के चिह्न जब दिखाई दें, तब जिन्हें समाज-शरीर की पुष्टि की चिंता है उन्हें धर्म रूपी हृदय की उपेक्षा नहीं करनी चाहिए। समाज का भला-बुरा धर्म पर निर्भर है। तीसरे प्रकार के लोगों का कहना है कि मस्तिष्क और हृदय से अधिक महत्त्वपूर्ण है पेट। जीवन का आधार अन्न-पानी है जो पेट की जरूरत है। पचने के बाद उससे विशिष्ट द्रव बनता है जो हृदय तक शुद्ध रक्त बन कर पहुँचता है और पूरे शरीर में फैलकर सभी अवयवों को जीवन देता है। यदि यह द्रव पेट में तैयार न हो तो हृदय होते हुए भी न होने जैसा होगा। अतः जीवन रक्षक रस का स्रोत पेट या पक्वाशय है। शरीर में इससे अधिक महत्त्वपूर्ण कोई अवयव नहीं हो सकता। इसी वजह से पेट पर सर्वाधिक ध्यान देना जितना आवश्यक है, उतना ही आवश्यक है समाज शरीर के पक्वाशय स्थान पर स्थित मानव आचार समूह के बारे में सावधानी रखना। इस आचार समूह को कुछ लोग गृहाचार या कुटुंब स्थिति भी कहते हैं। शरीर के लिए आवश्यक समस्त पोषक रसों का परिपाक जैसे पेट में होता है, वैसे ही समाज पोषक समस्त सामर्थ्य का संगम कुटुंब में होता है, इसी में सारी परिपक्वता आती है। यदि यही कच्चा या सदोष हो तो समाज का शरीर कभी भी उत्तम पोषण प्राप्त नहीं कर सकता। इसलिए सर्वप्रथम गृहाचार में सुधार करना चाहिए, अर्थात् कुटुंब की हालत सुधरनी चाहिए। इस प्रकार हम लक्षित कर सकते हैं कि कोई राजकीय कोई धार्मिक एवं कोई सामाजिक आचार को प्रमुखता देकर अन्य दो को अनुषंगी मानते हैं।...

एक पक्ष का मानना है कि गृहसुधार हुए बिना सही मायने में टिकाऊ धार्मिक सुधार और राजकीय सुधार नहीं हो सकता। जिस प्रकार व्यक्ति कुटंब की इकाई है, उसी प्रकार कुटुंब राष्ट्र की इकाई है। कुटुंब के सुधरे बिना राष्ट्र या राजनैतिक सुधार संभव नहीं। जिस देश के कुटुंब का प्रमुख सुल्तान और अन्य जन गुलाम हैं, जहाँ के सब प्राणपति भर्तार और विवाहित स्त्रियाँ विनम्र दासी हैं, अथवा जहाँ के पुरुष शास्त्र-सम्मत या असम्मत रीति से जितनी चाहें उतनी स्त्रियों के साथ जितनी उम्र तक चाहें रमण करें परंतु वहाँ के अति उच्च और सुशिक्षित वर्ग की किसी भी उम्र की स्त्री के पति का देहांत होने पर उसे फिर कभी पुरुष का स्पर्श न मिले,

मात्र इतना ही नहीं बल्कि उसके मन में कभी इस सुख की कल्पना तक न आने देने की कोशिश हो, जहाँ उसे मुंडन, वस्त्र-भोजन आदि मामलों में संन्यासियों से प्रतिस्पर्धा में बनाए रखने की परंपरा है उसकी ओर नजर करने वाले के मन में उसके प्रति तिरस्कार उत्पन्न हो, ऐसे देश में स्थायी राजकीय सुधार कभी संभव नहीं है, क्योंकि इस सुधार के योग्य स्त्री-पुरुष ऐसे कुटुंब से कभी नहीं आ सकते। कई लोगों का उपर्युक्त मत मुझे बहुत अंशों में सही प्रतीत होता है। क्योंकि जिस वस्तु का प्रत्येक घटक सदोष है वह पूरी वस्तु भी सदोष होगी। जिस देश के कुटुंब में गुलामी और भेदभाव का आलम है, उस देश की राज्य पद्धति में ये दुर्गुण पूर्णतः प्रतिबिंबित होने ही हैं। ऐसे प्रतिबिंब वाले राष्ट्र की अवनति निश्चित है। आज कितनी ही सदियों से हम ऐसी अनुन्नत अवस्था के अंग बने हुए हैं। आज हमें पश्चिमी शिक्षा के कारण यह दुर्दशा अप्रिय लगने लगी है। परंतु अभी तक हम उससे सचमुच छुटकारा चाहते हैं या नहीं, यह निश्चय के साथ कहा नहीं जा सकता। क्योंकि यदि सचमुच चाहते तो उसे दूर करने का सही उपाय कब का अपना लिया होता।

हमें समझ में नहीं आता कि यह सब करने का इतना अनुकूल समय प्राप्त होने के बावजूद हम अपने स्थान पर ही डोल रहे हैं। राजनैतिक, धार्मिक और सामाजिक सुधार में से पहले क्या हो सकता है या कौन-सा करना चाहिए—इस विषय में जितना भी मतभेद हो, परंतु सामाजिक सुधार करने के लिए आज जितना अनुकूल समय हमें प्राप्त हुआ है उतना पहले कभी प्राप्त नहीं हुआ था। इस विषय में मतभेद होने की कोई वजह नहीं दिखती। यदि यह सही है तो इस मामले में चुप बैठे रहना जानबूझ कर आत्म-हत्या के लिए प्रवृत्त होने जैसा ही कहा जाएगा।...

जो उचित है वही कहूँगा, जो साध्य है वही करूँगा

आज की स्थिति में हमारे लिए कौन-सी बात प्रतिकूल होगी और कौन-सी अनुकूल, समस्त प्राणियों को इसका बोध बहुधा अपने सहज स्वभाव-धर्म से ही हो जाता है। भूख लगने पर कुछ खाना, प्यास लगने पर पानी पीना, धूप लगने पर छाया में चले जाना, शीत महसूस होने पर गर्म स्थान ढूँढ़ना, पीड़ा देने वाले के हाथों से बचकर निकलने का प्रयत्न करना—जीवन-रक्षा के लिए ये आवश्यक बातें हैं। यदि यह सब न हो तो जीवों की उत्पत्ति और अभिवृद्धि असंभव हो जाएगी। अन्य प्राणियों की भाँति मनुष्यों को किस समय क्या करना चाहिए—यह यहाँ बताने की जरूरत नहीं है, क्योंकि वैसा न करने पर मनुष्य जाति ही नहीं रहेगी। फिर भी यह कहने में कोई हर्ज नहीं है कि अन्य प्राणियों की भाँति क्षुधा आदि इंद्रिय सुख ही मनुष्य का

संपूर्ण सुख नहीं है। यह अन्य सुखों का आधार है। इसीलिए प्रत्येक देश के लोगों को इनकी प्राप्ति के लिए दक्ष होना चाहिए। जिस राष्ट्र के लोगों को पेट भर अन्न नहीं मिलता और शीत-ऊष्ण हवा से अपनी रक्षा करना नहीं आता, उस राष्ट्र के लोगों को अन्य उच्चतर सुख मिलना संभव नहीं है। अतः कथनी-सुधारक, करनी-सुधारक और सुधारनिंदक—इन तीनों में जीवन रक्षण के लिए आवश्यक बातों के संबंध में तो किसी मतभेद की संभावना नहीं है। प्राण सबको प्रिय है और इसकी रक्षा करना सभी चाहते हैं। अनाज के उत्पादन वृद्धि के लिए कृषि में सुधार करना, वस्त्रादि शीतोष्ण निवारक साधनों की समृद्धि के लिए यंत्र, कारखाने खोलना और प्रशिक्षण का प्रसार करना व्याधि के शमन के लिए वैद्यकादि शास्त्रों का अध्ययन जारी रखना आदि विषयों के संबंध में किसी भी पक्ष की ओर से कोई आपत्ति नहीं उठ सकती। परंतु मनुष्य के सुख और समृद्धि का रूप वैषयिक सुख और सुविधाओं तक ही सीमित नहीं है, इसलिए कुछ बिंदुओं पर मतभेद पैदा होता है।

अन्य प्राणियों की शरीर रचना से मनुष्य की शरीर रचना कुछ निराली होने और उसकी मानसिक रचना अन्यों से बहुत अधिक निराली होने के कारण अन्य प्राणियों में से प्रत्येक वर्ग के अलग-अलग जीवों के आचरण में जितना भेद दिखाई पड़ता है, उससे सौगुना अधिक भेद, मनुष्य वर्ग के विभिन्न व्यक्तियों में दिखाई देता है। धर्म की संकल्पना अन्य प्राणियों में होगी—ऐसा नहीं लगता। अगर हो भी तो हमारे लिए समझना संभव नहीं है। संपत्ति जोड़ने की कल्पना एवं साधन अन्य प्राणियों के पास नहीं है, सृष्टि के नाना प्रकार के पदार्थों से नाना प्रकार के सुख प्राप्त करने का सामर्थ्य भी उनमें नहीं है। मनुष्य के समान विस्तृत भाषा और भाषा से भी कुछ अंशों में विशेष उपयोगी लेखन कला अन्य प्राणियों को मालूम नहीं है और साध्य भी नहीं है। इन कारणों एवं ऐसे ही अन्य अनेक कारणों से दूसरे प्राणिवर्ग में मनुष्य जितना कलह दृष्टिगत नहीं होता। मनुष्यों में अपने सुख की वृद्धि करने और उसे चिरस्थायी बनाने का सामर्थ्य है। एक-दूसरे की सहायता करके सबको समान सुखोपभोग प्राप्त कराने की इच्छा और उसके अनुसार व्यवहार करने की अक्ल भी उनमें है। फिर भी इन्हीं के समाज में क्रूर लड़ाइयाँ, अमीरी-दारिद्र्य, नीतिमत्ता-नीतिहीनता, ज्ञान-अज्ञान, प्रेम-द्वेष जैसी समाज-उपयोगी और समाज-अपकारी वस्तुओं का आविर्भाव खासतौर से होता है। किसी भी मनुष्य समाज को ले लीजिए, उनमें नित्य इसी प्रकार की कम-ज्यादा लड़ाइयाँ होती दिखाई देंगी। यह तो एक ही समाज के व्यक्तियों के विषय में हुआ। दो या अधिक समाजों के बारे में देखें तो भी यही स्थिति दिखेगी। किन्हीं दो समाजों की स्थिति सर्वांश में एक-सी नहीं होती। विषयसुख या आधिभौतिक संपत्ति के संबंध में एक-दूसरे में सतत कलह चलता रहता है। इस कारण दो असमान राष्ट्रों में से कनिष्ठ पर ज्येष्ठ का वर्चस्व होने पर कनिष्ठ को कितनी पीड़ा भोगनी पड़ती है इसका अनुमान भी कठिन है। तात्पर्य यह है कि मनुष्य समाज में व्यक्तियों में और समाज-समाज में बँटे होने के अनेक कारण

हैं। इन्हें दूर करके सब एकमत हों और सब एक दिल से व्यवहार करें, यही इष्ट है। परंतु यह संयोग आगामी पाँच-दस हजार वर्षों के पहले आएगा, ऐसा नहीं लगता। यदि किसी समय यह आने वाला है तो इसके लिए सही ज्ञान-प्रसार के अतिरिक्त दूसरा कोई साधन नहीं है, यह स्पष्ट है। इसलिए जिन्हें अपनी जाति यानी मनुष्य जाति के उद्धार की चिंता है, उन्हें इस उद्धार के लिए जो साधन उचित प्रतीत होते हैं उनका निःशंक होकर, निर्भय होकर रात-दिन मंथन करना चाहिए और जहाँ तक हो सके शुद्ध मन से उस प्रकार का आचरण करके दिखाना चाहिए।

यह निर्विवाद है कि अभी और कई युगों तक मनुष्यों के भिन्न मत तथा भिन्न आचार रहेंगे, उनमें कम-ज्यादा कलह भी रहेगा। यह कलह कभी तीव्रता से बढ़ता है तो कभी बिल्कुल मंद गति पर आ जाता है। इस समय धार्मिक मामले में, विशेषतः उससे संलग्न सामाजिक विषयों पर इस देश में अत्यंत तीव्र कलह है। मुसलमानों के धार्मिक उन्माद के कारण उनसे धर्मयुद्ध भी हुआ। संप्रति पश्चिमी शिक्षा के कारण यहाँ नवीन धर्म संकल्पना, नवीन राज्य संकल्पना और नवीन सामाजिक संकल्पना का प्रादुर्भाव हुआ है। नई पीढ़ी के बहुत से लोग इस संकल्पना के कट्टर भक्त बन गए हैं। जिनका पश्चिमी शिक्षा से संबंध नहीं जुड़ा है, वे एक ओर तथा ऐसे कट्टर भक्त दूसरी ओर–इस तरह दो छोर बन गए हैं। जिन अंग्रेज राज्यकर्ताओं के द्वारा पश्चिमी शिक्षा प्राप्त हो रही है, उन्होंने हिंदुओं के धार्मिक और सामाजिक आचार में फिलहाल अपना हाथ न डालने का निर्णय किया है, क्योंकि अपने एवं दूसरों के इतिहास से उन्होंने जान लिया है कि यह उनके लिए हितकारी नहीं होगा। फिर भी उनका झुकाव हिंदू सुधारकों की ओर है, इसमें कोई संदेह नहीं है। ये सुधारक उनके द्वारा दी गई शिक्षा के ही फल हैं। पुराने लोगों में से कुछ समंजस लोगों को पश्चिम की राज्य पद्धति और राज्य विषयक विचार पसंद आने लगे हैं और नए सुशिक्षितों के साथ वे भी उन्हें स्वीकारने लगे हैं। राष्ट्रसत्ता से यही चीज व्यक्त होती है। परंतु इसी राष्ट्रसभा के साथ या लगभग साल भर बाद अस्तित्व में आने वाली सामाजिक परिषद इन पुराने लोगों को स्वीकार नहीं है। इसे कैसे टाला जा सकता है? जिस विद्या का फल राष्ट्रसभा है, उसी विद्या का फल सामाजिक परिषद भी है। जिस ज्ञान के कारण तैलंग और रानाडे को हमारी राजकीय स्थिति में सुधार की जरूरत महसूस हो रही है, उसी ज्ञान के कारण वे हमारी सामाजिक स्थिति सुधारने की आवश्यकता भी महसूस कर रहे हैं। जिस लिए उनके राजकीय विचार हमें उचित लगते हैं और वे हमें व्यक्ति रूप में पूज्य लगते हैं, उसी वजह से उनके सामाजिक विचार भी हमें मान्य होने चाहिए और व्यक्ति रूप में हमारे लिए वे पूज्य होने चाहिए। एक मामले में तो हम उनका अभिनंदन करते हैं, प्रशस्ति करते हैं और उन्हें अपना नेता मानकर अनुकरण के लिए तैयार रहते हैं, पर दूसरे मामले में उन्हीं की ठिठोली करते हुए, उन्हें उल्टा-सीधा कहकर दोष देते हैं–यहाँ तक कि हिंदुस्तान की सरकार के समक्ष

उनके विरुद्ध इस तरह की अर्जी देते हैं कि वे हमारे नेता नहीं हैं। हम इसे मूर्खता न कहें तो क्या कहें। धार्मिक और सामाजिक विषयों के संबंध में हमारे लोगों का ज्ञान एक हद तक जाकर रुक जाता है। हम राज्य विषयक बातों में मात्र दीर्घश्रवा हैं। पश्चिमी ज्ञान या पश्चिमी विद्या से हमें राज्य विचार के अतिरिक्त कुछ भी नहीं सीखना है, लगता है पुरानी पद्धति के लोगों का यही मानना है। पश्चिमी शिक्षा प्राप्त नई पीढ़ी के जिन लोगों ने धार्मिक या सामाजिक विषयों पर विचार नहीं किया या जिन्होंने किया पर उनकी बात पर लोकसमुदाय की भीड़ टूट नहीं पड़ती, ऐसे लोग भी रानाडे, तैलंग प्रभृति विद्वानों का सामाजिक विचार के संबंध में उपहास करने में जुट जाते हैं।

पुरानी पद्धति के सभी बड़े लोगों को और उनके पीछे आँखें बंद करके चलने वाले असंख्य मूर्खों को भय होता है कि इस देश में विद्या का जो प्रवेश हुआ है वह हमारे राज्य विषयक विचारों की तरह ही हमारे धार्मिक और सामाजिक विचारों में भी क्रांति लाएगा और तदनुसार हमारा आचरण बदलता जाएगा। हिंदू धर्म विचार और सामाजिक आचार में जितना कुछ निर्दोष और हितकारी है, हमें उसके मिटने का भय नहीं है, किसी पाराशर के आधार के बिना ही वह स्थिर रहेगा। परंतु जो कुछ सदोष और अहितकारी है, कम से कम आज की स्थिति में जिसके अपकार के बारे में कोई संशय नहीं है, वह सब पश्चिमी ज्ञानकुंड में जलकर खाक हो जाएगा।

हमारे आधुनिक मार्ग में कई धार्मिक एवं सामाजिक रूढ़ियाँ बाधक हैं। लेकिन एक मनु या पाराशर की क्या बात है, सैकड़ों मनु या सहस्रों पाराशर का आधार दिखाने के बावजूद आधुनिक विचारों को रोकना संभव नहीं है। कोट्यावधि लोगों की मूर्खता, वृथा धर्माभिमान और आंदोलन की धमकी का रोड़ा सामने रखने पर भी पहाड़ की चोटी पर स्थित सरोवर की दीवारें तोड़कर प्रचंड गति से गिरने वाले वारिवाह के वेग को रोकने की हिम्मत किसी में नहीं है। वैसे भी हमारी मूर्खताओं से भरी सामाजिक धार्मिक संकल्पनाओं में जो बड़वाग्नि भड़की है, वह करोड़ों लिजलिजे कीटकों के क्षुद्र पंखों की हवा से या बड़े कीटकों के शुष्क श्वासवायु से बुझने वाली नहीं है, उल्टे यही संभव है कि ये ही उसमें जल कर खाक हो जाएँगे।

स्त्रियों को उच्च शिक्षण देनी चाहिए या नहीं?

प्रत्येक बालक और बालिका को माता-पिता द्वारा प्राथमिक शिक्षा दी जानी चाहिए,

जैसे यह लोकमत सर्वत्र स्वीकृत हुआ है, वैसे ही हर स्त्री या पुरुष को स्वतंत्र रूप से इच्छित व्यवसाय करने, जितनी इच्छा हो उतनी विद्या प्राप्त करने, परीक्षा देने, पदवी पाने और जब इच्छा हो तब विवाह करके अपनी इच्छानुसार घर-संसार चलाने की आजादी सभी को कालांतर में मिलने वाली है। इसमें हमें जरा भी शंका नहीं है। आज इस निबंध में हिंदू स्त्रियों के लिए उच्च-शिक्षा के द्वार खोले जाएँ या नहीं इस विषय पर चर्चा में लगाना, कुछ अर्थ में समय का दुरुपयोग करने जैसा ही है। फिर भी एक बात जरूर है कि स्त्रियों को माध्यमिक शिक्षा या उच्च शिक्षा देने के बारे में सोचने के पहले विवाह पद्धति और विवाह आयु में विशिष्ट परिवर्तन होना आवश्यक है। विवाहित लड़के हाईस्कूल या कॉलेज में माध्यमिक एवं उच्च शिक्षण का लाभ लेते हैं, यह सही है। परंतु लड़कियों द्वारा यह संभव नहीं है। पत्नी गर्भवती हो अथवा पुत्र का जन्म हुआ हो, लड़कों का ध्यान यदि पढ़ाई की ओर है तो ऐसी विलक्षण गृह स्थिति भी उनके मार्ग में अड़चन नहीं बनती। अल्प वय में विवाह या पितृत्व उनके विद्यार्थी जीवन में घातक नहीं होता, ऐसा बहुतों का अनुभव है। लेकिन यदि उम्र के तेरहवें-चौदहवें वर्ष से लड़की के पीछे गर्भावस्था, प्रसव, शिशु की देखभाल आदि कामों की कतार लगी हो तो वह हाईस्कूल या कॉलेज कैसे जाएगी? मैट्रिक, बी.ए., एल.एल.बी. आदि की परीक्षाएँ कैसे देगी? लड़की को यदि इन डिग्रियों के लिए पढ़ाई करनी है तो परीक्षा होने तक अविवाहित रहना चाहिए, यदि वह विवाहित हो तो उसके पति और सास-ससुर को उसे अविवाहित-जैसा रहने देना चाहिए। परंतु इस पीढ़ी में ऐसा होना संदेहास्पद है। रजोदर्शन के पूर्व सभी लड़कियों का विवाह हो ही जाना चाहिए और रजोदर्शन के साथ ही गर्भाधान विधि पूर्ण होनी चाहिए, यदि ऐसा नहीं किया तो लड़की की चालीस पीढ़ियों को दुर्गति प्राप्त होती है, इस प्रकार के अधर्मी धर्म के सम्मुख साष्टांग दंडवत करने वाले और इस आदेश का आघात कलेजे पर लगने पर भी बिना 'काँ कूँ' किए क्लेश को ही सुख मानने वाले उन्मादी इस समाज में जब तक रहेंगे, तब तक लड़कियों का लड़कों की तरह उच्च शिक्षा प्राप्त करना संभव नहीं होगा। सबसे पहले ससुराल का हौवा समाप्त होना चाहिए। विवाह होने के उपरांत माता-पिता का घर छोड़कर लड़की को सीधे अपने पति के साथ स्वतंत्र रूप से गृहस्थी का अधिकार होना चाहिए। उसे बीच में सास-ससुर के अधीन रहकर ससुरालवास की जरूरत ही नहीं पड़नी चाहिए। सच कहें तो माता-पिता अपनी संतान की शिक्षा एवं उसके सुख की ओर से ध्यान हटा कर, न जाने क्यों उन्हें शीघ्रातिशीघ्र माँ-बाप बना देना चाहते हैं। फिर उनके बच्चों की जवाबदारी अपने ऊपर लेकर सभी की दुर्दशा कराने का आग्रह किसलिए रखते हैं, हमें समझ में नहीं आता। माता-पिता और पंडित को जीवन के सुख के बारे में इतनी चिंता करने की कोई जरूरत नहीं है। इस सुख के बीज स्त्री-पुरुष की प्रकृति में विधाता ने बड़ी सावधानी से दबा रखे हैं। इस देश की दूषित और निंद्य वैवाहिक संस्था तथा आचार

पद्धति के कारण पुष्ट फल की प्राप्ति नहीं होती। यह बड़े दुःख की बात है कि पुत्री और दामाद की बहुत कम उम्र में सुख-उत्सव देखने की हमारी जो दुष्ट अभिरुचि अथवा दुष्ट आदत है, उसके कारण हम अपने लड़के-लड़की के साथ ही संपूर्ण राष्ट्र का भीषण नुकसान कर रहे हैं। यह हमारे ध्यान में नहीं आता।

हमारी इस बुरी आदत के नष्ट हुए बिना देश में महान स्त्रियाँ या महान पुरुषों का पैदा होना संभव नहीं है। महान स्त्रियों एवं पुरुषों के बिना किसी भी देश की महानता स्थायी नहीं होती। फिर स्त्रियों को उच्च शिक्षा दी जाए या नहीं, इस प्रश्न का उत्तर देने के पहले इस प्रश्न का उत्तर देने की तैयारी चाहिए कि हम उनके विवाह की उम्र बढ़ाने के लिए तैयार हैं या नहीं ।...

लड़के-लड़की को एक-सी शिक्षा दें और वह भी एक साथ

तरुण स्त्री एवं तरुण पुरुष को एक ही कक्षा में बिठाकर, उन्हें एक ही शिक्षक द्वारा व्याख्यान दिलाने का प्रयोग सर्वप्रथम अमेरिका में किया गया और वह कल्पना से अधिक फलदायी निकला।

सहशिक्षा के विरोधी अक्सर इन तीन मुद्दों पर झगड़ते हैं : (1) स्त्री-पुरुष की नैसर्गिक प्रकृति में महत्त्वपूर्ण अंतर है। उन्हें एक साथ शिक्षा दी गई तो उनकी प्रकृति में जो फर्क जरूरी है, वह नहीं आ सकेगा। (2) लड़कों के उद्दंड व्यवहार से लड़कियों के मर्यादाशील व्यवहार पर दुष्प्रभाव पड़ता है। (3) अल्पवय के लड़के-लड़कियाँ बार-बार एकत्र होते हैं तो उनमें विषयवासना शीघ्र जागृत हो जाती है, इसका दुखद परिणाम सामने आता है।

तरुण लड़कियों व लड़कों को एक ही कक्षा में शिक्षा देने की व्यवस्था अगर सुचारु और सही ढंग से न की जाए तो कदाचित उपरोक्त परिणाम हो सकते हैं। परंतु अगर व्यवस्था ठीक है तो इसका परिणाम अत्यंत उत्तम होता है—यह भी लोगों के विस्तृत अनुभव से सिद्ध हो चुका है। जो इस पद्धति को सही मानते हैं, वे इसके समर्थन में कहते हैं कि (1) लड़के और लड़कियों को एक ही जगह शिक्षा देने पर लड़कों को अनुशासित रखना आसान हो जाता है। लड़कों का हठीपन और उद्दंडता लड़कियों के सान्निध्य से कम हो जाता है। (2) लड़कों और लड़कियों को एक ही जगह पढ़ाने का मतलब है ऐसी शिक्षा पद्धति को अंगीकार करना, जो दोनों को समझ में आए। इस प्रकार लड़कों की शिक्षा के लिए जो विलक्षण पद्धति अस्तित्व में आई है, उसकी निःसत्वता

और एकदेशीयता व्यक्त होती है। (३) लड़के और लड़कियों के नियमित मिलते रहने से उनकी विषयवासना पर अपायकारक परिणाम नहीं होता। इसके विपरीत वे अधिक गंभीर और शांत हो जाते हैं। दोनों की मैत्री का आधार किसी बाह्य अंग पर न होकर, अंतरंग की गहरी परीक्षा करके उस पर अवलंबित होता है।

अनुवाद : **नीरा नाहटा**

बाल गंगाधर तिलक

1856-1920

नरमपंथियों के समानांतर एक उग्र राष्ट्रवादी। वकालत पास करके भी सरकारी नौकरी से इनकार, जौसा कि उस जमाने के शिक्षित लोग बहुत कम कर पाते थे। आगरकर और गोखले से सुधारवाद के मुद्दे पर मतभेद। महाराष्ट्र में जनशिक्षण के लिए 'मराठी साप्ताहिक 'केसरी' (सिंह) और 'मराठा' का प्रकाशन-संपादन। जातीय उद्देश्य से गणेश उत्सव के साथ-साथ शिवाजी उत्सव की शुरुआत। अंग्रेजी शासन का विरोध। नरमपंथियों के संदर्भ में नारा—'भिक्षावृत्ति नहीं जुझारूपन' और उनकी प्रमुख आवाज—'स्वतंत्रता हमारा जन्मसिद्ध अधिकार है और यह हम लेकर रहेंगे।' 1907 के कांग्रेस अधिवेशन में नरमपंथियों की जीत, तिलक की लड़ाई की लाइन की हार। अधिवेशन में जूते-चप्पल। कई बार जेल यात्रा। छः साल तक मांडले (बर्मा) की जेल में रहने के दौरान 'भगवद्गीता' का भाष्य लिखा और एक अन्य पुस्तक में बताया कि वैदिक साहित्य छः हजार साल पुराना है और आर्य उत्तरी ध्रुव से आए थे। 1916 में कांग्रेस में पुनः शामिल। लखनऊ में कांग्रेस और मुस्लिम लीग दोनों के द्वारा जब स्वशासन की माँग हुई, तिलक इस माँग के साथ। जनता द्वारा व्यापक रूप से समादृत होने की वजह से 'लोकमान्य' की उपाधि।

सामाजिक सुधार का मार्ग

हमारे सुधारक आजकल जो सुधार करना चाह रहे हैं, वे सभी सुधार आयरलैंड में हो चुके हैं। वहाँ विधवा-विवाह है, प्रौढ़विवाह है, जाति-भेद नहीं है। मांस-मद्य का सेवन यथेष्ट हो रहा है परंतु बेचारे आयरलैंड के निवासी सात-आठ सौ वर्षों से जी-जान कोशिश करके भी परतंत्रता से बाहर नहीं आ पाए हैं।

इसलिए सामाजिक सुधार नहीं होना चाहिए, हमारा ऐसा मानना है—यह मत समझिए। हमारा बस इतना कहना है कि डॉ. भंडारकर ने सामाजिक सुधार और राजकीय स्वत्व का जो संबंध जोड़ा है, वह बिल्कुल निराधार और भ्रांतिमूलक है।

हमारे सुधारकों का मानना है कि उनके कहे अनुसार सामाजिक सुधारों के बिना हम राजकीय अधिकारों के पात्र नहीं हैं। डॉ. भंडारकर के भाषण से सिद्ध होता है कि प्रसंग आने पर यह मंडली अपने हठ के लिए राष्ट्रीय आंदोलन में भी रुकावट डालने से नहीं हिचकेगी।

हमें शासन पद्धति में जो परिवर्तन चाहिए, उसका कोई संबंध जाति-भेद या अन्य सामाजिक समस्याओं से नहीं है। अतः यह कहना, कि अमुक सामाजिक सुधार होने पर ही हम राजनैतिक हक के अधिकारी हो सकते हैं, यह पहले से ही नाराज सरकार को जनता की राष्ट्रीय माँगें नामंजूर करने के लिए उत्साहित करना नहीं है क्या?...

–1896

पहले क्या–राजकीय या सामाजिक?

सामाजिक सुधार की ओर बिल्कुल ध्यान न दिया जाए, ऐसा मेरा कहना नहीं है। कुछ लोगों को इस ओर ध्यान देना चाहिए और कुछ लोगों द्वारा दिया भी जा रहा है। स्त्री-शिक्षा, पुनर्विवाह, बाल-विवाह का निषेध, जाति-पाँति के भेदभाव को नकारने सरीखे विषयों को प्रोत्साहित करने के जो प्रयत्न चल रहे हैं और उन प्रयत्नों को जो थोड़ी सफलता मिल रही है–उससे ही उनका महत्त्व सिद्ध हो जाता है। तथापि सभी को इसी मार्ग पर मुड़ने की कोई जरूरत नहीं है। ऑनरेबल राय बहादुर महादेव गोविंद रानाडे के समान बुद्धिमत्ता बहुत कम लोगों में होती है। इसलिए सभी काम समान रीति से उठाने वाले उनके जैसे पुरुष विरले होते हैं। अधिकांश लोगों की बुद्धि सामान्य होती है। अतः उन्हें उस रीति का उपयोग बहुत सावधानी से करना चाहिए। देश की वर्तमान स्थिति में विद्वानों के बुद्धि सामर्थ्य का एक बड़ा भाग राजनीतिक सुधार की ओर तथा कुछ लोगों की बुद्धि सामाजिक सुधार की ओर लगानी चाहिए--ऐसा मेरा मत है।...

राजकीय मामलों में वाद-विवाद में तर्क का प्राधान्य होता है, जबकि धार्मिक या सामाजिक विषयों में वह कुंठित हो जाता है। पहले वाद-विवाद में बुद्धि का बुद्धि पर प्रहार होता है, दूसरे में मनोविकार या भावनाओं को ठेस पहुँचती है। भावनाओं से अधिक शांत और कम दुराग्रही होने के कारण बुद्धि को सत्य का बोध शीघ्र होता है। एक बार बात समझ में आ गई तो तदनुरूप काम करने में उसे बहुत हिचक नहीं होती। भावना के साथ ऐसी स्थिति नहीं होती। विवाद से यह और अधिक घिसटती है और लगभग अंध भावना का रूप धारण कर लेती है। इसीलिए उसे

न छेड़ करके उसकी गर्मी को शांत होने देना चाहिए। यदि इसे शीघ्र नष्ट करना हो तो उसमें सुशिक्षा का कीड़ा छोड़ देना उचित होगा, जिससे कुछ ही समय में धार्मिक या सामाजिक कुरीतियाँ चूरा बनकर समाप्त हो जाएँगी।...

समाचार पत्र लोक शिक्षा के सशक्त साधन हैं, यह मैं स्वीकार करता हूँ। राजकीय समस्याओं के संदर्भ में इसके समान दूसरा कोई सहायक नहीं हो सकता। फिर भी उन्हें किसी सामाजिक विषय की चर्चा या धर्म के विवाद में नहीं पड़ना चाहिए—ऐसा मेरा मत है। समाचार पत्रों में जब इन विषयों पर चर्चा होने लगती है तो लोगों के दुराग्रह और मजबूत हो जाते हैं तथा सामाजिक सुधार का काम अधिक दुष्कर हो जाता है।

—1886

गणेशोत्सव का समापन समारोह

दस दिनों का उत्सव समाप्त होने के बाद आज गणपति-विसर्जन करके घर पहुँचने पर आप लोगों को खाली-खाली लगेगा। जिस बात की आदत हो, विशेषतः दस दिन तक जो चीज आदत बन गई, वह एकदम छूट जाने से मन का उदास और दुःखी होना स्वाभाविक है। मेरा कहना है कि हजारों वर्षों तक जो अवस्था आपने भोगी, स्वराज्य को खोने का जो झटका आपको लगा—इसके लिए कुछ कीजिए। गणपति की आराधना करते हुए स्वराज्य, अधिराज्य आदि माँगने की हमारी प्राचीन परंपरा रही है। आप इन शब्दों का अर्थ भूल गए हैं, कैसे, किसे पता। वर्षों से हम 'स्वराज्य' 'वैराज्य', 'अधिराज्य' आदि शब्द तोते की तरह बोलते आ रहे हैं, पर अब हम मनुष्य बन गए हैं। आज जिन लोगों ने भी स्वराज्य की कल्पना विशेष तरीके से हमारे सम्मुख रखी है, हमें समझाई है, देशहित के लिए जिन्होंने कैद भी झेली है, उनका उपकार और आभार मानना चाहिए।

प्लेग आता है, जाता है। प्लेग के लिए गणपति जवाबदेह नहीं हैं। हमारे दुष्कृत्यों और सरकार के दुष्कृत्यों से प्लेग आया है। बंगाल में गणेशोत्सव होकर भी प्लेग है और जापान में गणेशोत्सव न होकर भी प्लेग नहीं है। जिनको भरपेट खाना मिलता है, उन्हें प्लेग नहीं होता। अंग्रेजों को प्लेग नहीं होता। हमें भी अंग्रेजों जैसा खाने-पीने को अच्छा मिले, रहने के लिए उनके जैसे हवादार बंगले मिलें तो हिंदुस्तान में प्लेग नहीं रहेगा—यह मैं पूरे विश्वास के साथ कहता हूँ। प्लेग दरिद्रों का रोग है। किसी भी दुःख या आपत्ति का कारण समझने का ज्ञान आपको गजानन दें, यही प्रार्थना कीजिए और यह अति आवश्यक है।...

इस उत्सव में हम अपने हित संबंधी विषयों पर विचार-विमर्श करते हैं। हमारे धर्म में सामाजिक विषयों का अंतर्भाव है, हम उनकी भी चर्चा करते हैं। जिससे मोक्ष मिले वही धर्म है—ऐसी व्याख्या हमारे धर्म की नहीं है। चार वर्णों के लोगों के दैनंदिन व्यवहार का वर्णन हमारे धर्म में किया गया है। ईसाई लोगों की तरह सप्ताह में एक दिन के लिए, मात्र रविवार तक हमारा धर्म सीमित नहीं है।...

हमें धार्मिक, सामाजिक और राजकीय दृष्टिकोण में परिवर्तन चाहिए। मात्र मनोरंजन, मौज-मजा या हमारे पास ढेर-सी संपत्ति है उसे खर्च करने के लिए हम उत्सव का आयोजन नहीं करते। यह सारी खटपट इसलिए है कि हमें कुछ ज्ञान मिले और गणपति ज्ञान का देवता है। एक ही दिशा से ज्ञान लेकर काम नहीं चल सकता। एक ही प्रकार का ज्ञान लेने का मतलब हुआ रसोईघर से खाने के कमरे तक भी न जाना। रसोईघर में रहने वाले रसोइए को भी परोसने के लिए खाने के कमरे में आना ही पड़ता है। एक ज्ञान-वृक्ष के सब भिन्न-भिन्न फल हैं और इन सबका सेवन करना चाहिए। राष्ट्रीय शिक्षण, स्वराज्य, स्वदेशी एवं बहिष्कार, धार्मिक एकता और सामाजिक विषयों के बारे में इन उत्सवों में व्याख्यान और चर्चा हुई है।...

आज यह दिखाने का समय आ गया है कि हम जीवित रहने योग्य हैं या नहीं। उत्पीड़न का काम सहिष्णुता पर भारी पड़ता है या सहिष्णुता उत्पीड़न को पीछे हटाती है, यह परखने का समय आ गया है।

कारावास जाना पड़े तो भी स्वीकार है, परंतु अपनी सद्-असद् विवेक बुद्धि के विरुद्ध मैं अन्याय और जुल्म की मदद नहीं करूँगा। बाबू विपिन चंद्र पाल ने ऐसा कहा है और करके दिखाया है। लड़ाई शुरू हो गई है। प्रश्न यह है कि अब आप पीछे हटेंगे या प्रतिपक्षी। मुझे इस प्रसंग में आपको वह संदेश देना है जो अश्वत्थामा ने कौरव सेना को दिया था कि मरण और दुःख चुक नहीं गए हैं। मृत्यु घर बैठे भी आएगी और दुःख पीछे लगे ही हुए हैं। तब युद्ध में यशस्वी होना उचित है या घर बैठे मरना?...

हमारे समाज में अनेक जातियाँ हैं। कम ज्यादा दर्जा हो सकता है, परंतु महार, माँग (एक जाति जो बैल आदि को बाँधने वाली रस्सी बनाती है) से ब्राह्मण तक सभी हिंदू में आते हैं। धर्मशास्त्र यही कहते हैं। यही नहीं, भागवत धर्म में ऊँच-नीच भाव नहीं है। महार, माँग, चमार, सोनार सभी समान रूप से पंढरी के पांडुरंग को प्रिय हैं। पंढरपुर जाकर देखेंगे तो सारे लोग पांडुरंग के चरण कस कर पकड़े दिखेंगे। हिंदूधर्म एक शरीर है, तोड़ा गया हाथ या पैर जैसा टूटा-फूटा अवयव नहीं। वेदादि ग्रंथों की परंपरा को जो मानता है वह हिंदू हुआ और एक ही पुरुष का अवयव बन गया। इस दृष्टि से आर्यसमाजी भी हिंदू में शामिल हो सकता है। 'पेट और अवयव' इसप की इस कथा के अनुसार पेट से झगड़ कर अन्य अंगों का काम नहीं चल सकता।

—पुणे, 1907

सरकारी शिक्षा और राष्ट्रीय शिक्षा

हिंदुस्तान में युनिवर्सिटी स्थापित हुए 80 वर्ष होने को आए, तथापि उसके द्वारा दी जाने वाली शिक्षा! अभी तक अधूरी है—कई दूसरों की भाँति मेरी भी यही समझ है।

आज इतने वर्षों तक ऊहापोह करके राष्ट्रीय-सभा ने, पचास वर्षों तक मेहनत करके दादाभाई ने और दस-पंद्रह वर्ष श्रम करके दत्ता ने, जो सिद्धांत स्थापित किए हैं, उन सिद्धांतों से हम अपने बालकों को बचपन से ही परिचित क्यों न कराएँ? मुझे लगता है कि देश की राजनीतिक, सामाजिक आदि परिस्थितियों और उन स्थितियों को बदलने के लिए तय किए सिद्धांतों और उपायों का ज्ञान बच्चों को बालपन से ही देना अत्यंत आवश्यक है।

राजकीय सिद्धांतों और सामाजिक प्रमेयों की जन्मघूँटी विद्यार्थियों को बचपन में देना ही राष्ट्रीय शिक्षा का बीज है।

प्रजा के क्या अधिकार होते हैं, उनमें से हमें कितने प्राप्त हैं—यह जैसे बालकों को समझाना चाहिए वैसे ही जातिभेद, जातिद्वेष, जातिमत्सर आदि के कारण हमारा देश कैसे विभाजित हो रहा है, कट रहा है, जल रहा है, इन सब का ज्ञान भी राष्ट्रीय विद्यालय के विद्यार्थियों को मिलना चाहिए।

जाति-भेद मिटाने की कितनी आवश्यकता है—यह हमारे विद्यार्थियों को समझाना चाहिए। जाति-जाति के बीच झगड़े न होने देने की सावधानी रखना हम सब का प्रमुख कर्त्तव्य है। यह बात राष्ट्रीय विद्यालय के विद्यार्थियों के मन में प्रतिबिंबित होनी चाहिए। वर्तमान परिस्थिति को ध्यान में रखते हुए राष्ट्रीय विद्यालय में सभी धर्मों के विद्यार्थियों की शिक्षा की व्यवस्था होनी चाहिए। बनारस के 'सेंट्रल हिंदू कॉलेज' में इसी प्रकार की व्यवस्था है। कलकत्ते के राष्ट्रीय विद्यालय में दो और दो चार ही सिखाया जाता है और सरकारी विद्यालय में भी। परंतु औषधि एक होने पर भी अनुपात और मात्रा में फर्क होता है। सरकारी विद्यालय की शिक्षा गुलामी के मोड़ तक पहुँचाती है। राष्ट्रीय विद्यालय में इस धारा को बदल कर विद्यार्थियों में स्वाभिमान और तेजस्विता की भावना पैदा की जाती है।...

तरुण पीढ़ी के व्यक्ति विद्वान, बुद्धिमान, दृढ़निश्चयी और शारीरिक सामर्थ्य से परिपूर्ण हों, हम इतना ही नहीं चाहते। हमारी प्रबल इच्छा है कि हमारे तरुण पाश्चात्य शास्त्रों में भी पारंगत हों। इन पाश्चात्य शास्त्रों को विद्यार्थियों को सिखाने के बारे में जिस दिन आपत्ति उठाई जाएगी, उस दिन हिंदुस्तान का भाग्योदय नीचे खिसकता समझूँगा।...

कलकत्ता में एक हाई स्कूल और एक बड़ा कॉलेज भी है। एक मेडिकल कॉलेज

भी वहाँ शुरू हो गया है। इस शिक्षण-संस्था में केवल बी.ए., एम.ए. की डिग्री ही नहीं मिलती, बल्कि अपनी इच्छा एवं रुचि के अनुरूप शिक्षा पाने की सुविधा भी उपलब्ध है। मुंबई के लोगों को इस बात की जरूरत महसूस नहीं होती। उनका प्रश्न होता है कि 'सरकारी विद्यालय और कॉलेज से ही फिरोजशाह मेहता और रानाडे जैसे विद्वान और कर्तबगार लोग निकले हैं न?' मेरा उत्तर है कि सरकारी शिक्षा से मेहता एवं रानाडे एक-एक ही हुए हैं, परंतु उन जैसे लोग सतत और अधिक संख्या में निकलें, इसके लिए राष्ट्रीय विद्यालय की आवश्यकता है।...

हमने जिस समय पुणे में फर्ग्युसन कॉलेज शुरू किया था, संस्था के पास कुछ भी पूँजी नहीं थी। आज वही संस्था तीन-चार लाख की मालिक है। लगन और मेहनत से लगातार कोशिश करने पर राष्ट्रीय शिक्षा की संस्थाओं को भी अवश्य सफलता मिलेगी।...

हमारे तरुण स्वराज्य के हक के लिए लड़ने और स्वराज्य का संचालन करने के लिए तैयार हों—ऐसी शिक्षा उन्हें हमें देनी है। अपने बच्चों के लिए संपत्ति जमा करने की अपेक्षा उन्हें विद्या देने की व्यवस्था करना अधिक श्रेयष्कर है। 'बुद्धिर्यस्य बलं तस्य', कहा भी गया है। डेक्कन कॉलेज में एक प्रोफेसर थे, प्रो. फॉरेस्ट। वे कहते थे कि हिंदुस्तान के सारे लोगों में जिस दिन अपनी परतंत्रता का मान होगा और स्वतंत्रता प्राप्ति की कामना जागेगी, उस दिन यदि उन सभी ने हम पर एक-एक ढेला भी फेंका तो इतने से ही हमारी ऐसी दशा हो जाएगी मानो हम हिंदुस्तान में कभी थे ही नहीं। सारांश यह है कि राष्ट्र को परिस्थिति का यथार्थ ज्ञान कराने के समान दूसरी कोई महत्त्वपूर्ण बात नहीं है। आज तक इस महान् काम की ओर से हमने पीठ फेर रखी थी, अब उसकी ओर मुँह कर लेने से भी बहुत फर्क पड़ेगा।

सभी जातियों को एक ही शाला में बैठकर राष्ट्रोद्धार की शिक्षा लेना अत्यंत आवश्यक है।...

—बेलगाँव, 1907

राष्ट्रीय पक्ष और राष्ट्रीय-सभा

पृथ्वी घूमती है, सूर्य नहीं घूमता—विद्यार्थी न्यूटन का यह सिद्धांत ग्रहण करके आगे की पढ़ाई करता है। वही बात यहाँ भी लागू होती है। हम पुरानी पीढ़ी के कंधे पर खड़े हैं। इसलिए हमारी दृष्टि का क्षितिज अधिक विस्तीर्ण हुआ है, हमें दूर तक दिखाई देता है। इसका अर्थ यह नहीं है कि हम अधिक सयाने हैं। पुरानी पीढ़ी के लोगों ने अपना कार्य जहाँ तक पहुँचाया है, वहाँ से शुरू करके हमें आगे जाना

है। दादाभाई नौरोजी एवं अन्य लेखकों ने जिस सत्य को ढूँढ़ा है, वह हमारे विद्यालयों में सिखाया जाए। बच्चे मूलाक्षरों के साथ-साथ वह सब भी सीखें—हमें ऐसी शिक्षा की आवश्यकता है।...

लाला लाजपतराय कहते हैं कि अंग्रेजों को भीख माँगने वाले पसंद नहीं हैं। हम जो माँगते हैं, हममें उसकी पात्रता भी है यह भी दिखाना चाहिए। यदि नहीं मिले तो अपने बल से उसे प्राप्त करने की तैयारी होनी चाहिए।

'पियर्स' साबुन का एक विज्ञापन मैंने देखा है। उस चित्र में नहाने के टब में बैठा बालक नीचे जमीन पर रखी साबुन की टिकिया उठाने की कोशिश कर रहा है, और चित्र के नीचे बालक की इच्छा लिखी हुई है—'यह (साबुन की टिकिया) न मिलने तक मैं सुखी नहीं हो सकता।'

यही वाक्य राष्ट्रीय संदर्भ में लगाकर मैं कहता हूँ, 'हमें जो चाहिए, वह न मिलने तक हम सुखी नहीं हो सकते।'...

श्री रामदास—प्रवृत्ति एवं निवृत्ति

राष्ट्र के प्रति, स्वदेश के प्रति प्रेम उत्पन्न करना ही राष्ट्रीय शिक्षा है। देश के प्रति प्रेम उत्पन्न करना यानी संसार के प्रति प्रीति थोड़ा कम करना। यह कदम उठाए बिना, बीच का यह सोपान लाँघे बिना सही मार्ग नहीं मिल सकता।

सूर्य प्रकाशित होता है, पर उसे जरा भी पता नहीं होता कि उसके प्रकाश से लोगों का भारी हित होता है। उसके प्रकाश का लोग नाना प्रकार से उपभोग करते हैं। धर्म यही काम मनुष्य के लिए करता है। धर्म से मन की संकीर्णता मिटती है। श्री रामदास के काल के समान ही आज का काल है। इसलिए उनके प्रयत्नों के समान ही आज भी प्रयत्न होने चाहिए। शिक्षा का काम होना चाहिए।

धर्म की नहीं—महाराष्ट्र धर्म की, महा यानी बड़ा, राष्ट्र यानी सारे हिंदुस्तान के धर्म की स्थापना होनी चाहिए।...

—1938, कै. लोकमान्य तिलकांची व्याख्यानें

अनुवाद : **नीरा नाहटा**

पंडिता रमा बाई

1858-1922

स्त्री-अधिकारों के लिए संघर्ष की बुनियाद रखने वाली समाज सुधारक और विदुषी चिंतक। इनके माता-पिता को समाज ने इसलिए बहिष्कृत कर दिया कि उन्होंने अपनी बेटी को शिक्षा दी थी। मृत्युशय्या पर पिता शर्बत और माँ रोटी माँगते-माँगते चल बसी। बचपन अभाव और भूख में बीता। माँ को अर्थी देने वाला चौथा व्यक्ति नहीं मिला तो इन्होंने लड़-झगड़कर अपना कंधा बढ़ा दिया—स्त्री अर्थी क्यों नहीं ले जा सकती? लगभग पंद्रह हजार मील तक पैदल चलकर देश भ्रमण किया और स्त्री अधिकारों की अलख जगाई। नौ साल की एक विधवा को सती होने से बचाया और विधवाओं तथा परित्यक्ताओं के लिए 'शारदा सदन' बनाया। केशवचंद्र सेन, दयानंद सरस्वती, महादेव गोविंद रानाडे आदि से मुलाकात। कलकत्ते में ही लोगों ने इन्हें पंडिता रमाबाई सरस्वती कहकर बुलाना शुरू कर दिया। इनकी विद्वता की प्रसिद्धि फैल गई। दो साल के वैवाहिक जीवन के बाद विधवा हो गईं। 1882 में हंटर कमीशन के सामने जो बयान दिया, उसे महारानी विक्टोरिया तथा इंग्लैंड के कई प्रभावशाली लोगों ने पढ़ा। अपनी हमनाम रमा बाई रानाडे के साथ अंग्रेजी सीखी। 1883 में लंदन गईं। वे ईसाई धर्म से प्रभावित होकर ईसाई बन गईं, लेकिन पादरियों से अपने को वैसे ही दूर रखा, जिस तरह पंडितों से रखा था। 1888 में पुस्तक लिखी 'द हाइ कास्ट हिंदू वीमेन'। अपने समय के प्रभावशाली लोगों की कटु आलोचना का बहुत अधिक शिकार होना पड़ा। 1889 में हिंदी को राष्ट्रभाषा बनाने के बारे में वक्तव्य दिया। सेवा और सुधार में लगातार सक्रिय रहीं।

बुनियाद

यदि किसी भवन की बुनियाद कमजोर हो तो वह ज्यादा दिनों तक टिका नहीं रह सकता। इससे भवन निर्माणकर्ता की लागत बढ़ती है, श्रम भी व्यर्थ जाता है, साथ ही जगहँसाई होती है। मनुष्य द्वारा किए जाने वाले किसी भी कार्य की आधार-शिला दृढ़ता और परिपक्व समझ पर टिकी होनी चाहिए। अन्यथा कार्य छोटा ही क्यों न

हो, वह पूर्णता प्राप्त नहीं कर सकेगा और असफलता उस व्यक्ति को दुःख देगी। उसकी स्थिति हास्यास्पद बन जाएगी। सभी जानने हैं कि हमारी अशिक्षित स्त्रियों की कितनी दैन्य स्थिति है। आइए, हम इस पर विचार करें कि उनकी स्थिति में सुधार कैसे लाया जाए और उसका आधार क्या हो?

इस संसार में हर वक्त हर आदमी अपनी उन्नति के बारे में सोचता रहता है। यह स्वाभाविक है और ऐसा होना ही चाहिए। यह भले प्रशंसायोग्य है कि मनुष्य को जितना मिले, उससे वह संतुष्ट हो जाए। किंतु जिन दो मामलों में उसे हमेशा कुछ और पाने की कामना करनी चाहिए, वे हैं—ज्ञान और आत्मविकास। ईश्वर ने मनुष्य को जितने भाव दिए हैं, उनमें आत्मविकास का भाव अत्यधिक महत्त्वपूर्ण है। इसीलिए मनुष्य महानता अर्जित करने के बाद भी और अधिक महान होना चाहता है। ईश्वर ने आदमी को यह वरदान मनुष्य जाति के कल्याण के उद्देश्य से दिया है, क्योंकि यदि वस्तुतः मनुष्य में बड़ा बनने की इच्छा होती है तो वह उन्नति की ओर बढ़ने की कोशिश करता है। यदि देश का प्रत्येक व्यक्ति इस प्रकार सोचे तो पूरा देश उन्नति की राह पर बढ़ेगा।

यदि व्यक्ति ऊपर उल्लिखित आकांक्षा के लिए अपनी ठीक समझ के सहारे सही दिशा में चले तो मानव कल्याण की पूरी संभावना है, अन्यथा बहुत बड़ा नुकसान भी हो सकता है। इसलिए हर वह व्यक्ति जिसके मन में उन्नति की गहरी चाहनाएँ हैं, अच्छी तरह सोच-समझकर अपनी दिशा निर्धारित करे, ताकि सबका कल्याण हो र.के। अब स्त्रियाँ भी उन्नति करना चाहती हैं, किंतु हमारे देश में उनकी तरक्की के रास्ते बंद हैं। इसलिए इस पर सोचना जरूरी हो जाता है कि ये बंद दरवाजे कैसे खोले जाएँ।

कुछ लोगों का कहना है कि स्त्रियाँ अबोध, अल्पज्ञानी तथा पर-अधीन होती हैं, इसलिए वे नहीं जानतीं कि उन्नति और ज्ञान प्राप्त करने के कौन से रास्ते हैं। ऐसी स्थिति में वे कर ही क्या सकती हैं। लेकिन अच्छी तरह परिवार-विमर्श करने पर पता चल जाता है कि ऐसे संदेहों के लिए कोई जगह नहीं है।

ईश्वर ने छोटे से छोटे एवं अबोध पशु-पक्षी को भी क्षमता प्रदान की है कि वह अपने निर्वाह के लिए अपनी स्वतंत्रता का प्रयोग करे। तब यह कदापि सत्य नहीं कि उसी ईश्वर ने मनुष्य को इस वरदान से वंचित रखा होगा, जो सभी प्राणियों में सर्वश्रेष्ठ है। इस संसार में कोई भी जीव बिना किसी अन्य की सहायता के जीवित नहीं रह सकता। हम इस स्थिति को एक-दूसरे पर निर्भर रहना कहते हैं। यह सभी जीवों के लिए स्वाभाविक है, अतः स्त्रियों के लिए भी। किंतु इसका यह तात्पर्य नहीं है कि वे पूरी तरह दूसरों के अधीन हों।

अधिकतर महिलाएँ कहती हैं कि उनके मन में उन्नति करने की अभिलाषा है, परंतु अवसर के अभाव में वे इस दिशा में कुछ कर नहीं पातीं, क्योंकि वे पुरुषों

पर निर्भर हैं। यह कुछ हद तक सही है। लेकिन आत्मसुधार का मामला केवल अपने पर निर्भर होता है। ईश्वर ने मनुष्य में बड़ा बनने की अभिलाषा दी है तो इसे पूर्ण करने की क्षमता भी प्रदान की है। आत्मसुधार के सभी उपाय मात्र मनुष्य के कर्मों पर निर्भर करते हैं न कि दूसरी चीजों पर। मनुष्य को चाहिए कि वह एकाग्रतापूर्वक बिना आलस्य के इसके लिए चेष्टा करे। यदि स्त्रियाँ ऐसा करें, तो वे भी थोड़े ही समय में प्रगति कर जाएँगी।

पृथ्वी के कई स्थानों पर हमें ऐसे कई उदाहरण मिलते हैं, जो अंग्रेजी की इस कहावत को चरितार्थ करते हैं कि 'ईश्वर उन्हीं की सहायता करता है जो स्वयं अपनी सहायता करते हैं।' ईश्वर ने मनुष्य को विवेक और सोचने की क्षमता दी है। मनुष्य ने इन गुणों के माध्यम से कालांतर में सफलता भी प्राप्त की है। लोग जितने आत्मनिर्भर होंगे, वे उतनी ही प्रगति करेंगे।

दूसरे की सहायता करने या उसके बदले सहायता प्राप्त करने से स्वतंत्रता का उल्लंघन नहीं होता। प्रत्येक मनुष्य अपने लक्ष्य के प्रति एकाग्रता और बुद्धि से अपना जीवन निर्वाह करने के लिए स्वतंत्र है। इससे सिद्ध है कि सभी मनुष्यों में आत्मनिर्भर होकर स्वतंत्र रूप से प्रगति करने की क्षमता है।

आत्मनिर्भरता खुशहाली का ही एक मुख्य रूप है, जो वर्तमान समय में स्त्री जाति में पूर्णतः नदारद है। यह कुछ महिलाओं में समय-समय पर दिख जाती है, किंतु इससे यह अनुमान कभी नहीं लगाना चाहिए कि इससे संपूर्ण नारी जाति का फायदा हो जाता है या भविष्य में होगा।

यदि हमें दीन स्त्री जाति के उत्थान के उपाय करने हैं तो उसकी बुनियाद है—आत्मनिर्भरता। प्रत्येक स्त्री के हृदय में यह भावना पनपनी चाहिए। यदि सभी स्त्रियाँ अपनी उन्नति के मार्ग में आने वाली कठिनाइयों पर ध्यान दें, उन्हें हटाने का निरंतर प्रयास करें तब वे भी समाज में वही ऊँचा दर्जा पा लेंगी जो पुरुषों का है। इस बात में कोई संदेह नहीं।

परिश्रम ईश्वर की एक ऐसी सुंदर और उपयोगी देन है, जिसके जरिए व्यक्ति असाध्य को भी साध्य कर सकता है और अवर्णनीय आनंद और यश प्राप्त कर सकता है। दुनिया में जितने लोगों को भी उनके बड़े तथा अनोखे कार्यों के लिए यश मिला है, उन्हें वह सब उनके कठिन परिश्रम के बलबूते पर ही मिला है। जब हमारे समक्ष ऐसे ज्वलंत तथा विश्वसनीय उदाहरण हैं, तब वाकई क्या यह हमारी बेवकूफी नहीं होगी कि हम मान लें कि स्त्री-समुदाय कठिन परिश्रम के जरिए उन्नति नहीं कर सकता।

कुछ स्त्रियाँ कह सकती हैं कि जब संपूर्ण नारी जाति ही इस चीज की उपेक्षा करती है तो कोई अकेली स्त्री क्या कर सकती है। अगर वे कोई कार्य करें तो इसका फल क्या होगा? ऐसी बातों से कोई फायदा नहीं, क्योंकि सभी स्त्रियाँ एक ही तरह

के संदेह से ग्रस्त हैं, सभी एक ही बात कहती हैं। इसीलिए अभी तक वे कुछ नहीं कर पाईं। उनकी स्थिति आज भी वही है, जो पहले थी। लेकिन यदि हर समझदार एवं सात्विक स्त्री मेरी बात मान ले और यह कहे कि चाहे कोई अन्य स्त्री ऐसा करे या न करे, लेकिन वह स्वयं अपना तथा परिवार की अन्य महिला सदस्यों की उन्नति का मार्ग प्रशस्त करेगी तो इससे लगातार पिछड़ रहा नारी-समुदाय तथा देश दोनों ही उन्नति करेंगे। जिस प्रकार एक छोटा बीज कालांतर में पोषित होकर बड़ा वृक्ष बन जाता है, उसी प्रकार अगर स्त्री अपनी मेहनत का एक बीज भी अंकुरित करती है तो कालांतर में वह समाज के लिए उपयोगी सिद्ध होगा।

यदि देश का हर नागरिक छोटा-सा प्रयास करे तो पूरे जन समुदाय का कल्याण होता है, लेकिन वहीं यदि व्यक्ति यह कहकर कुछ भी न करे कि जब सामने वाला कुछ नहीं कर रहा है तो मैं ही क्यों करूँ, इससे देश, समाज और परिवार का अहित होता है। इसका उदाहरण हमें अपने देश में ही देखने को मिलता है। पहले यूरोपवासियों को देखो, वे हमारे देश पर शासन करते हैं, हमारी संपत्ति, हमारे जीवन और हमारे देश की छब्बीस करोड़ जनता के आत्मसम्मान पर राज करते हैं। मुट्ठीभर अंग्रेजों ने भारतवर्ष में राजकुमारों से लेकर कंगालों तक सभी लोगों को अपने हाथों की कठपुतली बना रखा है। वे हमारे देश की जनसंख्या का चौथाई भी नहीं होंगे। यह विचार करने का विषय है कि उनकी इस असंभावित प्रगति के पीछे कौन सी बात है। देश के सभी छोटे-बड़े, बच्चे-बूढ़े यूरोपियनों के आविष्कारों, दुस्साहिक कार्यों और बहादुरी से आश्चर्यचकित हैं और उनके विषय में तरह-तरह की अटकलें लगाते हैं। अबोध लोग यही धारणा बनाते हैं कि अंग्रेजों के पास कोई चमत्कारी शक्ति और जादू-टोना है, जिससे वे आसुरी शक्तियों का डट कर मुकाबला करते हैं और तभी वे इतने साहसपूर्ण कार्य कर सके।

विचार करने पर यह लग सकता है कि यूरोपियनों ने वास्तव में एक जादुई शक्ति द्वारा थोड़े से परिश्रम के बल पर ही बड़े-बड़े और कठिन कार्य सफल कर लिए और अपने समाज को विकसित किया। यह जादुई शक्ति क्या है? यह जादुई शक्ति और कुछ नहीं बल्कि समाज के प्रत्येक प्राणी का कठिन परिश्रम है। उन लोगों की यह एक साधारण-सी प्रवृत्ति है कि वे जो भी काम, चाहे वह बड़ा हो या छोटा, हाथ में लेते हैं उसे उसके अंजाम तक पहुँचाकर ही दम लेते हैं। वे उसे पूरा होने से पहले नहीं छोड़ते। यह प्रवृत्ति उनके समाज के प्रत्येक प्राणी में पाई जाती है, चाहे वह राजा हो या रंक। यही कारण है कि वे इतने शक्तिशाली हैं। वे मुट्ठी में भरकर मिट्टी को सोने में परिवर्तित कर देते हैं। बेकारी उन्हें प्रभावित नहीं करती, क्योंकि वे समूह में इस प्रकार गुँथे हुए हैं कि समूह की खुशी से आनंदित हो उठते हैं और उसके लाभ से लाभान्वित। अंग्रेजों की सफलता और उन्नति के कारणों की चर्चा करें तो वह व्यास के महाभारत से कम न बैठेगी। मेरे इस कथन से आप यह

अर्थ कभी न निकालें कि मैं अंग्रेजों के कार्यों की सफलता को बढ़ा-चढ़ाकर पेश कर रही हूँ। मैं जानती हूँ कि उनकी कुछ कमजोरियाँ भी हैं, जैसे कि यह कहावत है कि 'हर गाँव का एक अछूत कोना होता है।' लेकिन उनकी ये खामियाँ उनके देशप्रेम, एकता, कठिन परिश्रम और अन्य गुणों के कारण छिप जाती हैं, वैसे ही जैसे कालिदास के अनुसार चाँद के धब्बे उसकी शीतल और स्वच्छ किरणों के कारण दब जाते हैं।

आप अपनी नजर यदि पश्चिम से पूर्व की ओर डालें, आप देख पाएँगे भारतवर्ष की छब्बीस करोड़ की जनसंख्या और जन समुदाय की स्थिति। यह कहना तनिक भी अतिशयोक्तिपूर्ण नहीं है कि इस देश के अधिकांश लोगों को यह भी नहीं मालूम है कि मेहनती कैसे बना जाता है और कैसे अच्छे परिणाम लाए जा सकते हैं। हमारे देश के लोगों की वर्तमान स्थिति यही है। उनमें साहसिकता, उज्ज्वलता, ऊर्जा तथा स्वतंत्रता की भावना की कमी है। इससे बड़ा और कौन-सा अभाव मैं इंगित करूँ। सच कहूँ तो उनके पास जो है उसमें से बहुत थोड़ा ही अच्छा है। क्या है उनके पास? उनके पास संगीतात्मक नाटक हैं, उनके पास नौटंकी तथा नाच पर खर्च करने के लिए मेहनत से कमाया धन है। वे यह सब अधिक पसंद करते हैं, बजाय दो वक्त का अच्छा खाना खाने के। उनकी प्रवृत्ति है कि वे उसकी आलोचना करते हैं जो देश के भले के लिए कोई कार्य में संलग्न होता है और दूसरों को भी उसके विरुद्ध भड़काते हैं, ताकि वह व्यक्ति अपने प्रयास में असफल हो जाए। उनका मन अस्थिर होता है। उनके पास हजारों इसी प्रकार की प्रवृत्तियाँ होती हैं। हमारे दुर्भाग्य का ज्वार-भाटा निरंतर आता रहता है, ईश्वर ही जाने इन चीजों से कब मुक्ति मिलेगी।

अगर आप हमारे दुर्भाग्य का मुख्य कारण जानना चाहेंगे तो वह है हमारे देश के लोगों का आलस्य तथा परिश्रम का अभाव। यदि देश की छब्बीस करोड़ की जनता आलस्य से मुक्त होने का खुद प्रयास नहीं करेगी तो वह इससे मुक्त कैसे होगी। यदि प्रत्येक व्यक्ति, जो दिन में चौबीस घंटे ही विश्राम करता हो, वह एक घंटा भी आलस्य से मुक्त होकर अपनी उन्नति के लिए कार्य करे तो प्रत्येक दिन छब्बीस करोड़ घंटे देश की उन्नति पर खर्च होंगे, क्योंकि देश के लोगों की उन्नति ही देश की उन्नति है। यदि हर दिन ऐसा ही हो तो यह कहने से कौन मुकर सकता है कि देश का उत्थान एक बार फिर से होने लगेगा।

देश की जनता में पुरुष वर्ग प्रत्येक दिन कुछ कार्यों में लगा रहता है, क्योंकि यदि वह ऐसा नहीं करेगा तो परिवार का पालन-पोषण नहीं कर पाएगा। हमारे यहाँ का नारी समुदाय रह जाता है। मेरे कहने का तात्पर्य यह नहीं है कि मर्द ही केवल काम करते हैं और स्त्रियाँ सारा दिन खाली बैठी रहती हैं। लेकिन यह वास्तविकता है कि बहुत कम महिलाएँ खाना पकाने और घर के अन्य कार्यों के अलावा अपनी उन्नति के किसी कार्य में लगी होती हैं। यह है आज के नारी समुदाय की दशा।

जैसे 'टंकी' शब्द उच्चारित होते ही हमें पानी रखने वाले पात्र का स्मरण हो आता है, वैसे ही 'स्त्री समुदाय' कहते ही हमें ऐसे व्यक्तियों की याद आ जाती है जो आलस्य, बेवकूफी तथा जिद आदि अवगुणों से संपन्न हैं। जब पुरुषों से इस विषय पर चर्चा होती है, वे स्पष्ट कह देते हैं कि इनके बारे में क्या कहें, ये तो केवल व्यर्थ बैठी रहती हैं। ये काम करना नहीं चाहतीं, ये हम पर निरंतर निर्भर रहती हैं और रोज तीन से चार वक्त भोजन लेती हैं और अपने होठ लिपिस्टिक से सँवारती रहती हैं... और आप क्या सुनना चाहेंगे? औरतों को पुरुषों के मुँह से हजारों ऐसे कटु वचन सुनने पड़ते हैं। ऐसे ही कटु वचन सुनकर औरतों को लगता है कि धरती फट क्यों नहीं जाती ताकि वे उसमें समा जाएँ, ताकि दुनिया बार-बार उनका अपमान न कर सके।

ऐसे अपमान की वजह क्या है? क्या वाकई महिला समुदाय आलसी है? मैं यह नहीं कहती कि नारियों को भी वैसे ही कठोर काम करने चाहिए, जैसे मर्द करते हैं। पुरुषों की शारीरिक प्रकृति कठोर कार्य करने की होती है। महिलाओं की शारीरिक बनावट कोमल तथा पुरुषों की अपेक्षा कमजोर होती है। पुरुषों को उनकी शारीरिक प्रकृति के अनुसार कार्य करना चाहिए, अन्यथा उन्हें लोकनिंदा सहनी पड़ेगी। सामान्यतः नारियों को भी वे ही कार्य करने चाहिए जो उनकी शारीरिक प्रकृति के अनुकूल हों, अन्यथा उन्हें भी लोक निंदा सहनी पड़ेगी। कुछ महिलाएँ कह सकती हैं कि हम तो अपना सारा काम करती हैं—साफ-सफाई, झाड़ू लगाना, खाना बनाना इत्यादि। और किन कामों की हमसे अपेक्षा की जाती है? इसका उत्तर है कि ईश्वर ने तुम्हें यह जिंदगी केवल खाना बनाने जैसे कामों के लिए नहीं दी है, यदि आप ध्यान से सोचें तो आप पाएँगी कि बहुत सारे अन्य काम भी हैं। यह विस्तृत सांसारिक जिंदगी किसी महाकाव्य की तरह है, जिसके दो पहलू हैं, वाम और दक्षिण। वाम पहलू नारी और दक्षिण पहलू पुरुष। जब दोनों पहलू संतुलन में कार्य करते हैं, तभी प्रसन्नता और सुख का अनुभव हो सकता है। नारी और पुरुष जब दोनों अपना-अपना कार्य सुचारु रूप से पूर्ण करते हैं, तभी घर-गृहस्थी सुंदर और सुखद बनती है। हमारे शरीर का दायाँ भाग बाएँ से अधिक मजबूत होता है। इसीलिए हम दाएँ हाथ से अधिक कार्य कर पाते हैं, बाएँ की अपेक्षा। इसी प्रकार घर-गृहस्थी का जो दायाँ भाग है पुरुष वह स्त्री से अधिक सबल होता है, अधिक कार्य करता है। यदि हमारे शरीर को लकवा मार जाए और बायाँ भाग अपंग हो जाए तो हम केवल दाएँ भाग के सहारे कार्यों को सुचारु रूप से पूर्ण नहीं कर पाएँगे। इसी प्रकार यदि महिलाएँ निकम्मी होकर बैठ जाएँ तो पुरुष अकेले घर-गृहस्थी नहीं चला पाएँगे। हम लिखते तो हैं दाएँ हाथ से, किंतु यदि हमारा बायाँ हाथ कागज पकड़ने में सहायता न दे तो हम भलीभाँति लिख नहीं पाएँगे। अब कुछ लोग आपत्ति कर सकते हैं कि यद्यपि बायाँ हाथ कागज न पकड़े तब भी हम ठीक से लिख सकते हैं। यह तभी हो सकता

है जब कागज मेज पर या ऐसी ही किसी चीज पर रखा हो और उस पर वजन रखा हो जिससे कि वह इधर-उधर न हो। तब दाएँ हाथ से ठीक प्रकार से लिखा जा सकता है। यह सही है, किंतु इतना समय जो हमने इस घुमावदार तरीके में लगाया इसी समय में हम बाएँ हाथ की सहायता लेकर दाएँ हाथ से दो पंक्तियाँ अधिक लिख सकते हैं। और जो समय बचता है, उसे अन्य दूसरे अच्छे कार्यों में लगा सकते हैं। अन्यथा हमें दुगुना समय लगेगा और हम कोई अन्य काम नहीं कर पाएँगे।

इसी प्रकार, घर-गृहस्थी के प्रत्येक कार्य में पुरुषों को महिलाओं की सहायता की आवश्यकता पड़ती है। वर्तमान समय में, पुरुषों को नाना ऐसे अनेक कार्य करने पड़ते हैं जो महिलाएँ भी कर सकती हैं, यदि वे साक्षर एवं समझदार हों। अतः पुरुषों का काफी समय नष्ट हो जाता है। पुरुष अपना सारा समय परिवार के भरण-पोषण के लिए धनार्जन में लगा देते हैं। इस तरह दोनों में कोई भी महान कार्य नहीं कर पाता और देश उन्नति नहीं कर पाता।

यदि कोई ऐसा दिव्य नियम है कि परस्पर सहयोग के अभाव में खुशी बढ़ नहीं पाती, तो फिर पुरुष महिलाओं की मदद के बगैर खुशी कैसे अर्जित कर सकते हैं और महिलाएँ पुरुषों के सहयोग के बगैर।

महिलाएँ कहेंगी कि हम खुश हैं और पुरुष समुदाय भी कहेगा, अब और कौन-सी खुशी अर्जित करनी बाकी है। मेरी प्यारी बहनो! खुशी का अर्थ केवल खाना-पीना नहीं है। खुशी से तात्पर्य है संपूर्ण स्वतंत्रता। आप स्वयं को खुश कैसे कह सकती हैं, यदि आपके पास स्वतंत्रता नहीं है। पुरुष भी कैसे अपने आप को खुश कह सकते हैं, यदि उनके पास भी स्वतंत्रता नहीं है। आलस्य तथा समयाभाव के कारण आप दूसरे कार्यों पर ध्यान नहीं दे पातीं। एक कवि ने कहा है कि 'हर अधीनता दुःख है और स्वतंत्रता ही सुख है।' हम लोग स्वतंत्र कहाँ हैं? पहले नारी समुदाय को लेते हैं। वहाँ इतनी अधिक निर्भरता है कि हम छोटी से छोटी समस्या के लिए भी दौड़ कर विशेषज्ञों के पास पहुँच जाती हैं, जैसे कपड़े फट जाने पर उसे रफू करवाने के लिए। ऐसे जानकार के पास जो बताए कि आम को खराब होने से बचाने के लिए उसमें कितनी मात्रा में नमक डालना चाहिए या फिर किसी चीज की कीमत जानने के लिए, यदि हमारे घर के दरवाजे पर कोई होकर कुछ बेचने आ जाए। अन्यथा हम सब कुछ नष्ट हो जाने देते हैं और चुपचाप बैठ जाते हैं।

मान लीजिए, राव साहब घर पर नहीं हैं और उनके लिए संदेश लेकर कोई आदमी घर पर आता है। वह संदेश अत्यधिक महत्त्वपूर्ण है, जिसका तुरंत जवाब न देने से काम बिगड़ सकता है। राव मेम साहब न इतनी बुद्धिमती हैं कि वे एक उचित जवाब दे सकें और न उनकी स्मरण शक्ति तेज है कि पति के लौटने पर यह संदेश उनको कह दें। वह इस संदेश को अपनी याददाश्त के लिए लिख सकती हैं, किंतु उन्हें अक्षरों का ज्ञान नहीं है, केवल उन्हीं अक्षरों का ज्ञान है जिसे ईश्वर

ने उनके कपाल पर उनके जन्म के छठे दिन लिख दिया था। वास्तव में यह काम इसी विलंब के कारण बिगड़ा। ऐसी हजारों घटनाएँ रोज हुआ करती हैं। कुछ पुरुषों को बहुत सारी चीजों की देखभाल करनी पड़ती है और धनोपार्जन करना पड़ता है। उन्हें घर के कार्यों के लिए समय नहीं मिल पाता, यद्यपि वे इसके लिए सक्षम होते हैं। वे अपनी जरूरत की चीजें विदेशियों से खरीदते हैं। इससे हमारे देश को करोड़ों रुपए का नुकसान हो रहा है और वह गरीब बनता जा रहा है। गरीबी सारे देश में फैल गई है। इसलिए यहाँ बार-बार अकाल पड़ता है, जिसके कारण लोग दुर्बल हो गए हैं। कमजोर लोग कितना काम कर पाएँगे? वे बेचारे दिन-प्रतिदिन दुर्बल होते जाएँगे और अंततः बेकार हो जाएँगे। जब हम अपने हाथ-पैर से अपाहिज हो जाते हैं, अपना सिर तक उठाने के लिए हमें दूसरों की सहायता की आवश्यकता पड़ती है या यूँ कहें कि जब पूर्णतः दूसरे पर निर्भर हो जाते हैं तब हम उसका हुक्म सुनने के लिए बाध्य हो जाते हैं। उसके निर्देशानुसार हमें व्यवहार करना पड़ता है। क्या यही हमारी नियति है? नहीं। इसके विपरीत विदेशी लोग हम पर इसलिए शासन कर पाते हैं, क्योंकि हम कुछ भी करने में असमर्थ हैं और क्षुद्र जीव की तरह छोटी से छोटी चीज के लिए उनका मुँह ताकते हैं। यदि उन्हें अवसर मिल जाए, वे हमारे सिर पर लात मारने में तनिक संकोच नहीं करेंगे।

मेरे इस संक्षिप्त लेख से आप समझ जाएँगे कि हमारे देश के पुरुष और स्त्री कितने अधीन हैं। यह अधीनता निरंतर हमारे साथ है। अतः स्वाभाविक है कि हमारे सुख की कोई संभावना नहीं है। इस दुःख का मूलभूत कारण यह है कि हमारी महिलाएँ अत्यधिक निठल्ली किस्म की हैं। वे पुरुषों को उतनी सहायता नहीं करतीं, जितनी उन्हें करनी चाहिए। तब पुरुष महिलाओं को अपने अधीन क्यों न बनाएँगे, जब महिलाएँ स्वयं अपनी भलाई नहीं सोच सकतीं, तो वे कठोर शब्द और शर्मनाक ताने क्यों नहीं सुनेंगी? यदि नारी समुदाय में ही यह कमी है तो हमें पुरुषों को ताने देने के लिए दोषी नहीं ठहराना चाहिए, क्योंकि इस अपमान को हम स्वयं आमंत्रित करती हैं। हमारे पास वे आवश्यक गुण जैसे कि ज्ञान, कर्मठता आदि नहीं हैं, जिनके कारण हम पुरुषों के साथ खड़ी नहीं हो पातीं और हमारी उपस्थिति में भी पुरुष अपनी मनमानी करता है और हमारा कहा नहीं सुनता। किंतु मनुष्य होने के नाते यह ठीक नहीं है कि हम इतनी आसानी से पुरुषों द्वारा होने वाले अपमान को सह जाएँ और अपनी आहुति दे दें। ईश्वर द्वारा बनाई गई इस पृथ्वी पर हम भी मानव हैं अतः हमें भी उचित आचरण करना चाहिए। इसीलिए मेरी प्यारी बहनो, अब हम सबको एक साथ मिलकर कर्मठता के जादुई मंत्र की सहायता से पशु समान अज्ञानता के अपने उस भय को दूर करना चाहिए, जो हमारी देह में घुसा हुआ है। हमें अपने आप को उन गुणों को अर्जित करने के लिए तत्पर करना चाहिए, जिन्हें हम शिक्षा के माध्यम से ही प्राप्त कर सकते हैं। तभी जाकर हम शीघ्रता से अपनी दयनीय

स्थिति से बाहर निकल पाएँगे और सुखद स्थिति में पहुँच पाएँगे। क्या आप इस हीन दशा में रहते हुए शर्म नहीं महसूस करतीं? आपका कोमल हृदय चरम दुःखों को बर्दाश्त कैसे करता है? यहाँ तक कि जानवर भी यदि कुएँ में गिर जाएँ तो वे अपनी जिंदगी बचाने के लिए अपने पैर फटकारते हैं, आप तो मनुष्य हैं। आप जब अज्ञानता के कुएँ में गिरी हैं तो क्या स्वयं को उबारने का प्रयास नहीं कर सकतीं?

आइए, अभी भी समय है। हम सब मिलकर उद्योग में लग जाएँ। परिश्रमी व्यक्ति के लिए कुछ भी असाध्य नहीं है। मैं बार-बार यही दोहरा रही हूँ—'उद्यमी बनो'। अपने शरीर का खून अपने मस्तिष्क की ऊर्जा से गरम हो जाने दो और उसे प्रत्येक नस में बहने दो। लोगों को आपके जीवंत हो उठने का अहसास होने दो। आपकी कर्मठता, ज्ञान, उज्ज्वलता, सत्य और ईश्वर पर विश्वास, सती के कर्तव्य और नारियों के ऐसे ही अन्य गुणों को देखकर लोगों को भयत्रस्त हो जाने दो। एक बार फिर से भारतवर्ष की प्राचीन नारियों की महानता को जीवित कर दो। आपको रणक्षेत्र में जाकर युद्ध करने की आवश्यकता नहीं है। यदि आप आलस्य से लड़ती हैं जो कि आपका शत्रु है और आप उस पर विजय प्राप्त कर लेती हैं तो आपने तीनों लोकों पर विजय प्राप्त कर ली। पूरी दुनिया आपके ये कारनामे देखे और प्रशंसा करे। उठो बहनो, अब जागो। यह समय निद्रा का नहीं है। तुम्हारे दुःखों की रात्रि अब समाप्त होने को आई है और सुख की बेला आने को है। जब तुम अपनी आँखें खोलोगी, उजाला पाओगी। तब क्यों अनावश्यक ही अपनी आँखें मूँद कर अंधी बने रहना चाहती हो?

आओ, हम सब एक होकर ज्ञान के ऊँचे शिखर पर अपने 'खुशहाली के घर' की मजबूत बुनियाद डालें। यह बुनियाद इतनी मजबूत हो कि हमारा खुशहाली का घर कभी भी गिरकर नष्ट न हो, कभी भी डगमगाए नहीं। उस बुनियाद या आधार को हम आत्मनिर्भरता कहते हैं, अपने पर निर्भर होना। अपनी उन्नति के लिए अब हमें दूसरों पर निर्भर नहीं होना चाहिए। प्रत्येक स्त्री को अपनी उन्नति के लिए अधिक से अधिक उद्यम करना चाहिए, अपने ऊपर अधिक से अधिक आत्मनिर्भर होकर। ईश्वर जो सर्वश्रेष्ठ है, उसमें इस प्रयास को सफलता का ताज पहनाने की क्षमता है, वही हमारा रक्षक है।

सच्चा धर्म

'साहस, क्षमा, मन पर नियंत्रण, ईमानदारी, पवित्रता, संयम, विवेक, ज्ञान, सत्य और शीत स्वभाव—ये सच्चे धर्म की दस मुख्य विशेषताएँ हैं।'

संसार में मनुष्य के सभी कर्तव्यों में से 'सच्चे धर्म' का पालन करना उसका सर्वप्रधान कर्तव्य है। यह अन्य सभी चीजों की नींव है। यदि मनुष्य धरती को भूल कर केवल आकाश में महल बनाने की चेष्टा करे, क्या वह सफलता पा सकेगा? कभी नहीं! यहाँ तक कि एक वृक्ष के लिए भी यह संभव नहीं है कि बिना मजबूत जड़ों के वह जीवित रह सके या सीधा खड़ा रह सके। इसी तरह यदि मनुष्य 'सच्चे धर्म' का पथ त्याग देता है तो वह संसार में टिक नहीं सकता। उसका कोई लक्ष्य पूरा नहीं हो सकेगा। यदि संयोग से हो भी जाए, वह उस मिट्टी के ढेले के समान टूटकर बिखर जाएगा जो आकाश में ऊँचे फेंके जाने पर अंततः धरती पर गिरकर बिखर जाता है।

सच्चे धर्म में संपूर्ण विश्व को अपनी शरण में लेने की तथा उसे कल्याणकारी बनाने की क्षमता है। यही वजह है कि इसे 'धर्म' के नाम से अभिहित किया गया है, अर्थात् जो पूरी व्यवस्था करता है। यह अत्यावश्यक है कि प्रत्येक व्यक्ति को सच्चे धर्म का पूर्ण ज्ञान हो और इसी के अनुसार उसका आचरण हो। सच्चे धर्म की विश्व में इतनी प्रतिष्ठा है कि यदि कोई व्यक्ति धार्मिक होने का स्वाँग रचता है तो भी वह पवित्र माना जाता है।

'इस विश्व में, सच्चा धर्म ही मनुष्य का सच्चा मित्र है, जो उसकी सुरक्षा करता है तथा उसकी मृत्यु तक उसका साथ देता है। बाकी सभी वस्तुएँ उसके शरीर के साथ नष्ट हो जाती हैं।'

सार यह है कि मनुष्य का अच्छा या बुरा आचरण मात्र ही उसका साथ देता है और कुछ नहीं। न संपत्ति, न रिश्ते-नाते। यहाँ तक कि जिस देह को वह अपनी संपत्ति समझता है और जिसे वह कभी-कभी क्रूर तरीकों द्वारा भी सजाता-सँवारता है, वह भी उसे छोड़ देती है। इसलिए मनुष्य को धर्म से मित्रता करनी चाहिए जो उसे मृत्यु के समय शांति देती है। मृत्यु को सामने देख या उसके विषय में सोच कर भी मनुष्य भयभीत हो उठता है, ऐसे समय में धर्म ही उसकी रक्षा करता है। धर्म ही उसे ऐसे वक्त शांति दे पाता है, कुछ और नहीं। इसलिए सच्चे धार्मिक व्यक्ति को मृत्यु से कोई भय नहीं होता। इसके ठीक विपरीत, इस विचार पर उसका मन आनंदित होता है। इसी तरह पापी व्यक्ति सोचता है कि उसे कभी भी सच्चे धर्म से शांति नहीं मिल पाएगी और यह सोचकर वह निराश हो जाता है, जो स्वाभाविक है।

सच्चे धर्म से हमें उसका अर्थ विभिन्न प्रचलित मत, सिद्धांत, मसलन हिंदू, इस्लाम, ईसाई आदि नहीं निकाल लेना चाहिए। ये सभी किसी न किसी मत की ओर इंगित करते हैं, सच्चे धर्म की ओर नहीं। क्योंकि सच्चे धर्म का केवल एक ही रूप होता है, वह है 'आचरण'। यह मनुष्य के अपने इस सद्विवेक से निर्धारित होता है, जो संपूर्ण मनुष्य जाति में बीज या पूर्ण विकसित रूप में विद्यमान होता

है। यदि आप विभिन्न मतों को–हिंदू, इस्लाम, ईसाई आदि को ध्यान से देखें एवं समझें तो आप पाएँगे कि सभी मतों में सच्चे धर्म की एक ही व्याख्या है–अच्छा आचरण और उसका क्रमशः प्रभाव-विस्तार। यदि कहीं फर्क है भी तो विभिन्न सिद्धांतों के प्रवर्त्तकों के मतों में। यहाँ इन सिद्धांतों या मतवादों को व्याख्यायित करना मेरा उद्देश्य नहीं है। मैं केवल उसी धर्म की पक्षपाती हूँ, जिसकी नींव सद्विवेक से उपजे विश्व के नाना सिद्धांतों पर आधारित हो। मेरा मुख्य लक्ष्य इसी का प्रतिपादन है।

अनुवाद : **सोनिका गुप्ता**

ताराबाई शिंदे

1905

19वीं सदी के नवजागरण के दौर में स्त्री-मुक्ति की एक महत्त्वपूर्ण प्रवक्ता। बरार क्षेत्र के बुधनाला शहर में रहने वाले एक प्रभावशाली मराठा (कुनबी) परिवार में जन्म। जन्म वर्ष अज्ञात। इनके पिता फुले के सत्यशोधक समाज के सदस्य थे। रमा बाई से भी पहले ताराबाई ने स्त्रियों के लिए संघर्ष किया। उनके लेखन से पुरुष सुधारक बौखला उठे। सबसे पहले श्री मालशे ने 1975 में इस पुस्तक से मराठी साहित्य जगत को पुनः परिचित कराया। इसके बाद इसका हिंदी अनुवाद जुई पालेकर ने किया। ताराबाई का जीवन काल मुख्यतः 19वीं सदी का उत्तरार्ध है। 1905 के बाद किसी समय उनकी मृत्यु हुई।

स्त्री-पुरुष तुलना

आजकल सभी अखबारों में अबलाओं के बारे में बहुत कुछ लिखा जाता है। फिर भी यह महाअनर्थ मिटाने के लिए आप में से कोई भी प्रयास नहीं कर रहा है, इसका कारण क्या होगा?

पुनर्विवाह न करने की प्रथा महान बीमारी के समान जगह-जगह और विविध जातियों में फैली है। इसके कारण कितनी ही महिलाएँ वैधव्य की असहनीय पीड़ा न जाने किस प्रकार अनुभव कर रही हैं। इसके कारण कितने अनर्थ होते हैं और किस प्रकार इनकी संख्या निरंतर बढ़ती जा रही है। इसकी कल्पना भी नामुमकिन लगती है। क्योंकि मनुष्य-समाज में रह कर केवल मनोनिग्रह से स्त्री-धर्म की रक्षा करना असंभव है। मन और आँखों के कारण ही सही, लेकिन वे दोषी ठहराई जाती हैं। बाल काट कर और सिंदूर मिटा कर उसका (नारी का) सौभाग्य छीन लिया तो क्या हुआ? उसका मन और सही-गलत विचार करने की क्षमता तो उसके पास ही है। बाह्य रीति से उसे लूटने के बाद भी उसका अंतःकरण कौन लूट सकता है? और स्त्री-धर्म का अर्थ भी क्या है? पति की आज्ञा का पालन करना, उसके मन

के मुताबिक बर्ताव करना, पति ने यदि लताड़ दिया, गालियाँ दीं, दूसरी स्त्रियों के साथ संबंध रखे, शराब पी, जुआ खेला, कफल्लक होकर, चोरी करके, किसी को मार कर, चुगली करके, खजाना लूट कर, रिश्वत खाकर चिल्लाता हुआ भी यदि वह घर आए तो भी यह मान कर कि कोई बड़ा कृष्ण महाराज ही आया है, उसका हँस कर स्वागत करना, उसकी सेवा करना, यही तो है न आपका स्त्री-धर्म? परंतु जहाँ भला-बुरा सोचने की शक्ति हो वहाँ यह नारी-धर्म कैसे टिक पाएगा? जहाँ विचार हो वहाँ विकल्प तो आएँगे ही। परद्वार स्वीकारने से ही पातिव्रत्य धर्म नष्ट नहीं होता, बल्कि उसके कई और कारण भी हैं। पति को ईश्वरस्वरूप मान कर आज उसकी पूजा कौन स्त्री करेगी? सावित्री आख्यान में पतिव्रता धर्म का विश्लेषण किया गया है। एक मिसाल दे सकते हैं कि आज कौन-सी नारी इसके अनुसार बर्ताव करती है?

सावित्री आख्यान कहता है कि पति ने लताड़ दिया, तो हँसकर नरम स्वरों में पति से कहना चाहिए—"आप मत मारो, आपके पाँव में दर्द होगा"—पति के पैर दबाने चाहिए। आख्यान कहता है कि पति मुक्कों से, लकड़ी से पिटाई करे तो रोना छोड़ कर उलटे मक्खन लेकर, घर में मक्खन न हो तो पड़ोसी से माँग कर, बाजार से लाकर पति के हाथों में लगाना चाहिए। जो चीज पति नापसंद करता हो वह चीज पत्नी को भी त्याग देनी चाहिए। परंतु वास्तविकता तो अलग ही है। कौन स्त्री आज ऐसा करती है? पति के हाथों को मक्खन लगाने के बजाए वह कहती है, "पीटने वाले के हाथ जल जाएँ" पति जो चीज नापसंद करता है, उसे ही स्त्री खाती है। बस चीज नमकीन या मीठी होनी चाहिए। पति यदि आम न खाता हो तो पत्नी उसे थोड़े ही खाना छोड़ देगी। आज पति ने प्यास बुझाने के लिए पानी की माँग की तो हो सकता है कि पत्नी कहे, "मुझे भी बड़ी प्यास लगी है, वहाँ लोटा भरा पड़ा है। आप भी पी लीजिए और जरा मुझे भी दे दीजिए। यह बच्चा तो मुझे जगह से उठने ही नहीं देता। क्या करूँ?"

किसी जमाने में शौहर यदि स्नान का नाम ले तो पत्नी पीढ़ा रख कर, गरम पानी निकाल कर, शरीर मलने के लिए तैयार रहती थी और अब स्नान का नाम निकलते ही पत्नी चिल्लाती है, "अरे, रामा, मालिक के स्नान के लिए पानी तो निकाल, उनकी धोती रख दे और हाँ, यदि मेरे लिए पूछें तो कह देना, मैं चाय पी रही हूँ।" पहले जमाने में पत्नी पति के भोजन के समय उसकी थाली परोस कर उसके साथ मीठी-मीठी बातें करती हुई पंखा झलती थी। अब वही स्त्री पति के खाना परोसने के लिए कहने पर कहती है, "दाल-चावल पकना तो चाहिए, या वैसे ही परोस दूँ? आपकी कचहरी के नौ हर दिन बजते हैं। हाँ, यदि पान आदि चाहिए तो तैयार करवा लेना और मेरे लिए भी बना कर रख देना ताकि खाने के उपरांत मैं भी जरा आराम से पान खाऊँ।" अब पतिव्रताएँ और शास्त्र दोनों ही नहीं रहे। यह बात आज भी

तो सही है कि यदि पति पत्नी के लिए ईश्वर स्वरूप है तो पत्नी भी तो पति के लिए देवतास्वरूप होनी चाहिए, बल्कि यही जरूरी है। औरतों को भक्त बनकर पति से बर्ताव करना है तो क्या यह जरूरी नहीं है कि स्वयं को ईश्वरस्वरूप मानने वाले पतियों को भी भगवान की ही तरह अपने भक्त के सुखों-दुःखों को पहचान कर उसके प्रति स्नेहपूर्वक आचरण रखना चाहिए। ईश्वर भक्त की भक्ति से प्रसन्न होते हैं, उसके गुण-दोषों को जान कर उसके अपराधों के लिए स्नेहपूर्वक उसका शमन करते हैं। उसी प्रकार यदि पत्नी के लिए पति ईश्वर है तो पति का ईश्वर समान व्यवहार होना भी आवश्यक है। दुर्गुणी पति को ईश्वर मान कर कौन स्त्री उसके साथ जिंदगी बिताएगी? धृतराष्ट्र का अंधापन सुनते ही गांधारी ने भी अपनी आँखों पर पट्टी बाँध ली। आज की कौन नारी इस प्रकार अपनी आँखों पर पट्टी बाँध लेगी? आँखों के साथ अपनी विचार-शक्ति पर भी रोक लगा देगी?

स्वयं ईश्वर ने नर-नारी की जोड़ी बनाई है। सारे सजीवों में स्त्री-जाति का निर्माण उसने किया है। प्रपंच का भार दोनों को एक साथ ढोना है। अकेला पुरुष या अकेली स्त्री कुछ नहीं कर सकते। नारी का मुखावलोकन किए बिना संन्यस्त वृत्ति से कितने दिन काट सकोगे तुम? पूजा-पाठ में भी नारी का होना महत्त्वपूर्ण माना गया है। श्रीराम जी का दर्शन अगस्त्य ऋषि ने इसलिए नहीं किया क्योंकि उनके साथ सीता जी नहीं थीं। जब शक्ति ही रावण उठा कर ले गया तब श्रीराम हाय-हाय करते सीता के शोक में मग्न एक भिखारी की तरह वन-वन घूमते रहे। नारी की यह महिमा है। तुम पराक्रम दिखा कर बलशाली शत्रु को पराजित कर लो, शेर को घोड़े के समान उपयोग करो, लेकिन अबला नारी के एक ही नेत्र-कटाक्ष से तुम्हारा सारा धैर्य, शौर्य, पराक्रम हरण होगा। तुम उसका दासत्व करोगे। तुम शस्त्र से किसी को भी घायल कर सकते हो परंतु क्या नारी के समान शस्त्र न उठाते हुए भी केवल नजरों से प्राणी को हताहत कर सकते हो? तो अब बताओ, श्रेष्ठ कौन है? स्त्री अथवा पुरुष?

तुम्हें जो प्राणों से अधिक प्यार करती है, तुम्हारा पूरा ख्याल करती है, तुम्हारे इशारों पर बिजली के समान नाचती है, तुम्हारी इज्जत बचाने के लिए सुख-दुःख सब कुछ सह कर जो तुम्हारे जीवन से एकरूप हो जाती है, उसे भी दोषी मान कर तुम उस पर अत्याचार करते हो? आत्महत्या के लिए उसे मजबूर करते हो? तुम्हें इसकी कोई लज्जा भी नहीं? कितनी शर्मनाक बात है यह! नारी जन्मतः कोमल, लज्जाशील, मृदुल रहती है और तुम उसे ही निर्बल, अविचारी और मूर्ख कहते हो? अरे मूर्खो, क्या तुम जन्मजात सबल और पराक्रमी उत्पन्न हुए हो? माता का दुग्धामृत क्या तुम पुरुष नहीं प्राशन करते? तो दोष क्या केवल नारी में रहते हैं? जिसके हाथ में लाठी वही बलवान, बाकी सब निर्बल, यही तो आचरण है तुम्हारा। तुमने अपने हाथों में सब धन-दौलत रख कर नारी को कोठी में दासी बना कर, धौंस जमा

कर दुनिया से दूर रखा। उस पर अधिकार जमाया। नारी के सद्गुणों को, दुर्लक्षित कर अपने ही गुणावगुणों के दिए तुमने जलाए। नारी को विद्याप्राप्ति के अधिकार से वंचित कर दिया। उसके आने-जाने पर रोक लगा दी। जहाँ भी वह जाती थी, वहीं उसे उसके समान अज्ञानी स्त्रियाँ ही मिलती थीं। फिर दुनियादारी की समझ कहाँ से सीखती वह?...

सौभाग्यहीन होने पर यदि स्त्री को आजन्म किसी महाखूनी के समान अँधियारी जगह पर जीवन बिताना पड़ता है तो तुम अपनी पत्नियों की मृत्यु के उपरांत अपने मुँह पर कालिख पोत कर, दाढ़ी-मूँछ मुँड़वा कर अरण्यवास क्यों नहीं स्वीकारते? तुम तो पहली की मृत्यु के पश्चात दसवें ही दिन दूसरी को ब्याह कर लाते हो। बताओ भी कि कौन-से ईश्वर ने तुम्हें ऐसी सलाह दी है? जैसी स्त्री वैसा ही पुरुष! तुम में ऐसे कौन से अलौकिक गुण विद्यमान हैं, तुम कौन ऐसे शूर और जाँबाज हो कि जिसकी वजह से परमपिता ने तुम्हें ऐसी स्वतंत्रता दी है?

अरे, जब तक तुम्हारी वीरता नहीं आजमाई जाती तब तक ही तुम्हारी शान है। झाँसी की रानी के समान चार-पाँच सौ औरतें निसंग होकर हाथों में तलवार लिए निकलें तो तुम्हारे भागने का ठिकाना नहीं रहेगा। पीठ दिखा कर ऐसे भागोगे कि ढूँढ़े पता न चलेगा। पहले मरहटों में ऐसे संगीन बहादुर थे, जिन्होंने दिल्ली-तख्त को हिला कर रखा था और आज अंग्रेजों का राज आते ही तुम्हारी घिग्घी बँध गई! तुम चाहे अपने आप को बड़े कलम बहादुर क्यों न समझो, उसे कौन घी डाल रहा है? वैसे भी आज की स्थिति में कलम बहादुर की जगह रोटी-बहादुर कहा जाए तो हर्ज ही क्या?...

स्त्री को तुम पत्थर समझते हो, भावनाहीन पत्थर! पति की मृत्यु के बाद उसकी स्थिति बदतर हो जाती है। उसका केश-वपन किया जाता है। इस सृष्टि की सारी सुंदर चीजों से, सुख-सुविधाओं से उसे वंचित किया जाता है। मंगल-कार्यों में भाग लेने की उसे अनुमति नहीं होती, भले ही वह एक निरीह अबोध बालिका क्यों न हो, उस पर बंधन डाले जाते हैं। विधवा का किसी के सामने आना अपशगुन माना जाता है। क्या यह सब उचित है? पति की मृत्यु हुई, इसमें उसकी पत्नी का क्या दोष? उसने थोड़े ही भगवान से प्रार्थना की थी कि "मेरे पति को ले जाओ और मुझे छुटकारा दे दो?" अन्य विधवाओं का बदतर जीवन देखने के बाद तो वह ऐसी प्रार्थना कर ही नहीं सकती। परंतु इतनी विचारशक्ति है किसके पास? जो गुजर गया, उसकी आयु समाप्त हुई इसलिए गया, तो उसकी पत्नी इस मृत्यु के लिए अपराधी कैसे हो जाती है? यदि विधवा को अपना उर्वरित जीवन अँधियारा, बदसूरत और भगवान का नाम लेकर ही बिताना है तो विधुर हुआ पुरुष भी यह स्थिति क्यों नहीं अपनाता? वह क्यों दूसरी शादी कर गृहस्थ धर्म अपनाता है? शास्त्रकर्ताओं की तिरछी नजर केवल स्त्रियों पर ही क्यों? धर्म तो सबके लिए समान है–जो नारी के लिए,

वही पुरुष के लिए क्यों नहीं होता? परंतु ऐसा नहीं है। यदि शास्त्रकर्ताओं ने स्त्री-पुरुष दोनों के लिए एक ही नियम रखे होते तो प्रथम पत्नी की मृत्यु के बाद पुरुष दूसरा विवाह न कर सकता और यदि किया भी तो उस पुरुष को जातिभ्रष्ट, बहिष्कृत किया जाता। अपशगुनी कह कर मंगल कार्यों से वंचित रखा जाता। इस परिस्थिति का मुकाबला हो सकता है कि स्वयं शास्त्रकर्ताओं को भी करना पड़ता। शायद इसलिए ही पुरुष को अधिकाधिक विवाह करने का अधिकार दिया गया। और उसमें भी यदि पुरुष धनवान हो तो पूछिए ही मत! हाथ में पैसा और साथ में स्तुति पाठक। फिर क्या पूछना? चाहे वह शरीर से भिखारी हो, बूढ़ा हो—पैसा चाहे जो करवा सकता है, और ऊपर से स्तुति पाठकों के द्वारा मिलने वाली उत्तेजना! सफेद बाल काले रंग से रंगाए जाते हैं, दाँत बिठाए जाते हैं, गुजरी जवानी को पुनः दिखाने की कोशिश होती है। आईने में झाँक कर बार-बार रूप निहारा जाता है और रूप अधिकाधिक निखारने के लिए प्रयास किए जाते हैं। फिर स्तुति पाठक बढ़ा-चढ़ा कर तारीफ करते हैं और बूढ़े बाबा घोड़ी पर सवार हो विवाह के लिए तैयार हो जाते हैं। चाहे शरीर भले ही साथ न दे।...

स्त्री को कभी इस तरह स्वांग रचते देखा है किसी ने? एक बार उस पर यह वैधव्य की गाज गिरी तो बेचारी वही गठरी अपने पास रख कर अपने पति के गुण-अवगुण याद करती हुई घर में—बाहर भी लोगों के अत्याचार सहती हुई एक दिन भगवान को प्यारी हो जाती है। पति बीमार हुआ तो नारी डरती है। उसकी सेवा करती है—चाहे भक्ति भाव से या भय से। पति चाहे भला हो या बुरा—स्त्री सदा उसकी इच्छा के अनुसार ही आचरण करती है। और यदि पत्नी दो-चार साल बीमार हुई तो पति सोचता है, "न जाने इससे कब छुटकारा मिलेगा—दवाएँ पिला-पिला कर हैरान होता जा रहा हूँ।" कभी सुना है आपने कि एक स्त्री इस प्रकार सोचती है? पुरुष धनवान हुआ तो अमीर, भिखारी रहा तो फकीर, और मरने के बाद पीर! संन्यास लेना चाहा तो भी तब जब मृत्यु कुछ ही दूरी पर रहती है। इनकी उपभोग की इच्छा तो कभी समाप्त ही नहीं होती। तुम लोग तो लोमड़ी के समान हो—बहला-फुसला कर शिकार को अपने कब्जे में करने वाले!

इसलिए सोचती हूँ कि ईश्वर यह अंग्रेज सरकार की शासन-प्रणाली ही कायम रखे। कम-से-कम इन अंग्रेजों ने तो स्त्रियों को पढ़ा-लिखा कर सुशिक्षित करने पर जोर दिया और इस विद्यादान के कारण व्यावहारिक एवं मानसिक अपमानों के क्षणों में भारतीय नारी अपना मानसिक संतुलन धैर्य से बना कर खड़ी हो पाई। उनका अज्ञान दूर हुआ और सत्य, धर्म, स्वधर्म सबकी जानकारी उन्हें मिली। इससे इस भारतवर्ष की स्थिति में अवश्य बदलाव आएँगे। फिर भी 'पुणे वैभवकर्ताओं' को शायद यह बात रुचिकर नहीं लगती। यह उनके एक-दो पत्रों से ज्ञात होता है। कोई एक विजयालक्ष्मी थी, जिसने स्वयं विधवा होने के बावजूद गर्भपात करवाया अथवा

शिशु को जनमते ही मरवा दिया। इस विषय की जाँच अभी भी जारी है। किसी ने इस विषय पर पत्र लिख कर विधवाओं के पुनर्विवाह की माँग की है। परंतु स्त्रियों के वैरी 'पुणे वैभवकर्ताओं' को इस बात पर काफी क्रोध आया है और उन्होंने लिखा है कि अंग्रेजों को हमारे धर्म में हस्तक्षेप करने का कोई अधिकार नहीं है। 'वैभवकर्ता' भी आखिर सनातनी पुरुष हैं—चाहे विचार-स्वातंत्र्य का प्रतीक अखबार ही उन्होंने क्यों न निकाला हो! वे अपना मूल स्वभाव कैसे सुधारेंगे? हाँ, एक भेद अवश्य है—आप लोगों ने अब तक तो किसी यूरोपीय नारी से विवाह नहीं किया। परंतु इसके अलावा अन्य ऐसी कौन-सी चीज है, जो आपने न अपनाई हो?...

स्त्री सदैव तुम्हारे संसार के लिए कष्ट सहती है। तुम्हारी इच्छानुसार अपना आचरण रखती है। अपने खून से सींच कर तुम्हारे संसाररूपी बगीचे को सम्हालती है। तुम्हारी एक हँसी उसके लिए स्वर्गानंद की प्राप्ति है और जब 'अमृतं स्वामीगौरवं' यह तुम ही कहते हो, तो अपनी पत्नी द्वारा बनाई छोटी कृति की तारीफ कर पत्नी को खुशी देने में तुम कंजूसी क्यों करते हो? परंतु नहीं, तुम तो अपनी पत्नी को निंद्य विशेषणों से जलील करते हो, क्या यही उसका प्रारब्ध है?

अहा रे दैव! तेरी भी ऐसी विचित्र गति क्यों है? आजन्म पति के लिए कोल्हू के बैल की तरह पिसने वाली स्त्री को अपने मुख से शब्द निकालने की न अनुमति है, न घर पर उसका अधिकार। यही है तेरा न्याय? हे विधाता, स्त्री के माथे पर यह कैसा वनवास लिख डाला तूने? यदि ऐसी ही हर स्त्री की तकदीर है तो उसका निर्माण ही क्यों किया तूने? कम-से-कम तुम्हें लक्ष-लक्ष गालियाँ तो नहीं सुननी पड़तीं। हे परमेश्वर, तुम भी बड़े चालाक हो! अपनी ही जाति को स्वच्छंदता और स्वतंत्रता दे दी, तुम्हें भी पुरुष होने का अभिमान है क्या? दोनों का निर्माण तो तुमने किया है, फिर स्त्रियों की हालत इतनी बदतर क्यों की, हे विधाता? क्या पुरुषों में अवगुण रहते ही नहीं? सतयुग में पुरुष अपने वचन निभाते थे इसलिए स्त्रीहठ, बालहठ और राजहठ का निर्माण हुआ। आज की स्थिति में तो केवल 'पुरुषहठ' ही चलता है। स्त्री ने यदि किसी बात के लिए हठ किया भी तो उसकी सुनता कौन है? उल्टे उसकी चमड़ी उधेड़ दी जाती है ताकि अन्य स्त्रियाँ भी चुप रहें...

इतने सारे अवगुण नारी के माथे पर थोप कर क्या तुम पुरुष सद्गुणों के बुत बन गए हो?

तुम्हारे विचारों से यदि नारी तुम्हारा पुण्यवृक्ष काटने वाली कुल्हाड़ी है तो अपनी निर्मिति का अधिकार तुमने उसे क्यों दिया है? कम-से-कम यह तो मत भूलो कि तुम्हारा जन्म भी उसी की कोख से होता है।...

स्त्री को अविचारी कर्म का नगर कहा जाता है। तो क्या तुम विचारशील, विवेकी, उचित कर्मकार हो? तुम्हारे हाथों से इतने अविचार हुए हैं, होते हैं और फिर भी अपने आप को तुम विचारशील कहलवाते हो! धन्य हो तुम!

स्त्री भैंसों के समान मूरख कहलाती है। उसे न पढ़ना आता है न ही लिखना, तो क्या ईश्वर ने उसे बुद्धि ही नहीं दी? अविचारी होते हुए भी वे तुमसे तो अच्छी हैं। तुम अपने आप को जरा देखो भी—स्वयं को सयाने, विद्वान समझते हो, फिर भी कारागृहों में तुम्हारी ही भरमार है। किसी ने जाली रुपए बनवाए, किसी ने खून किया, किसी ने रिश्वत ली, कोई दूसरे की बहू लेकर भागा, राजद्रोह किया, किसी-न-किसी गुण के कारण सरकार ने तुम्हें बंदीशालाओं में आतिथ्य प्रदान किया है। स्त्रियों ने ऐसे कितने अपराध किए हैं? कितने कारागार स्त्रियों से भरे हैं? दो-तीन हजार पुरुषों में सौ औरतें भी गुनहगार नहीं होंगी। उनके हाथ से यदि कोई अपराध होता भी है तो वह है, परद्वार का स्वीकार! दूसरा घर करना। परंतु इसके लिए भी जिम्मेदार कौन है? निर्लज्ज नारी भी अपनी ओर से किसी पराए पुरुष के गले नहीं लगती। स्त्री के लिए सुख का क्या अर्थ है? केवल वही जो सुख उसे अपने पति के सच्चे प्रेम से मिलता है। यदि ऐसा होता है तो वह स्त्री दरिद्रता को भी सह लेती है, किसी चीज का अभाव उसके लिए अभाव नहीं रहता, दुखों में भी वह सुख ढूँढ़ती है। पुराणों में पुत्रहीन राजा की मृत्यु के उपरांत वंशवृद्धि के लिए उसकी रानी को परपुरुष से नियोग की सम्मति दी गई है। क्या यह परद्वार नहीं? व्यभिचार नहीं? ऐसी सम्मति के बजाय पुनर्विवाह की अनुमति क्यों न दे दी गई?

स्त्रियों का मन कोमल होता है और वे अल्पसंतुष्ट भी रहती हैं। बड़े-बड़े ओहदों के लिए, पैसे के लिए, अपना बड़प्पन दिखाने के लिए स्त्री कभी असाध्य कृत्य नहीं करती और तुम सारे दुष्कृत्यों का बोझ उनके सिर पर मढ़ते हो?

दोषों के निधान तो तुम हो। तुम्हारे ही कारण स्त्री दोषी हो जाती है। कितने ही पिता अपनी दस वर्षीय सुकोमल कन्याओं को धन के लालच में धनवान, नब्बे साल की उम्र वाले बूढ़ों को बेच देते हैं। बाघ के घर अपने ही हाथों अपनी ही लड़की को पहुँचाते हैं। नारी को जो सुख पति के साथ रहने से मिलता है, क्या वह सुख बूढ़े पति की मृत्यु के बाद रुपयों की खनखनाहट से मिलेगा? पति न हो तो दुनिया उसके लिए घना अँधियारा जंगल ही बन जाती है। बाह्य बवंडरों से उसे क्या लेना-देना? सती (पूना की सार्वजनिक सभा में कहा गया कि सती-प्रथा पर डाला बंधन यदि सरकार उठाएगी तो अच्छा होगा। तुम लोगों के लिए तो यह अच्छा ही होगा। लेकिन आग की ऐसी झुलस तुम क्यों नहीं पत्नी की मृत्यु के बाद चखते? स्त्री यदि सती हो गई तो उसके बच्चों को संभालेगा कौन? कहावत है कि घोड़ा घुमानेवाला बाप चाहे तो मरे लेकिन चरखे पर धागा बुनने वाली माँ नहीं मरनी चाहिए) की प्रथा कम-से-कम इसलिए तो अच्छी थी कि ऐसे अपमानित जीवन से तो मुक्ति मिलती थी। जीवन भर विद्रूप होकर चमगादड़ों का जीवन तो न बिताना पड़ता था। माँ और पति दोनों ही न रहे, तो यौवन की आग में झुलसती यह यौवना जाए भी तो कहाँ जाए? जरठकुमारी विवाह का परिणाम यही होता है।...

कभी-कभी कई धनवान अपनी इकलौती बेटी का ब्याह किसी गरीब से कर उसे घरजमाई बना लेते हैं। जब तक वे दोनों अज्ञानी होते हैं, तब तक तो ठीक रहता है। परंतु जब दोनों बड़े होते हैं, सयाने होते हैं तो पति की नजरों में पत्नी का धनवान होना, उसका कुल-शील काँटों के समान चुभता है। वह अपनी पत्नी से अपनी तुलना करता है। पौरुष दिखाने के लिए वह पत्नी से मार-पीट करता है। कभी-कभी पत्नी को अपना कुल-हीन, गरीब पति पसंद नहीं होता और ऐसा संसार शाल के साथ कंबल की तरह होता है। क्या इसमें पिता दोषी नहीं, जिसने अपनी लड़की का ब्याह अपनी बराबरी के घर में नहीं किया?

तुम्हें जिस प्रकार गँवार, कुरूप पत्नी पसंद नहीं उसी प्रकार पत्नी भी गँवार, कुलहीन पति कैसे पसंद करेगी? पत्नी की भी कुछ अपेक्षाएँ तो होती ही हैं। ज्यादातर बाल-विवाह ऋण लेकर किए जाते हैं। वहाँ हर एक को सुंदर धनवान लड़की कहाँ से मिलेगी? यौवन में सुशिक्षित हुए तुम्हें, फिर ऐसी गँवार पत्नी के प्रति घृणा महसूस होती है और उसे नौकरानी का स्थान तुम देते हो। अपने लायक दूसरी पत्नी की फिक्र में लग जाते हो और ऐसी कोई मिलते ही दूसरा विवाह रचाते भी हो। नारी कभी इस प्रकार बर्ताव करती है? जो पति नसीब में मिलता है उसके साथ ही जिंदगी गुजार देती है। अब अवगुण किसके पास है—स्त्री या पुरुष के पास?

कपटनीति में तो तुम लोग प्रवीण हो। हर पग पर तुम्हारी कपटनीति दिखाई देती है। बहुरूपिए बन कर तुम घूमते हो। कितने नाम दिए जाएँ तुम्हारे? गोसावी, साधु, वैरागी, दुग्धाहारी, मिताहारी, जटाधारी और न जाने कितने। संन्यासी का स्वाँग रचते हो। बाबा कहला कर लोगों को ठगते हो। तुम्हारा पंच पकवानों का उपभोग शुरू होता है। साथ-ही-साथ और करतूतें शुरू रहती हैं। दर्शन के लिए आई महिलाओं में से सुंदर नवयौवना नज़र में आती है। मन में ईश्वर की जगह उन सुंदरियों का चिंतन बाबा करते हैं। काशी जाकर गंगा नहाने से अंतर्मन की पापवासना थोड़े ही जाती है। पूरे बगुला भगत हो तुम। मूँदी हुई आँखों से किसी स्त्री का ध्यान लगा कर तपस्या करने वाले, भगवान के सामने पड़े पैसे उठा कर रंडी के घर जाने वाले तुम कैसे संन्यासी?

जब भगवान भी स्त्री के विरोध में हैं, तो तुम किस खेत की मूली हो? कृष्ण ने अर्जुन को संन्यासी के रूप में सुभद्राहरण करने के लिए कहा और सुभद्राहरण के बाद यादव चिल्लाने लगे 'संन्यासी ने बुआ को भगाया'। कभी सुना है कि बुआ ने संन्यासी को भगाया? वैसा ही रावण सर्वशक्तिमान हुआ तो सारे त्रिभुवन को त्राहि-त्राहि करनी पड़ी थी। देवों ने नारायण की प्रार्थना की और उन्होंने राम के अवतार में जन्म लिया। सीता राम-रावण युद्धोपरांत रावण के घर से लौटी तो उसे अग्निपरीक्षा देनी पड़ी। फिर अयोध्या में एक सामान्य पुरुष ने उस पर उँगली उठाई तो उसे गर्भावस्था में वनवास स्वीकारना पड़ा। इसमें राम का बड़प्पन कहाँ है? फिर

भी राम की महिमा गाई जाती है। वह देव हैं, और सीता के भाग्य में केवल दुःख! तुम तो इन देवों की परछाईं हो, तुम्हारी करतूतें तो देवों से बढ़ कर हैं। जिसके साथ भाई का रिश्ता मानते हो उसका भी बुरा सोचते हो। दोस्त की दोस्ती के गुण गाते हो किंतु उसकी स्त्री से लेकर घर के कुत्ते पर भी तुम्हारी नजर रहती है। सदैव दूसरों की निंदा करते फिरते हो। नारी को कभी अपनी सहेली के प्रति जलन करते हुए देखा है? किसी नारी ने संन्यासी के रूप में कभी किसी पुरुष को भगाया है? एक तो उदाहरण दे दो।

नारी स्वभावतः भोली होती है। इसलिए ही शायद वह साधु वैरागियों की बातों में आ जाती है। ठगी जाती है। आसाध्य कर्मों से इच्छाएँ पूरी करने में उनकी मूर्खता अवश्य दिखाई देती है। यदि वे ऐसे कर्म ज्ञान-प्राप्ति के बाद भी करती हों तो उन्हें दोषी कहना ठीक था। अज्ञानी, अशिक्षित स्त्रियाँ ही ऐसे अविचार करती हैं।

मोहिनी के विषय में कहा जाए, तो स्त्री-जाति स्वयं मूर्तिमंत मोहिनी है। नख से लेकर शिख तब उसका हर अवयव, उसकी चाल, उसकी आवाज, आचरण सब कुछ दूसरों को आकर्षित करने वाला चुंबक है। मधुमक्खियाँ जिस प्रकार मधु-छत्ते पर लुब्ध होती हैं, उसे देखते ही वैसे ही पुरुष मोहित होता है। इसमें नारी का क्या दोष? यह ईश्वरीय देन है। यदि सुवर्णमुद्राओं के साथ सुंदर नारी को खड़ा किया जाए और यदि तपस्वी से कहा जाए, इसमें से एक का चुनाव करो तो वह निश्चय ही नारी को चुनेगा।

दुर्गुणों का उत्पत्ति स्थान तो तुम ही हो। स्वधर्म छोड़ कर मनमाना आचरण करना, शराब पीकर रास्ते पर तमाशा करना, जुआ खेलना, अफीम खाना, वेश्याओं के पास जाना आदि बुराइयाँ तो तुमने ही शुरू कर दी हैं। अब सवाल है वेश्या कौन? उसकी तो सृष्टि विरहित उत्पत्ति नहीं हुई, न किसी देव ने उन्हें गढ़ा। वे तो तुमसे ही उगाई गई और घर से निकाली गई औरतें हैं। स्त्री बेशर्म नहीं होती। तुमने उसे एक बार अपनी करतूत दिखाई, बाहर के मोहमयी जीवन की झाँकी दिखाई तो बात ही क्या? एक बार फिसली हुई वह फिर फिसलती ही जाती है। जैसे शराब की माँग बढ़ती है, उसके व्यापारी भी बढ़ते हैं। यदि तुम लोग ही मनोरंजनार्थ वेश्याओं को बढ़ावा नहीं देते तो समाज वेश्या रहित हो सकता था। लेकिन अब औरतों को पता चला है कि पेट भरने के लिए जिस्म का उपयोग हो सकता है। स्त्री तो पहले से ज्वाला है, उस पर सौंदर्य का वरदान उसे मिला है। यह तो आग में घी के बराबर हुआ न! किसी वेश्या से यदि उसकी पिछली जिंदगी के बारे में पूछा जाए तो आग-बबूला हो वह पुरुष की ही निंदा करेगी जो उसे इस स्थिति तक ले आया। तुम अपने आप में विषवृक्ष के समान दुर्गुण के फलों से भरे हुए हो और स्वयं के दुर्गणों का दोष औरत के माथे पर डालते हो, यही आश्चर्य की बात है। एक बार बुराई की आदत हुई तो मनुष्य किसी भी सीमा तक जा सकता है, बस उसे वह सुख मिलना चाहिए।

इसमें फिर क्या पुरुष और क्या स्त्री? एक झूठ के लिए सौ झूठ! शराब पीना, जुआ खेलना, आदि अवगुण स्त्रियों में देखे हैं कभी?...

नारी का प्रेम सागर की तरह गहरा होता है। जिसे वह चाहती है उसे कभी भूलती नहीं, लेकिन तुम भँवरे के समान यहाँ से वहाँ सूँघते रहते हो। अपने दुर्गुणों को पहले पहचानना सीखो तुम।

जिस स्त्री को तुम नरकद्वार कहते हो वह असल में है कौन? तुम्हें किसने जन्म दिया है? नौ महीनों तक तुम्हारा बोझ किसने उठाया? आँखों का दिया और हाथों का झूला बना कर तुम्हें किसने पाला? वह तुम्हारी माँ है, भैया कह कर पुकारने वाली, तुम्हारी बहन है। यह भी तो स्त्री है। उसे ही तुम लोग दुर्गुणों की खान, सुख पर पड़ी कुल्हाड़ी कहते हो। क्या कहा जाए तुम्हें? मातृद्रोही? मातृनिंदक?...

तुम इतने कुटिलनीतिज्ञ हो कि स्वयं भ्रमर के समान चंचल होते हुए भी तुम कहते हो कि 'स्त्रियश्चरित्रं पुरुषस्य भाग्यं देवो न जानति कुतो मनुष्यः' विधि लिखित का दोष स्त्री को क्यों दिया जाता है?

नारी जब किसी पर सर्वस्व न्योछावर करती है तो दूसरे की ओर देखती भी नहीं। लेकिन तुम हो कि शरीर में मदन का संचार होते ही कुरूप कुब्जा तुम्हें रंभा महसूस होती है।...

स्त्री शक्ति है। वह अर्धांगिनी है। यदि आधा शरीर पीड़ित हो तो बाकी आधा शरीर काम कर सकता है? स्त्री ऐसी शक्ति है जो इस सारे संयम को जला सकती है। जहाँ वह रहती है, वहाँ लक्ष्मी का निवास रहता है। इसलिए तो उसे लक्ष्मी कहा जाता है। तुम ऐसा सोचोगे तो स्त्री तुम्हारे लिए अमृत ही बन जाएगी। वह गौ है। इसलिए उसका संरक्षण तुम्हारी जिम्मेदारी है। तुम अपने मन को विवेक के खंभों से बाँध दो। सदाचार से रहो। फिर देखना, हर घर आनंद का महल हो जाएगा और निष्कलंक पातिव्रत्य की पताका हर जगह लहराएगी।

स्त्री अपने सदाचार के बल पर अग्नि के समान पवित्र, अंतर्बाह्य शुचि रह कर पुरुषों को नीचा दिखा सकती है। अपने शक्ति नाम को रोशन कर सकती है। ऐसी सदाचारी, पतिव्रता, दोनों कुलों का भूषण रहने वाली, तेजस्विनी स्त्री की सुकीर्ति की ध्वजा सदा ऊँची रहे और बाल-बच्चों सहित उन्हें वैभव का पूरा आनंद प्राप्त हो, यही उस दयानिधि ईश्वर के चरणों में मेरी प्रार्थना है।

–1882, एक अंश

गोपाल कृष्ण गोखले

1866-1915

समाज सुधार के काम में रानाडे के प्रमुख सहयोगी एवं मित्र। अंग्रेजी शासन से सहयोग करते हुए भी उसकी बुराइयों का विरोध किया। 1899 में बंबई की विधायिका सभा के सदस्य। गरम दल वालों के आक्रमण का निरंतर सामना करना पड़ा। इन्होंने अकाल राहत, शिक्षा, हिंदू-मुस्लिम एकता तथा निचली जातियों के उत्थान के लिए काफी काम किया।

निचली जातियों की सामाजिक स्थिति में सुधार

अध्यक्ष महोदय और सज्जनो! जो प्रस्ताव मुझे आपके सामने रखने के लिए कहा गया है वह है, इस परिचर्चा के निष्कर्ष के अनुसार निम्न जातियों की वर्तमान हीन दशा। यह अपने आप में सोचनीय है ही, एक राष्ट्र के रूप में भी हमारे लिए असंतोषजनक है। इसलिए यह विचार किया गया है कि निचली जातियों के सामाजिक और नैतिक स्तर को ऊँचा उठाने के लिए उनमें स्वाभिमान की भावना जगाकर उनके सामने शिक्षा और नौकरी की सभी सुविधाएँ उपलब्ध करवानी चाहिए। यह सभी देशवासियों का दायित्व है।

सज्जनो, कठोर शब्दों में कहने की मेरी आदत नहीं है, फिर भी यह तो मानना ही पड़ेगा कि इस प्रस्ताव में वह दृढ़ता नहीं है जो होनी चाहिए। जैसा कि इस प्रस्ताव में माना गया है कि निचली जातियों की रक्षा (हालाँकि निचली जाति कहना अनुचित है) केवल असंतोषजनक ही नहीं बल्कि इतनी सोचनीय हो गई है कि वह हमारी सामाजिक संरचना के लिए कलंक बन गई है। इसके अलावा यहाँ के पढ़े-लिखे लोगों का भी इनके प्रति बड़ा दुःखद और अपमानजनक रवैया है। मैं इस मसले को किसी पुरातत्वविद की नजर से नहीं देखना चाहता, बल्कि मानवता, न्याय और राष्ट्र गौरव

को नजर में रखते हुए महज कुछ विचार व्यक्त करना चाहता हूँ। शारीरिक गठन की समानता, वैचारिक समता और मानवीय भावनाओं की एकरूपता के बावजूद एक जाति के लोग अन्य जाति के लोगों को गुलामों की तरह जहालत की जिंदगी जीने के लिए बाध्य कर देते हैं, उन्हें मानसिक-नैतिक पतन की ओर धकेलते हैं, साथ ही उनके विकास के मार्ग में स्थायी गतिरोध उत्पन्न कर देते हैं। न्याय के पक्षधरों को यह मानना पड़ेगा कि यह निरी पाशविकता है और हमारी न्यायप्रियता के भी विरुद्ध है। इस अन्याय का एहसास हमें तभी हो सकता है जब हम खुद को उनकी परिस्थिति में रख कर देखें। हम तुच्छ से तुच्छ जानवरों को छूते हैं मगर निम्न जाति के लोगों को छूने में हमारा धर्म भ्रष्ट होता है। हमारे नैतिक मूल्यों में इस कदर गिरावट आ गई है कि हमें न तो अपने व्यवहार पर ग्लानि होती है, न कभी यह महसूस होता है कि निम्न जाति के लोग इससे बेहतर व्यवहार के हकदार हैं।

मुझे बंबई में हिंदू यूनियन क्लब में दिया गया स्व. रानाडे का वक्तव्य याद आ रहा है। यह वह समय था, जब दक्षिण अफ्रीका में भारतीयों के साथ किए जाने वाले दुर्व्यवहार के विरोध में जनमत तैयार हो रहा था। उन दिनों हमारे मित्र गाँधी दक्षिण अफ्रीका से एक दौरे पर भारत आए थे। उन्होंने बताया कि किस प्रकार नेटल, केप कॉलोनी और ट्रांसवाल में भारतीयों के साथ दुर्व्यवहार किया जाता है, उन्हें फुटपाथ पर चलने, रेलवे में प्रथम श्रेणी में यात्रा करने और होटलों में रहने से रोका जाता है। अंग्रेजों की प्रजा होने के बावजूद ब्रिटिश उपनिवेशों में हमारे साथ ऐसा दुर्व्यवहार किया जाना अपमानजनक था और इससे जनता में विरोध की भावना बढ़ रही थी। औरों की तरह रानाडे भी बहुत शिद्दत से इस दुर्व्यवहार की खिलाफत करते थे। वे गाँधीजी के सलाहकार थे और उनसे निरंतर संपर्क में रहते थे। यह रानाडे की सबसे बड़ी खूबी थी कि उत्तेजना के दौर में राष्ट्रीय चिंतनधारा को सही दिशा में मोड़ कर वे उसमें एक समानुपात ला देते थे, नियंत्रित कर देते थे। ऐसे समय में जब कि हर कोई दक्षिण अफ्रीका में भारतीयों के साथ किए जाने वाले दुर्व्यवहार के खिलाफ आवाज उठा रहा था, रानाडे ने यह सवाल उठाया कि क्या हम सचमुच ऐसा विरोध करने के हकदार हैं? उनके वक्तव्य का शीर्षक मुझे ठीक-ठीक य.द नहीं, शायद वह 'आत्मनिरीक्षण करो', ऐसा ही कुछ था। मुझे इतना जरूर याद है कि वह आज तक सुने गए सभी भाषणों में श्रेष्ठ था। दक्षिण अफ्रीका में भारतीयों द्वारा की जाने वाली अधिकारों की माँग को उचित ठहराते हुए, अपनी खास शैली में उन्होंने अपना वक्तव्य रखा था। उन्होंने इस बात की भी प्रशंसा की थी कि हम विदेशों में बसे अपने देशवासियों की अवस्था के प्रति सजग हुए हैं और यह जागृति हमारी जीवंतता का प्रतीक है। उन्होंने यह सवाल भी उठाया कि क्या यह सद्भावना तक ही सीमित है या यह सद्भावना उन सभी लोगों के लिए है जो इस प्रकार अपमानित किए जाते हैं। दूसरों की निंदा करना आसान है, पर न्याय की माँग है कि ऐसे लोग

अपने भीतर झाँक कर देखें कि क्या वे खुद भी इस इल्जाम से बरी हैं? भारत के विभिन्न भागों में निचली जाति के लोगों के साथ किए जा रहे दुर्व्यवहार के विषय में जानकर सभा में उपस्थित लोग न केवल शर्मिंदा हुए, उन्हें गहरा दुःख भी हुआ। रानाडे ने यह सवाल उठाया कि अपने देश में ऐसे अन्याय और उत्पीड़न को देखकर भी चुप रहने वालों के लिए इस प्रकार अफ्रीकी लोगों की निंदा करना क्या उचित है। इस प्रकार सबसे पहले यह सामाजिक न्याय का मसला है।

जैसा कि मैं पहले ही कह चुका हूँ यह प्रश्न मानवता का प्रश्न भी है। यह तर्क प्रायः दिया जाता है कि भारत में जिस तरह वर्णभेद है, उसी तरह पश्चिमी जगत में वर्गभेद है और दोनों में खास फर्क नहीं है। थोड़ा सा विचार करने पर स्पष्ट हो जाएगा कि यह धारणा कितनी गलत है। वर्गभेद वर्णभेद की तरह कठोर नियमों में बँधी संरचना नहीं है। उसमें काफी ढीलापन है। चेंबरलीन जो आज अंग्रेज साम्राज्य के इतने माननीय व्यक्ति हैं, किसी जमाने में जूते और पेंच बनाते थे। उन्होंने अपने हाथों से जूते नहीं बनाए, फिर भी इसी पेशे से उन्होंने धन कमाया। आज वे शहरी परिवार के साथ उठते-बैठते हैं और समाज में उच्च वर्ग के साथ समान धरातल पर प्रतिष्ठित हैं। क्या भारत में मोची अपनी जन्मजात प्रतिभा के बल पर इस प्रकार की सामाजिक प्रतिष्ठा हासिल कर सकता है? किसी महान लेखक ने ठीक ही कहा है कि वर्णभेद समाज को बनाए रखने के लिए जरूरी है फिर भी सामाजिक उन्नति के लिए बाधक है। मेरे विचार में यह बात शत-प्रतिशत सही है। अगर हम प्रगति करना नहीं चाहते तब तो जातिभेद में सुधार लाने की कोई जरूरत नहीं। पर यदि हम इस ठहराव से निकल कर विकास करना चाहते हैं तो यह जातिभेद के नियमों से चिपके रहकर संभव नहीं है। एकाधिकार और विशेषाधिकार की अवधारणा पुरानी जीवन शैली के अनुरूप थी, पर आधुनिक सभ्यता सभी के लिए बेहतर जीवन स्तर की माँग करती है। मानवता के उच्चतर मूल्यों की यह माँग है कि हम पददलित एवं पीड़ित लोगों की लाचारी को दूर करने का प्रयास करें।

आखिरकार भारत के अपने हितों के लिए भी यह सबसे महत्त्वपूर्ण है। भारत की आधी आबादी को अज्ञानता, बर्बरता और अवनति की खाई में धकेलकर हम न तो राष्ट्र के रूप में अपने लक्ष्यों को पा सकते हैं, न अन्य राष्ट्रों के बीच अपनी जगह बना सकते हैं। उनका मानसिक-नैतिक विकास किए बगैर, उन्हें ऊपर उठाए बगैर, यह आशा करना गलत है कि वे हमारे विचारों को समझकर, हमारे उद्देश्यों को पूरा करने में हमारा साथ देंगे। फिलहाल राष्ट्र के उत्थान के लिए निचली जातियों से जिस प्रकार के सहयोग की अपेक्षा है, वह हमें नहीं मिल पा रहा है। स्वामी विवेकानंद ने भी जोर देकर इसी बात को रेखांकित किया था। सभी जातियों को अपने साथ लिए बगैर हम कभी भी राष्ट्र के रूप में अपने लक्ष्य को हासिल नहीं कर पाएँगे। क्या यही हमारा आत्माभिमान है कि जो व्यक्ति हिंदू होकर हमारे लिए अस्पृश्य है,

हमारे घरों से बहिष्कृत है, वही ईसाइयत को अपनाकर, सूट-बूट पहनकर हमसे हाथ मिलाने के काबिल हो जाता है; हमारा सम्मान पाने के काबिल हो जाता है। कोई भी तर्कशील व्यक्ति ऐसी स्थिति को स्वीकार नहीं कर सकता, बावजूद इसके कि इन जातियों के मानसिक और नैतिक धरातल को एकबारगी बदल कर रख देना मुमकिन नहीं है।

यह एक लंबी और धीमी प्रक्रिया है, जिसे सजग प्रयत्नों से हासिल किया जा सकता है। उनके लिए शिक्षा एवं नौकरी उपलब्ध करवाना हमारा सर्वप्रथम लक्ष्य होना चाहिए। भारत की वर्तमान परिस्थिति को देखते हुए इससे पवित्र काम शायद ही कुछ और हो। आज की शिक्षित युवा पीढ़ी के आगे जो सबसे ज्वलंत सामाजिक समस्या है, वह निचली जातियों की हीन दशा को लेकर है। युवा पीढ़ी को इस क्षेत्र में उत्साह के साथ कार्य करते हुए अपने स्वार्थों से ऊपर उठना चाहिए। विश्वविद्यालय से प्रति वर्ष निकलने वाले सैकड़ों ग्रेजुएट नवयुवकों में से पाँच प्रतिशत अथवा चार, तीन, दो या कम से कम एक प्रतिशत भी क्या निम्न जातियों के उद्धार के महनीय कार्य के लिए खुद को प्रतिबद्ध नहीं करेंगे? मैं न तो वयस्क, न ही प्रौढ़ लोगों को संबोधित कर रहा हूँ, क्योंकि मैं मानता हूँ कि वे लकीर के फकीर हो चुके हैं। मैं समाज के उन नवयुवकों से अपील करना चाहता हूँ, जिन्होंने अपने भविष्य का लक्ष्य निर्धारित नहीं किया और जो अपनी शिक्षा द्वारा किसी महत कार्य के लिए समर्पित होना चाहते हैं। इस समय देश के लिए ऐसे शिक्षित नवयुवकों का आत्मोत्सर्ग सबसे जरूरी है। मैं उन्हें बताना चाहता हूँ कि निचली जातियों के मानसिक और नैतिक धरातल के विकास में संलग्न होने, उनकी बेहतर जिंदगी के लिए खुद को समर्पित करने से बड़ी सार्थकता और कुछ नहीं हो सकती।

अनुवाद : **भक्ति पटेल**

भीमराव अंबेडकर

1891-1956

दलित मुक्ति के दार्शनिक, बीसवीं सदी के प्रमुख समाज सुधारक और राजनेता। महाराष्ट्र की अस्पृश्य महार जाति में जन्म। असाधारण शिक्षा के बलबूते तरक्की और व्यापक प्रतिष्ठा। अछूतों के धार्मिक और सामाजिक अधिकारों के लिए संघर्ष के साथ सार्वजनिक जीवन में प्रवेश। 1927 में 'बहिष्कृत भारत' पत्र का प्रकाशन और पानी के सवाल पर महाड सत्याग्रह। 1928 में साइमन कमीशन से दलितों के लिए शैक्षणिक सुविधाओं की माँग। 1930 में देश के दलित नेता के रूप में गोलमेज सम्मेलन में हिस्सेदारी का निमंत्रण मिला, इस उद्देश्य से लंदन प्रस्थान। 1932 में दलितों के लिए पृथक निर्वाचक मंडल की माँग पर महात्मा गाँधी से समझौता, पूना पैक्ट। दलितों के लिए अधिक सीटें आरक्षित कराईं। 'शेडेयूल्ड कास्ट' की अवधारणा आई। 1938 में बंबई विधान सभा में खोती (जमींदारी प्रथा) की समाप्ति के लिए विधेयक पेश किया। अछूतों की समस्या के अलावा श्रमिक नियमों में सुधार का काम भी किया। भारत जब आजादी की देहरी पर आया, एक बार फिर हिंदू धर्म से अलग होने तथा दलितों के सशक्तीकरण पर जोर। अगस्त 1947 में संविधान प्रारूप लेखन समिति के अध्यक्ष एवं स्वतंत्र भारत के पहले कानून मंत्री। 1951 में मंत्री पद से इस्तीफा। 1956 में हिंदू धर्म छोड़कर बौद्ध धर्म में प्रवेश। कई शिक्षण संस्थाओं की स्थापना एवं दलित हितों के लिए लगातार लेखन और संघर्ष। बाबा साहेब के नाम से मशहूर।

हिंदू समाज व्यवस्था

...क्या हिंदू समाज-व्यवस्था में व्यक्ति का महत्त्व है? क्या यह उसकी विशिष्टता तथा नैतिक जवाबदेही को मान्यता देती है? क्या यह उसे प्रतिबंधों का दास न मानकर उसे राज्य के विरुद्ध सिर उठाने का अधिकार देकर उसे साध्य के रूप में स्वीकार करती है? इस विषय पर बातचीत करने के लिए निर्गमन उस प्रसंग को स्मरण करना होगा, जब जहोवा ने इजोकिल से कहा था :

"देखो! सभी आत्माओं पर मेरा अधिकार है, जैसे कि पिता की आत्मा मेरी है वैसे ही पुत्र की आत्मा भी मेरी है। जो आत्मा पाप-कर्म करती है, वह नष्ट हो जाएगी। ...पुत्र, पिता के दुराचार का भागीदार न होगा, और न पिता ही पुत्र के दुराचार का भागी होगा। पुण्यात्मा की पवित्रता का लाभ उसी पुण्यात्मा को मिलेगा, तथा पापी के पाप-कर्म का परिणाम उसी पापात्मा को भुगतना पड़ेगा।"

यहाँ व्यक्ति विशेष की विशिष्टता तथा उसके नैतिक दायित्व पर बल दिया गया है। हिंदू समाज-व्यवस्था व्यक्ति को सामाजिक उद्देश्य का केंद्र नहीं मानती, क्योंकि हिंदू समाज-व्यवस्था मुख्य रूप से श्रेणी या वर्ण पर आधारित है, न कि व्यक्ति पर। मूल तथा औपचारिक रूप से हिंदू समाज-व्यवस्था ने चार वर्णों को मान्यता दी है : (1) ब्राह्मण (2) क्षत्रिय (3) वैश्य तथा (4) शूद्र। आज इसमें पाँच वर्ण शामिल हैं। पाँचवें को पंचम या अस्पृश्य कहा जाता है। हिंदू समाज की इकाई न कोई ब्राह्मण व्यक्ति है और न क्षत्रिय, वैश्य, शूद्र अथवा पंचम वर्ण का व्यक्ति ही उसकी इकाई है। यहाँ तक कि परिवार को भी हिंदू समाज-व्यवस्था द्वारा समाज की इकाई नहीं माना जाता। हाँ, केवल शादी-विवाह तथा उत्तराधिकार के मामलों में ऐसा माना जाता है। हिंदू समाज-व्यवस्था में व्यक्ति विशेष की योग्यता का कोई स्थान नहीं है तथा वैयक्तिक न्याय का भी ध्यान नहीं रखा जाता है। यदि किसी व्यक्ति को कोई विशेषाधिकार प्राप्त है तो ऐसा इसलिए नहीं है कि वह व्यक्तिगत रूप से उसका अधिकारी है। यह विशेषाधिकार उसे उसके वर्ण के कारण मिलता है, और यदि वह उसका उपभोग करता है तो सिर्फ इसलिए कि वह एक वर्ण-विशेष का है। इसके विपरीत यदि किसी व्यक्ति को कष्ट भोगना पड़ रहा है तो उसका कारण भी उसका वर्ण ही है। यह दुरावस्था वर्ण के आधार पर थोपी जाती है और यदि वह इसके कारण पिस रहा है तो इसका उत्तरदायी उसका वर्ण है।

क्या हिंदू समाज-व्यवस्था भाईचारे को मानती है? ईसाई तथा मुसलमानों की तरह हिंदू भी यही मानते हैं कि इंसान को ईश्वर ने पैदा किया है। लेकिन जहाँ ईसाई और मुसलमान इसे पूर्ण सच्चाई मानते हैं, हिंदू इसे अर्द्ध-सत्य मानते हैं। उनके अनुसार इस पूर्ण सत्य के दो भाग हैं। पहला भाग तो यह है कि मनुष्य को ईश्वर ने पैदा किया है। दूसरा भाग यह है कि ईश्वर ने अपने दैवी शरीर के भिन्न-भिन्न भागों से भिन्न-भिन्न वर्ण के लोगों को पैदा किया है। हिंदू पहले भाग की तुलना में दूसरे को अधिक महत्त्वपूर्ण तथा अधिक मौलिक मानते हैं।

हिंदू समाज-व्यवस्था इस सिद्धांत पर आधारित है कि ईश्वर ने मानव को अपने शरीर के भिन्न-भिन्न हिस्सों से पैदा किया है, अतः पाल या पवित्र स्थानों की यात्रा करने वाले पादरियों द्वारा व्यक्त किए गए विचारों का इसमें कोई स्थान नहीं है। ब्राह्मण, क्षत्रिय ईश्वर की भुजाओं से पैदा हुआ है। क्षत्रिय, वैश्य का भाई नहीं है क्योंकि क्षत्रिय ईश्वर की भुजाओं तथा वैश्य उसकी जंघा से पैदा हुआ है। चूँकि

कोई किसी का भाई नहीं है, अतः कोई किसी का रक्षक नहीं है।

इस सिद्धांत ने, कि भिन्न-भिन्न वर्ण, ईश्वर के भिन्न-भिन्न अंगों से पैदा हुए हैं, इस विश्वास को पैदा किया है कि यह ईश्वरीय इच्छा है कि वे सभी वर्ण अलग-अलग रहें तथा अपनी अलग-अलग पहचान बनाए रखें। इसी विश्वास ने हिंदुओं में अलग-अलग रहने तथा अपने शेष साथी हिंदुओं से भिन्न, विशिष्ट पहचान बनाए रखने की भावना को बल दिया है। मनुस्मृति के उपनयन या यज्ञोपवीत पहनने के निम्नांकित नियमों की तुलना कीजिए—

2.36 ब्राह्मण-बालक का गर्भ से आठवें में क्षत्रिय-बालक का गर्भ से ग्यारहवें वर्ष में और वैश्य-बालक का गर्भ से बारहवें वर्ष में उपनयन (यज्ञोपवीत) संस्कार कराएँ।

2.41 ब्रह्मचारी अपनी जाति के अनुसार शरीर के ऊपरी भाग पर कृष्णमृग चितकबरे मृत तथा बकरे की खाल और शरीर के निचले भाग पर सन, क्षौम या ऊन के बने वस्त्र पहने।

2.42 ब्राह्मण की मेखला में तीन गाँठें मूँगा घास के तीन धागों से और चिकनी व मुलायम, क्षत्रिय की मेखला मुर्वा धागे की तथा वैश्य की मेखला सन के धागों की बनी होनी चाहिए।

2.43 यदि मूँगा घास आदि प्राप्त न हो, तो (मेखला) कुश, अश्मंतक तथा बल्वज (रेशों) की बनाई जा सकती है जिसमें (परिवार की रीति-रिवाज के अनुसार) एकल-तिहरी गाँठ या तीन या पाँच गाँठें लगाई जा सकती हैं।

2.44 ब्राह्मण का यज्ञोपवीत रूई का, क्षत्रिय का यज्ञोपवीत सन के धागों का तथा वैश्य का यज्ञोपवीत ऊनी धागों का, ऊपर की ओर से बँटा हुआ तीन लड़ी का होना चाहिए।

2.45 पवित्र विधान के अनुसार ब्राह्मण को बेल या पलाश का, क्षत्रिय को बट या खैर का तथा वैश्य को पीलु या गूलर का दंड धारण करना चाहिए।

2.46 ब्राह्मण का दंड केश तक, क्षत्रिय का दंड ललाट तक तथा वैश्य का दंड नाक तक लंबा होना चाहिए।

2.48 सूर्योपासना के बाद अपनी पसंद का दंड अग्नि की प्रदक्षिणा कर विद्यार्थी ब्रह्मचारी को विधिपूर्वक भिक्षा माँगनी चाहिए।

2.49 उपवीत ब्राह्मण को 'भवति' शब्द का वाक्य के पहले उच्चारण कर क्षत्रिय को 'भवति' शब्द का वाक्य के मध्य में उच्चारण कर तथा वैश्य को 'भवति' शब्द का वाक्य के अंत में उच्चारण कर भिक्षा याचना करनी चाहिए।

इसको पढ़कर कोई भी इन भिन्नताओं के कारणों के बारे में पूछ सकता है। उपर्युक्त नियम विद्यार्थियों या तथाकथित ब्रह्मचारियों से संबंधित हैं जो वेदों का अध्ययन करने को तत्पर हैं। यह भिन्नताएँ क्यों होनी चाहिए? ब्राह्मण बालक के

उपनयन की उम्र और क्षत्रिय या वैश्य बालक के उपनयन की उम्र में भिन्नता क्यों होनी चाहिए? उनके वस्त्र भिन्न-भिन्न प्रकार के क्यों होने चाहिए? उनके दंड अलग-अलग पेड़ों की लकड़ी से क्यों बनाए जाने चाहिए? उनके दंड की लंबाई अलग-अलग क्यों होनी चाहिए? भिक्षा-याचना करने के समय 'भवति' शब्द को वाक्य का उच्चारण करते समय अलग-अलग स्थानों पर क्यों रखना चाहिए? ये भेद न तो आवश्यक हैं और न ही लाभदायक हैं। इसका एकमात्र उत्तर यह है कि यह भेद सहज हिंदू प्रवृत्ति का परिणाम है कि वे अपने ही साथी मानवों से अलग-अलग रहते हैं, जो लोगों के इस विश्वास के कारण है कि वे सभी ईश्वरीय शरीर के भिन्न-भिन्न अंगों से पैदा हुए हैं।

इसी विश्वास के कारण हिंदुओं की यह भी मूल प्रवृत्ति है कि भेद को नजरअंदाज न किया जाए, बल्कि उस पर बल दिया जाए, उसे पहचाना जाए तथा उसे उजागर किया जाए। जाति के अस्तित्व की ओर उसके विशिष्ट वस्त्रों और नाम से ध्यान आकर्षित किया जाना चाहिए। संप्रदाय के लिए उसकी पहचान होना आवश्यक है। भारत में 92 मत-मतांतर हैं। उनमें से प्रत्येक का अलग चिह्न है। एक-दूसरे से पृथक 92 संकेतों की खोज करना जटिल कार्य है। इसी कारण अति मेधावी व्यक्ति को भी इसमें सिर खपाने की हिम्मत नहीं होगी, तथापि हिंदुओं ने इसे पूरा किया है, जिसे मूर द्वारा अपनी हिंदू पेंथियोन पुस्तक में दिए गए इन तिलकों के सचित्र निरूपण में देखा जा सकता है।

निस्संदेह पृथक्करण तथा अलगाववाद की भावना की बहुत व्यापक और अनियंत्रित अभिव्यक्ति जातिप्रथा है। यह समझ लेना चाहिए कि जाति एक नहीं, बल्कि अनेक हैं। जातियाँ हो सकती हैं। लेकिन एक जाति जैसी कोई चीज नहीं हो सकती। लेकिन सिद्धांत रूप में यह मान लिया जाए कि जातियाँ होनी चाहिए, तो कितनी जातियाँ होनी चाहिए? मूल रूप से शुरू में केवल चार जातियाँ थीं। आज कितनी हैं? अनुमान है कि कुल मिलाकर ये दो हजार से कम नहीं हैं। यह तीन हजार भी हो सकती हैं। इस संदर्भ में चौंकाने वाला यह केवल एक पहलू नहीं है, और भी हैं। जातियों को भी उपजातियों में बाँटा गया है। उनकी संख्या अनगणित हैं। ब्राह्मण जातियों की कुल आबादी लगभग डेढ़ करोड़ है। लेकिन ब्राह्मण जाति में भी 1,886 उपजातियाँ हैं। केवल पंजाब में ही सारस्वत ब्राह्मण 469 उपजातियाँ में बँटे हैं। पंजाब के कायस्थों की 890 उपजातियाँ हैं। इसी प्रकार समाज को छोटे-छोटे टुकड़ों में बाँटने वाली इस अंतहीन प्रक्रिया के अनेक उदाहरण दिए जा सकते हैं। टुकड़ों में बांटने वाली इस प्रक्रिया से सामाजिक जीवन बिल्कुल असंभव-सा हो गया है। इससे जातियाँ इतने छोटे समूहों में बँट गई हैं कि उससे बाह्य जातियों के साथ विवाह-संबंध करना बिलकुल असंभव-सा हो गया है। बनियों की कुछ उपजातियों के तो सौ परिवारों से ज्यादा घर नहीं हैं। वे आपस में इतने मिले-जुले हैं कि सगोत्रता

के नियमों का उल्लंघन किए बिना उनकी जातियों में शादी-विवाह करना कठिन हो गया है।

यह उल्लेखनीय है कि छोटे-मोटे बहाने ही इन जातियों के उपजातियों में विभाजित होने के कारण हैं। जातियों-उपजातियों में स्थान परिवर्तन, व्यवसाय परिवर्तन, सामाजिक व्यवहार में परिवर्तन, प्रदूषण के कारण परिवर्तन, मालिकाना हक के कारण परिवर्तन, झगड़े के कारण परिवर्तन, धर्म परिवर्तन के कारण से बिखराव आता जाता है। श्री ब्लंट ने हिंदुओं में विद्यमान इस प्रवृत्ति का जीवंत वर्णन करने के लिए कई उदाहरण दिए हैं। यहाँ सभी को प्रस्तुत करना संभव नहीं है। अतः यहाँ केवल एक उदाहरण ही प्रस्तुत किया जा रहा है, जो यह दर्शाता है कि छोटे-मोटे झगड़े एक जाति को उपजातियों में कैसे बाँट देते हैं। जैसा कि श्री ब्लंट (द कास्ट सिस्टम आफ नादर्न इंडिया) ने कहा है—

> "लखनऊ में खटिक नाम की एक उपजाति है, जिसमें तीन गोल अथवा समूह थे। इन्हें मानिकपुर, जायसवाल तथा दलमान के नाम से जाना जाता था। उनमें रोटी-बेटी का व्यवहार था और वे अपने चौधरी अथवा प्रधान के नेतृत्व में पंचायत में एक साथ बैठते थे। बीस वर्ष पहले प्रत्येक समूह का एक ही चौधरी होता था। लेकिन आज जैसवाल-समूह के ही तीन चौधरी हैं तथा मानिकपुर-समूह के दो। झगड़े का पहला कारण यह था कि एक औरत (जिसका गोल नहीं दिया गया है) गली में फल बेचा करती थी। उसके भाई-बंधुओं ने उसे ऐसा न करने का आदेश दिया क्योंकि ऐसा करना उनकी बिरादरी की शान के खिलाफ था। औरतों को केवल दुकानों पर बैठकर ब्रिकी करना चाहिए। वह और उसका पति हठी थे, और अंत में उनके ही अपने गोल ने उन्हें बिरादरी से बाहर कर दिया। वैसे दलमान गोल, जो इस कार्यवाही से सहमत नहीं था, उसनेऔरत के पति को जाति से बाहर रखने के बजाय 80 रुपए दंड लेकर अपने वर्ग में ले लिया। झगड़े का दूसरा कारण यह था कि एक आदमी (जिसका गोल नहीं दिया गया है) को अपने ही गोल द्वारा बिरादरी से बाहर कर दिया गया और जब कि यह मामला न्यायालय में विचारधीन था, जैसवाल चौधरी ने गलती से उसे रात के भोजन पर बुला लिया। इस पर तीनों गोलों ने एक साथ मिलकर चौधरी पर 30 रुपए का दंड लगा दिया। अंत में दंड की राशि एकत्रित की गई और यह निर्णय लिया गया कि कथा कराई जाए। दलमान चौधरी ने कहा कि वह तो अपना हिस्सा नकद लेगा। लेकिन मानिकपुर चौधरी (जिसके पास संयुक्त राशि जमा थी) ने इससे असहमति व्यक्त करते हुए यह रवैया अपनाया कि जो कथा होने जा रही है उसमें दलमान लोग यदि चाहें तो आ सकते हैं, और न चाहें तो न आएँ। इस स्तर पर इस मामले को न्यायालय में ले जाया गया। इसी बीच

तीनों गोलों ने एक-दूसरे के साथ शादी-विवाह करना बंद कर दिया। इन झगड़ों के कारण सगोत्र शादी-विवाह करने वाली उपजाति तीन समूहों में बँट गई और एक गोल दूसरे गोल के खिलाफ हो गया।

यदि किसी जाति का कोई समूह पूजा का कोई नया या असामान्य माध्यम अपनाता है, जिसे उसकी बिरादरी के अन्य सदस्य मान्यता नहीं देते, तो वह गुट टूट जाएगा और एक सगोत्र उपजाति बन जाएगी। यदि कुछ उपजातियाँ देखने में नहीं आती हैं तो इसका कारण उनकी सहिष्णुता है कि वह किसके साथ रोटी-बेटी का व्यवहार करते हैं। तथापि हम पाएँगे कि तेली तथा कोरी जातियों में महाभीर व पंचप्रिय और बढ़ई, भंगी तथा खडेरा जातियों में नमकशाली उपजातियाँ पाई जाती हैं।"

ये जातियाँ एक-दूसरे के साथ कैसा व्यवहार करती हैं, इनका मूल मंत्र है कि अलग-अलग रहो, 'एक-दूसरे के साथ विवाद न करो', —'एक-दूसरे के साथ खान-पान न करो' तथा 'एक-दूसरे को न छुओ'। श्री ब्लंट ने इस स्थिति का बहुत ही मार्मिक वर्णन किया है। वह कहते हैं :

"एक हिंदू या तो अकेला खाना खाता है, या फिर अपनी बिरादरी के लोगों के साथ खाता है। स्त्रियाँ पुरुषों के साथ खाना नहीं खा सकतीं। वे तब तक इंतजार करती हैं, जब तक कि उनके पति खाना समाप्त नहीं कर लेते। जहाँ तक खाने या खाने के किसी भाग में कच्चा खाना (यह हमेशा होता है क्योंकि हर खाने में चपाती होती है) शामिल होता है, तो ऐसे में आदमी को बड़े मंत्रोपचार जैसे एहतियाती कदमों के साथ भोजन करना पड़ता है। वह जमीन पर अपने चारों तरफ चौकोर लकीर खींचकर (चौका) बैठता है, जिसके अंदर चूल्हा या खाना बनाने का स्थान होता है। यदि किसी अजनबी की छाया भी ऐसे स्थान पर पड़ जाती है, तो सारा पका-पकाया खाना जूठा हो जाता है और उसे फेंक दिया जाता है। एक ही समूह में हिंदू सेवकों को एक-दूसरे से अलग-अलग अपने-अपने चौके में मिट्टी के चूल्हों पर अपना खाना बनाते हुए और अकेले बैठकर खाते हुए देखा जा सकता है।

कुल मिलाकर पानी पीने के नियम भी ठीक उसी प्रकार हैं, जिस प्रकार पक्का खाना स्वीकार करने के। लेकिन इसमें प्रवृत्ति कुछ हद तक लचीली है। यह बात उस पात्र पर लागू होती है, जिसमें पानी रखा जाता है। एक उच्च जाति का आदमी निम्न जाति के आदमी से अपना लोटा तो भरवा लेगा, पर उसके लोटे से पानी नहीं पिएगा। फिर, ऊँची जाति वाला किसी भी व्यक्ति को (अस्पृश्यों को छोड़कर) पानी पिलाएगा, और ऐसा वह अपने लोटे से उस पीने वाले के लोटे में पानी डालकर करेगा। स्टेशनों पर रेल-यात्रियों को पानी की आपूर्ति किए जाने के लिए रखे हुए सभी आदमी बढ़ई, बारी, भड़भूजे,

हलवाई, कुम्हार तथा नाई हैं। निस्संदेह कुछ उच्च जातियों के भी हैं। धूम्रपान के नियम तो और भी सख्त हैं। बहुधा देखा गया है कि कोई आदमी अपनी बिरादरी के लोगों के अलावा किसी और के साथ धूम्रपान नहीं करता। इसका कारण बहुत ही स्पष्ट है कि धूम्रपान में सामान्यतः हुक्के का उपयोग किया जाता है और इसमें ज्यादा नजदीकी संबंध निहित होते हैं, यहाँ तक कि खाने से भी ज्यादा। यह नियम वास्तव में इतना कठोर है कि इस तथ्य के आधार पर जाट, अहीर और गूजर एक-दूसरे के ज्यादा सगे-संबंधी माने जाते हैं, अतः वे एक-दूसरे के साथ धूम्रपान कर सकते हैं। कुछ जातियाँ, उदाहरण के लिए कायस्थ नारियल तथा सामान्य तरीके से धूम्रपान करने के बीच अंतर रखते हैं। नारियल द्वारा धूम्रपान करने में नलकी के चारों ओर हाथ गोल करके बंद कर दिया जाता है और नली को मुँह में डाले बिना धूम्रपान किया जाता है। पात्रों के बारे में कहने की कोई आवश्यकता नहीं है। इसके भी नियम निर्धारित हैं कि किस प्रकार के बर्तन बनाए जाने चाहिए। लेकिन ये नियम सामाजिक होने के बजाए धार्मिक ज्यादा हैं। हिंदुओं को मिश्र धातु या पीतल के बर्तनों का उपयोग करना चाहिए। हालाँकि मिश्र धातु का उपयोग अनेक तथा छोटी-छोटी निषेधज्ञाओं से सीमित है और यदि यह पात्र अशुद्ध हो जाते हैं, तो उनको शुद्ध करने का तरीका केवल यह होता है कि उन्हें पुनः ढाला जाए। बर्तन जूठे हो जाने के डर के कारण हर आदमी के लिए यह आवश्यक हो जाता है कि वह अपने उपयोग के लिए कुछ निजी बर्तन रखे। इनमें कम से कम एक लोटा (पीने का पात्र), बटलोई तथा थाली होनी चाहिए। उच्च जाति के ग्रामीण लोग एक कटोरा तथा गागर इसमें और जोड़ देते हैं। दावत के लिए एक ही जाति के लोग सामान्यतः सभी प्रकार के बर्तन बड़ी मात्रा में रखते हैं, जिन्हें वे मेजबान को बरतने के लिए देते हैं। इन बर्तनों को दंड-स्वरूप प्राप्त हुए धन से खरीदा जाता है, और यह सभी की साझा संपत्ति होती है। उत्तरी भारत में साथ-साथ खाने पर केवल तभी निषेध है, जब भोजन कच्चा होता है। लेकिन दक्षिण भारत में यह निषेध पूरी तरह है, चाहे भोजन पक्का भी क्यों न हो। कच्चा भोजन पानी से और पक्का घी में बनाया जाता है।''

ऐसे मनोविकारों पर आधारित समाज-व्यवस्था में भाईचारा कैसे हो सकता है? भाईचारे की भावना तो दूर की बात है, जातियों के आपसी संबंध भी भ्रातृ-हत्या जैसे हैं। वर्ग-संघर्ष तथा वर्ग-युद्ध जैसी विचारधारा के बारे में माना जाता है कि यह कार्ल मार्क्स के लेखन से अस्तित्व में आई। यह एक भारी गलती है। भारत वह देश है; जिसने वर्ग-संघर्ष का वास्तविक अनुभव किया है। भारत वह भूमि है, जहाँ ब्राह्मणों व क्षत्रियों के बीच वर्ग-युद्ध हुआ है, जो कई पीढ़ियों तक चला है और

इतनी कटुता के साथ लड़ा गया कि इससे समूलनाश-युद्ध का वातावरण ही बन गया था।

यह नहीं माना जाना चाहिए कि भाई द्वारा भाई की हत्या करने की भावना ने भाईचारे की भावना को जन्म दिया है। हिंदू समाज व्यवस्था में पृथक्करण की ठीक वही भावना आज भी देखी जा सकती है, जो कि निम्न विवरण से स्पष्ट है–

प्रत्येक वर्ग अपनी अलग-अलग व पृथक उत्पत्ति का दावा करता है। कुछ यह दावा करते हैं कि वे अमुक ऋषि या अमुक योद्धा की संतान हैं लेकिन हरेक मामले में ऋषि या नायक भिन्न होता है, जिसका दूसरी जातियों के जनक कहे जाने वाले अन्य ऋषियों या नायकों से कोई संबंध नहीं होता। प्रत्येक जाति इस बात का ध्यान रखती है कि वह अपने को दूसरी जाति से श्रेष्ठ सिद्ध करे। इसका सही चित्रण अतिसहभोजता के नियमों तथा अतिसंगम के नियमों द्वारा किया गया है। जैसा कि श्री ब्लंट ने कहा है :

> ''यह जानना आवश्यक है कि खान-पान के संबंध में रसोइए की जाति पक्का मापदंड है। मेजबान कोई भी हो सकता है। अतः यह स्वाभाविक है कि उच्च जाति का हिंदू किसी भी जाति के व्यक्ति का खाना खा सकता है, बशर्ते मेजबान का रसोइया उपयुक्त जाति का हो। और यही कारण है कि अनेक रसोइए ब्राह्मण हैं। हिंदू, कच्चा खाना जो कि पानी से बनाया जाता है तथा पक्का खाना जो कि घी में बनाया जाता है, के बीच अंतर करता है। यह अंतर इस सिद्धांत पर आधारित है कि गाय का घी शुद्ध पदार्थ है, इसलिए अशुद्ध की आशंका नहीं रहती। इसलिए इस सुविधाजनक मान्यता के कारण हिंदू कच्चे खाने की अपेक्षा पक्के खाने के मामले में कम रूढ़िवादी होता है और तदनुसार अपने प्रतिबंधों को सीमित करता है।''
>
> निकट संबंधों के बारे में श्री ब्लंट कहते हैं–
>
> ''निकट संबंधों की परंपरा के कारण कई जातियों के शादी-व्यवहार में महत्त्वपूर्ण परिवर्तन होता है। जहाँ यह लागू होता है, वहाँ विजातीय विवाह संबंधी समूहों को उनके सामाजिक स्तर के अनुसार वर्गीकृत किया जाता है, लेकिन देता नहीं है। यह नियम राजपूतों के बीच बहुत ज्यादा प्रचलित है। लेकिन कई अन्य जातियों द्वारा भी इनका पालन किया जाता है...। वास्तव में लगभग सभी हिंदुओं के बीच अति-संकीर्णता की प्रवृत्ति पाई जाती है।''

संकीर्णता के आधार पर खान-पान और संबंधों में इन नियमों के पीछे क्या चीज रही है? इसके पीछे छोटे-बड़े की भावना के अतिरिक्त और कुछ नहीं है। सभी जातियाँ इस भावना से ग्रस्त हैं और कोई भी जाति ऐसी नहीं है जो इससे मुक्त हो। हिंदू समाज-व्यवस्था जातियों की एक सीढ़ी है, जिसमें एक के ऊपर एक को रखा गया है। यह ऐसा तराजू है, जिसमें घृणा का पलड़ा भारी से भारी होता जाएगा।

यह भावना एक जाति द्वारा दूसरी जाति पर कटाक्ष करने के उद्देश्य से बनाई गई कहावतों में परिलक्षित होता है। इसने निम्न जाति के लेखकों को अपने साहित्य में यह सुझाव देने को भी प्रेरित किया है कि तथाकथित उच्च जाति का उद्भव घटिया व शर्मनाक है। 'सहयाद्रि खड़' इसका सबसे बढ़िया उदाहरण है। यह एक पुराण है जो कि अपनी शैली में अन्य परंपरागत पुराणों से भिन्न है। इसमें भिन्न-भिन्न जातियों के बारे में वर्णन मिलता है। ऐसा करते समय इसमें अन्य जातियों की उत्पत्ति को सर्वश्रेष्ठ कहा गया है। किंतु ब्राह्मण जाति की उत्पत्ति को घृणित बताया है। इसका उत्तर नकारात्मक है। यह सिद्धांत कि आदमी स्वतंत्र पैदा होता है, हिंदू समाज-व्यवस्था के खिलाफ है। यह समाज आध्यात्मिक दृष्टिकोण से इस सिद्धांत को गलत मानता है। हिंदू समाज-व्यवस्था के अनुसार हालाँकि यह सही है कि सभी मनुष्य इस ब्रह्मांड के सृजन एवं प्रजापति की संतान हैं पर वे समान नहीं हैं, क्योंकि वे प्रजापति के शरीर के भिन्न-भिन्न अंगों से पैदा हुए हैं। ब्राह्मण उनके मुँह से, क्षत्रिय उनकी भुजाओं से, वैश्य उनकी जंघा से तथा शूद्र उनके पैरों से पैदा हुए हैं। जिन अंगों से वे पैदा हुए हैं, वे अंग असमान महत्त्व रखते हैं, इसलिए अंगों के द्वारा पैदा किए गए मनुष्य भी असमान हैं। जीव-विज्ञान के दृष्टिकोण से हिंदू समाज-व्यवस्था यह परवाह नहीं करती कि वह इस सिद्धांत की जाँच कराए कि क्या वह तथ्य पर आधारित हैं? उन्होंने यह जानने की चेष्टा नहीं कि प्रत्येक व्यक्ति गुण, स्वभाव और प्राकृतिक रूप से समान है या नहीं। यदि प्राकृतिक और स्वभावगत असमानता रहती है, तो चलो ठीक है, फिर तो यह सिद्धांत ही कचरा है कि जन्म से ही सभी भौतिक और प्रवृत्ति के आधार पर समान होते हैं। वास्तव में हिंदू समाज-व्यवस्था इस मत के प्रति उदासीन है। यह इसके नैतिक सिद्धांत के प्रति उतनी ही उदासीन है। यह इस बात को मानने से इनकार करती है कि मनुष्य अलग-अलग हैसियत में क्षमता तथा स्वभाव के दृष्टिकोण से भिन्न होते हुए भी मानव कहलाने के अधिकारी हैं और उन्हें सम्मान मिलना चाहिए तथा समाज की भलाई इसी में हो सकती है कि यदि वह अपने संगठन को इस तरह से योजनाबद्ध करें, भले ही उनकी शक्तियाँ छोटी या बड़ी हों, इसके सभी सदस्यों को समान रूप से मौका मिलना चाहिए, कि वे अपनी-अपनी शक्तियों का सर्वोत्तम उपयोग व प्रदर्शन करें। परिस्थितियों, संस्थाओं तथा जीवन के तौर-तरीकों को यह समाज-व्यवस्था अनुमति नहीं देगी। यह समतावादी परंपरा के विरुद्ध है।

यदि हिंदू समाज-व्यवस्था समानता तथा भाईचारे पर आधारित नहीं है, तो वह कौन से सिद्धांतों पर टिकी हुई है? इस प्रश्न का केवल एक ही उत्तर है। कुछ ही लोग यह समझने में समर्थ होंगे कि वे क्या हैं, लेकिन उनकी प्रकृति और हिंदू समाज पर उनके प्रभाव के बारे में कोई संशय नहीं है। हिंदू समाज-व्यवस्था का पोषण तीन

सिद्धांतों द्वारा होता है। इनमें सबसे पहला सिद्धांत है, सीढ़ीदार भेदभाव का व्यवहार। इस चरणबद्ध असमानता का यह सिद्धांत मूल सिद्धांत है और विवाद से परे है। चारों वर्ण सपाट धरातल पर नहीं रचे गए हैं, जो भिन्न होते हुए भी समान हों। ये सीढ़ीनुमा धरातल वाले हैं। ये न केवल भिन्न-भिन्न हैं, वरन् स्थिति में भी असमान हैं और एक-दूसरे के ऊपर टिके हुए हैं। मनु की योजनानुसार ब्राह्मण को पहले वर्ण में रखा जाता है। उसके नीचे का क्षत्रिय वर्ण होता है। क्षत्रिय से निचले वर्ण का वैश्व होता है, वैश्य से निचला वर्ण शूद्र होता है तथा शूद्र से अगला वर्ण जाति शूद्र या अस्पृश्य का होता है। इन वर्णों के बीच अग्रता का यह क्रम मात्र परंपरागत नहीं है। यह आध्यात्मिक, नैतिक तथा वैधानिक है। जीवन का कोई भी हिस्सा नहीं है, जो वर्गीकृत असमानता के इस सिद्धांत से अछूता हो।

इसके पक्ष में मनुस्मृति के अनेक दृष्टांत दिए जा सकते हैं। मैं इस बात को सिद्ध करने के लिए चार उदाहरण दूँगा। ये हैं दासता का नियम, ग्विाह का नियम, दंड का नियम और संस्कार का नियम तथा संन्यास का नियम। हिंदू नियम दासता को एक कानूनी प्रथा मानते हैं। मनुस्मृति में तो सात प्रकार की दासता का उल्लेख है। नारदस्मृति में दासता की पंद्रह श्रेणियाँ मिलती हैं। दासों की संख्या का यह अंतर तथा वे वर्ग जिनके अंतर्गत ये आते हैं, महत्त्वपूर्ण नहीं हैं। महत्त्वपूर्ण तो यह जानना है कि कौन किसको दास बना सकता है। इस संबंध में नारदस्मृति तथा याज्ञवल्क्य स्मृति से निम्नांकित उद्धरण दिए जा सकते हैं–

> नारद स्मृति : 5.39 चारों वर्णों के उल्टे क्रम में दासता की कोई व्यवस्था नहीं है, सिवाय इसके जब कोई आदमी अपनी जाति के लिए निर्धारित कर्तव्यों की अवहेलना करता है। दासता (इस मामले में) एक पत्नी की स्थिति जैसी होती है।
>
> याज्ञवल्क्यस्मृति : 16.183 (2) दासता वर्णों के अवरोही क्रम में होती है, आरोही क्रम में नहीं।

दासता को मान्यता प्रदान किया जाना बहुत बुरी बात थी। लेकिन यदि दासता के नियम को अपने ही हाल पर छोड़ दिया गया होता, तो इसका कम-से-कम एक परिणाम तो अच्छा होता। इससे समानता को बल मिलता। जाति-परंपरा नष्ट हो गई होती, क्योंकि इसके अंतर्गत एक ब्राह्मण अस्पृश्यों का दास बन सकता था तथा अस्पृश्य ब्राह्मणों के मालिक बन सकते थे। लेकिन यह देखा गया कि बेरोक-टोक दासता का एक समतावादी सिद्धांत था और इसे निरस्त करने का प्रयास किया गया। अतः मनु तथा उनके उत्तरवर्तियों ने इस प्रकार की दासता को मान्यता प्रदान की कि यह वर्ण-प्रथा के विपरीत दिशा में नहीं होगी। इसका तात्पर्य यह है कि एक ब्राह्मण दूसरे ब्राह्मण का दास बन सकता है लेकिन वह किसी दूसरे वर्ण के आदमी का दास नहीं बन सकता तथा वह किसी क्षत्रिय, वैश्य, शूद्र या अतिशूद्र का दास

नहीं बन सकता। दूसरी ओर, ब्राह्मण या क्षत्रिय को नहीं, एक शूद्र किसी दूसरे शूद्र तथा अतिशूद्र को अपना दास बना सकता है, लेकिन किसी ब्राह्मण, क्षत्रिय या वैश्य को नहीं। एक अतिशूद्र किसी दूसरे अतिशूद्र को ही अपना दास बना सकता है, लेकिन किसी ब्राह्मण, वैश्य या शूद्र को नहीं।

वर्गीकृत असमानता के इस सिद्धांत का एक और उदाहरण शादी-विवाह के नियमों में देखा जा सकता है। मनु ने कहा है :

> 3.12 द्विजों की पहली शादी के लिए उसी जाति की स्त्री की संस्तुति की जाती है, परंतु ऐसे लोगों के लिए, जिन्हें किसी कारण से पुनर्विवाह करना हो, उसमें वर्गों के सीधे नीचे वर्ण की स्त्रियों को वरीयता दी जाती है।
>
> 3.13 एक शूद्र स्त्री केवल शूद्र की पत्नी बन सकी है, वैश्य स्त्री एक वैश्य की पत्नी बन सकती है। वह दोनों तथा क्षत्रिय स्त्री किसी क्षत्रिय की पत्नियाँ बन सकती हैं। वह तीनों तथा ब्राह्मणी ब्राह्मण की पत्नियाँ बन सकती हैं।

वस्तुतः मनु अंतर्जातीय विवाह के खिलाफ हैं उनकी व्यवस्था हरेक वर्ग के लिए अपने ही वर्ग में शादी-विवाह करने की हैं लेकिन वह परिभाषित वर्ग के बाहर भी शादी करने को मान्यता देता हैं यहाँ फिर वह वर्गों के बीच असमानता के अपने सिद्धांत को कोई हानि न होने देने के लिए अंतर्जातीय विवाह के प्रति विशेष रूप से सजग हैं। दासता की तरह वह अंतर्जातीय विवाह की अनुमति तो देता है, पर उल्टे क्रम में नहीं। यदि कोई ब्राह्मण अपनी बिरादरी से बाहर विवाह कर सकता है तो वह अपने से निचले वर्ण की किसी भी स्त्री से विवाह करने के लिए स्वतंत्र है, अर्थात वह वैश्य तथा शूद्र स्त्री के साथ विवाह कर सकता है, लेकिन अपने से ऊपर के ब्राह्मण वर्ण की स्त्री के साथ विवाह नहीं कर सकता है। एक वैश्य अपने से निचले शूद्र वर्ण की स्त्री से विवाह कर सकता है, लेकिन वह अपने से उच्च वर्णों, ब्राह्मण स्त्री तथा क्षत्रिय स्त्री से विवाह नहीं कर सकता।

तीसरा उदाहरण विधान के नियम में पाया जा सकता है, जिसकी स्थापना मनु ने की है। पहला उदाहरण गवाहों के साथ किए जाने वाले बर्ताव से संबंधित है, गवाहों को निम्नांकित ढंग से शपथ लेनी होती है :

> 8.87 शुद्ध हृदय न्यायकर्ता शुद्ध तथा सत्य वक्ता द्विज को कई बार पुकारेगा कि वह किसी देवता की प्रतिमा या ब्राह्मण की प्रतीक प्रतिमा के समक्ष पूर्व या उत्तर की ओर मुख करके पूर्वाह्न समय में अपनी गवाही दे।
>
> 8.88 न्यायाधीश ब्राह्मण से 'कहो' क्षत्रिय से 'सत्य कहो वैश्य से गो बीज और स्वर्ण की चोरी के पाप की झूठी गवाही से तुलना करते हुए तथा शूद्र से उन सभी पापों जो मनुष्य कर सकता है, के दोषों की झूठी गवाही से तुलना करते हुए गवाही देने को कहेगा।

मनु द्वारा निर्धारित अपराधों के दंड का उदाहरण लें। सबसे पहले मानहानि

के लिए दंड की चर्चा करते हैं :

8.267 यदि कोई क्षत्रिय किसी पुरोहित की मानहानि करता है तो उस पर सौ पण का जुर्माना किया जाएगा; यदि कोई वैश्य पुरोहित की मानहानि करता है तो उस पर एक सौ पचास या दो सौ पण का जुर्माना किया जाएगा। लेकिन ऐसे किसी अपराध के लिए किसी शिल्पी या दास व्यक्ति को कोड़े लगाए जाएँगे।

8.268 यदि कोई पुरोहित किसी क्षत्रिय की मानहानि करे तो उस पर पचास पण का जुर्माना किया जाएगा। यदि वह किसी वैश्य की मानहानि करता है तो उस पर पच्चीस पण का जुर्माना किया जाएगा तथा दास वर्ण के किसी व्यक्ति की भर्त्सना करने पर उस पर बारह पण का जुर्माना किया जाएगा।

अपमान का अपराध लें। मनु द्वारा निर्धारित दंड इस प्रकार है :

8.270 यदि कोई शूद्र व्यक्ति किसी द्विज की ओर भर्त्सना करता है तो उसकी जीभ काट दी जाए। क्योंकि उसने ब्रह्मा के निम्नतम भाग से जन्म लिया है।

8.271 यदि शूद्र उनके नामों तथा वर्णों का अपमानपूर्ण तरीके से उल्लेख करता है, मानो वह कहता है, अरे देवदत्त, तू ब्राह्मण नहीं है तो दस अंगुली लंबी लोहे की गर्म शलाका उसके मुँह में डाली जाएगी।

8.272 यदि शूद्र घमंडपूर्वक पुरोहितों को उनके कर्तव्यों के लिए निर्देश देता है, तो राजा उसके मुँह तथा कान में गर्म तेल डालने का आदेश देगा।

गाली देने के अपराध का दंड। मनु ने कहा है :

8.276 यदि कोई पुरोहित तथा क्षत्रिय आपस में गाली-गलौज करते हैं तो इस संबंध में जुर्माना विद्वान राजा द्वारा किया जाएगा और वह दंड या जुर्माना पुरोहित पर सबसे कम तथा क्षत्रिय पर उससे अधिक किया जाएगा।

8.277 उपरोक्त अपराध यदि कोई वैश्य शूद्र करते हैं तब उन्हें जबान काटने की सजा छोड़कर शेष सभी प्रकार का दंड उनकी जाति के अनुसार दिए जाए, दंड का यह निर्धारित नियम है।

प्रहार या मारपीट के अपराध के दंड के रूप में मनु का सिद्धांत इस प्रकार है :

8.279 जिस अंग द्वारा नीच जाति में जन्मा व्यक्ति ऊँची जाति के व्यक्ति पर हमला करेगा या उसे चोट पहुँचाएगा, उसका वह अंग काट लिया जाएगा, यह मनु का अध्यादेश है।

मनु के अनुसार अहंकार के अपराध का दंड इस प्रकार होगा :

8.281 नीच जाति का कोई व्यक्ति यदि उच्च जाति के व्यक्ति के साथ उसी स्थान पर अभद्रता के साथ बैठेगा, तो उसके कूल्हे को दाग दिया जाएगा तथा उसे देश निकाला दे दिया जाएगा या राजा उसके नितंब पर गहरा घाव करवा देगा।

8.282 यदि वह घमंड के साथ उस पर थूकता है, तो राजा उसके दोनों होठों को यदि वह उस पर पेशाब करता है तो उसके लिंग को यदि वह अपाल वायु छोड़े तो उसकी गुदा को कटवा देगा।

8.283 यदि वह ब्राह्मण को बालों से पकता है, या इसी तरह यदि वह उसका पैर या गला या अंडकोष पकड़कर खींचता है, तो राजा बिना किसी हिचक या संकोच के उसके हाथों को कटवा दे।

व्यभिचार के अपराध के लिए दंड के बारे में मनु ने कहना है :

8.359 यदि कोई शूद्र किसी पुरोहित की पत्नी के साथ वास्तव में व्यभिचार करता है, तो उसे मृत्यु दंड मिलना चाहिए। पत्नियों के मामले में सभी चारों वर्णों की स्त्रियों की विशेष रूप से रक्षा की जानी चाहिए।

8.366 यदि कोई शूद्र किसी उच्च जाति की युवती से प्यार करता है, तो उसे मृत्यु का दंड मिलना चाहिए परंतु यदि वह कोई समान वर्ग की किसी कन्या से प्यार करता है, तो उसे उस कन्या से शादी करनी होगी, बशर्ते उस कन्या का पिता इसके लिए इच्छुक हो।

8.374 यदि कोई शूद्र किसी द्विज स्त्री के साथ संभोग करता है, चाहे वह स्त्री घर पर सुरक्षित है अथवा असुरक्षित, उसे उसी प्रकार दंड दिया जाएगा। यदि स्त्री असुरक्षित है तो अपराधी के लिंग को कटवा कर तथा उसकी संपत्ति को जब्त कर दंडित किया जाए। यदि वह रक्षित है तो अपराधी की संपत्ति को जब्त कर उसे प्राण दंड दिया जाए।

8.375 रक्षित ब्राह्मणी के साथ व्यभिचार करने पर वैश्य एक वर्ष की सजा के बाद अपनी समस्त धन संपत्ति खो देगा, क्षत्रिय पर एक हजार पण जुर्माना किया जाएगा और गधे के मूत्र से उसका मुंडन किया जाएगा।

8.376 लेकिन यदि कोई वैश्य या क्षत्रिय किसी अरक्षित ब्राह्मणी के साथ व्यभिचार करता है, तो राजा वैश्य पर पंच सौ पण तथा क्षत्रिय पर एक हजार पण का केवल जुर्माना करेगा।

8.377 लेकिन यदि ये दोनों किसी न केवल रक्षित पुरोहितानी वरन् किसी प्रसिद्ध व्यक्ति की पत्नी के साथ व्यभिचार करते हैं, तो वे शूद्रों के समान दंडनीय हैं और तृणाग्नि में जलाने योग्य हैं।

8.382 यदि कोई वैश्य किसी रक्षित क्षत्रिय स्त्री के साथ या कोई क्षत्रिय किसी रक्षित वैश्य स्त्री के साथ व्यभिचार करता है तो उन दोनों को वही दंड दिया जाएगा जो अरक्षित ब्राह्मण के मामले में दिया जाता है।

8.383 लेकिन यदि कोई ब्राह्मण इन दोनों वर्णों की किसी रक्षित स्त्री के साथ व्यभिचार करता है, तो उस पर एक हजार पण का जुर्माना किया जाना चाहिए, और शूद्र स्त्री के साथ व्यभिचार करने पर क्षत्रिय या वैश्य पर भी एक हजार

पण का जुर्माना किया जाना चाहिए।

8.384 यदि कोई वैश्य किसी रक्षित क्षत्रिय स्त्री के साथ व्यभिचार करता है तो जुर्माना पाँच सौ पण होगा, लेकिन यदि कोई क्षत्रिय किसी वैश्य स्त्री के साथ व्यभिचार करता है तो उसका सिर मूत्र में मुंडवा देना चाहिए या उससे उल्लिखित जुर्माना लेना चाहिए।

हिंदू तथा गैर हिंदू अपराध न्याय शास्त्र में कितना विचित्र अंतर है। हिंदुत्व में कितनी असमानता है, यह उसके अपराध न्याय शास्त्र में स्पष्ट रूप से दिखाई देती है। न्याय की भावना से युक्त दंड संहिता में हमें दो चीजें देखने को मिलती हैं—एक वह वर्ग जो अपराध को परिभाषित करने का कार्य करता है तथा दूसरा वह वर्ग जो अपराध करने के लिए दंड के न्यायोचित स्वरूप का निर्धारण और नियमों का निर्धारण करता है कि अपराध करने वाले सभी लोग समान दंड के अधिकारी हैं। लेकिन मनु में हम क्या पाते हैं? पहले तो दंड की प्रणाली न्यायोचित नहीं है। किसी अपराध का दंड संबंधित उद्गम अंग को दिया जाता है, जैसे पेट, जीभ, नाक, आँख, कान, जनेन्द्रिय आदि, गानो कि अपराध करने वाले अंग की कोई अलग इच्छा हो और जो मानव की अतिजीवी सत्ता नहीं है। मनु की दंड-संहिता की दूसरी विशेषता यह है कि इसके अंतर्गत दंड की प्रकृति अमानवीय है, जो अपराध की गंभीरता से मेल नहीं खाती है। लेकिन उसकी सबसे अधिक विस्मयकारी विशेषता उस समय अपने विकराल रूप में दिखाई देती है, जब एक ही अपराध के लिए असमान दंड दिया जाता है। यह असमानता न केवल अपराधकर्ता को दंडित करने के लिए बनाई गई है, बल्कि मर्यादा की रक्षा करने और न्याय पाने के लिए न्यायालय में आने वाले पक्षों की अधीनता को बनाए रखने के लिए बनाई गई है, दूसरे शब्दों में, यह सामाजिक असमानता को बनाए रखने के लिए बनाई गई है। जिस पर उनकी पूरी योजना आधारित है।

क्रमिक असमानता का यह सिद्धांत आर्थिक क्षेत्र में भी घुसा बैठा है। हिंदू समाज-व्यवस्था का सिद्धांत यह नहीं है कि 'किसी की हैसियत के अनुसार लो और आवश्यकतानुसार दो।' हिंदू समाज-व्यवस्था का सिद्धांत है, आवश्यकतानुसार लो और श्रेष्ठता के अनुसार दो। मानो कि कोई अधिकारी अकाल से पीड़ित लोगों को अनुदान बाँट रहा हो, तो वह निम्न वर्ग के लोगों की तुलना में उच्च वर्ग के लोगों को अधिक अनुदान देने के लिए बाध्य होगा। इसी तरह मानो कोई अधिकारी कर लगा रहा हो तो वह उच्च वर्ग के व्यक्ति पर कम कर लगाएगा और निम्न वर्ग के व्यक्ति पर अधिक कर लगाएगा। हिंदू समाज व्यवस्था समान आवश्यकता, समान कार्य, या समान योग्यता पर समान पारिश्रमिकता को मान्यता प्रदान नहीं करती। जीवन में अच्छी चीजों के वितरण के संबंध में इसका एकमात्र लक्ष्य यह है कि जिन लोगों को सर्वश्रेष्ठ माना जाता है, उन्हें सबसे अधिक और सबसे अच्छा मिलना चाहिए

और जो लोग निम्न वर्ग के अंतर्गत आते हैं, उन्हें निम्नतम तथा निकृष्टतम पर ही संतोष कर लेना चाहिए।

यह सिद्ध करने के लिए और कुछ आवश्यक प्रतीत नहीं होता कि हिंदू समाज व्यवस्था वर्गीकृत असमानता के सिद्धांत पर आधारित है। यह सामाजिक जीवन के सभी क्षेत्रों में व्यापक है। सामाजिक जीवन का प्रत्येक पक्ष समानता के खतरे के प्रति सचेत है।

हिंदू समाज व्यवस्था का दूसरा सिद्धांत जिस पर हिंदू समाज व्यवस्था आधारित है, वह प्रत्येक वर्ग के लिए व्यवसाय का निर्धारण और वंशानुक्रम के आधार पर उसके जारी रहने का सिद्धांत है। मनु चारों वर्णों के व्यवसायों के बारे में ऐसा कहता है :

> 1.87 इस ब्रह्मांड की रक्षा करने हेतु, ईश्वर ने अपने मुँह, अपनी भुजा, अपनी जंघा तथा अपने पैरों से पैदा हुए लोगों के लिए अलग-अलग व्यवसाय (कर्म) निर्धारित किए।
>
> 1.88 ब्राह्मणों के लिए उसने पढ़ना और पढ़ाना (वेद), अपने तथा दूसरों के लाभ के लिए यज्ञ कराना और करना, दान देना और लेना, कर्म निर्धारित किए हैं।
>
> 1.89 लोगों की रक्षा करना, दान देना, यज्ञ करना, अध्ययन (वेद) करना, विषय में आसक्ति नहीं रखना कर्मों का आदेश उसने क्षत्रिय के लिए दिया है।
>
> 1.90 वैश्यों के लिए पशुओं को पालना, दान देना, यज्ञ करना, धार्मिक ग्रंथों को पढ़ना, व्यापार करना, ब्याज पर पैसा उधार देना, खेती करना जैसे कार्य निर्धारित किए गए हैं या उन्हें करने की अनुमति दी गई है।
>
> 1.91 ब्रह्मा ने शूद्र के लिए जो एक सबसे प्रमुख कार्य सौंपा है, वह है बिना किसी उपेक्षाभाव के उक्त तीनों वर्गों की सेवा करना।
>
> 10.74 ऐसे ब्राह्मण जो उत्कृष्ट देवत्व प्राप्त करने के इच्छुक हैं और अपने कर्तव्य के प्रति दृढ़ हैं, वे छह कार्यों को क्रमानुसार पूर्णरूपेण निष्पादित करें।
>
> 10.75 वेदों का अध्ययन करना, दूसरों को वेदों का अध्ययन कराना, यज्ञ करना और दूसरों को यज्ञ करने में सहायता करना, अपने पास प्रचुर संपत्ति होने पर गरीबों को दान देना, स्वयं के गरीब होने पर सदाचारी लोगों से दान स्वीकार करना, ये अग्रज वर्ग के छह निर्धारित कार्य हैं।
>
> 120.76 ब्राह्मण के इन छह कार्यों में से ये तीन कार्य उसकी जीविका से संबंधित हैं—यज्ञ करने में सहायता कराना, वेदों का अध्यापन तथा सदाचारी व्यक्ति से दान प्राप्त करना।
>
> 10.77 ये तीन कार्य ब्राह्मण के लिए सुरक्षित है और उन्हें क्षत्रिय नहीं कर सकता वेदों का अध्यापन, यज्ञ कराना तथा तीसरा, दान स्वीकार करना।

10.78 ये उपरोक्त तीनों कार्य (निर्धारित कानून के अनुसार) वैश्य के लिए निषिद्ध हैं, क्योंकि लोकाधिपति मनु ने क्षत्रिय और वैश्य, दोनों वर्गों के लिए इन कार्यों को निर्धारित नहीं किया है।

10.79 क्षत्रिय की जीविका के साधन हैं, जैसे शस्त्र धारण करना, या तो हमला करने के लिए या हाथ से चलाने वाले शस्त्र वैश्य के लिए व्यापार, पशु पालन तथा कृषि; लेकिन अपने अग्रिम जीवन को सफल बनाने के लिए भिक्षा देना, अध्ययन करना तथा यज्ञ कराना दोनों के कर्म हैं।

प्रत्येक सदस्य उस वर्ण-विशेष के लिए निर्धारित व्यापार को ही करेगा, जिस वर्ण का वह है। इसमें व्यक्तिगत चयन, व्यक्तिगत रुझान का कोई स्थान नहीं है। हिंदू समाज व्यवस्था से बँधा हुआ है। यह एक ऐसा कठोर नियम है कि इससे बचा नहीं जा सकता।

यह सिद्धांत व्यवसाय के निर्धारण तक ही सीमित नहीं रह जाता। यह कई व्यवसायों को उनके सम्मान की दृष्टि से श्रेणीबद्ध भी करता है। मनु कहता है :

10.80 जीविकोपार्जन के लिए अनेक व्यवसायों में से ब्राह्मणों, क्षत्रियों, वैश्यों के लिए सबसे अधिक प्रशंसनीय व्यवसाय क्रमश : वेदों को पढ़ना व पढ़ाना, लोगों की रक्षा करना तथा व्यापार करना है।

हिंदू समाज व्यवस्था का तीसरा सिद्धांत जिस पर हिंदू समाज व्यवस्था आधारित है, वह लोगों को उनके संबंधित वर्गों के खूँटे से बाँधना है। यह कोई विचित्र बात नहीं है, कि हिंदू समाज-व्यवस्था वर्गों को स्वीकारती है। हर जगह वर्ग है और कोई भी समाज वर्गहीन समाज नहीं है। परिवार, दल, क्लब, राजनीतिक दल, आपराधिक षड्यंत्रों में संलग्न अवैध गिरोह, लोगों को लूटने वाले व्यावसायिक निगम, संसार के सभी भागों में तथा सभी समाजों में पाए जाते है। स्वतंत्र व्यवस्था भी वर्गों से छुटकारा नहीं पा सकती। स्वतंत्र समाज व्यवस्था का उद्देश्य व लक्ष्य पृथक्करण व अलगाव को रोकना होता है। जो वर्गों द्वारा अनुकरण करने के लिए एक आदर्श स्थिति मानी जाती है। चूँकि जो वर्ग पृथक्करण और अलगाव नहीं अपनाते हैं, वे एक-दूसरे के प्रति अपने-अपने संबंधों में असामाजिक माने जाते हैं। पृथक्करण से वर्ग-चेतना के संबंध में कठोरता आ जाती है, सामाजिक जीवन लामबंद हो जाता है और स्वार्थी तत्त्व आदर्शवादी तत्त्वों पर छा जाते हैं। पृथक्करण से जीवन गतिहीन हो जाता है, विशेषाधिकार युक्त और गैर-विशेषाधिकार युक्त मालिक तथा नौकर के बीच अलगाव बना रहता है।

किसी समाज में वर्गों का होना स्वतंत्र समाज-व्यवस्था के लिए उतना प्रतिकूल नहीं है, जितना कि पृथक्करण और अलगाव की भावना। स्वतंत्र समाज व्यवस्था के अंतर्गत समाज में समरसता की धारा प्रवाहित रहती है। यह केवल तभी संभव है, जब वर्गों को सामान्य हितों, उत्तरदायित्वों में भागीदारी करने का अवसर मिले

और समान्य रूप से जीवन मूल्यों का अधिकार मिले यदि चारों ओर स्वतंत्र व्यवस्था हो जाए जिसके अंतर्गत लेन-देन के समान अवसर उपलब्ध हों तो ऐसे समाज-संबंधों से रीति-रिवाज, मानसिक दृष्टिकोण सजग तथा व्यापक होता है और इसके लिए काल ही नहीं, विचारों की गतिशीलता की आवश्यकता है। हिंदू समाज-व्यवस्था के बारे में जो चीज ध्यान आकर्षित करती है, वह हिंदू समाज के विभिन्न वर्गों के बीच आंतरिक विवाह पर प्रतिबंध है। इसके अंतर्गत दूसरी जाति के साथ भोजन करने और अंतर्जातीय विवाह पर प्रतिबंध है। लेकिन मनु तो सामान्य सामाजिक संसर्ग तक का निषेध करता है। मनु के अनुसार :

> 4.244 वंश को उन्नत करने की इच्छा करने वाला सर्वदा बड़ों के साथ संबंध करे और अपने से नीचों को छोड़ दे।
>
> 4.245 बड़ों के साथ संबंध करता हुआ और नीचों का त्याग करता हुआ ब्राह्मण श्रेष्ठता को पाता है। इसके विरुद्ध आचरण करता हुआ शूद्रता को पाता है।
>
> 4.79 उसे बड़े अपराधों के लिए जाति से निष्कासित पतित व्यक्ति, चांडाल, पुल्कस, मूर्ख, धन के कारण अभिमानी, अंत्यज और अंत्यावसायी के साथ एक ही वृक्ष की छाँव में नहीं बैठना चाहिए।

हिंदू समाज-व्यवस्था भाईचारे के खिलाफ है। इसमें समानता के सिद्धांत को कोई स्थान नहीं है। समानता को मान्यता प्रदान करने के बजाय यह असमानता को अपना आधिकारिक सिद्धांत बनाती है। स्वतंत्रता के बारे में स्थिति यह है कि व्यवसाय के चयन के बारे में कोई स्वतंत्रता नहीं है। प्रत्येक का उसके लिए निर्धारित अपना व्यवसाय है। उसे तो बस वही करते रहना है। जहाँ तक अभिव्यक्ति की स्वतंत्रता का सवाल है, यह स्वतंत्रता है, लेकिन यह केवल उन्हीं लोगों के लिए है, जो समाज व्यवस्था के पक्षधर हैं। ऐसी स्वतंत्रता नहीं है जिसके बारे में वाल्टेयर ने कहा था, आप जो कुछ भी कहते हैं मैं उसे पूरी तरह से अस्वीकृत करता हूँ और मैं मरते दम तक ऐसा कहने के इस अधिकार की रक्षा करूँगा। यह उस समय स्पष्ट हो जाता है, जब मनु तर्क-शास्त्र तथा न्याय के बारे में कहता है :

> 4.29-30 जिस गृहस्थ के घर में शक्ति के अनुसार, आसन, भोजन, शैया, जल और कंदमूल से अतिथि का सम्मान नहीं होता, उसमें कोई अतिथि निवास न करे।
>
> उसे विधर्मी, वे व्यक्ति जो निषिद्ध व्यवसाय करते हैं, वे लोग जो बिल्लियों, दुष्टों, तर्क शस्त्रियों (वेदों के खिलाफ बहस करने वाले) और वक की तरह रहते हैं, ऐसे लोगों द्वारा किए जाने वाले सम्मान को स्वीकार नहीं करना चाहिए।
>
> 2.10 वेद को श्रुति और धर्म-शास्त्र को स्मृति जानना चाहिए, वे सभी विषयों में तर्क के योग्य नहीं हैं, क्योंकि उन दोनों में ही धर्म का प्रादुर्भाव होता है।
>
> 2.11 प्रत्येक द्विज, जो न्यायविदों पर निर्भर करता है, और तर्कशास्त्र तथा

उपचार इन दोनों स्रोतों (कानून के) को घृणा की दृष्टि से देखता है, वेद-निदंक है, वह मनुष्य सज्जनों द्वारा बहिष्कृत करने योग्य है।

2.12 वेद, पवित्र स्मृति, आचार और मन की प्रसन्नता-ये चार धर्म के साक्षात लक्षण हैं।

इसका कारण उस समय स्पष्ट हो जाता है, जब मनु कहता है :

2.6 सब वेद, उनको जानने वालों की स्मृति और ब्राह्मणत्व, महात्माओं का आचरण और अपने मन की प्रसन्नता–ये सब धर्म के मूल हैं।

2.7 मनु ने जिस किसी का जो धर्म कहा है, वह धर्म वेदों में कहा गया है। मनु सब वेदों के अर्थों के ज्ञाता हैं।

इस स्वतंत्रता में न्यायविदों के लिए कोई स्वतंत्रता नहीं है, तर्कशास्त्रियों के लिए समाज-व्यवस्था की समालोचना की भी स्वतंत्रता नहीं है, जिसका तात्पर्य यह है कि कहीं भी कोई स्वतंत्रता नहीं है।

कार्य करने की स्वतंत्रता की स्थिति कैसी है? कार्य-चयन के मामले में हिंदू समाज-व्यवस्था में कोई स्थान नहीं है। हिंदू समाज-व्यवस्था व्यक्ति को कोई अधिकार नहीं देती है। उसके व्यवसाय को स्वयं निर्धारित करती है, यह उसकी हैसियत भी निर्धारित करती है। व्यक्ति विशेष को तो विधान का पालन ही करना होता है।

ठीक यही बात राजनीतिक स्वतंत्रता के बारे में कही जा सकती है। हिंदू समाज-व्यवस्था में लोगों द्वारा चुने गए प्रतिनिधियों से बनी प्रतिनिधि सरकार की आवश्यकता को कोई मान्यता नहीं दी जाती। प्रतिनिधि सरकार इस सिद्धांत पर आधारित होती है कि लोगों पर कानून का राज्य हो और कानून लोगों के प्रतिनिधियों द्वारा ही बनाया जा सकता है। समाज-व्यवस्था में इस प्रतिपाद्य विषय के प्रथम भाग को ही मान्यता प्रदान की है, जिसके अनुसार लोगों के ऊपर कानून का राज्य होगा। लेकिन यह इस प्रतिपाद्य विषय के दूसरे भाग की उपेक्षा करती है, जिसके अनुसार नियम (कानून) लोगों द्वारा चुने गए प्रतिनिधियों द्वारा ही बनाए जा सकते हैं। हिंदू समाज-व्यवस्था का सिद्धांत यह है कि जिस कानून के द्वारा लोग शासित होते हैं, वह कानून पहले से ही बना हुआ है और वह वेदों में उपलब्ध है। किसी को भी इस कानून में संशोधन का अधिकार नहीं है। ऐसा होने के कारण लोगों द्वारा चुनी गई प्रतिनिधि सभा अनावश्यक हो जाती है। राजनीतिक स्वतंत्रता वह स्वतंत्रता होती है, जिसमें कानून बनाने की स्वतंत्रता होती है और सरकार को बनाने या बदलने का कोई तात्पर्य नहीं है जिसके लिए हिंदू समाज-व्यवस्था में स्थान ही नहीं है।

संक्षेप में, हिंदू समाज-व्यवस्था एक ऐसी व्यवस्था है, जो वर्णों पर आधारित है, न कि व्यक्तियों पर। यह वह व्यवस्था है, जिसमें वर्णों को एक-दूसरे के ऊपर श्रेणीबद्ध किया गया है। यह एक ऐसी व्यवस्था है, जिसमें वर्णों की प्रतिष्ठा तथा कार्य-निर्धारण निश्चित है। हिंदू समाज-व्यवस्था एक कठोर सामाजिक प्रणाली है।

इस बात से उसे कोई लेना-देना नहीं कि किसी व्यक्ति के पद और प्रतिष्ठा में अपेक्षाकृत परिवर्तन हो, लेकिन वह जिस वर्ण में पैदा हुआ है, उस वर्ण के सदस्य के रूप में उसकी सामाजिक स्थिति दूसरे वर्ण के दूसरे व्यक्ति के संदर्भ में किसी भी तरह से प्रभावित नहीं होगी। उच्च वर्ण में जन्मे और निम्न वर्ण में जन्मे व्यक्ति की नियति उसका जन्मजात वर्ण ही है।

कुछ भाषण-अंश

हमारी दुरवस्था का मूल कारण हिंदू धर्म

इस अधिवेशन (कानुपर) में हिंदुस्तान के अधिकांश प्रांतों से प्रतिनिधि उपस्थित हुए हैं। विशाल जनसमुदाय देखकर मुझे बहुत राहत महसूस हो रही है। परंतु इस समुदाय में स्त्रियाँ बहुत कम हैं। हमारे महाराष्ट्र में स्त्रियाँ सभी सभाओं में हाजिर रहती हैं। हमारी ओर स्त्रियाँ परदा नहीं रखतीं। पति एवं पत्नी दोनों ही समान रूप से सामाजिक कार्यों में भाग लेते हैं। आप लोगों को भी ऐसे ही भाग लेना चाहिए, वरना हमारे समाज का उद्धार संभव नहीं।

अस्पृश्यों ने यदि कानों से वेद का श्रवण किया तो उनके कान में शीशे का पिघला रस डाला जाए, यदि जीभ से उच्चारण किया तो उनकी जीभ काट देनी चाहिए, ऐसा हिंदू धर्म में लिखा है। शंबूक अस्पृश्य था, इसीलिए राम ने उसका वध किया। उसी राम को हिंदू धर्म देवता मानता है। आश्चर्य यह है कि जिस धर्म ने हमारी ऐसी अवहेलना की, हमें इंसानियत की जिंदगी से दूर कर दिया, हममें से बहुत-से लोग उसी धर्म से चिपके हुए हैं। यदि हमें अपनी दुर्दशा समाप्त करनी हो तो हमें हिंदू धर्म पूरी तरह त्याग देना चाहिए। हिंदू धर्म छोड़े बिना हमारे दुःख कभी नष्ट नहीं होंगे।...

—कानपुर, 19452

कुछ अंश

हिंदू शासन का लोप होकर मुगल साम्राज्य कैसे आया और मराठा शक्ति नष्ट होकर ब्रिटिश-राज्य कैसे स्थापित हुआ, इस बारे में विद्वानों के अपने-अपने मत हैं। परंतु वे सभी भ्रामक हैं। विदेशियों ने इस देश में अपनी जो सत्ता जमाई, वह सिर्फ सैन्य बल पर ही। जिस तरह से राजनैतिक सत्ता-परिवर्तन हुए, विदेशियों ने सेना कहाँ से उपलब्ध की, यह एक महत्त्वपूर्ण प्रश्न है। हिंदुस्तान के इतिहास में यह एक विलक्षण

घटना है कि आक्रामकों ने इस देश को अपने अधीन किया इसी देश के लोगों की सेना के माध्यम से। एक कदम और आगे बढ़ें तो इस देश की स्वतंत्रता नष्ट करने के लिए बनाई गई सेना में कौन लोग शामिल थे, इस प्रश्न पर विचार करते ही स्पष्ट हो जाएगा कि अस्पृश्यता ने इस देश को किस प्रकार धूल में मिलाया। विदेशियों की सहायता करके उनका राज्य स्थापित करने में अग्रणी भूमिका निबाहने का कार्य अस्पृश्य वर्ग ने ही किया। अस्पृश्यों ने देशद्रोह किया, यह गलत हुआ, परंतु इसका पाप उन पर है, जिन्होंने मानव-द्रोह का अत्याचार किया। मानव-द्रोह की यह परंपरा नष्ट हुए बिना देशद्रोह की परंपरा कभी नष्ट नहीं होगी।...

अस्पृश्य समाज में संगठन नहीं है। अस्पृश्य लोग अब तक आपस में छूत-छात मानते हैं। ब्राह्मणों से भी बड़ा प्लेग हमारे अंदर है। अतः जाति धर्म हमारे मध्य से नष्ट होना चाहिए। मैं जाति-पाँति नहीं मानता। जाति मानने वाला नेता नहीं बन सकता, यह मेरा पच्चीस वर्ष का अनुभव है। मैं अस्पृश्य समाज को राजनैतिक अधिकार दिलवाने का कार्य कर रहा हूँ। मुझसे बहुत-से लोग पूछते हैं कि मैं पूरे देश की स्वतंत्रता के लिए कार्य क्यों नहीं करता? पंडित जवाहरलाल नेहरू को देश के लिए हजारों कॉलेज विद्यार्थी मिल सकते हैं, लेकिन अस्पृश्यों के लिए कार्य करने के लिए नेहरू का कोई कॉलेज विद्यार्थी आगे नहीं आएगा। फिर यह कार्य कौन करेगा? यह काम अपना है, हमें ही करना चाहिए। देश के लिए बहुत से लोग हैं। अस्पृश्यों के लिए हमारे सिवाय कोई नहीं है। मैं तो यही कार्य करता रहूँगा। जिस काम में आठ कोटि पददलित, कुचले लोगों का उद्धार है, वही खरे अर्थ में स्वराज्य प्राप्ति का कार्य है।...

...हम ब्राह्मणों के विरुद्ध नहीं हैं, यह बात स्पष्ट करना चाहते हैं। हमारा कटाक्ष ब्राह्मणवाद पर है। ब्राह्मण हमारे शत्रु नहीं हैं, पर ब्राह्मणवाद से ग्रस्त लोग हमारे बैरी हैं, हम ऐसा समझते हैं। इस भावना से प्रेरित होने के कारण ब्राह्मणवादग्रस्त ब्राह्मणेतर आदमी हमें दूर प्रतीत होता है और ब्राह्मणवाद रहित ब्राह्मण नजदीक का लगता है।...

सामाजिक उन्नति की सर्वकुंजी राजनैतिक शक्ति

सभी प्रकार की सामाजिक उन्नति की कुंजी राजनैतिक शक्ति है। यदि अनुसूचित जाति ने संगठित होकर भारत में एक तीसरी राजनैतिक शक्ति बनाई और कांग्रेस तथा समाजवादियों के सामने एक तीसरी शक्ति के रूप में खड़ा कर लिया तो अपनी मुक्ति का द्वार वे स्वयं खोल सकते हैं।

अनुसूचित जाति कांग्रेस में समाविष्ट होकर राजकीय शक्ति प्राप्त नहीं कर सकती। कांग्रेस बहुत बड़ा संगठन है। यदि हमने उसमें प्रवेश किया तो समुद्र में पानी की बूँद गिरने जैसी स्थिति होगी। कांग्रेस के लोग बड़े अहंकारी हैं। उस संगठन

में जाकर तुम ऊँच पदों पर नहीं चढ़ सकते। कांग्रेस में शामिल होने से केवल तुम्हारे शत्रुओं की ही शक्ति बढ़ेगी।

कांग्रेस एक जलता हुआ घर है और उसके अंदर जाकर तुम अपना कुछ भला नहीं कर पाओगे। दो-चार वर्षों में कांग्रेस का यह घर अगर गिर पड़े तो मुझे कोई आश्चर्य नहीं होगा। (समाजवादी) लोग कांग्रेस से बाहर निकल आए हैं। कांग्रेस के हर गुट में फूट पड़ी हुई है, जिससे लगता है कि इसकी शक्ति धीरे-धीरे कम होती जाएगी।

हमें एक तीसरी शक्ति के रूप में संगठित होना चाहिए, ताकि चुनाव के समय जब कांग्रेस या सोशलिस्टों के पास पूर्ण बहुमत न हो तो दोनों को ही हमारे पास मतों के लिए भीख माँगने आना पड़े। ऐसे समय में हम दोनों पक्षों के बीच शक्ति संतुलन का काम कर सकेंगे तथा अपनी राजनैतिक और सामाजिक उन्नति के लिए उनसे कुछ शर्तें मानवा सकेंगे।

बारह वर्ष पहले लोथियन कमिटी के सदस्य के रूप में मैं लखनऊ आया था। उस समय की अपेक्षा अनुसूचित जाति के लोगों में राजनैतिक जागृति आज अधिक दिखाई दे रही है, यह आनंद का विषय है। आपने उत्तर प्रदेश में सत्याग्रह किया है। अपने समाज के लिए आपने जो त्याग किया, उसके लिए मैं आपका अभिनंदन करता हूँ। इससे यह स्पष्ट होता है कि यदि हमने अपने उद्देश्य की पूर्ति के लिए कमर कस ली है तो मार्ग में आने वाले हर संकट का सामना करके हम अपना ध्येय प्राप्त कर सकेंगे।

कांग्रेस की सरकार में हिस्सा लेने से अनेक अनुसूचित जातियों में गलतफहमी फैल गई है। मैं उस गलतफहमी और शंका को दूर करना चाहता हूँ। अंग्रेजों ने अपने वचन का पालन नहीं किया और हिंदू, मुसलमान तथा सिख इन तीन जमातों के मध्य सत्ता का बँटवारा करना तय किया।

पिछले 25 वर्ष से मैं कांग्रेस के विरुद्ध लड़ता रहा हूँ। परंतु अब वक्त आने पर मैं क्यों चुप बैठा हूँ। इसका उत्तर मेरे पास यही है कि सदैव लड़ते रहना ही युद्ध-कौशल नहीं है। अन्य मार्गों से भी काम निकले तो निकालना चाहिए।

ब्रिटिश लोगों ने हमें आधे रास्ते पर छोड़कर हमारी दुर्दशा करा दी है। हमारे समाज में एकता नहीं थी। हममें जयचंद भी बहुत थे। ऐसी स्थिति में एक बलशाली संगठन से दो-दो-हाथ करना या करते रहना हमारे समाज के लिए हितकारी नहीं था। इसलिए हमने समझौते की नीति का अवलंब लेकर इसके द्वारा बहुत अंशों में सफलता प्राप्त कर ली है। बहुत अंशों में यह सच है कि जो हमें चाहिए था, वह पूर्णतः हमें नहीं मिला है। फिर भी हमें बहुत कुछ प्राप्त हुआ है। हमने सरकारी नौकरी एवं विधान सभा में सुरक्षित जगह प्राप्त की है। स्वतंत्र मतदाता संघ की हमारी माँग पूरी नहीं हुई है, पर इसके लिए खेद करने का कोई कारण नहीं है, क्योंकि अन्य अल्पसंख्यकों को भी इसमें सफलता नहीं मिली है। कांग्रेस से संघर्ष करने का

यह वक्त नहीं है। समझौते की नीति से जितना ज्यादा हम प्राप्त कर सकें, हमें प्राप्त कर लेना चाहिए।

मैं केंद्रीय सरकार में सहभागी हुआ हूँ, पर मैंने कांग्रेस के टिकट पर चुनाव नहीं लड़ा और न ही कांग्रेस का सदस्य बना हूँ, न ही यह मेरा उद्देश्य है। मुझे केंद्रीय सरकार में शामिल होने का निमंत्रण कांग्रेस ने दिया और बिना किसी शर्त से बँधे मैंने यह निमंत्रण स्वीकार किया। जिस क्षण मुझे लगेगा कि वहाँ रहकर हमारा कोई हित नहीं हो रहा है, उसी क्षण मैं वहाँ से बाहर निकल जाऊँगा।

आज अपनी परिस्थितियों के कारण यह आवश्यक हो गया है कि हमारे लोग सत्ता में अवश्य रहें। हमें इसकी बहुत जरूरत है। न्यायपूर्ण कानून से हमें विशेष खतरा नहीं है। परंतु इन कानूनों को कार्यान्वित करना जिनके हाथों में है, वे अच्छे कायदे-कानून का भी दुरुपयोग कर सकते हैं। वंश परंपरा से जिन लोगों ने अनुसूचित जाति के लोगों के प्रति शत्रुता की भावना बना रखी है, उनके द्वारा ही यदि प्रशासन के पद भरे गए तो हमारा भविष्य अंधकारमय हो जाएगा। किसी से जबरदस्ती काम करवाना, बेगार करवाना आज कानून द्वारा बंद कर दिया गया है, परंतु जमींदार लोग आज भी गरीब, दुर्बलों से बेगार करवाते ही हैं। इनके विरुद्ध अनुसूचित जाति के लोगों ने अर्ज भी किए, पर उन पर कोई कार्यवाही नहीं हुई, क्योंकि अर्ज स्वीकारने वाले अधिकारी बहुधा अत्याचार करने वालों के ही सगे-संबंधी होते हैं। यदि अनुसूचित जाति के लोग भी इन अधिकारी पदों पर होते तो अपने बांधवों की सुरक्षा के लिए कोई न कोई कार्यवाही अवश्य की होती।

यदि ऐसा वक्त भी आया कि मुझे कांग्रेस में सम्मिलित होना पड़ा, तो मैं उसका कारण सबके सामने स्पष्ट रूप से व्यक्त करूँगा। कांग्रेस में शामिल होने से अनुसूचित जाति का हित साध्य हो सकता है, यदि ऐसा मुझे लगा तो मैं निश्चित रूप से जाहिर करूँगा। लेकिन जब तक मैं ऐसा स्पष्ट न कहूँ तब तक आप में से कोई भी कांग्रेस में शामिल न हों।

दलित बंधुओं से मेरा अनुरोध है कि सदैव एक-दूसरे से अलग गुट बना कर रहने से दलित वर्ग की बहुत हानि हुई है। उच्च जातियों के हाथों से शासन सत्ता प्राप्त करने के लिए हमें संगठित होना चाहिए। प्रौढ़ या वयस्क मतदान के अधिकार ने जनता के हाथों में सत्ता सौंपी है। मेरा मानना है कि कंधे से कंधा मिलाकर यदि उन्होंने मुकाबला किया तो विधान सभा में आधे से अधिक स्थानों पर हम अपने लोगों को बिठा सकेंगे। इस प्रकार प्रशासन और सत्ता में अपना अधिकार जमा सकेंगे। पिछड़ी जातियों द्वारा मोर्चा बनाए जाने पर भी मुझे कोई आपत्ति नहीं है। दलितों और पिछड़े लोगों ने अभी तक अपनी शक्ति पहचानी नहीं है और उन्हें इसका गर्व भी नहीं होता—यह वास्तव में खेद का विषय है। इसका परिणाम यह हुआ है कि उच्च जातियाँ सत्ता पर अपना कब्जा जमाए बैठी हैं।

आप सब का एक नेता होना चाहिए और पार्टी भी एक ही होनी चाहिए। उस पार्टी का एक सुनिश्चित कार्यक्रम होना चाहिए। अपने भीतर जाति-पाँति के भेद भूलकर सभी को फेडरेशन के झंडे तले संगठित होना चाहिए।

—शेड्यूल्ड कास्ट फेडरेशन के पाँचवें अधिवेशन में भाषण, लखनऊ, 25 अप्रैल, 1948

अपनी झोंपड़ी छोड़कर दूसरों की हवेली में प्रवेश न करो

सीखो, संगठित रहो, संघर्ष करो

हमें आरक्षित स्थान न मिलने पर भी डरने या घबराने का कोई कारण नहीं है। हमारे सात करोड़ लोग हैं। हम संगठित रहें तो हमारा पक्ष बलवान बनेगा। एक बात सदा ध्यान में रखनी चाहिए कि यदि हम संगठित रहे तो जो भी मिले, काफी है। हमें किसी से डर नहीं है। हमारी जो राजनैतिक पार्टी 'शेडयूल्ड कास्ट्स फेडरेशन' है, हमें पूरी तरह उसके प्रति समर्पित रहना चाहिए। हम अल्पसंख्यक हैं तो भी भय का कोई कारण नहीं है, क्योंकि हम अपनी कलाई के जोर पर उठे हैं।

दूसरों से समन्वय भी करना पड़ेगा

दूसरी बात यह कि हमें कभी-कभी दूसरे पक्षों से जोड़-तोड़ भी करनी पड़ेगी। जो भी पक्ष हमारा हित करेगा, वह हमारा नजदीकी होगा। जिनके भी कार्यक्रम हमारे कार्यक्रम से अधिक समंजस होंगे, उनसे समझौता करने में कोई हर्ज नहीं है। चाहे वह कांग्रेस हो, समाजवादी पार्टी हो या बहुजन समाजवादी।

वैयक्तिक स्तर पर कार्य करने जैसी मूर्खता कोई दूसरी नहीं है। मैं आपसे एक महत्त्वपूर्ण बात कहना चाहता हूँ कि संगठन तोड़कर दो-चार लोगों का दूसरे दलों में शामिल होने का अर्थ है आत्मविनाश। इसलिए आपको पता ही है कि हमें एक साथ रहना चाहिए।

झोंपड़ी छोड़कर हवेली में न जाओ

अपना घर तोड़कर दूसरों की हवेली में जाना मूर्खता है। अपनी झोंपड़ी सुरक्षित रखो। यदि ऐसा न किया गया तो हमारी स्थिति भी ब्राह्मणेतर पक्ष जैसी हुए बिना न रहेगी। ब्राह्मणेतर पक्ष की क्या दुर्दशा हुई? 1932 तक हम सब एक होकर कार्य कर रहे थे। उस समय कुछ ब्राह्मणेतर नेताओं को लगा कि अंदर जाकर कांग्रेस का किला तोड़ना आसान होगा, बाहर रहकर इस दुर्ग का बाल बाँका नहीं कर सकते, इसी समझ से उन्होंने कांग्रेस में प्रवेश किया। मैंने उन्हें बहुत बार सावधान किया, परंतु उन्होंने मेरी एक न सुनी। आज ब्राह्मणेतर लोगों को अपनी भूल का एहसास हो

रहा है। आज ब्राह्मणेतर पक्ष का नामोनिशान मिट चुका है। अतः अपनी झोंपड़ी तोड़कर समझौता करना मुझे बिलकुल स्वीकार नहीं है।

हम आघाड़ी के सैनिक हैं

खरा समाजवाद हम ही स्थापित कर सकेंगे। किसान, मजदूरों का राज्य हम ही ला सकते हैं। क्योंकि हममें उच्च और मध्यम वर्ग है ही नहीं। हम सभी कामगार हैं। हम सभी गरीब हैं। हम ही लोकशाही लाएँगे। इतना ही नहीं, कम्युनिस्टों का कम्युनिज्म भी राजनीति में हमसे पीछे है। हमारा पक्ष तात्विक सिद्धि में पीछे रह जाएगा, ऐसा कभी संभव नहीं है। बहुत-सी पार्टियाँ बनी हैं। उन सबको हमसे ईर्ष्या होती है। सबकी नजरें हमारी पार्टी की ओर लगी हुई हैं। हमारी पार्टी गुड़ की भेली के समान है तथा इतर पार्टियाँ हमारी पार्टी से चींटे की भाँति चिपकना चाहती हैं। इस बारे में हमें अत्यंत जागरूक रहना चाहिए। कांग्रेस दल के अतिरिक्त हिंदुओं में शेड्यूल्ड कास्ट फेडरेशन के समान दूसरी कोई पार्टी नहीं है।

हम ही क्रांति का चक्र घुमाएँगे

अपने लोगों की नीतिमत्ता सोज्ज्वल होनी चाहिए। अस्पृश्यों का भविष्य अतिशय उज्ज्वल है, इस विषय में निःशंक रहें। कांग्रेस का कहना है कि विदेशी सत्ता को बाहर निकालने के लिए हमने क्रांति की। इसके लिए उन्हें धन्यवाद। परंतु यह क्रांति अधूरी है। खरी लोकशाही लानी हो तो आज हजारों वर्षों से सिर पर चढ़ कर नाचने वाला उच्च वर्ण नीचे आए और समाज के निम्नवर्ग को ऊपर लाए। हमारे बगैर सही क्रांति नहीं होगी। क्रांति का चक्र अभी आधा ही घूमा है। इस चक्र के पूरा घूमे बिना क्रांति हो ही नहीं सकती। हम ही इस चक्र को पूरा घुमाएँगे।

सामाजिक प्रगति बुद्धिमान तरुणों के हाथ में

राजनीति के समान ही शिक्षण संस्थान महत्त्वपूर्ण है। किसी भी समाज की उन्नति उस समाज के बुद्धिमान, तेजस्वी और उत्साही तरुणों के हाथ में होती है। इस दिशा में मैंने कुछ वर्षों से राजनीति से अधिक ध्यान देना शुरू किया है। मुंबई में सिद्धार्थ कॉलेज शुरू किया है जहाँ अभी 2,400 विद्यार्थी शिक्षा प्राप्त कर रहे हैं, उनमें से 160 विद्यार्थी हमारे हैं। उनके लिए मैं प्रति वर्ष 21,000 रुपए खर्च करता हूँ। मेरा संपूर्ण ध्यान इस दिशा में खिंच गया है। औरंगाबाद जाकर वहाँ भी कॉलेज खोलने का विचार कर रहा हूँ।

संविधान की नौवीं धारा

संविधान समिति ने भावी संविधान को जो मसौदा तैयार किया है, उसमें अस्पृश्यों

के अधिकार का प्रावधान है। नए संविधान की 9वीं धारा द्वारा अस्पृश्यता को समूल नष्ट कर दिया गया है। किसी प्रकार का जातिभेद, ऊँच-नीच की भावना रद्द कर दी गई है। नाई को तुम्हारे केश भी काटने चाहिए, धोबी को तुम्हारे कपड़े भी धोने चाहिए, मंदिरों-उपासना गृहों आदि में हमारे साथ भी उच्च जातियों के समान व्यवहार होना चाहिए। दूसरों को हमारे साथ समानता का व्यवहार करना चाहिए। यह कानून जो तोड़ेगा, उसे सजा देने का कानून बनाने का अधिकार मध्यवर्ती विधिमंडल को सौंपा गया है। इन्हीं सभी बातों की माँग हम वर्षों से कर रहे थे।

हमारी मुख्य तीन माँगें

हम तीन प्रकार के राजकीय हक माँगते रहे हैं—(1) विधिमंडल में हमारे प्रतिनिधि हों (2) जनसंख्या के अनुसार सरकारी नौकरियाँ आरक्षित हों (3) स्वतंत्र मतदाता संघ का अधिकार हो। केवल एक माँग पूरी नहीं हुई है, यानी चुनाव में हमें स्वतंत्र मतदाता संघ नहीं मिला है। लेकिन हमारा भाग्योदय रुकेगा, यह मैं नहीं मान सकता। जो मिला है उसे लेकर अपने अधिकारों की माँग करते रहने की वृत्ति हमारी होनी चाहिए। एक कहावत आपने सुनी होगी, 'पहनूँगी तो जरी की साड़ी नहीं तो उघड़ी रहूँगी'। ऐसी वृत्ति कभी सही नहीं कही जा सकती। इसमें भला क्या पुरुषार्थ है?

—मनमाड में भाषण, 1949

एक अन्य अंश

संविधान समिति में मेरा कार्य बहुत महान है, यह मैं नहीं कहूँगा। क्योंकि संविधान बनाते समय, बहुत-से देशों के अलग-अलग प्रकार के संविधानों का अध्ययन करके, उनमें से अपने देश के अनुकूल धाराएँ एवं कलमें चुनकर एकत्रित करना, बस यही हमारा काम था और यही हमने किया। सबसे महत्त्वपूर्ण काम जो हम कर सके, वह यह कि भारत की राजभाषा निश्चित कर दी गई। इसी के साथ यदि एक लिपि मान्य करवाने में हम सफल हो सकते तो और अधिक महत्त्व की बात होती। परंतु गड़बड़ी में यह बात रह गई, पूरी नहीं हो सकी। अपने देश में सैकड़ों भाषाएँ बोली जाती हैं। ऐसे विस्तृत देश की एक राष्ट्रभाषा हम कायम कर पाए, यह वास्तव में महत्त्वपूर्ण है। अलग-अलग प्रांतों में उस प्रांत की भाषा आरूढ़ रहेगी, यह अभी कहा जा रहा है। परंतु राष्ट्रभाषा एक निश्चित हो जाने पर हिंद के प्रत्येक नागरिक को उस भाषा में बोलना सीखना आवश्यक होगा और इसके जरिए हमारा अपने आप संगठन होता जाएगा। राष्ट्र को शक्तिशाली बनाने के लिए ऐसे संगठन की कितनी आवश्यकता है, यह मुझे अलग से बताने की जरूरत नहीं है...

—'बाबा साहेब आंबेडकरांची भाषण' से

अनुवाद : **नीरा नाहटा**

संविधान सभा में भाषण

महोदय, संविधान निर्मात्री सभा के गठन की तिथि 9 दिसंबर, 1946 के बाद दो वर्ष, ग्यारह महीने एवं सत्रह दिन बीत चुके हैं। इस अवधि के दौरान सभा की ग्यारह बैठकें हुई हैं। इनमें से प्रथम छह सत्रों में संकल्पों, उद्देश्यों तथा मौलिक अधिकारों की समिति की रिपोर्ट पर विचार-विमर्श हुआ। इसके अतिरिक्त इन सत्रों में संघ के संविधान, संघ के अधिकारों तथा प्रांतीय संविधान, अल्पसंख्यकों एवं निर्दिष्ट क्षेत्र तथा अनुसूचित जनजातियों पर चर्चा हुई है। सातवें, आठवें, नवें, दसवें और ग्यारहवें सत्रों में संविधान के प्रारूप पर चर्चा की गई। संविधान सभा की इन ग्यारह बैठकों में 165 दिन लगे, इनमें से सभा के 114 दिन संविधान के प्रारूप पर चर्चा में व्यतीत हुए।...

मुझे हर्ष है कि मात्र एक सदस्य को छोड़कर संविधान सभा की प्रारूपण समिति के सदस्यों ने सर्वसम्मति से इस कार्य को स्वीकार किया है। मुझे विश्वास है कि प्रारूपण समिति के श्रम की इतनी उदार एवं स्वतः स्फूर्त प्रशंसा से सभी को प्रसन्नता हुई होगी। जहाँ तक मुझे मिली बधाइयों का सवाल है, जो मुझे प्रारूपण समिति के सहयोगियों और सभा के सदस्यों दोनों से मिली हैं, मैं उनसे इतना अभिभूत हुआ हूँ कि उनके प्रति आभार व्यक्त करने के लिए मुझे शब्द नहीं मिल रहे हैं। संविधान सभा में मैं अनुसूचित जातियों के हितों के रक्षार्थ आया था, मुझे दूर-दूर तक यह आभास नहीं था कि इतना उत्तरदायित्वपूर्ण कार्य करने का अवसर प्राप्त होगा। संविधान सभा द्वारा प्रारूपण समिति में चुने जाने पर मुझे आश्चर्य हुआ, यह आश्चर्य अध्यक्ष के रूप में चुने जाने पर और अधिक बढ़ गया। प्रारूपण समिति में मुझसे बड़े, बेहतर और अधिक उपयुक्त व्यक्ति जैसे श्री अलाडी कृष्णस्वामी अयूयर मौजूद हैं। मुझ पर इतना विश्वास करने के लिए और देश की सेवा का अवसर देने के लिए मैं संविधान सभा और प्रारूपण समिति के प्रति कृतज्ञ हूँ। (तालियाँ)...

संविधान की निंदा दो तरफ से हो रही है, साम्यवादी दल से और समाजवादी दल से। वे संविधान की निंदा क्यों कर रहे हैं, क्या वास्तव में यह एक खराब संविधान है? मैं यह कहने का साहस रखता हूँ कि ऐसा नहीं है। साम्यवादी दल 'सर्वहारा का अधिनायकत्व' के सिद्धांत के आधार पर संविधान की रचना चाहते हैं। वे इस संविधान की निंदा इसलिए करते हैं, क्योंकि यह संसदीय जनतंत्र पर आधारित है। समाजवादी दो चीजें चाहते हैं। पहली चीज है कि वे जब सत्ता में आएँ तो संविधान उन्हें सभी प्रकार की व्यक्तिगत संपत्ति का बिना मुआवजा दिए समाजीकरण और राष्ट्रीयकरण की छूट दे। दूसरी चीज जो समाजवादी चाहते हैं कि संविधान में वर्णित मौलिक अधिकार निरंकुश तथा बिना किसी नियंत्रण में हों, उनको निंदा करने का अनबद्ध अधिकार ही नहीं बल्कि सत्ता पलटने का भी हक हो।

ये ही वे प्रमुख आधार हैं, जिन पर संविधान की आलोचना की जाती है। मैं यह नहीं कहता कि संसदीय जनतंत्र ही राजनीति में एकमात्र आदर्श जनतांत्रिक तरीका है। मैं यह भी नहीं कहता कि व्यक्तिगत संपत्ति को अधिगृहीत न किए जाने का सिद्धांत ऐसा पावन सिद्धांत है जिससे तनिक भी विचलित नहीं हुआ जा सकता। मैं ऐसा भी कहने की स्थिति में नहीं हूँ कि मूल अधिकार कभी भी निरंकुश नहीं होंगे तथा उन पर लगाए गए नियंत्रण कभी भी उठाए नहीं जाएँगे। मैं यह कहना चाहता हूँ कि संविधान में मूर्त रूप दिए गए सिद्धांत वर्तमान पीढ़ी के विचार हैं। अगर यह अतिकथन माना जाए तो मैं यह कहता हूँ कि ये संविधान निर्मात्री सभा के विचार हैं। प्रारूपण समिति को इनको संविधान में मूर्त रूप देने के लिए दोष क्यों लगाया जाए? महान अमरीकी राजनीतिज्ञ जेफरसन, जिसकी वहाँ के संविधान निर्माण में महती भूमिका थी, ने कुछ ऐसी वजनी टिप्पणियाँ की थीं, जिनकी उपेक्षा कोई भी संविधान निर्माता कर ही नहीं सकता। एक जगह उसने कहा है "यह विचार कि किसी राष्ट्र के हित के लिए स्थापित संस्थाओं को छुआ अथवा संशोधित नहीं किया जा सकता, उनको उत्तरदायी नहीं बनाया जा सकता, क्योंकि उनमें प्रदत्त अधिकारों द्वारा जनता के विश्वास का कृपापूर्ण निर्वाह होता है तो यह प्रावधान राजा के अधिकारों के लिए लाभदायक भले हो, राष्ट्र के हितों के प्रतिकूल होता है। इसके बावजूद हमारे विधि विशेषज्ञ एवं पुरोहित सामान्य रूप से हममें यह भावना भरते रहते हैं और ऐसा मानते हैं कि हमारी पूर्ववर्ती पीढ़ियाँ धरती पर हमसे अधिक स्वतंत्रता का अनुभव करती थीं। उनको हमारे ऊपर कानूनों को लागू करने का हक था, जिन्हें हम परिवर्तित नहीं कर सकते। इसी तरह हमें भी आने वाली पीढ़ियों के लिए कानून बनाकर उन पर बोझ लादने का अधिकार है, जिनको बदलने का अधिकार उनको न होगा। निश्चय ही इसका यह अर्थ होगा कि यह दुनिया मुर्दों की है और जीवित जनों का इस पर कोई अधिकार नहीं।"

मैं यह स्वीकार करता हूँ कि जो जेफरसन ने कहा है, वह केवल सत्य नहीं बल्कि संपूर्णतया सही है। इसके बारे में कोई संशय हो ही नहीं सकता। यदि संविधान सभा जेफरसन के बताए गए सिद्धांतों से विचलित होती तो इस पर आरोप ही नहीं लगाए जाते बल्कि इसकी निंदा भी की जाती। पर मैं यह पूछता हूँ कि क्या सभा ने ऐसा किया है? बल्कि इसके विपरीत ही उसका कार्य रहा है। संविधान के संशोधन संबंधी प्रावधानों को देखने पर ही स्पष्ट हो जाता है। संविधान सभा संविधान को असंशोधनीय और अंतिम बनाने से, जैसा कि कनाडा में है, अथवा आस्ट्रेलिया एवं अमरीका की तरह संविधान संशोधन को असाधारण शर्तों से युक्त करने से विरत रही है। बल्कि सभा ने संविधान संशोधन का एक सुगम तरीका सुझाया है। मैं संविधान की निंदा करने वालों को चुनौती देता हूँ कि वे विश्व के किसी भी देश का संविधान उद्धृत करें, जहाँ हमारे देश के समान परिस्थितियों में संविधान संशोधन की इतनी

सहज प्रक्रिया हो। जो लोग संविधान से असंतुष्ट हैं, उन्हें वयस्क मताधिकार के आधार पर चुनी गई संसद में दो-तिहाई बहुमत प्राप्त करने की जरूरत है। यदि वे अपने पक्ष में दो-तिहाई बहुमत भी नहीं जुटा सकते तो यह नहीं माना जा सकता कि संविधान के प्रति उनके असंतोष से सामान्य जनता भी सहमत है।

संविधान में एक महत्त्वपूर्ण बिंदु है जिसकी चर्चा मैं करना चाहूँगा। इस संदर्भ में एक गंभीर शिकायत यह की जाती है कि अति केंद्रीकरण के कारण राज्यों को नगरपालिकाओं के समान बना दिया गया है। स्पष्टतया यह मत अतिरंजित है और संविधान के उद्देश्यों को भलीभाँति न समझने से पैदा हुआ है। जहाँ तक केंद्र तथा राज्यों के बीच संबंधों का प्रश्न है, हमें उन मूल सिद्धांतों को ध्यान में रखना चाहिए, जिन पर वे आधारित होते हैं। संघीय व्यवस्था का मूल सिद्धांत यह है कि विधायिका तथा कार्यपालक शक्तियों का केंद्र और राज्य में विभाजन केंद्र द्वारा नहीं बल्कि संविधान द्वारा किया जाता है। संविधान का काम यही है। हमारे संविधान के अनुसार राज्य विधायिका और कार्यपालन की शक्तियों के लिए केंद्र पर निर्भर नहीं हैं। इस विषय में केंद्र तथा राज्य सह-समान हैं, ऐसे संविधान को केंद्रोन्मुखी कहना कठिन है। संविधान ने विधायिका तथा कार्यपालिका के क्षेत्र में केंद्र को अवश्य एक बड़ी भूमिका प्रदान की है जो कि अन्य किसी संघीय संविधान में नहीं पाई जाती। ऐसा इसलिए है, क्योंकि अवशिष्ट अधिकार केंद्र को प्रदान किए गए हैं, राज्यों को नहीं। किंतु ये विशेषताएँ संघीय व्यवस्था का अंग नहीं हैं। जैसा कि मैंने कहा है, संघीय व्यवस्था का प्रधान चिह्न केंद्र तथा इकाइयों के बीच संविधान द्वारा विधायन और कार्यपालन संबंधी शक्तियों का बँटवारा है। हमारे संविधान में भी यही सिद्धांत मूर्त हुआ है। इस बारे में भ्रम की कोई गुंजाइश नहीं है। अतः यह कहना कि राज्यों को केंद्र के अधीन कर दिया गया है, ठीक नहीं है। केंद्र अपनी इच्छानुसार अधिकारों के बँटवारे की सीमा को परिवर्तित नहीं कर सकता। न्यायपालिका भी ऐसा करने में सक्षम नहीं है।...

दूसरा आरोप यह है कि केंद्र को इतने अधिकार प्रदान किए गए हैं कि वह राज्यों को कुचल सकता है। इस आरोप को स्वीकार किया जा सकता है। परंतु संविधान द्वारा केंद्र को निरस्तकारी शक्तियाँ प्रदान करने की निंदा करने से पूर्व कुछ तथ्यों को ध्यान में रखा जाना चाहिए। पहला तथ्य यह है कि ये निरस्तकारी शक्तियाँ संविधान के सामान्य अंश की प्रवृत्तियाँ नहीं हैं। इनका प्रयोग तथा प्रचालन केवल आकस्मिक स्थितियों में ही किया जाना है। दूसरा तथ्य यह है कि क्या आपातकालीन परिस्थितियों में केंद्र को ऐसे अधिकार देने से बचा जा सकता है? जो लोग इसके औचित्य को स्वीकार नहीं करते, उन्हें समस्या के मूल तत्व का ज्ञान नहीं है।...

26 जनवरी, 1950 को भारत एक स्वाधीन देश हो जाएगा। (जयध्वनि)। उसकी स्वाधीनता पर क्या होगा? क्या वह अपनी स्वाधीनता बचा पाएगा या वह इसे पुनः खो देगा? सर्वप्रथम यही विचार मेरे मन में कौंधता है। ऐसी बात नहीं है कि भारत

कभी एक स्वतंत्र देश नहीं था। मुद्दा यह है कि वह स्वाधीन था और उसने किसी समय अपनी स्वाधीनता खो दी थी। क्या वह इसे दूसरी बार खो देगा? यही वह चिंता है जो मुझे भविष्य के लिए बेचैन कर देती है। मुझे सबसे हैरानी इस बात से होती है कि भारत ने कभी अपनी स्वाधीनता ही नहीं खोई थी, बल्कि उसे अपने ही कुछ लोगों के अविश्वास एवं षड्यंत्र द्वारा ऐसा करना पड़ा। मोहम्मद-बिन-कासिम द्वारा सिंध पर आक्रमण के दौरान दाहिर राजा के सैन्य कमांडर ने मोहम्मद-बिन-कासिम के एजेंट से घूस लिया था तथा अपने राजा की ओर से लड़ने से इनकार कर दिया था। जयचंद मोहम्मद गोरी को भारत पर आक्रमण करने के लिए आमंत्रित किया था एवं पृथ्वीराज के विरुद्ध लड़ाई की थी, जबकि उसने स्वयं अपने एवं सोलंकी राजाओं के सहयोग का वायदा किया था। जब शिवाजी हिंदुओं की स्वाधीनता के लिए लड़ रहे थे, उस समय अन्य मराठा सामंत एवं राजपूत राजा मुगल सम्राट की ओर से युद्ध लड़ रहे थे। जब ब्रिटिश (अंग्रेज) सिक्ख शासकों को बर्बाद करना चाहते थे, सिक्खों का प्रमुख कमांडर गुलाब सिंह चुपचाप बैठ गया और उसने सिक्ख साम्राज्य को बचाने के लिए कोई सहायता नहीं की। 1857 में जब भारत के व्यापक क्षेत्रों में अंग्रेजों के खिलाफ आजादी के युद्ध की घोषणा की गई, उस समय सिक्ख चुपचाप, मूक दर्शक बने रहे।

क्या इतिहास अपने-आप को दुहराएगा? यही वह विचार है जिससे मैं चिंतित होता हूँ। इस तथ्य से मेरी चिंता और बढ़ जाती है कि पुराने शत्रुओं के साथ-साथ जातिवाद के आधार पर हम असंख्य विरोधी राजनीतिक दलों के रूप में उभर रहे हैं। क्या भारतीय अपने देश को धर्मांधता से ऊपर रखेंगे या देश से ऊपर अपनी धर्मांधता को रखेंगे। मैं नहीं जानता, किंतु इतना निश्चित है कि यदि दल धर्मांधता को देश से सर्वोपरि मानते हैं तो दूसरी बार भी हमारी स्वाधीनता छिन्न-भिन्न होगी और संभवतः हमेशा के लिए समाप्त हो जाएगी। इस संभाव्यता के विरुद्ध हम सभी को खड़ा होना है। हमें अपने लहू के अंतिम बूँद तक अपनी स्वाधीनता को बचाने के लिए कटिबद्ध रहना है। (तालियाँ)

26 जनवरी, 1950 को भारत एक जनतांत्रिक देश होगा, अर्थात उस दिन से जनता के लिए जनता के द्वारा जनता की सरकार होगी। यही विचार मेरे मन में कौंधता है। इसके लोकतांत्रिक संविधान पर क्या गुजरेगा? क्या यह इसे बचा पाने में सक्षम होगा या वह इसे पुनः खो देगा। यह दूसरी बात है जो मेरे दिमाग में आती है और मुझे चिंतित कर देती है।

ऐसी बात नहीं कि भारत को पता नहीं था कि जनतंत्र क्या है? एक समय था जब भारत एक गणतंत्र था, हालाँकि यहाँ राजतंत्र भी था। वे या तो चुने जाते थे या सीमित थे। वे कभी भी निरपेक्ष नहीं थे। ऐसी बात नहीं है कि भारत संसद या संसदीय क्रिया-विधि को नहीं जानता था। एक बौद्ध भिक्खु संघ (मठाधीश आदेश)

के अध्ययन से पता चलता है कि वहाँ केवल संसद ही नहीं थी, संघ और कुछ नहीं संसद ही था एवं संघ आधुनिक युग में जाने जाने वाले समस्त संसदीय नियमों को जानते थे। उनके यहाँ बैठने से संबंधित व्यवस्था थी, नियमों को जानते थे। उनके यहाँ बैठने से संबंधित व्यवस्था थी, प्रस्ताव, संकल्प, गणपूर्ति, सचेतक, मतगणना, मत-पत्र द्वारा मत प्रदान करने, निंदा प्रस्ताव, नियमितीकरण, पूर्ण न्याय आदि संबंधी नियम थे। यद्यपि संसदीय प्रक्रिया के उन नियमों का प्रयोग बुद्ध अपने संघ की बैठकों में करते थे, जिन्हें उन्होंने अपने समय के देश की राजनीतिक सभाओं के क्रिया-कलापों से संबंधित नियमों से ग्रहण किया था।

उपर्युक्त लोकतांत्रिक प्रणाली को भारत ने खो दिया। क्या वह इसे दूसरी बार खोना चाहेगा? मैं नहीं जानता, किंतु भारत जैसे देश में यह संभव भी है। जहाँ लोकतंत्र बहुत दिनों से प्रचलन में नहीं हो तो इसे निश्चित रूप से कुछ नए रूप में जाना जाएगा। यहाँ एक बड़ा खतरा है कि लोकतंत्र अधिनायकवाद को न जन्म दे। इस नवजात लोकतंत्र के लिए यह संभावना भी है कि यह अपने ढाँचे के भीतर ही तानाशाही का रास्ता बना दें। यदि कोई बड़ी दुर्घटना घटती है तो इस दूसरे की संभावना बहुत अधिक है।

यदि हम लोकतंत्र को केवल ढाँचा के रूप में न रखकर वास्तविकता में भी परिवर्तित करना चाहते हैं तो दृढ़ता से क्या करना चाहिए? मेरे विचार से पहली बात यह है कि हमारे सामाजिक एवं आर्थिक उद्देश्यों की प्राप्ति के लिए संवैधानिक पद्धतियों को शीघ्रातिशीघ्र लागू किया जाए। इसका तात्पर्य है कि हम सुनिश्चित रूप से खूनी क्रांति का परित्याग करें, असहयोग के रास्ते का भी परित्याग कर दें। जब आर्थिक और सामाजिक उद्देश्यों की प्राप्ति के लिए संवैधानिक पद्धति से कोई मार्ग नहीं बचता हो, तब असंवैधानिक पद्धतियों का औचित्य ठहराया जा सकता है। परंतु जहाँ संवैधानिक पद्धति को लागू करने का मार्ग प्रशस्त हो तो वहाँ असंवैधानिक पद्धतियाँ अंगीकार करने का कोई औचित्य नहीं ठहरता। ऐसी पद्धतियाँ कुछ और नहीं, अराजकता की पोषक हैं। अतः जितनी जल्दी हो, इनका परित्याग करना चाहिए। इसी में हमारी भलाई है। दूसरी बात जिस पर हमें सावधानीपूर्वक ध्यान देना है, जिसके बारे में जॉन स्टुअर्ट मिल ने उन सभी को जो लोकतंत्र को बनाए रखने में रुचि रखते हैं, बताया है, ''किसी महान व्यक्ति के चरणों में भी अपनी स्वाधीनता को अर्पित न करें और न उसे ऐसी शक्ति प्रदान करें जिसके बल पर वह आपके संस्थानों का ध्वंस कर दे।'' जिन्होंने देश के प्रति आजीवन सेवाएँ अर्पित की हैं, उनके प्रति कृतज्ञ होना कोई अपराध नहीं है, किंतु कृतज्ञता भी सीमा होती है। जैसा कि आयरलैंड के देशभक्त डेनियल ओ' कॉनेल द्वारा व्यक्त किया गया है कि कोई भी व्यक्ति अपने स्वाभिमान की कीमत पर कृतज्ञ नहीं हो सकता, कोई भी महिला अपने सतीत्व की कीमत पर कृतज्ञ नहीं हो सकती, कोई भी राष्ट्र

अपनी स्वाधीनता की कीमत पर कृतज्ञ नहीं हो सकता। यह सावधानी किसी भी अन्य देश की तुलना में भारत के मामले में बहुत आवश्यक है। भारत में भक्ति या जिसे भक्ति मार्ग कहा जाता है या नायक पूजा अधिक है। इसने यहाँ की राजनीति में विश्व के किसी भी देश की तुलना में अद्वितीय भूमिका अदा की है। धर्म में भक्ति आत्मा की मुक्ति का मार्ग मानी जाती है, किंतु राजनीति में भक्ति या नायक पूजा पतन का निश्चित मार्ग है तथा इससे तानाशाही संभाव्य है।

तीसरी बात, जो हमें निश्चित रूप से करनी है वह केवल राजनैतिक लोकतंत्र का विषय नहीं है। हमें अपने राजनैतिक लोकतंत्र को सामाजिक लोकतंत्र के रूप में ढालना है। राजनैतिक लोकतंत्र तब तक नहीं टिक सकता जब तक कि उसकी आधारशिला के रूप में सामाजिक लोकतंत्र न हो। सामाजिक लोकतंत्र का क्या अर्थ है? इसका अर्थ है जीवन की वह राह जो स्वाधीनता, समानता एवं भ्रातृत्व को जीवन के सिद्धांत के रूप में मान्यता दे। स्वाधीनता, समानता एवं भ्रातृत्व के इन सिद्धांतों को त्रित्व अलग उपादानों के रूप में न समझ जाए। ये सिद्धांत त्रित्व के समेकित रूप का निर्माण करते हैं तथा इनका आशय यह है कि एक को दूसरे से अलग करने का अर्थ है—लोकतंत्र के मूल उद्देश्य को नकार देना। स्वाधीनता को समानता से अलग नहीं किया जा सकता, समानता को स्वाधीनता से अलग नहीं किया जा सकता और न तो स्वाधीनता और समानता से भ्रातृत्व को अलग किया जा सकता है। समानता के बिना स्वाधीनता अल्पसंख्यकों द्वारा बहुसंख्यकों पर प्रभुत्व कायम करेगी। स्वतंत्रता के बिना समानता वैयक्तिक प्रयास की हत्या करेगी। भ्रातृत्व के बिना स्वाधीनता और समानता नैसर्गिक वस्तु नहीं हो सकती। इन्हें एक सिपाही चाहिए जो उन्हें संचालित कर सके।

हमें इस तथ्य को स्वीकार करके आरंभ करना चाहिए कि भारतीय समाज में दो बातों का पूर्णतः अभाव है। इनमें से एक समानता है। सामाजिक क्षेत्र में हमारे भारत का समाज वर्गीकृत असमानता के सिद्धांत पर आधारित है जिसका अर्थ है, कुछ लोगों के लिए उत्थान एवं अन्यों की अवनति। आर्थिक क्षेत्र में हम देखते हैं कि समाज में कुछ लोगों के पास अथाह संपत्ति है जबकि दूसरी ओर असंख्य लोग घोर दरिद्रता के शिकार हैं। 26 जनवरी, 1950 को हम लोग एक विरोधाभासी जीवन में प्रवेश करने जा रहे हैं। राजनीति के क्षेत्र में हमारे बीच समानता होगी। राजनीति में हम एक व्यक्ति-एक मत एवं एक मत-एक मूल्य के सिद्धांत को स्वीकृति देंगे। पर अपने सामाजिक एवं आर्थिक जीवन में वर्तमान सामाजिक एवं आर्थिक संरचना के चलते एक व्यक्ति-एक मूल्य के सिद्धांत को अस्वीकार करना जारी रखेंगे। हम कब तक इस विरोधाभासी जीवन को जीते रहेंगे, अपने सामाजिक एवं आर्थिक जीवन में समानता को अस्वीकार करते रहेंगे? यदि इसे हम लंबे समय तक अस्वीकार करना जारी रखते हैं तो हम अपने राजनैतिक लोकतंत्र को जोखिम में डाल कर ही वैसा

करेंगे। हमें शीघ्रातिशीघ्र इस विरोधाभास को दूर करना होगा, अन्यथा जो लोग असमानता के शिकार होंगे वे राजनैतिक लोकतंत्र की संरचना को उखाड़ फेंकेंगे, जिसे इस सभा ने कठोर परिश्रम से निर्मित किया है।

दूसरी बात जिसे हम स्वीकार करना चाहते हैं–वह है भ्रातृत्व का सिद्धांत। भ्रातृत्व का क्या अर्थ है? भ्रातृत्व का अर्थ है सभी भारतवासियों में भाईचारे की भावना-सभी भारतीय एक हैं। यह वह सिद्धांत है जो सामाजिक जीवन में एकता और सुदृढ़ता प्रदान करता है। इस लक्ष्य को प्राप्त करना कठिन है। मेरी राय में इस बात में विश्वास करना कि हम एक राष्ट्र हैं, हम एक महान भ्रम को संजोए हुए हैं। असंख्य हजार जातियों में बँटे हुए लोग एक राष्ट्र कैसे बन सकते हैं? जितना जल्द हम अनुभव करेंगे कि सामाजिक एवं मनोवैज्ञानिक दृष्टि से हम अभी तक एक राष्ट्र नहीं हैं, उसी में हमारी भलाई है। केवल तभी हम एक राष्ट्र बनने की आवश्यकता महसूस करेंगे और गंभीरता से इस लक्ष्य की प्राप्ति के लिए उपायों पर विचार करेंगे। इस मुकाम को प्राप्त करना अत्यंत दुष्कर कार्य है–यह संयुक्त राज्य से भी अधिक दुष्कर है। संयुक्त राज्य अमेरिका में जातियों की समस्या नहीं थी। भारत में जातियाँ हैं। जातियाँ राष्ट्र विरोधी हैं। सर्वप्रथम कारण यह है कि वे सामाजिक जीवन में अलगाव पैदा करती हैं। वे इसलिए भी राष्ट्र विरोधी हैं, क्योंकि वे जाति एवं जातियों के बीच ईर्ष्या एवं विद्वेष पैदा करती हैं। यदि हमें वास्तव में एक राष्ट्र बनना है तो हमें इन सारी कठिनाइयों को दूर करना होगा। भाईचारा तभी सार्थक होगा जब एक राष्ट्र होगा। भाईचारा के बिना समानता एवं स्वाधीनता रंग की परतों से अधिक गहरी नहीं होंगी।

हमारे समक्ष जो कार्य पड़े हैं इनके बारे में मेरी यही प्रतिक्रियाएँ हैं। कुछ लोगों को ये बातें बहुत आनंददायक प्रतीत नहीं हो सकती हैं। किंतु इस पर कोई प्रतिवाद नहीं हो सकता कि इस देश में राजनैतिक शक्ति पर बहुत ही लंबे समय से कुछ लोगों का एकाधिकार रहा है, जिनमें से अधिकांश केवल लद्दू जानवर ही नहीं; हिंसक पशु भी हैं। इस एकाधिकार में बहुतों को केवल उनकी उन्नति के अवसर से ही अलग नहीं रखा, अपितु उन्हें इतना निर्जीव बना दिया की वे जीवन की सार्थकता ही भूल गए। ये पददलित वर्ग शासित होकर थक गए हैं। वे स्वयं शासन करने के लिए बेचैन हैं। पददलित वर्ग में आत्म-विकास की इस ललक को वर्ग-संघर्ष या जाति-संघर्ष के रूप में परिणत होने की अनुमति नहीं दी जा सकती है। इससे सदन का बँटवारा हो जाएगा। वह दिन निश्चित रूप से घोर संकट का दिन होगा। जैसा कि अब्राहम लिंकन द्वारा ठीक ही कहा गया है कि एक सदन यदि अपने में विभक्त हो तो लंबे समय तक टिक नहीं सकता। अतः जितना शीघ्र उनकी आकांक्षाओं को महसूस किया जाएगा, भला होगा, देश का भला होगा, दश की स्वाधीनता को संजोए रखने में सहायता मिलेगी तथा उसकी लोकतांत्रिक संरचना को जारी रखने में सहायता

मिलेगी। यह केवल तभी किया जा सकता है, जब जीवन के हर क्षेत्र में समानता एवं भाईचारा की स्थापना की जाए। यही कारण है कि मैं इस पर अत्यधिक जोर दे रहा हूँ।

मैं अब सदन को और अधिक उबाना नहीं चाहता हूँ। स्वाधीनता निःसंदेह एक आनंद का विषय है, किंतु हमें यह नहीं भूलना चाहिए कि इस स्वाधीनता ने हमारे ऊपर महान जिम्मेदारियाँ भी सौंपी हैं। स्वाधीनता प्राप्त होने पर अब हम किसी गलती के लिए ब्रितानियों पर आरोप लगाने के अधिकार से वंचित हो चुके हैं। इसके बाद यदि भूलें होती हैं तो हम स्वयं को छोड़कर दूसरे को दोषी नहीं ठहरा सकते। भूल होने का भयंकर खतरा है। समय तीव्र गति से परिवर्तित हो रहा है। हमारे अपने ही लोग नई विचारधाराओं से चालित हो रहे हैं। वे जनता की सरकार से थकान महसूस कर रहे हैं। वे जनता के लिए सरकार चाहते हैं, चाहे वह जनता की सरकार हो अथवा जनता के द्वारा हो। यदि हम संविधान को सुरक्षित रखना चाहते हैं जिसमें हमने जनता की, जनता के लिए तथा जनता के द्वारा सरकार के सिद्धांत को प्रतिष्ठापित किया है तो हमें हमारे मार्ग में आने वाली विपत्तियों की पहचान करने में ढील नहीं करनी चाहिए, ताकि लोग जनता के द्वारा सरकार की अपेक्षा जनता के लिए सरकार पसंद करें। अतः हमें समस्याओं के निवारण के प्रयास में कमजोर नहीं होना है। देश की सेवा के लिए यही एकमात्र उपाय है। मैं इससे बेहतर और कुछ नहीं जानता।

—नवंबर, 1949

अनुवाद : **अर्जुन ठाकुर, ऋषिकेश राय**

जाति प्रथा का विनाश

मित्रो,

जात-पाँत तोड़क मंडल के जिन सदस्यों ने कृपापूर्वक मुझे इस सम्मेलन का सभापति चुना है, मुझे चिंता है, उन लोगों से मेरे चुनाव के संबंध में अनेकों प्रश्न किए जाएँगे। उनसे पूछा जा सकता है, क्या लाहौर में कोई योग्य पुरुष नहीं था जो सभापति चुनने के लिए बंबई दौड़ गए? मैं हिंदू धर्म का आलोचक हूँ, मैंने महात्मा जी के सिद्धांतों की भी, जिन पर हिंदुओं की श्रद्धा है, आलोचना की है, जिससे वे मुझे अपनी वाटिका का सर्प समझते हैं। मैं समझता हूँ, शायद राजनीतिक हिंदू भी मंडल से जवाब तलब करेंगे कि उसने इस आदरणीय पद के लिए मुझे चुन कर हिंदुओं का अपमान क्यों किया। सामान्य हिंदुओं को तो यह पसंद नहीं आएगा,

क्योंकि सवर्ण हिंदुओं की सभा में संबोधन के लिए एक अंत्यज का चुना जाना शास्त्रीय मर्यादा को भंग करना है। अंत्यज कितना ही अनुभवी क्यों न हो, शास्त्र उसे 'उपदेष्टा' स्वीकार करने की आज्ञा नहीं दे सकते। शास्त्रानुसार ब्राह्मण ही तीनों वर्णों का उपदेष्टा और गुरु है। हिंदू-राज्य के संस्थापक शिवाजी के गुरु संत रामदास जी ने अपने मराठी ग्रंथ 'दासबोध' में हिंदुओं से प्रश्न किया है कि क्या तुम किसी अंत्यज को, जो तुम्हारे सभी प्रश्नों का उत्तर दे सकता है, अपना गुरु स्वीकार कर सकते हो? यही प्रश्न यदि मैं करूँ, तो मंडल के पास इसका क्या उत्तर होगा? उस कारण को तो मंडल ही जानता है, जिसने उसे बंबई भेजा और जिसने उसे मेरे जैसे व्यक्ति को, जो हिंदू धर्म का इतना विरोधी और अंत्यज है, मर्यादा के विरुद्ध सवर्ण हिंदुओं को संबोधन करने के लिए सभापति चुना।

अपने संबंध में, मैं आपसे यह कहने की अनुमति चाहता हूँ कि मैंने आपके निमंत्रण को अपनी एवं अपने अछूत साथियों की इच्छा से स्वीकार नहीं किया। मैं जानता हूँ, हिंदू मुझसे और मेरे भाइयों से घृणा करते हैं, इसीलिए मैंने सदा अपने को उनसे अलग रखा और अपने विचारों का प्रकाश अपने प्लेटफार्म पर करता रहा। हिंदुओं के प्लेटफार्म पर अपनी बातें सुना कर अपने को उनके ऊपर रखने की मैंने कभी इच्छा नहीं की। यहाँ भी मैं अपनी इच्छा से नहीं, आपके चुनाव से आया हूँ। मैंने इससे इन्कार करना इसलिए उचित नहीं समझा, क्योंकि मुझे बताया गया कि इस सम्मेलन का उद्देश्य सामाजिक सुधार है, और समाज-सुधार एक ऐसा विषय है जिससे मुझे मोह है—विशेषतः उस दशा में, जबकि आप समझते हों कि इस काम में मैं आपकी कुछ सहायता कर सकता हूँ। यह आपके न्याय पर निर्भर है कि मैं यहाँ जो कुछ कहना चाहता हूँ, उसे समस्या के हल के लिए आप कहाँ तक ग्रहण कर सकेंगे।

इस प्राक्कथन के साथ अब मैं मुख्य विषय पर अपने विचार आपके सामने रखने की अनुमति चाहता हूँ।

कांग्रेस और समाज सुधार

भारत में समाज सुधार का काम निर्वाण-प्राप्ति के मार्ग के समान अनेक कठिनाइयों से पूर्ण है। कारण, भारत में समाज सुधार के मित्र थोड़े और शत्रु बहुत अधिक हैं। इंडियन नेशनल कांग्रेस देश की सबसे बड़ी संस्था है, किंतु समाज सुधार के साथ उसका व्यवहार कैसा रहा है, पहले इसी पर नजर डालिए।

पश्चिमी विद्वानों के संपर्क में जब यह देश आया, तो लोग मानने लगे कि कुरीतियों से आक्रांत हिंदू समाज में सामाजिक चेतना नहीं रही। अतः कुरीतियों को मिटाने का प्रयास निरंतर होना चाहिए। इस सत्य को स्वीकार कर लेने के कारण ही 'कांग्रेस' के जन्म के साथ, सोशल कांफ्रेंस (समाज सुधार सम्मेलन) की भी नींव

रखी गई। और कांग्रेस अधिवेशन के साथ ही, उसी पंडाल में 'सोशल कांफ्रेंस' का भी अधिवेशन होने लगा। किंतु सामाजिक सुधार की चर्चा चलने पर जब हिंदू समाज व्यवस्था की तीव्र आलोचना होने लगी, तो यह बात ब्राह्मणों और कट्टर हिंदुओं को बर्दाश्त नहीं हुई और कांग्रेस के पूना अधिवेशन में, पूना के ब्राह्मणों के अनुरोध से, जब लोकमान्य बाल गंगाधर तिलक ने इसका विरोध किया, तो कांग्रेस ने 'समाज सुधार सम्मेलन' को अपना पंडाल नहीं दिया और सामाजिक सम्मेलन के प्रेमियों ने जब अपना पंडाल अलग बनाना चाहा, तो विरोधियों ने उसे जला डालने की धमकी दी। कांग्रेस के इलाहाबाद अधिवेशन के सभापति मि. डब्ल्यू.सी. बनर्जी ने 'समाज सुधार सम्मेलन' के विरुद्ध अपने भाषण में कहा–

''मैं उन लोगों से सहमत नहीं हूँ जो कहते हैं कि जब तक हम अपनी सामाजिक पद्धति में सुधार नहीं करते, तब तक हम राजनैतिक सुधार के योग्य नहीं हैं। मुझे इन दोनों के बीच कोई संबंध नहीं दिखाई देता। क्या हम राजनैतिक सुधार के योग्य इसलिए नहीं हैं क्योंकि हमारी विधवाओं का पुनर्विवाह नहीं होता और हमारी लड़कियों की शादी कम उम्र में हो जाती है या हमारी पत्नियाँ और पुत्रियाँ हमारे साथ गाड़ी में बैठकर हमारे मित्रों से मिलने नहीं जातीं? क्योंकि हम अपनी बेटियों को ऑक्सफोर्ड और कैंब्रिज में पढ़ने के लिए नहीं भेजते?' (हर्षध्वनि)

मि. बनर्जी के इन आक्षेपों के पर्याप्त उत्तर हैं। उनसे पूछा जा सकता है, क्या आपको यह मालूम है कि हिंदू समाज व्यवस्था ने देश की पंचमांश जनसंख्या को 'अछूत' बना रखा है? पेशवाओं के शासनकाल में, महाराष्ट्र में, इन अछूतों को उस सड़क पर चलने की आज्ञा नहीं थी जिस पर कोई सवर्ण हिंदू चल रहा हो। इनके लिए आदेश था कि ये अपनी कलाई में या गले में काला धागा बाँधें, ताकि हिंदू इन्हें भूल से छू न लें। पेशवाओं की राजधानी पूना में तो इन अछूतों के लिए यह आदेश था कि ये कमर में झाड़ बाँध कर चलें ताकि उनके पैरों के चिह्न झाड़ से मिट जाएँ और कोई हिंदू इनके पद-चिह्नों पर पैर रखकर अपवित्र न हो जाए; अछूत अपने गले में हाँड़ी बाँधकर चले, और जब थूकना हो तो उसी में थूके, भूमि पर पड़े हुए अछूत के थूक पर किसी हिंदू का पैर पड़ जाने से वह अपवित्र हो जाएगा। अछूत भी मनुष्य है, पेशवा ब्राह्मण भी मनुष्य है। एक मनुष्य का दूसरे मनुष्य के साथ यह व्यवहार!

इसी तरह मध्य भारत में गरीब बलाई जाति के विरुद्ध वहाँ के कालोटों, राजपूतों और ब्राह्मणों ने इंदौर जिले के 15 गाँवों में ऐसे अमानवीय कानून बनाए थे, जिनका पालन न कर सकने के कारण बलाइयों को स्त्री-बच्चों सहित उन चारों को छोड़ कर, जहाँ उनके बाप-दादे पीढ़ियों से रहते आए थे, धार, देवास, बागली, भोपाल, ग्वालियर और दूसरे निकटवर्ती राज्यों के सुनसान गाँवों में चले जाना पड़ा, और इन नए घरों में उनके साथ जैसी बीती, वह अवर्णनीय है। बलाई भी मनुष्य हैं और

ब्राह्मण-राजपूत भी मनुष्य हैं। (टाइम्स ऑफ इंडिया, 4 जनवरी, 1920)

गुजरात के अंतर्गत कविथा ग्राम की घटना अभी पिछले साल की है। कविथा के हिंदुओं ने अछूतों के बच्चों को सरकारी स्कूलों में पढ़ने नहीं दिया। अहमदाबाद के 'जन' नामक गाँव की नवंबर 1935 की घटना है कि वहाँ के अछूतों की स्त्रियों पर सवर्ण हिंदुओं ने इस कारण आक्रमण किया क्योंकि वे धातु के बर्तनों में पानी लाने लगी थीं। जयपुर राज्य के चकवारा गाँव की ताजा घटना है कि वहाँ एक अछूत ने तीर्थयात्रा से लौट कर अपने भाइयों को पकवान का भोज दिया। बेचारे अछूत मेहमान भोजन कर ही रहे थे कि सैकड़ों हिंदू लाठी लेकर उन पर टूट पड़े और उनका भोजन खराब कर दिया, क्योंकि वे लोग घी के बने पकवान खा रहे थे। उन्होंने अतिथि बनकर घी खाने की ढिठाई क्यों की? घी तो हिंदुओं का खाद्य है; अछूतों को घी खाने का अधिकार नहीं।

प्रश्न होता है, जिस समाज में मनुष्य दुर्बलों पर इस तरह के क्रूर, गर्हित और अमानवी आचरण करते हों, वहाँ समाज सुधार की आवश्यकता क्यों नहीं है?

समाज सुधार के दो अर्थ हैं : एक पारिवारिक सुधार और दूसरा, समाज का पुनर्गठन। विधवा विवाह, बाल विवाह, स्त्री शिक्षा आदि पारिवारिक सुधार के अंतर्गत हैं तथा समाज में ऊँच-नीच, छूत-अछूत का अधिकार-भेद, वर्ण-भेद या जाति-भेद मिटाना सामाजिक सुधार है। हमारे देश में जो सामाजिक बँटवारा (कम्यूनल अवाड) हुआ, वह सामाजिक सुधार न होने के कारण हुआ। यदि देश की सामाजिक व्यवस्था ठीक होती, तो सांप्रदायिक बँटवारे का प्रश्न ही न उठता। (एक भारत के दो खंड सामाजिक कुव्यवस्था का फल है!)

इतिहास इस बात का समर्थन करता है कि समुन्नत देशों में राजनैतिक क्रांतियों से पहले सामाजिक और धार्मिक क्रांतियाँ हुई हैं। लूथर द्वारा किया हुआ धार्मिक सुधार यूरोपीय लोगों के राजनैतिक उद्धार का पूर्व लक्षण था। प्यूरीटिनिज्म एक धार्मिक सुधार था, और इसने नए संसार की नींव रखी, अमेरिकी स्वतंत्रता का युद्ध जीता। हजरत मुहम्मद द्वारा धार्मिक क्रांति होने के बाद ही अरबों ने राजनैतिक शक्ति प्राप्त की। भगवान बुद्ध द्वारा की हुई धार्मिक क्रांति के फलस्वरूप ही चंद्रगुप्त और अशोक जैसे सम्राट हुए। साधु-संतों द्वारा की हुई धार्मिक क्रांति के बाद ही शिवाजी हिंदू राष्ट्र की स्थापना कर सके। गुरु नानक द्वारा पैदा की गई धार्मिक क्रांति के फलस्वरूप ही सिखों ने राजनैतिक शक्ति प्राप्त की। तब कैसे कहा जा सकता है कि शक्तिशाली और सुदृढ़ राष्ट्र को बनाने के लिए धार्मिक और सामाजिक क्रांति की आवश्यकता नहीं है?

सत्य तो यह है कि सामाजिक सुधार के बिना सच्ची राष्ट्रीयता का उदय संभव नहीं है।

कम्युनिस्ट और समाज सुधार

कांग्रेस के बाद राजनीतिज्ञों का दूसरा दल कम्युनिस्टों (साम्यवादियों) का है। इस दल के सिद्धांत सामाजिक अवस्था के अनुरूप स्थिर हुए। कम्युनिस्टों का ध्येय धार्मिक असमानता को मिटाकर समाज में समता लाना है। कम्युनिस्ट कहते हैं—'मनुष्य एक आर्थिक प्राणी है। उसकी आकांक्षाएँ और चेष्टाएँ आर्थिक तथ्यों से बँधी हुई हैं।' ये लोग वर्ण भेद और जाति भेद मिटा कर सामाजिक समता लाने के स्थान पर यूरोपीय साम्यवादियों का अंधानुकरण कर आर्थिक समता पर ही सारी शक्ति लगा देते हैं। इनके मत में धार्मिक और सामाजिक सुधार भ्रम-मात्र है। साम्पत्तिक शक्ति ही एकमात्र शक्ति है, इस बात को मानव समाज का अध्ययन करने वाला कोई भी मनुष्य स्वीकार नहीं करेगा।

साधु-संतों का सर्वसाधारण पर जो शासन होता है, वह इस विचार का अपवाद है। भारत के करोड़ों लोग लँगोटीधारी संपत्तिहीन साधु-संतों की आज्ञा मानते हैं और अपना अंगूठी-छल्ला बेच कर काशी, मक्का आदि तीर्थों के दर्शनों को जाते हैं। ऐसा क्यों होता है? भारत का इतिहास बताता है कि धर्म एक बड़ी शक्ति है। भारत में पुरोहितों का शासन मजिस्ट्रेट से भी बढ़कर है। यहाँ काउंसिलों के चुनाव और हड़तालों को भी आसानी से धार्मिक रंगत मिल जाती है। भारत ही नहीं, यूरोप के इतिहास में भी धर्म की प्रबलता पाई जाती है। रोम के प्रजातंत्री शासन काल में एक काउंसिल (प्रतिनिधि) दूसरे काउंसिल के काम को रद्द कर देता था। वहाँ प्लेबियनों और पेट्रीशियनों का संघर्ष था। रोम की जनता का यह धार्मिक विश्वास था कि कोई भी अफसर वहाँ किसी पद को ग्रहण नहीं कर सकता, जब तक डेल्फी देवी की देववाणी उसे स्वीकार न करे। डेल्फी देवी के पुरोहित पेट्रीशियन थे, इसलिए जब कभी प्लेबियन ऐसे व्यक्ति को अपना नेता चुनते, जो पेट्रीशियनों के विरुद्ध पार्टीमैन होता, तो देववाणी सदा विघोषित कर देती कि डेल्फी देवी उसे स्वीकार नहीं करतीं। इस कारण प्लेबियनों को अपने में कभी ऐसा प्रतिनिधि न मिल सका, जो पेट्रीशियनों का मुकाबला करता। प्लेबियन लोग इस ठगी को इसलिए स्वीकार कर लेते, क्योंकि उनका अपना भी विश्वास था कि देवी की स्वीकृति आवश्यक है, केवल जनता द्वारा चुना जाना ही पर्याप्त नहीं है। धार्मिक विश्वास छोड़ने के बदले प्लेबियनों ने अपना लौकिक काम छोड़ दिया। क्या इससे यह सिद्ध नहीं होता कि प्लेबियन संपत्ति की अपेक्षा धर्म को अधिक महत्त्व देते थे?

धर्म, सामाजिक स्थिति और संपत्ति, ये तीनों प्रभुता के स्रोत हैं। आज के यूरोपीय समाज में संपत्ति की प्रमुखता है, किंतु भारत में धर्म और सामाजिक व्यवस्था का सुधार किए बिना आप आर्थिक सुधार नहीं कर सकते। क्या भारत का सर्वहारा वर्ग ऐसी क्रांति लाने के लिए इकट्ठा हो जाएगा? इसके लिए उसे प्रेरणा तभी मिल

सकती है जब उसे विश्वास हो जाए कि जिनके साथ वह काम कर रहा है, वे समता, बंधुता और न्याय के लिए ही संघर्ष कर रहे हैं तथा क्रांति के बाद वर्ण, जाति और धर्म का कोई भेद न रहेगा। कम्युनिस्टों का केवल यह कहना काफी नहीं है कि 'मैं जाति भेद को नहीं मानता।' भारत में जहाँ साधारण जनता धनी और निर्धन, ब्राह्मण और शूद्र एवं ऊँच-नीच के भेद को मानती है और इसे पूर्व जन्म के कर्मों का फल, विधाता का विधान अथवा तकदीर समझती है, वहाँ केवल धनवानों के विरुद्ध कैसे इकट्ठी हो सकती है? और यदि नहीं इकट्ठी हो सकती, तो ऐसी आर्थिक क्रांति का होना ही असंभव है। यदि किसी कारण ऐसी क्रांति हो भी गई, तो ब्राह्मण-शूद्र, ऊँच-नीच और वर्ण-जाति के भेद-भाव को उत्पन्न करने वाले पक्षपातों से युद्ध किए बिना मार्क्सवादी शासन यहाँ चल सकना संभव नहीं। आप किसी भी ओर मुँह कीजिए वर्ण भेद और जाति भेद एक ऐसा राक्षस है जो सब ओर से आपका मार्ग रोके हुए है। जब तक आप इस राक्षस का वध नहीं करते, आप न यहाँ राजनैतिक सुधार कर सकते हैं और न आर्थिक सुधार!

क्या चातुर्वर्ण श्रम का विभाजन है?

कुछ लोग कहा करते हैं कि चातुर्वर्ण व्यस्वस्था श्रम का विभाजन है। परंतु यह बात निराधार है। वस्तुतः चातुर्वर्ण व्यवस्था का आधार भोगैश्वर्य की सुलभता, समाज पर प्रभुता और श्रेष्ठता, श्रम से बचना, आराम और लौकिक सुविधा का स्वार्थ है। यही कारण है कि इसे राष्ट्रीयता विघातक समझते हुए भी सवर्ण हिंदू नेता इसका विध्वंस सहन नहीं कर पाते। धनी और निर्धन की विषमता मिटा कर सापेक्षिक समता लाने का राग अलापने वाला सोशलिस्ट हिंदू भी वहाँ चातुर्वर्णी मर्यादा की रक्षा के लिए एड़ी-चोटी का जोर लगाता देखा जाता है। सवर्ण हिंदू को मानो जन्म में ऊँचाई का पट्टा मिला हुआ है, जिसके भोग में वह ऐसा आसक्त है कि वह शूद्रों के अभाव-ग्रसित कष्टमय जीवन का अनुभव ही नहीं कर सकता। एक अहीर या चमार-मजदूर ब्राह्मण-मजूदर के शाप से डर कर उसका पूजन करता एवं उसकी गाली, डींगें और बदतमीजी बरदाश्त करता है। ब्राह्मण और भंगी के बीच परंपरागत धार्मिक कुसंस्कारों के कारण कल्पित उच्चता और पवित्रता की दीवार खड़ी है। खेद है, भारत में आज तक जितने सुधारक हुए, वे सब भी सवर्ण हिंदुओं में ही पैदा हुए। यही कारण है कि वर्ण व्यवस्था द्वारा होने वाली घोर हानि की वे अनुभूति नहीं कर सके।

वर्ण व्यवस्था और जाति भेद वस्तुतः श्रम का नहीं, श्रमिकों का विभाजन है। यही कारण है कि यहाँ नीचे गिराई गई जाति का मनुष्य ऊपर वाली जाति का पेशा नहीं कर सकता। यहाँ भंगी हलवाई का काम नहीं कर सकता, परचूनी नहीं कर सकता, चाय और पान की दुकान नहीं रख सकता। पुरोहित नहीं बन सकता। ऐसा कोई सामाजिक कार्य नहीं, जिसमें भंगी से ब्राह्मण तक समान भाव से लग

सकें। हिंदुओं को एकता या एक-राष्ट्रीयता के सूत्र में बाँधने वाली एक भी बात नहीं, सब अपने को अलग-अलग अनुभव करते हैं। हिंदू का जन्म से मरण पर्यंत सारा जीवन अपने वर्ण और जाति की तंग चहारदीवारी के भीतर ही सीमित रहता है। एक जाति और एक वर्ण का मनुष्य दूसरी जाति और दूसरे वर्ण से घृणा और द्वेष रखता है। यहाँ तक कि लोगों ने एक-दूसरे की जाति के विरुद्ध निंदा और घृणापूर्ण कहावतें बना रखी हैं। जैसे कि–

बनिया, बंदर, अग्नि, जल, कुटी, कटक, कलार।
ये दशों अपने नहीं, सूची सुधा सुनार।
बनिया किसका यार, उसको दुश्मन क्या दरकार।
अहिर मिताई तब करै जब सबै मीत मर जाएँ।

पसिया मीत बबुर की छाहीं, छिन माँ आपन छिन माँ नाहीं।
जहाँ चार अहिर तहाँ बात गहिर, जहाँ चार कोरी तहाँ बात मोरी।

जाट मरा तब जानिए जब तेरहवीं होय।
यह कायथ की खोपड़ी मरे पै धोखा देय।

करिया बाम्हन गोर चमार, इनके साथ न उतरे पार।

ठाकुर मानें कहे-सुने ते, बाम्हन मानै खाये।
कागज मानैं लिहे-दिहे ते, सूद जाति लतियाये।

बाम्हन कुत्ता हाथी, नहीं किसी के साथी।

खत्री-पुत्रं कभी न मित्रं, जब मित्रं तब दगिमदगा।

गगरी दाना, सूद बताना।

ढोल, गँवार, सूद्र, पशु, नारी, ये सब ताड़न के अधिकारी।

इस दुनिया में तीन कसाई, खटमल पिस्सू, बाम्हन भाई।

जे वर्णाधम तेलि कुम्हारा, स्वपच किरात कोल कलवारा।

अंग्रेजों के पूर्वज भी 'वार ऑफ रोजेज' और क्रामवेल के युद्ध में एक-दूसरे

के विरुद्ध लड़े थे, परंतु उनके वंशजों में अब किसी प्रकार का वैर भाव नहीं है। इसके विपरीत भारत का ब्राह्मणेतर आज भी ब्राह्मणों को किसी प्रकार क्षमा करने को तैयार नहीं, क्योंकि उनके पूर्वजों ने शिवाजी का अपमान किया था—तेली, कुम्हार, कलवार, कायस्थ और अहीर को वर्णाधम, शूद्र और अघरूप लिखा। इस अनुलोम-प्रतिलोम वर्ण भेद और जाति भेद ने हिंदू समाज को पारस्परिक कलह, घृणा और भिन्नता के भावों से ऐसा जर्जरित बना रखा है कि हिंदू एक जाति या एक राष्ट्र के रूप में संगठित नहीं हो सकते।

आर्य समाज की वर्ण व्यवस्था

आर्य समाज ने वर्ण व्यवस्था को आकर्षक बनाने के लिए यह दावा पेश किया कि वर्ण जन्म से नहीं, गुण-कर्म-स्वभाव से होता है। वह यह भी कहता है कि भारत की चार हजार जातियों और उपजातियों को गला कर चार वर्णों में ढाल देना चाहिए। ये दोनों बातें संभव नहीं हैं। पहली यह है कि यदि व्यक्ति को गुणों के अनुसार समाज में आदर मिलता है, तो फिर चार वर्णों का आग्रह कैसा? ब्राह्मण-क्षत्रिय-वैश्य-शूद्र नाम के गंदे लेबलों की आवश्यकता क्यों? वर्णों का लेबल न लगाने से क्या समाज में सम्मान नहीं मिल सकता? दूसरा यह कि गुण क्या चार ही हैं? यदि चार ही हैं, तो यदि एक ही व्यक्ति में ब्राह्मण-क्षत्रिय-वैश्य-शूद्र चारों के गुणों का विकास हो, तो वह किस वर्ण में और नीचे वर्ण में रहेगा? फिर, ऊँचे वर्ण में जनमे व्यक्ति को क्या गुण-कर्म के अनुसार नीचे वर्ण में जनमे व्यक्ति को गुण-कर्म के अनुसार ऊँचे वर्ण का माना जाने के लिए क्या समाज को मजबूर किया जा सकेगा? अतः चार हजार जातियों को चार वर्णों में ढालना असंभव-सा है। फिर गुणों के अनुसार चार वर्णों का विभाग करने के लिए क्या म्युनिसिपैलिटी और काउंसिल्सों के इलेक्शन की तरह वर्णों का इलेक्शन हुआ करेगा अथवा परीक्षाएँ लेकर यूनिवर्सिटी से वर्णों का सर्टीफिकेट बँटा करेगा?

इसके सिवाय समाज में आधी आबादी स्त्रियों की है। क्या आज भी समस्त नारी जाति को 'शूद्रा' बनाकर रखा जा सकता है? यदि नहीं, तो क्या चातुर्वर्ण के अनुसार कुछ स्त्रियाँ पुरोहित बनेंगी, कुछ सिपाही का काम करेंगी और कुछ सेठ बनकर व्यापारी का काम करेंगी? इतिहास-प्रसिद्ध प्लेटो ने भी गुणों के अनुसार विचारक, शूर और वणिक व श्रमिक—तीन श्रेणियों में समाज को बाँटने की व्यवस्था की थी, किंतु उसकी व्याख्या भंग हो गई। यह सिद्ध हो गया कि किन्हीं दो मनुष्यों को भी सदा एक श्रेणी में नहीं रखा जा सकता, क्योंकि गुण और स्वभाव परिवर्तनशील होते हैं। अतएव आर्य समाजी कल्पना से उद्‌भूत गुणों के अनुसार चातुर्वर्ण व्यवस्था हानिकर और अस्वाभाविक ही नहीं, वरन मूर्खतापूर्ण और असंभव भी है।

वस्तुतः चातुर्वर्णी व्यवस्था चाहे गुण-कर्म के अनुसार हो, चाहे जन्म के आधार

पर, दोनों रूपों में अस्वाभाविक है। स्वतंत्र मानव समाज को चार वर्णों में केवल कठोर कानून और राज-दंड के भय से ही ठूँसा जा सकता है, जैसा कि चातुर्वर्ण के रक्षक राम ने शूद्र होकर तप करने के कारण शंबूक का शिरोच्छेदन कर दिया। आज बीसवीं शताब्दी के स्वछंद मानव समाज को मनृस्मृति की अंधकारयुगीन दंडनाओं से अनुशासित नहीं किया जा सकता।

वर्ण व्यवस्था असाध्य और हानिकारक

चातुर्वर्ण व्यवस्था मानव समाज के लिए असाध्य ही नहीं, हानिकर भी है। इसका अर्थ है, कुछ इने-गिने मनुष्यों के भोगैश्वर्य के लिए बहुजन समाज को कंगाल बना दिया जाए एवं थोड़े-से लोगों के प्रभुत्व के लिए बहुत-से लोगों को सर्वहारा बना दिया जाए। थोड़े-से लोगों के जीवन के विकास और प्रकाश के लिए बहुत-से लोगों को प्रवंचित, निःसत्व और अंधकारमय बना दिया जाए। भारत में यही हुआ। इस राक्षसी व्यवस्था ने यहाँ के बहुसंख्यक लोगों को निर्जीव और पंगु बना दिया। यही कारण है कि दूसरे समुन्नत देशों की तरह यहाँ कभी सामाजिक क्रांति नहीं हुई। यहाँ का खेतिहर हल के सिवाय तलवार नहीं चला सकता था। जनता के पास संगीनें न थीं। क्रांति के द्वारा दासता से मुक्त होने का कोई साधन न था। उसे समझाया गया था कि परमेश्वर ने ही तुम्हारे भाग्य में दासता लिखी है। इसके फलस्वरूप शूद्र बनाई गई जनता घोर दासता का दुःख भोगती थी। भारतीय इतिहास में केवल मौर्य सम्राज्य का काल ही वह काल था, जब चातुर्वर्ण विध्वंस हो गया था, शूद्र और दास होश में आ गए थे और देश के शासक बन गए थे।

महाभारत और पुराण ब्राह्मण-क्षत्रियों के संघर्ष से पूर्ण हैं। कभी ब्राह्मण क्षत्रियों का विनाश करते पाए जाते हैं ओर कभी क्षत्रिय ब्राह्मणों का। यदि क्षत्रिय और ब्राह्मण गली में मिल जाएँ तो कौन किसको पहले प्रणाम करे या रास्ता छोड़ दे, ऐसी छोटी बातों पर भी लड़ पड़ते थे। क्षत्रिय और ब्राह्मण एक-दूसरे की आँख के काँटा थे। भागवत में स्पष्ट लिखा है कि कृष्ण का अवतार क्षत्रियों का विनाश करने के लिए हुआ था और ब्रह्म-हत्या निवारण के लिए ही राम को अश्वमेध यज्ञ करना पड़ा था। इन सब बातों से सिद्ध हो जाता है कि चातुर्वर्ण व्यवस्था आदर्श रूप में कभी सफल नहीं हुई।

जो लोग कहते हैं कि वर्ण भेद केवल श्रम विभाग का दूसरा नाम है और प्रत्येक सभ्य समाज के लिए श्रम विभाग आवश्यक है, वे इसकी गहराई को नहीं देखते। भारतीय वर्ण भेद केवल श्रम विभाग नहीं, वरन श्रमिकों का विभाग है तथा श्रमिकों को एक-दूसरे के ऊपर श्रेणीबद्ध करके रखा गया है। बेचारे श्रमिकों को स्वयं अच्छा व्यवसाय चुनने की छूट नहीं है। ऐसा किसी भी सभ्य समाज में नहीं है।

स्वेच्छा से व्यवसाय न चुन सकने का परिणाम यह होता है कि लोगों को अपने पैतृक कामों से अरुचि उत्पन्न हो जाती है। इस अरुचि का कारण व्यवसायों पर लगा हुआ कलंक तथा इसे करने वालों के प्रति ऊँच-नीच की सामाजिक भावनाएँ होती हैं। इस सबका परिणाम यह होता है कि उस व्यवसाय की उन्नति नहीं होती।

वर्ण भेद और प्रजनन विज्ञान

वर्ण भेद के हिमायती कुछ लोग इसे रक्त की पवित्रता और वंश की विशुद्धि कायम रखने का साधन कहते हैं; किंतु डॉ. भंडारकर ने अपनी प्रसिद्ध पुस्तक 'फॉरेन एलिमेन्ट्स इन द हिंदू पॉपुलेशन' (हिंदू लोगों में विदेशी तत्त्व) पुस्तक में तर्क और प्रमाणों से सिद्ध कर दिया है कि भारत में ऐसी कोई श्रेणी नहीं जिसमें विजातीय अंश न हो। लड़ाकू राजपूत और मराठों में ही नहीं, ब्राह्मणों में भी शुद्ध रक्त नहीं है। वर्ण भेद वस्तुतः विभिन्न जातियों के रक्त और संस्कृति-सम्मिश्रण के बहुत पीछे बना। पंजाब और मद्रास के ब्राह्मणों अथवा बंगाल और मद्रास के अस्पृश्यों में ही एक वंश या एक रक्त नहीं है। वस्तुतः पंजाब के ब्राह्मण और पंजाब के चमार एवं मद्रास के ब्राह्मण और मद्रास के चमार में रक्त और वंश की एकता है। यदि विभिन्न वर्णों के लोगों में वर्णांतर विवाह होने दिया जाए, तो इससे हानि की अपेक्षा लाभ ही अधिक होगा। हाँ, पशु और मनुष्य में भेद अवश्य है। मनुष्य-मनुष्य में भेद नहीं है, क्योंकि विभिन्न वर्णों के विवाहों से संतान पैदा होती है, स्त्रियाँ बाँझ नहीं हो जातीं। थोड़ी देर के लिए यदि मान लिया जाए कि रक्त सम्मिश्रण की रुकावट सुप्रजनन या रक्त शुद्धि की दृष्टि से है, तो विभिन्न वर्णों के पारस्परिक सहयोग की रुकावट का उद्देश्य क्या है?

वर्ण भेद सुप्रजनन शास्त्र के मौलिक सिद्धांतों के अनुसार होता, तो इस पर अधिक आपत्तियाँ न होतीं, क्योंकि तब उसका उद्देश्य उत्तम संतान उत्पन्न कर नस्ल का सुधार करना होता। परंतु ऐसा पाया नहीं जाता। वृक्ष अपने फल से पहचाना जाता है। वर्ण भेद ने तो ऐसी नस्ल पैदा की जिसका न लंबा कद है, न बलिष्ठ शरीर। शारीरिक दृष्टि से हिंदू ठिगने और बौने लोगों की जाति है। एक ऐसी नस्ल, जिसका दसवाँ भाग सैनिक सेवा के अयोग्य है। ऐसी दशा में यह स्वीकार नहीं किया जा सकता कि वर्ण व्यवस्था का आधार वैज्ञानिक सुप्रजनन शास्त्र है। यह तो एक ऐसी सामाजिक पद्धति है जिसमें इसके व्यवस्थापकों का घमंड और स्वार्थ भरा है। इन्हें ऐसी शक्ति प्राप्त हो गई थी, जिससे ये ऐसी गर्हित व्यवस्था अपने से छोटों पर लाद सकें। इसने हिंदुओं को पूर्णतः असंगठित और नीति-भ्रष्ट बना दिया है।

हिंदू समाज एक काल्पनिक वस्तु

'हिंदू समाज' एक काल्पनिक वस्तु है। 'हिंदू' नाम भी एक विदेशी नाम है। यहाँ

के निवासियों को अपने से अलग पहचानने के लिए मुसलमानों ने यह नामकरण दिया था। मुस्लिम आक्रमण के पूर्व के किसी भी संस्कृत ग्रंथ में 'हिंदू' शब्द नहीं मिलता। शायद उस समय सत्ताधारियों को ऐसे किसी नाम की आवश्यकता की अनुभूति ही न होती थी, क्योंकि उन्हें इस बात की कल्पना ही न थी कि हम सब यहाँ के निवासी एक जाति, एक समाज या एक बिरादरी हैं। वस्तुतः भाईचारे के रूप में 'हिंदू समाज' का कोई अस्तित्व नहीं है—यह केवल वर्णों और उपवर्णों का संग्रह मात्र है। प्रत्येक वर्ण और उपवर्ण केवल अपने ही अस्तित्व का अनुभव करता है और उसे बनाए रखने के लिए वह प्रयत्नशील भी रहता है।

विभिन्न वर्ण-उपवर्ण या जाति-पाँति कोई संघ भी नहीं बनते, क्योंकि एक वर्ण कभी यह अनुभव नहीं करता कि वह दूसरे वर्णों के साथ संबद्ध है, सिवाय उस समय के, जबकि हिंदू-मुस्लिम फसाद हो रहा हो। प्रत्येक वर्ण अपने ही भीतर खान-पान और ब्याह-शादी करता है और अपनी पृथकता का प्रकाश करने के लिए अपनी रस्मों और पहनावे में भी मित्रता रखता है। वस्तुतः आदर्श हिंदू वही है जो चूहे की तरह अपने ही बिल में घुसा रहता है। यही कारण है कि वहाँ 'सामूहिक जाति चेतना' नहीं है। अतएव हिंदू एक समाज या एक राष्ट्र नहीं कहला सकते।

हिंदू एक आकारहीन ढेर है, इस बात को कुछ देशभक्त मानना नहीं चाहते। वे कहते हैं, इस बाहर से दिखाई देने वाली भिन्नता के नीचे कोई मौलिक एकता है। वह मौलिक एकता क्या है? इसे लादी गई चीज के सिवाय कोई बता नहीं पाता। किसी संस्कृति के प्रसारक यदि सारे देश में फैल गए हों, तो उस प्रसारित संस्कृति से देश एक समाज नहीं बन सकता, जब तक कोई ऐसी चीज न हो, जिसमें सबका साझेदारी का अधिकार हो। देश में आदिम जातियों का एक समाज अवश्य था, क्योंकि विविध आदिम जातियों के स्वभावों, रीतियों, विश्वासों और विचारों में एकसदृश्यता और मौलिक एकता पाई जाती है। जब तक किसी कार्य में लोग साझीदार नहीं बन जाते और उस काम की सफलता या विफलता को अपनी निजी सफलता या विफलता नहीं समझते, तब तक लोग एक समाज नहीं हो सकते। वर्ण भेद इस साझेदारी को रोकता है, इसी कारण देश कभी एकीभूत जीवनवाला राष्ट्र नहीं बन सका।

आदिवासी और जाति भेद

देश में आदिवासियों की एक खासी संख्या है, जो मानव समाज से अलग असभ्य जंगली हालत में पाए जाते हैं। इनमें कुछ ऐसे भी हैं जो विवश हो 'जरायमपेशा' हो गए हैं। हिंदू डींगे मारते हैं कि उनके वेद में सारे विश्व को 'आर्य' बनाने का आदेश है, तो फिर अपने ही देश में रहने वाले इन आदिवासियों को उन्होंने अब तक सभ्य आर्य क्यों नहीं बनाया? क्या यह शर्म की बात नहीं है?

हिंदुओं ने इन आदिवासी मानवों को सभ्य बनाने का प्रयत्न क्यों नहीं किया,

इसका सही उत्तर यह है कि हिंदू वर्ण और जाति के अहंकार से ग्रसित हैं, इसलिए वह इनसे संपर्क स्थापित नहीं कर सकता। इन्हें सभ्य बनाने में उसे इनके बीच बसना, इनसे प्रेम व सहानुभूति पैदा करना एवं इन्हें अपनाना पड़ता। यह सब उसके लिए संभव न था, क्योंकि ऐसा करने में हिंदू में वर्ण और जाति की पवित्रता नष्ट हो जाती। इसलिए वह इनसे दूर रहा। हिंदुओं को यह कल्पना नहीं हुई कि यदि अहिंदुओं ने इन जातियों को सुधार कर इन्हें अपने धर्म का साझीदार बना लिया, तो ये बहुसंख्यक आदिवासी उनके शत्रुओं की संख्या बढ़ा देंगे और तब हिंदुओं को अपने जाति भेद और वर्ण भेद को ही धन्यवाद देना पड़ेगा।

केवल यही नहीं कि हिंदुओं ने इन जंगलियों को सभ्य बनाने का यत्न नहीं किया, ऊँचे वर्ण वाले हिंदुओं ने अपने से नीचे वर्ण वालों के सांस्कृतिक विकास को रोका है। महाराष्ट्र के सुनारों और पठारे प्रभुओं के साथ बलपूर्वक ऐसा किया गया। बेचारे सुनारों को शौक हुआ कि वे भी ब्राह्मणों की तरह चुनी धोती और त्रिपुंड धारण कर परस्पर 'नमस्कार' किया करें, तो उन्हें पेशवाओं ने दबाव डाल कर ऐसा करने से रोक दिया और पठारे प्रभु जब ब्राह्मणों की नकल कर विधवाओं को बिठलाने लगे (क्योंकि विधवा विवाह अनार्य प्रथा है, आर्य हिंदुओं में विधवा विवाह नहीं होता), तो उनको कानूनन रोका गया।

हिंदू लोग मुसलमानों और ईसाइयों की हमेशा निंदा किया करते हैं, किंतु ये दोनों धर्म मानवता के अधिक निकट पाए जाते हैं। ये गिरे हुओं को उठाते और ज्ञान का प्रकाश फैला कर लोगों की उन्नति का मार्ग खोलते हैं, जबकि हिंदुओं का जातीय राग-द्वेष दुर्बलों को सदा अज्ञानांधकार में रख कर उन्हें दासता का सबक सिखाने और उन्हें दलित व पीड़ित, प्रवंचित व शोषित करने में ही अपना परम पुरुषार्थ समझता है।

शुद्धि और संगठन

ईसाई मिशनरियों की देखा-देखी हिंदुओं में भी विधर्मियों की शुद्धि करके संख्या बढ़ाने का शौक पैदा हुआ। उन्होंने यह नहीं सोचा कि हिंदू धर्म मिशनरी (प्रचारक) धर्म नहीं है, अतः शुद्धि आंदोलन एक मूर्खता और व्यर्थ चेष्टा सिद्ध होगा।

वस्तुतः हिंदू समाज वर्णों और उपवर्णों (जातियों) का संग्रह मात्र होने से प्रत्येक वर्ण एक ऐसा संगठित संघ है, जिसमें बाहर से भीतर आने का द्वार बंद है। हिंदू संस्कृति के अनुसार किसी जाति विशेष में जन्म लेने वाला ही उस जाति का सदस्य माना जा सकता है। किंतु जब कोई व्यक्ति किसी दूसरे धर्म में जाता है, तो उसके सामने केवल सिद्धांतों और दर्शनों को ही दिमाग़ में ठूँस लेने का प्रश्न नहीं होता, वह यह भी देखता है कि उस समाज में प्रवेश करने पर उसका स्थान क्या होगा, वह कहाँ रखा जाएगा, किस बिरादरी में उसे जगह मिलेगी, कि लोगों में उसके बच्चों

के ब्याह होंगे इत्यादि। हिंदुओं का जाति भेद इन प्रश्नों का उत्तर देने में विमूढ़ है।

जिन कारणों से शुद्धि संभव नहीं है, प्रायः उन्हीं कारणों से संगठन भी असंभव है। जातिवाद होने से हिंदू शारीरिक शक्ति रखते हुए भी भीरु, कायर, दब्बू और अकेला है। उसे विश्वास नहीं है कि संकट पड़ने पर दूसरी जाति का हिंदू उसकी सहायता करेगा। मुसलमानों और सिखों की तरह वह किसी संकटग्रस्त को अपने घर में छिपा कर रोटी नहीं खिला सकता, न विभिन्न जातियों के हिंदू एक परिवार की तरह संगठित होकर एक घर में रह सकते हैं। यही कारण है कि जब एक हिंदू पिटता या लुटता है, तो दूसरा उसे बचाने के लिए अपनी जान जोखिम में डालने की हिम्मत नहीं करता। किसी हिंदू लड़की का अपहरण हो जाने पर हिंदू उसे वापस लाने में इसलिए उदासीन रहता है कि उसकी शादी कहाँ करेगा? बिरादरी में तो उसे कोई अच्छा घर-वर मिलेगा नहीं।

वर्ण भेद और जाति भेद से ग्रस्त होने के कारण हिंदू समझता है कि भाग्य ने उसे अकेला पैदा किया है। हिंदू के रहन-सहन, खान-पान और पूजा-उपासना में कोई ऐसी बात नहीं है, जो उसे मुसलमानों और सिखों की तरह एकनिष्ठ करके परस्पर सहानुभूति उत्पन्न करे, न ऐसा कोई सामाजिक बंधन है जिससे एक हिंदू दूसरे हिंदू को अपना भाई समझे। इसीलिए हिंदू संगठित भी नहीं हो पाता।

जाति भेद और सदाचार

वर्णवाद और जातिवाद ने इस देश में मानवी सदाचार का भी संहार कर दिया है, जो अत्यंत खेदजनक है। मानवीय सदाचार का अर्थ है सार्वजनिक सद्गुण और सार्वजनिक सदाचार। मनुष्यों के केवल दो विभाग किए जा सकते हैं : अच्छे और बुरे, ज्ञानी और अज्ञानी, धर्मात्मा और धर्महीन, विद्वान और मूर्ख। किंतु वर्ण और जाति की भावना ने हिंदुओं की दृष्टि को ऐसा संकुचित बना दिया है कि अन्य मनुष्य कितना ही सद्गुणी और सदाचारी क्यों न हो, यदि वह किसी वर्ण-विशेष या जाति-विशेष का व्यक्ति नहीं है, तो उसकी कोई सुनेगा ही नहीं। एक ब्राह्मण किसी अब्राह्मण को अपना नेता और गुरु नहीं मानेगा। इसी तरह कायस्थ कायस्थ को और बनिया बनिए को ही अपना नेता मानेगा। वर्ण और जाति का विचार छोड़ कर मनुष्यों के सद्गुणों की कद्र वह तभी करेगा, जब वह व्यक्ति उसका जाति-भाई हो। वहाँ मानवीय-सदाचार 'कबायली सदाचार' बन गया है। सद्गुण और सदाचार की प्रधानता नहीं है, वर्ण और जाति की प्रधानता है। (महात्मा गाँधी भी तभी एक 'राष्ट्रपिता' रहे थे, जब तक आजादी नहीं मिली थी। आजादी मिल जाने पर उनकी नहीं चली, और अंत में वह एक ब्राह्मण की गोली का निशाना बन गए!)

मेरा आदर्श समाज

आप पूछ सकते हैं, यदि आप वर्ण और जाति नहीं चाहते, तो आपका आदर्श समाज क्या है? मैं कहूँगा, एक ऐसा समाज, जिसमें न्याय, बंधुता, समता और स्वतंत्रता हो। मैं समझता हूँ, किसी भी विचारवान को इससे इनकार न होना चाहिए। बंधुता का अर्थ यह है कि देश में उत्पन्न सभी व्यक्ति परस्पर भाई-भाई हैं और सभी का पिता की संपत्ति की भाँति देश की संपत्ति पर समान अधिकार है। जीवन के लिए आवश्यक भोजन, वसन, औषधि और शिक्षा के लिए सभी बराबर के हकदार हैं। इसी का नाम बंधुता या भाईचारा है। इसका दूसरा नाम है जनतंत्र या लोकतंत्र।

'समता' शब्द पर फ्रांसीसी राज्य क्रांति के समय बहुत विवाद हुआ, क्योंकि सब मनुष्य समान नहीं होते। कोई प्रतिभाशाली है, कोई जड़-बुद्धि; कोई कलाकार है, कोई लंठ, कोई बलिष्ठ है, कोई दुर्बल, कोई वीर है, कोई भीरु, कोई पुरुषार्थी है, कोई आलसी, कोई कर्मिष्ठ है और कोई आरामतलब, कोई सर्वांग-सुंदर है और कोई कुरूप इत्यादि। प्राकृतिक असमानता के कारण व्यवहार में भी असमानता न्यायसंगत है। किंतु प्रत्येक व्यक्ति को, उसके अंदर निहित शक्ति के पूर्ण विकास में, समान भाव से प्रोत्साहन और सुविधा मिलना आवश्यक है। इसमें जाति, वंश, खानदान, पारिवारिक ख्याति, सामाजिक संबंध इत्यादि बातें बाधक नहीं होनी चाहिए। जनतंत्र में वोट सबके समान होते हैं, वोटों का वर्गीकरण नहीं होता। अतः सबकी उन्नति के अधिकार और व्यवहार में भी समता होना अनिवार्यतः आवश्यक है।

स्वतंत्रता समय की माँग और युग-धर्म है। जैसे उठने-बैठने, चलने-फिरने, हिलने-डुलने, सोने-जागने की स्वतंत्रता सभी को प्राप्त है, उसी तरह प्रत्येक व्यक्ति को अपनी इच्छानुसार व्यवसाय चुनने और आचरण करने की स्वतंत्रता होनी चाहिए। दूसरों की इच्छानुसार जीविका अर्जन करने और अपने जीवन का कर्तव्य स्थिर करने की विवशता होना तो दासता है। वर्ण विधान अर्थात कल्पित वर्गों के अनुसार कर्मों की व्यवस्था तो एक वैधानिक 'दास प्रथा' मात्र है। खान-पान, रहन-सहन, धर्माचरण, चिंतन-भाषण, लेखन-मुद्रण इत्यादि की स्वतंत्रता सभी को होनी चाहिए।

इस प्रकार न्याय, बंधुता, समता और स्वतंत्रता से युक्त समाज ही मेरा आदर्श समाज है।

अहिंदुओं की जात-पाँत

जाति भेद की बात चलने पर कुछ लोग सिखों, मुसलमानों और ईसाइयों के अंदर जात-पाँत का नाम लेकर संतोष की साँस लेते हैं। इन लोगों से मेरा निवेदन है कि अहिंदुओं की जात-पाँत में हिंदुओं की जाति-पाँति से मौलिक भिन्नता है। हिंदुओं में कोई ऐसी संयोजन शक्ति नहीं है जो वर्ण भेद से उत्पन्न होने वाली भिन्नता का

इलाज हो, जबकि अहिंदुओं में सबको एकत्र रखने वाले अनेक बंधन हैं एवं जातियों का उनके यहाँ कोई महत्त्व नहीं है। आपके यह पूछने पर कि तुम कौन हो, जब कोई अहिंदू कहता है कि वह मुसलमान या ईसाई है, तो आप उसके उत्तर से संतुष्ट हो जाते हैं, उससे यह नहीं पूछते कि मुसलमानों में तुम शेख, सैयद, जुलाहा—कौन हो? परंतु जब कोई मनुष्य कहता है कि वह हिंदू है, तो इतने से आपको संतोष नहीं होता और आपको उसकी जाति पूछने की आवश्यकता रहती है, क्योंकि हिंदू होने की दशा में जाति इतनी आवश्यक है कि उसके जाने बिना आप यह स्थिर नहीं कर सकते कि आपको उसके साथ किस तरह बरतना चाहिए।

दूसरी बात यह कि मुसलमानों, सिखों और ईसाइयों में जात-पाँत का कोई सामाजिक महत्त्व न होने के कारण वे जाति तोड़ने वाले का बहिष्कार नहीं करते; परंतु हिंदू अपनी जाति तोड़ने पर बहिष्कृत हो जाता है। इससे हिंदुओं और अहिंदुओं की जात-पाँत के महत्त्व का अंतर साफ समझ में आ जाता है।

तीसरी बात यह है कि हिंदुओं का जाति भेद उनके धर्म का अंग है। व्यास आसन पर बैठ कर कथा केवल ब्राह्मण ही बाँच सकता है, कायस्थ या कलवार नहीं बाँच सकता, चाहे कितना ही विद्वान क्यों न हो। अहिंदुओं की जातियाँ उनके धर्म का अंग नहीं। धर्म हिंदुओं को बाध्य करता है कि वे जातियों की पृथकता को सद्‌गुण और सदाचार समझें, अहिंदुओं को ऐसा समझने के लिए धर्म बाध्य नहीं करता। हिंदू यदि अपनी जाति को तोड़ना चाहे तो धर्म रास्ते में खड़ा हो जाता है, अहिंदुओं में धर्म बाधक नहीं। अतएव अहिंदुओं में जात-पाँत देख कर हिंदुओं को संतोष की साँस नहीं लेनी चाहिए।

कुछ लोग ऐसे भी हैं जो मानते ही नहीं कि वर्ण भेद से हिंदुओं को हानि हुई। ये लोग केवल इस बात से सांत्वना पा रहे हैं कि हिंदू अभी तक जीवित हैं, मिट नहीं गए। डॉ. राधाकृष्णन ने भी अपनी पुस्तक 'हिंदू व्यू ऑफ लाइफ' में इसी मत का समर्थन किया है। किंतु मेरा निवेदन है, क्या अब तक जीते रहना भविष्य में भी जीवित रहने का प्रमाण है? प्रश्न यह है कि आप किस अवस्था में जीते हैं? केवल जीने और उपयुक्त रीति से जीने में बड़ा अंतर है। समाज में लड़कर विजय-कीर्ति के साथ जीना एक प्रकार का जीना है और रण में पीठ दिखाकर अधीनता स्वीकार कर जीना दूसरे प्रकार का जीना है। इतिहास साक्षी है कि हिंदू जीवन निरंतर पराजय का जीवन रहा है। यह बचकर जीवित रहना तो ऐसा तरीका है, जिसके लिए प्रत्येक विचारमान हिंदू को, जो सत्य को स्वीकार करने से नहीं डरता, लज्जा और शर्म का अनुभव करना चाहिए।

जाति भेद मिट कैसे सकता है

अब प्रश्न यह है कि जाति भेद या वर्ण भेद कैसे मिट सकता है? हिंदुओं की सामाजिक

व्यवस्था दूषित है, उसका सुधार आवश्यक है। कुछ सुधारकों का मत है कि उपजातियों को, जो हजारों की संख्या में हैं, घटाकर चार वर्णों में कर देना चाहिए। इनका खयाल है कि जिन उपजातियों में रस्म-रिवाज जिस वर्ण या प्रमुख जाति से मिलते हों, उसको उसमें मिला देना आसान तरीका है। मेरी समझ में यह कल्पना ही गलत है, क्योंकि पहले तो प्रमुख वर्णों में ही सदृशता नहीं है। जैसे कि उत्तरी और मध्य भारत के ब्राह्मण अधिकतर 'रसोइए' और 'पानी पांडे' तथा कश्मीर और बंगाल के ब्राह्मण प्रायः मांसाहारी हैं, इनकी अपेक्षा बंबई और मद्रास के ब्राह्मणों का खान-पान और सामाजिक स्थिति बहुत ऊँची है। इनका यह भेद कैसे मिटेगा? इसी तरह उत्तर भारत, बिहार और बंगाल के कायस्थ योग्यता में दक्षिण भारत के ब्राह्मणों के समक्ष हैं तथा निरामिषता की दृष्टि से गुजराती, मारवाड़ी और जैनी दक्षिणी ब्राह्मणों के समतुल्य हैं। ऐसी दशा में किसको किस वर्ण में ठूँसा जाएगा? फिर, आधुनिक समाज के इंजीनियर, डॉक्टर, प्रोफेसर, लेक्चरर, शायर, एडिटर, लेखक, कलाकार, टेकनीशियन, वैज्ञानिक इत्यादि—जिसमें सभी उपजातियों के लोग हैं—इन सबको किस वर्ण में घुसेड़ा जाएगा? क्षण भर के लिए मान भी लिया जाए कि हजारों उपजातियाँ चार वर्णों में ठूँस दी गईं, तब भी चार का जाति भेद बना रहा और यह प्रमुख जाति भेद प्रबल होकर क्या और अधिक अनिष्टकारी न हो पाएगा? फिर, उपजातियों के टूटने के साथ ही क्या इनके द्वारा होनेवाले सामाजिक काम बंद हो जाएँगे? इसीलिए यह खयाल गलत ही नहीं, अनिष्टकारी और असंभव भी है।

कुछ लोगों का मत है कि अंतरजातीय सहभोज होने चाहिए। इससे जाति भेद मिटेगा। मेरे विचार में यह उपाय भी अपर्याप्त है, क्योंकि सहभोज अर्से से हो रहे हैं। इसका जाति भेद मिटने पर कोई असर नहीं हुआ।

मेरे विचार में जाति भेद मिटाने का वास्तविक उपाय अंतरजातीय और अंतरवर्गीय विवाह हो सकते हैं। केवल रक्त-मिश्रण ही स्वजन, आत्मीय और मित्र होने का भाव पैदा कर सकता है। जब तक यह आत्मीयता, बंधुता और मित्रता का भाव प्रधान नहीं होता, जब तक जाति भेद द्वारा उत्पन्न किया हुआ शत्रुता का दुर्भाव दूर नहीं होता। जाति भेद मिटा कर हिंदुओं के सामाजिक जीवन को तेजस्वी बनाने का यही एक सही उपाय है।

इस दृष्टि से लाहौर के जात-पाँत तोड़क मंडल का कार्य सराहनीय है। यह सही और सीधा रास्ता है। जाति भेद के रोग का सही निदान ढूँढ़ लेने के लिए मंडल धन्यवाद का पात्र है। परंतु क्या क़ारण है कि हिंदुओं की बड़ी संख्या इस आंदोलन के साथ सहयोग नहीं कर रही है?

हिंदू इसलिए जाति भेद तोड़ना नहीं चाहता, क्योंकि उसे अपना धर्म प्राणों से भी अधिक प्यारा है। वस्तुतः जाति भेद बनाए रखने में लोगों की उतनी अधिक भूल नहीं है, जितनी हिंदू धर्मशास्त्रों की। हिंदू धर्मशास्त्र जाति भेद का समर्थन करते

हैं, वर्ण संकरता को पितरों को नरक में ढकेलने वाली कुल-घातिनी कहते हैं। अतएव यह कहना गलत नहीं है कि वर्ण भेद और जाति भेद की रक्षा के लिए ही हिंदू शास्त्रों की रचना हुई है।

जो सुधारक अस्पृश्यता मिटाने का यत्न कर रहे हैं, जिनमें महात्मा गाँधी भी शामिल हैं, वे इस बात को नहीं समझ पाते कि लोगों के आचरण का मूलाधार धर्मशास्त्र हैं। जाति भेद, वर्ण भेद, अधिकार भेद, अस्पृश्यता इत्यादि बुराइयों को मिटाने का मौलिक उपाय हिंदू शास्त्रों का विरोध और उनके विरुद्ध घृणा का प्रचार करना है। व्याकरण और तर्क द्वारा शास्त्रों का अर्थ बदलना उपयुक्त नहीं। इसमें यह कहने का साहस होना चाहिए कि सारी खराबी की जड़ हिंदू ग्रंथ हैं, जिन्होंने जाति भेद और वर्ण भेद की पवित्रता का प्रचार किया।

हिंदू का रोम-रोम शास्त्रों से बँधा है

वर्णाश्रम हिंदू धर्म की रीढ़ होने के कारण वर्णों और जातियों के कर्मों, अधिकारों और भोगों की अलग-अलग व्यवस्था ही हिंदू का उद्देश्य है तथा एक हिंदू, जिसे धार्मिक होने का अभिमान है, शास्त्रों से ऐसा बँधा है कि वह उनके विरुद्ध कुछ भी सोचने और करने को स्वतंत्र नहीं है। धर्म के जिज्ञासुओं के लिए वेद ही प्रमाण है। श्रुति वेद हैं और धर्मशास्त्र स्मृतियाँ। ये दोनों संपूर्ण अर्थों में निर्विवाद हैं और इन्हीं से धर्म का प्रकाश हुआ है। मनु का स्पष्ट आदेश है–

योऽवमन्येत ते मूले हेतुशास्त्राश्रयात् द्विजः
स साधुभिर्बहिष्कार्यो नास्तिको वेदनिंदकः।

जो द्विज (ब्राह्मण-क्षत्रिय-वैश्य) इन धर्म-मूलों का कुतर्क से अपमान करे, उसका सज्जन पुरुषों को बहिष्कार कर देना चाहिए, क्योंकि वेद निंदक नास्तिक होता है।

श्रुतिद्वैधं तु यत्र स्यात्तत्र धर्मावुभो स्मृतौ।

यदि कहीं पर दो श्रुतियों में अंतर हो, तो दोनों को प्रमाण मान कर किसी एक का पालन करना चाहिए।

या वेदबाह्याः स्मृतयो याश्च कश्चि कुदृष्टयः।
सर्वास्ता निष्फलाः प्रेत्य तमोनिष्ठा हि तः स्मृताः।

यदि श्रुति और स्मृति में परस्पर विरोध हो, तो श्रुति को प्रमाण मानना चाहिए। यह कुतर्क न करना चाहिए कि इन दोनों में ठीक कौन है। वशिष्ठ कहते हैं–

वेदायत्वोपनिबंधृत्वत् प्रमाणगं हि मनोःस्मृतं।
मन्वर्थविपरीता तु या स्मृतिः सा न शयते।।

यदि कहीं स्मृतियों के परस्पर विरोध हो, तो वहाँ मनुस्मृति को प्रमाण मानना चाहिए। मनु के अर्थ के विरुद्ध कोई स्मृति मान्य नहीं है। धर्म क्या है, इसके लिए मनु का स्पष्ट आदेश है–

वेदः स्मृतः सदाचारः स्वस्थ च प्रियमात्मनः
एतच्चतुर्विषं प्राहुः साक्षात् धर्मस्य लक्षणम्।

वेद, स्मृति, सदाचार तथा जिससे अपना संतोष हो, यह चार प्रकार का साक्षात धर्म का लक्षण कहा गया है।

मतलब यह है कि हिंदू धर्म का निर्णय वेद और शास्त्र में है, उसके आगे या उससे भिन्न सोचना वेद-शास्त्र का अपमान और निंदा करना है। ऐसे कुतर्की निंदक का समाज से बहिष्कार कर देना चाहिए। यदि दो श्रुतियों में कहीं पर अंतर पाया जाए, तो दोनों को ठीक मान कर किसी एक का पालन करना चाहिए और यदि श्रुति और स्मृति में अंतर हो, तो कुतर्क न कर श्रुति के आदेश को मान लेना चाहिए। बृहस्पति कहते हैं, यदि दो स्मृतियों में परस्पर विरोध हो, तो यहाँ मनु को मानना चाहिए, क्योंकि मनु के अर्थ के विरुद्ध कोई स्मृति मान्य नहीं है। यदि कोई ऐसा मसला हो, जिसके लिए श्रुति और स्मृति-दोनों में कोई स्पष्ट आदेश न मिलता हो, तो सदाचार से उसका निर्णय करना चाहिए या फिर अपने को जो प्यारा लगे या जिससे अपना संतोष हो, उसे मानना चाहिए।

श्रुति और स्मृति के आदेश तो उन ग्रंथों में मौजूद ही हैं, सदाचार किसे कहते हैं, यह समझना शेष है। सदाचार को समझने में कहीं लोग शास्त्र-मर्यादा का उल्लंघन न कर बैठें, इसलिए मनु ने सदाचार की भी परिभाषा कर दी है–

यस्मिन् देशे य आचारः पारंपर्यक्रमागतः
वर्णानां किल सर्वेषां स सदाचार उच्यते।

जिस देश में (ब्राह्मण-क्षत्रिय-वैश्य-वर्णशंकर शूद्रादि) सभी वर्णों का परंपरा-क्रम से जो आधार चला आ रहा है, शास्त्र उसी को सदाचार (सदा का आचार) कहते हैं।

'सदाचार' का अर्थ यह नहीं है कि 'अच्छा आचरण' या 'अच्छे पुरुषों का आचरण।' 'आत्मा को प्यारा' तो वही होगा, जिससे राहत और आराम मिले! लेकिन मनु ने सदाचार उसे कहा है जो परंपरा से समर्थित है।

इन धर्मादेशों में कहीं भी हिंदू को स्वतंत्र चिंतन की गुंजाइश नहीं है। स्वतंत्र भाव से सोचने-विचारने वाला नास्तिक समाज-बहिष्कृत करने योग्य है। कुछ समस्याएँ ऐसी आ जाती हैं, जैसे कि रेल या जहाज की यात्रा, अनार्य देशों या विदेशों में गमन और निवास तथा शूद्र, अति-शूद्र, अनार्यों के साथ सहभोज, सो शास्त्रों में इनकी 'आपद्धर्म' संज्ञा है और इनके लिए 'प्रायश्चित' का विधान है।

इस तरह शास्त्रों में रोम-रोम बँधे हुए बेचारे हिंदू को जाति भेद-विनाश की हिम्मत कहाँ से हो सकती है, जब तक उसे उन शास्त्रों से ही घृणा न हो जाए, जो जाति भेद के समर्थक हैं। शास्त्रों का अर्थ बदल कर जनता को धोखा देना व्यर्थ है।

जाति भेद क्यों नहीं मिट सकता

मेरी समझ में हिंदू समाज से जाति भेद मिटाना इस कारण भी असंभव है क्योंकि ब्राह्मणों ने इस आंदोलन के विरुद्ध शत्रुता का भाव दिखाया है। ब्राह्मण राजनीति के और कुछ-कुछ आर्थिक सुधार के नेता तो बने हुए हैं, परंतु वे जाति भेद मिटाने के नाम से भी चिढ़ते हैं। यह बात नहीं कि ब्राह्मण इस बात को समझते न हों कि जाति भेद राष्ट्रीयता-विघाती एवं सारी बुराइयों की जड़ है, परंतु वे इसे मिटाना इसलिए नहीं चाहते क्योंकि इसके मिटने से उनका हजारों वर्षों से चला आ रहा सामाजिक प्रभुत्व मिट जाएगा।

आप जानते हैं, ब्राह्मण दो तरह के हैं; एक याचक जो यजमानों की पुरोहिताई, पूजा-पाठ और कर्म-कांड कराते हैं, दूसरे लौकिक जिनकी जीविका ब्राह्मणी वृत्ति से नहीं है। किंतु याजक और लौकिक दोनों एक ही शरीर की दो भुजाएँ हैं। दो में से कोई भी इस आंदोलन का अगुआ बनकर ब्राह्मण जाति की शक्ति और विशेषाधिकार को हानि पहुँचाना नहीं चाहता।

प्रोफेसर डाइसी ने अपनी पुस्तक 'इंगलिश कांस्टिट्यूशन' में इस बात का तात्त्विक विवेचन करते हुए स्पष्ट कर दिया है कि 'क्रांतिकारी मनुष्य वैसा नहीं होता जो पोप बनता है, और जो पोप बनता है, वह कभी सामाजिक क्रांति की इच्छा नहीं करता।' ठीक यही बात ब्राह्मणों पर लागू है। जो मनुष्य ब्राह्मण के घर जन्म लेता है और जिसे ब्राह्मण होने का गर्व है, उसे सामाजिक क्रांतिकारी बनने की इच्छा नहीं हो सकती। ब्राह्मणों से सामाजिक क्रांति की आशा करना, लेजली स्टीफन के शब्दों में, उतना ही व्यर्थ है जितना ब्रिटिश पार्लियामेंट से सभी नीली आँखों वाले बच्चों को मार डालने का कानून पास कराने की आशा करना।

आप में से यदि कोई यह कहे कि जाति भेद मिटाने के आंदोलन में ब्राह्मण आगे आएँ, न आएँ, इसकी क्या परवाह है, तो मेरी समझ में ऐसी धारणा उस महत्त्व से आँखें बंद कर लेना है जो किसी समाज में बुद्धिजीवी श्रेणी को प्राप्त होता है। प्रत्येक देश में बौद्धिक श्रेणी ही नेतृत्व करती है, चाहे वह शासक न भी हो। साधारण जनता बुद्धिजीवी लोगों के पीछे चलती और उनका अनुकरण करती है। बुद्धिमान मनुष्य धर्मात्मा हो सकता है और दुरात्मा भी आसानी से हो सकता है। बुद्धिजीवी श्रेणी महापुरुषों के ज्ञान की प्रसारक भी हो सकती है और बड़ी आसानी से दुष्टों का दल अथवा भोगैश्वर्य में आसक्त व्यक्तियों से वृत्ति पाने वाले चाटुकारों का जत्था भी।

भारत में ब्राह्मण जाति ही यहाँ की बौद्धिक श्रेणी है। किंतु यहाँ की बौद्धिक श्रेणी 'ब्राह्मण जाति के हितों की रक्षा करना' अपना प्रथम कर्त्तव्य समझती है और देश के हितों की रक्षा करना अंतिम कर्त्तव्य। ब्राह्मण जाति हिंदुओं की बौद्धिक श्रेणी

ही नहीं, वरन एक ऐसी श्रेणी है जिसे शेष हिंदू सम्मान की दृष्टि से देखते हैं। हिंदू शास्त्रों का आदेश है कि 'ब्राह्मण सब वर्णों का गुरु है' (वर्णानां ब्राह्मणो गुरुः)। मनु ने तो यहाँ तक लिखा है–

अनाम्नातेषु धर्मेषु कथं स्यादिति-चेद्भवेत्
यं शिष्टा ब्राह्मणा ब्रूयुः स धर्मः स्यादशंकितः।

अर्थात् धर्म की जिन बातों का शास्त्रों में विधान नहीं है, उनके संबंध में शिष्ट ब्राह्मण जो कहें, निःसंदेह वही धर्म है।

ऐसी बौद्धिक श्रेणी, जिसकी मुट्ठी में सारा समाज है, यदि जाति विनाशी आंदोलन में सहयोग नहीं करती, तो उसकी सफलता की संभावना बहुत कम है।

हिंदुओं में जाति भेद के दो रूप हैं : एक रूप में तो वह जनता को अलग करता है और दूसरे रूप में उन सब जातियों को एक-दूसरी पर क्रमबद्ध (चढ़ाव-उतार) रूप में रखता है। इस क्रमविन्यास की बाहरी पहचान उनके धार्मिक और सामाजिक अधिकार हैं। इन अधिकारों का नाम 'संस्कार' है। जिस जाति का पद जितना ऊँचा है, उसके संस्कारों की संख्या भी उतनी ही अधिक है और जिस जाति का पद जितना नीचा है, उसके संस्कारों की संख्या भी उतनी ही कम है। यही नीच-ऊँच का भाव उन्हें जाति भेद के विरुद्ध संगठित नहीं होने देता। कोई जाति अपने से ऊँची जाति के साथ रोटी-बेटी का संबंध स्थापित करना चाहती है, तो धूर्त लोग उसे यह कह कर निरस्त कर देते हैं कि तुम्हें भी अपने से छोटी जाति के साथ रोटी-बेटी का संबंध करना पड़ेगा।

जाति भेद के सभी दास हैं। किंतु सभी दासों का दुःख एक समान नहीं। जिस तरह आर्थिक क्रांति के लिए कार्ल मार्क्स ने सर्वहारा वर्ग को समझाया था कि 'इस क्रांति से तुम्हारी हथकड़ियाँ कट जाने के सिवाय तुम्हारी और कोई हानि नहीं होगी,' ऐसा कोई नारा या युद्ध-नाद हिंदुओं को जाति भेद के विरुद्ध उत्तेजित करने के लिए नहीं है। जाति भेद तो एक राज्य के भीतर दूसरा राज्य है। इसके मिटने से कुछ जातियों के अधिकार और प्रभुता की अधिक हानि होगी और कुछ की कम। इसलिए जाति भेद के किले को मिसमार करने के लिए सेना में सब हिंदुओं के भरती होने की आशा आप नहीं कर सकते।

सुधार का पहला कदम : पुरोहितशाही पर नियंत्रण

मैं इस विचार से सहमत नहीं हूँ कि मानव समाज के लिए धर्म की आवश्यकता नहीं है। इस विषय में महान विचारक बर्क के इस कथन का मैं समर्थन करता हूँ कि सच्चा धर्म समाज की बुनियाद होता है, जिसके आधार पर सच्ची हुकूमतें बनती हैं तथा जनता एवं सरकार दोनों फूलती-फलती हैं। मेरे विचार में, प्रचलित पुराने हिंदू विचारों के स्थान पर सुविचारित कल्याणकारी सिद्धांतों को धर्म के रूप में प्रचलित

करना चाहिए। हिंदू जनता को जाति भेद की बुराई से मुक्त करने की दिशा में पहला कदम यह उठना चाहिए कि पुरोहितशाही पर नियंत्रण हो। इस नियंत्रण के लिए आवश्यक है कि–

(1) अनेक पुस्तकों को छोड़ कर केवल एक धर्म-ग्रंथ रखा जाए जो सभी हिंदुओं को मान्य हो। उसके सिवाय जो लोग अन्य पुस्तकों में लिखित विरुद्ध सिद्धांतों को 'धर्म-सिद्धांत' बना कर प्रचार करें, उन्हें दंडनीय ठहराया जाए।

(2) अच्छा हो कि हिंदुओं की पुरानी पुरोहितशाही को खत्म कर दिया जाए; उसके स्थान पर प्रत्येक ऐसे व्यक्ति को, जो अपने को 'हिंदू' कहता हो, पुरोहित बनने का अधिकार दिया जाए। यह कानून बन जाना चाहिए कि कोई हिंदू तब तक पुरोहित न बन सकेगा, जब तक वह राज्य द्वारा निर्धारित परीक्षा पास नहीं कर लेगा और जब तक उसके पास राज्य से प्राप्त पुरोहित का काम करने की सनद न हो।

(3) जिस पुरोहित के पास सनद न हो, उसके द्वारा कराया हुआ कोई संस्कार वैध न समझा जाए और सनद के बिना पुरोहित का काम करने वाले व्यक्ति को दंडनीय ठहराया जाए।

(4) पुरोहित भी लोक सेवकों की भाँति राज्य का नौकर हो, उसे राज्य से वेतन मिले और दूसरे नागरिकों के साथ देश के साधारण राज-नियम के अधीन होने के अतिरिक्त वह अपने आचार, विश्वास और पूजा-पाठ के विषयों में राज्य-नियंत्रण के अधीन हो।

(5) आई.सी.एस. की तरह पुरोहितों की संख्या भी राज्य की आवश्यकता के अनुसार राज-नियम द्वारा सीमित होनी चाहिए।

कुछ लोगों को शायद ऐसी व्यवस्था विचित्र मालूम हो, किंतु इसमें क्रांतिकारी कुछ भी नहीं है। पुरोहिती एक व्यवसाय मात्र है और किसी व्यवसाय का नियंत्रित होना उसकी उन्नति का द्योतक है। भारत में अनेक व्यवसाय नियंत्रित हैं। इंजीनियरों, डॉक्टरों, वकीलों आदि सभी को पहले अपने व्यवसायों में दक्षता प्राप्त करना होता है, तब कहीं उन्हें अपने पेशों में प्रैक्टिस करने की इजाजत मिलती है। यही नहीं, इन्हें अपने कार्य-काल में केवल कानूनी पाबंदी ही नहीं, वरन अपने व्यवसायों के लिए निर्धारित सदाचार का पालन भी करना पड़ता है। किंतु हिंदू पुरोहित परम स्वतंत्र है। उस पर कोई पाबंदी नहीं है। वह मूर्ख, प्रमेह, उपदंश आदि घृणित रोगों से पीड़ित सदाचारहीन, नशेबाज और जुआरी ही क्यों न हो, परंतु वह पवित्र संस्कार कराने, देवताओं के पवित्र स्थानों में प्रवेश करके देव-पूजा करने योग्य समझा जाता है। हिंदू के यहाँ इन बातों का कोई विचार नहीं, केवल ब्राह्मण के घर में जन्म लेना काफी है। वह किसी राज-नियम या समाज-नियम के अधीन नहीं, केवल अपने अधिकार और प्रभुता को जानता है। यह तरीका समाज के लिए हानिकारक है। पुरोहित व्यवसाय को कानून के द्वारा नियंत्रण में लाना आवश्यक है। इस व्यवसाय पर एक जाति

विशेष का अधिकार होना उचित नहीं है। इस व्यवसाय के द्वार सबके लिए खुला होना चाहिए। इसे जनतांत्रिक होना चाहिए। ऐसा होने से जातिवाद और जाति भेद खत्म करने में सहायता मिलेगी। जाति भेद का मूलाधार ब्राह्मणवाद के सिवाय और कुछ नहीं। गुण-कर्मवादी आर्य समाज को इस क्षेत्र में आगे आना चाहिए, क्योंकि यह व्यवस्था गुण-कर्म के सिद्धांत की पोषक है।

हिंदू धर्म का युगानुरूप कोई सैद्धांतिक आधार होना आवश्यक है और वह आधार समता, स्वतंत्रता और बंधुता जैसे लोकमान्य जनतंत्र के अनुरूप हो। इसके लिए सारी सामग्री उपनिषदों में मौजूद है। उपनिषदों के एकात्मवादी विचार के आधार पर व्यवस्था बनाई जा सकती है। इस सुधार का अर्थ होगा जीवन की मौलिक भावना में परिवर्तन तथा एक नवजीवन में प्रवेश। किंतु यह जीवन नवीन शरीर में प्रवेश करेगा। इसके लिए पुराने शरीर का मर जाना आवश्यक होगा।

हिंदुओं के लिए कुछ विचारणीय प्रश्न

मैंने आपका बहुत अधिक समय ले लिया। अब मैं अपना भाषण समाप्त करना चाहता हूँ। हिंदुओं के संबंध में, हिंदू जनता के सामने, शायद यह मेरा अंतिम भाषण है। इसलिए समाप्त करने से पहले यदि आप मुझे अनुमति दें, तो मैं कुछ प्रश्न उपस्थित करूँ, जिन पर, मेरा ख्याल है, हिंदुओं को गंभीरतापूर्वक विचार करना चाहिए। वे प्रश्न ये हैं–

(1) हिंदुओं को यह सोचना चाहिए कि क्या उन्हें केवल इतना समझ कर ही संतोष कर लेना है कि संसार की भिन्न-भिन्न जातियों के लोगों के विश्वासों, स्वभावों, नैतिकता और जीवन के ध्येय में भिन्नता है या यह मालूम करने का प्रयत्न करना आवश्यक है कि किस प्रकार नैतिक चरित्र, विश्वास, स्वभाव और जीवन का ध्येय समाज को फूलने-फलने, मजबूत बनाने, पृथ्वी को बसाने और सुराज्य-स्थापना करने की शक्ति रखता है और किस प्रकार का नहीं।

(2) हिंदुओं को सोचना चाहिए कि क्या उन्हें अपने समस्त पैतृक सामाजिक धर्म और भावनाओं का उत्तराधिकार अपनी भावी संपत्ति को सुरक्षित रखने के लिए देना ठीक है अथवा उसमें जो उपयोगी है केवल उतना ही देना आगे उचित है।

(3) हिंदुओं को सोचना चाहिए कि क्या उन्हें अपने अतीत काल के समस्त आदर्शों की पूजा आँख बंद करके करते रहना लाभदायक है अथवा उनकी पूजा बंद कर वर्तमान युग में जो उत्तम, उपयोगी एवं उन्नति के शिखर पर ले जाने वाले आदर्श हैं, उनकी पूजा करना हितकारी है।

(4) हिंदुओं को सोचना चाहिए कि क्या अभी तक उनके लिए यह स्वीकार करने का समय नहीं आया है कि कोई भी वस्तु स्थिर नहीं है, कोई भी वस्तु अपरिवर्तनीय नहीं है, कोई भी वस्तु सनातन नहीं है, प्रत्युत प्रत्येक वस्तु बदल रही है, अतएव

परिवर्तन ही व्यक्ति और समाज के जीवन का नियम है। संसार की बदली हुई परिस्थिति के अनुकूल जो व्यक्ति या समाज अपने जीवन में परिवर्तन नहीं लाता, वह संसार के समुन्नत समाज के समक्ष सिर ऊँचा करके जीवित नहीं रह सकता।

मेरी धारणा है, इन प्रश्नों के सही हल पर आरूढ़ होना कल्याणकारी सिद्ध होगा।

उपसंहार

मैं समझता हूँ, मेरा यह भाषण बहुत लंबा हो गया है। किंतु जाति भेद की विषम समस्या पर जितनी बातें मुझे कहनी थीं, उन्हें कह देना भी आवश्यक था।

भारत में जाति भेद मूलतः हिंदुओं के भीतर से निकली हुई वह गंदगी है जिसने सारे देश के वायुमंडल को विषाक्त बना दिया है। और यह विष सिख, मुसलमान, ईसाई आदि अहिंदू लोगों में भी फैला पाया जाता है। अतएव, लाहौर का जात-पाँत तोड़क मंडल को केवल हिंदुओं का ही नहीं, सिख, मुसलमान, ईसाई आदि सभी का समर्थन मिलना चाहिए। मंडल का काम राष्ट्र की एक महान सेवा है और मंडल का यह प्रयत्न स्वराज्य के लिए किए गए प्रयत्नों से कहीं अधिक कठिन है, क्योंकि स्वराज्य संग्राम जब आप लड़ते हैं तो सारा राष्ट्र आपके साथ होता है, किंतु इस जाति भेद विनाशक संग्राम में स्वयं मंडल को सारे राष्ट्र से संघर्ष करना होगा और वह राष्ट्र भी कोई दूसरा नहीं—स्वयं अपना ही। मेरे विचार में तो मंडल का यह काम स्वराज्य से अधिक महत्त्वपूर्ण है। उस स्वराज्य से क्या लाभ, यदि हम उसकी रक्षा नहीं कर सकते।

मेरी सम्मति में हिंदू समाज से जाति भेद के महारोग के विनाश से ही उसमें अपनी आजादी की रक्षा करने की शक्ति उत्पन्न होने की आशा की जा सकती है। इस भीतरी शक्ति के अभाव में स्वराज्य का महल सदा हिलता ही रहेगा।

नर्मद

नवलराम

मणिलाल नभुभाई द्विवेदी

आनंद शंकर ध्रुव

नर्मद

1833-1886

आधुनिक गुजराती गद्य के जनक और समाज सुधारक। मुंबई में रहकर सामाजिक कार्य। आरंभ में भक्ति, वैराग्य और पुराने विषयों पर रचनाएँ। शीघ्र ही मानव प्रेम, स्वदेशाभिमान, प्रकृति, समाज सुधार जैसे नए विषयों की ओर झुकाव। 'जय जय गरवी गुजरात' गुजरात गौरव का प्रसिद्ध गीत है। उन्हें 'जनता का आदमी' कहा जाता है। उनके अन्य काव्य ग्रंथ हैं—'कबीर वड', 'हिंदू ओनी पड़ती' 'प्रेम पत्रिका'। उनके विचार 'धर्म विचार' में हैं। उन्होंने आत्मकथा भी लिखी—'मारी हकीकत'।

उद्यम तथा विकास

इस संसार में प्रत्येक मनुष्य सुख प्राप्त करना चाहता है। अलग-अलग आदमी का सुख अलग-अलग प्रकार का होता है। हम लोगों ने संतोष में सच्चा और बड़ा सुख मान लिया है। संतोष क्या है? लोभ न करना तथा जो मिले उसमें सुखी रहना, लोग इसे सुख समझते हैं। परंतु, थोड़ा विचार किया जाए, तो मनुष्य का स्वभाव ही ऐसा है कि उसे एक ही स्थिति में पड़े रहना पसंद नहीं। उसे कुछ नया-नया देखते रहने और अपनी समृद्धि को बढ़ाने का लोभ होता ही है, वह नवीनता तथा अधिकाधिक की आशा रखता ही है; तो उसमें विवेक और संतोष कहाँ से रहेगा? यदि उसमें संतोष रहा होता, तो यूरोप और अमेरिका के लोग उद्यमी, यशस्वी, समृद्धिशाली तथा उसी अनुपात में सुखी कैसे हुए होते? हम लोग न मिलने की वजह से संतोषी बन बैठे हैं; तो क्या हम उन लोगों की तुलना में अधिक सुखी हैं? 'अशक्तिमान भवेत्साधु' तथा 'वृद्धानारी पतिव्रता' के न्याय से तो हम सुखी हैं ही। क्या अयोध्या या हस्तिनापुर की तुलना में पेरिस या लंदन की शोभा अधिक नहीं है? राम-कृष्ण के युग के लोगों की तुलना में आधुनिक काल के अंग्रेज, जर्मन, अमेरिकन, फ्रेंच क्या अधिक सभ्य नहीं हैं? यदि आप मानते हैं कि—'हैं', तो ये उनकी तुलना में अधिक सुखी होने ही चाहिए।

हम सुखी नहीं हैं, यह बात सच है। संतोष में सुख मान लेने से तथा चंचलता (अर्थात् गतिशीलता, क्रियाशीलता) का त्याग करने से हम जड़ तथा वहमी हो गए हैं। अंग्रेजी राज्य की स्थापना के बाद हमें नए-नए अनुभव प्राप्त हुए हैं, परंतु क्या हम इससे पहले की तुलना में अधिक सुखी नहीं हैं? नया जानने की उमंग की वजह से, नए ज्ञान और नई आशा से हम नए प्रकार का सुख भोग रहे हैं। अब कहिए कि संतोष से प्राप्त निस्तेज सुख अच्छा है? या आशा और उमंग से परिपूर्ण सतेज सुख अच्छा है? उस सतेज सुख से ही हम उधम करते हैं और उसी के परिणाम स्वरूप हमारी समृद्धि और सुख में वृद्धि होगी। प्रकाश सबको अच्छा लगता है, और अंधकार सिर्फ आलसी को, खास करके काला धंधा करने वाले को अच्छा लगता है। कोई कह सकता है कि असंतोषी जब कठिन परिस्थिति में आता है, तब उसे बहुत दुःख होता है; इसलिए संतोषी बने रहना अधिक अच्छा है। परंतु दुःख तो अनिवार है, दुःख संतोषी तथा असंतोषी दोनों को होता है। जैसे संतोषी को अभ्यास की वजह से थोड़ा कम दुःख होता है; वैसे ही असंतोषी का 'नाम तो किया', 'मजा तो लिया', 'उतार-चढ़ाव सबके जीवन में आता है', 'सामग्री सुख बढ़ाती है' आदि विचारों से दुःख कम होता है। संतोषी व्यक्ति असंतोषी व्यक्ति के साथ रहने से असंतोषी होगा ही। एक अतिदुःखी सिर पकड़कर बैठा रहता है और दूसरा अतिदुःखी 'कुछ करेंगे तभी कुछ पाएँगे' विचार से फिर से प्रपंच में पड़ता है और इस तरह अपने दुःख को भूलता है और अवसर आने पर पुनः सुख को प्राप्त करता है। अब कहिए कि संतोष अच्छा है या असंतोष? और देखिए-संसार में उत्पत्ति, स्थिति और लय; लय, उत्पत्ति और स्थिति, स्थिति, लय और उत्पत्ति-इस तरह का चक्राकार परिवर्तन दिखाई पड़ता है। दिन के बाद रात और रात के बाद दिन; प्रकाश के बाद अंधकार, और अंधकार के बाद प्रकाश का क्रम चला ही करता है। स्वभाव, ज्ञान-विवेक और सुयोग से हम कर्म किया करते हैं; कर्म के आधार पर स्थिति का स्वरूप तय होता है; फिर स्थिति के अनुसार हम कर्म करते हैं और इस प्रकार स्थिति कर्म का रूपांतरण देखने को मिलता है। संसार एक नाटक है; इसमें चारों तरफ हलचल हो रही है; हम भी उसमें शमिल हैं, हम हलचल मचाए बिना रह नहीं सकते; हम किसी न किसी काम में प्रवृत्त रहते हैं। प्रवृत्ति हमारी प्रकृति है। फिर निवृत्ति या संतोष से हम सुखी हो सकते हैं—यह कहना सही कैसे हो सकता है? राम बहुत बड़े ज्ञानी थे; परंतु क्या उनका जीवन प्रवृत्तिमय नहीं था? प्रवृत्ति में रहकर प्रपंची राजनीति से क्या उन्होंने रावण को नहीं जीता था? राम के गुरु वशिष्ठ कर्म से तत्त्वदर्शी थे। जनकराज विदेह क्या राजपाट नहीं सँभालते थे? धर्मराज, अर्जुन, भीष्म, द्रोण ने युद्ध क्यों किया था? मेरा तो यह मानना है कि निवृत्तिमय भाव से अपने कर्म में प्रवृत्त रहना और कर्मफल का आनंद लेना श्रेष्ठ सुख है; और वह सुख यदि लंबे समय तक बना रहे, तो वह सर्वोपरि और उत्कृष्ट है।

व्यक्ति-व्यक्ति के सुख का, संपूर्ण जनता के सुख के साथ बड़ा गहरा संबंध है। देश के सुख के विषय में बोलने का मतलब है कि उसमें रहने वाले प्रत्येक का सुख अंतर्निहित है। इसलिए अब हम देश अर्थात् एक विराट जन समूह के बारे में बात करते हैं। जहाँ की जनता लंबे समय तक राज्य, धर्म, नीति, समाज, विद्या, कला, समृद्धि आदि का सुख लंबे समय तक भोगती है; वह जनता अधिक सुखी कहलाती है। ब्राह्मणों तथा क्षत्रिय राजाओं ने बहुत समय तक देश को सुखी रखने के बारे में कभी कुछ विचार नहीं किया। वे तो स्वार्थी थे; इसलिए वे तो करेंगे ही नहीं; वैसे ही प्रजा भी अज्ञानी रही, जो अपने वर्तमान सुख से ही संतुष्ट रही; वह अपने राजा के ठाट-बाट तथा ब्राह्मणों के तेज से अभिभूत थी; वह अपने जालिम राजा के जुल्म सहती रही और जाति-बंधन में जकड़ी रही; उनसे भी सदा के लिए देश की उन्नति के खातिर कुछ हुआ नहीं। देशी और विदेशी शत्रुओं के साथ जब युद्ध हुआ, तो उस लड़ाई में क्षत्रियों और राजपूतों को छोड़कर ब्राह्मणों या वैश्यों में से कोई बड़ी संख्या उसमें शामिल नहीं हुई। राजा और प्रजा दोनों जब देश के प्रति अपने-अपने धर्म (कर्तव्य) को समझते हैं और परस्पर मिल-जुलकर रहते हैं, तभी देश की स्थिति सुधरती है और सुख-सुविधा का विकास होता है। फिर परवर्ती काल के राजा और प्रजा उसमें वृद्धि करते हैं। राज्य में क्या होता है? उसके प्रति प्रजा उदासीन थी; प्रजा के अशिक्षित रहने से तथा उसमें अपने अधिकार की समझ न होने की वजह से देश की बुरी दशा हुई है। वामन ने बलि के प्रभाव को तोड़ा, परशुराम ने क्षत्रियों के बल को तोड़ा, राम ने विदेशी सेना के द्वारा रावण आदि राक्षसों का संहार किया; और फिर कृष्ण के समय में कंस, शिशुपाल, जरासंध, भस्मासुर तो थे ही। यदि राजाओं ने प्रजा को उचित अधिकार देकर, जाति और कुल का भेद किए बिना, राजकाज में उन्हें उचित प्रतिनिधित्व दिया होता, अर्थात् प्रजा को उसका स्वतंत्र अधिकार मिला होता, तो उसने राजकाज में अपना मन लगाया होता; और ऐसा होने से इस देश को बार-बार शत्रुओं का संकट नहीं झेलना पड़ा होता। देश की समृद्धि तो बढ़ी नहीं, उल्टे अस्त-व्यस्त हुई है। एकजुट होकर उद्यम करने से यश प्राप्त करना चाहिए; उमंगपूर्वक व्यवस्था करनी चाहिए; व्यवस्था के द्वारा फिर यश प्राप्त करना चाहिए; और फिर व्यवस्था करनी चाहिए; इसी क्रम से सुख के साधन बढ़ते हैं और लंबे समय तक टिकते हैं। अच्छा है कि आजकल बौद्धिक विकास हो रहा है। देशी राजा और प्रजा दोनों की दुर्दशा एक समान है। भले ही मुसलमानों का राज था या देशी भाषा का विकास और प्रयोग होने लगा था और भले ही अंग्रेजों का राज है या सभी लोगों में देशाभिमान का जोश पैदा होने लगा है और देशवासियों के सामान्य सुख के वास्ते एकता बनने लगी है; और आशा है कि देशी राजा भी सार्वजनिक कार्यों में आम जनता के साथ शामिल होंगे। हमें सर्वसामान्य के लिए ऐसा सुख प्राप्त करना चाहिए, जो लंबे समय तक टिका रहे। यह उद्देश्य सभी

देशवासियों का होना चाहिए और इसके लिए उमंगपूर्वक उद्यम आरंभ करना चाहिए।

अब उद्योग के विषय में चर्चा करेंगे, 'उद्यम' और 'उद्यमालु' ये दो शब्द मंगलवाचक हैं। उद्योग से होने वाले लाभ के विषय में मेरा कुछ कहना निरर्थक है। सभी जानते हैं कि हाथ बढ़ाते हैं, तभी पेड़ से फल मिलता है और चलते हैं तभी मित्र (स्वजन) से मुलाकात होती है। स्टीमर, रेलगाड़ी, हवाई जहाज, तार, तरह-तरह के यंत्र औजार, हथियार, छापाखाना, बहुत सारे मकान, विविध प्रकार के ग्रंथ आदि सब उद्योग के फल हैं। उद्योग से विद्या तथा कला-कौशल की वृद्धि होती है; सद्गुणों का अर्जन होता है; समृद्धि बढ़ती है और उसी के अनुपात में सुखोपभोग भी बढ़ता है।

मुंबई (आज महाराष्ट्र) राज्य के तो थोड़े जिलों में लोग उद्यम के लिए आवाज उठाते हैं—वे कहते हैं कि हम श्रम करते हैं, परंतु किसके साथ माथा फोड़ें? बात सही है। लोगों के मुख पर आजकल तेज नहीं है; उनके पास कोई रोजगार नहीं है। यूरोप के कारखानों ने हमारे कारीगरों को बेकार कर दिया है। विदेश के साथ व्यापार करने के लिए पूँजी चाहिए। गाँवों में लेन-देन का धंधा भी महँगी के कारण लाभकारी नहीं है; खेती-बारी करने वाला एक वर्ग हमेशा से अलग रहा है। और परती जमीन जोतने-बोने के लिए पैसा और आदमी चाहिए। वैसे ही कुछ लोगों को वहाँ जाकर बसना चाहिए, जो कि हम लोगों के विचार से उल्टा है। बैंक खुल जाने से तथा शेयर-सट्टा में भारी नुकसान होने से देशी सराफा बंद हो गया है; रियासतें टूट गई हैं। इसलिए वहाँ भी लोगों का उद्यम बंद पड़ा है; और फिर अंग्रेज सरकार अपनी नौकरी में कितने लोगों को रखे? कोर्ट-कचहरी में तथा सेना में ऊँचे पद पर नौकरी लोगों को मिलेगी नहीं। 'जहाँ बादशाह वहाँ बाजार' (समृद्धि) जैसी स्थिति अपने देश में है नहीं। अब लोगों के पास रोजगार कहाँ से हो? दुनिया में उद्यम की कमी नहीं है; परंतु हम हैं कि उद्यम की खोज करना जानते ही नहीं। अथवा जानते भी हैं, तो उस रास्ते पर अनेकानेक अवरोधों की वजह से चल नहीं सकते। परंतु जब इसमें अपनी ही भूल है, तब उद्यम का अवसर कहाँ से मिलेगा? यदि लोग बिरादरी के कोप की परवाह न करें, थोड़े समय के लिए परिवार के सुख की चिंता को त्याग दें, विदेश में भटकें, जाति-कुल की निरर्थक रूढ़ियों को त्याग दें, कला-कौशल सीखें, अपने-अपने अनुकूल उद्यम की खोज करें, तो लाभ होगा ही। खुशामद के सहारे खाने भर का पैदा करने, झूठी बड़ाई में, बिरादरी को दावत देने के लिए तथा उत्सव मनाने के लिए, कर्जदार होने, दुर्दशापूर्ण जीवन जीने, कष्ट भोगने और अपने ही हाथ से गाल पर तमाचा मारकर लाल गाल दिखाने और संतोष का जीवन जीने से तो देश-काल परिस्थिति का विचार करके स्वाभिमानपूर्वक अपने अनुकूल उद्यम करने और उसका परिणाम देखने में अपना पुरुषार्थ है। उद्यम की कमी नहीं है; परंतु हम तो वहम के कारण कायर, दुख भोगने की आदत के परिणाम स्वरूप संतोषी

और भाग्य भरोसे बैठे रहने वाले लोग हैं। संसार रूपी नाटक में धूमधाम है। दूसरे देशों के लोग उसमें अपनी-अपनी भूमिकाएँ अच्छी तरह से निभा रहे हैं, तो हम अपनी भूमिका क्यों नहीं निभा रहे हैं? क्या हमें अपने आपको दयनीय और दुःखी दिखाकर बिसूरते रहना और निःश्वास छोड़ते रहना है? दुःख तो है, अब दुःख से क्या डरना। परंतु जितना संभव हो, साहस करके गड्ढे में से क्या हमें ऊपर नहीं आना चाहिए? ऐसे विचार का जोश जब लोगों में आ जाएगा और उत्साहपूर्वक उद्योग चलेगा तो हमारी और हमारे देश की स्थिति सुधरे बिना नहीं रह सकती।

दूसरों को देखने से, सुनने से, पुस्तकें पढ़ने से और दूसरों की संगति से उद्यम को प्रोत्साहन मिलता है, परंतु अपने अंदर उमंग चाहिए। जैसे यूरोप के लोगों को पारस्परिक संगति तथा धर्म और भाषा का लाभ प्राप्त है; वैसा हमारे हिंदुस्तान के अलग-अलग प्रांतों के लोगों में नहीं है। इसी तरह मुसलमान जैसे हमारे साथ हिल-मिल गए हैं वैसे अंग्रेज हिलते-मिलते नहीं, बल्कि वे दूरी बनाए रहते हैं। इसीलिए उनकी संगति का भी लाभ हमें मिलता नहीं, परंतु क्या इस कारण से हमें उद्यम नहीं करना चाहिए? यदि हमें अपने देश की विजय करनी ही है तो उद्यम, श्रम, दुःख, सहिष्णुता, साहस, निडरता, एकता, शौर्य आदि सद्‌गुण हमारे अंदर होने ही चाहिए। कुछ दिन पहले, अपने ही घर में मुझे आठ महीने की अदना-सी बच्ची को दो कमरों के बीच के चौखट को बहुत मुश्किल से घुटनों के बल लाँघते देखकर बहुत प्रसन्नता हुई थी। सबसे पहले वह चौखट के पास आई; फिर बैठी; फिर हाथ उठाकर चौखट की लकड़ी को पकड़ा, फिर बहुत मुश्किल से उसके ऊपर बैठी, उसके बाद छह अंगुल चौड़े चौखट पर लेटकर नीचे झुकी और दूसरे कमरे की फर्श पर हाथ टिकाया और फिर पेट के बल सरककर नीचे उतरी; उसके बाद बैठकर हँसने लगी। उसके बाद किसी ने उसे उठाकर पहले वाले कमरे में रखा तो वह रोने लगी और फिर चौखट के पास गई; उस पर चढ़ी, फिर पेट के नीचे एक हाथ दब जाने की वजह से नीचे गिर गई; परंतु रोई नहीं; फिर थोड़ी देर के बाद पहले की तरह दूसरे कमरे में गई और मुझे सामने देखकर 'ही-ही' करके हँसने लगी। थोड़ी देर तक मैंने उसकी ओर देखा नहीं, इसलिए वह रोने लगी और जब उसकी ओर देखा, तो फिर हँस पड़ी। बच्ची ने अपने परिश्रम से विजय प्राप्त की; और इससे वह खुश हुई। यह जय प्राप्त करने में उसे कितना कष्ट सहन करना पड़ा, उसे सिर बाहर निकालते हुए देखकर मेरे मन में विचार आया कि साहस में सबसे पहले सिर बाहर निकालना ही पड़ता है।

देश में बड़ा कौन? रणशूर, विद्याशूर और धनशूर? जब तन, मन और धन से समृद्ध पुरुष देश के सर्वसामान्य के सुख के लिए अपने तन, मन, धन का उदारतापूर्वक उपयोग करते हैं, तभी देश समृद्ध होता है। रणशौर्य से विजय प्राप्त करने का हमारे पास कोई साधन नहीं है। शौर्य जैसा महान सद्‌गुण और महँगा आभूषण

प्राप्त होना दुर्लभ है। परंतु पूर्ण धैर्य से, उत्साहपूर्ण उद्यम से तथा सूझ-बूझ से क्या प्राप्त नहीं किया जा सकता?

अब विकास के बारे में थोड़ी चर्चा। अंततः मरना है, यह जानते हुए भी कोई मरना नहीं चाहता। सभी अधिक से अधिक जीने की आशा रखते हैं। बंधन-दुःख (परतंत्रता) में पड़े रहकर संतुष्ट रहने का किसी का जन्मजात स्वभाव नहीं है; बल्कि सभी उससे छूटने (स्वतंत्र होने) की कोशिश में लगे रहते हैं। अपनी वर्तमान स्थिति को सुधारने के लिए सभी कर्म करते हैं, अधिकाधिक सुख प्राप्त करने की सबकी अभिलाषा होती है। सफल न हो पाने के बाद वे संतोषी बनकर बैठ जाते हैं। अपनी स्थिति को उत्तरोत्तर अच्छी बनाने का मनुष्य का सहज स्वभाव होता है; तो फिर बीच में 'अंततः सब कुछ नष्ट ही होता है' यह भाव कहाँ से आ गया? वास्तव में यह विचार 'धर्म नीति' की शिक्षा देने के लिए तथा 'दुःख में सांत्वना' देने के लिए प्रचलित हुआ है। उद्यम न करने के लिए या अपनी स्थिति न सुधारने के लिए यह प्रचलित नहीं हुआ है। अधिकतर तो इस बंधन, अज्ञान, दुर्व्यसन, अनभ्यास, अनुद्यम, अव्यवस्था आदि के कारण अपेक्षित कार्य कर नहीं पाते परंतु क्या इसी कारण 'अंततः सब कुछ नष्ट ही होता है,' ऐसा हमें मान लेना चाहिए? और कुछ भी कर्म नहीं करना चाहिए? यह सही है कि 'चढ़ाव' के बाद 'उतार' देखने में आता है, परंतु क्या 'उतार' के बाद 'चढ़ाव' संभव नहीं है? ठीक है, 'उतार' आता है, परंतु उसके भी तो कारण होते हैं; और वे कारण जिस अनुपात में दूर किए जाते हैं, उसी अनुपात में 'उतार' भी देर से आता है, या आता ही नहीं, अथवा 'उतार' में से फिर 'चढ़ाव' में जाया जाता है। 'अंततः सब नष्ट होता है' यह मत 'चढ़ाव' में बहकने से रोकने के लिए है। अगर यह मत तात्विक दृष्टि से सच हो, तो भी इस मत के अनुसार और इस मत से उत्पन्न 'भाग्यवाद' के अनुसार संसार में किसी ने व्यवहार किया हो—जड़ बनकर घर में कोई बैठ गया हो, ऐसा उदाहरण देखने को नहीं मिलता।

ऊबड़-खाबड़ जमीन पर गाड़ी की जो गति होती है, उससे अधिक तेज गति पक्की सड़क पर होती है। योगी अपनी उम्र बढ़ा सकते हैं, हम औषधि से रोग दूर करके अधिक जीवित रहते हैं। इस धरती पर मनुष्य जाति अपना ज्ञान उत्तरोत्तर बढ़ाती रहती है। हमारे देश में महापुरुष थे और आज नहीं हैं, परंतु क्या आज दूसरे कई देशों में हमारे महापुरुषों की तुलना में उच्च कोटि के महापुरुष नहीं है? हैं। मूर्तिपूजा और भक्तिभाव में स्थिति को सुधारने का विचार निहित होता ही है। उदय-अस्त, चढ़ाव-उतार, उत्थान-पतन के चक्र घूमते ही रहते हैं। इस बारे में हम कोई कल्पना नहीं कर सकते कि यह क्रिया कहाँ जाकर रुकेगी? अर्थात् जगत् में विकास (गति) ही है। विकास को रोकने वाले अव्यवस्था तथा अनाचार हैं, इसलिए व्यवस्थित रूप से उद्यम करते रहने से विकास भी होता ही रहता है।

इस विकास के विचार से प्रेरित होकर ही यूरोप और अमेरिका के लोग महान यशः सुख भोगते हैं। हम भी वह सुख भोगते थे, परंतु दर्शन की पुस्तकों के मर्म को न समझने के कारण और अपनी अनीति के कारण हमारी यह दुर्दशा हुई है। हम सद्‌गुणों के अभाव में इससे बाहर नहीं निकल सके और संतोष तथा भाग्य को ही राजसी सुख मानने लगे। इसी कारण उद्यम का स्वभाव होते हुए भी, उद्यम के साधन तुरंत उपलब्ध न होने के कारण और अनेक कल्पित बंधनों के कारण कायर बनकर हम शांति से बैठे हुए हैं। इस अवस्था में से बाहर निकलने के लिए हमें सदगुणों को आत्मसात करने की आवश्यकता है। ज्ञान बढ़े, क्रियाशीलता बढ़े, बड़े-बड़े कामों की जिम्मेदारी सिर पर लेने का साहस बढ़े तो स्थिति सुधरेगी ही, यह निश्चित है।

—अहमदाबाद साहित्य सभा के वार्षिक सम्मेलन में दिया गया भाषण

शिक्षा

तन धन बल, मन बल बिना, अस्थिर मिथ्या होय।
तन-मन-धन बल स्थिर सफल, विद्याभ्यासे सोय।।

दूसरे प्राणी सिर्फ स्वभाव (अपनी प्रकृति की प्रेरणा) से कार्य करते हैं, परंतु मनुष्य स्वभाव तथा बुद्धि दोनों से कार्य करता है। कुछ प्रसंगों में स्वभाव इतना प्रबल हो जाता है कि उस पर से बुद्धि का अंकुश हट जाता है, और इसी वजह से, स्वभाव से प्रेरित होकर कार्य करने वाले को तथा दूसरों को भी दुःख भोगना पड़ता है। इसीलिए जहाँ थोड़ी भी सुबुद्धि नहीं होती, वहाँ मनुष्य की स्थिति पशु से भी बदतर हो जाती है। और जहाँ 'स्वभाव' के अनुपात में अथवा उससे अधिक बुद्धिबल होता है, वहाँ मनुष्य स्वर्ग में स्थिर देवता के समान बन जाता है। अब समझना यह है कि दूसरे प्राणियों में जो बुद्धि तत्त्व है, उसकी तुलना में मनुष्य में स्थित बुद्धि उसकी एक विशेष ताकत है। सबसे पहले तो स्वाभाविक (कुदरती) प्रेरणा और कुदरती कार्य होता है, परंतु बाद में बुद्धि मनुष्य के सुख का 'कर्ताहर्ता' बन जाती है। जिस बुद्धि से निरंतर सुख प्राप्त होता है उसे सुबुद्धि तथा जिससे निरंतर दुःख प्राप्त होता है, उसे 'कुबुद्धि' कहा जाता है।

अनुभव, उसके आधार पर किया गया विचार तथा फिर उसके आधार पर नया अनुभव करने की युक्ति—इन तीन बातों से बुद्धि का उदय होता है। और इन तीन बातों का निरंतर अभ्यास करते रहने से बुद्धि का विकास होता रहता है। प्रश्न यह है कि अनुभव क्या है? विचार क्या है? तथा युक्ति क्या है? इन सबके विषय

में नियमित रूप से जानना, विद्या है, और उस जानकारी का अभ्यास करना विद्याभ्यास है। भील का बेटा तीर चलाना अपने बुजुर्गों को देखकर अभ्यास से जानता है। वह एक तरह का विद्याभ्यास (जानकारी) है। और उस विद्याभ्यास से कब, कहाँ और किस लक्ष्य पर तीर मारना है–इसकी समझ जब उसमें आ जाती है, तो यह उसकी बुद्धि कही जाती है।

इस जगत में मनुष्य जन्म से मृत्यु-पर्यंत सुख की चाह करता है और उसको प्राप्त करने के लिए प्रयत्नशील रहता है। परंतु प्रयत्नशील रहना और उसमें सफल होना उसके विद्याभ्यास पर निर्भर करता है। परंतु यदि विद्याभ्यास हो, और सुयोग न हो, फिर भी लगातार प्रयत्न करते रहने से सुयोग भी प्राप्त होता ही है। यही नहीं, अनुभव-विचार का सुख तथा सद्‌गुण का सुख प्राप्त होता ही है। विद्याभ्यास और सदुद्देश्य का मेल बैठ जाने के बाद सच्चे सुख के लिए कहना ही क्या? कहने का मतलब यह कि विद्याभ्यास सुख का बड़ा साधन है। अर्थात् विद्याभ्यास ही सुख है। जो जैसा और जितना विद्याभ्यास करता है, वह अपने और अपने देश के यश में उतनी ही वृद्धि करता है।

जो-जो साधन किसी देश की उन्नति के लिए आवश्यक होते हैं, जिन-जिन साधनों से देश की उन्नति होती है, उन सबके बारे में अनुभव से तथा नए-नए शोध से जानकारी प्राप्त करना, उस दिशा में प्रयोग करना और प्रयत्न जारी रखना–इन सबको देशवासियों का विद्याभ्यास कहा जाता है। कोई देशवासी समाज सुधार के कार्य में ही लगा होता है, कोई व्यापार में, कोई कला-कौशल के कामों में, तो कोई मानसिक शक्ति को बढ़ाने की दिशा में प्रयत्नशील होता है। इसी तरह कोई राजनीति में तो कोई युद्ध-कला में प्रवीण होने की कोशिश करता है। आशय यह कि ये सभी अपने-अपने ढंग से देश की सुख-समृद्धि की दिशा में काम करते हैं। एक परिवार के सदस्य अलग-अलग तरह के धंधे करते हैं, परंतु सबका ध्यान अपने-अपने धंधों के द्वारा (पैसा ही नहीं, बल्कि उससे जो सच्ची सामग्री प्राप्त होती है, उसके द्वारा) परिवार के यश और सुख को बढ़ाना होता है। उसी प्रकार देश के अलग-अलग वर्गों के लोगों का उद्देश्य अपने विद्याभ्यास के द्वारा देश के यश और सुख को बढ़ाना होता है। यद्यपि ये सभी विद्याभ्यास देश के लाभ और भलाई के लिए हैं, परंतु उनमें भी पहला और सबसे बड़ा विद्याभ्यास ज्ञानशक्ति को बढ़ाना है; इससे अन्य सभी विद्याभ्यास सरल हो जाते हैं, इसी कारण बहुत से लोग सिर्फ इसी को विद्याभ्यास कहते हैं। ज्ञान-शक्ति के बढ़ने पर कोई भी व्यक्ति थोड़ी-सी मेहनत से काम की जानकारी प्राप्त कर सकता है।

व्यापार हो या सरकारी कामकाज अथवा कोई भी धंधा, यदि कोई व्यक्ति ज्ञान प्राप्त किए बिना आरंभ करता है, तो वह लंबे समय तक काम करने के बाद अपने काम में कुशलता हासिल कर पाता है और कभी-कभी तो वह ज्ञान संपन्न

व्यक्ति से हार भी जाता है। जो पहले से ही विद्यालयी शिक्षा द्वारा ज्ञान-शक्ति प्राप्त कर लेता है, वह भले ही नए काम में अनजान हो, परंतु फिर भी थोड़े ही समय में वह दूसरों की तुलना में अधिक होशियार हो जाता है।

पढ़ना, लिखना और गिनना ज्ञान-शक्ति को विकसित करने का पहला साधन है। साधारण विषयों का पढ़ना-लिखना और बड़े विषयों का लिखना-पढ़ना दो अलग-अलग बातें हैं। साधारण विषयों के पढ़ने-लिखने से ज्ञानशक्ति नहीं प्राप्त होती, बल्कि बड़े-बड़े विषयों के अध्ययन से प्राप्त होती है, फिर भी साधारण लिखना-पढ़ना आने से भी कई फायदे हैं, जैसे—जो छोटे दुकानदार पढ़े-लिखे होते हैं, वे अपना काम सरलता से चला लेते हैं। जिसको पढ़ना-लिखना नहीं आता, उसे बहीखाता लिखने के लिए किसी के भरोसे रहना पड़ता है, अथवा मुनीम रखना पड़ता है, और फिर उस मुनीम पर सेठ को नजर रखनी पड़ती है। मुनीम पर नजर न रखी जाए, तो उसके छल-कपट की वजह से सेठ के सामने दुकान बंद करने की नौबत आ जाती है। इस बात से कौन इनकार करेगा कि सर्राफ की दुकान में जिसको बही-खाता और हिसाब-किताब आता है, वह रुपए-पैसे और मान-सम्मान के मामले में अपना तथा सेठ का फायदा नहीं करता? कौन नहीं जानता कि जिस राजा को पढ़ना-लिखना आता है, वही अपने कर्मचारियों के कामों की जाँच करता है, वह अपना तथा अपने राज्य का भला करता है और अपनी प्रतिष्ठा बढ़ाता है। इस बात से कौन इनकार करेगा कि गुजरात में और काठियावाड़ में स्कूल खुल जाने के बाद के बच्चों की समझ दस वर्ष पूर्व के बच्चों की तुलना में अधिक है। आजकल दस वर्ष का बच्चा हर विषय में शंका करता है, प्रश्न करता है, ऐसा क्या पहले था? आजकल लोग किताबें पढ़ रहे हैं, उससे क्या फायदा नहीं है? अरे! छोटे दुकानदार और खाली बैठे लोग फटाफट अखबार पढ़ते हैं और देश-दुनिया के समाचारों से अवगत होकर अपने समाज में बढ़-चढ़कर बातें करते हैं; क्या ऐसा पहले था? जहाँ थोड़ी-सी लिखाई-पढ़ाई से इतनी बड़ी-बड़ी बातों की जानकारी होती है और लोगों का हौसला बढ़ता है, तो बड़े विषयों से संबंधित बड़े-बड़े विद्वानों के विचार जानने से बड़े-बड़े लाभ क्यों नहीं होंगे?

जैसे शरीर कसरत से निरोग, तेजस्वी और फुर्तीला बनता है और थके बिना सरलता से अधिक से अधिक काम करता है; वैसे ही मन भी शिक्षा से अज्ञान और वहम रहित, सतेज तथा गतिमान बनता है, जिससे वह बिना ऊबे सरलता से अधिकाधिक तर्क-वितर्क, विचार तथा इच्छा करता है और उसी अनुसार इंद्रियों के द्वारा अधिक से अधिक काम करता है। शरीर और मन का पारस्परिक संबंध ऐसा है कि शरीर निरोग और सशक्त हो, तो मन अच्छी तरह शिक्षा प्राप्त कर सकता है; फिर व्यवहार में वह शरीर के द्वारा अच्छे-अच्छे काम कर दिखाता है। शरीर रोगी हो, तो मन उचित शिक्षा नहीं प्राप्त कर सकता। यह सही है कि मन रोगी तथा

अशिक्षित हो, तो भी शरीर सशक्त और मजबूत हो सकता है। पर मन की शिक्षा की उपेक्षा करके सिर्फ शरीर को ही तरोताजा रखने पर विशेष ध्यान देने से तथा शारीरिक शक्ति पर अहंकार करने से आदमी पशुवत् बन जाता है। शरीर को निरोग और सुगठित रखने के लिए हल्का भोजन और थोड़ी कसरत पर्याप्त है; परंतु लंबे समय के बाद निरंतर अध्ययन-अभ्यास के द्वारा ही मन शिक्षित और संस्कार युक्त होता है; अर्थात् नियमित खाने-पीने से, खुली हवा में रहने से तथा घूमने-फिरने से, शरीर की अनुकूलता के अनुसार कसरत करने से, पैदल चलने से, घुड़सवारी करने से, शिकार करने से, खेलकूद से शरीर निरोग और सशक्त बनता है और उससे मन की शिक्षा अच्छी तथा सरल होती है।

मन की शिक्षा दो प्रकार की होती है—ज्ञान शक्ति अर्थात् बुद्धि को बढ़ाने वाली तथा सद्‌गुणों का विकास करने वाली। ज्ञानशक्ति की वृद्धि का मतलब है कली के समान बंद समझ को विकसित करना तथा सद्‌गुण के विकास का मतलब है कुदरती रूप से उछलते-मचलते जोश को विवेक से संयमित करना, अर्थात् अवसर के अनुसार उसे कम-अधिक करके प्रकट करना।

सभा-सम्मेलनों में होने वाली चर्चाओं को जानने से, पुस्तकें पढ़ने से अथवा भ्रमण करने से, दूसरे देशों के राजकाज, धर्म, नीति, विद्या, कला-कौशल, रीति-रिवाजों के बारे में जानने से, महापुरुषों के जीवन-चरित्र जानने से, विद्वान पुरुषों के विचारों को जानने से हमें बहुत सारे विषयों की जानकारियाँ मिलती हैं और उससे स्मरण शक्ति बढ़ती है। एक ही विषय पर अलग-अलग मत को देखकर तथा अलग-अलग स्थानों पर अलग-अलग रूपों में देखकर, सही और गलत का निर्णय करने की हमारी विवेक बुद्धि बढ़ती है; और इससे तुलनात्मक विचारशक्ति, तर्कशक्ति, चयन आदि का विकास होता है और हम लोक व्यवहार में सफल होते हैं।

पुस्तकें पढ़ने से और किसी का भाषण सुनने से नई-नई जानकारियाँ मिलती हैं। इतना ही नहीं, बल्कि वे किस तरह से विचार करते हैं, विचारों को कैसे व्यवस्थित करते हैं, किस तरह स्पष्ट, सुंदर और प्रभावशाली वाणी में विचारों को व्यक्त करते हैं—ये सारी बातें हम सब जानते हैं और अपनी शक्ति का विकास करते हैं। जिनकी विवेक बुद्धि विकसित नहीं होती वे दूसरों की वाणी पर विश्वास करके ठगे जाते हैं। कुछ ऐसे भी होते हैं, जो अपनी संकीर्ण बुद्धि की वजह से एक विषय पर कई तरह से विचार नहीं कर पाते; बल्कि ऊपर-ऊपर से थोड़ा विचार करके अपना एक निश्चित मत बना लेते हैं और उसी को सच मान बैठते हैं। इससे दूसरों को बहुत नुकसान होता है। कुछ तो ऐसे भी होते हैं, जो अपनी ही पसंद को पकड़कर बैठ जाते हैं और कुतर्क से उसे साबित करके दूसरों पर थोपते हैं। कुछ लोग बड़े सटीक और विश्वसनीय दृष्टांत देकर दूसरों को समझाते हैं। ऐसी स्थिति में सावधान रहने की, सामने वाले व्यक्ति की बातों पर विचार करने की, उसके गलत मत का खंडन

करने की और उसके अच्छे तथा सही विचारों को प्रसन्नतापूर्वक स्वीकार करने के लिए सुशिक्षित तथा सुसंस्कृत बुद्धि की जरूरत पड़ती है। मानसिक शक्तियों के परिष्कृत होने पर ही नया ज्ञान प्राप्त होता है। नए ज्ञान के बाद नया अनुभव, नए अनुभव से फिर नया ज्ञान–इस तरह हमारा मन सुशिक्षित तथा सुसंस्कृत होता है और वह बड़े से बड़े तथा कठिन और असाध्य कार्य भी सरलता से कर सकता है। जब मनुष्य अपनी बुद्धि और ज्ञान का प्रसंगानुकूल उपयोग कर सके, कार्याकार्य का विवेक कर सके, लाभालाभ को समझ सके, समयानुसार उपाय सोचकर काम कर सके, अपनी विवेक बुद्धि का परिचय दे सके–तब उसकी बुद्धि सुशिक्षित तथा सुसंस्कृत कहलाएगी।

जिस प्रकार उपर्युक्त शक्तियों का विकास होता है; विचार शक्ति बढ़ती है, उसी प्रकार अच्छी संगति में रहने की आदत डालने से सुबोध तथा शिक्षाप्रद दृष्टांतों को मन में ठूँस-ठूँसकर बैठाते रहने की आदत डालने से तथा साथ ही उसको व्यवहार में उतारने की आदत डालने से हमारी नीति-वृत्ति भी सुदृढ़ तथा सुशोभित होती है। सद्गुणों का आग्रह रखना तथा दुर्गुणों का निरंतर त्याग करना, यह आसान काम नहीं है। संसार में तरह-तरह के लालच, लोभ और मोह हैं, जिनसे चित्तवृत्ति के दुराचार में फँसने का डर बना रहता है। उस वक्त शिक्षाप्रद दृष्टांत तुरंत काम नहीं आते; कभी काम आएँ, तो भी उनका कोई विशेष प्रभाव नहीं होता; इसलिए यदि धर्म तथा सद्गुण संबंधी मूल तत्त्व मन में बद्धमूल हों और उनको पकड़े रहने की आदत पड़ी हो, तो कुकर्म की ओर चित्त कभी जाता ही नहीं। लालच में फँसने की नौबत आने पर ईश्वर के भय का, पश्चात्ताप के भय का तथा अपयश के भय का स्मरण करना चाहिए और ईश्वर से प्रार्थना करनी चाहिए कि हे ईश्वर। मुझे पाप में गिरने से बचाओ। फिर भी यदि पाप में फँस जाओ तो पश्चात्ताप करना चाहिए; उसके बाद प्रयत्नशील रहते हुए तथा मन को मनाकर फिर से लालच में न फँसने का निश्चय करना चाहिए और सद्गुणों को दृढ़ता से पकड़े रहना चाहिए। इस प्रकार निरंतर अभ्यास से कोई गुणवान हो सकता है, परंतु इसके लिए बचपन से ही सद्गुणों से प्रेम जरूरी है। दुःख में धीरज, पुण्य और परमार्थ के कामों में तत्परता, सत्य के लिए शौर्य और साहस, सगे-संबंधियों के प्रति प्रेम, जीवदया, देशभक्ति आदि सद्गुण भी शिक्षा के द्वारा सुदृढ़ होते हैं और जगत में प्रसिद्धि प्राप्त होती है। महापुरुषों के चरित्र, इतिहास और कविता पढ़ने की बहुत जरूरत है, जिससे मनुष्य जाति के अनेक सहजात गुणों से परिचित हुआ जा सके और यह भी जानने को मिलेगा कि दुर्गुणी पुरुष हमेशा दुखी हुए हैं और सद्गुण पुरुष की विजय हुई है। इससे दुर्गुण के प्रति घृणा का भाव पैदा होगा और सद्गुण के प्रति प्रेम पैदा होगा। मनुष्य मात्र में सद्गुण के बीज विद्यमान होते हैं; परंतु अच्छी शिक्षा के बिना सद्गुण सुंदर वृक्ष के रूप में पल्लवित और पुष्पित होकर शोभा नहीं पाते।

शिक्षा का तीसरा विषय सुसंगतता का है। कहाँ कितना और कैसे बोलना चाहिए? वेशभूषा कैसी हो, मित्र या शत्रु के साथ कैसा बर्ताव करना चाहिए—इसकी जानकारी जरूरी है। इसी तरह अवसर के अनुसार उसका कैसे उपयोग करना चाहिए—अवसर के अनुसार यह सही है, यह गलत है; इसलिए ऐसा ही रहना चाहिए और रखना चाहिए; करना चाहिए और कराना चाहिए—इसके लिए भी अच्छी शिक्षा जरूरी है। शहरी लोगों के बीच गाँव वालों का रहन-सहन हँसी का पात्र बन जाता है। जिन्होंने दरबार नहीं देखा है, अपने रंग-ढंग से दरबार में उनकी फजीहत होती है। विद्वान होकर क्रोध में कोई अनुचित वचन बोले, तो उसे मूर्ख कहा जाता है। घर में मनमाने ढंग से बोलने वाला सभा में वैसा ही बोलता है, तो लोगों को खराब लगता है; और इसके लिए उसे पछतावा हो—इतने विवेक का होना जरूरी है। ऊँचे कुल के रहन-सहन और कुलीन तथा शिक्षित मनुष्य के व्यवहार को देखने से सुघड़ता की शिक्षा मिलती है। सुघड़ता से ही अशिक्षित और शिक्षित, देहाती और शहरी, निम्नकुल और उच्चकुल की तुरत परख हो जाती है। सुघड़ता (शालीनता) के बिना किसी बड़े आदमी का सुंदर शौर्य केवल हिंसक वृत्ति बनकर रह जाता है, उसकी शिक्षा मूर्खता में गिनी जाती है और उसका हास्य-विनोद भड़ैती का रूप ले लेता है। विवेक, सभ्यता, नम्रता, मिलनसारिता आदि से मित्र-प्राप्ति होती है और सांसारिक कामकाज सरल बन जाता है; कुल, बड़ाई, विद्या, पदवी आदि को शोभित करने वाली विवेक बुद्धि है। जिसकी जैसी सुघड़ता (शालीनता) होती है, वैसा ही उसका मान होता है; लोग उतना ही उससे प्रेम करते हैं।

जैसा कि ऊपर बताया गया है; मनुष्य को तीन प्रकार की शिक्षा की जरूरत पड़ती है। दुनियादारी का (व्यावहारिक) अनुभव और सुशिक्षित तथा सुसंस्कृत ज्ञान शक्ति हो, तो शास्त्र की परंपरा बनती है, युक्ति व्यवस्था तैयार होती है, न्याय किया जा सकता है, ग्रंथ लिखे जा सकते हैं और सभा में भाषण दिया जा सकता है। विद्या कला के शोध तथा यंत्रादि से कार्य होता है, वह भी ज्ञान-शक्ति की शिक्षा से ही। संदेह तथा कठिनाइयों का सामना सुशिक्षित विचार-शक्ति से तुरत होता है। यही नहीं धन-संपत्ति, मान-सम्मान, पद-प्रतिष्ठा और आनंद की प्राप्ति होती है। अनीति से दूर रखने वाली तथा नीति से सुख और मान बढ़ाने वाली शिक्षा ही है। उससे मनुष्य अपना टेक तथा प्रतिष्ठा को बनाए रख सकता है। वह अपने ही समान दूसरों को ऊँचे तथा अच्छे विचार सिखाता है। अधीरता और क्रोध की स्थिति में गलत काम करने की वृत्ति उत्पन्न होती है, उसे वह मन पर नियंत्रण करके रोकता है; साथ ही सुख तथा सम्मान के प्रति पैदा होने वाले अतिलोभ को विवेक के द्वारा सीमा में रखता है। दुर्गुणी की निंदा होती है और सद्गुणी को मौके पर फायदा नहीं होता है; फिर भी उसकी तारीफ होती है। इसीलिए सद्गुण का त्याग नहीं करना चाहिए और धीरज से काम लेना चाहिए। उसी प्रकार विपत्ति में जूझते रहना, संधि

के अवसर पर शौर्य, हिम्मत दिखाना, व्यवहार में ईमानदारी, देशभक्ति, राजभक्ति, ईश्वर-भक्ति तथा परोपकारी मत आदि की प्राप्ति शिक्षा से ही होती है। फूहड़पन, उच्छृंखलता, ओछापन, कायरता, जंगलीपन तथा जड़ता को दूर करने वाली और विवेक बुद्धि से व्यवहार करना सिखाने वाली तथा रूप-गुण सौंदर्य और स्थिति-व्यवहार सौंदर्य की ओर उन्मुख करके स्वच्छ तथा सुघड़ बनाने वाली शिक्षा ही है, जिससे सभी प्रसन्न होते हैं और सम्मान करते हैं।

किसी भी बात की शिक्षा लेना-अर्थात् उस बात के पीछे श्रम करके उसका सुधार-परिष्कार करके उपयोग में लेना। किसी धंधे की शिक्षा लेना, अर्थात् धंधा करने की आदत डालकर उस क्षेत्र में नाम कमाना, पशु-पक्षी को शिक्षित करना अर्थात् उसकी विकरालता और उसकी भयावहता को समाप्त करके ऐसा बनाना कि वह हमारे साथ हिल-मिल कर रहे और हमारा कहना माने। ईश्वर ने मनुष्य को दो विशेष शक्तियों का वरदान दिया है—ज्ञान शक्ति और इच्छा शक्ति। इनका विकास करके उसने नाना पदार्थों के गुण-दोष का पता लगाया है और तरह-तरह से उनका उपयोग किया है। जमीन को जोत-बोकर और फसल पैदा करके उसे अपने उपयोग में लिया हैं। खान खोदकर उसमें से खनिज पदार्थ निकालता है, फिर उन्हें शुद्ध करके अपने काम में लेता है। अवलोकन शक्ति, ज्ञान शक्ति, क्रिया शक्ति के बल पर मनुष्य ने बेसुमार शोध किया है और उससे सुख के साधनों का विकास किया है। ईश्वर ने मनुष्य के लिए सुख के साधनों का निर्माण नहीं किया है; बल्कि मनुष्य को स्वयं अपनी बुद्धि से सब तैयार करना चाहिए—ऐसा ईश्वर का, इसमें स्पष्ट प्रयोजन दिखाई पड़ता है। अर्थात् शिक्षा लेना और शिक्षा देना—यह हमारा कर्तव्य बनता है। हीरा जब खान में से निकलता है, तब इतना प्रकाश नहीं देता, बल्कि घिसने के बाद प्रकाश देता है। मनुष्य के विषय में भी ऐसा ही है। हमारा ज्ञान, हमारा स्वभाव, हमारी रीति-नीति शिक्षा के द्वारा ही अपनी वास्तविक तेजस्विता को प्रकट करते हैं। यही कारण है कि अरण्य में रहने वाले भील और अपने नगर में रहने वाले ब्राह्मण-क्षत्रिय एक-दूसरे से अलग पड़ जाते हैं। दोनों मनुष्य हैं, दोनों में कुदरती शक्ति और सद्गुण है; परंतु एक में वह अविकसित अवस्था में है तथा दूसरे में विकसित अवस्था में है। शिक्षा मनुष्य का बड़ा बल है; इसी से सिंह तथा हाथी जैसे पशु भी उसके वश में हो जाते हैं। वह अनेक नई समृद्धि भी उत्पन्न करता है। शिक्षा ऐसा प्रकाश पुंज है, जिसकी रोशनी में हम, अज्ञान के अंधकार में छिपी बहुत-सी बातों का पता लगाते हैं और उसका उपयोग करते हैं। शिक्षा से ही हम पारस्परिक कर्तव्य को समझते हैं, ईश्वर को पहचानते हैं और उसकी अनंत शक्ति, अपार समझदारी और अनंत यश के विषय में विचार करने पर हमारी बुद्धि गुम हो जाती है; और हम अपने संपूर्ण गर्व का त्याग करके उसका भक्त बन जाते हैं।

शिक्षा के लिए उमंग तथा श्रम की आवश्यकता होती है। कुछ काम सरलता

से होते हैं और कुछ काम कठिन परिश्रम से होते हैं; परंतु जो काम कठिन परिश्रम से होता है, वह अत्यंत मूल्यवान और लाभदायक होता है। बिना ऊबे, उत्साह और धीरज से किया गया श्रम कभी न कभी फलदायी होता ही है। अभ्यास से सब कुछ सरल हो जाता है। उद्यम का फल धीरज से ही, पर अवश्य मिलता है। जो लोग असाधारण बुद्धि वाले महापुरुष कहे जाते हैं, वे भी कठिन परिश्रम करके, बहुत दुःख सहन करके, बिना थके-हारे अपनी शक्ति अर्जित करते हैं और उसी से अवसर मिलने पर सफलता तथा प्रसिद्धि प्राप्त करते हैं। आलस, अज्ञान और वहम मनुष्य के बड़े शत्रु हैं। वे उसकी भारी दुर्गति करते हैं। इन शत्रुओं को मार भगाने वाले उद्यम और ज्ञान हैं। इसलिए उन दोनों का विकास जरूर करना चाहिए।

मनुष्य को कुदरती हालत में ही नहीं जीना चाहिए; बल्कि ईश्वर ने मनुष्य का निर्माण ऐसा किया है कि वह उद्यम करके अपनी हालत सुधारे। शिक्षा से सहज वृत्तियों का परिष्कार होता है। इसलिए अपने मन को पर्याप्त शिक्षा देनी चाहिए। स्वभाव रूपी घोड़े को विवेक रूपी लगाम डालकर शिक्षित करना चाहिए। शरीर को कसरत के द्वारा मजबूत बनाना चाहिए। परंतु शक्ति का अपव्यय नहीं करना चाहिए; बल्कि उसे निर्बल की रक्षा आदि कामों में लगाना चाहिए। धन को क्षण-भंगुर मौजमस्ती में, क्षणिक सम्मान की लालसा से दावत और उत्सव पर खर्च नहीं करना चाहिए; बल्कि वृद्धावस्था के लिए तथा विपत्ति के लिए और परिवार के भरण-पोषण तथा संतान की पढ़ाई-लिखाई पर खर्च करना चाहिए; फिर उसमें से जो बचे, उसका उपयोग स्वजनों की सुख-सुविधा हो, तो ही वह बढ़ता है; और उसके लिए विवेक बुद्धि की जरूरत पड़ती है, जो उचित शिक्षा से प्राप्त होती है। मन की शक्तियों को ज्ञान तथा निरंतर अभ्यास द्वारा विकसित करना, उद्धत उत्साह को विवेक से। नियंत्रित करना, रीति-नीति को सुघड़ बनाना, अवलोकन शक्ति तथा विचारों की समझदारी को बढ़ाना, धर्मनीति के मूल तत्त्व को जानकर उसके ही अनुसार व्यवहार का निश्चय करना आदि शिक्षा के ही विषय और कार्य हैं। एक विद्वान ने कहा है कि 'जिस शिक्षा के द्वारा मनुष्य अपना तथा अपने देश का काम ईमानदारी से, कुलशतापूर्वक तथा परमार्थ बुद्धि से करने की क्षमता प्राप्त करता है, वही संपूर्ण और सच्ची शिक्षा हैं।' दूसरे विद्वान का कहना है कि सहज विकास को कला के द्वारा इस प्रकार संचालित करना शिक्षा है, जिससे बुद्धि तथा सद्गुण दोनों साथ मिलकर प्रकाशित हैं। सुशिक्षित और संस्कार युक्त मनुष्य भी मरते है; फिर भी उनकी बुद्धि तथा उनके सद्गुण आने वाले समय के लोगों के लिए प्रेरणा का काम करते हैं, वे उनकी बुद्धि को बढ़ाते हैं तथा उनके दुःख को दूर करके सुखी बनाते हैं।

स्वदेशाभिमान

अपने बाल-बच्चों के तथा परिवार के भले की कामना करना और उसके लिए प्रयत्नशील होना बुजुर्गों के लिए स्वाभाविक है, वैसे ही हर देश के निवासियों के लिए यह प्रार्थना करना स्वाभाविक है कि हमारे देश में अच्छा काम करने वालों की संख्या अधिक हो, हमें अच्छा राजा मिले, हमारे देश का व्यापार बढ़े, हमारे देश में शिक्षित लोग अधिक हों, हमारे देश की स्थिति सुधरे, हमारा देश पृथ्वी पर अद्वितीय कहलाए, हमारे देश में पुण्यात्माओं का अवतार हो, आदि-आदि किंतु परिवार और जाति के संदर्भ में जिस मात्रा में गौरव का भाव दिखाई पड़ता है, उस अनुपात में देश के संदर्भ में नहीं। किसी सभा में जब किसी की विद्या, उदारता, आचरण या समृद्धि की अथवा किसी के अनुचित कर्मों की चर्चा हो रही हो, तो उस समय सभा में बैठे हुए उन लोगों के हृदय में एकाएक खुशी की अथवा दुःख की लहर दौड़ जाती है, जो लोग उस सभा में चर्चित व्यक्ति के कुल या जाति से संबद्ध होते हैं–'वह! अपनों में भी ऐसे बड़े-बड़े व्यक्ति हुए हैं, धन्य हैं वे लोग! अथवा हाय! अमुक ने अपनी जाति को डुबाया है।' 'देखिए! मुआ अभिमान और धिक्कार इस तरह पैदा होता है। कोई अनजान व्यक्ति-ब्राह्मण या बनिया-इनकी सभा में आकर पूछे कि नाना फड़नवीस कौन था? तो ब्राह्मण जोश में बोल उठेगा कि नाना फड़नवीस तो ब्राह्मण था। कुछ लोग तो परिवार और जाति की इज्जत बचाने के लिए अपनी तरफ से जितना बन पड़ता है, कोशिश करते हैं। ऐसा करना स्वाभाविक है। हिंदुस्तान देश में नाना प्रकार के लोग हैं, बहुत सारे वर्ग और जातियाँ असंख्य हैं। नीच कर्म करते हुए भी ब्राह्मण अपने को ऊँचा बताते हैं। इस तरह व्यक्ति पर जाति का दबाव बहुत अधिक है। जैसे मार खाते-खाते चमड़ी सुन्न हो जाती है, वैसे ही मुसलमानों के बारंबार आक्रमण के कारण लोग संवेदनहीन हो गए हैं। ईर्ष्या ही नहीं, बल्कि मत्सर ने लोगों में जड़ जमा लिया है और इस तरह ईर्ष्या के कारण आपसी कलह लड़ाई-झगड़ा ऊँच-नीच आदि के भेद-भाव बढ़ने लगे हैं। अब जबकि एकता का अभाव है, तो फिर देश का कल्याण कैसे हो सकता है? कोई व्यक्ति अगर कोई काम शुरू करता है, तो दूसरा बाधा डालता है; इसलिए वह सफल नहीं हो पाता और इस तरह व्यक्ति की असफलता देश को कमजोर बनाती है। इस तरह सारा समाज अभावग्रस्त हो जाता है, तब देशाभिमान की रक्षा कैसे हो सकती है?

ईर्ष्या और जागरूकता के साथ सभी जाति के लोगों को चाहिए कि वे अपने-अपने कुल का, जाति का तथा संपूर्ण शहर का भला करें और इस तरह सारे शहर के लोग सुखी हों और अंततः देश के अमीर-गरीब यश और सुख प्राप्त करें, बड़े-बड़े कारखाने लगाए जाएँ, उत्पादन अधिक और सुंदर हो, देश में उत्पन्न वस्तुएँ

विदेशों में—जहाँ उनकी जरूरत हो—बेची जाएँ, पानी में पत्थर पड़ने से जैसे कुंडलाकार लहरें फैलने लगती हैं, वैसे ही अशिक्षित लोगों के बीच विद्या का प्रसार हो। ऐसे-ऐसे कार्यों से लोगों में जोश पैदा करना तथा कार्य में जुट जाने का नाम देशाभिमान है। स्वदेशप्रेमी कहलाने वाले तो बहुत हैं, किंतु जब देश के लिए कुछ करने का समय आता है, तब कोने में खिसक जाते हैं। मात्र देशप्रेमी कहलाने के लिए बहुत लोग मेहनत करते हैं; किंतु सच्चे अर्थों में वे देश के हितैषी नहीं होते, मनुष्य अपनी प्रसिद्धि के लिए विद्याध्ययन, व्यापार, धर्मज्ञान आदि में सिद्धि प्राप्त करता है, वह अपने परिवार में, अपनी जाति में, अपने नगर में, यहाँ तक कि अपने देश में उसका नाम भले हो जाए; फिर भी उसे देश हितैषी तब तक नहीं कहा जा सकता, जब तक वह अपने परिवार, जाति आदि के भरण-पोषण के लिए तथा शहरी और ग्रामीण लोगों के स्थायी हित के लिए कुछ नहीं करता। ऐसे ही विदेशी हमलों से देश की रक्षा करने के लिए युद्ध करने वाले राजा तथा वीर सेनानी ही सिर्फ देशाभिमानी हैं, ऐसा नहीं समझना चाहिए। बल्कि अरण्यवासी वह गरीब विद्वान भी एक सच्चा और महान स्वदेशाभिमानी है, जो वन में स्थित अपनी झोंपड़ी के एक कोने में बैठकर लोकमंगल के लिए साधना करता है और अपने कल्याणकारी विचारों को पेड़ के पत्रों पर लिखकर समाज को अर्पित करता है। यह सही है कि मनुष्य निःस्वार्थ कुछ भी नहीं करता; किंतु स्वार्थी होते हुए भी परमार्थी होना एक सच्चे देशाभिमानी का कर्म तथा धर्म है। जैसे मधुमक्खियों द्वारा संचित मधु सर्वसाधारण के काम आता है, वैसे ही प्रत्येक मनुष्य की बुद्धि और श्रम से तरह-तरह के कार्य संपादित होते हैं, जो देश की समृद्धि में पूँजी का काम करते हैं। इस पूँजी के संचय के लिए तथा इस पूँजी की मदद से सुधार कार्य के द्वारा सहस्र गुना अचल, उपयोगी और सुंदर दौलत तैयार करने के लिए लोग उत्साहपूर्वक यथाशक्ति अपना योगदान करके देशवासियों की भलाई करते हैं, उन सबको देशाभिमानी कहना चाहिए। हिंदुस्तान में सब प्रकार की विद्या के बीज तथा अंकुर थे। यूरोपियों ने उनमें बहुत परिष्कार किया है। इस प्राचीनता का गर्व प्रत्येक हिंदू को है। किंतु वे सिर्फ गर्व करते हैं, उद्यम नहीं करते। यह हर्षयुक्त गर्व क्षणिक होता है। मन में उठता है और शांत हो जाता है। विदेशियों के सामने ये अपने पूर्वजों के पराक्रम की बात बड़े गर्व से करते हैं; किंतु इनके पराक्रम की बात दूसरे लोग करें, ऐसा कोई कर्म इनमें देखने को नहीं मिलता। आजकल अंग्रेज, फ्रेंच, जर्मन तथा अमेरिकन लोग इनमें स्वदेशाभिमान जगा रहे हैं। किंतु इस समय हम दूसरे की बात न करके आगे की पंक्तियों में अपने प्राचीन काल की बात करेंगे कि हम कैसे और किस रूप में थे और आज उसकी तुलना में निश्चय ही कम हैं। वर्तमान स्थिति को जानकर मैं दुखी हूँ और आप भी दुःखी होंगे।

पहले राजा कौन थे? हिंदू राजा ही। उस समय देश की स्थिति कैसी थी?

देश समृद्ध था, लोग सुखी थे, क्षत्रिय पराक्रमी थे, ब्राह्मण धर्मोपदेश और ग्रंथ-रचना करते थे, वैश्य बड़े-बड़े व्यापार करते थे तथा शूद्र मन लगाकर सेवा करते थे। जैसे नया काम करते समय सभी उत्साह दिखाते हैं, वैसे ही जब ब्राह्मण आदि लोगों ने पश्चिम से आकर हिंदुस्तान में राज्य आरंभ किया था, तब वे एक-एक काम की जिम्मेदारी अपने सिर पर लेकर उत्साहपूर्वक देश का उत्थान करने में लग गए थे। वे यात्राएँ करते थे; नए देश की नई वस्तु, नए रीति-रिवाज तथा वहाँ के नए-नए विचार लाकर अपने देश को अधिक से अधिक सुंदर बनाते थे। राजा राजकाज में कुशल बनकर प्रजा के सुख के लिए काम करते थे। संक्षेप में कहूँ तो राजा-प्रजा दोनों एक-दूसरे के धर्म (कर्तव्य) को समझ कर आचरण करते थे। विद्वानों को संरक्षण प्राप्त था, समाज में सदाचार था। बच्चों की माताएँ शिक्षित थीं, जाति-बंधन कम था, विद्वानों, कलाकारों, राजाओं, पुरुष-स्त्री और बालकों में, अमीर और गरीब में अपने-अपने काम में यश प्राप्त करने के लिए होड़ लगी रहती थी। ये सब कुछ अब कहाँ है। महाराजा मनु को अभी याद करो, महर्षियों के कालजयी ग्रंथों का अवलोकन करो। वेदांतशास्त्र और कर्मवाद में व्यास और जैमिनी ने अतुल बुद्धि का परिचय दिया है। न्यायशास्त्रियों तथा वैयाकरणों ने अथक परिश्रम करके ग्रंथों की रचना की है। श्रुति और उन पर सायण आदि आचार्यों के भाष्य, स्मृतियाँ तथा पुराण हिंदू धर्म, हिंदूभाषा तथा हिंदूज्ञान के प्रकाशक हैं। सूर्यवंशी तथा चंद्रवंशी राजाओं के काल में देश की स्थिति, अहा! कितनी उज्ज्वल थी! वाल्मीकि तथा व्यास द्वारा रचित रामायण तथा महाभारत को पश्चिम के लोग कितनी आतुरता से पढ़ते हैं! उज्जैन नगरी के राजा विक्रमादित्य, धारा नगरी के राजा भोज तथा प्रतिष्ठानपुर के राजा शालिवाहन के राज्य दुखभंजन राज्य कहे जाते थे। उनके समय में विद्या एवं कला उत्कर्ष पर थी। भव्य देवालयों तथा अन्य इमारतों की उत्कृष्ट रचना में तथा उनमें की गई नक्काशी में शिल्पियों ने अपना कम कौशल नहीं दिखाया है; जिस कला को देखने के लिए यूरोपीय विद्वान धूप सहन करके गुफाओं में भटकते हैं तथा वहाँ के शिलालेखों की खोज श्रमपूर्वक करते हैं। काव्य, अलंकार, शब्द शास्त्र में कालिदास, धन्वंतरि, क्षपणक, अमर, शंकु, बेतालभट्ट, घटकर्पर, वाराहमिहिर और वररुचि नवरत्न के उपनाम से राजाभोज के दरबार को सुशोभित करते थे। परशुराम, राम, अर्जुन, चंद्रगुप्त, पोरस, पृथ्वीराज और शिवाजी आदि युद्ध में अपनी वीरता दिखा गए हैं। नाना फड़नवीस होलकर आदि ने राजनीति में अपनी कुशलता का परिचय दिया है। इस विषय को बंद करने का मेरा मन नहीं होता; किंतु मात्र इतनी सूचना से यह सहज ही मालूम हो जाएगा कि हमारी आज की अवस्था कितनी गई-बीती है।

शौर्य तो बिल्कुल नहीं है; लाहौर के राजा जयपाल की बेईमानी तथा दौलताबाद के राजा की कायरता के बाद उत्तर और दक्षिण हिंदुस्तान जब से शक्तिशाली एवं

विकराल सुलतान महमूद और अलाउद्दीन खिलजी की नजर में आया, तब से हमारे राजा दहशत में आ गए। दो-चार को छोड़कर कौन से राजा मुसलमानों के सामने युद्धभूमि में पराक्रमपूर्वक टिके रहे? 'क्षत्रिय' नामधारी राजा औरतों के गोद की शरण लेकर मादक कसुंबा की पिनक में नामर्द हो गए, यह शरम की बात हुई है। एक राजवंश लड़ने के लिए जाता, तो उसी के सगे दूसरे राजवंश उसके विरुद्ध मुसलमानों के साथ मिलकर लड़ते। वे विचार नहीं करते कि आखिर वे विदेशी हैं; इसलिए इनसे डरना-अलग प्रांतों के अलग-अलग राजा बन गए और इस तरह बहुत सारे राज्य बनाकर आपसी कलह के कारण देश को तोड़ डाला।

अरे भाट चारणो! अपनी कला कहाँ खो दी है? अनुचित रीति से प्रशंसा करके राजाओं को यश के ताड़ पर क्यों चढ़ा देते हो? अरे प्रशस्ति गायको! तुम लोग राजाओं के दोषों को उनका गुण कह कर उनका बखान करते हो? नीतिमान लोगों के प्रतिनिधि बन कर राजाओं को चेतावनी दो कि राजन! हम आपके प्रशस्ति गायक कहलाते हैं; किंतु आप में प्रशंसा योग्य तो कुछ है ही नहीं; इसलिए दोषों को छोड़ कर गुणों को धारण करो और सच्चे अर्थों में हमें अपना प्रशस्तिगान करने दो, नहीं तो कुछ ही दिनों में आपको कंगाल होना पड़ेगा। अरे कवियो और दीवानो! आप अपनी जेबों को मत देखो; देश का खजाना जा रहा है। यह विचार करो। राजाओं की सुस्ती, उनकी नामर्दी, उनकी अविद्वता पर निंदायुक्त कविता लिखो, जिससे उनके मन में परिताप हो और वे अपने गिरे हुए कुल-गौरव का उत्साहपूर्वक उद्धार करें। राजा ही अपनी समृद्धि और श्रम से दूरदर्शितापूर्वक काम करेंगे, तभी हिंदुओं का नाम ऊँचा होगा। ऐ राजपूतो! श्रम करते हुए मरने से क्यों डरते हो—'शूरस्य मरणं तृणम्' कमर कस कर देशाटन करो और वहाँ से नई युक्तियाँ लाकर अपने राज्य का सुधार करो। तुम्हें मुसलमानों ने, पिंडारो (धुतियों) ने तथा अन्य शक्तिशाली लोगों ने बहुत परेशान किया है। ओ हिंदुओ! तुमने कभी भी संगठित होकर एक मत होने का विचार ही नहीं किया। तुमने सुधार और विकास कार्य की ओर कभी ध्यान नहीं दिया। तुमने उद्योग और व्यापार के द्वारा देश को प्रसिद्ध करने की बात स्वप्न में भी नहीं सोची। तुम लोग जड़ होकर रुक क्यों गए हो, देश में दाल-रोटी मिले वह ठीक, किंतु परदेश में लाख मिले वह ठीक नहीं—ऐसा कहकर संतोष क्यों करते हो? अपने देश, अपने गाँव, अपने परिवार को छोड़ने की हिम्मत करके परदेश जाओ और वहाँ से ठीक ढंग से विद्या, धन, तथा यश प्राप्त करो; फिर ढलती उम्र में अपने देश में चैन से दिन गुजारो। होना है वह होगा, देश में खा-पीकर मौज कर रहे हैं, ऐसा कायरतापूर्ण बोल बोलकर ही तुमने दुश्मन का तनिक भी विरोध किए बिना उसके सामने पीठ दिखाई है। एक मानव प्राणी के रूप में तुम्हारा अधिकार क्या है? एक-दूसरे के साथ, स्त्री और बच्चों के साथ, सगे-संबंधियों के साथ व्यवहार करने की तुम्हारी नीति क्या है? विद्या क्या है? सुधार क्या है? वर्तमान सरकार का

तुम्हारे ऊपर अधिकार क्या है और उसके उपकार क्या हैं? देश की भलाई किसमें है और स्वदेशप्रेम क्या है? इन बातों के विषय में तुम हमेशा विचारशून्य रहे हो। वेतन देकर स्थायी सेना रखने की परंपरा राजाओं में नहीं थी। जिन सरदारों के हाथ में वर्दी-घोड़े सौंपे गए थे, वे सरदार अपने हाथ में आए सैन्यबल का दुरुपयोग अर्थात् नमकहरामी करने में कसर नहीं करते थे।

हे प्रजाजनो! तुम्हारे राजाओं से मैं पूछता हूँ कि वे किस अधिकार से सौ-सौ रानियाँ रखते थे? और इस अराजकता में तुम्हें यह नहीं सूझा कि ऐसा होने से ही देश बरबाद होगा? अब राजाओं की बात जाने दो; वे ऐसी स्थिति में हैं कि अब नहीं सुधरेंगे, किंतु अरे महानुभावो! तुम सब लोग ज्ञान-विज्ञान की जानकारी रखो। लड़के-लड़कियों को विद्यालय में भेजकर पढ़ाओ, उन्हें सदा ज्ञान की खुराक दो। संगठित होकर व्यापार करो। अपने रहन-सहन में परिवर्तन लाओ। रास्ते साफ-सुथरे कराओ। व्यसनों से दूर रहो। किसान अभी बहुत नासमझ हैं। उन्हें कृषि कला सीखकर तथा भूमि संबंधी रसायनशास्त्र जानकर कृषि कार्य में सुधार करना चाहिए, यंत्रबल हस्तबल से अधिक होता है। पहले थोड़े ही लोग पुस्तक पढ़ते थे। कुछ दिन से अमीर-गरीब सभी सस्ती पुस्तकें खरीदकर पढ़ते हैं। स्थान-स्थान पर छापाखाना स्थापित करो। यह देखते जाओ कि विदेशों में विद्या के द्वारा कैसे-कैसे लाभ हो रहे हैं। किंतु यहाँ तो रोजनामचा लिखना, नाप-तौल करना और चीन-विलायत की हुंडियों का हिसाब जान गए और वार्षिक डेढ़ सौ रुपया लाने लगे कि हम समझ लेते हैं कि अब तो फतह कर लिया। पूरी गुजराती भी नहीं जानते। यूरोप तथा अमेरिका में हमारी देवभाषा संस्कृत में वेदभाष्य तथा काव्य ग्रंथों का उल्लासपूर्वक अवलोकन करने के लिए तथा व्युत्पत्तिशास्त्र में शोध करने के लिए वहाँ के बड़े-बड़े विद्वान अहर्निश श्रम कर रहे हैं। वहाँ पर संस्कृत भाषा ने भारी विजय प्राप्त की है—इस समय एक भी भव्य पाठशाला मुझे दिखाओगे? हमारी सारी विद्याएँ तो मूलतः संस्कृत में हैं, उन्हें लोकभाषा में करने का पराक्रम अभी तक किसी ने दिखाया है?

हाल ही में मैंने सुना है कि मैकाले नामक लेखक की इंग्लैंड देश के इतिहास की दो पुस्तकों की 25000 प्रतियाँ बीस-बीस रुपए में बिक गई हैं और दूसरी बीस हजार छपने वाली हैं; वे भी बिक जाएँगी। एक दूसरी पुस्तक का प्रकाशन भारी संख्या में किसी ने कराया और वह पुस्तक ऐसे बिकी कि दूसरे हफ्ते उसकी एक भी प्रति खोजने से भी नहीं मिलती थी। इस तरह वहाँ विद्या और पढ़ने का शौक है। यहाँ तो हम मान लेते हैं कि पुस्तक क्या काम आने वाली है? पुस्तक खरीदने का मतलब तो पैसा फेंकना है। सोना-चाँदी, हीरे-जवाहरात खरीदकर संदूक में बंद करके रखना हम लोगों को अधिक अच्छा लगता है। विदेशी कारखानों आदि की थोड़ी छाया भर बंबई में देखने को मिलती है। देखो, स्टीमर तुम्हारे सामने है। रेलगाड़ी पर नजर डालो! क्या तुमने काइट साहब के विमान को देखा है? क्या तुमने अंग्रेजी सेना के

युद्ध-कौशल को कभी देखा है? जोधपुर का किला फतह करते समय उसने कैसे पराक्रम होने के बाद अठारहवीं बार उन लोगों ने उस पर विजय पाई थी। वैसे ही काबुल-कांधार पर कब्जा करते समय तथा सिबास्टेपोल की लड़ाई में भी। धन्य है वर्तमान सरकार जो प्रजा को अधिकाधिक स्वतंत्रता देती जा रही है। फिर भी तुम नींद से क्यों नहीं उठते? मुसलमानी शासन में तो चूँ भी करना मुश्किल था, जबकि आज बंबई एसोसिएशन सरकार को लिखता है कि ऐसा अनुचित इंसाफ अमुक जगह होता है, जो नहीं होना चाहिए। यह सरकार का जुल्म है, या इसमें प्रजा का हक मारा जाता है, वहाँ बहुत सुस्ती चल रही है, वहाँ के साहब लोग बहुत लापरवाह हैं—आदि आवाजें जनता की ओर से बड़ी से बड़ी सरकार को सुनाने के लिए उठाई जाती हैं। हर एक जिले के कोने-कोने की बात को यह ऐसोसिएशन कैसे जानेगा? इसलिए इस एसोसिएशन की ऐसी हिम्मत के दृष्टांतों को देखकर ऐ प्रजाजनो, ऐसे एसोसिएशन आदि सभाओं को अपने दुःख से अवगत कराओ कि जुल्म समाप्त हो और तुम्हारी हालत पर दया उत्पन्न हो। अंग्रेज लोग फानूस के दीपक हैं, ये तुमको प्रकाश देते हैं; किंतु इस प्रकाश का सदुपयोग करना तुम्हारे हाथ में है। एक लड़के के ऊपर मक्खी बैठी, तो उसने हाथ उठाकर मक्खी उड़ाने की बजाय मक्खी से यह कहा कि मक्खी! तू उड़ती है या माँ को बुलाऊँ? वैसे ही पूर्वकाल में प्रख्यात देश के वासी हो, तुम एकदम बुरी हालत में भी नहीं हो, पैसे से, खाने-पीने से भी तुम एकदम कंगाल नहीं हो कि 'भाग्य में जो होगा वही होगा।' जब प्रत्येक व्यक्ति जी-जान से मेहनत करेगा, इस संसार को युद्ध भूमि मानकर देश की प्रगति के लिए अपने कर्तव्य का पालन करेगा, तब देश की जय-जयकार होगी। तुम्हारी मर्जी क्या है लोगो! क्या यह जानते हो कि अमुक रस्म खराब है और यह भी समझते हो कि उसको छोड़ने से धर्महानि नहीं होगी, तो फिर एकमत होकर उस रस्म को निकाल फेंकने के लिए मेहनत क्यों नहीं करते। सभा के बीच आलेख पढ़ने वालों की तुम हँसी उड़ाते हो, लेकिन वही बात जब सरकार कानून बनाकर लागू करती है, तब जाकर मन मार कर कबूल करते हो। भाइयो! विचारो, इसमें अपनी क्या इज्जत हुई! कलकत्ता में पुनर्विवाह से संबंधित कानून लागू हुआ, यह सबको पता ही होगा। इसलिए विदेशियों को पता चले और समाचार पत्रों में निंदा प्रकाशित हो, इसके पहले ही एकमत से बुरे प्रतिबंधों को तोड़ डालो। अपने घर तथा अपनी इज्जत के लिए भी ध्यान रखो। किंतु देश के हित की ओर ध्यान देना चाहिए, ऐसी इच्छा थोड़े ही लोगों में हुई, जबकि यह सब में होनी चाहिए, अस्तु। अल्पवयस्क बालकों का विवाह करके उन्हें बंधन में डालते हो—वे पंद्रह वर्ष के हुए नहीं कि गृहस्थाश्रम में पड़ गए। अब ये बालक क्या विद्याभ्यास करें और क्या पैसा कमाएँ? बीस वर्ष की उम्र तक पहुँचते-पहुँचते तो इनके सिर पर दो बच्चों की जिम्मेदारी आ जाती है, देशाभिमान उनके मन में होने पर भी किस अनुभव से वे देश के लिए कुछ करें! घर के जंजाल से छूटें, तब

तो! मुझे दुःख है कि वयस्क और समझदार लोग भी जानते-बूझते गड्ढे में पड़े हैं और पड़ेंगे। अरे, मत पड़ो। विवाह-उपनयन आदि संस्कारों के अवसर पर जाति-बिरादरी के लिए सामूहिक भोज का आयोजन करते हो, बारात सजाते हो, आत्म-प्रतिष्ठा के गर्व में आकर खेल-तमाशा, नाच-गाना में पैसा उड़ाते हो, तो बुढ़ापे में बहुत पछताओगे। इस पैसे का आधा यदि धर्मशाला के लिए, मुसाफिरखाना के लिए, प्यासों के लिए कुँआ, बावड़ी या तालाब बनाने के लिए, थके हुओं के विश्राम के लिए चबूतरे बनवाने में, अंधे, लूले, लँगड़े तथा गरीब निराश्रितों को दान देने में और उन्हें किसी काम में लगाने के लिए, बच्चों के लिए अच्छे विद्यालय तथा लोगों के लिए पुस्तकालय चिकित्सालय आदि की स्थापना में लगाया होता, तो देश में कितना पुण्य, सुख-समृद्धि और कीर्ति स्थिर हुए होती! कहा गया है—

अस्थिरं जीवितं लोके, अस्थिरे धनयौवने।
अस्थिरा पुत्रदाराश्च धर्मकीर्ति द्वयं स्थिरम्।।

प्राणिमात्र के जीवन का, पैसे का, यौवन का, संतान का, पत्नी आदि किसी का कोई भरोसा नहीं है। आज है कल नहीं। किंतु धर्म और कीर्ति ये दो स्थिर रहने वाले हैं। मनुष्य मर जाता है, किंतु उसके सत्कर्म विस्मृत नहीं होते।

बिरादरी का कर चुकाना छोड़ो मेरे भाइयो! जब मनुष्य धर्म के लिए नहीं है, धर्म मनुष्य के लिए है, तो फिर जिस गरीब का कोई सगा मर गया और उसकी श्राद्धक्रिया करने के लिए तथा बारहवीं-तेरहवीं, अर्द्ध वार्षिकी या वार्षिकी आदि अवसरों पर बिरादरी के भोज के लिए उसके पास धन न हो, तो उस गरीब को कर्ज कराके खर्च कराकर उसके यहाँ दावत करना क्या तुमको उचित लगता है? वह बेचारा कर्ज कैसे चुकाएगा? तुम तो सिर्फ खाने वाले हो। ऐसा खाऊबीर न बनकर वास्तविक स्थिति की ओर ध्यान दो। बारात भोज, इष्ट, मित्र, बिरादरी तो सिर्फ उत्सव के दिनों में ही याद रहते हैं, किंतु देश के लिए परोपकार बुद्धि से किए गए काम तो हमेशा अमर रहते हैं। जमशेदजी, जीजीभाई को तो पहले उनकी जाति वाले ही जानते-पहचानते थे, किंतु अब तो सारा संसार जानता है। अरे सेठो! अपने धन को सार्थक करो। संकीर्ण दायरे में रहने में कल्याण नहीं है; अपने ही लोगों के बीच वाहवाही लूटना क्या अधिक शोभा देता है? मैं यह भी अवश्य कहना चाहता हूँ कि कितने ही बड़े-बड़े धनवान अपने झूठे बड़प्पन के लिए तथा एक-दूसरे की शरम में आकर दूसरे के लिए (अर्थात् अपनी बिरादरी वालों के लिए) मोटी रकम भरते हैं और अपने गरीब बंधुओं की सहायता तथा देश के सुधार कार्य का जिम्मा दूसरों पर डालते हैं। दक्षिणी ब्राह्मण गरीब होते हुए भी विद्या के प्रचार-प्रसार के लिए लोकभाषा में ग्रंथ-रचना करते हैं और गुजराती ब्राह्मण विद्याभ्यास करने के बदले यजमानों को ठगते हैं तथा जम्हाई लेते हुए गंदी अवस्था में पड़े रहते हैं। हे भगवान्! वह दिन कब आएगा, जब इस देश से आलस्य, अज्ञान, दुराचार और गंदगी चली गई होगी?

गुजरात वर्नाक्युलर सोसाइटी अपना काम करने में अपनी बहन दक्षिण वर्नाक्युलर सोसाइटी से पीछे रह जाती है। पैसे की अनुकूलता होने पर भी गुजराती लोग सुधार कार्य में दक्षिणियों और पारसियों की तुलना में क्यों पीछे रह जाते हैं। गुजराती लोग राजकाज की बातों में तनिक भी रुचि नहीं दिखाते। गुजरात में शुद्ध लिखना और पढ़ना कम ही लोगों को आता है। अरे! जब लिखने-पढ़ने की यह हालत है, तो विद्याभ्यास के क्षेत्र में इनसे क्या उम्मीद की जाए? किंतु नहीं, ज्ञान का ज्वार अब चढ़ने लगा है, अब श्रमरूपी जहाज उसमें उतारो, वह अभीष्ट मंजिल पर पहुँचेगा। यदि हम दक्षिणी तथा गुजराती हिंदुओं की तुलना करते हैं, तो निश्चित जानें कि दक्षिणी, गुजरातियों की तुलना में पचीस गुना अच्छे हैं। अरे! सुधार के नाम पर तुम दूर भागते हो। यह कहते हो कि हम स्वधर्म का पालन करते हैं, किंतु, मैं देखता हूँ कि वास्तव में धर्माभिमान तक किसी के मन में नहीं है। प्रथमतः तो मनुष्य को अपने स्वरूप को पहचान कर 'परस्पर कैसे व्यवहार किया जाए' आदि दूसरी नीतियों को सीखना चाहिए। एक दृष्टि से देखने पर नीति मुख्य है, नीतिमान हुए बिना भक्तिमान हुआ ही नहीं जाता; इसलिए करो तो (करना तो नहीं चाहिए) सद्गुणों की ही प्रशंसा करो; किंतु रामजनी को इतना दिया और मौजमस्ती में इतना भरा, इतने लोगों को व्यापार में ठगा और इतना प्राप्त किया, ऐसा बोलने वाले के साथ क्षणभर के लिए भी खड़ा मत रहो। परोपकार को धर्म समझो। कहा गया है–

सिद्धांतः सर्वशास्त्रामयं न कलुषं परम्।
विश्वासघातात्पुण्यं च न परोपकृतेः परम्।।

सभी शास्त्रों की ऐसी मान्यता है कि विश्वासघात के समान बड़ा कोई पाप नहीं है और परोपकार के समान दूसरा बड़ा पुण्य नहीं है। गुजरात और इसके पड़ोसी प्रदेशों में समाचार-पत्र तथा ज्ञान-विज्ञान का प्रचार-प्रसार करने वाले ग्रंथ थोड़े ही हैं; इस ओर सबका ध्यान जाना चाहिए। पुस्तकों की संख्या बढ़ाओ। वहम, कवियों के अलंकार, पुराणों की परस्पर विरुद्ध बातों को तथा विविध मतवादियों के हठाग्रहों को आप लोग धर्म मानते हो, किंतु सच्चा धर्म क्या है, इस ओर कोई ध्यान नहीं देता। इसलिए कड़ाही में आग पर तपाए गए घी के समान शुद्ध धर्मतत्त्व की खोज में रहो। वहम और दुख देने वाले भूत-पिशाच, पितृ आदि के विचारों से सावधान रहा करो। जाति के बंधन को ढीला करो, कवियों की अलंकृत वाणी को सच्चा मत मानो। कवियों का यह स्वभाव ही है कि छोटी बात को बड़ी कहकर के बताओ ताकि तुरत मन में उतर जाए-निरंकुशाः कवयः। धीरे-धीरे अनुपयोगी रिवाजों को छोड़ते जाओ और उनके स्थान पर अपनी विद्या, ज्ञान, अनुभव तथा बुद्धि के प्रकाश में नई बातें स्वीकार करते जाओ। हिम्मत... हिम्मत... हिम्मत धारण करो। जिनके पास साधन नहीं होते उनके सभी कार्य देर से होते हैं; किंतु तुम्हारे पास ही है, लोग तुमको दे जाते हैं। विद्या और श्रम ये भी तुम्हारे ही हाथ में है, तब कहो भाई!

क्यों न हम काम में जुट जाएँ? खुली आँखों से, कोमल (संवेदनशील) चमड़ी से और नाजुक हृदय से दुःख की जलन को कैसे सहन किया जाए? आओ, हम सब युद्धभूमि में उद्यमबुद्धि की तलवार घुमाएँ। शरीर में बहते हुए लहू के साथ मरना बेहतर है। शरीर को दुःख न झेलना पड़े और मिल जाए। हे प्रभु! हम हिंदू लाचार हो गए हैं, हमारी तरफ देखो, सन्मार्ग पर चलने की बुद्धि दो, तुममें हमारा चित्त लगा रहे—ऐसा करो और 'अपने देशवासियों का हित करूँगा' ऐसे सुंदर और शुभ शब्द मुख से निकलें, ऐसा समय जल्दी से लाओ!

संघ बनाने के लाभ

सभासद् महानुभावो, अपने यहाँ इस तरह से संघ बनाने की कोई प्राचीन परंपरा देखने-सुनने में नहीं आती। कुछ ही वर्ष पूर्व से यह परंपरा चल पड़ी है। इससे सबको प्रसन्नता है और मैं भी प्रसन्न हूँ। उसमें विशेष रूप से संघ का समारोह चलते हुए देखकर मुझे बहुत आनंद आता है। इस अवसर पर आपके समक्ष इसी विषय पर मैं अपने विचार प्रकट करना चाहता हूँ, आशा है आप इसे सुनेंगे।

इस भाषण के द्वारा मुख्य रूप से तीन बातें आपको बताना मै आवश्यक समझता हूँ। पहली बात यह कि इस देश में संघ बनाने की परंपरा होने के कारण क्या-क्या नुकसान हुआ, यह जानना चाहिए। दूसरी बात यह कि संघ के क्या-क्या लाभ हैं, और तीसरी बात यह कि हम लोगों को किस प्रकार के संघ का निर्माण करना चाहिए और उनमें किस प्रकार से भाषण करना चाहिए।

इन तीन बातों की चर्चा करने से पहले 'संघ' अथवा 'सभा' शब्द का अर्थ जानना चाहिए। दस-पाँच लोग इश्क के गीत गाने बैठें, नशेबाजी के लिए बैठें अथवा किसी विषय पर लंबी बहस के लिए बैठें, और भले ही उनमें कुछ विद्वान भी हों, तो भी उस बैठक को संघ या सभा नहीं कहा जाएगा। किंतु दस-पाँच लोग साथ बैठकर किसी विद्याशाखा अथवा किसी लाभप्रद और यशप्रद कार्य के विषय में व्यवस्थित ढंग से सभ्यतापूर्वक विचार करें तो वह बैठक संघ अथवा सभा कही जाएगी। जैसे—राजनेता, विद्वान, व्यापारी, विद्यार्थी आदि की सभा। जहाँ थोड़े बहुत लोग एकमत होकर एकाध कार्य के विषय में विधिवत् चर्चा करें, तो उस प्रसंग में संघ या सभी शब्द का व्यवहार होता है।

1. हमारा हिंदुस्तान देश अति प्राचीन काल से विश्व में प्रसिद्ध है, किंतु इसकी कीर्ति का जो प्रकाश पहले था, वह अब नहीं है। इसका कारण क्या है? हम लोग झट इसका उत्तर देंगे कि ऐसी ही ईश्वर की इच्छा है। उदय-अस्त, प्रसार-संकोच,

उत्थान-पतन संसार में होता ही रहता है। मैं भी कहता हूँ कि सब कुछ ईश्वर की इच्छा से ही होता है, किंतु उसमें भी ईश्वर द्वारा नियत नियम के अनुसार कार्य-कारण संबंध तो रहता ही है। किसी भी कार्य के लिए कोई कारण अवश्य चाहिए, अर्थात् हिंदुस्तान की इस अवदशा के कारण तो होंगे ही। इसके बहुत से कारण हैं, किंतु उनमें एक मुख्य कारण यह है कि हमारे देश में शासक वर्ग के कुछ शिक्षित तथा प्रजावर्ग के कुछ शिक्षित साथ बैठकर राजनीति संबंधी विचारों की चर्चा करें, ऐसी कोई परंपरा ही नहीं रही। अपने-अपने समय में कितने ही लोग अपने-अपने कार्यों से यशस्वी बने, किंतु सामूहिक कार्य से जो यश मिल सकता है, उसका लाभ जनसामान्य को नहीं मिल पाता था। किसी एक की शक्ति तथा अलग-अलग बहुतों की शक्ति की तुलना में भिन्न-भिन्न मत वालों के एकत्रीभूत मत की शक्ति अधिक प्रबल होती है। मतैक्य की यह शक्ति हममें नहीं है। और इसको बढ़ाने के लिए बहुत सारे लोग मिलकर विचार करें, ऐसी परंपरा भी हमारे यहाँ नहीं है। इसी कारण हमारी यह दुर्दशा हुई है। कुछ लोग यह कहेंगे कि हमारी क्या दुर्दशा हुई है। तो देखिए-अपना राज्य चला गया, अपनी सत्ता चली गई, अपना शौर्य चला गया, अपना मान-सम्मान चला गया, अपना धन और सुख-चैन चला गया। हम मूर्ख, कायर, उद्यमहीन, व्यसनी और दरिद्र होते जा रहे हैं। हम इतने आलसी और विचारशून्य हो गए हैं कि हमें उद्यम करना रुचता ही नहीं है। गली-मुहल्ले में घूम-घूमकर इसकी-उसकी निंदा करने में तथा खाने और खिलाने की बातें करने में हमारा मन लगता है। ऐसी दशा है आजकल हमारी! और यदि अब भी हम मिल-जुल कर एकमत से विचार करके उद्यम करने की आदत नहीं डालते तो हमारी दशा क्या होगी? जिस तरह से पशु अपना ही पेट भरता है, जिस तरह से अफ्रीका के निग्रो तथा उत्तरी अमेरिका के रेड इंडियन अपना जीवन निर्वाह करते हैं, वैसे ही हम भी अपने दिन बताते रहेंगे।

2. हम विद्यार्थियों द्वारा निर्मित ऐसे संघ से जब बहुत लाभ हैं, तो फिर निश्चय ही बड़े विद्वानों की सभाओं से जहाँ राजनीति और धर्मनीति की चर्चा चलती रहती है तथा व्यापारी और कारीगर की अपनी-अपनी सभाओं से, जहाँ वे अपने-अपने विषय की बातें करते रहते हैं, बहुत बड़ा लाभ होता होगा। ऐसे संघ में हमारे भाषण करने से और आलेख पढ़ने से, तत्पश्चात उन पर चर्चा करने से भाषा सुधरती है, मन की बात सरलता से व्यवस्थित रूप में अभिव्यक्त हो सकती है। दस लोगों के बीच निर्भय होकर विवेकपूर्वक बोलने का कौशल विकसित होता है, बहुत सारी नई बातों की जानकारी मिलती है, समझ शक्ति बढ़ती है तथा नई-नई युक्तियों का ज्ञान होता है। दुराचार के त्याग की तथा सदाचार के ग्रहण की प्रेरणा मन को मिलती है और हम सदाचारी, उद्यमी तथा प्रतिष्ठित बनते हैं।

निबंध लिखना तथा भाषण करना, ऐसी-वैसी बात नहीं है। निबंध लेखक को अपने विचारों को एक सुव्यवस्थित अनुक्रम में तर्कसंगत रूप में उदाहरणों के साथ

प्रभावकारी ढंग से व्यक्त करना पड़ता है तथा उसे प्रतिष्ठित विद्वानों के मत को और उनकी लेखन शैली को भी जानना जरूरी होता है। इन सबका समुचित प्रशिक्षण ऐसी सभाओं या संघों में मिलता है।

हमारे देश में ऐसी कोई परंपरा नहीं है, इसलिए अपने यहाँ के लोग इसे अच्छी तरह से नहीं समझ सकेंगे किंतु जिन लोगों में संघ बनाने की परंपरा रही है, उनके विचार, उनके उद्यम और उनके वैभव पर जब हमारे यहाँ के लोग ध्यान देने लगें तब वे विश्वासपूर्वक समझ सकेंगे कि संघ-निर्माण की परंपरा कितनी लाभप्रद है।

प्राचीन समय में इंग्लैंड के लोग केवल जंगली अवस्था में थे। उनमें से कुछ लोग जानवरों का शिकार करके, कुछ मछली पकड़कर तो कुछ वृक्षों का फल खाकर जैसे-तैसे अपना पेट भरते थे तथा एक-दूसरे से अलग दूर-दूर झोंपड़ी बनाकर रहते थे। किंतु आज वे विपुल संपत्तिशाली बन गए हैं, वे बड़े व्यापारी कहे जाते हैं और बहुत सारे देशों पर शासन करते हैं। इस परिवर्तन के कारण वैसे तो बहुत हैं, तो भी इस संबंध में यह सहज ही देखने में आता है कि उन लोगों ने सामूहिक विचार विमर्श के बाद एकमत होकर सभी महत्त्वपूर्ण काम किया है। जो कुछ भी सत्य, सुंदर, लाभकारी तथा यशप्रद प्रतीत हुआ उसकी खोज करके वे उसको स्वीकार करने लगे और इस तरह दिनों-दिन पुरानी हानिकर बातों को छोड़ते गए तथा हितकर बातों को अपनाते गए हैं। कौन नहीं जानता कि अंग्रेज प्रथमतः व्यापारिक कंपनी के रूप में यहाँ आए, धन कमाया, समृद्धिशाली बने और फिर धीरे-धीरे यहाँ के शासक बन बैठे। सभासद महानुभावो! इंग्लैंड, फ्रांस तथा अमेरिका के निवासी विश्व के अन्य देशों की तुलना में हर तरह से अच्छी स्थिति में हैं। इसका मूल कारण यह है कि वहाँ हर शहर में, हर गाँव में, हर गली, हर मुहल्ले में संघ बनाने और सभा करने का रिवाज है। अज्ञान, दुःख और दुराचरण के नाश से सब प्रकार के ज्ञान, सुख और सदाचार की प्राप्ति होती है और यह सब कुछ एकताबद्ध होकर अर्थात, विद्या, बुद्धि और सहयोग की भावना से काम करने की परंपरा का विकास करने से होता है। संगठित और एकताबद्ध होकर ही लोग अज्ञानी से ज्ञानी, मूर्ख से विद्वान, निर्धन से धनवान तथा राज्यहीन से राज्यवान बनते हैं।

यूरोप के लोग अफ्रीका के निग्रो लोगों को पकड़कर उनको बेचने का धंधा करते थे। इन गुलामों के बीवी-बच्चे तक अलग-अलग स्थानों में बेच दिए जाते थे। उन्हें भर पेट भोजन भी नहीं मिलता था। चाबुक मार-मार कर उनसे काम लिया जाता था। गुलाम बनाने का धंधा तथा उन पर अत्याचार करना मानव धर्म तथा ईसाई धर्म के विरुद्ध है, यह बात कुछ विद्वानों की समझ में आई। फिर उन लोगों ने सन् 1760 के बाद संघों और सभाओं का आयोजन किया, उन सभाओं में इस विषय पर आलेख पढ़े गए और इस बात पर अच्छी तरह चर्चा की गई कि मानव मात्र को समान रूप से जीने का हक है, किसी मनुष्य को बेचने का तथा उसकी

शक्ति के बाहर काम लेने का किसी मनुष्य को अधिकार नहीं है। यह काम बहुत निर्दयतापूर्ण है, इसलिए यह हीन धंधा बंद होना चाहिए। फिर यह चर्चा लोगों में प्रचारित हुई और इंग्लैंड की सरकार ने यह धंधा न करने के लिए कानून बनाया। इस कार्य में टामस क्लार्क्सन नामक महापुरुष ने अपनी पूरी जिंदगी गुजार दी थी। हालाँकि शुरू में उन्हें नासमझ और स्वार्थी लोगों को बहुत झेलना पड़ा था, फिर भी उन्हें अपने अथक परिश्रम का बदला मिला और आज उन्हें सब जगह लोग एक महान परमार्थी पुरुष के रूप में जानते हैं।

सन् 1903 में जब नेपोलियन बोनापार्ट यूरोप के अन्य देशों को तहस-नहस करके इंग्लैंड पर चढ़ाई करने की तैयारी कर रहा था, उस समय राबर्ट हाल आदि बहुत से देशप्रेमी महानुभावों ने अपने देशवासियों को एकत्र करके भाषण द्वारा उनमें हिम्मत जगाई थी और स्वतंत्रता क्या चीज है, यह अच्छी तरह समझाया था, जिससे कि वे बोनापार्ट की ओर से चले आ रहे संकट के बादलों को छिन्न-भिन्न करने के लिए तथा पहाड़ की तरह अडिग खड़े रहने के लिए तैयार हो गए थे।

3. अब तीसरी बात के विषय में-जिस काम से किसी भी प्रकार का लाभ तथा यश मिले (अपयश न मिले) ऐसे काम करने के उद्देश्य से संघ या सभा की स्थापना करनी चाहिए। इस प्रकार, यदि संघ एकताबद्ध होकर काम करने के लिए है, तो संघ-स्थापना इस प्रकार होनी चाहिए, जिससे एकता और बल की वृद्धि हो। ईर्ष्या, स्वार्थपरता, दंभ, बेईमानी, अविश्वास, अव्यवस्था, निराशा, कायरता, अविवेक आदि दुर्गुणों पर आधारित कोई भी संघ चिरस्थायी नहीं होता। इसलिए जैसे भी हो, किसी संघ के सदस्यों में ये दुर्गुण नहीं होने चाहिए। इन दुगुर्णों से दूर रहा जाए तथा सद्गुण और एकताभाव की वृद्धि हो, इस तरह से संघों की रचना करनी चाहिए। संघ या सभा में भाषण या तर्क-वितर्क करने का ढंग ऐसा होना चाहिए कि जिस विषय पर विचार करना हो, उसके विशेषज्ञ बारी-बारी से अपने विचार प्रकट करें अथवा किसी एक का भाषण पूरा हो जाने पर अपने विचार प्रकट करें। प्रायः ऐसा होता है कि हमारे विद्वान पुरुष सभा में तर्क-वितर्क के समय क्रोधावेश में आकर एक-दूसरे के लिए अपमानजक शब्द का व्यवहार करते हैं और उस समय मारपीट के लिए भी खड़े हो जाते हैं। यह तो बहुत बुरी बात है। उनमें सभ्यता नाम की चीज देखने को नहीं मिलती, इसलिए उनकी भीड़ को सभा कहना उचित नहीं जान पड़ता। उद्देश्य कितना भी अच्छा हो, किंतु इससे क्या हुआ? सभा में बोलने का विवेक भी अभ्यास से प्राप्त होता है। इसलिए सभा में बोलने का अभ्यास बढ़ाने के लिए बच्चों को छोटी उम्र से ही संघ बनाने की तथा उसमें भाषण करने की आदत डालनी चाहिए और विद्वानों के संघ के तौर-तरीकों का निरीक्षण करना चाहिए।

संघ बनाने की जो परंपरा अपने देश में विकसित हो रही है, यह हमारे ऊपर शासन करने वाले अंग्रेजों के अनुसरण और उनकी प्रेरणा का परिणाम है। हमें उनके

प्रति कृतज्ञ होना चाहिए कि वे हमें खराब स्थिति से अच्छी स्थिति में लाने का प्रयत्न कर रहे हैं, किंतु उनके बताए हुए रास्ते पर हम खुद नहीं चलेंगे तो हमारी हालत और खराब होगी। इसलिए हमें भी मेहनत करनी चाहिए जिससे हमारा नाम प्राचीन काल में जैसा प्रसिद्ध था, वैसा ही, बल्कि उससे भी अधिक इस समय हो। उद्यम और धन, विद्या और ज्ञान, शौर्य और विजय, सदाचार और कुलीनता—ये सब संघ और सभाओं के आयोजन से ही बढ़ेंगे, क्योंकि सुधार कार्य के मूल में संघ यानी एकता है। कहावत है कि "जीवन बिगड़ने से जीवन का नष्ट हो जाना अच्छा है।" अर्थात् अज्ञान और निर्धनता का जीवन बिताने से मर जाना अच्छा है। इसलिए हमें एकता बनाए रखने का अभ्यास जारी रखना चाहिए, जिससे हमारे तथा हमारे परिवार के प्राण भी बचे रहें तथा हमारा जीवन भी सुखमय हो।

अनुवाद : **योगेंद्रनाथ मिश्र**

नवलराम

1836-1888

प्रसिद्ध आलोचक, शिक्षाविद् एवं सामाजिक सुधारों के प्रचारक। प्रथम गुजराती हास्य नाटक 'भट्ट नुँ भोजाहुँ' तथा प्रथम गुजराती ऐतिहासिक नाटक 'वीरमती' की रचना की। कालिदास के 'मेघदूत' का अनुवाद किया। इनका गुजराती साहित्य में विशेष महत्त्व आलोचक के रूप में है। अंग्रेजी और संस्कृत दोनों का व्यापक अध्ययन। इन्होंने नर्मद की जीवनी लिखी। शिक्षा संबंधी सिद्धांत एवं आदर्शों पर उनकी पुस्तकें हैं–'शिक्षाशास्त्र की जरूरत', 'शिक्षा की पृथक पद्धति'। निबंध संग्रह–'निबंध रीति'। 'गुजरात शाला पत्र' के जरिए समाज सुधार का प्रचार। इन्हें 'अभिजात वर्ग का आदमी' कहा जाता था।

सच्चा देशाभिमान

देशाभिमान एक बड़ा सद्‌गुण माना जाता है। इसके बिना मनुष्य के सारे गुण व्यर्थ माने जाते हैं। इसमें कोई संदेह नहीं है कि सारे सद्‌गुण देशाभिमान से ही चमक उठते हैं और देशाभिमान के बिना बड़े-से-बड़ा गुण धुँधला दिखाई देता है। देशाभिमानी पुरुषों की सर्वत्र प्रशंसा होती है ओर वे सहज की सबके प्रेम-पात्र बन जाते हैं। देशाभिमानी में यदि कुछ दुर्गुण होते भी हैं, तो वे देशाभिमान के प्रकाश में दब जाते हैं और यह स्वाभाविक भी है, क्योंकि हमारे ऊपर जो स्नेह रखता है उसके साथ प्रेम रखना हमारे मन का स्वभाव ही है। वैसे ही, देशभिमान रहित पुरुष सर्वत्र निंदित होता है। उसके अन्य सभी गुणों और कार्यों की ओर लोग ध्यान नहीं देते, अथवा ध्यान देते भी हैं, तो उसकी इस बड़ी कमी के सामने उन गुणों का कोई महत्त्व नहीं मानते। और यह भी बात सच है कि देशाभिमान के बिना मनुष्य अपने देश के लिए उपयोगी नहीं हो सकता। ऐसा मनुष्य सब जगह तुच्छ और दीन-हीन माना जाता है। उसे कोई पूछता नहीं। संक्षेप में, देशाभिमान देशवासियों की एकता का मुख्य साधन है और यह जहाँ नहीं होता, वहाँ एकता नहीं हो सकती।

देशाभिमान बहुत उपयोगी गुण है। अंग-ज्ञान होते ही मनुष्य सबसे अधिक अपने शरीर से प्रेम करता है, उसके बाद अपने परिजनों को, उससे आगे बढ़कर अपने साथियों से उसका स्नेह संबंध होता है। साथियों के बाद उसके प्रेम का विस्तार उसकी जाति-बिरादरी तथा गाँव के लोगों तक होता है। इस तरह धीरे-धीरे मनुष्य अपने संपूर्ण देश से प्रेम करना सीख जाता है। देशप्रेम में अपना ही हित किस तरह निहित है, यह जब अच्छी तरह से समझ में आ जाता है, तब इसका सुपरिणाम अर्थात् देश का उत्कर्ष सबके देखने में आता है और जब यह गुण निरंतर अभ्यास से बद्धमूल हो जाता है तब अन्य सारे प्रेम-बंधन शिथिल पड़ जाते हैं और देशप्रेम का भाव पूरी तीव्रता के साथ प्रकट होता है। देशप्रेमी मनुष्य खून-पसीने के संचित धन को देश के लिए पल भर में खुशी-खुशी खर्च कर देता है, अपने अन्य संबंधों की ममता को छोड़कर देश-सेवा में एकनिष्ठ भाव से तत्पर रहता है और जरूरत पड़ने पर देशहित में प्राणों पर भी हँसते-हँसते खेल जाता है। ऐसी स्थिति में यह गुणी और भी बड़ा सद्गुण बनकर चिरस्थायी जो जाता है। ऐसे समय में स्वार्थबुद्धि का लोप हो जाता है तथा केवल परमार्थबुद्धि का ही अस्तित्व रह जाता है। जिस देशाभिमान की प्रशंसा होती है वह ऐसा ही देशाभिमान है। ऐसा देशाभिमान मानव जाति का एक महान अलंकरण है तथा संसार के उत्कर्ष का मुख्य कारण है।

देश-प्रेम जितना उपयोगी है उतना ही स्वाभाविक है। देश-प्रेम के जैसा स्वाभाविक दूसरा कुछ नहीं है। अपना-अपना गाँव या देश प्रिय लगता है। उजाड़ से उजाड़ मुल्क के निवासी को भी उसका अपना देश प्यारा लगता है। चाहे जितने भी उपजाऊ, सुंदर तथा समृद्धिशाली देश में वह जाता है तो भी अंदर से उसका चित्त अपने देश की ओर ही खिंचा रहता है, और परदेश के बड़े-बड़े महल और बाग-बगीचों को देखते हुए भी वह अपने मन की आँखों से स्वदेश के पर्वत-पठार और जंगल को ही देखता रहता है। अंग्रेज कवि स्टॉक कहता है, क्या इस दुनिया में ऐसा कोई भी मनुष्य रहता है जो परदेश से वापस आते ही प्रेम विह्वल वाणी से यह न कह उठा हो कि यह मेरी अपनी जन्मभूमि है? और यदि कभी कोई मनुष्य ऐसा न हो तो उस चांडाल को धिक्कार है, धिक्कार है। यह कहना सच ही है। स्वदेश प्रेम इतना स्वाभाविक है कि उसके बिना मनुष्य कैसे हो सकता है, यह ठीक ढंग से हमारी समझ में नहीं आता। स्वदेश के प्रति प्रेम न रखना सृष्टि के नियम के विरुद्ध है और ऐसे विपरीत लक्षण वाले व्यक्ति को देखते ही मन ऊबने लगता है! सचमुच देखें, तो देश-प्रेम से रहित मनुष्य हो ही नहीं सकता। हाँ, कुछ लोगों में देश-प्रेम का भाव अधिक संस्कारबद्ध और जागृत होता है और कुछ लोगों में दूसरे विकारों से दबा हुआ होता है; किंतु देशप्रेम का बीज मनुष्य मात्र के मन में होता है और वह उचित संयोग पाकर अंकुरित होता है।

इस तरह देशाभिमान स्वाभाविक, उपयोगी तथा स्तुत्य है, फिर भी यह सद्गुण

अपने शुद्ध रूप में बहुत कम जगहों पर मालूम पड़ता है। देशाभिमान के परदे में रहकर ठग लोग अपना स्वार्थ साधते हैं, सम्मान के भूखे सम्मान प्राप्त करते हैं और अधिकार के लोभी अधिकार हस्तगत करते हैं। उनकी बात हम यहाँ नहीं करते। यह खुला दुर्गुण है। जैसे दूसरे सद्गुणों के आवरण में पापी लोग अपना मतलब साधते रहते हैं, वैसा ही इस सद्गुण के साथ भी करते हैं तो कोई आश्चर्य नहीं। यहाँ तो हम देशाभिमान के विषय में गलत धारणा तथा उसके दुरुपयोग के विषय में बोलना चाहते हैं। बहुत से लोग देशाभिमान का ठीक अर्थ समझते नहीं और उसका उपयोग यथोचित रीति से करना नहीं जानते।

देश के प्रति प्रेम रखना तथा देशप्रेम का मिथ्याभिमान करना, इन दोनों में बहुत फर्क है। विश्व के बहुत से लोग अपने देश की झूठी तारीफ करने में तथा दूसरे देश की निंदा करने में ही देशप्रेम का भाव निहित है, ऐसा मानते हुए दिखाई पड़ते हैं। ऐसे लोगों की यह साधारण मान्यता होती है कि अपने देश का जो है, सब अच्छा तथा परदेश का जो कुछ है सब बुरा है। इस धारणा के कारण ही वे जहाँ भी जाते हैं, वहाँ बात-बात में लड़ पड़ते हैं और समय-समय पर मार-पीट पर उतारू हो जाते हैं। ऐसी समझ से आँख रहते हुए अंधे होकर वे घूमते हैं तथा रात को दिन कहते हुए जरा भी संकोच नहीं करते। हममें भी ऐसा मिथ्याभिमान बहुत अधिक दिखाई पड़ता है। हमारी भूमि तो पवित्र भूमि है और दूसरे सभी देशों के निवासी म्लेच्छ हैं। अपना देश अच्छा, अपनी विद्या अच्छी, अपना आचार अच्छा, अपने रीति-रिवाज अच्छे और अपना सब कुछ अच्छा, ऐसा साधारण लोग भी समझते हैं। यह बात सच है कि आजकल परदेशियों के आक्रमण और कला-कौशल को देखकर यह अभिमान ज्यों का त्यों है। इस देशाभिमान शब्द ने तो हम लोगों के मिथ्याभिमान को बहुत बढ़ाया है। पहले पहल यह शब्द बनाने वाले ने अगर देशप्रेम का भाव रखा होता, तो अधिक अच्छा होता। इसमें अभिमान का भाव कितना है? फिर भी इसमें प्रेम का भाव अधिक है। इतना होने पर भी यह शब्द इतना अधिक प्रचार में है कि हम भी इसको त्याग नहीं सकते।

इस तरह, मिथ्याभिमान से देश का कुछ भी भला होने को नहीं है। जो बात हममें बुरी होगी, उसे हम जान-बूझ कर या अनजाने में अच्छी कहेंगे तो इससे वह कभी भी अच्छी होने वाली नहीं है। इसलिए कि उसे अच्छी कहेंगे, मात्र इसलिए दूसरे उसे अच्छी कहने वाले नहीं हैं। जान-बूझ कर बुरी बात को अच्छी कहने जैसी कोई दूसरी मूर्खता नहीं है। खराब वस्तु को अच्छा कहने का सबसे बड़ा नुकसान यह होता है कि उसके अच्छा होने की संभावना खत्म हो जाती है। हमारे शरीर में रोग हुआ हो और हम अभिमान से यह मान बैठें कि हम निरोग हैं, तो हमारे इस अभिमान का परिणाम मृत्यु के सिवाय दूसरा कुछ होने वाला नहीं। निर्धन होते हुए भी हम अपने आपको धनवान मानकर इस मद में फिरते रहें तो हम दरिद्रता में

सड़ते रहेंगे, इसमें क्या आश्चर्य? एक भी अक्षर न जानते हुए भी यदि हम महापंडित होने के गर्व में घूमते रहें, तो क्या कभी भी हम विद्या से प्राप्त होने वाले लाभ को प्राप्त कर सकने के योग्य बन सकेंगे? जैसे यह एक व्यक्ति की बात है वैसे ही देश के लिए समझना चाहिए। देशवासी यदि देश के प्रति मिथ्याभिमान करें, उसके दोषों को न देखें, देखकर भी उसे गौरव के रूप में मानें, देश की खराब हालत को देखते हुए भी बड़प्पन दिखाने के लिए 'सब ठीक है' ऐसी शेखी बघारें, तो निश्चित रूप से वह देश बर्बाद हुए बिना नहीं रह सकता। ऐसे मिथ्याभिमानियों को देशाभिमानी कहने के बदले पक्का देशद्रोही कहना चाहिए। उनमें देशप्रेम तो है नहीं, बल्कि मूर्खता का भंडार अतिविनाशकारक गर्व अधिक है।

जिस व्यक्ति में सच्चा देशाभिमान होता है, उसकी समझ तथा उसका व्यवहार बिल्कुल भिन्न होता है। वह बड़प्पन के लिए अपने देश की झूठी बड़ाई नहीं करता। अपने देश के दोषों को नजरअंदाज करने के बदले वह उन्हें समूल नष्ट करता है। परदेशियों के ताने उसे बहुत चोट पहुँचाते हैं; किंतु उनके साथ इसके लिए वाग्युद्ध करने के बदले वह अपने मन में यह सोचता है कि इस ताने का कोई वास्तविक कारण है या नहीं, और यदि कोई उचित कारण दिखाई पड़ता है, तो वह दोष निकालने वाले उस व्यक्ति के साथ व्यर्थ में 'तू-तू' 'मैं-मैं' करने के बजाय उस दोष को दूर करने का उपाय सोचने में सदा तत्पर रहता है। वह कभी भी किसी भी कलंक को ढाँकने की कोशिश नहीं करता; बल्कि इसके विपरीत यदि कोई कलंक प्रकाश में आता है, तो वह मन-ही-मन प्रसन्न होता है कि अच्छा हुआ, अब उस दोष को दूर करने का अवसर मिलेगा। इसका अर्थ यह नहीं कि उसमें अपने देश के प्रति अभिमान कम है। उसको जितना अभिमान है, उतना तो दूसरे किसी को नहीं है। अपने देश की निंदा सुनकर उसके हृदय में जितनी गहरी चोट लगती है, उतनी किसी दूसरे के हृदय में नहीं लगती। अपने देश की 'वाह-वाह' सुनकर उसका मन जितना प्रसन्न होता है, उतना किसी दूसरे का मन नहीं होता। उसको अपने देश का अत्यधिक अभिमान है; किंतु साथ ही वह अभिमान उचित, बुद्धिमत्तापूर्ण और परिणाम में लाभकारी है। वह अपने देश के प्रति अभिमान तो रखता है, किंतु साथ ही साथ अपने देश को अभिमान के योग्य देखने के लिए बहुत ही उत्कंठित है। जैसे वह खुद के प्रति मिथ्याभिमान नहीं रखता, वैसे ही उसे अपने देश की व्यर्थ की प्रशंसा पसंद नहीं। वह खुद को सम्मान के योग्य बनाने की कोशिश करता है और उसका देश भी सम्मान के योग्य बने, ऐसी निरंतर कामना करता है। मिथ्याभिमान को वह खुद अपमान समझता है, और इसी से वह अपने देश के लिए मिथ्याभिमान का दावा कभी नहीं करता।

स्वदेशाभिमान कितना बड़ा सद्गुण है, यह तो पढ़ने वाले को सहज ही मालूम पड़ेगा। हमारे महान पूर्वजों में इस प्रकार का उत्तम देशाभिमान था। वे सभी स्वार्थ

छोड़कर रात-दिन देश का उत्कर्ष करने में लगे रहते थे। देश में धर्म, अर्थ और काम का उत्कर्ष कैसे हो, वे इसी विचार में सदा निमग्न रहते थे। वे अपने शरीर अथवा परिजनों के किसी भी सुख की कामना नहीं करते थे। वे वन में जाकर रहते थे, वल्कल पहनते थे और अत्यंत सादे भोजन पर अपना जीवन-निर्वाह करते थे। वे देश के सुख में अपना सुख मानते थे। इस तरह से आश्रम में बैठे-बैठे जिस समय वे सांसारिक सुख की आधारशिला रखने में समर्थ थे, उस समय उनके हृदय की गहराई में आनंद की जो बाढ़ उठती थी, उसकी कल्पना भी आज का स्वार्थी और संकीर्ण दृष्टि वाला हिंदू नहीं कर सकता। वन में बैठे-बैठे वे देशवासियों के लिए नियम बनाते थे, धर्मतत्त्व का ज्ञान करते थे तथा शास्त्रों की रचना करते थे। यदि कोई अधर्मी राजा शास्त्रों का उल्लंघन करके गरीब प्रजा को दुःख देने वाला मालूम पड़ता था तो वे एकांतवास में से देव की तरह बाहर आकर अपने नाम के प्रभाव से उस असुर को पदच्युत करते थे और उसकी जगह पर किसी धर्मज्ञ राजपुत्र को बैठाकर मात्र निर्लोभ भाव से अदृश्य हो जाते थे। देश कल्याण का विचार करना तथा सबको कल्याण मार्ग का ज्ञान कराना, यही उनका काम था। क्षत्रिय आदि दूसरे वर्ण के लोग भी इसी तरह देशाभिमान के भाव से भरपूर थे। मात्र अपने देश के पोषण की अपेक्षा समस्त जन-समूह के हित की ओर सबका ध्यान अधिक रहता था। सामूहिक हित के लिए प्राण तक को न्यौछावर करने के लिए हजारों लोग तैयार हो जाते थे, और उनमें से जिन्हें अपने प्राण देकर देश-सेवा का अवसर मिलता था, उन्हें लोग महाभाग्यशाली समझते थे—जन-सेवा में हजारों रुपया खर्च करके श्रीमंत कृतार्थ हुए हैं, ऐसा सब समझते थे। सभी ऐसा मानते थे कि जनोपयोगी काम करने में जन्म की और कमाने की सार्थकता है।

जिस देश के लोगों की ऐसी समझ हो, तो उस देश की उन्नति में क्या आश्चर्य? इन्हीं विशेषताओं के कारण हमारा देश एक बार बहुत उन्नति पर था और सर्वत्र इसकी विद्या, कला और संपत्ति की प्रशंसा होने लगी, देश-देश के विद्वान यहाँ पढ़ने के लिए आते और दस-बारह वर्षों तक गुरु के यहाँ नम्रतापूर्वक रहकर अपने देश में बोने के लिए विद्या का बीज ले जाते थे। यहाँ के व्यापार और समृद्धि ने एक समय तो सारी दुनियाँ को पागल कर दिया था। दूर देश के लोग हिंदुस्तान में आना और समृद्धिशाली बनना एक ही समझते थे : नहीं तो हिंदुस्तान को जीतने में विदेशियों का क्या आग्रह हो सकता है? हिंदुस्तान जाने के लिए जलमार्ग की खोज करने के लिए कितनी मेहनत, कितना आग्रह? और खोज लेने के बाद उसको अपने हाथ में रखने के लिए कितनी कोशिशें और मारामारी? किंतु अब सब कुछ बदल गया है। इस समय पहले जैसा कुछ रहा नहीं। कीर्ति के स्थान पर सब जगह इसकी अपकीर्ति हो रही है। लोग संपूर्ण पुरुषार्थ खो बैठे हैं। विश्वभर में हमारी छाप शंकालु और मूर्ख की पड़ी है। अब लक्ष्मी ने यूरोप में वास किया है तथा उसके स्थान पर हमारे

देश में निर्धनता का शासन चल रहा है। इस समय मिथ्याभिमान रखने से अधिक बुरा दूसरा कुछ नहीं है। इस समय दोषों को छिपाकर अपने मुँह अपनी प्रशंसा करने जैसा देशद्रोह का काम दूसरा क्या होगा? रोगी मनुष्य के निरोग मान लेने से वह जीवित रहेगा, कभी भी यह आशा नहीं रखनी चाहिए। ऐसे समय में सच्चे मित्र का तो यह कर्तव्य है कि वह रोग को देखे, पहचाने और उसके लिए उचित उपाय करे। यह उपाय कदाचित मनोनुकूल न हो, औषधि कड़वी हो और उसे रोगी स्वीकार करने को तैयार न हो, तो भी उसे पकड़कर बलपूर्वक हित की भावना से इलाज करने में हिचकिचाना नहीं चाहिए। कदाचित वह अपनी धुन में चिढ़कर लात मारे, गाली दे, दुश्मन मानने लगे, तो भी यदि वह उसका सच्चा मित्र है तो उसको चाहिए कि सब कुछ सहकर उसका भला करे। हम इसको सच्चा देशाभिमान कहते हैं। हम इसको सच्चा देश-प्रेम कहते हैं।

देशवासियो, विचार करो और कहो कि तुममें इस प्रकार का सच्चा देश-प्रेम कितना है? हे मित्रो, तुममें जो देशाभिमान है वह किस प्रकार का है, इसका मूल्यांकन अपने मन में तुम खुद करो। मैं यह स्वीकार करता हूँ कि ऐसा उत्तम देशाभिमान बहुत ही दुर्लभ वस्तु है। ऐसा सबसे हो नहीं पाता, यह तो अनुभव सिद्ध बात है। यह बात भी हम मानते हैं कि दुनिया में सब जगह ऐसे लोग अधिक संख्या में होते नहीं। किंतु आप में उतना ऊँचा देशाभिमान क्यों नहीं है? ऐसा उपालंभ देने का हमारा इरादा नहीं है। इस लेख का आशय तो यह है कि इस प्रकार का देशाभिमान हममें भी थोड़ा बहुत होना चाहिए। हमें अपने में विचार करना चाहिए कि हम जिस देशाभिमान पर अभिमान करके घूमते हैं, वह अभिमान सच्चा है या नहीं। जिस अभिमान के लिए हम मरते हैं, वह हमारे दूषणों को छिपाने वाला है या देश के भूषण को बढ़ाने वाला है? हमारा जो देशाभिमान है, वह देश को उन्नति की तरफ ले जाने वाला है या उसे और अधिक पतन की ओर ले जाने वाला है? इस समय इस पर विचार करना हमें बहुत महत्त्वपूर्ण लगता है। हमारा देशाभिमान बहुत सारी जगहों पर गलत रास्ते की ओर मुड़ा हुआ हमें लगता है, इसीलिए यह चेतावनी देना हमें उचित लगता है। दूसरा यह भी विचार करना उचित है कि यदि हममें सच्चा देशाभिमान या देशप्रेम है तो उस देशप्रेम को प्रकट करने के लिए हमने तन, मन और धन से अब तक क्या किया है? दिन में कितना समय हम जनहित के काम का विचार करने में निकालते हैं? हर रोज शरीर से हम कितनी देशसेवा करते हैं? इस काम के लिए जिंदगी में कितना पैसा खर्च किया है? दिखावा करने में तथा जाति-बिरादरी को दावत देने में हम अधिक पैसा खर्च करते हैं या सुधार कार्य में जिसकी बात हम हर घड़ी करते रहते हैं? ऐसे ही बहुत सारे प्रश्नों पर हमें अपने मन में विचार करना चाहिए। इसमें से भी एक दूसरा हिसाब-किताब हमें करना है। तन-मन और धन से अपने देशहित के लिए हमने जो कुछ किया है, उसमें से कितना आत्म सम्मान

के लिए किया है और कितना शुद्ध देशप्रेम की भावना से किया है? इस तरह लेखा-जोखा करने के बाद जो हाथ लगे उसे सच्चा देशाभिमान समझना चाहिए। इस तरह से हिसाब-किताब करना हमारे बहुत सारे सुधारक मित्रों को अच्छा नहीं लगेगा; किंतु यह बहुत जरूरी है। इसमें कोई शक नहीं कि ऐसा करने से बाकी बची वस्तु तो बहुत थोड़ी दिखाई पड़ेगी, किंतु उसकी शुद्धता को जान लेने से कितना फायदा है, यह सभी व्यापारी बंधु समझते हैं। यदि सच्चे व्यापारी हैं और यदि छल-प्रपंच की दुकान खोलकर नहीं बैठे हैं तो यह जानने की कोशिश हमको करनी ही चाहिए। सच्चा देशाभिमान बहुत दुर्लभ है, यह तो हमने पहले ही कहा है। सच्चा देशाभिमान थोड़ी देर के लिए यदि हमारे अंदर आ जाएगा तो वह उत्तरोत्तर बढ़कर खुद ही बड़ा रूप ले लेगा। थोड़ा ही सही किंतु सच्चे देशप्रेम की हमें बहुत जरूरत है और मिथ्या देशाभिमान से तो जैसे भी बने हमें दूर रहने की कोशिश करनी चाहिए। देशाभिमान का दंभ पालने के बजाय देशाभिमान को सार्थक बनाने की कोशिश हमें करनी चाहिए। इसमें अधिक मर्दानगी और देशप्रेम। प्रकट होता है।

अनुवाद : **योगेंद्रनाथ मिश्र**

मणिलाल नभुभाई द्विवेदी

1858-1898

गुजराती के प्रमुख निबंधकार। शिक्षा पूरी करने के बाद मुंबई में गुजराती स्कूल के उप-शिक्षा निदेशक हुए, फिर एक कॉलेज में संस्कृत के प्राध्यापक। प्रमुख निबंध संग्रह—'सुदर्शन गद्यावली', 'बाल विकास', 'चारित्र्य'। समन्वयात्मक दृष्टिकोण का प्रचार किया। 'प्रियंवदा' और 'सुदर्शन' के संपादक।

क्या स्त्रियों के पढ़ने से हानि होती है?

इस प्रश्न का उत्तर देने से पहले ऐसा प्रश्न पूछना भी जरूरी हो जाता है कि क्या मनुष्य मात्र के पढ़ने से कोई नुकसान होता है? यह हम अच्छी तरह से जानते हैं कि ईश्वर ने मनुष्य को बुद्धि दी है और उस बुद्धि के बल से ही वह अपने काम किया करता है। जिसे अपने काम केवल प्रेरणा बुद्धि से ही करने होते हैं, उसे किसी विशेष अनुभव की जरूरत नहीं होती। परंतु जिसे अपनी बुद्धि से अपना सारा कार्य व्यवहार निभाना होता है, उसे तो अनुभव के बिना एक क्षण भी नहीं चल सकता। और फिर मनुष्य का स्वभाव भी ऐसा ही है कि वह अकेले नहीं रह सकता और वह अपने सारे कार्य अकेले अथवा स्वयं के बल पर संपादित नहीं कर सकता। अनुभव की जरूरत और जनसमुदाय के साथ अपनी प्रकृति की संगति बैठाने का स्वभाव इन दो विषयों पर विचार करने के बाद एक तीसरा विषय भी समझने योग्य है।

प्रकृति ने जिसे प्रेरणा, बुद्धि दी है उसे अपने सुख-दुःख का विचार भी प्रेरणा बुद्धि से ही होता है, ऐसा अनुमान किया जा सकता है। खाना-पीना, घूमना-फिरना, मिल-जुलकर बैठना आदि कर्म करना पशुओं के भी स्वभाव में है और प्रकृति ने उन्हें भी वे सभी साधन उपलब्ध कराए हैं, जिनके द्वारा तरह-तरह के कार्य करके वे सुख प्राप्त कर सकें और दुःखों से दूर रह सकें। अर्थात् सुख पाने और दुःख से दूर रहने की कोशिश पशु-पक्षी स्वभाव से ही किया करते हैं। परंतु प्रकृति प्रदत्त

जिस साधन से जितना सुख मिल सकता है, उससे अधिक सुख प्राप्त कर सकने की इच्छा आज तक किसी मनुष्येतर प्राणी में हमने नहीं देखी। मनुष्य को प्रकृति ने बुद्धि दी है और उस बुद्धि के द्वारा जितना सुख प्राप्त किया जा सकता है, उससे अधिक सुख की इच्छा कोई कर ही नहीं सकता। अपनी बुद्धि से हम जिसे सुख मानते हैं, उस सुख के साथ जो पशु-पक्षी भोगते हैं, उसकी तुलना करें तो पशु-पक्षियों के सुख में तथा हमारे सुख में बहुत अंतर प्रतीत होता है। इतना ही नहीं बल्कि जब हम अलग-अलग मनुष्यों के सुख का विचार करते हैं और उनमें जो भेद हमें दिखाई पड़ता है वैसा भेद अलग-अलग पशुओं या अलग-अलग पक्षियों के सुख में दिखाई नहीं पड़ेगा। इससे क्या प्रमाणित हुआ? इतना ही कि जिसे बुद्धि मिली हुई है उसे जिस प्रकार का सुख चाहिए और जिसके पास बुद्धि नहीं है, उसे जिस प्रकार सुख चाहिए, इन दोनों के बीच अधिक अंतर है। और फिर यह भी पता चलता है कि जिसे केवल प्रेरणा से ही काम करना है, उसे सुख प्राप्त करने के साधन प्रेरणा से ही मिलते हैं, गौरैया पक्षी को यदि घर बनाने की इच्छा होती है तो वह अपने स्वभाद के अनुसार ही अपने अनुकूल लकड़ी-चिथरे, तिनके, घास-फूस लाएगी और घर बनाकर सुखी होगी, परंतु मनुष्य को जब घर बनाने की इच्छा होगी तो वह तुरंत इस विचार में पड़ जाएगा कि घर कैसा बनाना है, कहाँ बनाना है, खंभे किस तरह के होने चाहिए, इसके अलावा घर बनाने का साधन-सामान कहाँ से लाने चाहिए? और इस प्रकार इतना लंबा-चौड़ा विचार करते-करते कालांतर में कहीं जाकर घर तैयार होगा। इस प्रकार यह बात स्पष्ट हो जाती है कि जिसके पास बुद्धि है, सुख संबंधी उसके विचार अलग हैं। इतना ही नहीं बल्कि उस सुख को प्राप्त करने के लिए जो साधन सामग्री है, उसके विषय में भी उसे नाना प्रकार की कल्पनाएँ करनी पड़ती हैं।

मनुष्य इस संसार में सुख के सिवा और किसी चीज की इच्छा नहीं करता। फिर उस सुख का स्वरूप कैसा हो अथवा कैसा होना चाहिए? इन सबका विचार करना यहाँ अप्रासंगिक है। परंतु यहाँ पर इतना कहना ही पर्याप्त है कि जो मनुष्य जिसे सुख मानता है वह उसी सुख की इच्छा करता है। वह सुख कैसा होना चाहिए तथा किन साधनों से प्राप्त किया जा सकता है, यह वह अपनी बुद्धि से तय करता है। यहाँ इतनी बात तो समझ में आती ही है कि जिसे केवल अपनी बुद्धि से अपना व्यवहार चलाना होता है, उसके लिए उसे अनुभव प्राप्त करना चाहिए और वह अनुभव प्राप्त करने के लिए अपनी जाति और समाज के लोगों से आपस में मिलना-जुलना भी चाहिए। यहाँ जब यह बात तय हो गई कि हमारा कार्य व्यवहार बुद्धि से ही चलता है और अनुभव बुद्धि का सहायक है, तब यह बात स्वयं सिद्ध हो जाती है कि अपना कल्याण अथवा सुख चाहने वाले प्रत्येक मनुष्य का यह कर्तव्य हो जाता है कि वे सारे उपाय करें जिनके द्वारा बुद्धि का विकास हो और अनुभव अधिक

दृढ़ बनकर उसकी अधिकाधिक सहायता करें। और इस उपाय का ही नाम है पढ़ना—शिक्षित होना।

कोई यह भी कह सकता कि जब बुद्धि अनुभव से ही प्राप्त होती है तब यदि कोई पहले से ही पढ़ा-लिखा न हो और वह केवल जड़ बनकर बैठा रहा हो, तो फिर उसके लिए दुःख और सुख में भेद कहाँ रहा? उसके लिए पढ़ने-लिखने की क्या जरूरत है? मनुष्य में बुद्धि का अंश नहीं, यह कैसे प्रमाणित होता है? जब मनुष्य अपनी स्थिति के साथ दूसरे की स्थिति की तुलना न कर सकता हो और तुलना के आधार पर उसके मन में दुःख या सुख के भाव न पैदा होते हों, तब यह मानना चाहिए कि उसमें बुद्धि तत्त्व का अभाव है। बहुत विचार करने से और बहुत ज्ञान प्राप्त करने के बाद परिणाम तो वही होता है। परंतु वह सब कुछ जान लेने के बाद होता है। जो परिणाम बहुत पढ़-लिख लेने के बाद प्राप्त होता है, वैसा ही परिणाम बिल्कुल न पढ़ने-लिखने से भी होता है। परंतु दोनों में थोड़ा भेद है। पहला परिणाम जिसे प्राप्त होता है उसे ज्ञानी कहा जाता है और दूसरे वाले को अज्ञानी (जड़) कहा जाता है। महाज्ञानी और महाअज्ञानी (जड़) दोनों एक तरह से समान ही हैं क्योंकि दोनों के मन के विकार शांत हो गए हैं। परंतु, दोनों में थोड़ा भेद है। ज्ञानी विकार को असत्य मानता है जबकि अज्ञानी को यही पता नहीं कि विकार क्या है? इसलिए वह अँधेरे में रहता है। यह शंका उठाकर अततः जो हमें कहना है उसका कुछ अंश इसमें आ गया। सच्चा सुख यदि देखा जाए तो पूर्ण ज्ञान में अथवा पूर्ण अज्ञान (जड़) में है। मध्य में रहने वाले ही दुःखी होते हैं। श्रीमद्भागवत के तृतीय स्कंध के सातवें अध्याय के सत्रहवें श्लोक में भी कहा गया है कि,

यश्च मूढतमो लोके यश्च बुद्धेः परंगतः।
तावुभौ सुखमेधेते क्लिश्यन्त्यतरितोज़नः।।

अर्थात्—जो इस जगत में केवल मूढ़ है और जो बुद्धि की सीमा के पार जा चुका है, वे ही दो सुख प्राप्त करते हैं। मध्य में स्थित लोग दुःखी होते हैं।

जिसको ईश्वर ने ही बुद्धि न दी हो वह तो सचमुच जड़ अथवा मूढ़ बना रह सकता है परंतु जो ऐसा स्वयं सोचता है कि मैं जड़ ही बना रहूँगा, तब तो इसका मतलब यह हुआ कि वह यह धारणा बुद्धिपूर्वक करता है अर्थात् वह वास्तव में जड़ नहीं है, बल्कि मध्यम कोटि का है। इसलिए अंततः वह दुःखी होता है। शिक्षा (पढ़ना-लिखना) शब्द के अर्थ को समझाने के लिए इतने विस्तारपूर्वक लिखने की जरूरत इसलिए पड़ी कि जो लोग ऐसा मानते हैं कि जिन्हें नौकरी करनी है वह पढ़ें अथवा जिन्हें डॉक्टर, वकील, मास्टर होना हो वे सीखें, परंतु स्त्रियों को क्यों पढ़ना-लिखना चाहिए? वे लोग शिक्षा शब्द के वास्तविक प्रयोजन को थोड़ा समझें। पढ़ना-लिखना, गीत गाना, सिलाई आदि सीखने का अर्थ शिक्षा नहीं है। अर्थात् कोई भी एक कार्य सीखने के लिए यह नहीं कहा जा सकता कि जिस ढंग से सच्चा सुख

प्राप्त हो, उस तरह से बुद्धि को स्फूर्त करने और अनुभव प्राप्त करने का अर्थ शिक्षा है। शिक्षा की जरूरत जब इस रूप में है, तब क्या स्त्रियाँ मनुष्य नहीं हैं या स्त्रियों के पास बुद्धि नहीं है अथवा स्त्रियों को सुख की इच्छा नहीं है कि जो इन्हें पढ़ने न दिया जाए? यह सच है कि स्त्रियों और पुरुषों के कार्य भिन्न-भिन्न प्रकार के हैं परंतु क्या स्त्रियों का काम बुद्धि के बिना चल सकता है? उन्हें भी अपने घर के कार्यों में बुद्धि की जरूरत पड़ती है। उनकी भी प्रबल इच्छा होती है कि वे अपने घर-परिवार में अपने हर काम में कौशल दिखाते हुए सुख का अनुभव करें। लोग उनकी कुशलता की प्रशंसा करें। हम तो यह मानते हैं कि यह इच्छा पुरुषों की तुलना में स्त्रियों में कहीं अधिक होती है। क्योंकि बहुत से पुरुष सुखी होते हुए भी घर की स्त्रियों की इच्छा के अनुसार काम करने के कारण दुःखी मालूम पड़ते हैं। कहने का आशय यह है कि पुरुषों और स्त्रियों की इच्छाओं और वृत्तियों में काफी समानता होने के कारण उनके शिक्षित होने की अर्थात् पढ़ने-लिखने की जरूरत स्वतः सिद्ध हो जाती है। इसके बावजूद उनको (स्त्रियों को) भिक्षा देने अर्थात् पढ़ाने-लिखाने का एक दूसरा विशेष कारण है, वह है उनका स्वभाव। अब उसके विषय में ही कुछ कहने की जरूरत है।

यह ठीक है कि स्त्री के कर्म (कार्य) पुरुष के कर्म (कार्य) से भिन्न हैं, परंतु किस तरह भिन्न हैं? भिन्न तो इस अर्थ में नहीं ही लगते कि पशु आदि जैसे अपने कर्म मात्र से ही सुख प्राप्त कर लेते हैं वैसे ही स्त्रियाँ भी कर सकती हैं। पुरुष को जैसे घर-बाहर के कार्यों में बुद्धि, बल का उपयोग करना पड़ता है वैसे ही स्त्रियों को भी घरेलू कार्यों में अपने उन्हीं साधनों (बुद्धि और बल) का उपयोग करना पड़ता है। स्त्री की बुद्धि और बल के किसी दोष के कारण उसके घरेलू कार्य बिगड़ते हैं अर्थात् ठीक से नहीं हो पाते इसलिए घर में क्लेश, संताप और दुःख का वातावरण पैदा होता है। घर का वास्तविक संचालनकर्ता स्त्री ही है। घर पुरुष का विश्रामस्थल है, इसलिए जब स्त्री ही बुद्धिहीन होकर, बिना विचार किए, बिना विवेक से काम करेगी तब वह खुद भी कहाँ से सुख प्राप्त कर सकेगी। स्त्रियों की उन्नति उनकी शिक्षा, उनके सदाचार और उनके सौहार्द में ही जब पुरुष का सुख निहित है तब तो उसे उसके खुद के सुख के लिए तथा साथ ही दूसरों (उसके पति आदि) के सुख के लिए पढ़ाना ही चाहिए।

पढ़ने से न तो कोई कुमार्ग पर गया है और न जाएगा ही। सरस्वती का प्रसाद पाकर कौन कुपात्र हुआ है? जो लोग शिक्षण (पढ़ाई-लिखाई) के सिर पर यह दोष मढ़ना चाहते हैं उन्हें यह समझना चाहिए कि ऐसा शिक्षा के कारण नहीं बल्कि शिक्षा देने वाले की अयोग्यता के कारण होता है। शिक्षा से बुद्धि शुद्ध तथा विकसित होती है और उसके कारण अनुभव भी अच्छा मिलता है। जिसकी बुद्धि जिस अनुपात में विकसित होती जाती है, उसी अनुपात में उसके मन में सुख-दुःख के विचार भी

आते-जाते हैं। अंग्रेजी स्कूल में पढ़ी-लिखी रुक्मिणी को बूट, स्टोकिंग और पंखे के बिना सुख न मिले और कॉलेज की शिक्षा प्राप्त करके आया हुआ उसका भाई घर में अंग्रेजी ढंग का व्यवहार न कर सकने के कारण मन ही मन घुटन महसूस करे और दुःखी हो तो इसमें शिक्षा का क्या दोष? उस बहन और भाई की बुद्धि जितनी विकसित हुई, उन्होंने उतना ही सुख प्राप्त किया। यह बहुत स्पष्ट बात है कि यदि उनकी बुद्धि ठीक ढंग से विकसित हुई होती तो वे हर स्थिति में सुख का अनुभव करते। ऐसी स्थिति में उनको दोषपूर्ण शिक्षा देने वाले तथा उनकी बुद्धि को पूरी तरह न विकसित होने देने वाले का दोष है अथवा जो शिक्षा उन्होंने ली है उसका दोष है? पढ़ी-लिखी स्त्री में यदि कोई दुराचार कभी दिखाई पड़ता हो, तो हमारा इस विषय में दृढ़ मत है कि इसका कारण उसकी अधूरी या अल्प शिक्षा है, जिससे उसकी बुद्धि पूरी तरह विकसित नहीं हो पाई। जो स्त्री नैतिकता में, पति भक्ति में, श्रद्धा तथा मर्यादा में सुख का अनुभव करती हो वह कदापि कुमार्ग पर नहीं जाएगी। परंतु, जो इन शब्दों का अर्थ ही न जानती हो, वह यदि कुमार्ग पर जाती है तो इसमें इन सब गुणों के प्रति उसको अनभिज्ञ रखने वाले का दोष है, न कि उसने जो शिक्षा ली है उसका दोष है। इसलिए हम तो अपने अल्प अनुभव से अपनी बहनों की तरफ से इतना ही कह सकते हैं कि उनको यदि आप स्नेहालु स्त्री, ममतामयी माता और हेतस्वी वृद्धा बनाना चाहते हों तो निःशंक होकर परिपूर्ण शिक्षा दीजिए।

—1885

सुधार का मानदंड

आज सज्जनों ने इस महत्त्वपूर्ण सभा के अध्यक्ष पद पर मुझे बैठाया है, इसमें मैं एक प्रकार से अपना बड़ा लाभ मानता हूँ। मैं 'सामाजिक सुधार' विषय पर लगभग पंद्रह वर्षों से चिंतन कर रहा हूँ। अपने देश की उन्नति से संबंधित कई प्रश्नों ने मेरा ध्यान खींचा है और अनेक अवसरों पर मैंने पुस्तकों, दैनिक पत्रों आदि के माध्यम से अपना अभिप्राय प्रस्तुत किया है। समाज की विविध प्रकार की संवेदनाओं और प्रलोभनों के कारण व्यक्ति-व्यक्ति के विचार पूरी तरह से समान नहीं हो सकते। और इसी कारण विविध संवेदनाओं और प्रलोभनों से भरे समाज के सुधार के लिए कोई एक सर्वमान्य मार्ग नहीं हो सकता। फिर भी अपने-अपने विचार प्रकट करने से एक लाभ यह हो सकता है कि हर किसी को अपनी भूल जानने का और विचार करने का अवसर मिलता है। उपर्युक्त कारण से आपको कोई एक सुनिश्चित मार्ग बताने का दावा मैं नहीं कर सकता, क्योंकि मात्र पंद्रह वर्षों के अनुभव से भी मुझे

ऐसा ज्ञात हुआ है कि इस समाज की विचित्र रचना में कोई एक विचार हमेशा स्थिर नहीं रह सकता। फिर भी ऐसे लक्षण एवं परिवर्तनशील समाज में भी धर्म संबंधी विचारों को सर्वदा स्थिर और अपरिवर्तनीय अवस्था में पाया है और उसके आधार पर ही मैं आज कुछ कहना चाहता हूँ। आप लोगों ने मुझे जो बोलने का मौका दिया है, यह आपकी मुझ पर मेहरबानी है। विषय बहुत विस्तृत और गंभीर है। पूरी चर्चा के लिए तो पाँच-छह घंटे भी कम पड़ेंगे; फिर भी इस अवसर पर तो मात्र पूर्व वक्ताओं के द्वारा उठाए गए प्रश्नों का अनुसरण करते हुए संक्षेप में कुछ कहूँगा।

गुजरात के लोगों के रहन-सहन और प्रकृति पर टिप्पणी करते हुए यह कहा गया कि उस पर यहाँ की भौगोलिक परिस्थिति और जलवायु इन दो बातों का प्रभाव पड़ा है। मिस्टर बकल नाम के अंग्रेज लेखक ने 'हिस्ट्री ऑफ सिविलाइजेशन' नामक तीन खंडों वाला ग्रंथ लिखा है और उसने भौगोलिक परिस्थिति, जलवायु और जीवन-शैली इन तीन बातों पर सुधार कार्य तथा मानव मन के विचार और संवेदनाओं को आधारित माना है। परंतु ये तीनों कारण वास्तव में सुधार के सच्चे अर्थात् मुख्य कारण नहीं हैं। मुख्य कारण दूसरा है और ये तीनों कारण उस मुख्य कारण के उपकारण हैं। मैं अकेले ही मिस्टर बकल के मत से असहमत नहीं हूँ बल्कि कई अंग्रेज विद्वानों ने भी मिस्टर बकल के मत का खंडन किया है। मनुष्य के निर्माण में यदि केवल उसके शरीर का ही विचार करना होता, शरीर जिस परमाणु से बनता है उसी परमाणु से उसका मन और बुद्धि अथवा उसकी आत्मा की उत्पत्ति हुई होती तो ये तीनों कारण मनुष्य के विचारों और उन विचारों के आधार पर चलाए जा रहे सुधार कार्यों को समझने के लिए पर्याप्त होते परंतु जिस परमाणु से मनुष्य का शरीर बनता है उसमें से उसकी बुद्धि अथवा उसकी आत्मा पैदा नहीं होती। आत्मा अथवा बुद्धि उसके शरीर से स्वतंत्र रहते हैं और वे (आत्मा और बुद्धि) कहाँ से कब तथा किस प्रकार उत्पन्न होते हैं, इस बात का निर्णय करते समय मुझे दूसरे विषय में उतरना पड़ेगा। मनुष्य में इच्छा, बुद्धि, मन, आत्मा, हृदय नामक जो चेतन शक्ति है वह अनादि और शरीर से स्वतंत्र है। और वह इस हद तक स्वतंत्र है कि जैसा कि पूर्व वक्ता ने कहा है कि 'दुर्बल शरीर में दुर्बल मन होता है' यह बात सच नहीं लगती। बड़े-बड़े विद्वानों, पंडितों और दार्शनिकों के जीवन चरित्र से यह बात स्पष्ट हो जाती है कि 'मजबूत शरीर में ही मजबूत मन होता है' ऐसा कोई नियम नहीं है। ऐसी स्थिति में कह सकते हैं कि किसी भी देश के निवासियों की प्रकृति, उनके रीत-रिवाज और संपूर्ण सुधार उनके देश की भूमि, जलवायु या प्राकृतिक स्वरूप पर निर्भर नहीं होते, बल्कि जो चेतन शक्ति उनमें है, उसको आरंभ से ही जैसी दिशा मिली होती है, उस लंबी परंपरा से जो अभिवृत्ति मिली होती है वह उस पर आधारित होता है। देश-काल और परिस्थिति के अनुसार परंपरा से प्राप्त वह अभिवृत्ति अलग-अलग रूपों में दिखाई दे और समय-समय पर तरह-तरह के सुधार भी उसमें हों, तो भी जो परंपरागत

अभिवृत्ति होती है वही उस सुधार में भी प्रमुख बनी रहती है। भारत के मूल निवासी यूरोपीय रीति-रिवाज को चाहे जितना भी ग्रहण करने की कोशिश करें, चाहे जितना भी यूरोपीय शिक्षा प्राप्त करें, फिर भी उनकी चेतना में बैठे हुए अनादिकालीन संस्कार उनकी प्रकृति में से तमाम सुधारों के बावजूद कदापि निकलने वाले नहीं हैं। गुजराती और दक्षिणी, गुजराती में भी काठियावाड़ी अथवा गुजराती, काठियावाड़ी में भी सोरठी या झालावाड़ी, ऐसे ही दक्षिण में भी कोंकणी अर्थात् मराठी, मराठा या चितपावन ये सभी भेद मूल स्थानीय तत्त्वों के आधार पर ही पहचाने जाते हैं, केवल देश-काल परिस्थिति से नहीं। और फिर सुधार का कार्य यदि देश-काल परिस्थिति के आधार पर ही होता हो, तो एक बार सुधार हो जाने के बाद उसे अनंतकाल तक चलना चाहिए, उसमें फिर से कोई परिवर्तन नहीं होना चाहिए, क्योंकि जमीन, हवा और प्राकृतिक वातावरण ये तीनों कभी भी बदल नहीं सकते। इसलिए मनुष्य में कुछ ऐतिहासिक तथ्यों के रूप में, कुछ किंवदंतियों के रूप में, धर्म भावना के रूप में, कुछ भाषा के रूप में और कुछ कहावतों के रूप में जो सर्वमान्य भाव तत्त्व अनादिकाल से चले आ रहे हैं, और उस भाव तत्त्व से व्यक्ति-व्यक्ति के और साथ ही संपूर्ण देश और समाज की चेतना को अभिवृत्ति मिली होती है, उसी रूप में उस देश और समाज में सुधार कार्य हो सकता है, ऐसा आरंभ में ही स्वीकार कर लेना चाहिए। महाभारत और रामायण का जितना अधिक प्रभाव हिंदुओं पर पड़ेगा उतना दूसरों पर नहीं पड़ेगा, और इन दो ग्रंथों की मूल भावना ने ही इस देश में कितने ही लोगों के जीवन में मार्गदर्शन का कार्य किया होगा।

जो यह कहा गया है कि गुजरात के लोगों की वृत्ति दयालु, प्रकृति नम्र और चरित्र शिथिल होता है, इसमें कितना सत्य है यह तो मैं अपने अनुभव से नहीं कह सकता परंतु यदि यह बात सत्य है तो इसका कारण जमीन, हवा, प्राकृतिक वातावरण की तुलना में परंपरागत लोक-भावना ही अधिक है, जो यहाँ के निवासियों की प्रकृति को नई दिशा देती है। कुमारपाल के बाद अर्थात् 6-7 (छह-सात) शताब्दियों से गुजरात में गुजरातियों का राज (राज्य) नहीं रहा, वे पराधीन रहकर आपस में एकता बनाए रखने के बदले स्वार्थ सिद्धि के लिए आपस में लड़-झगड़कर स्वार्थ सिद्धि में सहायक अधिकारियों की गुलामी करते रहे हैं। और फिर मूलराज और सिद्धराज के समय से इस क्षेत्र के ब्राह्मण और उनके कारण दूसरे लोग भी अनेक उपजातियों में विभाजित रहे हैं। ऐसा उपजातियों का उपविभाजन हिंदुस्तान के दूसरे भागों में देखने को नहीं मिलता। इस कारण से भी इनकी एकता खंडित हुई है। लोग जाति-पाँति के घेरे में बँधकर संकुचित और स्वार्थी हो गए हैं। कुमारपाल ने जैनधर्म को राजधर्म के रूप में स्वीकार कर लिया, यह इस दोष का तीसरा कारण है। इस धर्म के प्रभाव स्वरूप गुजरात में नाना प्रकार के द्वेष और कलह पैदा हुए। धर्म अनेक रूपों में विभाजित हो गया और बाद के समय में स्वधर्म के अज्ञान के कारण गुजराती लोगों

में ऐसी स्थिति पैदा हुई कि अनेक नए-नए पंथ और संप्रदाय स्थापित होने लगे तथा साधु-संत, वैरागी, गोसाई आदि लोग सरलता से अपना-अपना धर्म प्रचारित करने लगे। मुसलमानों के शासन के बाद गुजरात में अनेक छोटे-छोटे राज्य स्थापित हो गए, जिसके परिणामस्वरूप संपूर्ण प्रदेश की एकता खंडित हो गई। इन सब कारणों से गुजरातियों में अर्थात् संपूर्ण गुजरात प्रदेश के निवासियों में ऐसी एकता की भावना नहीं रही, जो सर्वसामान्य हो, सबको मान्य हो और जिसके लिए, मरने तक के लिए लोग सहर्ष तैयार हों। उसके बाद के समय में उनके धर्म और जाति में ऐसा कुछ रहा नहीं जो संपूर्ण प्रदेश को मान्य हो और जिसके लिए सभी एकत्र होकर प्राण न्योछावर करने के लिए तत्पर हों। ऐसी सर्वमान्य एकनिष्ठ भावना के अभाव में मनुष्य स्वभाव की सहज स्वार्थ बुद्धि के कारण प्रत्येक राज्य, प्रत्येक धर्म, प्रत्येक जाति, प्रत्येक गाँव और अततः प्रत्येक व्यक्ति के विचार एक-दूसरे से अलग हो गए और इस तरह गुजराती लोग साहस, बहादुरी, बलिदान, परमार्थ जैसे भव्य गुणों से विमुख हो गए। इसके विपरीत मराठों या दक्षिणियों को देखें, जिन्होंने आज तक शासन किया है। वे भी मनुष्य ही हैं अर्थात् उनमें भी आपस में भेदभाव तथा मतभेद कम नहीं होगा परंतु साथ ही साथ उनके अंदर राज्य-भावना की ऐसी धुन है जिसके बल पर वे लोग एकताबद्ध होकर बहुत सारे कार्य अच्छी तरह कर सके और कितने ही सुधार भी उन लोगों ने किए हैं। उनके मुकाबले गुजरात के लोगों की स्थिति अवश्य ही दयनीय है, और उसका कारण उनकी प्रकृति की पृष्ठभूमि में विगत सात सौ वर्षों से जो अभिवृत्ति मिली है, उसमें से बहुत अच्छी तरह से खोजा जा सकता है, ऐसा मेरा मानना है। ऐसा मानने से ही भविष्य के सुधार का भी रास्ता मिल सकता है और सुधारवादी क्यों सफल नहीं हो सके, इसका भी स्पष्टीकरण हो सकता है। यही कारण है कि मैं इस मत का विशेष आग्रही हूँ।

परंतु सर्वप्रथम सवाल यह पैदा होता है कि सुधार का मतलब क्या है?

× × ×

मेरी दृष्टि में सुधार का अर्थ सिर्फ इतना ही है कि किस तरह से बहुत सारे लोगों में एकता स्थापित हो और जिसके द्वारा पूरे समूह के हितसाधन की निरंतर शक्ति बढ़े। ऐसे साधन, साहित्य-विचार आदि सब कुछ सुधार के अंतर्गत आते हैं। एकता को मैं सुधार के मूल तत्त्व के रूप में स्वीकार करता हूँ, फिर भी रक्त संबंधों की एकता के नाम पर चलाए जा रहे अभियान को अस्वीकार करता हूँ और सुधार कार्य के उचित रीति से न चल सकने के कारण के रूप में रक्त संबंधों की एकता स्थापित करने के प्रयत्न को ही मानता हूँ। जाति-बंधन तोड़ डालना, विवाह की मर्यादा का उल्लंघन करना और मुक्त व्यवहार करना ये सब सुधार केवल बाह्य सुधार ही हैं। पर मेरा मतलब यह नहीं है कि इस तरह से बातें नहीं करनी चाहिए अथवा ऐसी बातें करना अनिष्टकर हैं, बल्कि मैं तो यह कहता हूँ कि ऐसे कार्यों से सुधार नहीं

होता। सुधार का कोई तत्त्व इसमें निहित नहीं है। सुधार तो जन-जन के मन, विचार और कार्यों की एकता में निहित है। इसलिए मेरा यह दृढ़ मत है कि जब सबके लक्ष्य में एकसूत्रता आएगी तभी सच्चा सुधार होगा।

कवि नर्मदाशंकर, श्री करसनदास, श्री महीपतराम आदि सुधारकों के प्रति मेरे मन में पूर्ण सम्मान का भाव है। उन्होंने अविवेकपूर्ण अथवा विद्रोहात्मक कार्य किया, ऐसा मैं नहीं मानता। इसके विपरीत मैं उनको इसलिए प्रशंसा का पात्र मानता हूँ कि उन्होंने जैसा जाना और समझा, उसके अनुसार कार्य करके दिखाया। उनकी विफलता का कारण मैं यह मानता हूँ कि उनके पास प्राचीन परिस्थिति का पूरा विवरण प्रस्तुत करने वाला पर्याप्त साहित्य उपलब्ध न था। और इसीलिए उनकी दृष्टि नई और आयातित बातों के प्रत्यक्ष लाभ तक ही सीमित रह गई। और उन्होंने अपने देश की, अपनी परंपरा की, व्यक्ति-व्यक्ति की और पूरे समाज की प्रकृति तथा ऐतिहासिक भावना को अपने ध्यान में नहीं रखा। मुसलमानों के समय में इस देश की प्राचीन परंपरा की जो दुर्दशा हुई थी उसी को उन्होंने मूल उन्नत भावना के रूप में मान लिया। यदि उन्होंने उस अधम भावना को मूल प्राचीन भावना के ऊपर उठाने का प्रयत्न किया होता तो वे निश्चित रूप से सफल हुए होते। परंतु उन्होंने तो ऐसा करने के बजाय इस देश की परंपरा के विरुद्ध पाश्चात्य एवं आयतित भावना को लादने की कोशिश की और इसीलिए वे विफल हुए। उनमें विचार-शक्ति की कमी न थी, उनकी बुद्धि की शुद्धता में भी कोई दोष न था, उनका चरित्र भी उदात्त था परंतु उनके सामने अपनी गौरवपूर्ण परंपरा से संबंधित जानकारियों का अभाव था। इसलिए वे रक्त संबंधों की एकता के मार्ग पर अग्रसर हुए और उन्हें विफलता हाथ लगी। इस समय जो लोग अपनी प्राचीन परंपरा की ओर उन्मुख हो रहे हैं, उन पर पूर्व वक्ता ने दो आक्षेप किए हैं। एक तो यह वे (प्राचीनता की ओर उन्मुख लोग) अपनी महत्ता प्रतिपादित करने के लिए ऐसा कर रहे हैं तथा दूसरे यह कि वे 'जितना हो उतना ही अच्छा' इस दुराग्रह से ग्रस्त हैं। किंतु मेरे विचार में ये दोनों आरोप बिल्कुल गलत हैं। और इस प्राचीनतावादी वर्ग के पक्ष में विश्वासपूर्वक बोलने का मुझे हक है। पूर्ववर्ती सुधारकों ने मुसलमानों के समय में विकृत हुई प्राचीन महत्ता को वास्तविक प्राचीन महत्ता माना और उसके मुकाबले में पाश्चात्य विचारों को अच्छा मानकर उनको स्वीकार किया, ये उनकी भूल थी और उनकी यह भूल इस समय दो तरह से प्रमाणित हो चुकी है और हो रही है। सुधारवादियों में से जो लोग आज विद्यमान हैं, उनमें से बहुतों ने प्राचीन भावना को उत्तम मानकर उन्हें स्वीकार किया है। यही नहीं पाश्चात्य विद्वान भी उसी प्राचीन भावना को सर्वोत्तम भावना के रूप में स्वीकार करने लगे हैं। ऐसी स्थिति में यह बात स्पष्ट हो जाती है कि हमारी जो प्राचीन भावना है वही सर्वोत्तम और सर्व कल्याणकारी है। जो लोग उस भावना को स्वीकार करते हैं उन लोगों के विषय में यह कहने की बजाय कि वे केवल महत्ता

के लिए ऐसा करते हैं अथवा बिना विचारे प्राचीनता को अच्छा मानते हैं—मैं तो यह समझता हूँ कि 'वे लोग अधिक विचारवान हैं और उन लोगों ने उचित मार्ग को ही स्वीकार किया है', ऐसा क्यों न माना जाए? हम देखते हैं कि सुधार का तत्त्व हमारे रक्त संबंधों की एकता में नहीं बल्कि हमारी आंतरिक वैचारिक एकता में निहित है। और ऐसी भावना हमारे आर्यावर्त की प्राचीन परंपरा में मिल सकती है। जो बात बहुतों को मान्य होती है वह सच्ची होती है। इस मान्यता के अनुसार भी इस भावना को समर्थन मिलता है। बुद्धि से भी यह सिद्ध हो सकता है। युधिष्ठिर अथवा अशोक के जैसा साम्राज्य इस भावना के द्वारा ही भोगा गया है। लोक व्यवहार और परमार्थ का एक साथ निर्वाह करने का कृष्ण आदि महात्माओं द्वारा निर्दिष्ट मार्ग इस भावना से ही उद्‌भूत हुआ है। जात-पाँत, देश-गाँव इत्यादि बाह्य भेदों के बावजूद वर्ण-जाति आदि विभागों के होते हुए भी समग्र जनता ने अनेक अवसरों पर जिस एकता का परिचय दिया है वह इस भावना का ही परिचायक है। शिबि जैसे राजा ने दान में अपने शरीर का मांस काटकर देते समय तनिक भी जी नहीं चुराया। हरिश्चन्द्र जैसे महात्मा ने भयंकर कष्ट सहन करके भी प्रतिज्ञा भंग नहीं होने दी। राम जैसे पवित्र राजा ने अपनी आत्मा से अभिन्न पत्नी का भी वियोग सहन किया। वर्तमान समय में भी क्षत्रिय और राजपूत देश के लिए, धर्म के लिए सब कुछ त्यागकर युद्ध भूमि में शहीद हुए। शिवाजी के नेतृत्व में असंख्य मराठों ने प्राण न्योछावर करके आर्य जाति की रक्षा की है। इन सबके पीछे प्राचीन आर्य भावना का ही प्रभाव है, ऐसा मेरा मानना है।

प्राचीन भावना के संबंध में यहाँ पर यह प्रश्न उठेगा ही कि कौन-सी भावना और कैसी भावना? पूर्व वक्ता ने धर्म के सुधार की जो बात कही है उस पर विचार करते हुए मैं आपको उस भावना के स्वरूप के भी संबंध में बता सकूँगा। अब तक मैंने जिसे परंपरा से चली आ रही और लोक प्रकृति में अंतर्भुक्त वृत्ति, ऐतिहासिक भावना, चेतना में समाई हुई वृत्ति आदि रूपों में आपको समझाने का प्रयत्न किया है, उसे ही यदि हम धर्म का नाम देना चाहें तो दे सकते हैं। और अब हम यह भी देख सकेंगे कि वक्ता ने धर्म की जो व्याख्या की है और उसके आधार पर धर्म तथा व्यवहार को जो अलग दिखाया है, वह व्याख्या तथा इस प्रकार का भेद ठीक नहीं है। वक्ता ने 'ईश्वर के प्रति हमारा कर्तव्य और एक-दूसरे के प्रति हमारा कर्तव्य'—इस तरह हमारे दो प्रकार के कर्तव्यों को धर्म कहा है तथा साथ ही घर में जो हमारा कर्तव्य है और विवाह या परदेशगमन आदि के प्रति जो हमारा कर्तव्य है उसे उक्त धर्म के बाहर अर्थात् मात्र व्यवहार की कोटि में रखा है। इसमें सबसे पहले जो बात स्पष्ट होती है, वह यह कि धर्म और व्यवहार को जिस तरह से अलग-अलग किया है वह यथार्थ नहीं है, क्योंकि जब हम एक-दूसरे के प्रति अपने कर्तव्य को धर्म मान लेते हैं, तब विवाह, घर-संसार, परदेशगमन आदि बातों को 'एक-

दूसरे के प्रति अपने कर्तव्य' की सीमा से बाहर कैसे रख सकते हैं? और धर्म, विवाह आदि बातों का समावेश नहीं होता ऐसा हम कैसे कह सकते हैं? वक्ता के अपने ही कथन के अनुसार धर्म के बाहर कोई बात जा ही नहीं सकती, इस तरह यह बात सिद्ध होती है कि व्यवहार और परमार्थ सबका मानदंड धर्म ही है और यही सच है। धर्म के संबंध में वक्ता की यह व्याख्या ठीक है कि ईश्वर के प्रति तथा आपस में एक-दूसरे के प्रति जो हमारा कर्तव्य है वही धर्म है। इसमें मुख्य बात 'कर्तव्य' की है और वह कर्तव्य चाहे ईश्वर के प्रति हो, चाहे स्वयं के प्रति हो, चाहे जगत के प्रति हो अथवा अन्य प्राणियों के प्रति। अंततः 'कर्तव्य की भावना' ही धर्म है। जिस प्रकार वक्ता ने 'सुधार' का अर्थ स्पष्ट नहीं किया है, उसी प्रकार 'कर्तव्य' की भी स्पष्ट व्याख्या नहीं की है। और विवाह, विदेशगमन आदि कार्यों को धर्म के बाहर रखने का प्रयत्न किया है और ऐसा करके उसने यह संकेत किया है कि पुनर्विवाह, विदेशगमन आदि कार्यों में धर्म बाधक नहीं होता, और इस तरह सुधार का कार्य आगे बढ़ सकता है। परंतु सुधार का जो अर्थ मैंने बताया है कि जिस रीति से या जिस कार्य से पूरे समूह की एकता बढ़ती है और उसके परिणामस्वरूप कार्य साधक शक्ति बढ़ती है, वह सुधार है। उसी प्रकार कर्तव्य का भी अर्थ मैं स्पष्ट करना चाहता हूँ जिससे कि वक्ता ने धर्म के संबंध में जो अपना विचार व्यक्त किया है, वह थोड़ी-सी काट-छाँट के बाद आपको ठीक से समझ में आ सकेगी। जिसमें जो-जो शक्तियाँ स्वाभाविक रूप में निहित हैं उनके अनुसार कार्य करते हुए अपना पूर्ण विकास करना, यह 'कर्तव्य' है।

मनुष्य में शरीर मन अथवा बुद्धि तथा हृदय अथवा आत्मा ये तीन स्थूल विभाग किए जा सकते हैं। और इन तीन विभागों का अपने आप में उचित रूप से विकास हो और संसार में जहाँ-जहाँ ये तीनों विभाग हैं, वहाँ उनको उतना ही विकसित करना संपूर्ण मनुष्यजाति का कर्तव्य कहा जाएगा। दूसरी तरफ यदि कहा जाए तो शरीर, बुद्धि और हृदय के द्वारा मनुष्य इस प्रकार व्यवहार करे कि जिससे यह स्पष्ट हो सके कि जो अपने लिए इष्ट है, वह सबके लिए भी इष्ट है और जो अपने लिए अनिष्ट है, वह दूसरों के लिए भी अनिष्ट है। मनुष्य जब इस भावना से कुछ करे तब यह कहा जा सकता है कि उसने अपना कर्तव्य किया है। इस तरह यह बात स्पष्ट हो जाती है कि मनुष्य संपूर्ण जगत के साथ मन और हृदय से एकता स्थापित करके जो कुछ करता है, वह कर्तव्य है। उससे ऊपर उठकर हम यह मान सकते है कि सर्वत्र एक ही आत्मा का निवास है और जो कुछ भेद दिखाई पड़ता है या प्रतीत होता है वह तो मात्र प्रकृति और शरीर का भेद है। इस तरह के पूर्ण प्रेमभाव तथा एकत्व भाव को हमारे प्राचीन ऋषि- मुनियों ने धर्म कहा है। मेरी ऐसी धारणा है कि किसी भी अन्य धर्म के धर्मग्रंथों में धर्म का इससे भिन्न कोई लक्षण नहीं दिया गया होगा। देश-काल, परिस्थिति के अनुसार जो अलग-अलग प्रकार के

आचार-विचार, नियम-उपनियम तथा व्यवहार आदि दिखाई पड़ते हैं वे तो उक्त (आत्मा की एकता अथवा अभेदत्व) विशेष धर्म तक पहुँचने के साधन मात्र हैं। उस अभेद की भावना को ही मैं प्राचीन भावना कहता हूँ और वही धर्म है। धर्म की इस व्याख्या को ध्यान में रखकर सामान्य और विशेष धर्म अथवा धर्म और व्यवहार का भेद समझते हुए आप यदि धर्मग्रंथों को देखेंगे, आर्य धर्मग्रंथों को नहीं बल्कि किसी भी धर्म ग्रंथ को देखेंगे तो आपको कुछ वचनों में जो अंतर्विरोध दिखाई पड़ता है और उसके कारण मन में जो अश्रद्धा पैदा होती है, वह नहीं होती। धर्म के इस स्वरूप को आधार मानकर या ध्यान में रखकर हम यदि सुधार के मार्ग पर चलें तो हमें कोई कठिनाई नहीं होगी। इस तरह यह बात स्पष्ट हो जाती है कि स्थूल रक्त संबंधों से यह भावना सिद्ध नहीं होगी। इसलिए विचार, कर्तव्य, मन-बुद्धि और हृदय से ज्यों-ज्यों हम इस भावना को ग्रहण (स्वीकार) करते जाएँगे त्यों-त्यों हम सुधरते जाएँगे, एकता के सूत्र में बँधते जाएँगे और उस एकता के बल पर जो-जो महान कार्य हम करना चाहेंगे, वह सब हम कर सकेंगे। इस भावना का व्यवहार के साथ कोई विरोध नहीं है। इस भावना के होते हुए भी हम व्यवहार कर सकते हैं।

श्रीकृष्ण ने गीता में अर्जुन को यही समझाया है। राजनीतिक सुधार की तुलना में पहले सामाजिक सुधार करना चाहिए इस तरह के जो तर्क-वितर्क चलते हैं, उन सबका स्पष्टीकरण इस भावना में निहित है, क्योंकि जब संपूर्ण देश के सामने लक्ष्य के रूप में एक ही 'अभेद धर्म की भावना' रहेगी तब राज्य, व्यवहार, समाज, साहित्य, शिक्षा इन सबका एक ही मानदंड होगा और किसी से किसी का विरोध नहीं रहेगा। जिस-जिस प्रजा ने इस भावना अथवा ऐसी ही भावना का आश्रय लिया है वह आज भी व्यावहारिक स्तर पर सुखी है। इसाई धर्म को ही देखिए। पूरे यूरोप में एक ही धर्म भावना का प्रभाव होने के कारण वहाँ के देशों में कैसी एकता है, यह उनकी उन्नति देखकर सहज ही समझ में आ जाती है। हाल ही में अमिनिया में घटित एक घटना से जो खलबली मची है, उससे भी यह बात समझ में आ जाएगी। इस्लाम धर्म में भी यह एकता की भावना कितनी गहराई तक बैठी, है इसका अनुमान हम इस बात से लगा सकते हैं कि एक सामान्य तूफान में भी 'दीन' शब्द की पुकार पर असंख्य मुसलमान एकत्र हो जाते हैं। आपको यदि सचमुच सुधार करना हो तो इस अभेद भावना (एकता) को बढ़ाइएः इस बात को खुद समझिए और दूसरों को समझाइए, उसका अति उच्च स्वरूप सबके सामने रखकर उसके लिए प्राण न्योछावर करने तक की भक्ति सबके हृदय में पैदा कीजिए। ऐसी भावना केवल मानसिक है, विचार और बुद्धि से ही यह उत्पन्न होती है तथा हृदय अर्थात् विचार और प्रेम पर स्थापित कीजिए। ऐसा करने से आप जो-जो सुधार करना चाहेंगे वह संभव हो सकेगा। यह हमारी परंपरा के अनुकूल है, इसी में हम सबकी भलाई है, हमारी सफलता है। विदेशी भी इस भावना के रहस्य को समझने लगे हैं। एक नियम हमेशा ध्यान

में रखिए कि जिस बात से भेद बढ़ता है वह निश्चय ही अपने-आप में एक बुराई है—एक विकृति है। भेद से आशय है विचारों का भेद, पारस्परिक प्रेम का अभाव और दृष्टिकोण का भेद। ये सब जिससे बढ़ें, इन सब बातों को दोष के रूप में तथा हानिकर समझना चाहिए। धर्म में जिससे नए-नए और निष्प्रयोजन पंथ और गुरु बढ़ें, उस बात को धर्म के लिए हानिकारक समझना चाहिए। समाज जिससे नई-नई जातियों और उप-जातियों में विभक्त हो, उस बात को समाज के लिए हानिकारक समझना चाहिए। राजनीति में जिससे नए-नए दल उत्पन्न हों, उस बात को राजनीति के लिए हानिकारक मानना चाहिए। विद्या अर्थात् ज्ञान-विज्ञान के क्षेत्र में मतभेद किसी देश की विद्या-समृद्धि का सूचक है परंतु मतभेद के कारण यदि आपस में द्वेष और भेदभाव बढ़े तो यह उस देश के पतन का प्रथम और मुख्य लक्षण है।

हमें जो कहना था, हमने कह दिया। वक्ता की एक-दो दूसरी बातों पर थोड़ा विचार प्रकट करके अपना वक्तव्य पूरा करूँगा। वक्ता के अनुसार सुधार कार्य में विवेक, मध्यम मार्ग, समझदारी तथा समझौतावादी दृष्टकोण का उपयोग करना चाहिए तथा लोगों के साथ मिल-जुलकर सुधार कार्य करना चाहिए। यह मत सर्वथा उचित है। परंतु इस पर थोड़ा विचार करना आवश्यक है। विचार से अधिक उसका विश्लेषण जरूरी है। यह माना जाए कि अभेद भावना अर्थात् एकता पर सबका ध्यान इस तरह केंद्रित करना कि सभी उसके लिए प्राण न्योछावर करने तक के लिए तैयार हो जाएँ—सुधार का अर्थ यदि यह सिद्ध होता है, तो इसमें समझौते का उपयोग इस तरह किया जा सकता है कि जिसकी जैसी बुद्धि और क्षमता हो, उसी के अनुपात में वह एकता के मार्ग पर काम करे और यह काम करने की जिम्मेदारी इस तरह की भावना पैदा करने वाले तथा इसमें एकाकार होकर काम करने वाले की नहीं है बल्कि उसके अनुयायियों की है। समझौते का रास्ता अपनाने पर मूलभावना को आदर्श रूप से थोड़ा नीचे उतरना ही पड़ता है। व्यवहार के क्षेत्र में आने पर आदर्श भावना थोड़ी स्खलित होती ही है। इस बात का इतिहास साक्षी है कि धर्म या विद्या या कला किसी भी क्षेत्र में उस भावना के प्रवर्तक को लोगों ने पागल, अविवेकी या समझौता न करने वाला कहा है। उनके मूल सिद्धांतों का अनुसरण करके दूसरे लोगों ने उसे व्यवहार में स्थापित किया है अथवा उस सिद्धांत के अनुसार लोक-व्यवहार में सुधार किया है। इस बात की ओर इसलिए ध्यान दिलाना पड़ रहा है कि वक्ता ने कवि नर्मदाशंकर आदि सुधारकों को अविवेकी अर्थात् अव्यावहारिक (समझौता न करने वाला) कहा है। और इसीलिए वे अपने लक्ष्य में सफल नहीं हुए ऐसा वक्ता का मानना है। वे अपने लक्ष्य में सफल क्यों नहीं हुए, यह तो मैं पहले कह चुका हूँ परंतु वे समझौतावादी मार्ग पर नहीं चले इसी में उनकी महिमा है। यह बताने के लिए इस अवसर पर मैं यह बात कह रहा हूँ। इसके साथ मैं एक बात यह भी कहना चाहता हूँ कि इस नई शिक्षा व्यवस्था ने हमारे अंदर यह कुसंस्कार

डाल दिया है कि हम उच्च कोटि तथा भेद रहित भावना से प्रेरित होकर कार्य करने वाले महापुरुषों का भक्ति-भावपूर्वक अनुसरण करने की बजाय उनका दोष देखने में लग जाते हैं। मेरे विचार से सुधार कार्य के मार्ग में यह भी एक बहुत बड़ी बाधा है। ऐसे महापुरुषों के प्रति हमें सदा आदरणीय भाव रखना चाहिए और दूसरों में भी यही भावना बढ़े, इसके लिए प्रयत्नशील रहना चाहिए। ऐसी उच्च भावना से संपन्न साधु-संत, महात्मा अथवा पंडित-विद्वान जहाँ भी दिखाई पड़ें, उनके प्रति आदर भाव रखने से तथा उनकी महिमा का प्रचार-प्रसार करने से भी सुधार का मार्ग सरल हो जाता है। अपने कर्तव्य के स्वरूप को ठीक तरह से समझने से भी यह लाभ होता है। ऐसी उदात्त हृदय और बुद्धि होने वाली अभेद भावना ही धर्म है। वह भावना हमारे देश के तथा अन्य सभी देशों के प्राचीन धर्मों में निहित है और उसमें विकृति आने से ही मानवता का पतन हुआ है। इसलिए उस भावना की पुनः स्थापना करना ही सच्चा सुधार है। ऐसा करने से गुजरात या हिंदुस्तान का ही नहीं बल्कि सारी दुनिया का सुधार हो जाएगा। उसी भावना का आश्रय लेकर थियोसॉफिकल सोसायटी चलती है, उसी भावना के आश्रय से गो-रक्षा अभियान चलता है। उसी भावना का अनुसरण करते हुए कांग्रेस चलती है। इसी कारण हम यह कह सकते हैं कि ये सभी इस देश की उन्नति और सुधार के साधन हैं। मेरा यह दृढ़ विश्वास है कि धर्म, व्यवहार, शासन, साहित्य और शिक्षा में ज्यों-ज्यों इस भावना के अनुकूल परिवर्तन होगा त्यों-त्यों सुधार का कार्य तीव्रगति से आगे बढ़ता जाएगा।

—1895

अनुवाद : **भरतसिंह झाला**

आनंद शंकर ध्रुव

1869-1942

प्रमुख शिक्षाविद्, धर्मचिंतक तथा विद्वान आलोचक। 1919 में पं. मदनमोहन मालवीय के विशेष आमंत्रण पर काशी हिंदू विश्वविद्यालय के कुलपति का पदभार सँभाला। 'अपना धर्म', 'हिंदू धर्म की बालपोथी' आदि ग्रंथों में उनकी उदार, व्यापक एवं गहन धर्म भावना दिखाई देती है। 'वसंत विवेचक' पत्र के संपादक और गुजराती साहित्य परिषद के मंत्री रहे।

शिक्षा और साहित्य

सौभाग्यवती विद्या बहन और भाइयो!

आज के समारोह की तारीख निश्चित करके आपके मंत्री महोदय ने जिस दिन मुझे सूचित किया, उसके दूसरे ही दिन एक सभा के अध्यक्ष पद से बोलते हुए मेरे मुँह से निकल गया—'पुरुषोत्तम इति भणितव्ये पुरुवसीति निर्गता वाणी'। इसी प्रकार शब्द-साम्य के कारण Club की जगह Church बोल गया। कुछ महीनों से मुझे ऐसी शब्द-विस्मृति हो जाती है। इसी कारण आज के प्रसंग में सादे ढंग से थोड़ा ही बोलूँगा। फिर भी प्रसंगानुकूल एक छोटा-सा लेख लिख लाया हूँ। इतनी स्पष्टता मैं आरंभ में ही इसलिए कर रहा हूँ, क्योंकि तैयार लेख को देखकर आप उसके आधार पर गंभीर भाषण सुनने की आशा न बाँध लें। आपके मंत्री ने आज के प्रसंग का निमंत्रण दो महीने पहले ही दे दिया था। फिर भी मुझे खेद है कि उपयुक्त कारण से आजकल मैं ऐसा कार्य नहीं कर पाता, जिससे दिमाग पर अधिक जोर पड़े। इसीलिए आज का मेरा व्याख्यान हल्का-फुल्का ही होगा और मैं आशा करता हूँ कि आप उदारतापूर्वक मुझे निभा लेंगे।

जहाँ तक मैं समझता हूँ, यह 'साहित्य सभा' गुजरात की वर्तमान समय की सभी साहित्य सभाओं में सबसे पुरानी है। जहाँ तक मेरी जानकारी है, आज से लगभग 20 वर्ष पूर्व गुजरात कॉलेज के कुछ उत्साही साहित्य-प्रेमी बुद्धिमान विद्यार्थियों ने

रा.ब. रमणभाई की प्रेरणा से इस संस्था की स्थापना की थी और उन संस्थापक नवयुवकों में मुख्य रा.ब. रणजीतराम थे। उनके अकाल अवसान पर अनेक स्थानों पर शोक प्रकट हो चुका है। फिर भी, इस सभा के वार्षिक प्रतिवेदन (रिपोर्ट) के इस सम्मेलन के अवसर पर दुख की वही संवेदना मैं पुनः प्रकट करूँ, तो मुझे विश्वास है कि यह अप्रासंगिक और अनुचित नहीं माना जाएगा। गुजरात के इतिहास और गुजराती साहित्य के साथ प्रेम रखने वाले वे सज्जन अब हमारे बीच नहीं हैं, परंतु उनकी जो पवित्र स्मृति हमारे हृदय पटल पर अंकित है, वह कभी मिटने वाली नहीं है। इस सभा के द्वारा जब-जब कोई उत्साहपूर्ण कार्य किया जाएगा, तब-तब उस कार्य में उस आत्मा की उपस्थिति का आभास उनके बंधुओं और हम सब को मिलेगा ही। आज इस सभा ने एक नई शुरुआत की है, उसका प्रथम निर्देश, जहाँ तक मैं समझता हूँ, वर्षों पूर्व रा.ब. रणजीतराम ने किया था। गुजराती साहित्य का प्रतिवर्ष सिंहावलोकन होना चाहिए, इस आशय का एक लेख 'ईशु का वर्ष 1907' नाम से 'बुद्धिप्रकाश' में उन्होंने लिखा था। उसके बाद 'गुजरात वर्नाक्युलर सोसाइटी' ने उस लेख से प्रेरणा लेकर यह कार्य करने का विचार किया। किंतु पर्याप्त लेखकों के अभाव में तथा कुछ इस उद्देश्य से कि एक वर्ष के बजाय तीन या पाँच वर्षों के साहित्य का अवलोकन करना अधिक ठीक रहेगा—उन्होंने लंबे अंतराल के साहित्य के अवलोकन की योजना बनाई और कतिपय विद्वानों को यह कार्य सौंपा भी। परंतु वह अभी तक तैयार नहीं हुआ है। फिर भी आप को यह जानकर खुशी होगी कि 'बड़ों का काम बड़ों पर छोड़ देना चाहिए और उनके कार्य की गति की टीका नहीं करनी चाहिए' इस नीति को अपनाकर इस मंडल ने यह कार्य स्वयं करना अधिक उचित समझा है। और उसी के अनुसार इस मंडल के मंत्री आपके समक्ष वर्ष 1916 के साहित्य का विवरण पढ़कर सुनाएँगे। उसके बाद मैं इस संबंध में कुछ और कहूँगा।

× × ×

भाइयो और बहनो! आपने देश की शिक्षा का इतिहास और उसी दौरान लिखे गए अपने प्रांत के साहित्य का इतिहास सुना। जहाँ तक मैं समझता हूँ, शिक्षा और साहित्य दोनों की समवेत चर्चा का औचित्य अधिक है। उसका कारण यह है कि दूसरे देशों में ये दोनों कदाचित् एक-दूसरे से अलग रहकर भले ही काम करते हों, परंतु हमारे यहाँ तो इस समय शिक्षा के प्रचार-प्रसार एवं सुधार के बिना साहित्य का स्तर ऊँचा उठने वाला नहीं है। और साहित्य के रूप में प्रतिफलित हुए बिना तथा साहित्य से संस्कार ग्रहण किए बिना शिक्षा हमारे जीवन में एक जीवंत एवं अलौकिक शक्ति के रूप में सिद्ध होने वाली नहीं है।

एक

अब हम सबसे पहले शिक्षा को लेते हैं। शिक्षा के क्षेत्र में काम करते हुए रा.ब.

हीरालाल ने गत वर्ष के शिक्षा के इतिहास में जिन तथ्यों का उल्लेख किया है, उनमें तीन मुख्य हैं—(1) हिंदू विश्वविद्यालय की स्थापना, (2) प्रो. कर्वे के महिलाविद्यालय की स्थापना और (3) गुजरात शिक्षा परिषद् और उसके परिणामस्वरूप गुजरात शिक्षा मंडल की स्थापना। हिंदू विश्वविद्यालय की स्थापना—एकाएक उपजा हुआ, एक दिन, एक मास या एक वर्ष का अथवा किसी एक ही व्यक्ति के मस्तिष्क का विचार नहीं है। यह तो हमारी शिक्षा के स्वरूप के प्रति लोगों के अंदर लंबे समय से व्याप्त गहरे असंतोष का परिणाम है। भोजो भगत कह गए हैं—

कोटडिए[1] नाणाँ[2] करी मर बेसे, धर्म बिना धन तो शोभे नहिं,
सोहे शणगार[3] सजे मरनी[4] सुंदरी, पण नाक बिना नारी शोभे नहिं।

मैकाले द्वारा लागू की गई हमारी वर्तमान शिक्षा-पद्धति तत्कालीन समय में भारत के लिए चाहे जितनी भी अनुकूल रही हो, परंतु उसमें तो धर्म या धन दोनों में से किसी के लिए संतोषजनक व्यवस्था न थी—धर्म के लिए तो बिल्कुल ही नहीं। धर्म मनुष्य की नाक नहीं, बल्कि उसका रुधिर, प्राण और आत्मा है। उसके लिए हमारी शिक्षा में स्थान तो होना ही चाहिए। यह बात समझ में नहीं आती कि ऐहिक सुखभोग में लीन पाश्चात्य परंपरा भी जब अपनी शिक्षा में धर्म को उचित स्थान देती है, तो फिर आध्यात्मिक जीवन को ही अपना परमार्थ मानने वाले हिंदुओं के बच्चों को धर्म की शिक्षा से क्यों वंचित रखा जाए? कुछ लोगों को यह भय रहता है कि हिंदुस्तान अनेक धर्मों का देश है। इसलिए धार्मिक शिक्षा लागू करने से आपस में विरोध पैदा हो सकता है। पर, इस प्रकार का भय दिखाने वाले लोगों को, पारस्परिक बंधुत्व के प्रति उनके प्रेम का सम्मान करते हुए, परंतु सत्य के खातिर थोड़ी स्पष्टतापूर्वक 'टाइम्स ऑफ इंडिया' की एक पंक्ति उद्धृत करनी पड़ रही है—'एनी फूल कैन बी ए ट्रेडर। चुंगी समाप्त करके शांति बनाए रखने का काम तो कोई मूर्ख भी कर सकता है। परंतु चुंगी भरवाकर व्यापारिक शांति बनाए रखने में समझदारी और विवेक का परिचय मिलता है। इसीलिए प्रस्तुत विषय में भी धर्म-विरोध के भय से धर्म को निष्कासित करने से शिक्षा से संबंधित इस बड़ी समस्या का कोई हल नहीं मिलता। प्रत्येक धर्म का मूल तत्त्व विरोध नहीं, प्रेम है। इसलिए हिम्मत और समझदारी से काम किया जाए, तो उपयुक्त योजना तैयार की जा सकती है। यही नहीं, इस संबंध में एक और बात ध्यान देने योग्य है। 'धर्म' का अर्थ मात्र 'रिलीजन' अर्थात् मनुष्य का परमात्मा के साथ संबंध मात्र नहीं है। यह शब्द हमारे शास्त्रों में तथा हमारे जीवन में अंग्रेजी के 'कल्चर' शब्द के विशाल अर्थ का वाचक है। इसलिए 'हिंदू विश्वविद्यालय' का उद्देश्य 'धर्म' के संकीर्ण अर्थ को शिक्षा में दाखिल करना नहीं

---

1. कोठरी में, 2. धन-संपत्ति, 3. शृंगार, 4. भले ही।

है; बल्कि प्राचीन हिंदुस्तान की लोक संस्कृति का वातावरण उपस्थित करके विद्यार्थियों को 'स्वदेश-भक्ति' और 'स्वदेशाभिमान' के भावों से भरकर तथा मानव जाति के विकास में उन्हें कौन-सी विशिष्ट भूमिका निभानी है, उसके प्रति उन्हें जागरूक बनाना—इस विश्वविद्यालय का खास उद्देश्य है। उद्देश्य-भेद भविष्य में हमारी विद्या और हमारे विचारों पर कितना गहरा प्रभाव डाल सकता है, इसका उदाहरण यदि देखना हो, तो हाल ही में राधामुकुंद मुखर्जी, नरेन्द्रनाथ लॉ, प्रमथनाथ बनर्जी आदि बंगाल के नवयुवक विद्वानों द्वारा प्रकाशित *ए हिस्ट्री ऑफ इंडिया शिपिंग, एंसिएंट इंडियन पॉलिटिक्स, पब्लिक ऐडमिनिस्ट्रेशन इन एंसिएंट इंडिया*—जैसे ग्रंथों का अवलोकन करना चाहिए, जिनमें उन्होंने लोगों के विचारों को नया मोड़ दिया है।

आपके मंत्री ने शिक्षा के खंड में दूसरा उल्लेख प्रो. कर्वे के महिलाविद्यालय का किया है। वह संस्था भी स्वदेशाभिमान के नए वातावरण में जन्मी है। पुरुष विद्यार्थियों को दी जाने वाली बी.ए. की शिक्षा कुछ स्त्रियों के लिए चाहे जितनी भी अनुकूल हो, परंतु सभी स्त्रियों के लिए, और उसमें भी सामान्य हिंदू स्त्री के लिए यह शिक्षा उपयुक्त नहीं होती। यह सिद्धांत ही इस संस्था का प्रस्थान बिंदु है। अपने अल्प शब्दों में मैंने इस संस्था का स्वागत किया है और गुजरात के अनेक स्थानों से प्रोत्साहन मिला है। स्त्री-शिक्षा संबंधी हमारी नई संस्थाएँ इस नए मानदंड पर बनने लगी हैं। मैं चाहता हूँ कि ये नई संस्थाएँ प्रो. कर्वे की संस्था के साथ संबद्ध हों, ताकि हमारे छोटे चक्रों को उस बड़े चक्र का बल और गति मिले। किंतु ऐसी ही एक बड़ी संस्था गुजरात स्तर पर होनी चाहिए। अथवा कुछ लोगों का यह विचार हो कि गुजरात की सभा-संस्थाओं को अपनी विशिष्टता बनाए रखकर विकास करना चाहिए, तो भी मुझे कोई आपत्ति नहीं है। इस नई संस्था के मूल में 'स्त्री-शिक्षा' का जो उच्च एवं विशिष्ट तत्त्व निहित है—एक हितैषी के रूप में मेरी आपत्ति उसके संबंध में है। मेरा मतभेद संस्था के प्रशासन एवं संचालन के संबंध में नहीं है।

अब हम शिक्षा के इतिहास की गत वर्ष की एक तीसरी बड़ी घटना को लेते हैं। वह है 'गुजरात शिक्षा परिषद्' की स्थापना। इस परिषद् का जितना स्वागत किया जाए, और इस उपलब्धि के लिए उद्यम करने वाले अपने देशभक्त बंधुओं का जितना उपकार माना जाए, वह कम है। यह मैं बहुत स्पष्टतापूर्वक अन्यत्र कई बार कह चुका हूँ। परंतु साथ ही यह भी सत्य है कि कहीं पर मैंने उनके कार्य की टीका भी की है और वह इस उद्देश्य से कि इस नई संस्था के कर्णधारों में देश-सेवा की जो अपरिमित शक्ति छिपी है, उसकी परिणति लाभकारी होनी चाहिए, हानिकर नहीं। अभी हम इस प्रकार कार्य के 'प्रस्थान बिंदु' पर खड़े हैं। इतना आगे नहीं चढ़ चुके हैं कि रास्ता बदलने की सलाह को गति में विघ्न मान लिया जाए। दूसरी बात यह है कि इतने वर्षों से जमी सरकार की शिक्षा-पद्धति के विरोध में हम संघर्ष कर रहे हैं और हम यह भी चाहते हैं कि सरकार हमारे संघर्ष को सहन करे। इतना ही नहीं,

उसके आगे झुके भी। ऐसी स्थिति में, यदि हमारे बंधुओं में परस्पर कोई मतभेद हो, तो उसे सहिष्णुतापूर्वक सुनना क्या हमारा कर्तव्य नहीं है? और यदि है, तो मेरा मतभेद भी शांतिपूर्वक सुना जाएगा, ऐसी मुझे आशा है। शिक्षा परिषद् में उपस्थित प्रश्नों में जो सबसे अधिक महत्त्वपूर्ण प्रश्न इस समय है, वह यह कि शिक्षा किस भाषा के द्वारा दी जाए—विदेशी भाषा अंग्रेजी के द्वारा अथवा मातृभाषा द्वारा? यह तो हम नहीं कह सकते कि जो लोग अंग्रेजी की हिमायत करते हैं, वे ऐसा विदेशी वस्तु के केवल मोह में करते हैं या स्वदेशाभिमान की कमी के कारण करते हैं अथवा शासक वर्ग की खुशामद के लिए करते हैं। जो लोग ऐसी हिमायत करते हैं, वे ऐसा मानते हैं कि समग्र हिंदुस्तान की एकता के लिए, देश के समक्ष इस समय जो मुख्य लक्ष्य है, उसे ठीक ढंग से पूरा करने के लिए, अंग्रेजी का प्रचुर अध्ययन और उस पर प्रभुत्व आवश्यक है। परंतु, दूसरी ओर यह भी स्मरण रखना चाहिए कि जो लोग मातृभाषा द्वारा शिक्षा देने का आग्रह रखते हैं, उनका यह मानना है कि अलग-अलग विषय मातृभाषा द्वारा ही अधिक सरलता से तथा गंभीरता से सीखे जा सकते हैं। और ऐसा मानना शुद्ध शिक्षाशास्त्र की दृष्टि से ठीक है। परंतु, शिक्षाशास्त्र की इस दृष्टि को देश की मौजूदा परिस्थितियों के परिप्रेक्ष्य से एकदम अलग करके नहीं देखा जा सकता। साथ ही यह भी ध्यान में रखना चाहिए कि स्वभाषा की हिमायत में भी अंदर से कहीं न कहीं 'स्वभाषा का अभिमान तथा परभाषा के प्रति नफरत या विरोध' भी है ही। ऐसी स्थिति में, जैसा कि बड़ी-बड़ी समस्याओं को सुलझाने के लिए ब्रिटिश शासन के साथ अपने संबंधों का विचार करके हमें कोई भी निर्णय करना पड़ता है और वही सच्चा तथा यथार्थ निर्णय सिद्ध होता है वैसा ही इस विकट परिस्थिति में मानकर चलना चाहिए। अर्थात् इस समय 'केसरी' नामक पत्र निकालते हैं, साथ ही 'मराठा' भी निकालते हैं, और देश को जागृत करने के लिए 'न्यू इंडिया', 'यंग इंडिया' आदि अंग्रेजी में ही निकालते हैं। इन सब पत्रों का हेतु अपनी बात सरकार तक पहुँचाना मात्र नहीं है। उनका मुख्य हेतु तो लोकमत तैयार करना है।

'केसरी' के द्वारा केवल दक्षिण में लोकमत तैयार करने की आशा रखी जा सकती है। परंतु, संपूर्ण हिंदुस्तान में लोकमत तैयार करने के लिए तथा सारे देश को साथ लेने के लिए उपर्युक्त दूसरे पत्र अंग्रेजी में निकाले जाते हैं। (ये उदाहरण तो मैंने राष्ट्रवादी पत्रों के दिए; क्योंकि मुख्यतः राष्ट्रवादियों की ओर से मातृभाषा द्वारा शिक्षा देने की बात की जाती है।) अब मैं पूछता हूँ कि अंग्रेजी भाषा पर पर्याप्त अधिकार के बिना हमारे समाचार पत्र कभी भी अपेक्षित कार्यसिद्धि कर सकेंगे क्या? अंग्रेजी भाषा में अंग्रेजों के समान ही भाषाशक्ति संपन्न हमारे न्यूज पेपर भी प्लेटफॉर्म और पार्लियामेंट में धूम सकें, क्या ऐसे लेखकों तथा वक्ताओं की जरूरत वे नहीं मानते? हम यह कहाँ कहते हैं कि अंग्रेजी को निष्कासित कर देना चाहिए? हम तो मात्र यह कहते हैं कि अंग्रेजी को 'सेकेंड लैंग्वेज' अर्थात् द्वितीय भाषा के रूप

में सिखाया जाए। राष्ट्रवादियों की इस स्पष्टता के जवाब में यह पूछना अनुचित न होगा कि संस्कृत और फारसी हमारे देश के अलग-अलग वर्ग के लोगों की शिष्ट भाषाएँ हैं और वे सेकेंड लैंग्वेज के रूप में पढ़ाई जाती हैं। इसमें आपको क्या अनुभव है? हमारे ग्रेजुएटों ने क्या इन भाषाओं में इतनी सामर्थ्य प्राप्त कर ली है कि वे इन भाषाओं में समाचार पत्र निकाल सकें? सभाओं में गर्जना कर सकें? सत्ता को कंपित कर सकें? अंग्रेजी माध्यम से शिक्षा देने से, गुजराती हमारी मातृभाषा होने के बावजूद, उस पर हमारा प्रभुत्व कम दिखाई पड़ता है, तो फिर अंग्रेजी को 'द्वितीय भाषा' कर देने के बाद अंग्रेजी पर हमारा प्रभुत्व रख पाना संभव हो सकेगा? गणित, इतिहास, भूगोल आदि विषय मातृभाषा में शीघ्रता से सिखाए जा सकेंगे और टाइम टेबल में बीच-बीच में समय मिलने पर इस समय जैसी या इससे भी अच्छी तरह अंग्रेजी सिखाई जा सकेगी। यह आशा यदि मात्र तर्क के लिए न हो, बल्कि वास्तविक हो, तो फिर मैट्रिक की परीक्षा में मातृभाषा में उत्तर लिखने की व्यवस्था होनी चाहिए, ऐसी माँग क्यों करनी पड़ती है? अंग्रेजी यदि अच्छी तरह आती होगी, तो इन दूसरे विषयों में उत्तर लिखना क्यों कठिन होगा? क्या आप यह मानते हैं कि इस समय अंग्रेजी में इतिहास के जो उत्तर लिखे जाते हैं, उनमें विद्यार्थी अपनी मौलिक अंग्रेजी का व्यवहार करते हैं? वे तो मात्र रटी हुई अंग्रेजी ही बाहर निकालते हैं। इतिहास यदि रटी हुई अंग्रेजी में बाहर आता है, तो भी इसमें दुःखी होने की कोई बात नहीं है। डॉ. पिटर्सन कहा करते थे कि जिसे अंग्रेजी कविता की एक हजार पंक्तियाँ याद नहीं, वह अच्छी अंग्रेजी नहीं लिख सकता। गद्य में भी ग्रीन मैकाले याद हों; बल्कि फ्रेजर या एम्पायर हिस्ट्री जैसी सीधी-सादी अंग्रेजी याद हो, तो भी अंग्रेजी पर प्रभुत्व प्राप्त करने में मदद मिल सकती है।

विद्यार्थी यदि अंग्रेजी रटकर इतिहास लिखते हैं, तो क्या यह इतिहास सीखना कहा जाएगा? निश्चय ही, नहीं कहा जाएगा और इसीलिए 'मातृभाषा द्वारा शिक्षा किंतु परीक्षा नहीं।' जो शिक्षण से होकर परीक्षण के सिद्धांत पर पहुँचे हैं, उन्होंने शिक्षा-सिद्धांत को शिथिल किया है। मातृभाषा द्वारा शिक्षा प्राप्त करने के बाद भी अंग्रेजी में परीक्षा देना न आए? यदि न आए, तो मातृभाषा द्वारा शिक्षा का प्रयोजन चाहे, जितना सफल माना जाए, परंतु अंग्रेजी के लिए हानिकारक है। इसीलिए हमारा सिद्धांत इस पूर्वधारणा का विरोधी है कि अंग्रेजी तो अच्छी आनी चाहिए। परंतु आप जैसा चाहते हैं, अंग्रेजी का इतना ऊँचा ज्ञान कितनों के लिए आवश्यक है? क्या थोड़े लोगों के हित के लिए बहुतों के हित (जो कि प्रत्येक विषय को अच्छी तरह समझने में है) को हानि पहुँचाना ठीक होगा? बिल्कुल नहीं। किंतु, अलग-अलग विषयों के ज्ञान को ताजा तथा परिपूर्ण रखने के लिए अंग्रेजी में प्रकाशित होने वाले अगणित ग्रंथों को सरलता से पढ़ सकने के लिए अंग्रेजी का अच्छा ज्ञान आवश्यक है। पर, यह जाने दीजिए। स्कूली शिक्षा को कॉलेज की शिक्षा से अलग कर दीजिए और

शिक्षा को अपने तक सीमित कर दीजिए। फिर तो मेरे जैसा तटस्थ व्यक्ति 'स्कूली शिक्षा तथा परीक्षा' देशी भाषा में रखने के पक्ष में मत देने के लिए तैयार है। अंग्रेजी के कारण दूसरे विषयों का तनिक भी नुकसान हो, यह दुःखद स्थिति है और अंग्रेजी पर प्रभुत्व प्राप्त करने के चक्कर में हमारी अधिकाधिक मानसिक ऊर्जा नष्ट हो, यह बहुत अनष्टिकर है। परंतु, अंग्रेजी के संबंध में आज जो हमारी परिस्थिति है, उसको देखते हुए मैं अपनी अल्प मति से यह कह सकता हूँ कि वह अनिष्ट सहन करके ही हमें कोई रास्ता निकालना पड़ेगा। मैं यह जानता हूँ कि मेरा यह विचार आप में से कइयों को रुचेगा नहीं; परंतु साथ ही मुझे यह भी विश्वास है कि आप मात्र विचारों के रुचिकर होने को ही पर्याप्त नहीं मानते; बल्कि देश का हित भी चाहते हैं। इस विषय में देशहित के लिए विचार-मंथन हो, जिससे हमारे विचारों में परिपक्वता आए; इसे आप इष्ट मानते हैं, इसलिए मेरा मतभेद उदारतापूर्वक सहन कर लेंगे। मैं आपको विश्वास देता हूँ कि इतनी सारी दलीलें अंग्रेजी के पक्ष में देने के बावजूद मैं अभी प्रयोग ही मानता हूँ। इसलिए मातृभाषावादियों से मेरा इतना ही निवेदन है कि मातृभाषा द्वारा शिक्षा दिए जाने पर भी अंग्रेजी को कोई हानि नहीं पहुँचती हो, ऐसा कोई प्रयोग करके आप हमें बताइए। आपके अपने नियंत्रण में बहुत सारी पाठशालाएँ हैं। एक और नई पाठशाला खोलकर उसमें यह प्रयोग करके देखिए। मतभेद की इस वर्तमान स्थिति में सरकार की कलम के एक झटके से सैकड़ों पाठशालाएँ, आपके मत के प्रवाह में बहकर कहाँ निकल जाएँगी, यह अपनी अनुभवहीनता के कारण आप जान भी नहीं पाएँगे। इस बात का आपको खास ध्यान रखना चाहिए। इस विषय पर विगत आश्विन मास में 'वसंत' के अंक में—शिक्षा परिषद् के अवसर पर एक मार्गदर्शक पूर्ववर्ती लेख की विस्तृत चर्चा की थी। दो मास पूर्व संक्षेप में उसका पुनः उल्लेख शिक्षा मंडल के कार्य का अवलोकन करते हुए किया था। और आज पुनः उसी विषय को लिया है। यह इसलिए कि यह विषय अत्यधिक चर्चा के भँवर में फँसा हुआ है और हमारी शिक्षा का भविष्य इस पर बहुत निर्भर है। इस प्रकार के किसी भी प्रश्न के निर्णय में शिक्षा परिषद् और शिक्षा मंडल के साथ मेरा मतभेद होते हुए भी इन दोनों संस्थाओं का मैं सच्चे हृदय से स्वागत कर चुका हूँ। इन दोनों संस्थाओं में देश के भविष्य निर्माण की बहुत अधिक शक्ति निहित है। इस 'बहुत' शब्द में अच्छा और बुरा दोनों अर्थ निहित है। इसलिए यह हमें अपनी जिम्मेदारी का ज्ञान कराता है।

दो

अब हम शिक्षा के बाद साहित्य-चर्चा पर आते हैं। शिक्षा के माध्यम के प्रश्न को मैंने इतना महत्त्व दिया, वह मात्र शिक्षा की समस्या के रूप में। परंतु, शिक्षा के माध्यम के साथ साहित्य-सर्जन का प्रश्न भी बहुत निकट का संबंध रखता है। यदि बी.ए.,

बी.एस-सी., बी.सी.ई., एम.बी., बी.कॉम. आदि की हमारी संपूर्ण शिक्षा हमारी मातृभाषा में दी जाए, तो हमारी मातृभाषा का साहित्य निःसंदेह 'लहरा' उठेगा। स्वर्गीय दी. बा. अंबालालभाई दुःख प्रकट करते हुए कहते हैं कि हमारे न्यायालयों में जब तक अंग्रेजी में काम चलेगा, तब तक हमारी देशी भाषा में वक्तृत्व कला ग्रीस के समान कैसे विकसित हो सकेगी? प्रस्तुत समस्या पर पक्षपातरहित विचार करने वाले को मातृभाषा के पक्ष में दी गई यह दलील निश्चय ही सत्य प्रतीत होगी, परंतु उसका दूसरा पहलू भी उतना ही सत्य है। ट्रेनिंग कॉलेज के विद्यार्थी मातृभाषा में ही शिक्षा प्राप्त करते हैं तथा निचली अदालतों में देशी भाषा का ही हमेशा उपयोग होता है, फिर भी इससे साहित्य को कोई लाभ नहीं पहुँचा है। उसका कारण यह है कि साहित्य में निखार लाने के लिए ये सब बातें गौण हैं। साहित्य-सर्जन का मुख्य आधार जीवन है। जीवन जितना व्यापक होगा, उसमें जितनी गहराई होगी, बाहरी प्रभावों को वह जितनी तीव्रता से ग्रहण कर सकेगा और उसे आत्मसात् करके नया सत्त्व पैदा कर सकेगा, उसी अनुपात में महान साहित्य का सर्जन संभव हो सकेगा। हंस वर्षा ऋतु की झड़ी में विशाल मैदान को छोड़कर मानसरोवर में छिप जाता है। इसलिए हंसवाहिनी देवी आत्मा की क्षुब्ध अवस्था में नहीं, बल्कि शांति के क्षणों में बाहर निकलकर विहार करती हैं। यह मानना ठीक है; परंतु शरद् ऋतु की शांति (उसके मनोहर क्षेत्र और जल) वर्षा ऋतु से ही संभव होती है। इस हकीकत को समझ लेने के बाद ही इस बात का निश्चय हो सकेगा कि अनेक शक्तियों से संक्षुब्ध महान् समय (युग) ही महान् साहित्य का सर्जन कर सकता है।

सरस्वती देवी जनता के हृदय-तंतुओं को कब अपनी वीणा का तार बनाएँगी, यह कहा नहीं जा सकता। पर इस हंसवाहिनी देवी को कैसे उपवन में विहार करना रुचता है और कैसी परिस्थिति में वह वीणा के तारों को छेड़ती है, इसका तो थोड़ा अनुमान विश्व के विविध देशों का इतिहास देखकर किया जा सकता है। ग्रीक का बाह्य-प्रसार तथा उपनिवेशों की स्थापना और एशिया तथा अफ्रीका के देशों के साथ युद्ध की कसौटी पर चढ़ने के बाद उसने जो आत्मज्ञान और स्वाभिमान, दूसरे शब्दों में कहें, तो 'नवजीवन' प्राप्त किया, उसके परिणामस्वरूप महान् शासक पेरेक्लिस के युग का उदय हुआ। उस समय ग्रीक नाटककार इस्काइलास, सोकोक्लिस और युरिपीडिस, ग्रीक दार्शनिक सुकरात और प्लेटो, ग्रीक इतिहासकार हेरोडोटस और थ्युसिडेटस हुए; और उन्होंने विश्व संस्कृति में ग्रीक का नाम अमर किया। उसी प्रकार रोमन साहित्य का उद्भव ग्रीक के साथ संबंध के उपरांत हुआ। उसके इतिहास में 'ऑगस्टन युग' प्रसिद्ध हुआ। वह उसके साम्राज्य का, अर्थात् अनेक देशों के साथ संबंध और उस संबंध के विकास का युग था। आधुनिक युग के इतिहास पर नजर डालें, तो यूरोप का नवजागरणकालीन महान् साहित्यिक युग, प्राचीन ग्रीक और लैटिन साहित्य की खोज, मुद्रण कला की खोज—ये सब कार्य मनुष्य की बुद्धि, शक्ति और

अनुभव के विस्तार के परिणाम हैं। उस साहित्य युग का आरंभ ग्रीक और लैटिन के ग्रंथों के अनुवाद से हुआ। ज्ञान के क्षेत्र में स्वदेशी-विदेशी का कोई भेद नहीं होता। इंग्लैंड छंदबंधों, विचार तरंगों और नाटकों की विषय-वस्तुओं की खोज के लिए इटली तक जाता है। उसी के परिणामस्वरूप स्पेंसर और शेक्सपीयर जैसे महाकवियों के काव्य और नाटक हमें देखने को मिलते हैं। इस तरह हृदय और बुद्धि के विस्तार से विश्व-बंधुत्व की भावना का उदय होता है, तो दूसरी तरफ स्वदेशाभिमान भी उसके साथ दृढ़तर होता है। स्पेंसर अपने सॉनेट के विषय और उपमाएँ विदेशों से लाते हैं। परंतु उन्हें इंग्लैंड की महारानी एलिजाबेथ के ही चरणों में अर्पित करते हैं। शेक्सपीयर मनुष्य के समस्त क्षेत्रों का भ्रमण करते हैं, परंतु साथ ही–This Precious stone set in the silver sea[1] के प्रति उनकी उत्कंठा कुछ अलग ही है।

हमारे अपने देश का इतिहास भी महान् कवि और महान् युग के सहसंबंध को ही प्रमाणित करता है। 'शोकः श्लोकत्वमागतः'–यह सच है कि हमारे महाकवि वाल्मीकि के मुख से यह उद्‌गार एक क्रौंच पक्षी पारधी के हाथों मारे जाते हुए देखकर ही निःसृत हुआ। परंतु, साथ ही यह भी सच है कि यह शोक दयालु हृदय की चीख में ही विलीन हो गया होता, यदि आर्य-अनार्य के संबंध, विरोध और आर्य संस्कृति के विस्तार का महान् चित्र उनके नेत्रों के सामने खड़ा नहीं हुआ होता। महाभारत का सर्जन भी भरत खंड की ही नहीं, बल्कि उसके बाहर की अगणित जातियों की आपसी टकराहट के इतिहास में से हुआ है। कालिदास, बाण, राजशेखर आदि महाकवियों का इतिहास भी इसी नियम का अनुसरण करता है। संक्षेप में कहें, तो जीवन जितना व्यापक होगा, महाकवियों का प्रादुर्भाव भी उतना ही अधिक संभव होगा।

अब हम इस ऐतिहासिक स्थिति के आधार पर यह तय कर सकते हैं कि अपने वर्तमान साहित्य के विकास के लिए क्या-क्या आशाएँ रखें और उन्हें प्राप्त करने के लिए कौन-से मार्ग अपनाएँ? इस प्रश्न पर गंभीरता से विचार करने पर पता चलता है कि हमारे साहित्य के उत्थान और उसमें नई शक्ति के संचार के लिए एक तरफ अपने देश के प्राचीन साहित्य की खोज तथा दूसरी तरफ पश्चिम की नई दुनिया के साथ संबंध स्थापित करना आवश्यक है। साथ ही वर्तमान समय में

---

1. This royal throne of Kings, this scepter'd isle.
This earth of majesty, this seat if Mars.
This other Eden demi-paradise;
This fartress, built by nature herself:
Against infection and the hand of war
This happy breed of men, this little world:
This Precious stone set in the silver sea.

जो चित्र हमारे सामने प्रस्तुत किया है, वह हमारे लिए कम संतोषकारक नहीं है। एक वर्ष में हमारे इस छोटे-से प्रांत में और इस वर्तमान परिस्थिति में 'शिक्षा-परिषद्' जैसी एक संस्था ही है, 'स्मरण संहिता' जैसे काव्यग्रंथ की रचना हो, 'पाटण की प्रभुता' जैसा उपन्यास लिखा जाए, 'सच्चा स्वप्न' जैसा अतिशुद्ध अनुवाद हो और साथ ही उसके कवि के विषय में ऐतिहासिक चिंतन पाठक के समक्ष प्रस्तुत किया जाए। इसलिए हम यह नहीं कह सकते कि यह वर्ष हमारी कार्य-कुशलता और साहित्य-सर्जन की दृष्टि से व्यर्थ गया है। फिर भी विंसेंट स्मिथ के इतिहास का गुजराती में अनुवाद किए बिना 'सच्चा स्वप्न' तथा 'प्रियदर्शना' आदि की भूमिका में मात्र गुजराती जानने वाले पाठकों के लिए प्रदर्शित रा.ब. केशवलालभाई की विद्वत्ता का आधा परिश्रम क्या व्यर्थ नहीं है? पाटण की प्रभुता में इतिहास और उपन्यास के अंशों को अलग-अलग करके रा.ब. कन्हैयालाल मुंशी के कार्य की प्रशंसा करने से पहले गुजरात का एक प्रामाणिक तथा विस्तृत इतिहास गुजराती पाठक को दिया होता, तो कितना अच्छा रहा होता? उन्नीसवीं शताब्दी के इंग्लैंड की बुद्धि और हृदय को आत्मा-परमात्मा तथा पारलौकिक जीवन के विकट प्रश्न किस तरह मथ रहे थे, इसकी जानकारी रखने वालों को रा.ब. नरसिंहराव की 'स्मरण संहिता' का आस्वाद भी कुछ अलग ही मिलेगा। उसी प्रकार शिक्षा परिषद् के अध्यक्ष का भाषण गुजराती शिक्षकों के हितार्थ गुजराती भाषा में ही होना चाहिए था। यह कहने के साथ-साथ उन्हीं शिक्षकों के हितार्थ यह भी जोड़ना चाहता हूँ कि वे शिक्षा के प्रश्नों पर स्वतंत्र और शास्त्रीय चिंतन कर सकें, इसके लिए प्रभूत मात्रा में शिक्षा संबंधी साहित्य की रचना भी होनी चाहिए।

अनुवाद : **योगेंद्रनाथ मिश्र**

फकीर मोहन सेनापति

भीमा भोई

गोपबंधु दास

फकीर मोहन सेनापति

1843-1918

उड़ीसा के व्यास कवि के रूप में परिचित। बाल्यकाल में पिता की छत्रछाया और माता की ममता से वंचित फकीर मोहन को अनेक कष्ट सहन करने पड़े। संघर्षों से अपराजित हो फकीर मोहन ने विभिन्न क्षेत्रों में कार्य किया। वे कई गड़जातों के दीवान भी नियुक्त हुए थे। 'संवाद वाहिका' तथा 'बोध दायिनी' पत्रिकाओं का प्रकाशन कर समाज में नई चेतना और जागरण फैलाया। उपन्यास एवं कहानी लेखन में उन्होंने असाधारण शिल्प निपुणता हासिल की थी। 'मामु', 'लछमा', 'प्रायश्चित', 'छमाण आठ मुण्ठ' और कई श्रेष्ठ कहानियाँ उपर्युक्त कथन की पुष्टि करती हैं। उनकी काव्य-प्रतिभा भी असामान्य थी। 'उपहार', 'पुष्पमाला', 'अवसर वासरे', रामायण तथा महाभारत के पद्यानुवाद, गौतम बुद्ध के जीवन चरित पर आधारित 'बौद्धावतार' एवं दीर्घ पद्य रचना 'उत्कल भ्रमण' फकीर मोहन के विविध अनुभवों एवं विचारों का भंडार है। उनके उपन्यास शोषण एवं अत्याचार की करुण कथाएँ हैं। समाज को कुसंस्कारों से मुक्त करना उनके कथा-साहित्य का मूल-प्रण है। इसलिए फकीर मोहन ने सड़ी-गली मान्यताओं, जर्जर परंपराओं और अनुपयोगी सिद्धांतों पर अपनी रचनाओं के माध्यम से तीखा व्यंग्य किया है।

कटक की आलोचना सभा में भाषण

कुछ दिन पहले किसी शिक्षित बंगाली बाबू से मेरी बात हुई थी। उन्होंने कहा था बंगभाषा के समाचार पत्र और पुस्तकें उत्कल के निवासी जिस आग्रह से पढ़ते हैं, मातृभाषा के अध्ययन में उनका उतना आग्रह नहीं दिखाई पड़ता। इसलिए उत्कल भाषा की अवनति अनिवार्य है। सभी उत्कलीयों के लिए यह चिंता का विषय है। संसार के इतिहास से यह स्पष्ट होता है कि मातृभाषा खोकर किसी भी जाति की उन्नति नहीं हो सकती है। इसके सैकड़ों प्रमाण मौजूद हैं। मातृभाषा का अनादर एवं अवज्ञा करने वाली जाति की अवनति तथा उसका विनाश अनिवार्य है।

जब तक उत्कल की दरिद्रता, शिक्षितों का मातृभाषा-चर्चा के प्रति घृणापरक मनोभाव और अमीरों की किताब खरीदने में कंजूसी बनी रहेगी, तब तक नए ग्रंथों का प्रचार-प्रसार कैसे संभव होगा?

भाषा की उन्नति का अन्यतम कारण राजाज्य है। पर राजाओं का संरक्षण तो दूर की बात है, आज तक (पिछले पाँच सौ सालों से) अपनी भाषा विविध प्रकार के अत्याचार सहन करती आई है। लेकिन विशिष्ट जीवनी शक्ति के ही चलते यह भाषा आज भी जीवित है।

...साहित्य किसी जाति का प्राण, आधार, पदमर्यादा की रक्षा का अवलंबन है। यदि किसी देश या जाति का साहित्य समृद्ध नहीं हो तो उसकी समृद्धि असंभव हो जाती है। जातीय जीवन अथवा जातीय उन्नति का मानदंड केवल साहित्य द्वारा ही स्थिर किया जा सकता है। यदि किसी जाति की भाषा उन्नत न हो तो निश्चित रूप से वह जाति जाग्रत नहीं है। उसमें तत्परता का अभाव है।...वह जाति आत्म गौरव बनाए रखने में असमर्थ होती है। सभ्य समाज में उसका स्थान सबसे नीचे होता है। उसकी स्थिति कारुणिक होती है। वह हमेशा उपेक्षित होती है। महोदयो! भाषा के इस दृष्टिकोण से अपनी जाति पर ध्यान दें। सभ्य समाज में अपना स्थान कहाँ है? हमारे जातीय विकास के क्या उपाय हैं? भाषा के प्रति प्रेम, भाषा के लिए प्रयत्न और किंचित त्याग करने से अच्छे फल प्राप्त होंगे। अपनी भाषा की उन्नति के लिए हमें ही प्रयत्न करना होगा। दूसरों पर निर्भर होना नहीं चाहिए। यह सच है कि आज अंग्रेजी भाषा के पठन-पाठन में सारी दुनिया जुटी हुई है। लेकिन जब तक मातृभाषा की उन्नति न हो तक हम असली साहित्य के रसास्वादन से वंचित रहेंगे क्योंकि वास्तविक साहित्य मातृभाषा की संपत्ति है। जब तक मातृभाषा की उन्नति नहीं होगी, तब तक हम साहित्य के असली रसास्वादन से वंचित रहेंगे।

संसार के इतिहास की आलोचना करें तो पाएँगे कि कोई भी जाति परकीय भाषा के बलबूते पर वास्तविक उन्नति प्राप्त करने में समर्थ नहीं हुई है। जिस प्रकार नदी में बाढ़ आए तो वह पानी को आंदोलित करके उन्मत्त प्रवाह से बहती है और एक-आध ऐसे चिह्न छोड़ जाती है जो मूल धारा से अलग होता है, विदेशी भाषा का भी स्वरूप ठीक ऐसा ही होता है। 50-60 साल पहले इस प्रांत की राजभाषा फारसी थी। उस समय फारसी मिश्रित उड़िया बोलना विज्ञता का परिचायक था। उच्च कुल के लोग फारसी का प्रयोग करते थे। परंतु भागवत, रामायण का पाठ भी हुआ करता था। अधिकांश लोग उड़िया ही बोलते-लिखते और पढ़ते थे।

मातृभाषा की उन्नति की जिम्मेदारी हम सब पर है। 'हम' यानी पढ़े-लिखे लोग। यदि हम अपने काम की अवहेलना करेंगे तो यह अपनी, देश, नई पीढ़ी, बेटी, बहन सबकी अवहेलना होगी।

मातृभाषा की चर्चा एवं उन्नति के कार्य से जो विमुख हैं वे स्वदेशप्रेमी नहीं

हैं। स्वदेश, स्वजाति का अर्थ स्वदेश की भाषा है। यानी कोई भी प्रांत अपनी भाषा के नाम से पहचाना जाता है। जैसे बंग प्रांत में बांग्ला प्रचलित है। देश का हित केवल देश के प्रति प्रेम से संभव नहीं होगा। दोनों के प्रति प्रीति होना आवश्यक है।

यद्यपि यह विषय वस्तु से थोड़ा-सा अलग है, फिर भी उसका उल्लेख करना अनुचित न होगा। किसी बंगाली सज्जन ने उत्कल पर व्यंग्य किया तो बाबू मधुसूदन दास ऊँची आवाज में बोले–

"आप मेरी निंदा कर सकते हैं, गाली दे सकते हैं पर मेरे देश का नामोल्लेख करने का अधिकार आपको नहीं है।" ऐसा देशभक्त अपना सर्वस्व त्याग कर सकता है। उत्कल का यह सौभाग्य है कि उसे मधुबाबू जैसे योग्य संतान मिले हैं...

जातीय साहित्य की उन्नति के लिए शिक्षितों को निम्न चार उपायों को अपनाना चाहिए–

1. जातीय साहित्य पढ़ें
2. पढ़वाएँ
3. लिखें
4. लिखवाएँ

मुझे बड़े दुःख तथा संकोच के साथ कहना पड़ रहा है कि हमारे उच्च शिक्षित लोग मातृभाषा की किताबें खरीदकर नहीं पढ़ते। चूँकि उनके पास वृहदाकार सुनहरे रंग की पुस्तकें होती हैं, इसलिए पतली किताबों की नोटिस न लेना स्वाभाविक है। पर उन्हें यह समझना चाहिए कि अपनी माता को विपन्नावस्था में छोड़कर दूसरे की माता के प्रति श्रद्धाभाव रखना अनुचित है। महान लोगों का अनुकरण दूसरे लोग करते हैं। शिक्षितों की यदि ऐसी दशा रही, मातृभाषा के प्रति ऐसी अवहेलना बनी रही तो दूसरों से क्या प्रत्याशा की जा सकती है? यदि आप जगन्नाथ दास या उपेंद्र भंज का नाम सुनते हैं तो तालियाँ बजाते हैं, पर अपने आप से जरा पूछें कि उनकी कौन-सी किताब आपके पास है?

मेरे प्रतिवेशी मित्र ने एक बार कहा था–"अपनी मातृभाषा की किताब यदि मैं न खरीदूँ तो दूसरे क्यों खरीदने जाएँ? ऐसा करने से मातृभाषा की उन्नति नहीं हो सकती है। आपके प्रांत के लोग यह नहीं समझते, इसलिए उड़िया भाषा की यह अवनति है।

...सज्जनो, कृपया अपनी आलमारियों की ओर देखें। जाने कितनी किताबें उनमें सज्जित हैं, होना भी चाहिए; लेकिन उड़िया की किताबें क्यों नहीं हैं? उपेक्षित वस्तुओं की उन्नति की संभावना बिल्कुल निराली होती है।...

–1912, चौथा वार्षिक अधिवेशन

अछूत और वेदाधिकार

वेद, जेंदावस्ता, बाइबिल, कुरान आदि विश्व प्रसिद्ध शास्त्र विशिष्ट संप्रदायों के धर्मग्रंथ हैं। प्रत्येक संप्रदाय अपने धर्मग्रंथ को ईश्वरप्रदत्त मानता है और उसी रूप में अपनाता भी है। लेकिन उस पर विचार करना मेरा उद्देश्य नहीं है। हिंदू समाज में सम्मानित वेदशास्त्रों पर कुछ बातें प्रस्तुत करना ही मेरा लक्ष्य है।

...मानवात्मा के उद्धार के लिए यदि ईश्वर ने स्वयं कुछ ग्रंथों का सृजन किया है तो उन ग्रंथों में भेदभाव कैसा?...

वेदाधिकारी कौन है? अर्थात वेद-अध्ययन करने का अधिकार किसे है? इसका सीधा-सा संक्षिप्त उत्तर यह है कि वेद सनातन धर्मग्रंथ हैं, मानवजाति के साथ सृजित हैं। किसी भी जाति, धर्म, वर्ण के स्त्री, पुरुष को बिना किसी भेदभाव के इसके अध्ययन का अधिकार है। लेकिन अनुभव बताता है कि ब्राह्मणों ने इसे बिल्कुल अपनी संपत्ति मान ली है। ब्राह्मणों ने इसे दूसरी जातियों से दूर रखा है ताकि वे अपनी मनमानी हमेशा के लिए जारी रख सकें।

यह सच है कि 'स्त्री शूद्रद्विजबंधुनां त्रयिन श्रुति गोचरा' जैसे श्लोक ब्राह्मणों के समर्थन के लिए लिखा गया है। लेकिन यह सच है कि यह किसी प्रामाणिक शास्त्र का वचन नहीं है। ब्राह्मणों का यह कल्पित वाक्य है। यदि ब्राह्मण ही वेदों के अध्ययन के योग्य हैं, तो यह प्रश्न उठता है कि ब्राह्मण है कौन? ब्राह्मण परिवार में जन्म लेने वाला या जनेऊ धारण करने वाला? यह युक्तियुक्त नहीं है। शास्त्रों में कहा गया है–

"जन्मना जायते शूद्रः संस्काराद्विज उच्यते।
वेदाभ्यासी भवेद् विप्रः ब्रह्मजानाति ब्राह्मणः।"

जो लोग वेदाभ्यासी या ब्रह्मज्ञ हैं, वे भी जन्म से या जनेऊ से ब्राह्मण होने का परिचय देना नहीं भूलते हैं। वेद के बारे में बताना केवल उन्हीं का अधिकार नहीं है। धर्मशास्त्र के आदेशानुसार वेदों के बारे में जो दूसरों को जानकारी दे, वही ब्राह्मण है। ब्राह्मण परिवार में जन्म ग्रहण करने पर भी कोई ब्राह्मण माना नहीं जाता है बल्कि उसे चंडाल समझा जाता है–

चण्डालारेपि द्विजश्रेष्ठः विष्णुभक्तिपरायणः
ब्रह्मज्ञान विहीनस्तु द्विजोपि श्वपचाधमः।"

इसलिए गुण और कर्म के अनुसार जाति-विभाजन मान्य होना चाहिए, न कि जन्म के आधार पर।...

दो टिप्पणियाँ

बालासोर के जिला स्कूल में एक बंगाली सज्जन कांतिचंद्र भट्टाचार्य को नियुक्त किया गया था। उन्हें स्कूल में विद्यार्थियों को उड़िया पढ़ाने का आदेश दिया गया। उन्होंने स्वयं उड़िया सीखी परंतु छात्रों को उड़िया पढ़ाना उन्हें रास न आया। उन्होंने कड़ी मेहनत से एक निस्सार पुस्तक 'उड़िया स्वतंत्र भाषा नहीं है' लिखी। कांतिबाबू ने उड़िया को बांग्ला का अपभ्रंश मात्र समझा और यह मत भी प्रस्तुत किया कि बांग्ला की कुछ जंगली बोलियों के मिश्रण से उड़िया भाषा का जन्म हुआ है। इसलिए उड़िया भाषा को उड़ीसा से निकालना होगा। सरकारी नौकरी करने वाले उड़ीसा निवासी बंगाली लोगों ने कांतिबाबू का साथ दिया। बालासोर के कुछ नौजवानों ने मातृभाषा की रक्षा के लिए व्यापक आंदोलन किया। 'उत्कल दीपिका', कटक ने अपना कर्तव्य भलीभाँति पूरा किया। आंदोलन की व्यापकता से सरकार को चिंता हुई। उत्कल प्रांत के तत्कालीन कमिश्नर रेवेंशा महोदय तथा बालासोर के कलक्टर भाषाविद् श्रीमान वीमस साहब ने सहानुभूतिपूर्वक विचार किया और उत्कल विश्वविद्यायल से बांग्ला को विदाई दे दी। उड़िया का स्थान यथावत रहा। उत्कल निवासी सदा इनका स्मरण करते रहेंगे।...

× × ×

साहित्य की बात को छोड़ भी दें। धर्म-चर्चा का उल्लेख करने से यह मिलेगा कि हर ईसाई के घर बाइबिल पूजी जाती है। मुसलमान कुरान का पाठ करते हैं या रखते हैं। उत्कल का जातीय धर्मग्रंथ जगन्नाथदास का 'भागवत' आपके घर है क्या? कटक कॉलेज के सेवानिवृत्त प्रिंसिपल स्वर्गीय नीलकंठ मजुमदार से मेरा विशेष लगाव था। उनके यहाँ ढेरों बांग्ला की पुस्तकें थीं। नई किताब की सूचना पाते ही मजुमदार महाशय खरीद कर ले आते। मैंने उनसे पूछा—आप बांग्ला की किताबें पढ़ते तो नहीं, खरीदते क्यों हैं? उनका उत्तर था—"हमारी मातृभाषा की पुस्तकें यदि मैं न खरीदूँ तो दूसरे खरीदे भी क्यों? ऐसा होने पर मातृभाषा की उन्नति नहीं होगी। आपके प्रांत में लोगों को यह समझ में नहीं आता। इसलिए उड़िया भाषा की ऐसी अधोगति है।"

अनुवाद : **अरुण होता**

रेवती

(उड़िया की पहली कहानी)

कटक जिले का पाटपुर गाँव। अच्छा-सा घर है। आगे-पीछे चार कमरे हैं। आँगन में कुआँ। सामने बाहरी दरवाजा है। पिछवाड़े बाड़ी में जाने का दरवाजा है। बाहर बैठक है। जहाँ लोग आते-जाते हैं, लगान देते हैं। श्यामबंधु महांति इस गाँव के जमींदार के मुनीम हैं। उनका वेतन दो रुपया महीना है। इसके अलावा लोगों से दो पैसा मिल जाता है। कुल महीने में चार रुपए से कम नहीं मिलता। गृहस्थी मजे से चल जाती है। बाड़ी में भी चार क्यारी साग हो जाता है। सहजन के पेड़ हैं। घर में दो दुधारू गायें हैं। थोड़ा बहुत दूध मिल जाता है। कभी छाछ का काम चल जाता है। बुढ़िया तुष मिलाकर उपले थाप देती है। जलपान की कमी नहीं रहती। जमींदार ने साढ़े तीन एकड़ जमीन खेती के लिए दे रखी है। धान का काम चला लेते हैं। श्यामबंधु बहुत सीधे आदमी हैं। प्रजा आदर करती है। उनसे कोई तकलीफ नहीं। बाबू-भैया-काका कह करके लगान वसूल करते हैं। किसी से अन्याय का एक पैसा भी नहीं लेते। प्रजा लगान देकर पावती नहीं माँगती। वे खुद उनके हाथ में दे देते हैं। जमींदार का प्यादा आने पर गाँव में उसे नहीं छोड़ते। खुद ही बात करते हैं, बीड़ी-पानी का खर्चा देकर उसे विदा कर देते हैं।

श्यामबंधु के घर में चार प्राणी हैं। खुद और घरवाली। माँ बूढ़ी है। इसके अलावा दस बरस की बेटी है। उसका नाम 'रेवती' है। श्यामबंधु शाम को बरामदे में बैठकर 'कृष्णसिंधु वदन' भजन गाते। कभी भागवत पाठ करते हैं। रेवती पास में बैठकर सुनती। अब तक वह कई भजन याद कर चुकी है। नन्हे मुँह से भजन बहुत अच्छे गाती है। लोग आकर सुनते हैं। श्यामबंधु से भजन सीखकर सुनाती है। श्यामबंधु की बेटी के भजन बहुत सुंदर लगते हैं। दो साल पहले की बात है। तब स्कूल के डिप्टी इंस्पेक्टर दौरे पर आए थे। रात में पाटपुर में ही रुक गए। गाँव के चार-पाँच मुखिया लोगों ने डिप्टी साहब की आवभगत की थी। उन्हें समझा दिया कि गाँव में कोई पाठशाला नहीं है। डिप्टी साहब ने रिपोर्ट में यह बात लिख दी। तब सरकार ने पाटपुर में एक प्राइमरी स्कूल खोल दिया था। एक शिक्षक को वहीं नियुक्त किया है। महीने का वेतन चार रुपए सरकार देती है। शिक्षक का नाम है वासुदेव। जैसा नाम वैसा ही काम। वासुदेव बहुत अच्छे शिक्षक हैं। गाँव में जब रास्ते पर चलते हैं तो सब उनका आदर करते हैं। उन्होंने ननिहाल में रहकर पढ़ाई की है। कभी पर्व-त्यौहार के लिए श्यामबंधु पाठशाला में जाकर कह आते "वासुदेव, आपकी काकी ने आज शाम बुलाया है।"

माँ उन्हें देखकर कहती—"बेटे, तुम्हारा कौन ध्यान रखता है। अपना ख्याल

खुद रखा करो।" इसी तरह आना-जाना चलने लगा। उनमें घनिष्ठता बढ़ती गई। अब तो वासुदेव प्रतिदिन शाम को उनकी चौपाल पर जाने लगा।

रेवती अपने बापू के पास बैठकर भजन गाती तो वासुदेव को सुनकर अच्छा लगता। वहाँ पर कई तरह की चर्चा होती। श्यामबंधु को पता चला कि कटक में लड़कियों के लिए एक पाठशाला है। वहाँ सिर्फ लड़कियाँ पढ़ाई करती हैं। सिलाई सीखती हैं। श्यामबंधु की इच्छा हुई कि रेवती भी पढ़ाई करे, यह बात वासुदेव को बताई। वासुदेव ने कहा—"मैं भी आपको यही कहना चाहता था।"

दोनों ने विचार-विमर्श कर रेवती को पढ़ाने का फैसला कर लिया। रेवती वहीं बैठी सब सुन रही थी। इसके बाद दौड़ गई। माँ से कहा—"मैं पढ़ाई करूँगी...मैं पढूँगी..." दादी को भी हिला कर इस बात की खबर दी। मगर दादी को अच्छा नहीं लगा। वह कहने लगी—"तू ना...अभी...देखेंगे बाद में।" रेवती लौट गई।

आज श्रीपंचमी है। शुभ दिन है। रेवती सुबह नहा-धोकर तैयार हो रही है। वासुदेव भैया आकर आज पढ़ाई शुरू करेंगे। दादी के डर से पढ़ाई शुरू करने का कोई खास प्रबंध नहीं किया गया।

बस, समय पर वासु भाई आए। पढ़ाई शुरू कर दी—अ...आ...इ...इत्यादि से नया पर्व शुरू कर दिया।

प्रतिदिन वासुदेव आते। पढ़ाने का क्रम चलता रहा। दो साल में रेवती ने बहुत पढ़ाई कर ली। वर्णमाला की सारी किताब सीख ली है।

श्यामबंधु और माँ ने विचार किया—वासुदेव लड़का बहुत अच्छा है। उसका भविष्य भी अच्छा है। वह कैसा रहेगा?...सारी बात रेवती ने सुन ली है।

अब रेवती कुछ बड़ी हो गई है। वासुदेव के आने की प्रतीक्षा करती है। परंतु वासुदेव के आने पर लजा कर अंदर भाग जाती है। दादी उसे बाहर जाने नहीं देती।

इस बीच दो साल बीत गए हैं। गाँव में अचानक महामारी फैली। हैजे में लोग मरने लगे। सारे गाँव में डर फैल गया। श्यामबंधु भी हैजे की चपेट में आ गए। वासुदेव को खबर मिली। वे दौड़ कर घर आए। सेवा करने लगे। परंतु बहुत देर हो गई थी। श्यामबंधु चल बसे। रेवती जमीन पर गिरकर जोर-ज़ोर से रोने लगी।

गाँव के लोग सुनकर घबरा उठे। क्या किया जाए। घर पर तो दो औरतें हैं। एक छोटी बेटी। किसी तरह श्यामबंधु का अंतिम संस्कार कर दिया। रात में पता चला कि रेवती की माँ बीमार है। अगले दिन दुपहर तक उसकी हालत बिगड़ गई। वह भी महामारी में चल बसी। रेवती की माँ भी न रही!!

समय कभी नहीं रुकता। कभी कोई सुखी रहता है, कभी दुःख में जीता है। यह संसार का नियम है। तीन महीने बीत गए। श्यामबंधु के घर पर दो गायें थीं। जमींदार के कुछ रुपए बाकी थे। अतः गायों को लेकर भरपाई कर ली। लोगों का कहना था—"श्यामबंधु जमींदार के पैसे—कौड़ी कभी बाकी नहीं रखते थे। मगर

जमींदार को दो दुधारू गायें दिख रही थीं। अतः बहाना बनाकर ले गए। खेती के लिए जो जमीन दी थी, वह भी जमींदार ने वापस ले ली। श्यामबंधु और उनकी पत्नी के क्रियाकर्म पर जो खर्च हुआ, उसमें दोनों बैल बिक गए। धीरे-धीरे घर का और सामान भी बिकने लगा।

वासु घर पर बराबर आता। वासु कुछ रुपए देता। मगर दादी या पोती उन्हें कभी न लेतीं। जबरन कुछ देता तो वह वैसे ही पड़ा रहता। दादी दो-चार पैसे देती तो वासु बाजार से सामान ला देता। आठ-दस दिन उसमें चल जाता। मगर घर की हालत खराब होने लगी।

बूढ़ी अब रात-दिन बैठी रहती। शाम को रोने लगती है। वहीं पड़ी-पड़ी सो जाती है। रेवती कुछ नहीं कर पाती। बूढ़ी को आँखों से अब दिखाई नहीं देता। पगली की तरह दिखती है। वह रेवती को गाली देने लगी। सारे दुःख और दुर्दशा की जड़ में रेवती है। वह पढ़ने लगी तभी तो बेटा मरा। उसकी बहू के प्राण गए। उसी के कारण खेत चला गया। बैल बिक गए। जमींदार गाय खोलकर ले गया। उसका विश्वास है कि रेवती कुलक्षणी है। वह अशुभ है। बूढ़ी की आँखें चली गईं, क्योंकि रेवती पढ़ने लगी है। बूढ़ी गाली देती तो रेवती की आँखों से आँसू बह जाते। वह डरकर वहाँ खड़ी नहीं रह पाती। पिछवाड़े चली जाती। कभी घर में मुँह छुपाकर रोने लगती। वासुदेव भी दोषी है। रेवती पढ़ाई नहीं करती, उसने आकर पढ़ाना शुरू किया था। मगर बूढ़ी वासुदेव को कुछ कह नहीं पाती। उसके बिना घर अचल हो जाता। जमींदार का फंदा अभी भी छूटा नहीं है। जमींदार के आदमी आकर हिसाब माँगते। मगर वासुदेव कागजों में से निकाल सारी बातें समझा देता। फिर भी कभी-कभी बूढ़ी मन की बात कह देती।

रेवती अब छोटी बच्ची नहीं रही। माँ और पिता के जाने के बाद उसे किसी ने बाहर घूमते-फिरते हुए नहीं देखा। पहले वह रो देती थी। अब रोना भी बंद हो गया है। उसके प्राणों पर चोट पड़ी है। उसके लिए दिन-रात सब समान हो गए हैं। मन में माँ और बापू की याद रहती है। उसे भूख नहीं लगती। दादी से डर कर खाना खाती है।

वासुदेव आता तो बैठी-बैठी देखती। वह कुछ नहीं बोल पाती। उस दिन वासुदेव ने आकर कहा—"काकी हमारे यहाँ के सारे बच्चे जा रहे हैं। हरिपुर गाँव में डिप्टी इंस्पेक्टर उनसे सवाल पूछेंगे। परीक्षा होगी। उसमें पाँच दिन लगेंगे।"

बूढ़ी ने कहा—"बेटे, पूरा ध्यान रखना, धूप में कहीं मत फिरना। खाने-पीने की उपेक्षा मत करना।"

वासुवेद ने सारी बातें सुन ली। घर के लिए सामान लाकर रख दिया। इसके बाद वह चला गया।

एक, दो, तीन, चार, पाँच, छः...रेवती बैठी-बैठी दिन गिन रही है। सुबह से

कई बार बाहर जाकर देख आई है। हरिपुर से बच्चे अब आ रहे हैं। एक ने कहा–"हम हरिपुर से लौट रहे थे। रास्ते में बरगद के पास पंडितजी को हाजत हुई। चार बार पैखाना गए। आधी रात में देह वहीं ठंडी हो गई। सब रो पड़े।"

रेवती ने सारी बातें सुन ली। बूढ़ी भी सुन रही है, उसके मुँह से निकला–"अरे! बेटे...दूर जगह आकर रहे! यह क्या कर दिया! तूने कितनी बड़ी गलती कर दी! रेवती को पढ़ाया। इसी कारण जान गई।"

रेवती ने कोई आवाज़ नहीं की। दो दिन वैसे ही बीत गए। बूढ़ी ने देखा–रेवती पास में नहीं है। बूढ़ी को कुछ नहीं दिखाई दिया। वह पागल-सी चिल्लाने लगी–"री... रेवती! लो रेवी! आग लगी...मुँहजली! कुलछनी...रेवी!"

वह यही कहती रही–तूने पढ़ाई की, इसीलिए तुझे भी ज्वर हो गया है। अब मैं क्या करूँ?"

सात दिन, हुए रेवती का बुखार छूटता ही नहीं। आँख ही नहीं खोलती। एक कविराज को बुला कर दिखाया। पता चला सन्निपात हो गया है। देह ठंडी हो गई है। उसने अब तो आँखें खोल रखी हैं। परंतु मुँह से कुछ नहीं कहती। बूढ़ी ने थोड़ा पानी पिलाया। वह पीतल का लोटा लेकर बाहर गई। दुकानदार से कुछ चावल वगैरह लाना है। रेवती को कुछ मांडिया पकाकर खिलाना होगा। बूढ़ी को लगा, अब रेवती ठीक हो रही है।

रेवती जमीन पर लेटी है। उसका कराहना बंद हो गया। जीभ सूख रही है। रेंगते हुए वह कमरे से बाहर आ गई। मगर अब कुछ अच्छा नहीं लगता। बाड़ी में अमरूद का पेड़ है। माँ ने लगाया था। माँ की याद आ गई।

सामने उसे माँ की मूर्ति दिखाई दे रही है। चक्र की तरह दिख रहा है। चक्र बड़ा होता जा रहा है। उसमें से किरणें निकल रही हैं। उसकी आँखों को किरणें छू रही हैं। उसके प्राणों में वे किरणें चली गईं। साँस तेज हो रही है।

उसके मुँह से निकल पड़ा–"माँ...माँ!" फिर सब कुछ चुप हो गया।

इधर बूढ़ी किसी तरह कमरे में गई। चारों तरफ टटोल कर देखा। रेवती नहीं मिली। याद आ गया–ज्वर तो ठीक हो गया है। बाड़ी की तरफ गई थी...वह सीढ़ियों पर चढ़ने लगी तो वहाँ टकरा गई।

बूढ़ी ने कहा–"री! तू यहाँ बैठी है?" माथे पर हाथ रखा। एकदम ठंडा हो गया। बूढ़ी चौंक गई। नाक पर हाथ रखा। बूढ़ी बरामदे पर धड़ाम से गिर पड़ी।

श्यामबंधु महांति के घर पर इसके बाद किसी प्राणी की आवाज सुनाई नहीं पड़ी।

कभी-कभी रात में हवा गूँजती–"रे रेवती...आग लगी...मुँहजली! रेवी...रे... रेवी।"

–1898

भीमा भोई

1850-1894

उड़ीसा के एक प्रतिभाशाली कोंधा आदिवासी कवि और समाज सुधारक। इनके जीवन के संबंध में ऐतिहासिक सामग्री बहुत कम उपलब्ध है। कुछ के अनुसार इनका जन्म 1855 के पहले। जीवन कष्ट और निर्धनता में बीता। बहुत अपमान और शारीरिक यातना सहनी पड़ी। गरीब, अंधे और गृहविहीन। महिमा धर्म के प्रवर्तक महिमा गोसाँई से मुलाकात और इस धर्म में दीक्षित। यह मुलाकात कुछ वैसी ही कही जा सकती है, जिस तरह रामकृष्ण परमहंस से नरेंद्रनाथ दत्त (विवेकानंद) की हुई थी। भीमा भोई स्कूल जाने का अवसर न पाकर अशिक्षित थे, पर उनमें एक स्वतःस्फूर्त विवेक था। दयानंद सरस्वती की ही तरह मूर्ति पूजा के विरोधी, पर वेद को भी नहीं मानते थे। जातिवाद के प्रचंड विरोधी। इनकी दृष्टि में परम ब्रह्म एक है, वह अलख, निरंजन और निराकार है। शून्य से ओम, ओम से शब्द, रूप, प्रकाश, जल और दुनिया की उत्पत्ति! बोलनगीर जिले के खलियापालि में एक आश्रम की स्थापना। बौद्ध शून्यवाद और हिंदू धर्म की ब्रह्म की अवधारणा के बीच सामंजस्य स्थापित किया। महिमा धर्म में गृहस्थी और स्त्री को बराबर की मान्यता दिलाई। बाह्याडंबर, चंदन लेप, जप, तिलक, कंठी, जनेऊ, तीर्थयात्रा, हवन, एकादशी व्रत और अन्य धार्मिक रूढ़ियों का विरोध किया। पुरी के जगन्नाथ मंदिर को अंधविश्वास का स्रोत मानते थे। महिमा धर्म के लोग वर्ण व्यवस्था के विरोधी थे। भीमा भोई ने इस संघर्ष को आगे बढ़ाया। उड़िया साहित्य-संस्कृति पर पंच सखाओं का गहरा प्रभाव, यह प्रभाव भीमा पर भी। इसलिए पुरोहितवाद का प्रबल विरोध। प्रमुख रचनाएँ—स्तुति चिंतामणि और भजनमाला। 1971 में भीमा भोई ग्रंथावली प्रकाशित। आज भी भीमा भोई के भजन आदिवासी क्षेत्रों में तन्मयता से गाए जाते हैं। उड़ीसा की आत्मा की परिचायक उनकी ये दो पंक्तियाँ बहुत लोकप्रिय हुईं—'संसार के उद्धार के लिए मुझे नरक में भी रहना पड़े तो मुझे स्वीकार है।'

कविताएँ

।1।

यह कितनी बड़ी अज्ञानता है कि लोग केक, मिठाइयाँ और पकवान चढ़ाकर मूर्तियों की पूजा करते हैं और वर माँगते हैं, पर यह छोटी सी बात उनकी समझ में नहीं आती कि ये मात्र प्रतिमाएँ हैं, ये किस प्रकार उनकी इच्छा पूरी कर सकती हैं। लोग अपने माता-पिता की पूजा नहीं करते, जिन्होंने उन्हें पैदा किया है। पर लकड़ी और धातु की मूर्तियों के पास दौड़े जाते हैं और कहते हैं हमारी रक्षा करो...रक्षा करो। निर्जीव मूर्तियों के प्रति लोगों का यह दृष्टिकोण कितना मूर्खतापूर्ण है। यह कितने आश्चर्य की बात है कि जिसने सारी मानवता की सृष्टि की उसे पूर्णतया भुला दिया जाता है।

।2।

मेरे परमात्मा, मेरी मदद क्यों नहीं करते! तुम्हारी महिमा का बखान करने में मेरा अपना सम्मान टुकड़े-टुकड़े हो गया है। मैं जब तुम्हारे सूक्ष्म स्वरूप का प्रचार करता हूँ, वे मुझे ईसाई कहकर लांछित करते हैं और मुझे इतना कुछ देते हैं कि मैं कह नहीं सकता। वे खुद पाप में डूबे हुए हैं और मुझे अपमानित करते हैं, जब मैं उनसे सच्चाई के धर्म के बारे में बात करता हूँ। वे चिल्लाते हैं, 'उसे भगा दो, दूर करो। देखते हैं कि उसका प्रभु उसे कैसे बचाता है। वह महापातक है, उसे भोजन और आश्रय मत दो।' मैं जब धर्मोपदेश देता हूँ वे बदले में मेरे साथ कुत्ते जैसा व्यवहार करते हैं। जहाँ कहीं मैं जाता हूँ, मेरी यह नियति हो गई है। मेरे ऊपर इतने अत्याचार हो रहे हैं, परमात्मा, मैं कहाँ जाऊँ?

।3।

सुख और दुःख, बंधन और मुक्ति ये सभी तुम्हारे ही निर्माण हैं। ये पाप भी तुम्हारे ही निर्माण हैं। आखिरकार कौन अपने सिर पर सहज भाव से इनका बोझ ढो सकता है? मुझे अनुमति दो कि मैं इन पापों को तुम्हारे ही चरणों में रख दूँ। तुम अंतिम रूप से यह मामला सुलझा क्यों नहीं देते, मैं दूसरे किसके पास समाधान के लिए जाऊँ? मैं सोच रहा हूँ कि अपने सारे पापों को एक पात्र में भरकर तुम्हारे चरणों में रख दूँ। तुम्हारे भक्तों का जीवन व्यर्थ हो रहा है, वे सभी प्रार्थना और क्रंदन कर रहे हैं। तुम पापों के लिए उन्हें माफ क्यों नहीं कर देते और दुनिया को समदृष्टि से क्यों नहीं चलाते? तुम्हारे जैसा परित्राता अच्छे स्वभाव के उन आम लोगों के

प्रति इतना हृदयहीन कैसे हो सकता है, जो अंतहीन दुःखों से पीड़ित हैं। जहाँ तक मेरा प्रश्न है, मैं जीवन भर नरक में रहने के लिए तैयार हूँ, यदि इससे दुनिया की रक्षा हो जाए।

। 4 ।

एक दिन अत्याचार खत्म होंगे। वह दिन दूर नहीं है, जब परमात्मा अत्याचारियों का दर्प चूर-चूर कर देगा। वह ढंग से सब कुछ करेगा कि एक-एक कर सभी पापी इस धरती से चुपचाप उठ जाएँगे। वे इतने पापों और अनैतिक आचरणों में लिप्त हैं और इतने पाखंडों से भरे हैं कि दुनिया में किसी धर्म में उन्हें शरण नहीं है।...

। 5 ।

पृथ्वी, चट्टानें, हवा और पानी कुछ नहीं थे तब सिर्फ एक महाशून्य था स्वरहीन। न ये चमकते तारे थे, न सूर्य था न चंद्रमा। रात-दिन नहीं थे। न स्वर्ग था, न पृथ्वी थी, न नरक था। न तैंतीस करोड़ देवताओं में कोई था। न पाँच तत्त्वों में कोई तत्त्व था। बुद्धिमान मनुष्य, सुनो, तब कैसे चीजें पैदा हुईं, यह अपने मन में जानो।...

। 6 ।

(भगवान) जगन्नाथ तुम्हारे अपने शरीर में हैं। तुम उनकी मूर्तिपूजा क्यों करते हो? यह मूर्ति सिर्फ एक सूखी लकड़ी है, यह तुम्हें बैकुंठ कैसे ले जाएगी?...कोई भी साकार रूप पाप से मुक्त नहीं है, यह रूप कल्पना का शत्रु है। इससे ब्रह्म की अनुभूति नहीं हो सकती। आदमी मूर्ख बनकर सिर्फ बाह्याडंबरों में भटकता रहेगा।

अनुवाद : कुमार किसलय

गोपबंधु दास
1877-1928

उड़ीसा में नवजागरण के अग्रदूत गोपबंधु दास एक चिंतक, साहित्यकार, शिक्षाविद्, राजनीतिज्ञ, समाजसेवी, अर्थनीतिज्ञ और समाज सुधारक के अलावा देश के प्रमुख स्वतंत्रता सेनानी थे। गोपबंधु दास ने अपने विचारों के क्रियान्वयन के लिए अनेक सामाजिक संस्थाओं की स्थापना की। इनमें 'सत्यवादी स्कूल,' 'घल्ली संगठन', 'सत्यवादी प्रेस', 'अनाथालय', 'विधवाश्रम' आदि महत्त्वपूर्ण हैं। 1919 में उनके द्वारा प्रतिष्ठित 'समाज' अखबार ने उड़िया गद्य-साहित्य को एक नया रूप प्रदान किया। 'काराकविता', 'धर्मपद', 'अवकाश चिंता', 'बन्दीर आत्मकथा' आदि काव्य ग्रंथों से उड़िया साहित्य समृद्ध हुआ है। गोपबंधु की निर्भीकता, त्याग, वीरता, देशभक्ति से संपूर्ण उड़िया जाति गौरवान्वित है।

नारी शिक्षा

पिछले कुछ सालों तक नारी शिक्षा के बारे में काफी जोर-शोर से चर्चाएँ हो रही थीं। छात्र समितियों से लेकर बड़ी-बड़ी सभाओं में इस पर चर्चाएँ होती रहीं। लेकिन अब वे चर्चाएँ नहीं हो रही हैं। क्योंकि नारी शिक्षा से लोगों को एतराज नहीं है। लेकिन नारी शिक्षा की आवश्यकता को लोगों ने स्वीकारा है या नहीं, यह कहना मुश्किल है। सरकारी रिर्पोट से पता चलता है कि पूरे भारत में 0.9% लड़कियाँ प्राथमिक विद्यालय में पढ़ रही हैं। यह 1915-16 का आँकड़ा है।...शहरों में नारी शिक्षा को बढ़ावा मिल रहा है, कहीं-कहीं स्कूल-कॉलेज भी खोलने की कोशिशें की जा रही हैं। लेकिन गाँवों-देहातों में नारी शिक्षा के बारे में लोगों में कोई दिलचस्पी नहीं है। उनकी दृष्टि में नौकरी ही शिक्षा का मूल लक्ष्य है। इसके अलावा शिक्षा की कोई उपयोगिता नहीं है। उड़ीसा के लोगों का मानना है कि प्राथमिक शिक्षा का कोई महत्त्व नहीं है। उच्च शिक्षा के बिना नौकरी नहीं मिलेगी। इसलिए अधूरी शिक्षा दिलाने से क्या लाभ? अमीर, गरीब एवं मध्यवर्ग के जो लोग अपने पुत्रों को स्कूली शिक्षा

देते हैं; उन सबकी एक ही आशा है कि लड़का नौकरी करेगा और धनोपार्जन करने में सक्षम होगा। परंतु लड़कियों से तो ऐसी उम्मीद नहीं रखी जा सकती। वह न घर की हो पाती हैं, न घाट की। शिक्षार्जन करने से ज्ञान बढ़ेगा, मानवता का विकास होगा, इन चीजों में लोगों की रुचि नहीं है। ऐसी हालत में हमारे देश में नारी शिक्षा का प्रचार, प्रसार तथा विकास कैसे संभव है?... और भी लड़की की पढ़ाई का खर्च उसके पिता करें और उसका फल ससुराल वाले भोगें। यह भी अनुचित है। लड़कियों को शिक्षा दान करने की प्रेरणा दी जाती है तो लोग अक्सर यह सुनाते हैं कि लिख-पढ़कर क्या करेगी? चूल्हा-चौके की दुनिया में ही तो समय गुजारेगी। पराए घर की न होती, चूल्हा-चौके से मुक्त होती तो उसे भी शिक्षा प्रदान करते।' मूल बात तो यह है कि प्रत्यक्ष लाभ, तुरंत फल के बिना लोग कुछ समझना नहीं चाहते।... सामाजिक भलाई के बारे में लोगों का विश्वास नहीं है। इसलिए उनकी मानसिकता में परिवर्तन लाए बिना नारी शिक्षा का विस्तार नहीं हो सकता है। हमें इस ओर ध्यान केंद्रित करना होगा।

महिलाबंधु समिति पुरी का संरक्षक समाज नारी शिक्षा के प्रचार का प्रयत्न कर रहा है। इसी के फलस्वरूप, यहाँ एक प्राथमिक बालिका विद्यालय स्थापित हुआ है। शिक्षिका बनाने हेतु कुछ विधवाओं को तालीम दी जा रही है। यह कोई बड़ा काम नहीं है, पर दकियानूसी विचार वालों के विरुद्ध यह एक प्रशंसनीय प्रयास है। खुशी की बात है कि प्राचीनपंथ के महामहोपाध्याय पंडित सदाशिव मिश्र, नैयायिक पंडित जगन्नाथ मिश्र आदि ने इसका समर्थन किया है। नारी शिक्षा के प्रसार में यह आशा का दीपक है।

—सत्यवादी, तृतीय खंड

दहेज

(हमारे समाज के विभिन्न क्षेत्रों में तमाम संस्कार-चाहे वे अच्छे हों या बुरे-भरे पड़े हैं। कालानुसार जो गंदगियाँ सामाजिक जीवन में पंख पसारे बैठी हैं उन्हें दूर करते हुए समाज को शुद्ध तथा निर्मल रूप प्रदान करना युगप्रवर्तकों का प्रयास रहता है। ऐसे प्रयासों की कमी से विभिन्न कुसंस्काररूपों से सामाजिक जीवन अंधा कुआँ बन जाता है।

पंडित गोपबंधु के युग में हमारा समाज कुसंस्कारों से ग्रसित था। दहेज के चलते लड़की वालों को तमाम मुसीबतों का सामना करना पड़ता था। अनुचित माँगें की जाती थीं। लड़की वाले सर्वहारा हो जाते थे। दहेज के अलाव में लड़की का

जीवन असह्य हो जाता था। गोपबंधु ने उसके विरुद्ध आवाज उठाई थी।)

शास्त्रों में दहेज का उल्लेख नहीं है। यह नव्य सभ्यता की एक नई सर्जना है। अंग्रेजी शिक्षा इसका प्रवर्तक है। अंग्रेजी शिक्षा पाने वालों को ऐशो-आराम में रहने का मौका मिलता था। उन्हें सरकारी नौकरी मिलती थी और मान-सम्मान भी। ऐसे पात्रों को अपना दामाद बनाने के लिए कई कन्या पिता-माता लालायित हुआ करते थे। बाद में यह प्रतिस्पर्द्धा-सी बन गई। समाज में शिक्षा का नहीं धन का आदर बढ़ने लगा।

आज शिक्षा का केवल एक मात्र लक्ष्य रह गया है—अर्थोपार्जन। इस अर्थोपार्जन को और भी विशिष्ट रूप दिया जाए तो वह सरकारी नौकरी है। शिक्षितों की संख्या बहुत कम होती है। परंतु उनकी अर्थ पिपासा सर्वाधिक है। इसलिए वह अर्थ का दास बन जाता है। दूसरी बात यह है कि वह जिसके अधीन नौकरी करता है उसका दास होता है। इस प्रकार विविध दासता के सुख-विलास का संभोग करना शिक्षितों का धर्म बन जाता है। वह विवाह के बाजार में अपने को वैभवशाली लोगों को बेचकर सदा के लिए दासता स्वीकार कर लेता है।

रूप, गुण, कुल, स्वभाव आदि का कोई महत्त्व नहीं महत्त्व केवल धन का है। इसी के फलस्वरूप पारिवारिक जीवन दुःखमय हो रहा है। आग में गिरे पतंगे की तरह जो लोग केवल धन की चमक से आकर्षित होते हैं वे अपने व्यक्तित्व को अक्षुण्ण नहीं रख पाते। इसलिए यह स्पष्ट है कि दहेज या शिक्षित वर की मूल्यवृद्धि से शिक्षा का प्रभाव घट रहा है और धन का प्रभाव बढ़ रहा है।...यदि धन को ही समाज के तमाम कार्यों का नियामक और मानव की उन्नति का मानदंड मान लिया जाए तो समाज की शक्ति, स्वाधीनता, आदर्श, आकांक्षा आदि का क्षेत्र संकुचित होगा।

कन्या पक्ष अपनी सामर्थ्य के अनुसार स्वतः जो दान करना चाहता है उसे स्वीकार करना दामाद के लिए अन्याय व असंगति नहीं है। पर उन्हें दहेज देने के लिए बाध्य करना, अनेक मोल-भाव के बाद भी बाद में और दहेज माँगना पवित्र विवाह की रीति को बाजार की रीति बना देने के समान है। इससे बढ़कर घोर जघन्य काम क्या हो सकता है?

...बंगाल में इस प्रथा के निराकरण के लिए कठिन प्रयास हो रहा है। परंतु दुःख की बात है कि उड़ीसा में इसका प्रसार हो रहा है। क्या उत्कलीय सर्वदा हर चीजों में पिछड़े रह जाएँगे?... इस प्रथा का उन्मूलन तभी संभव है जब शिक्षित समुदाय विवाह को अर्थोपार्जन का माध्यम मानना छोड़ दे।

—मुकुर, 1916

विधवाश्रम की प्रयोजनीयता

पुरी की किसी विधवा के किसी पंजाबी युवक के साथ भाग जाने की खबर पिछली बार के 'समाज' में छपी थी। इसकी जाँच-पड़ताल करने तथा यथार्थ तथ्य जानने का हमने प्रयत्न किया। समाचार सत्य निकला। ऐसी घटनाएँ अक्सर घटती हैं। रेलवे स्टेशन के कर्मचारियों के बाधास्वरूप पंजाबी युवक विधवा को छोड़ चला गया। विधवा को बड़ी निराशा हुई। वह मनमारे लौट आई। परंतु इससे कोई लाभ नहीं है। हो सकता है कि वह विधवा या तो किसी दूसरे के साथ किसी दूसरे स्टेशन से चली गई होगी या वेश्यावृत्ति स्वीकार कर ली होगी। वह विधवा युवती है। पेट पालने का कोई दूसरा उपाय भी तो उसके पास नहीं है। प्रकृति की पीड़ा से उद्धार पाने के लिए कोई उपाय ढूँढ़ना उसके लिए स्वाभाविक है। जिन लोगों के हृदय में मनुष्य के प्रति प्रेम तथा सहानुभूति नहीं है वे उसे निंदा तथा घृणा की दृष्टि से देख सकते हैं, पर उसकी जो स्थिति है वह करे भी तो क्या? पुरी में आकर उसने दूसरों के यहाँ काम करके अपना पेट पालना चाहा। पर उसे यह भी न मिला। घर-बार छोड़कर आने वाली ऐसी विधवाओं को समाज और धर्म का भय नहीं रहता है। समाज उनके लिए कुछ भी नहीं करता तो वे समाज से डरें भी तो क्यों? उसे ऐसी क्या धर्म-शिक्षा मिली है कि धर्म से डरती? फलस्वरूप पुत्रहीन युवती विधवा के लिए न तो कोई रोक-टोक है और न कोई सहारा। अपने पेट के लिए वह कुछ भी कर सकती है। वह इस संसार में स्वेच्छाचारिणी है।

विधवा समस्या उड़ीसा में भयानक रूप धारण कर रही है। चारों ओर से कितनी विधवाएँ नित्य पुरी चली आ रही हैं और कितनी पुरी से अन्यत्र चली जा रही हैं—इसका कोई हिसाब नहीं है। परंतु बीच-बीच में जो समाचार आते हैं वे मन-प्राण को उद्वेलित कर देते हैं। हमारे रंगून संवाददाता कई बार लिख चुके हैं कि उड़िया स्त्रियों को लेकर वहाँ कुछ लोगों ने व्यापार शुरू कर दिया है। बारह-चौदह साल की ब्राह्मण विधवाओं को लेकर रंगून शहर में वेश्यावृत्ति करवा रहे हैं। कुछ लोग तीन-सौ से पाँच सौ रुपए में उन्हें बेच रहे हैं।... जमशेदपुर में तीन-चार सौ रुपए में रखैल बनाकर रख रहे हैं। वस्तुओं की तरह उन्हें खरीदा-बेचा जा रहा है। बात-बात में धर्म की दुहाई देने वाले, हिंदू की धार्मिकता पर अहंकार पालने वाले इन विधवाओं के बारे में कुछ सोचते क्यों नहीं?... इसमें कोई संदेह नहीं कि विधवा-विवाह इस बुराई पर प्रहार कर सकेगा। आजकल समाज में, लोग विधवा-विवाह को अत्यंत आवश्यक मानते हुए भी लोक-लाज के चलते उसे अपना नहीं पा रहे हैं। समाज के भय से अपना मत जाहिर करने में असमर्थ हो रहे हैं। विधवा-विवाह के प्रचलन के साथ-साथ विवाह अनिच्छुक विधवाओं के लिए विधवाश्रम की आवश्यकता है। इस पर भी हमारे

देश के कर्णधारों को सोचना चाहिए। विधवाश्रमों में इन निराश्रित विधवाओं को नारी शिक्षा प्रदान करना चाहिए ताकि वे लोगों के षड्यंत्र की शिकार न बनें तथा शांतिपूर्वक जीवन व्यतीत कर सकें।

—समाज, 30 मई, 1915

अनुन्नत वर्ग उन्नति विधायिनी समिति

निम्न वर्ग के लोग समाज की नींव हैं। वे ही देश की शक्ति हैं। उनकी उन्नति के बिना राष्ट्रीय उन्नति संभव नहीं है।... पुनः ब्राह्मण-अब्राह्मण के स्वत्व तथा अधिकार की बातों को लेकर अनेक तर्क खड़े किए जा रहे हैं। ऐसे विवादों से भारतीय समाज में ईर्ष्या तथा अनेकता फल-फूल रही है। कहीं-कहीं शिक्षा, सामाजिकता, राजनीतिक अधिकार को आधार बनाकर सांप्रदायिक दल और समितियाँ सिर उठा रही हैं। विद्वेष का बीज-वपन भी हो रहा है। उच्चवर्ग के लोग उच्च पदासीन व्यक्तियों से कई निम्न वर्ग के दुर्बलों पर लगातार अत्याचार की मशीन चला रहे हैं। देशी राजा तथा जमींदार चाहे देशहितैषी बनने का ढोंग करें लेकिन वे दिल से नहीं चाहते कि निम्नवर्ग की शैक्षिक उन्नति हो।

अनुन्नत या उपेक्षित जातियों के उत्थान का प्रयास हाल ही में हमारे देश में शुरू हो रहा है। इस प्रयास का लक्ष्य उज्ज्वल भविष्य है। विभिन्न विघ्न-बाधाओं के बावजूद कई स्थानों पर जो आयोजन हो रहे हैं, वे आशाप्रद हैं। मुंबई आदि कुछ प्रदेशों में उपेक्षित जातियों की उन्नति के लिए विशाल आंदोलन चल रहा है। चंद्राबर्कर आदि मुंबई के शक्तिसंपन्न समाज-नायक इसके मुख्य पुरोधा हैं। पंजाब के आर्य समाज का प्रयास भी स्तुत्य है। इसी उद्देश्य से बंगाल में पिछले दस सालों से अवनत श्रेणी की उन्नति विधायिनी समिति की स्थापना और उत्तरोत्तर उसकी सफलता प्राप्ति परम हर्ष की बात है। यह आंदोलन एक सुसंगठित कमिटी द्वारा परिचालित है। लॉर्ड सत्येंद्र प्रसन्न सिंह इसके अध्यक्ष हैं। बंगाल तथा असम के कुछ प्रसिद्ध व्यक्ति इसके सदस्य हैं। अनुन्नत वर्ग में शिक्षा का प्रचार-प्रसार इसका प्रमुख उद्देश्य है। 1909 ई. में स्थापित इस कमिटी के कार्यक्रम बड़े सुचारु रूप से संपन्न हो रहे हैं।...उड़ीसा में कहीं-कहीं पावन विद्यालय, रात्रिकालीन विद्यालय की स्थापना के प्रयास होने की खबर आती है परंतु मजबूत संघबद्ध प्रयास के बिना इसके व्यापक कार्य विस्तार की संभावना बहुत कम होगी। कब पड़ोसी राज्यों के दृष्टांतों का उड़ीसा में अनुकरण होगा, यह ईश्वर ही जानता है।

शिक्षा, शिक्षक और छात्र

भाइयो!

आज हम लोग यहाँ इस अभिनव जातीय अनुष्ठान में सम्मिलित हुए हैं। मैं इस सम्मेलन को अभिनव जातीय अनुष्ठान इसलिए मानता हूँ क्योंकि जिला सम्मेलन कोई नई बात नहीं है। भारत के विभिन्न राज्यों के विभिन्न जिलों में पिछले कई सालों से सम्मेलनों का आयोजन हो रहा है। शिक्षा, साहित्य, राजनीति आदि विभिन्न राष्ट्रीय मुद्दों पर चर्चाएँ हो रही हैं। लेकिन उड़ीसा में यह सम्मेलन पहली बार आयोजित हो रहा है। यह केवल शिक्षा पर केंद्रित है। लंबे अर्से से छात्रों और शिक्षकों के प्रयास से कई निधियाँ (फंड) स्थापित हुई हैं। लेकिन उनका उद्देश्य सीमित है, कार्यक्षेत्र संकीर्ण है और स्थायित्व संदेहजनक है। ब्राह्मण समिति, वैश्य समिति, कारीगर समिति आदि भी शिक्षा के प्रचार-प्रसार में लगी हैं परंतु ऐसी समितियाँ सांप्रदायिक हैं, सार्वजनीन नहीं। क्योंकि ब्राह्मण समिति खेतिहरों की शिक्षा के लिए कोई काम नहीं करती और न ही वैश्य समिति ब्राह्मणों की शिक्षा के बारे में सहायता प्रदान करती है। इसलिए ऐसी समितियों को जातीय प्रतिष्ठान नहीं कहा जा सकता है। देश के समस्त वर्गों, संप्रदायों के कल्याण साधन को ध्यान में रखे बिना किसी संस्था को हम जातीय प्रतिष्ठान की मान्यता नहीं दे सकते हैं। ऐसी संस्थाओं से किसी जाति विशेष के लोगों का कल्याण तो होता है लेकिन समष्टिगत जातीय उन्नति और एकता की प्राप्ति संभव नहीं है।...

शिक्षा संपूर्ण जातीय उन्नति का मूलाधार है। चाहे उद्योग हो या कृषि, साहित्य हो या वाणिज्य—सब में शिक्षा की अनिवार्यता है। जनसामान्य शिक्षा से वंचित होते हैं तो किसी भी क्षेत्र में विकास नहीं हो सकता है।...

'शिक्षा' एक अत्यंत सहज तथा सरल शब्द है। पर इससे बढ़कर कोई महत्त्वपूर्ण विषय नहीं है। सभी सभ्य जातियों के मनीषियों ने इसकी उन्नति तथा प्रचार-प्रसार में अपने प्राण तक न्योछावर किए हैं। उन्होंने शिक्षा को समस्त कल्याण का आधार माना है। 1872 में जापान के सम्राट ने यह निर्देश जारी किया—'जापान में एसा कोई गाँव नहीं रहेगा जहाँ कोई परिवार अशिक्षित हो।' जापान की अभूतपूर्व उन्नति के पीछे इसी निर्देश का सफल कार्यान्वयन महत्त्वपूर्ण है।...

निम्न शिक्षा, मध्य शिक्षा, उच्च शिक्षा, लोक शिक्षा, सामान्य शिक्षा, नारी शिक्षा, पुरुष शिक्षा, नैतिक शिक्षा आदि समस्त विभागों को शिक्षा आंदोलन के अंतर्गत समाहित करना इस सम्मेलन का उद्देश्य है। उचित परिचालन तथा देखरेख के बिना जो प्राचीन संस्थाएँ लक्ष्यच्युत हो गई हैं, उनमें तथा लोगों में संस्कार लाना होगा और उन्हें समयानुसार बदलना होगा।

हमारे यहाँ आज भी ऐसे गाँव हैं जहाँ शिक्षा की क्षीण धारा भी पहुँची नहीं। यहाँ शताधिक सालों से अंग्रेज राज कर रहे हैं। पर हमारे देहाती भाइयों को आज भी नहीं मालूम कि अंग्रेजों का राज चल रहा है। देश के धनिकों को यह समझ लेना चाहिए कि जन सामान्य अज्ञान-अंधकार में डूबे रहेंगे तो इससे उनका भला नहीं बल्कि खतरा उत्पन्न होगा। हमारे देश में शिक्षित और अशिक्षित लोगों के बीच की खाई बढ़ती जा रही है। उनमें प्यार तथा सहानुभूति की भावनाएँ भी घट रही हैं। इसलिए जब तक अजान-अंधकार में लोग डूबे रहेंगे, जब तक दोनों वर्गों में पारस्परिक प्रेम व सद्भाव स्थापित न होगा, जब तक ग्रामीण किसान समाज में अपनी भूमिका और महत्त्व को नहीं समझेगा तब तक हमारे राष्ट्रीय नेताओं के सारे प्रयास निष्फल सिद्ध होंगे। देश के कर्णधारों का सारा उत्साह और उद्‌बोधन अरण्यरोदन बन जाएगा।

धन का अभाव नहीं खलेगा। किसी भी राष्ट्रीय आंदोलन में अर्थ का अभाव नहीं रहता है। अभाव रहता है प्राण का। प्राण के बिना स्पंदन नहीं और स्पंदन का ही दूसरा नाम आंदोलन है। मन, प्राण, आंतरिकता तथा एकनिष्ठता के साथ इस आंदोलन में डटे रहने से धन तथा दूसरे सामान स्वतः ही मिल सकते हैं।... यदि राजभवन से लेकर किसान की झोंपड़ी तक, नगर से गाँव तक सर्वत्र जातीयता का स्रोत एक बार प्रवाहित हो जाए, जातीयता की भावना से लोगों का हृदय उद्वेलित हो जाए, जातीय संस्था को धर्म के पवित्र रस से सींचा जा सके तो उद्देश्य की पूर्ति अवश्य होगी।

नीलाचल धाम में उत्कलीयों ने साम्य-मैत्री का ध्वज फहराया है। उन्होंने समस्त वर्गों, संप्रदायों, समाज को, महाजातीय एकता को, सप्रेम आमंत्रित किया है। एक दिन ऐसा आएगा जब इसी आमंत्रण से महाजातीय समन्वय स्थापित होगा।

—शिक्षा सम्मेलन, पुरी, 1912

उत्कल सम्मेलन का अध्यक्षीय भाषण

भाइयो!

स्वदेश सेवा ही मनुष्य के लिए भगवत् सेवा है। इस पुण्य जातीय तीर्थ पर आप सबने मुझे प्रधान पूजक का भार अर्पित किया है। आप लोगों की सहानुभूति, दया, समर्थन के बिना उसे पूरा करना मेरे लिए असंभव है।...

बहुतों का मानना है कि विच्छिन्न उड़ियाभाषी प्रदेशों का मिलन सम्मेलन का लक्ष्य है। परंतु यह सत्य नहीं है। विखंडित होने पर भी उड़िया जाति जीवित है। राजनीतिक विच्छेद ने उसके बाह्य कलेवर को थोड़ा परिवर्तित किया है। लेकिन उसकी

जातीय आत्मा आज भी अक्षुण्ण है। जिस प्रकार आत्मा शस्त्रों से नहीं कटती, आग से नहीं जलती, पानी में नहीं डूबती, हवा से नहीं सूखती, ठीक उसी प्रकार जातीय आत्मा भी किसी बाह्य प्रभाव से लुप्त नहीं हो जाती है। उत्कल सम्मेलन हमारी जातीय आकांक्षा का सूचक है।

उड़िया जाति कौन-सी है? स्थानों के अनुसार जातियों का नामकरण एक सामान्य बात है। एक ही स्थान पर निवास करने वाले लोगों में पारस्परिक मैत्री भाव उत्पन्न होते हैं। उनकी आशा-आकांक्षाएँ, उनके भाग्य-भविष्य एक ही सूत्र में आबद्ध होते हैं। वह स्थान उनके लिए पवित्र एवं प्रेममय है। यह उनकी जन्मभूमि है जो 'स्वर्गादपि गरीयसी' है। इसलिए इसी प्राकृतिक विधान से जो उत्कल या उड़ीसा में समान आशा व आकांक्षा के साथ महत् स्वार्थ की पूर्ति के लिए प्रयासरत हैं, वे सभी उड़िया जाति के हैं।

कुछ लोग उत्कल और उड़िया में अंतर करते हैं। हालाँकि इन दोनों में न तो कोई अंतर है और न ही अंतर रहना चाहिए। बंगाल के हों या पंजाब के, मारवा के हों या मद्रास के, हिंदू हों या मुसलमान, आर्य हों या आदिम अधिवासी; जिसने भी उत्कल के साथ अपना समस्त स्वत्व और स्वार्थ मिला दिया हो, उड़ीसा उसका है और वह उड़ीसा का है। आज की दुनिया में यह संभव नहीं है कि एक ही स्थान पर एक ही प्रकार के लोग रहेंगे। संसार में ऐसी जगह नहीं जहाँ विभिन्न जातियों या संप्रदायों के लोग न हों। परंतु उस वैविध्य में साम्य है—जातीय स्वार्थ का।

उत्कलनिवासी भाइयो! चाहे तुम बंगाली, उड़िया, तेलुगू, बिहारी, कोल्ह, हिंदू, ईसाई, मुसलमान या कोई भी दूसरी जाति के हो; तुम्हें अपने सीने पर उठाए उत्कलभूमि तुम्हारी जरूरतें पूरी कर रही है।...जातीय भाषा, शिक्षा और सभ्यता के लिए यदि कोई समर्पित है तो वह उड़िया है। इस देश का इतिहास और इसकी सभ्यता तुम्हारी है। उत्कल सम्मेलन में जाति-धर्म-वर्ण में कोई अंतर नहीं है। उत्कल सम्मेलन में सबके लिए स्थान है।

भारत में जातीयता के विकास के मार्ग में अनेक प्रतिबंध हैं। विभिन्न भाषा, धर्म, आचार-विचार में जो विभेद है; लोग उसके आधार पर भारतीयता को नामुमकिन-सा मानते हैं, उस पर यदि किसी राज्य या अंचल विशेष में विभेद किया जाए तो अपने देश की जातीय समस्याएँ और अधिक दुसाध्य तथा जटिल हो जाएँगी। एक ही अंचल में रहने वाले लोग यदि वैयक्तिक स्वार्थों तथा माँगों को सर्वोपरि मानकर चलने लगें तो उस अंचल की उन्नति नहीं हो सकती है। देश के विकास में भी यह बाधा पहुँचाती है। इस प्रकार ये लोग भारत के सामूहिक कल्याण के भी शत्रु बन जाते हैं। विभिन्न वर्गों तथा संप्रदायों के लोग जो उत्कल को अपना राज्य तथा भारत को अपना देश मानते हैं, ऐसे लोगों को लेकर 'उड़िया जाति' बनी है और उसकी जातीयता का विकास सम्मेलन का उद्देश्य है।...

उदार मानसिकता सम्मेलन का लक्ष्य है। इसलिए राष्ट्रीय आंदोलन से हम अलग नहीं रह सकते। भारतीय आकांक्षा के साथ उत्कलीय आकांक्षा का तालमेल होना जरूरी है। भारत के साथ उत्कल का संबंध अमर रहेगा। यद्यपि यह सम्मेलन भारतीय आंदोलन से किंचित पृथक है तथापि भारतीयता के साथ इसका मिलन मूलमंत्र है। इसलिए हम गाते हैं—"सर्वेषां नो जननी भारत धरणी कल्पतेयं।" इस गीत के "भारत मेको गति रस्माकं" के अर्थ को हृदयंगम करने से हमारा लक्ष्य पूरा होगा। हमारी एक ही जाति है और उसका नाम भारत जाति है। हम सब इसके अंतर्गत हैं। भारत एक प्रायद्वीप है। इसमें अनेक छोटी-छोटी जातियाँ भी हैं। परंतु इन सबका भाग्य भारत के भाग्य से जुड़ा है।

...किसी शासक का मानना है कि 'उड़ीसा राजभक्ति का अप्रतिम नमूना है' (Orissa is hot bed of loyalty), परंतु ऐसी भक्ति का मूल्य क्या जिसे देवता ही न सुने। ऐसी राजभक्ति के बावजूद भारत का रक्षा कानून (Defence of India Act) उड़ीसा में लागू हो गया न? प्रेस कानून (Press Act) उड़ीसा में लागू हुआ या नहीं? आज रौलेट बिल (Rowlatt Bill) के चलते इतना बड़ा हंगामा खड़ा हो गया है, तुमुल कोलाहल मचा हुआ है, आंदोलन चलाए जा रहे हैं, आम आदमी को उसके प्राथमिक न्यायसम्मत अधिकारों से वंचित करने का भय मँडरा रहा है और वह अपने स्वार्थ की तिलांजलि देकर इस कानून का विरोध कर रहा है। उड़ीसा अपनी 'राजभक्ति' के चलते इस बिल से अछूता तो नहीं रह सकता है। इसलिए भारतीय आकांक्षा के साथ जातीय आकांक्षा को मिलाना होगा। पूरे भारत के कल्याण के लिए यथा सामर्थ्य आत्मबलिदान करना हमारा कर्त्तव्य है। याद रखना होगा कि पहले हम मनुष्य, बाद में भारतीय और अंत में उड़िया हैं। यदि ऐसा मनोभाव न रहा तो जातीय विकास असंभव होगा। प्रत्येक व्यक्ति की स्वतंत्रता है पर सामाजिक आधार के बिना यह स्वतंत्रता प्रकट नहीं हो पाती। स्वतंत्रता के प्रति ललक होनी चाहिए। उड़िया जाति की यह भावना-उदार सार्वजनीन मानवतावाद के आधार पर पुष्ट होगी। उदार मानसिकता नीलाचल धाम में मिलती है। इसलिए जगन्नाथ उत्कलीयों का जातीय देवता है। छोटे-बड़े, राजा-प्रजा, ब्राह्मण-चंडाल, पापी-पुण्यात्मा-हिंदू-मुसलमान आ. में कोई भेद नहीं है। इसी भावना के साथ हमें स्वतंत्रता की प्राप्ति के लिए आगे बढ़ना होगा।...

भारतीय इतिहास में तेजस्वी उड़ीसा की देन अभूतपूर्व है। वीर उड़ीया की वदान्यता प्रसिद्ध थी। सदा से उड़ीसा आत्मनिर्भरशील है। उसने कभी भी किसी की कृपा-भिक्षा नहीं माँगी।... बल्कि उड़ीसा ने दूसरों को अनुग्रहीत किया है। 1203 ई. में मुहम्मद बख्तियार खिलजी से बंगाल का अंतिम हिंदू राजा लक्ष्मण सेन सिंहासनच्युत हुआ तो उड़ीसा के निवासियों ने उसे पुरी में रखा और सुरक्षित जीवन व्यतीत करने में सहायता प्रदान की थी। 1457 ई. में बहमनी राज्य का सुलतान

हुमायूँ से बार-बार पराजित हुआ तो नरसिंह देव के शासनकाल में उसे सुरक्षा प्रदान की गई थी। 1470 ई. में कपिलेंदु देव के शासनकाल में मंगलराय ने कटक के बारबारी दुर्ग में शरण ली थी।... ईसवी छठी शताब्दी में भी सुलेमाओं से पराभूत हो बंग के सुलतान इब्राहिम अपनी जान बचाने के लिए इधर-उधर भटकते रहे और अंत में वीर उड़ियाओं की शरण माँगी। उड़िया वीरों ने स्वदेश तथा स्वजाति की गौरव रक्षा करने हेतु उनकी रक्षा की। स्वयं मुगल सम्राट अकबर ने उड़ीसा की मदद माँगी थी और उड़िया भाइयों ने उनकी सहायता कर अपनी जन्मभूमि की टेक रखी थी। राजनीतिक स्वाधीनता के विलोप के बाद सन् 1633 ई. में उड़ीसा के प्रथम अंग्रेज व्यापारी कार्टराइट तथा उनके पाँच साथियों को पुर्तगाली आक्रमण से बचाया गया था।

इन ऐतिहासिक घटनाओं से उड़िया।ओं की उदारता का ही नहीं बल्कि भारतीय राजनीति में उनकी सहभागिता का भी प्रमाण मिलता है। धर्म, राजनीति आदि सभी क्षेत्रों में भारत के साथ उत्कल का सदा संबंध रहा है। इसलिए हे भाइयो! अब चाहे तुम जैसे भी हो या तुम्हें जो भी समझा जा रहा हो, जब तक नीलाचल धाम में साम्य व मैत्री का ध्वज फहर रहा होगा तब तक उत्कल समग्र भारतीय एकता का केंद्र बना रहेगा। इसके अनुरूप कार्य न करने पर हमें देश के सामने अपमानित होना पड़ेगा और भावी पीढ़ी हमारी संकीर्णता और अदूरदर्शिता की निंदा करेगी।... हमारी राष्ट्रीय चेतना जाग्रत हुई है। परंतु हमें आत्मबल पर विश्वास करना होगा।...

शिक्षा के अभाव में जनसामान्य को पग-पग पर न जाने कितनी मुसीबतें और यातनाएँ झेलनी पड़ती हैं। सरकार भी शिक्षा की प्रयोजनीयता को समझ रही है। शासन की उदारता के लिए शिक्षित प्रजा आगे बढ़ सकती है परंतु निरक्षर प्रजा से ही अधिक विपत्ति की आशंका होती है। उदार शासन में वह बाधा बन सकती है। शिक्षा के प्रचार-प्रसार के लिए सरकार आर्थिक सहायता प्रदान कर रही है। यह अच्छी सूचना है। परंतु यह कार्य जिस गति से हो रहा है वह ज्यादा समय सापेक्ष है। इंग्लैंड में किसी भाषण में भारत के सेक्रेटरी मांटेग्यू साहब ने कहा था—'शिक्षा, उद्योग, व्यापार आदि क्षेत्रों में भारतीयों की सहयोगिता में बड़ी संभावना है। भारतीय इन क्षेत्रों में उन्नति करते हैं तो संपूर्ण स्वायत्त शासन उपयोगी सिद्ध होगा।'

भारतीयों की दुहाई देकर चाहे कुछ भी कहा जाए लेकिन इतने सालों के अंग्रेजी शासन के बावजूद हमारे देश का कोई विकास नहीं हो पाया है। अंग्रेज भी आज इसे समझ रहे हैं कि बिना शिक्षा के शासन में सुधार लाने का कोई आशय नहीं होता है। लोगों को शिक्षा का दायित्व अपने हाथों में लेना होगा।...

भागवत ने उड़ियाभाषी लोगों के हृदय में निर्बाध प्रभाव विस्तार किया है। उड़ीसा आज खंड-विखंडित है परंतु जगन्नाथ दास की मधुर कोमलकांत प्राणस्पर्शी पदावली

पूर्णता, एकता आदि की प्रतीक है। महेंद्रशिखर से रूपनारायण के तटीय प्रांत तक, मेदिनीपुर, मध्य प्रदेश आदि जगहों पर भागवत का पठन-पाठन हो रहा है। जहाँ उड़िया भाषी हो, वहाँ भागवत की सुमधुर ध्वनि सुनाई पड़ती है। भागवत आम उत्कलीयों के लिए देवता स्वरूप है।

मेरा विश्वास है कि धार्मिक भावना बलवान न हो तो हमारा देशानुराग या राष्ट्रीयता भी शक्तिहीन होगी। वास्तव में राष्ट्रीयता ही हमारा धर्म है। धर्म ही हमारी राष्ट्रीयता है।...

गाँव के प्रत्येक भागवत घर में कम से कम एक उड़िया साप्ताहिक पत्रिका भेजी जानी चाहिए जिसमें स्वास्थ्य, शिक्षा, कृषि, उद्योग, ग्राम पंचायत, कुसंस्कारों से मुक्ति आदि विषयों का उल्लेख सहज सरल भाषा में होना चाहिए।...

आज भी कचहरी-अदालत में उड़िया को उचित स्थान प्राप्त नहीं है। गंजाम जिले के न्यायप्रिय निरपेक्ष कलेक्टर कटलर साहब ने छत्रपुर तालुक में उड़िया के प्रचलन के लिए गवर्मेंट को लिखा था। परंतु गवर्मेंट ने उस पर कोई विचार नहीं किया है। यह उड़ीसा के निवासियों पर बिल्कुल अन्याय किया जा रहा है। गंजाम में अब उड़िया जातीय भावना जाग्रत हुई है जो किसी प्रकार की बाधा-मुसीबतों से पराजित हो नहीं सकती।...

केवल भाषा-क्षेत्र में नहीं दूसरे क्षेत्रों में भी अंग्रेजों ने उड़ीसा पर अन्याय किया है। उड़ीसा के प्रति उनकी सदा उदासीनता ही रही है। 1803 ई. में यहाँ के निवासियों ने उन्हें आमंत्रित किया। परंतु 1817 ई. में ही राजभक्त उत्कलीयों ने बाध्य होकर उनके विरुद्ध विद्रोह शुरू कर दिया। यह विद्रोह अंग्रेजों के बुरे व्यवहार तथा अत्याचार के फलस्वरूप शुरू हुआ था। अब भी यदि सरकार अपने किए पर अनुतप्त हो, इनका हित साधन करे तो बहुत कुछ किया जा सकता है।

लर्ड कर्जन ने विजयनगर, सिंहभूमि आदि अंचलों का उड़ीसा के साथ मिश्रण का प्रस्ताव रखा था। पर वैसा न हुआ। लार्ड कर्जन के समय जो आवश्यक प्रतीत होता था, लार्ड मिंटो के समय वह बिल्कुल अनावश्यक हो गया, बेकार सिद्ध हो रहा है। इससे जनसामान्य की ही हानि हो रही है।...

देश में स्वास्थ्य-व्यवस्था दिनोंदिन बिगड़ती जा रही है। खाद्याभाव, बिगड़ता स्वास्थ्य और कमजोरी से ग्रामीण किसान पिसा जा रहा है। गाँवों में पीने के पानी की भी कमी है। स्वास्थ्य रक्षा के नियमों से अपरिचित हो ग्राम निवासी चारों ओर बीमारी के बीज बोते हैं। अपने भाग्य को दोषी मानकर बीमारी का कष्ट झेलते रहते हैं। चिकित्सा की कोई व्यवस्था नहीं है। डॉक्टरी चिकित्सा व्यवस्था को पुख्ता बनाया न गया तो कुछ ही सालों में अनेक गाँव जनशून्य हो जाएँ तो कोई आश्चर्य नहीं होना चाहिए।...

उत्कल संतानो! अब तुम्हारे प्रचार की बारी है। सेवा का समय आ खड़ा हुआ

है। जाओ, गाँव-गाँव में घूमो, देशभर में, लोगों के कानों में इसका शुभ समाचार सुनाओ। इस पुण्यभूमि ने युगों से संन्यासियों को आकृष्ट किया है। संन्यासी की साधना एवं तपस्या के बिना कोई महत्त्वकार्य साधित नहीं होता है। संन्यासी की साधना ही हमारी जातीय मुक्ति है।

विश्वप्रीति ही उड़िया की जातीयता और पूर्णप्राण उड़ीसा की मनुष्यता है। उड़िया की यह जातीयता, उसका देशप्रेम कभी जड़, नीरस और स्वार्थ से लिप्त नहीं रहा। राज्यलाभ या रक्तपात में इसका विश्वास नहीं है। साम्य, मैत्री और स्वाधीनता का यह पूजक है। यहाँ की नीति नीलाचल नीति है जिसमें बड़ा-छोटा, राजा-प्रजा, ब्राह्मण-चंडाल, पापी-पुण्यात्मा, हिंदू-बौद्ध, ईसाई-मुसलमान आदि में कोई अंतर नहीं है। चैतन्य युग में हिंदू-मुसलमान का अंतर भी लुप्त हो गया। युगों से भारत के सिद्धों, सामंतों, महापुरुषों को हमने आकृष्ट किया है। शंकर, रामानुज, नानक, कबीर, चैतन्य आदि ने अनेकता की जगह एकता का प्रचार किया। उड़िया का किसी के प्रति विद्वेष भाव नहीं रहता। चाहे धार्मिक हो या सामाजिक—हर क्षेत्र में उत्कल के निवासियों ने संकीर्णता को त्यागा है। हमें अपने आदर्शों से च्युत होना नहीं चाहिए।

आज हमारे गाँवों की हालत बद से बदतर होती जा रही। यह दशा बनी रही तो हमारी जाति की क्या दुर्गति होगी, यह सोचा भी नहीं जा सकता है। मेहनतकश मजदूर लुंज-पुंज हो रहे हैं। खाद्य, जल, वस्त्र, शिक्षा, स्वास्थ्य और साहस-सभी का अभाव है। अगर पंद्रह आने लोग ऐसा यंत्रणामय जीवन व्यतीत करें, अभावग्रस्तता से पिस रहे हों, विभिन्न बीमारियों से ग्रसित हों सैकड़ों-हजारों मृत्यु का शिकार हो रहे हों, दीन-दुःखी कुत्ते-बिल्लियों की तरह सत्तासीन लोगों के अत्याचार और शोषण से ग्रसित हों, उस जाति की नींव कब तक मजबूत रह सकती है? गाँवों-शहरों, गलियों में सर्वत्र हमें जातीयता की भाव धारा प्रवाहित करनी होगी। इसके राजा-प्रजा, जमींदार-कारिंदा, ब्राह्मण-चंडाल, उच्च-नीच, धनी-गरीब आदि की दीवार तोड़नी होगी। उड़ीसा के महाराज श्री गजपति महोदय मेहतर का काम करते हैं। इसे जनसामान्य को भी समझाना होगा कि अभेद नीति में हमारा विश्वास है। इसके लिए हमें मानसिकता बदलनी होगी जो शिक्षा के बिना असंभव है।

मैं जातीय शिक्षा की बात कर रहा हूँ। यह केवल स्कूल-कॉलेजों में दी जाने वाली शिक्षा नहीं है। विभिन्न क्षेत्रों में विभिन्न उपायों से शिक्षा का विस्तार किया जा सकता है। अपनी प्राचीन संस्थाएँ, धर्म-कर्म के विविध केंद्र आदि भी इस दिशा में उपयोगी हो सकते हैं। हमारे देश में अज्ञान के घने बादल उमड़ रहे हैं। ज्ञान के प्रकाश से अज्ञानांधकार और जड़ता को दूर करना होगा।...शिक्षा की अत्यधिक आवश्यकता है। इसलिए हमने सार्वजनिक शिक्षा संघ (Univesal Educational League) की परिकल्पना की है। इस संघ में एक वर्ग होगा जो आर्थिक सहायता

देगा तथा कार्यपालिका की देखभाल करेगा। दूसरे वर्ग के अंतर्गत शिक्षक होंगे जो कम-से-कम बीस साल शिक्षा-दान करेंगे। सबको समस्त प्रकार की शिक्षा दी जाएगी तथा समस्त वर्गों को समान सुविधाएँ प्रदान की जाएँगी।

भागवत घर (भगवद् स्थान) का महत्त्व दिनोंदिन घट रहा है। भगवत्पुराण उड़िया जनसामान्य का इष्टदेव है। इसलिए भागवत को हमारी जातीय उन्नति का आधार बनाना होगा। भागवत घर को ग्राम्यजीवन के केंद्र में स्थापित करना होगा। ग्रामीण समस्याओं, विवादों का निपटारा यहाँ किया जा सकता है। कृषि उद्योग की उन्नति तथा विभिन्न सामाजिक कुसंस्कारों पर बहसें यहाँ हो सकती हैं। भागवत घर से मेरा आशय केवल उड़ीसा के हिंदू गाँवों की व्यंजना नहीं है। मुसलमानी गाँवों की मस्जिदें और ईसाई गाँव के गिरजा भी भागवत घर हैं। ये घर प्रौढ़ों को भी अक्षर ज्ञान देने में महत्त्वपूर्ण भूमिका अदा कर सकते हैं।...साम्यवाद उत्कल की नीति है। पारस्परिक सम्मान, सहानुभूति, आस्था और अनुराग भावना से विभिन्न धर्मावलंबी अपने-अपने धर्म की चर्चा करते हुए शिक्षित हों और दूसरों को भी शिक्षित करें तो हमें कोई एतराज नहीं होना चाहिए।

गाँवों के भागवत घरों में कम से कम एक साप्ताहिक पत्रिका पहुँचनी चाहिए। स्वास्थ्य, शिक्षा, समवाय समिति, कृषि, उद्योग, ग्रामपंचायत, बाहरी दुनिया की खबरों से भरपूर कोई पत्रिका पढ़ी जाए तो लोगों में जागरूकता बढ़ेगी तथा हमारा राष्ट्रीय जीवन भी शक्तिसंपन्न होगा।

जातीय शिक्षा विधान में नारी शिक्षा के लिए उचित व्यवस्था के बिना वह अपूर्ण माना जाएगा। नारी शिक्षा के मार्ग में अनेक बाधाएँ हैं जिनका अचानक निराकरण संभव नहीं है। परंतु नारी शिक्षा के बिना देश का संपूर्ण विकास असंभव है। केवल किताबें पढ़ लेने से ही नारी की जातीय शिक्षा पूरी नहीं होगी बल्कि उसे रोलट बिल (Rowlat Bill) के प्रतिवाद से लेकर शिशुपालन तक के असंख्य कार्यों का सुचारु रूप से पालन करना है।...

भाषा के विलोप का आशय जाति का भी विलोप है। भाषा हमारे लिए जीवन-मृत्यु की समस्या है। यदि भारत में एक सामान्य भाषा स्वीकृत हो जाती तो यह परम सौभाग्य की बात होती। इसके लिए मुझे उड़िया छोड़नी पड़े तो भी मैं तैयार हूँ। 'एक भाषा' के प्रचार के लिए, उसकी स्थापना के लिए बड़ा से बड़ा त्याग करना हमारा पुनीत कर्त्तव्य है।... उत्कलीय कन्या का तिरहुत में विवाह होता है तो हिंदी सीखना तथा बोलना उसका कर्त्तव्य है, ठीक उसी प्रकार तिरहुत कन्या का उड़ीसा में विवाह हो तो उसका भी कर्त्तव्य बनता है कि वह उड़िया सीखे तथा बोले। अंग्रेज राज में उड़ियाभाषी लोगों को भाषा के बारे में बाधाओं का सामना करना पड़ रहा है। यह अत्यंत अन्यायपूर्ण तथा कठोर, निर्दयता भरा आचरण है। मातृभाषा मनुष्य के हृदय का स्वाभाविक प्रवाह है। उसके हृदय की गति है। इसे रुद्ध करना यानी

उसे जीते जी मार डालने जैसा ही है।...

मनुष्य केवल मनुष्य होता है। मनुष्य की सेवा ही भगवत् सेवा है। इसी विश्वास के साथ सम्मेलन के सदस्यों को काम करना होगा। प्रादेशिकता अथवा सांप्रदायिकता का कोई स्थान नहीं होना चाहिए। देश के दीन-गरीब लोग समाज के प्राणस्वरूप हैं। उनके उत्थान के बिना समाज का उत्कर्ष असंभव है। दीन-दरिद्रों और शहर निवासी पदासीन लोगों में हार्दिक मिलन होना अत्यंत आवश्यक है। उन लोगों के साथ रहकर यदि उनके लिए हितकारी कार्य नहीं किए गए, उनके सुख-दुःख में सम्मिलित न हुए तो हमारे जातीय जीवन निर्माण का प्रयास प्रतारणा का रूप ग्रहण करेगा। जाति, वर्ण, धर्म आदि का भेद भुलाकर, वैयक्तिक अहंकार, घमंड को पीछे धकेल कर जातीय शक्तिरूपी नंदीघोष की रस्सी खींचना हमारा परम कर्त्तव्य है।

—चौदहवाँ अधिवेशन, कटक, 1919

हिंदू-मुस्लिम एकता

इसके पहले कोहाट के हिंदू-मुस्लिमों में आपसी भाईचारे की खबर अखबारों में छपी थी, पर हकीकत कुछ और ही है। महात्मा गाँधी तथा मौलाना सौकत अली दोनों संप्रदायों में वैमनस्य समाप्त करने रावलपिंडी गए थे। लोगों का मानना था कि इस समस्या का शांतिपूर्ण समाधान हो जाएगा। पर वहाँ से लौटकर गाँधीजी ने अपने अखबार में जो लिखा है उसे पढ़कर मन निराश हो जाता है—"यदि मैं कोहाट के हिंदुओं की दशा में होता, अपनी मान-मर्यादा बनाए रखकर मुसलमानों से समझौता न होने तक कोहाट नहीं लौटता। लेकिन ससम्मान मुसलमानों के साथ हिंदुओं का प्रेम-भाव होना अब संभव नहीं है।...हिंदुओं की हालत मैं अच्छी तरह समझ सकता हूँ। वे अपनी संपत्ति खोना नहीं चाहते। मौलाना और मैंने कोशिश की दोनों संप्रदायों को मिलाने की। मुखिया मुसलमानों को बुलाकर चर्चा करने की कोशिश की। पर इसमें भी सफल नहीं हुए।..." भारत के किसी अंचल में यदि हिंदू-मुस्लिम विवाद बना रहे तो हमारा स्वराज आंदोलन विडंबनामात्र सिद्ध होगा।

—समाज, 21 फरवरी, 1925

समाज-संस्कार में राजाओं का कर्त्तव्य

उत्कल, राजाओं–देशीय राजाओं का प्रांत है। पूरे उत्कल में 26 देशी राज्य हैं। ये फ्यूडेटॉरी स्टेट हैं। इनके अलावा गंजाम, जयपुर, सिंहभूम आदि में अनेक जमींदार हैं। इस हिसाब से देखा जाए तो उड़ीसा के बारह आने स्थानों पर देशीय राजाओं का राज चलता है। यदि ये देशी राजा या जमींदार अपने अपने इलाकों में खादी प्रचार व अस्पृश्यता निवारण पर बल दें तो पूरे उत्कल में ये दोनों कार्य जल्दी ही संपन्न होंगे। इन दोनों कार्यों को कांग्रेस की दृष्टि से न देखा जाए। खादी का प्रचार और अस्पृश्यता निवारण के विषय राजनीतिक नहीं हैं। ये दोनों सामाजिक हैं। खादी एक घरेलू उद्योग है। इससे जनसामान्य की आर्थिक दशा सुधरेगी, बेरोजगारों को रोजगार मिलेगा। आज भी जो लोग कपास की खेती कर अपने हाथ से सूत कातकर कपड़ा बुनते हैं, वे इसे राजनीति नहीं मानते हैं। देशीय राजा और जमींदार इस प्रथा को बढ़ावा दें, उन्नत किस्म की कपास की खेती से हम अपनी आवश्यकता पूरी करने के बाद राज्य के बाहर भी बेच सकते हैं।... अस्पृश्यता एक सामाजिक व्याधि है। यह आज का सवाल नहीं, प्राचीन काल से इसकी आलोचना हुई है। आंदोलन हुए हैं। अब भी इसकी आवश्यकता है।

जो लोग अछूत समझे जा रहे हैं उनसे मानवोचित व्यवहार करें, जात-पाँत का भेदभाव न रखें। अछूतों के प्रति इस मनोभाव अर्थात घृणा आदि में परिवर्तन न हो तो उनके मन में नई आशा व उमंग उत्पन्न नहीं होगी। यद्यपि उड़ीसा में यह समस्या अत्यंत गंभीर नहीं है। तथापि इसका अंत होना आवश्यक है। निम्न जाति के कवि भीमा भोई के अनेक ब्राह्मण तथा वैश्य शिष्य थे। इसलिए देशीय राजा लोग यदि अस्पृश्यता निवारण की ओर सामान्य दृष्टि डालें तो इस समस्या का निराकरण हो सकता है। देशीय राज्यों में अब भी राजाओं का पूर्ववत् सामाजिक तथा धार्मिक कार्यों पर अधिकार बना हुआ है।...राजा को चाहिए कि वह स्वयं अछूतों के प्रति उदार आचरण करें। इससे जन साधारण भी अछूतोद्धार के लिए प्रेरित होंगे। कहा भी गया है–"यथा राजा तथा प्रजा।"... स्कूलों, विद्यालयों तथा अन्य संस्थाओं में सवर्णों की तरह अछूतों को समानाधिकार प्रदान करना होगा। इससे उनकी रीतिनीति, आचार-विचार, वेश-भूषा, खान-पान आदि में भी बदलाव आएगा। देशी राज्यों में निम्नवर्ग के लोगों की संख्या अधिक है। इसलिए जब तक उनकी संपूर्ण उन्नति नहीं होगी, उत्कल की भी उन्नति नहीं होगी।...

अछूतों की माँगें

थोड़े दिन पहले कलकत्ता में मोचियों की एक महासभा हुई थी। अपने समाज की उन्नति के लिए उन लोगों ने कुछ प्रस्ताव पारित किए थे। उच्च जाति के लोगों में उनके प्रति कैसी नफरत और बुरे भाव थे, उसका विस्तृत विवरण भी दिया गया। भविष्य में भी ऐसा दुर्व्यवहार सहन करना पड़ा तो वे एक साथ दूसरे धर्म में चले जाएँगे।... घृणा, उपेक्षा और दुर्व्यवहार के चलते प्रताड़ित, अपमानित हो दूसरे धर्म की शरण में जाएँ तो दोष उनका नहीं बल्कि उन्हें प्रताड़ित तथा अपमानित करने वालों का माना जाएगा। आज सवर्ण हिंदू जिन्हें दुत्कार रहे हैं, कल वह ईसाई बनकर आएँ तो उन्हीं के साथ बैठेगा।... आज लोगों में आत्मसम्मान तथा स्वाभिमान की भावना जाग्रत हो रही है, इसलिए सवर्ण हिंदुओं को भिन्न जाति के अछूतों के प्रति अपने व्यवहार में परिवर्तन लाना चाहिए। हिंदू समाज के लिए यह एक बहुत बड़ी समस्या है। हिंदू प्रचारकों को चाहिए कि अछूतों के पास जाएँ और उनके सुख-दुःख में शामिल हों। ''चंडालोपि मुनिश्रेष्ठ हरिभक्ति परायणः''—इस महाभाव का प्रचार करें, महत्त्व समझाएँ।...कवि भीमा भोई जैसे व्यक्ति जाति से कोध थे, लेकिन हमारे समाज के गौरव थे। आज भी यदि उस जाति के लोगों में जागरण होता है तो चरित्र, आचार-विचार आदि शुद्ध होंगे।...

नशे से दुर्दशा

अफ़ीम की कमी पर सरकार बल देने की बात बार-बार कर रही है। इसके व्यवहार में कमी लाने के लिए अफ़ीम की कीमत में बढ़ोत्तरी की बात हो रही है। सरकार का मानना है कि इसकी कीमत में वृद्धि होती है तो लोग बहुत कम खरीदेंगे और राजस्व में भी ज्यादा वृद्धि होगी। पर अफ़ीमचियों की संख्या घटने के बजाय बढ़ रही है। चाहे सरकार के आँकड़े जो बताएँ लेकिन हकीकत तो हमारे सामने ही है। पहले किसी गाँव में एक-दो अफ़ीमची थे तो अब उसके दस-पंद्रह भक्त अपने गाँव में ही हो गए हैं। पाँच साल पहले जहाँ कोई भी अफ़ीम नहीं खाता था वहाँ आज अफ़ीम का धुआँ उड़ रहा है।...कोई एक नशाखोर पूरे गाँव को नशाखोर बना सकता है। थोड़ा-सा जहर पूरे अमृत के पात्र को विषमय कर देता है। सरकार भी यह बात जानती है। चाहे अफ़ीम की कीमत बढ़े पर अफ़ीमचियों की संख्या में कमी आने वाली नहीं है।... चिलम, अफ़ीम, गाँजा आदि का प्रयोग बढ़ता जा रहा है। गहने,

बर्तन आदि गिरवी रखकर अफ़ीम खरीद रहे हैं। पैदावार में कमी आ रही है। लोगों को अन्न के लिए कष्ट उठाने पड़ रहे हैं। दिनोंदिन लोग दुर्बल होते जा रहे हैं।...

देश तथा समाज की नस-नस में नशा का विष प्रवाहित हो रहा है। ऊपर से सरकार ने नया नाटक रचा है। समाज के सम्मान्य लोगों को गाँजा तथा अफ़ीम एवं शराब की दुकान का लाइसेंस देने की बात कर रही है।...सरकार का तर्क है इससे नशीली चीजों की चोरी नहीं होगी। कालाबाजारी नहीं होगी। लेकिन तथाकथित सम्मान्य व्यक्ति कालाबाजारी नहीं करेंगे, इसकी क्या गारंटी? पहले समाज में नशे के प्रति लोगों में नफरत थी। नशाखोर निंदित तथा अपमानित होता था।... भारतीय समाज को हर दृष्टि से जघन्य और शक्तिहीन बनाने का सरकार का यह प्रयास है। दुःख की बात है कि देश के सभ्य, उच्च पदासीन धनी भी सरकार के चक्र में फँसते जा रहे हैं।...सरकार को मालूम है कि नशीली चीजें विषमय हैं तो फिर इस कारोबार में लोगों को लगाना क्यों चाहती है? आज हमारा समाज दुर्बल हो गया है, उसकी शक्ति और आदर्श नष्ट हो रहे हैं। धन के सामने समाज पराजित हो रहा है।...सरकार नशे का प्रचार-प्रसार बड़ी चालाकी से करवा रही है। देश के ऊँचे पदों पर आसीन अधिकारी सरकार का साथ दे रहे हैं। समाज में मानो नैतिक साहस नहीं कि इसके विरुद्ध अपनी आवाज उठाए, उसका गत्यावरोध करे। निम्नवर्ग का आम आदमी दारिद्र्य, मूर्खता आदि से दिनोंदिन निस्तेज हो नशा सेवन कर अकर्मण्य हो रहा है, जर्जरित हो मर रहा है। भारत के दूसरे प्रांतों की बात हमें अच्छी तरह नहीं मालूम, लेकिन उड़ीसा की जो दशा है, अगर यह जारी रही तो सर्वनाश निश्चित है। दीनबंधु ऐंड्रूज साहब के शब्दों में–

"उड़ीसा की बातें मुझे अच्छी तरह याद हैं। अफ़ीम के बारे में मैं यह कह सकता हूँ कि अफ़ीम-सेवन की वृद्धि से उड़ीसा की भयानक क्षति हो रही है। बालासोर जिले में प्रति दस हजार लोगों में 56 सेर अफ़ीम की खपत हो रही है। महाजातीय संघ द्वारा प्रस्तावित अफ़ीम के परिमाण से यह दस गुना अधिक है। कटक तथा पुरी जिले में भी भयानक स्थिति है।... संघबद्ध हो तुरंत नशा सेवन का प्रतिकार करें, अन्यथा जीना असंभव होगा।"

–समाज, 4 अप्रैल 1925

नशा मनुष्यता का विनाश करता है। यह हानिकारक है। जाने इसने कितने घर उजाड़े हैं, कितने ही अमीर रास्ते के भिखारी बन जाते हैं। बुद्धिमानों की बुद्धि का नाश हो रहा है।... जनजागरण, जनचेतना से ही नशा-निवारण संभव होगा। यदि नशे के प्रति लोगों का घृणा-भाव उपजेगा, नशा करने वाले अपने किए पर लज्जित होंगे तो यह प्रवृत्ति विनष्ट होगी।...शिक्षित तथा पदासीन व्यक्ति लाइसेन्स पाने के लिए लालायित हो रहे हैं। उनका हिताहित ज्ञान मानो लुप्त हो चला है।.... धीरे-धीरे

सरकार हमारे देश के लोगों को अफीम के द्वारा आत्महत्या की ओर धकेल रही है। इसलिए सरकार से किसी प्रकार की मदद की आशा करना विडंबना होगी। हमें प्रयत्न करना होगा। यही हमारे स्वराज की पहली सीढ़ी है।

नशीली चीजों की बिक्री से हमारे देश के पदासीन अर्थोपार्जन के दास बन चुके हैं। इनसे मुक्ति के लिए भी हमें अनवरत प्रयास करना होगा। नशीले पदार्थों का सेवन करना घृण्य है, उन पदार्थों की बिक्री भी उतना ही जघन्य अपराध है। अमीर हों या पदासीन अथवा शिक्षित हों या अशिक्षित, नशा-सेवन में सहायता करने वालों की निंदा होनी चाहिए। इसलिए सामाजिक शक्ति को मजबूत करना होगा। उड़ीसा में राज्यव्यापी आंदोलन न हुआ तो उड़िया जाति का उद्धार नहीं होगा। नशा-निवारण के लिए एक मजबूत संघ गठित होना चाहिए। समाचार-पत्रों, भाषणों, किताबों और सामाजिक संगठनों से मादक पदार्थों के वर्जन का प्रयास होना जरूरी है।

—समाज, 17 अक्टूबर, 1925

सबका स्वराज

आज देश में नवजीवन, नवीन साहस और नवजागरण की जरूरत है।... समस्त संप्रदायों के लोग मिलकर उत्साहपूर्वक नए अनुष्ठानों का पालन करें।...भारत की राष्ट्रीयशक्ति को बढ़ाने के लिए हिंदुओं को मुसलमानों, ईसाइयों आदि के साथ एकता स्थापित करनी चाहिए।... स्वराज न तो हिंदू का है और न ही मुसलमानों का, यह संपूर्ण भारत का है। इसमें सबका समान अधिकार रहेगा। इसलिए इसे पाने के लिए हम सबका समान प्रयत्न होना चाहिए।...

—समाज, 18 अप्रैल, 1925

अनुवाद : **अरुण होता**

कंदुकूरि वीरेशलिंगम् पंतुलु
रघुपति वेंकटरत्नम् नायडू
गुरजाडा वेंकट अप्पाराव
चिलकमर्ति लक्ष्मीनरसिंहम्
टी॰ पट्टाभि रामारेड्डी

कंदुकूरि वीरेशलिंगम् पंतुलु

1848-1919

तेलुगु के आधुनिक साहित्य के प्रवर्तक, समाज सुधारक एवं दक्षिण में नवजागरण के एक महत्त्वपूर्ण शिखर पुरुष। इन्होंने विधवा विवाह एवं स्त्री शिक्षा के लिए विपुल कार्य किया। इनके लिए 'हितकारिणी समाज' की स्थापना। 1874 में 'विवेकवर्द्धिनी', 1885 में (स्त्रियों के लिए) 'सती हितबोधिनी', 1891 में 'सत्य संवर्द्धिनी' 1904 में 'तेलुगु जनाना' पत्रिकाओं का संपादन। 1906 में अपनी पूरी संपत्ति दान कर दी। तेलुगु के पहले उपन्यास 'राजेश्वर चरित्र' की रचना। कई महत्त्वपूर्ण ग्रंथों की रचना।

स्त्री-शिक्षा

मुझे नए सिरे से बताने की आवश्यकता नहीं है कि शिक्षा के कारण ही विनय और विवेक मिलता है। फिर भी यहाँ-वहाँ ऐसे प्रबुद्ध विद्वान भी हैं, जो मानते हैं कि शिक्षा से अविवेक मिलता है। किंतु ऐसे लोग उन लोगों के समान हैं, जो कहते हैं कि तमोहारी सूर्य से अंधकार फैलता है। ऐसे लोकोत्तर प्रबुद्ध लोगों की बातों से हमें क्या लेना-देना? बच्चे तक जानते हैं कि शिक्षा से ज्ञान मिलता है, तो हमें यहाँ पर जोर देकर कहने की कोई जरूरत नहीं कि पुरुषों के समान स्त्रियों को भी शिक्षा से लाभ होते हैं। अगर कोई कहता ही है कि ज्ञान नहीं मिलता तो उससे क्या अंतर पड़ता है? निश्चित रूप से ऐसे लोगों का शिक्षा से कोई सरोकार नहीं है। ऐसे विद्वानों से संवाद करने में हम निश्चित रूप से असमर्थ हैं। कुछ लोगों के अनुसार शिक्षा प्राप्त करना नौकरी पाने के लिए है। उनके अनुसार, क्या स्त्रियों को पढ़-लिखकर नौकरी और अर्थोपार्जन के लिए या सभाओं में जाना है? स्त्रियों को शिक्षा की क्या आवश्यकता है? इस प्रकार कुछ व्यक्ति इच्छानुसार वाद-विवाद कर रहे हैं। अगर ऐसा है तो उनके मत से जिन पुरुषों को अन्न-वस्त्र की कमी नहीं, उन्हें भी पढ़ने की आवश्यकता नहीं होनी चाहिए। इस संसार में क्या अनपढ़ लोग अपना जीवन

यापन नहीं कर रहे हैं? वे यह नहीं कह सकते कि शिक्षा केवल जीविका के लिए ही है। अशिक्षित होने के बावजूद कोई भी मजदूरी करके पेट भर सकता है। जीवकोपार्जन के लिए कई व्यवसाय सिखाए जाते हैं। इसके लिए पढ़ने की आवश्यकता नहीं है। इसलिए शिक्षित होना ज्ञान और विवेक के लिए है, न कि पेट भरने के लिए। इसी कारण स्त्रियों के लिए भी शिक्षा आवश्यक है। स्त्रियों के शिक्षित होने के अनेक प्रयोजन हैं। उन सबका विवरण देंगे—तो वे हजारों में हैं। सबसे पहले शिक्षा के कारण विवेक मिलता है। युक्तिसंगत ज्ञान मिलता है। उस ज्ञान से सत्कर्मों में प्रवृत्ति एवं दुष्कर्मों से निवृत्ति होती है। शिक्षित परिवार में आपसी कलह छोड़कर एकता से रहेंगे। ग्रंथों के अध्ययन से स्त्रियाँ सतियों के चरित्रों के प्रभाव से उनका अनुसरण कर पतिव्रता बनेंगी। शिक्षित होकर नारियाँ मूढ़ता (मूर्खता) छोड़कर एकता के भाव से व्यवहार करेंगी। सुशिक्षित अंग्रेज महिलाओं को देखिए! वे कितना मिल-जुलकर रहती हैं। सुशिक्षित होकर हमारी नारियाँ भी ऐसे ही हो जाएँगी। यह अनुभव सिद्ध है। इसलिए कारण और उदाहरण देने की कोई जरूरत नहीं है। गृहकार्य अच्छी तरह संपन्न करने का उत्तरदायित्व स्त्रियों का है, पुरुषों का नहीं। अगर वे सुशिक्षित होंगी तो उन कार्यों को जागरूकता से एवं सुचारू रूप से कर सकती हैं। इतना ही नहीं, पुरुषों की तरह स्त्रियाँ भी सुशिक्षित हों तो उनकी संतान भी विवेकसंपन्न होती है। संसार में उच्चजातियों की स्त्रियों से निम्न जातियों की स्त्रियों की बुद्धि कुंठित है। इसका क्या कारण है? उच्च जातियों में स्त्रियाँ अशिक्षित होने के बावजूद शिक्षित पुरुषों के साहचर्य के कारण कुछ बुद्धि- संपन्न बन जाती हैं। सोचिए कि अगर वे स्वयं भी शिक्षित हों तो कितनी अधिक बुद्धिमती बन सकती हैं? उसी प्रकार संतानें भी शिक्षित पिता आदि पुरुषों के साहचर्य के साथ-साथ थोड़ी-बहुत शिक्षित स्त्रियों के बीच भी रहें तो वे कितना अधिक ज्ञान प्राप्त कर सकती हैं। निम्न जातियों में खुद पुरुष ही अशिक्षित हैं, इस कारण उनके साथ की स्त्रियों को भी स्वल्प ज्ञान मिलता है। उसी प्रकार उनकी संतान का भी अशिक्षित माता-पिता एवं बंधुजनों के साथ निरंतर साहचर्य की वजह से ज्ञानहीन होना स्वाभाविक है। हमारे देश में अनादिकाल से स्त्री शिक्षा का प्रसार है। यह कहीं से आयातित नहीं है। किसी कारण स्त्रियों में शिक्षा क्षीण होती गई। किंतु आज के संदर्भ में भी हम यह नहीं कह सकते कि उसका नामोनिशान नहीं है। आज भी कई पढ़ी-लिखी कुलीन स्त्रियाँ हैं। हमारे देश में मुगल शासन काल में स्त्री-शिक्षा की दशा पिछड़ी थी। स्त्री-शिक्षा ही क्यों, कई संदर्भों में मुगल शासन काल अनर्थों का काल था। हमारे भाग्य से अंग्रेज सरकार के कारण फिर से कुछ अच्छे कार्य हो रहे हैं। फिर भी विनायक के विवाह में अनेक अड़चनें हैं। कोई अच्छा काम करने के प्रयत्न में अनेक अवरोध सामने आ जाते हैं। मिसाल के तौर पर, हम जिन्हें पंडित मानते हैं, वे ही जाने-अनजाने यह प्रचार कर रहे हैं और सिद्ध करने की कोशिश कर रहे हैं कि स्त्री-शिक्षा विनाशकारी एवं

शास्त्र-विरुद्ध है। वे अपनी जिद में अनपढ़ लोगों को भ्रम में डाल रहे हैं। उनके पांडित्य की चर्चा हम नहीं करेंगे, किंतु उनका यह प्रतिपादन विश्वास करने योग्य नहीं है कि हिंदू स्त्रियों को प्राचीन काल में शिक्षा प्राप्त नहीं थी। शास्त्रों ने कहीं भी स्त्री-शिक्षा की निंदा नहीं की। हमारे लिए श्रुति, स्मृति एवं परंपरा मुख्य प्रमाण हैं। इसलिए वह स्मृति जो श्रुति के विरुद्ध नहीं और वह परंपरा जो श्रुति एवं स्मृति के विरुद्ध नहीं है, ग्राह्य है। श्रुतियों में कहीं भी स्त्री-शिक्षा का निषेध नहीं है। कुछ स्मृतियों में लिखा गया है कि स्त्री वेद मंत्रों के पाठ की अधिकारी नहीं है। इससे इतना तो स्पष्ट होता है कि अन्य प्रकार की शिक्षा के पढ़ने की अधिकारी है। इसके अलावा यह भी है कि उन वेद मंत्रों में यह भी है कि कुछ मंत्रों का पाठ याज्ञिक की पत्नी को करना चाहिए। उस पाठ के विधि-विधान भी हैं। दुष्यंत की सभा में सदस्यों के समक्ष शकुंतला ने वेदमंत्रों का पाठ किया था एवं उनका अर्थ भी बताया था। इसी से पता चलता है कि प्राचीन काल में स्त्रियाँ वेद-वेदार्थ का ज्ञान रखती थीं। पुराणों में लिखा है कि सीता, दमयंती आदि कुलीन नारियाँ सुशिक्षित थीं। कहीं तथाकथित विद्वान कहते होंगे कि उनके पति एवं पिता शिष्ट नहीं हैं। कहने दीजिए। बाद में देखेंगे। इसमें लेशमात्र भी संदेह नहीं है कि स्त्री-शिक्षा श्रुति, स्मृति एवं पुराण सम्मत है। जो यह मानते हैं कि कुलीन नारियों को शिक्षा नहीं देनी चाहिए, वे यह मान चुके हैं कि पुराने जमाने में क्षत्रिय स्त्रियों को शिक्षा दी जाती थी। इसलिए स्पष्ट हो जाता है कि उनका सिद्धांत दुर्बल एवं युक्ति संगत नहीं है। राजकुमारियाँ भी कुलीन स्त्रियाँ ही हैं। इसलिए प्राचीन काल में कुलीन स्त्रियों को शिक्षा नहीं थी, यह कहना उचित नहीं है। क्षत्रिय स्त्रियों के अलावा अन्य नारियों को भी शिक्षा दी जाती थी। कहा जाता है कि राजा भोज के समय एक विद्वान ब्राह्मण के परिवार ने अनेक श्लोक प्रस्तुत किए, उनमें ब्राह्मण की पत्नी का श्लोक इस प्रकार है—

रथस्त्यैकं चक्रं भुजगनमिता स्सप्त तुरगा
निरालम्नो मर्णश्चरण विकल सारथि रपि
रवि रात्येवास्तं प्रतिदिनम पारस्य नभसः
क्रियासिद्धि स्सत्वे भवति महतां नोपकरणे।।

ब्राह्मण की बहू का श्लोक है—

धनुः पौष्पं मौर्वी मधुकरमयी चंचल दशां
दृशांकोणो बाण स्सुहृदपि जडात्मापि हिमकरः।
स्वयं चैकोनंग स्सकल भुवनं व्याकुलयति
क्रिया सिद्धि स्सत्वे भवति महतां नोपकरणे।।

एक बार जाह्नवी तीरवासिनी वृद्धा ब्राह्मणी ने राजा के सामने यह श्लोक पढ़ा—

भोज प्रतापाग्नि रपूर्व एष जागर्तिभूभृत्कट स्थलीषु
यस्मिन् प्रविष्टेरिपु पार्थिवानां तृणानिरोर्हान्त गृहांगणेषु।

इस प्रकार लिखना चाहेंगे तो अनेक उदाहरण मिलेंगे। कृष्णदेवराय के शासन काल में भी नारियाँ शिक्षित थीं। सुप्रसिद्ध आचार्य अप्पय दीक्षित की पुत्री द्वारा लिखे गए अनेक श्लोकों से पता चलता है कि वह सुशिक्षित थी। विस्तार के भय से उन सभी का उद्धरण न देकर उनमें एक श्लोक मैं यहाँ प्रस्तुत कर रहा हूँ। वह अपने से अल्पशिक्षित वर को देने के प्रसंग में पिता से कहती है–

यस्यं षष्ठी चतुर्थीस्याद्विहस्य च विहाय च।
अहं कथं द्वितीया स्याद्द्वितीया स्यामहं कथम्।

प्राचीन काल की बात क्यों? इस काल में भी संभ्रांत परिवारों की नारियाँ पढ़ रही हैं। और कोई नहीं, श्रीमान् परवरलु वेंकटरंगाचार्य जो विशाखपट्टणं के निवासी और महान् विद्वान हैं, उनकी बेटियाँ पढ़ी-लिखी हैं। आप सबको मालूम ही होगा कि आचार्य परवरलु श्री निवासाचार्य की पुत्री रंगम्माजी ने 'स्त्री विद्यासमर्थन' आदि ग्रंथों की स्वयं रचना की। इसके आधार पर हम कह सकते हैं कि ब्राह्मणों में भी प्राचीन काल से आज तक नारियों को शिक्षा देने की परंपरा रही है। सिर्फ ब्राह्मण, क्षत्रिय आदि जातियों में ही स्त्री शिक्षा नहीं, अपितु अन्य जातियों में भी कई स्त्रियाँ प्राचीन काल से शिक्षा पाती आई हैं। किंतु शिक्षित पुरुषों के समान शिक्षित स्त्रियों की संख्या कम रही। राजा भोज के शासन काल में एक कुम्हार युवती का श्लोक इस प्रकार है–

राजन् चन्द्रं समालोक्य छांतु भूतलमागतम्।
रत्नश्रेणि मिषान्मन्ये नक्षत्राण्यभ्युपागमन्।।

इस प्रकार के अनेक उदाहरण मिलते हैं।

कृष्णदेवराय के शासन काल में मोल्ल ने रामायण की रचना की। इस प्रकार सिद्ध होता है कि प्राचीन काल की सभी जातियों की नारियाँ विद्यासंपन्न होकर सान पर चढ़ी मणियों के समान प्रकाशित होती रही थीं।

मैं यह अनुरोध करते हुए इस प्रसंग को समाप्त करता हूँ कि कम से कम अब तो लड़कियों के लिए पाठशालाओं की स्थापना कर अपनी (बेटियों) लड़कियों को पढ़ाकर उनका भला करें।

–1875

स्त्री-पुनर्विवाह विषयक प्रथम प्रचार

मेरे देश के विवेक संपन्न महानुभावो!

मेरी सविनय प्रार्थना है कि अब मैं जो एक छोटा-सा प्रचार करने जा रहा

हूँ, उसको बड़ी सहृदयता से सुनकर पक्षपात रहित बुद्धि से और न्याय-दृष्टि से सावधानी के साथ विवेचना करके यदि आपके मन को ठीक लगे तो स्वीकार करें। आज के आचार-विचार के अनुसार कुछ लोगों के कानों के लिए ये अप्रिय लग सकता है। किंतु मेरा विश्वास है कि पारमार्थिक बुद्धि से अनुशीलन करके देखने के बाद यह ग्राह्य हो सकता है। हम अगर किसी विषय का विस्तृत विवेचन न कर प्रचलित परंपरा को ही प्रमाण मानकर हठधर्मिता दिखाएँगे तो प्रगति के लिए कोई अवसर नहीं मिलेगा और हम धीरे-धीरे दुराचरण में प्रवृत्त होकर मनुष्य धर्म को ही भूलकर पथभ्रष्ट हो जाएँगे। दूसरों की दृष्टि में जितना भी क्रूर लगे, हर एक को अपने रीति-रिवाज हमेशा अच्छे लगते हैं। विवाह में बहुत सारा धन खर्च करने की परंपरा बहुत समय से प्रचलित है। इसे न त्यागने की विवशता से, ज्यादा धन नहीं जुटा सकने के कारण, विवाह में फिजूलखर्ची छोड़ने की जगह जन्म लेते ही स्त्री-शिशु की बिना दया-माया के हत्या कर दी जाती है। राजपूतों के इस दुराचार को न्याय के पक्षधर ब्रिटिश शासक अभी भी मूल रूप से उखाड़ फेंकने में असमर्थ हैं।

काली, शक्ति आदि ग्राम देवताओं को प्रसन्न करने के लिए, अपनी संतान को एवं साथियों की बलि दी जाने की प्रथा को रोकने के लिए अंग्रेज सरकार ने जो कुछ किया, उसे कुछ महानुभाव देश में उपद्रव का कारण मानते हैं। पुण्य पाने के भ्रम में आखिरकार हमारे देश में कितनों ने अपने बच्चों को गंगा में फेंकने का दुराचार नहीं किया? यदि दुराचारों का बहुत दिनों तक अनुसरण किया जाए, तो वे सदाचार लगते हैं और इससे समाज का कितना नुकसान होता है, यही समझाने के लिए मैंने उपर्युक्त दो उदाहरण दिए और इस विषय को अब यहीं समाप्त करता हूँ।

इस तरह की कुप्रथाओं का परित्याग करने के लिए आत्मविवेचन और आक्षेप ये दो प्रमुख साधन हैं। आत्म-विवेचन करने के लिए जरूरी है अपने हृदय के व्यर्थ अभिमान को हटाना। इसके बिना हम कभी किसी विषय का निष्पक्ष विवेचन नहीं कर सकते और एक व्यापक सिद्धांत बनाकर दुष्कृत्यों का त्याग करते हुए सदाचारों का प्रवर्तन करने में सक्षम नहीं हो सकते। यह भी सत्य है कि व्यर्थ के अभिमान का त्याग कुछ ही के वश की बात है। किंतु जब दूसरे लोग हमारे ऐसे आचरण को दुराचार एवं राक्षसी कृत्य कहकर संबोधित करेंगे तो हम चुपचाप सुन भी नहीं सकते। दूसरों की टीका-टिप्पणियों का तात्विक विवेचन करके निश्चित करना होगा। कि ऐसे आचरण निंदायोग्य हैं या नहीं। अगर निंदायोग्य हैं, तो हमें व्यवहार ठीक कर लेना होगा और अगर नहीं हैं तो प्रतिपक्षी की बातों पर ध्यान न देकर शांति से रहना है। जो व्यक्ति अपने देश एवं इसकी जनता की हित-चिंता करते हैं, उन्हें सत्य का शोध कर उन सिद्धांतों के आधार पर पहले स्वयं उस सत्य पर चलना चाहिए, तब दूसरों को भी ऐसा ही आचरण करने के लिए प्रेरित करना चाहिए।

यह मनुष्य स्वभाव के प्रतिकूल है कि किसी कुप्रथा से मुझे सीधा नुकसान नहीं है, इसलिए दूसरे गंगा में डूबें तो डूबने दो, मुझे क्या करना है। इतना कहना काफी है कि सिर्फ अपने उदरपूर्ति में लगे रहना उचित नहीं है, जिस मनुष्य को लोकोपकार की चिंता नहीं है, वह मनुष्य धरती के लिए भार स्वरूप है और पशु-पक्षियों से भी निरर्थक जीव है।

स्त्री-पुनर्विवाह संबंधी विषय इतना असाधारण नहीं है कि दूसरों के आक्षेप के बाद ही समझ में आए। बुजुर्गों का कहना है कि कई शताब्दियों पहले श्रीकृष्णदेवराय के काल में, अपने समय के पंडितों में अग्रगण्य, आज तक पंडितों द्वारा प्रशंसित सर्वश्रेष्ठ पंडित अप्पय दीक्षित ने स्त्री-पुनर्विवाह के संबंध में सम्यक विवेचन कर, स्त्री-पुनर्विवाह को शास्त्रसम्मत एवं दोषरहित प्रतिपादित किया था। उन्होंने शिक्षा के केंद्र के रूप में प्रसिद्ध काशी आदि नगरों में अपने सिद्धांत के बारे में पंडितों से चर्चा की, इस प्रसंग को शास्त्र एवं युक्ति के आधार पर स्थापित किया। इससे वहाँ के पराजित पंडित के पैरों तले जमीन खिसक गई। वे सब मिलकर अप्पय दीक्षित की माँ से दीनतापूर्वक प्रार्थना करने लगे और उनके द्वारा यह प्रस्ताव रखने में सफल हुए कि उनका पुनर्विवाह करने के बाद ही किसी और का पुनर्विवाह हो। इस प्रकार काशी के पंडित अप्पय दीक्षित के द्वारा पुनर्विवाह के विचार का प्रचार रोकने में सफल हुए। अप्पय दीक्षित के बाद भी अनेक लोकोपकारी पंडितों ने अपने ग्रंथ में इस सिद्धांत की स्थापना की कि स्त्री-पुनर्विवाह शास्त्र सम्मत है। उनके समान हृदय को प्रभावित कर सकने वाली भाषण कला मेरे पास नहीं है। स्त्री-पुनर्विवाह न होने से होने वाली हानियों और पुनर्विवाह के लाभों के बारे में योग्य तर्क मेरे पास नहीं हैं। फिर भी मैं लोकोपकार की चिंता से एवं उन स्त्रियों की दुरवस्था से प्रेरित होकर, महान लोगों के द्वारा निर्देशित मार्ग का अनुसरण करते हुए कुछ बोलने का साहस कर रहा हूँ।

समदृष्टिवान ईश्वर ने पुरुषों के ही समान स्त्रियों को बनाया। उन्होंने भूख-प्यास के समान ही काम-भावों का भी विधान किया। इनके ठीक ढंग से शांत होने पर ही स्त्रियों और पुरुषों की सुख मिलता है। चोरी आदि दुष्कृत्यों में प्रवृत्त न होकर ही भूख मिटाना उचित है। उसी प्रकार व्यभिचार में प्रवृत्त न होकर ही काम-वृत्ति को शांत करना उचित है। हालाँकि भूख और प्यास के समान काम की शांति अनिवार्य नहीं है, तब भी काम पर विजय पाना साधारण मानव के लिए संभव नहीं है। जंगलों में रहते हुए कंदमूल-फल खाने वाले योगी भी जब काम मोहित होकर अनुचित व्यवहार में प्रवृत्त हुए, तब दूसरों का क्या कहना। इसके लिए दृष्टांत के रूप में पंडितों के द्वारा लिखा गया श्लोक यहाँ उद्धृत कर रहा हूँ–

विश्वामित्र पराशर प्रभृतयो वातांबुपर्णाशना
न्तोपि स्त्रीमुख पंकजं सुललित दृष्टवेद माहंगताः

शाल्यन्नं सघृतं पयोदधि युतं भुजंतिये मानवाः
तेषा मिंद्रिय निग्रहो यदि भवेद्विन्ध्यः प्लवे सागरेः।

उपर्युक्त श्लोक का अर्थ है—यदि विश्वामित्र, पराशर आदि हवा, पानी एवं पत्ते खाकर भी स्त्री का सुंदर मुख देखकर मोहित हो गए, तो घी, दही, दूध एवं चावल खाने वाला मानव कैसे इंद्रिय निग्रह करे। यदि ऐसा होता है तो विंध्य पहाड़ भी सागर पर तैरने लगेगा। इस प्रकार थोड़ी बहुत शिक्षा प्राप्त करके विवेकी पुरुषों का संसार में काम पर विजय पाना सागर में पहाड़ तैरने जैसा है, तो हमारे देश की शिक्षाविहीन साधारण स्त्रियों की क्या दशा होगी, आप सोच सकते हैं। इतना ही नहीं, हमारे पूर्वजों का कथन है—

स्त्रीणां द्विगुण आहारो बुद्धिश्यापि चतुर्गुणां।
साहसं षड्गुणं चैव कामश्याष्ट गुणो भवेत्।

इस प्रकार कहा गया है कि स्त्रियों में पुरुषों से छः गुणा अधिक साहस और आठ गुना अधिक काम भावना होती है। यदि स्त्रियों में पुरुषों के समान ही काम प्रवृत्ति है, तो उसे दबाना स्त्रियों के लिए ज्यादा कठिन है। वे अपने मन को इससे हटा सकती हैं—यह सोचना ही मूर्खता है। ऐसे में अगर साहस भी छः गुना अधिक है तो क्या कहना? ऐसा न सोचकर अगर हम स्त्रियों में पुरुषों के समान ही साहस और काम भावना मानते हैं, तब भी खट्टी चीजें ज्यादा खाने वाली जवान स्त्रियों की काम भावना को दबाना क्या संभव है? क्या ऐसा हमें सपने में भी सोचना चाहिए? जब हम सोचते हैं कि पत्नी की मृत्यु मात्र से पुरुष की कामेच्छा समाप्त नहीं हो सकती, इसलिए उसका पुनर्विवाह भगवान की इच्छा के अनुरूप है, तो क्या हमें यह भी नहीं सोचना चाहिए कि पति की मृत्यु मात्र से स्त्री की कामेच्छा समाप्त नहीं हो जाती, इसलिए स्त्री का पुनर्विवाह भी भगवान की इच्छा के अनुरूप है। भगवान की इच्छा के विपरीत काम करना मनुष्य के लिए उचित नहीं है। जीवन का सुख भोगने के लिए भगवान ने जिनकी सृष्टि की, उन्हें हमें पूरी ताकत से दुखभाजन बनाना कितनी क्रूरता का काम है। विधवा हुई नारियों की दशा देखकर दूसरों के मन में आग लग रही है, दिल जल रहा है तो हमारे मन में क्यों थोड़ी दया नहीं है। बाल्यावस्था में जब संतान इतना ही जानती है कि शादी के माने नए-नए कपड़े पहनना और मिष्टान्न खाकर वाद्ययंत्रों के साथ एक त्यौहार मनाना है, इसी मानसिक स्तर पर उसका विवाह कर दिया जाता है। पति की मृत्यु का समाचार सुनकर शोकाकुल माता-पिता को 'माँ क्यों रो रही हो, पिताजी आप क्यों दुःखी हैं' पूछने वाली बेटियों को देखकर क्या माँ-बाप के मन में करुणा नहीं उपजती? कल-परसों तक लड़कियों को प्यार से प्राण पण चाहते हुए, पति की मृत्यु की बात सुनते ही उस बेटी को अलंकार रहित कर, बाल निकालकर, सिर पर कपड़ा डालकर, कोने में बिठाकर, कुरूप बनाकर; बेमौत मारते हुए, दिन में एक ही बार दो कौर देकर, पहनने को ढंग के

कपड़े तक न देते हुए अपनी पुत्रियों की जिंदगियों को दुखभाजन बनाते हुए मन क्यों नहीं धिक्कार रहा है? एक ही कोख से जन्मी बहनों को, अपने घर आई बहुओं को, निरंतर आँसू बहाते देखते हुए भाइयों-बंधुओं, श्वसुरों, जेठ-देवरों के हृदय निर्दय होकर कैसे चुपचाप रह सकते हैं? अपने परिवारों की अनाथ बनी नारियों के कष्टमय जीवन को देखते हुए वे बिना थोड़ी-सी दया के, बिना उनके कष्टों को दूर करने के प्रयास के, सुखमय जीवन कैसे व्यतीत कर रहे हैं? मेरे देशवासियो! हमारी विधवाओं की दुर्दशा देखकर अन्य प्रदेशों के लोग परिताप से द्रवित होकर, उनकी विपदा दूर करने का प्रयत्न कर रहे हैं, तो एक ही देश में जन्म लेकर एक ही वेद पर विश्वास करते हुए, एक परिवार जैसे रहनेवाले तुम लोग अपने हृदय को पत्थर बनाकर बिना चिंता के कैसे रहते हो? पतिविहीन नारियों की दुर्दशा दूर करने का प्रयत्न करना दूर, उनको आगे भी अभागिन बनाने का प्रयत्न क्यों कर रहे हो? अनाथ नारियों के प्रति करुणा की जगह इतनी उपेक्षा क्यों कर रहे हैं? उनके सिर मुँड़वा देना, अलंकरण न करने देना, दिन में दो बार भोजन न देकर भूखी रखना और अन्य अनेक दुःस्थितियाँ लाना आपके हाथ में है, किंतु क्या आप भगवान द्वारा उनका स्वभाव सिद्ध काम-भाव उनके भीतर से निकाल सकेंगे? उनके काम के सहन शमन के लिए न्यायसिद्ध, क्रमबद्ध मार्ग न निकालने के कारण पैदा हुई अनेक मुसीबतों के बारे में आप अपनी बुद्धि से कुछ क्यों नहीं सोच रहे हैं? कम से कम अब तो आँखें खोलकर उत्पन्न होने वाली अपमानजनक स्थितियों को जानने का प्रयत्न कीजिए। ऐसा नहीं कि ये स्थितियाँ आप लोग नहीं जानते, जानकार लोगों को भी कभी-कभी स्मरण दिलाना आवश्यक हो जाता है, इसलिए संक्षेप में कहूँगा, सावधान होकर सुनिए!

विद्वान भी काम विकार के वश में होने से बच नहीं सकते। इसलिए स्वभाव से चंचल कामिनियाँ काम विकार को दबाने में असमर्थ होने के कारण अब पति-भय के अभाव में इंद्रियसुख के वशीभूत होकर दोषों में सबसे हेय व्यभिचार में प्रवृत्त होंगी।

बाल-विधवाओं को अगर पति की जायदाद मिल गई तो कई दृष्टियों से स्वतंत्र होकर वे पूरा धन अपने प्रिय पुरुष को देती हैं और कुछ ही दिनों बाद खाना-कपडा के लिए भी तरसने लगती हैं।

कुछ विधवाएँ ऐसी भी हैं, जो घर के बंधनों को सहन न कर सकने के कारण, काम में अंधी होकर, कुछ पैसा लेकर किसी के साथ घर से भाग जा रही हैं।

पूर्वजों की करुणा से पुनर्विवाह नहीं है, तो भी भगवान की करुणा से प्राप्त काम प्रवृत्ति को छोड़ नहीं सकने वाली युवती विधवाएँ पर-पुरुष संभोग के फलस्वरूप गर्भ धारण कर लेती हैं। यह बात दूसरे लोगों के जान के भय से वे दवा-दारू से गर्भपात करा लेती हैं इस तथ्य पर विचार करने से स्पष्ट होता है कि स्त्रियों में पुनर्विवाह का अभाव ही भ्रूणहत्या एवं शिशु-हत्या का कारण है।

भगवान ने पुरुष और स्त्रियों को लगभग समान संख्या में बनाया है। एक पुरुष के लिए एक स्त्री का निर्देश होने पर भी स्त्रियों में विधवाओं की अधिक संख्या होने और विधुर द्वारा फिर से कुँआरी कन्याओं के साथ ही विवाह करने के कारण अधिक संख्या में पुरुष विवाह से वंचित हो जाते हैं। ऐसे दुःखी व्यक्ति कामपीड़ित होकर अंततः व्यभिचार में प्रवृत होते हैं। विवाह जल्दी न होने के कारण पुरुष तीन साल की लड़की मिली तो भी अपने को धन्य मानते हुए अधिक धन व्यय करने के लिए तैयार हो रहे हैं। निराशा की राक्षसी के वश में आकर माता-पिता धन की आशा में, राक्षस-कृत्य करने में संकोचहीन होकर अपनी पुत्रियों को बूढ़े, बीमार एवं विकलाँग व्यक्तियों को बेचकर पैसा कमा रहे हैं। इस प्रकार के क्रय-विक्रय के लिए कुछ हद तक यह दुराचार ही दायी है।

इस प्रकार कहता जाऊँगा तो पता चल जाएगा कि कितनी मुसीबतें हैं। आप लोग किसी पक्षपात बुद्धि के बिना विचार करेंगे तो हमारे समाज से इस दुराचार के निवारण के लिए मैंने जो रास्ता बताया है, वह जरूरी लगेगा। यदि पक्षपात बुद्धि से सोचेंगे तो मेरे लाख नुकसान बताने पर भी कोई प्रयोजन सिद्ध नहीं होगा। आपके मन को आकर्षित करने के लिए मेरे पास कालिदास आदि के जैसा वर्णन-कौशल नहीं है। आपको वश में करने के लिए मेरे कथन में कोई इंद्रजाल नहीं है और मंत्र भी नहीं है। मैंने साधारण तेलुगु में वही कहा, जो आप सब लोग जानते हैं। मेरे शुष्क वचनों से बढ़कर आपको नित्यप्रति प्रत्यक्ष होने वाले अनगिनत उदाहरणों से ही पता चल गया होगा कि स्त्री के पुनर्विवाह न होने के कितने नुकसान हैं। इसमें कोई संदेह नहीं है कि जिन विधवाओं का चाल-चलन अच्छा है, उनकी स्थिति भी कम दयनीय नहीं है। जो कन्या विधवा हो गई, उसका जीवन ही व्यर्थ हो जाता है, उसको सुख ही नहीं है। सभी भोग्य वस्तुएँ उसके लिए आकाश-कुसुम के समान हैं। उसको सुबह-सुबह देखने वाले पाप के भागी समझे जाते हैं। वह जीवित रहते हुए भी मृतक समान हो जाती है। ऐसी स्त्रियों को अपने घरों में देखकर माँ-बाप एवं सास-ससुर को निरंतर दुःख होता रहता है। इस प्रकार के कष्टों को सोचने पर, स्त्री के पुनर्विवाह के विरोध में शास्त्रों की सम्मति के बावजूद दयार्द्र हृदय होकर, आशा है, सभी लोग स्त्री-पुनर्विवाह करने का साहस जुटा लेंगे।

कुछ लोग वेदों के ऊपर निर्दयता एवं क्रूरता का आरोप लगाकर स्वयं निर्दोष बनने की कोशिश कर रहे हैं। फिर भी हमारी हिंदू-जनता एवं हिंदुओं के वेद-शास्त्र इस विषय में इतने क्रूर नहीं हैं।

वेद में भी, जिसे सभी ईश्वर-प्रणीत एवं सर्वोत्कृष्ट मानते हैं, लिखा हुआ है—''दो बार विवाह करने वाली स्त्री पुनर्भूः कहलाती है और उसका वरण करने वाला दिधिषु कहलाता है।'...वेद में कहा गया है, 'हे नारी! प्राणरहित इस पति के पास ऐसी क्यों पड़ी हो? जो जीवित हैं उनको देखकर उठो और जाओ! जो पुरुष पुनर्विवाह करने

को इच्छुक है उस पुरुष की पत्नी बनो।' इस प्रकार का अर्थ देने वाला मंत्र खुद देवर ही विधवा को सुनाता है और उसको सांत्वना देता है।...

मृत पति के शव के निकट पड़ी हुई पत्नी के पास, प्रेत को लक्ष्य कर एक मंत्र कहा जाता है, उसका तात्पर्य यह है–'हे मृत! तुम्हारी पत्नी तुमको चाहते हुए तुम्हारे पास पड़ी हुई है, प्राचीन सांसारिक धर्म का अनुसरण कर रही है, इसलिए इसकी संतान एवं संपत्ति की वृद्धि करो।' 'उदीर्ष्व' इत्यादि मंत्र पुत्रहीन स्त्री के पास ही पढ़ते हैं। इसलिए यह नहीं कह सकते कि यह स्त्री पहले ही पुत्रवती थी।

श्रुति से बढ़कर कोई शब्द प्रमाण नहीं है। इसलिए इसके आधार पर सिद्ध है कि सभी दृष्टियों से स्त्री पुनर्विवाह के लिए योग्य होती है। यहाँ के सज्जनों में कोई निम्नलिखित उदाहरण देकर यह कह सकता है कि श्रुतियों ने स्त्री-पुनर्विवाह का निषेध किया है।

एक मंत्र का अर्थ है–'एक यूप से दो रस्सियाँ बाँध सकते हैं। इसलिए एक पुरुष दो पत्नियों को प्राप्त कर सकता है। एक ही रस्सी से अनेक यूपों को नहीं बाँधते, इसलिए एक स्त्री अनेक पतियों को प्राप्त नहीं कर सकती।' इस पर विचार करने से स्पष्ट होता है कि उपर्युक्त श्रुति के अनुसार पुरुष एक ही समय दो पत्नियाँ रख सकता है, स्त्री के लिए एक पति के बाद दूसरा पति हो सकता है, किंतु एक ही समय दो पति नहीं हो सकते। अगर हम इस श्रुति का अर्थ स्त्री-पुनर्विवाह निषेध ही मानते हैं तो भी मनु-वचन के अनुसार–

धर्म जिज्ञासमानानां प्रमाणं परमं श्रुतिः।
भुति द्वैधं तु यत्रस्यातत्र धर्मा उभौस्मृतौ।।

कल्लूकभट का मत है कि जहाँ श्रुति में परस्पर विरुद्ध प्रबोधन हैं तो विकल्प के रूप में दोनों ग्राह्य होते हैं। इसलिए यही सिद्ध होता है कि स्त्री का पुनर्विवाह किया जा सकता है। इस प्रकार स्त्री के लिए पुनर्विवाह वेद विहित कार्य ही है।

स्मृतियों में सर्वश्रेष्ठ पराशर स्मृति में लिखा हुआ है–

नष्टेमृते प्रव्रजिते क्लीवे च पतिते पतौ।
पंच स्ववत्सु नारीणां पतिस्यो विधियते।।

पति के देशांतर जाकर समाचार न मालूम होने पर, मृत्यु को प्राप्त करने पर, संन्यास लेने पर, नपुंसक होने पर एवं पतित होने पर स्त्री-पुनर्विवाह का विधान है। सभी स्मृतियों में श्रेष्ठ 'मनुस्मृति' एवं कलियुग के लिए बनी 'पराशर स्मृति' ने भी स्त्री-पुनर्विवाह विधान को स्वीकृति दी। अतः अनेक शास्त्रों में स्त्री-पुनर्विवाह को धर्मसम्मत मानते हुए अनेक प्रमाणिक कथन हैं।... इन सब पर विचार करने पर स्पष्ट है कि स्त्री-पुनर्विवाह श्रुति, स्मृति एवं पुराण सम्मत है।

आप कहेंगे कि स्त्री-पुनर्विवाह शास्त्र सम्मत है तो भी शिष्टाचार एक चीज है। इस पर मैं कहूँगा कि शास्त्र का तिरस्कार कर अपने इच्छानुसार व्यवहार करने

वाले शिष्ट नहीं कहलाएँगे। इसलिए यह कहना जरूरी नहीं कि शास्त्र सम्मत काम अलग है और शिष्टाचार अलग है।...

जहाँ स्मृतियों में परस्पर विरोध है, वहाँ देशाचार और कुलाचार ही धर्म माने गए हैं। शास्त्रों में जिन विषयों को नहीं कहा गया है, केवल उन्हीं के लिए शिष्टाचार प्रमाण होगा। इसलिए स्त्री-पुनर्विवाह शास्त्रविहित होने के कारण उसका शिष्टाचार से कोई संबंध नहीं है। अगर ऐसा चाहिए तो अर्जुन का विधवा उलूची से विवाह करना, ऋतुपर्ण का दमयंती के द्वितीय स्वयंवर में आना, शिष्टाचार के अंतर्गत ही आएँगे। पूना आदि क्षेत्रों में अब होने वाले पुनर्विवाह आजकल के शिष्टाचार के उदाहरण हैं। अपने आंध्र प्रदेश में अपने शास्त्रों से प्रतिबद्ध ग्वाल आदि जातियों में स्त्री-पुनर्विवाह का विधान है। ग्वालों के आचार को शिष्टाचार न कहें तो भी निरक्षर होने के कारण, आचरण गतानुगतिक होने के कारण उनमें यह जो आचार है, वह बीच में अचानक लाया गया आचार नहीं हो सकता है। इसलिए स्त्रियों के पुनर्विवाह का आचार प्राचीन होने पर भी, बड़े कुलों द्वारा इसका त्याग करने पर भी, ग्वालों में यह आचार निरंतर चला आ रहा है। इस कारण स्त्री-पुनर्विवाह श्रुति, स्मृति, पुराण, शिष्टाचार एवं तर्क से भी आवश्यक है।

श्रुति और स्मृति के विधि-विधानों के इच्छानुसार बदलने की स्वतंत्रता पहले रही है तो कल-परसों से प्रचार में आए आचार-विचारों को हम क्यों नहीं बदल सकते? प्राचीनों ने कलियुग में संन्यास का निषेध किया तो शंकराचार्य द्वारा उसकी पुनः स्थापना करना इस बात का प्रमाण है कि कालानुरूप नियम बदलते हैं एवं बदलते रहने चाहिए। यह संदेह हो सकता है कि सभी दृष्टियों से लाभकर परंपरानुमोदित स्त्री-पुनर्विवाह को उच्चवर्ग के लोगों ने क्यों छोड़ दिया? यह हो सकता है कि यदि निम्न जातियों के समान वे भी यह काम करेंगे तो उनकी विशिष्टता समाप्त हो जाएगी। दुष्ट राजा स्त्रियों के पतियों की हत्याएँ कराकर उनकी सुंदर पत्नियों को पाने की कोशिश करते हैं। इस डर से या इस भय से कि कहीं स्त्रियाँ ही दूसरे पुरुषों के प्रति आकर्षित होकर अपने पति को विष आदि देकर हत्या न कर दें और अपने उस प्रिय व्यक्ति के साथ विवाह न कर लें या संतानहीन विधवा की जायदाद पाने की दुष्ट बुद्धि वाले बंधुजनों के कारण या फिर इसी प्रकार के किसी अन्य कारण से स्त्री-पुनर्विवाह को हमारे पूर्वजों ने समाप्त किया।

इस समय वैसी कोई समस्या नहीं है। इसलिए स्त्री-पुनर्विवाह के अभाव में होने वाली असंख्य कठिनाइयों को देखते हुए आचार में कालानुरूप परिवर्तन पर कोई आक्षेप नहीं लगाना चाहिए। राजाओं के धर्मबद्ध शासन के तारतम्य से ही धर्म चलता है। यह नहीं कहा जा सकता कि प्राचीन काल ही अच्छा था, यह काल अच्छा नहीं है। मनुस्मृति एवं पुराण के अनुसार कृत-युग में राजा क्षेम के समय राज्य भ्रष्ट हो गया था। त्रेता युग में रावण प्रभृति ने देश में उपद्रव मचाया था। धर्म का क्रमबद्ध

आचरण जिस युग में भी होता है, वही कृत युग है। यह पागलपन की बात है कि युगभेद के कारण अब कोई कल्याणकारी काम नहीं होना चाहिए। इसके लिए ही 'मनुस्मृति के नवम् अध्याय में कहा गया है–'कृतः, त्रेता, द्वापर एवं कलि युग वस्तुतः राजाओं के स्वभाव के अनुसार निर्धारित हैं। राजा अनभिज्ञ है तो कलि युग, ज्ञाता होकर भी उसके अनुसार नहीं चलता तो द्वापर युग, ज्ञाता होकर उसके अनुसार चलना चाहता है तो त्रेता युग और धर्म का नैरंतर्य है तो कृत युग कहा गया है।' विचार करने पर ज्ञात होता है कि युग-भेद के आधार पर ही धर्म की व्यवस्था की गई। गतिशील स्थितियों को सोचकर राजाओं की स्थिति में परिवर्तन किए गए हैं। इसलिए समकालीन परिस्थितियों के अनुरूप भ्रूण-हत्या आदि दोषों का निवारण करने वाले आचार का विधान कर लेना अत्यंत श्रेयस्कर एवं आवश्यक है।

पिता रक्षति कौमारे भर्ता रक्षति यौवने।
पुत्रो रक्षति बार्धक्ये न स्त्री स्वातंत्र्यभर्हति।।

उपर्युक्त श्लोक का उद्धरण देकर अभी परसों एक पंडित ने स्त्री-पुनर्विवाह का विरोध करते हुए कहा कि स्त्री-पुनर्विवाह से स्त्री को स्वतंत्रता मिल जाएगी। स्त्री-पुनर्विवाह पर यही आक्षेप है। स्त्री-पुनर्विवाह के कारण स्त्री को कोई स्वतंत्रता मिलने वाली नहीं है। पति रहित स्त्री ही स्वतंत्र होगी, क्योंकि पति को स्वेच्छा से छोड़ने पर ही स्वतंत्रता मिलेगी। 'भर्तारक्षति यौवने' यौवन में पति रक्षा करता है। कहने का तात्पर्य यही है कि जब तक यौवन है स्त्री के लिए पति की सुरक्षा आवश्यक है। इसलिए यौवन में पतिहीन स्त्रियों का पुनर्विवाह आवश्यक है।

हे महान पंडितो! प्रत्यक्ष रूप से शास्त्रों के विरोध में कई दुष्कर्म होते हुए भी हम अपनी विस्फारित आँखों से चुपचाप सब कुछ देखते रहते हैं। इन अनाथ अबलाओं के विषय में अपने पूरे शास्त्र ज्ञान का आधार लेकर हम विपरीत अर्थ निकालकर पाखंडियों की प्रशंसा पाते हुए अपनी पूरी शक्ति इन नारियों को सुख से वंचित करके क्या उन्हें अनेक दुष्कर्म करने के लिए प्रेरित नहीं कर रहे हैं? अनेक वर्षों की मेहनत के बाद पाई शिक्षा का इन पतिविहीन अनाथ नारियों को दुःखी बनाने के उद्देश्य से उपयोग करना क्या उचित है? अपने विवेक का उपयोग क्या इन आश्रयहीन अनाथों की दुरवस्था दूर करने के लिए नहीं करना चाहिए?...हम शास्त्रसम्मत स्त्री-पुनर्विवाह की आज्ञा न देकर, मूर्ख जनता की प्रशंसा पाने की इच्छा से, आत्मवंचना करते हुए, पाप, भय को छोड़कर शास्त्रों की उल्टी व्याख्या करने में अपनी सारी शक्ति लगा रहे हैं। क्या इससे हमारी प्रतिष्ठा होगी? क्या ईश्वर हमारी प्रशंसा करेंगे? इसलिए पंडित मंडली से मैं अत्यंत विनयशील होकर प्रार्थना कर रहा हूँ कि दूसरों की प्रशंसा की चिंता से पहले वह अपनी अंतरात्मा की पुकार सुने।

इस समय सभी दृष्टियों से स्त्री का पुनर्विवाह अत्यंत आवश्यक एवं व्यावहारिक है। यह स्पष्ट होते हुए भी कई हैं जो इसके विरोध में अनेक आक्षेप करते हैं।

'स्त्री-पुनर्विवाह है, तो पुनर्विवाह-मंत्र कहाँ है?' 'एक बार दान में दी गई स्त्री को पुनः कैसे दिया जा सकता है?' 'पूर्व पति की बरसी कौन करेगा?' ये बातें महत्त्वपूर्ण नहीं हैं। जब स्त्री के पुनर्विवाह का विधान है तो विवाह मंत्रों में परिवर्तन का विधान न होने पर प्रथम विवाह के लिए जो उपयुक्त मंत्र हैं, वे ही दूसरे विवाह में भी काम आएँगे। पतिविहीना स्त्री को रजस्वला होने के पूर्व 'कन्या' ही कहा जाता है। पुनर्विवाह करने का विधान है, तभी शास्त्र के अनुसार यह भी विदित होता है कि दत्तास्त्री पुनः दी जा सकती है—

प्रतिग्रहतु यः कन्यां वरो देशान्तर व्रजेत।
त्री नूतन् समतिक्रम्य कन्यादन्यवरयेद्वरम्।।

ऐसे स्मृति वचन व्यर्थ नहीं हैं। दत्तास्त्री पुनः नहीं दी जा सकती का तात्पर्य यह है कि स्मृति में निर्दिष्ट संदर्भों को छोड़कर अन्य संदर्भों में नहीं दी जानी चाहिए। इतना ही नहीं, कन्यादान वधू-वर के आजीवन परस्पर अनुराग सहित सहजीवन निमित्त बनाए गए विधान का पूर्वांग ही है, न कि अचेतन वस्तु के समान दाता अपना सब स्वाधिकार छोड़कर प्रतिग्रहीता के इच्छानुसार उपयोग करने के लिए है। अगर ऐसा नहीं है तो जिनका लेशमात्र भी स्वत्व नहीं, वे कन्यादान के लिए योग्य कैसे होंगे?

पुनर्विवाह के बाद स्त्री का पूर्व गोत्र से अन्य गोत्र में परिवर्तन हो जाता है। एक गोत्र वाले का अन्यगोत्र वालों के लिए बरसी रखना शास्त्र विरुद्ध है, और स्त्री के नए गोत्र में जाते ही पूर्वपति से पूरा संबंध छूट जाता है। केवल स्त्रियों के लिए ही ऐसा नहीं है। एक पुरुष के अन्य गोत्र में जाने के बाद भी ऐसा ही होता है। एक गोत्र का व्यक्ति अगर एक अन्य गोत्र का दत्तक पुत्र बन गया तो जन्म देने वाले पिता के गोत्र से संबंध समाप्त हो जाना साधारण बात है। सभी यह जानते हैं। इसके बारे में मुझे अधिक कहने की आवश्यकता नहीं है। कंपनी सरकार ने सरकारी फरमान जारी किया कि स्त्री-पुनर्विवाह शास्त्रसम्मत है और पहले विवाह के मंत्र ही दूसरे विवाह में भी उपयुक्त होंगे।

पहले ही मैंने इस विषय में विस्तार से प्रतिपादित किया है कि स्त्री-पुनर्विवाह शास्त्रसम्मत है। मैं यह भी जानता हूँ कि शास्त्रों का विपरीत तात्पर्य निकालने वाले महापंडित भी हमारे बीच में हैं। शास्त्र पर विचार करते हुए वस्तु-चिंतन भी आवश्यक है। अगर ऐसा नहीं करेंगे तो शास्त्र के विपरीत सिद्धांत कायम होंगे। शर्करा (चीनी) का स्वाद जानने के स्थान पर जब महापंडित शर्करामधुरा' के वाक्य के आधार पर ही व्याख्या करना चाहेंगे तो शर्करा मधुर है कहने के स्थान पर, वे 'शर्करा अमधुर' पद-विच्छेद कर उल्टे अर्थ की स्थापना कर देंगे। निरक्षर सामान्य जनता आम तौर पर, पढ़े-लिखे लोग जो कुछ कहेंगे, उसे ही स्वीकार करती है। इसलिए अनेक निरक्षर लोगों द्वारा मिलकर की गई हानि से एक विपरीत बुद्धि का पंडित ज्यादा हानि कर सकता है। इसलिए लोकोक्ति भी है—'साक्षरा विपरीताश्चे व्राक्षसा एव केवलम्'। मैं

सविनय प्रार्थना करता हूँ कि हममें जो भी पढ़े-लिखे लोग हैं, वे अपना स्वार्थ छोड़कर, कुछ भी हो जाए पूरी क्षमता के साथ देश की प्रगति के लिए प्रयत्न करें। हमारे सभी लोग शास्त्र-विरुद्ध समुद्रयान सामान्य रूप से कर रहे हैं। वे शास्त्रविहित ब्रह्मचर्य का बिल्कुल पालन नहीं कर रहे हैं। इस प्रकार अपनी सुविधा के लिए वे शास्त्र-विरुद्ध काम करने का साहस कर रहे हैं, किंतु लोकोपकार के लिए शास्त्र-विरुद्ध काम करने का साहस उनमें नहीं है। किंतु यह लोकोपकार शास्त्र के विरोध में नहीं है। स्त्री-पुनर्विवाह न होने से होने वाली हानियों से सभी परिचित हैं। इस प्रकार के कष्ट कई लोग अनुभव से जानते हैं। नब्बे प्रतिशत लोग मन से स्त्री-पुनर्विवाह की सम्मति भी देते हैं। फिर भी समाज के भय से वे इस संदर्भ में कुछ कहने का साहस नहीं करते। 'लोको न लोकः पारमार्थिकः', लोग एक-दूसरे के पीछे ही जाना चाहते हैं, जबकि उन्हें अपनी बुद्धि से न्याय-विचार करके यदि जरूरी हो तो प्रचलित जनस्वभाव के विरुद्ध काम करना चाहिए। कुछ लोग करना भी चाहते हैं तो प्रोत्साहन के अभाव में, महान व्यक्तियों को असफल देखकर वह सब साधारण व्यक्तियों के लिए असंभव मानकर निरुत्साहित होते हैं। एक महान कार्य संपन्न करने के लिए धैर्य एवं साहस ही साधन हैं, न कि बड़प्पन एवं धन। हमें यह नहीं सोचना चाहिए कि हम थोड़े लोग क्या कर सकते हैं। संसार में प्रारंभ से बड़ा कोई नहीं है। पूरे देश में प्रवाहित होकर धरती को शस्य-श्यामला बनाते हुए जंतुसमूह को मधुर जल देते हुए लोकोपकार करने वाली नदियाँ पहले छोटी-छोटी जलधाराएँ ही थीं। पहले-पहल एक गाँव के लोग ही शुरुआत करें तो धीरे-धीरे समूचा देश हमारे साथ होगा। लोग हमारे कार्य की निष्ठा एवं न्यायप्रियता देखकर हमारे साथ होंगे, कम संख्या देखकर नहीं। हम संख्या में कम होते हुए भी साहस और स्थिरता के साथ स्त्री की दशा में सुधार लाने का प्रयत्न करेंगे। हमारे देश में निश्चित रूप से आप अग्रगण्य होंगे, इसमें संदेह नहीं है। जिस कार्य को आपका मन स्वीकार करता है, उसको करें। मूर्खजन एवं रूढ़िवादी लोगों की टीका-टिप्पणियों पर ध्यान न देकर आपको अपनी पूरी निष्ठा के साथ आगे आना चाहिए। सत्कार्य संपन्न करने वालों और कराने वालों, दोनों को उस कार्य का फल मिलता है।

इस उक्ति के साथ मैं इस विषय को यहीं समाप्त करता हूँ—

कर्ता कारयिता चैव प्रेरक श्यानुमोदकः।
सुकृते दुष्कृते चैव चत्वारः समभागिनः।।

करुणामय और दीनबंधु ईश्वर आप सबको ऐसी सुबुद्धि दे कि स्वार्थ की चिंता न कर लोकोपकार की बुद्धि का उदय हो।

—1879

अनुवाद : **पी. माणिक्यंबा**

रघुपति वेंकटरत्नम् नायडू

1862-1939

ब्रह्मर्षि वेंकटरत्नम् नायडू के नाम से संपूर्ण दक्षिण भारत में विख्यात। एक महान शिक्षाशास्त्री, समाज सुधारक एवं मानवतावादी चिंतक। ब्रह्म समाज से प्रभावित। 1904 में पोंतेरी (मद्रास के निकट) से चार अछूत अनाथों को लाकर उनका लालन-पालन और अपनी बेटी के साथ ही उनको भी शिक्षा एवं पितृ-स्नेह दिया। इस प्रकार महात्मा गाँधी के भारत आने से पहले ही अस्पृश्यों को प्रतिष्ठा देने का कार्य। मध्यमार्गी 'हिंदूमत बालसमाज' की स्थापना, जिसके माध्यम से ब्रह्म समाज के विचारों का प्रचार। रूढ़ियों एवं अंधविश्वासों का विरोधी होने के कारण कट्टरवादी हिंदुओं तथा धर्म परिवर्तन के खिलाफ प्रचार के कारण अंग्रेज शासकों के कोपभाजन। धार्मिक तथा विभिन्न उत्सवों में 'नाच' की प्रथा का विरोध। मद्रास विश्वविद्यालय में कुलपति के रूप में कार्य। इन्होंने अपने व्यक्तित्व से समाज को बहुत प्रभावित किया।

सामाजिक शुद्धता और नाच-विरोधी आंदोलन

तीन मान्यताएँ

एक नैतिक संस्था के रूप में किसी समुदाय का विकास तीन प्रमुख चरणों में चिह्नित किया जा सकता है—शासन विधान, जनमत एवं वैयक्तिक विश्वास। ये आचरण के मानदंड के रूप में सर्वमान्य हैं। जनजातीय समाज में इन क्रियात्मक अभिप्रेरणाओं में अंतर नहीं किया जाता, जबकि विकसित समाजों में स्थिरता की प्रवृत्ति पाई जाती है, जो सत्ता प्रतिष्ठान द्वारा सामुदायिक जीवन के नियंत्रण का परिणाम होती है। परंतु धीरे-धीरे प्रत्येक समाज समझ लेता है कि मात्र कानूनी अथवा सांस्थानिक नियंत्रण से मानवीय अंतःप्रक्रियाओं को अनुशासित नहीं किया जा सकता।

मनुष्य केवल एक प्रजा नहीं होता, बल्कि वह एक नागरिक भी होता है, जिसके अपने प्रतिवेशियों से बहुआयामी और जटिल संबंध होते हैं। मानवीय संबंधों के

अनगिनत अवसर तथा धरातल आयन्त सघन एवं अन्वेषणशील राजनैतिक सत्ता के दायरे से परे होते हैं। सामाजिक सत्ता, राजनीतिक व्यवस्था के अनुपूरक के रूप में मानवीय अस्तित्व की जाँच करती रहती है तथा उसे रूपांतरित भी करती रहती है। इसका दखल सब जगह होता है, उसके लिए कुछ भी साधारण या वैयक्तिक नहीं होता। परंतु यदि मनुष्य मशीन नहीं है, जिसे हमेशा निर्देशित किया जा सके, यदि कोई भेंड़ नहीं जिसे हाँका जा सके तो उसकी सहजात वैयक्तिकता तमाम कठिनतम अवरोधों के बावजूद, अपने को अभिव्यक्त कर ही लेगी। कम से कम कुछ लोग राजनीतिक कष्ट और सामाजिक विनाश की भावना का अतिक्रमण कर ही लेंगे। धीरे-धीरे अधिक लोग इस जन्मसिद्ध अधिकार का दावा करेंगे। वैयक्तिकता के प्रति सजग होकर ही एक समुदाय असीमित प्रगति और प्रसन्नता हासिल कर सकता है, स्वाभिमान और स्वनिर्भरता की ओर कदम बढ़ा सकता है।

वैयक्तिकता नियम-निष्ठा का अतिक्रमण कर जाती है, परंपरा का स्थान वैयक्तिक विश्वास ले लेता है। आज का समय 'एकाकी मनुष्य' का समय है। बड़े संकटों में भी एक व्यक्ति को वही करना चाहिए, जिसे वह उचित समझता है। वैयक्तिकता की भावना स्वाभाविक प्रतिक्रिया के लिए सहजात उत्प्रेरक का काम करती है। इन महान अभिकरणों का भौतिक उद्देश्य समाज का नैतिक उत्थान ही होता है। उदाहरण के लिए कानून 'सती' को निषिद्ध मानता है और विधवा के कानूनी हकों को व्याख्यायित करता है, परंतु जनता का कठोर अभिमत विधवा पुनर्विवाह के खिलाफ है। इस प्रकार क्रूर प्रथाओं के खिलाफ जागरूक वैयक्तिक चेतना ही संघर्ष कर सकती है। जनमत वैवाहिक कुरीतियों को हतोत्साहित कर सकता है। कानून द्वारा मदिरा का मूल्य बढ़ाने से अनुकूल प्रभाव नहीं पड़ सकता। जनता में मदिरापान के प्रति निंदात्मक दृष्टिकोण का उदय ही इसका समाधान है। मनु ने भी मदिरापान को पाँच जघन्यतम पापों में गिना है। कानून बनाना निस्सहाय मनुष्य की सहायता करना है, जनमत उसमें उत्साह पैदा करता है तथा वैयक्तिक उत्तरदायित्व उसमें छिपी मनुष्यता को उजागर करता है।

सामाजिक परिष्कार का तर्क

नियति की चतुराई परस्पर विरोधी अथवा असंबद्ध वस्तुओं की रहस्यमय संगति में प्रकट होती है। ईश्वरीय क्रम-व्यवस्था प्रबल तथा दुर्बल, कठोर एवं कोमल, चंचल एवं स्थिर तत्वों के बीच निकटता की भावना में सबसे विलक्षण रूप में प्रकट होती है। विभिन्न मानवीय संबंधों के बीच की गहराई अनंत और उनकी उदात्तता स्वर्गिक होती है। किसी राष्ट्र का अस्तित्व इस पर निर्भर करता है कि मानवीय आत्माओं के मध्य पवित्र संबंध को क्षुद्रता और उच्छृंखल कामनाओं से विनष्ट न होने दिया जाए। पुरुष एवं महिला का अन्योन्याश्रित अंतरंग रिश्ता हर युग में हर जगह स्वीकृत

रहा है। ये दोनों शाश्वत रूप से एक-दूसरे के संगी हैं। वर्तमान युग के आस्थावान कर्मी और आनेवाली नस्लों के संयुक्त न्यासी हैं—पुरुष और स्त्री। यदि पुरुष नारी का मस्तिष्क है तो नारी पुरुष का हृदय है। किसी राष्ट्र की आधारशिला उसका चरित्र है, इस कथन ने एक कहावत का रूप ले लिया है। बहुधा चरित्र की उपमा एक बाल्टी से दी जाती है तथा अशुद्धता उसकी पेंदी में छेद के समान है।

ग्लैडस्टोन ने कहा है कि दांपत्य प्रेम में अन्य सभी प्रेम समाहित हैं। महाभारत में पत्नी को एकांत का मित्र, कर्तव्य में पिता, संकट में माता तथा निर्जन में आश्रय की संज्ञा दी गई है। मनु ने घर के लिए सौभाग्य और सुख के रूप में उसकी परिकल्पना की है, जहाँ पति अपनी पत्नी से संतुष्ट होता है। दो हृदयों का दांपत्य में संयोग क्षणिक और आधे मन से किए गए कृत्यों से विरत रहने की माँग करता है। गार्हस्थिक आनंद दांपत्य की शुद्धता से ही उत्पन्न होता है। राष्ट्र की शक्ति घरों के आनंद पर ही निर्भर करती है। जिसकी कोई जमीन नहीं, उसका कोई देश नहीं। जहाँ शुद्धता और प्रेम नहीं, वहाँ कोई घर नहीं।

एक राष्ट्रीय समस्या

यदि कोई प्रगतिशील समुदाय जनता के आदर्शों के आधार पर कानून बनाने के लिए प्रस्तुत रहता है तो ऐसे स्वस्थ समाज में व्यक्ति के लिए जो कुछ श्रेष्ठतम है, उसके अनुसार भी वह अपने को समायोजित करता रहता है। चरित्र के लिए उज्ज्वलता का वही महत्त्व है, जो सौंदर्य के लिए सौष्ठव का है। यह कोई दुर्घटना अथवा सजावट नहीं, बल्कि उसकी संरचना का विशिष्ट अंग है। सामाजिक जीवन में शुद्धता अंग्रेजी के एक उदात्त कवि के शब्दों में 'कौमार्य की सौर आच्छादित शक्ति' के प्रति संपूर्ण समर्पण, आत्मनिबद्ध श्रद्धा तथा प्रणति निवेदन है।

सामाजिक शुद्धता का अर्थ है—मानव शरीर तथा मन की अक्षतता और तुच्छता, अश्लीलता और अशोभनीयता का तिरस्कार एवं किसी भी सूरत में इनसे समझौता नहीं करना। आनंद का उपभोग चाहे किसी गलत साधन से ही हो, उसका अनथक विरोध होना चाहिए चाहे कानूनी हिसाब से वह ठीक हो। जो नियम, प्रथा अथवा फैशन मानवीय जीवन के उच्च उद्देश्यों को शक्तिहीन करता हो तथा दैहिक आकर्षण को बढ़ाता हो, उसका प्रबल प्रतिरोध होना चाहिए।

सामाजिक शुद्धता के कुछ विशिष्ट आयाम

सामाजिक शुद्धता पर हम अपनी सामाजिक स्थिति के संदर्भ में विचार कर सकते हैं। यद्यपि ये विवरण विनम्र व्यक्तियों को विचलित कर सकते हैं, परंतु अप्रिय सत्यभाषण अवसर के अनुकूल है या नहीं, इसका निर्णय पाठकगण स्वयं कर लेंगे।

धर्म एवं सामाजिक शुद्धता

ईश्वरीय प्रेम में दांपत्य की अनुभूति कर माधुर्य भक्ति वस्तुतः मानवात्मा की आनंदावस्था का अतिरेक है। अक्सर देखा जाता है कि वहाँ भाव के स्थान पर विकृत यथार्थ के चित्र अधिक मिलते हैं। ऐसी कविताएँ और संगीत मिलते हैं, जिनका अनुमोदन सिर्फ अंध-धार्मिक लोग ही कर सकते हैं। धर्म के नाम पर बहुमत के आचरणों में अश्लील एवं कामुक लीलाएँ और अनैतिक आचरण को स्थान मिलता है। ये सभी निंदनीय हैं। किंतु मानवीय प्रयासों में ही उनका निदान है। ज्ञान संपन्न और जागरूक लोग अगर सीधे इन समस्याओं का सामना करें, पवित्र विश्वास के प्रथम लक्षण उत्तम चरित्र पर बल दें तो यह कठिन कार्य सुचारू रूप से संपन्न हो सकता है। हमारे राष्ट्रीय आदर्शों में इतनी प्रेरणादायक शुद्धता वर्तमान है, जिससे इस बाह्य बुराई के दूर होने की आशा की जा सकती है। इन प्रयासों से हम अपने लोगों के हृदय में उदात्त सत्य का उदय कर सकेंगे। शुद्धता के बगैर करुणा अंधविश्वास से भी तुच्छ है और यह एक अपराध है।

सामाजिक शुद्धता की जन मान्यता

रस्किन ने हमें बताया है कि अच्छे काम करना ही काफी नहीं है, बल्कि अच्छे कामों से प्रेम करना और आनंद प्राप्त करना भी जरूरी है। किसी राष्ट्र का भविष्य पूरी तरह इस बात पर निर्भर करता है कि वह मनुष्य का आकलन किस प्रकार करता है।

सामाजिक शुद्धता और सार्वजनिक जीवन

किसी बहादुर नायक का जीवन समकालीनों के लिए आदर्श और आने वाली पीढ़ियों के लिए विरासत होता है। वह अपने अनुयायियों का नैतिक मार्ग निर्देशित करता है। कोई जनता द्वारा तभी समादृत होता है, जब वह नैतिक मानकों का पालन करता है। कुशल सरकारें अपने लोकसेवकों के लिए आचरण के कई प्रतिबंध लागू करती हैं। सत्यनिष्ठा के आचरण के संदर्भ में कुछ लोगों की कमजोरियाँ ढेर सारे लोगों के लिए दृष्टांत बन जाती हैं। मुहम्मद साहब ने ठीक ही चेताया है कि चारित्रिक अशुद्धता एक गलत रास्ता ही नहीं है, बल्कि एक गलत चीज भी है।

बच्चों तथा युवाओं के बीच कार्य

वर्तमान भारत की शिक्षा प्रणाली में नैतिक चरित्र निर्माण, उच्च मूल्यों की शिक्षा, उच्च आशाओं आदि के लिए कोई जगह नहीं है। बच्चों के स्वस्थ मानसिक विकास के लिए, उनके लालन-पालन में गहरी उदासीनता बढ़ती जा रही है। जनसेवा का

कार्य करने वाले नेताओं ने यह तथ्य लक्षित किया है कि हमारे देशवासी एक बड़े और सभ्य देश का निवासी होने के बावजूद उनमें से कई ऐसे हैं, जो अपने पड़ोसी से अच्छा व्यवहार नहीं करते। यह वृत्ति उनमें बचपन में ही घर कर जाती है। पश्चिमी देशों के युवाओं से अधिक भद्र व्यवहार करने वाले एवं शांत होने पर भी हमारे देश के युवा अधिक घुमा-फिराकर बात करने वाले होते हैं। उनमें नैसर्गिकता का अभाव होता है। ऐसा उनके घरों के शुद्ध न होने और अशांतिपूर्ण होने के कारण होता है। लड़कों एवं युवाओं में चारित्रिक स्वच्छता और नैसर्गिक श्रेष्ठता उत्पन्न करना ही हमारा लक्ष्य होना चाहिए। कई चिकित्सकों ने ऐसे कई उदाहरण दिए हैं, जिनमें युवाओं द्वारा 'वर्जित फल' का स्वाद घातक सिद्ध हुआ है। हमें भी पश्चिमी देशों की तरह 'सम्मान संघ' की स्थापना करनी चाहिए, जिसकी सदस्यता व्यापक होनी चाहिए और अनुशासन के अधीन बचपन की संभावनाएँ तलाशना उसका सिद्धांत होना चाहिए। ईमानदारी, पवित्रता तथा अन्य सहजात गुणों के संस्कार डालकर ही हम युवकों को विशाल हृदय और उदार बना सकते हैं। हमें ईमानदारी से उनको शरीर संबंधी व्यायामों के साथ नीतिशास्त्र भी सिखाना चाहिए।

नाच-विरोधी आंदोलन

प्रारंभ में शुद्धता आंदोलन को नाच-विरोधी आंदोलन के रूप में शुरू किया जाना दुर्भाग्यजनक था। एक वर्ग में इसके फलस्वरूप नाचने वाली लड़कियों के प्रति घृणा जन्मी तो दूसरे दल ने संगीत के खिलाफ जेहाद छेड़ दिया। कुछ लोगों के लिए यह राष्ट्र की कमजोरी का शर्मनाक प्रदर्शन बन गया तो कुछ लोग इसे लाइलाज बीमारी मानते रहे। बहुत कम लोग इस बात से वाकिफ थे कि 'नाच' को हतोत्साहित करने के लिए अन्य क्षेत्रों में भी शुद्धता की आवश्यकता है। नाचने वालियों की सेवा लेना एक प्रत्यक्ष अशुद्ध आचरण था। फिर भी 'नाच' को खत्म करने के लिए ऐसे परिवेश की जरूरत थी, जिससे विचारों, वक्तव्यों और कामों से अशुद्धता के उन्मूलन हेतु समर्थन मिलता हो। यह एक कठिन माँग थी, जिसके कारण सार्वजनिक जीवन के 'नाच' पर आक्रमण करने वाले धीरे-धीरे पीछे हट गए।

उन सभी देशों के बीच, जिनसे भारत नैतिकता और सभ्यता के मामले में होड़ लेना चाहता है, ऐसा कोई भी देश नहीं है जो इस तरह की अशुद्धता (नाचने वाली वेश्याओं) का खुला और लज्जास्पद समर्थन करता हो। गुप्त बुराइयाँ तथा चारित्रिक अशुद्धता प्रत्येक समाज में किसी न किसी रूप में पाई जाती हैं, परंतु अनुवांशिक रूप से एक पेशे के रूप में कोई बुराई जिसे सामाजिक मान्यता प्राप्त हो, केवल भारत में पाई जाती है। संगीत को पेशे के रूप में अपनाने वाली महिलाओं के महत्त्वाकांक्षी एवं तेज रफ्तार जीवन को ऐसा झीना आवरण अन्य कोई सभ्यता नहीं पहनाती।

शहर के सम्मानित हिस्सों में, समाज के संभ्रांत तबकों में इन नाचने वालियों

को आमंत्रित किया जाता है। कोई भी त्यौहार चाहे कितना ही शुभ क्यों न हो, इनकी उपस्थिति के बिना पूरा नहीं होता। सभी सामाजिक-धार्मिक अवसरों का शुभारंभ इनके संगीत और नृत्य से होता है। धार्मिक जुलूसों में ये सबसे आगे रखी जाती हैं। दुर्भिक्ष पीड़ित माता-पिता चाहे उच्च जाति के ही क्यों न हों, इनके पास अपने बच्चों को छोड़ सकते हैं। यह अधिकार किसी सम्मानित व्यक्ति एवं विदेशी के लिए भी प्राप्त करना संभव नहीं है। कानूनी पचड़े में पड़ने पर नाचने वालियों की सहायता समाज के उच्च पदाधिकारी करते हैं। ऐसा क्यों होता है, वह भी ऐसे देश में जहाँ स्त्रियों के कौमार्य का अति महत्त्व है, यह जानना कठिन नहीं है। नुकसानदायी वस्तुओं में भी गुण तथा अवगुण दोनों एक समान तौलने वाली व्यवस्था अधिक हानिकारक होती है। यदि यह सब परिपाटीगत हो जाए तो गुण को सम्मान नहीं मिलता और अवगुणों को अवमानना नहीं मिलती।

नाचवालियों को हमेशा प्रश्रय नहीं दिया जाता था, इस तथ्य की पुष्टि प्राचीन साहित्य से होती है। प्रारंभ में उन्हें कुमारी के रूप में धर्म के सेवार्थ प्रस्तुत किया जाता रहा होगा। बुद्ध के समय आम्रपाली ऐश्वर्य और सम्मान में बड़े सामंतों का मुकाबला कर सकती थी। किंतु बुद्धकालीन युग के बाद स्त्रियों की सामाजिक स्थिति में गिरावट आई। नृत्यांगनाओं को गाँव से बाहर रहने के लिए बाध्य किया गया। बौद्ध धर्म से नैतिक शक्ति का पतन होने पर और नाटकों के युग में हिंदू समाज की जटिल संरचना ने इनके नाचने के पेशे को एक प्रकार की सामाजिक स्वीकृति दे दी। जो वस्तु जन्मजात उपलब्ध होती है, उसे सायास उपलब्ध नहीं करना पड़ता। इनके पेशे के बारे में उत्तर के किसी शहर का जिक्र करते हुए मर्दुमशुमारी के आयुक्त नें लिखा था, 'गायन तथा ऐंद्रिक सुख प्रदान करने वाली'। यह भारतीय दुहिताओं के दुर्भाग्यशाली वर्ग के पतन की शुरुआत है। मोनियर विलियम्स ने इनको उचित ही 'नैतिक दुराचरण तथा कामुक इच्छाओं की गुलाम' कहा था। क्या समाज को इनकी सहायता नहीं करनी चाहिए, जिससे वे एक शुद्ध जीवन जी सकें? संयम के प्रचारक तथा भारतमित्र रेवरेंड टी. इवान्स ने लिखा है, मंदिर के पुजारी तथा पवित्र ब्राह्मण ऐसे गर्हित दुराचार को दूर क्यों नहीं करते? यह सभी शिक्षित भारतीयों की अंतरात्मा के समक्ष एक पुकार है। किसी बुराई को दिया गया जनसमर्थन, इसे एक फैशन में तब्दील कर देता है तथा महँगा बना देता है। प्रतिरोध के स्थान पर यह प्रतियोगिता को बढ़ावा देता है। इस हानिकारक दुर्व्यसन ने असीम धन तथा जीवनों का सत्यानाश किया है। न जाने कितने घरों का नाश किया है और कितनी आशाओं को तोड़ा है।

कोई भी स्त्री पेशे से वास्तविक रूप में संगीत का अभ्यास करते हुए सार्वजनिक औरत नहीं हो सकती। उसकी पतित अवस्था ही उसे यह पेशा अपनाने को बाध्य करती है। जो लोग उनकी तुलना पश्चिम की गायिकाओं से करते हैं, वे वस्तुतः

दो काली चीजें मिलाकर सफेद बनाने का दावा करते हैं।

एक ऐसा समय था जब संगीत राजकुमारों-राजकुमारियों को भी सिखाया जाता था और सामान्य लोग भी अपनी संतानों को संगीत-शिक्षा देने में कोई संकोच नहीं करते थे। परंतु अनैतिकता के अशुभ साहचर्य ने संगीत को कुख्याति दी। डॉ. भंडारकर ने कहा है, "वह जो नाचने वालियों को संरक्षण देता है, मेरी राय में वह अनैतिकता से घृणा नहीं करता, स्त्री की शुद्धता को महत्त्व नहीं देता, जबकि शुद्धता ही वह आधार है जिस पर स्त्री का चरित्र विकसित होता है। नाच की प्रथा पुरुष एवं स्त्रियों की नैतिकता पर पतनकारी प्रभाव डालती है। मैं उस पुरुष को निष्ठावान पति नहीं मान सकता जो नाच देखने और उनका आयोजन करने में आनंद का अनुभव करती है। अपने घरों में, नाच का आयोजन करना, अनैतिकता का पाठ पढ़ाना है।" जब तक नाच का हमारे समाज में प्रचलन रहेगा, हमारे यहाँ के पुरुषों की नैतिकता में सुधार आ नहीं सकता। स्त्रियों के प्रति असम्मान का भी यही कारण है। विशप वेलडन का मत है कि नई सदी के आरंभ से ही अधिकारियों को नाच प्रथा पर रोक लगा देनी चाहिए, जिससे भारत की नैतिकता के स्तर में उन्नति हो सके।

नाच प्रथा के बंद होने के बाद समाज की ऊर्जा किस दिशा में निर्देशित होगी, लोग निश्चय ही नैतिक मानों को आनंदोपभोग के पहले स्थान देंगे। बहुमत इससे संतुष्ट होगा, ऐसी अपेक्षा रखना अतिवाद होगा। संक्रमणकाल के बाद जब पुरानी व्यवस्था नई व्यवस्था में परिवर्तित होगी, तो कामोत्तेजक संगीत आदि मनोरंजन गुजरे जमाने की चीज हो जाएँगे। भारतीय समाज में अनुपयुक्तता तथा हतोत्साह के कारण ये अतीत का स्मारक बन पाएँगी। संगीत को इसकी निम्न संगति से निकालकर सामान्य और सम्मान्य बनाना होगा। उसे एक ऐसी उपलब्धि के रूप में ढालना होगा, जो एक-दो पीढ़ियों के बाद कामुकता संबंधी तत्त्वों का परिहार करके सामाजिक भूमिका अख्तियार कर सके। शिक्षा के प्रसार तथा स्त्री के प्रति दृष्टिकोण में परिवर्तन से यह संभव हो सकेगा। सामान्य विषयों पर चर्चा शिक्षितजनों की सभा का आकर्षण होगी तथा खाली समय काटने के अनेक निर्दोष तरीके खुद-ब-खुद निकल आएँगे, अगर हममें यह विषपान न करने का दृढ़ संकल्प हो।

नाचने वालियों के विशेष समुदाय और 'नाच' की समाप्ति होने पर दो तरीकों से नाचने वालियों को पुनर्स्थापित करना होगा—मंदिरों की सामान्य सेवा में और इस समुदाय के पुरुष सदस्यों में शिक्षा-प्रसार और उनकी हालत में सुधार करके। उल्लेखनीय है कि वर्तमान में उनकी हालत परजीवियों की तरह है।

यदि इस समुदाय की संपदा तथा प्रभाव का सदुपयोग किया जाए तो इस अनैतिकता से मुक्ति मिल जाएगी। इससे बुराई में जीने को अभिशप्त एक जाति का उद्धार हो जाएगा। कुछ निर्धन लोग भले ही भटक जाएँ, अनेक बिछुड़ी हुई पुत्रियों को ईश्वरीय माता की गोद नसीब हो जाएगी।

निष्कर्ष

व्यक्तिगत, घरेलू और सामाजिक जीवन में चारित्रिक शुद्धता या स्वच्छता नैतिक स्वास्थ्य और राष्ट्रीय महानता की कसौटी है। स्त्री का दमन अपनी नैतिकता का दमन है। स्त्री को सम्मान एवं सुरक्षा देने, उसके लिए काम करने से हृदय में उदात्त भावनाओं का संचार होता है। ऐसा करके मनुष्य सूक्ष्मतर वस्तुओं का अनुभव कर सकता है। माता, बहन और पत्नी इन तीनों पवित्र नामों से निकलने वाले पवित्र प्रभाव की परिकल्पना करें एवं संकल्प लें कि ये नाम इस देश में प्रचलित धारणाओं से अधिक पवित्र, अधिक कोमल हैं। एक पत्नीव्रत हमारे राष्ट्रीय नायक का चरित्र रहा है। हमारी राष्ट्रीय सत्यनिष्ठा और भक्ति ने अपरिचित स्त्रियों को भी माता की मर्यादा दी। हमारे महान महाकाव्यों ने हमें पड़ोसी की स्त्री को भी जन्मदात्री के समान देखने की सीख दी है। हमारे विवाह मंत्रों में भी वर-वधू अपने हृदयों को परस्पर प्रेम से आबद्ध करने का आशीर्वाद देवताओं से माँगते हैं। हमारे प्राचीन वांग्मय में ईश्वर की परिकल्पना अर्द्धनारीश्वर के रूप में की गई है। आत्मा के निवास देह को पवित्र रखने का आग्रह हमारे शास्त्रों में है। ईश्वर हम पर कृपा करें कि हम संपूर्ण सौंदर्य के पीछे की दैवी अनुभूति से तादात्म्य कर सकें।

वयस्कों के लिए शपथ

ईश्वर को साक्षी मानकर मैं अपने को निम्न शर्तों से प्रतिबद्ध करने की शपथ लेता हूँ—

(1) मैं ऐसे किसी भी समारोह में भाग नहीं लूँगा, जहाँ नाचने वालियाँ उपस्थित हों, मैं न तो उन्हें आमंत्रित करूँगा, न उनको प्रोत्साहित करने वाले काम का सहभागी बनूँगा।

(2) मैं अशोभनीय भाषा का प्रयोग नहीं करूँगा, भद्दे गीत, कथा आदि नहीं कहूँगा, न ही उनको सुनूँगा।

(3) मैं अशोभनीय चित्र, दृश्य अथवा चित्रकारी नहीं देखूँगा।

(4) मैं अशुद्ध आनंद के लिए, अशुद्ध आचरण संबंधी बातों में शामिल नहीं रहूँगा, न ऐसी चीजें पढ़ूँगा। ऐसे विचारों को मन में आने नहीं दूँगा।

(5) मैं शरीर तथा मन दोनों की शुद्धता बनाए रखूँगा तथा सामान्यतया शुद्धता का प्रचार करूँगा।

अनुवाद : **ऋषिकेश राय**

गुरजाडा वेंकट अप्पाराव

1865-1915

तेलुगु के प्रसिद्ध नाटककार, कवि एवं कथाकार। शुल्क लेकर कन्या का विवाह करने की परंपरा का विरोध करते हुए एक महाकाव्यात्मक नाटक 'कन्याशुल्कम्' लिखा, जिसका पहला प्रदर्शन 1897 में विजयनगरम् में हुआ। बालविवाह, विधवा समस्या और वेश्याओं की समस्या पर लिखे गए उनके नाटक के हजारों प्रदर्शन हुए, जिससे समाज में जागृति आई। इस नाटक का संशोधित और परिवर्द्धित संस्करण 1905 में छपा। 'पुत्तडि बोम्म पूर्णम्मा' उनकी प्रसिद्ध लंबी कविता। समाज में स्त्रियों को न्यायोचित स्थान दिलाने के लिए संघर्ष। देशभक्ति की कई जनप्रिय कविताओं की रचना। उनका प्रसिद्ध कथन है, 'मिट्टी भर नहीं है देश, मनुष्यों का है यह देश'। उनका एक अन्य प्रसिद्ध कथन–'मनुष्य में दो ही जातियाँ हैं–अच्छाई और बुराई। अच्छाई यदि पंचम जाति है तो मैं पंचम जाति में रहूँगा।'

'कन्याशुल्कम्' की भूमिका

(प्रथम संस्करण)

विजयनगरम् के विख्यात महाराजा के आदेशानुसार विशाखापट्टणम् जिले के ब्राह्मण परिवारों में तीन साल से हुए कन्याशुल्क विवाहों की एक सूची दस साल पहले तैयार की गई थी। कई व्यक्तियों ने कन्याशुल्क लेने की जानकारी देनी नहीं चाही। इसलिए यह सूची समग्र नहीं थी। किंतु तैयार की गई सूची एक महत्त्वपूर्ण दस्तावेज है। दर्ज किए गए विवाहों की संख्या 1034 है। इसका तात्पर्य है कि एक साल में इस प्रकार के औसतन 344 विवाह संपन्न माने जा सकते हैं। 99 लड़कियों का पाँच साल की उम्र में, 44 का 4 साल की उम्र में, 36 का 3 साल की उम्र में, 6 का 2 साल की उम्र में और 3 का एक ही साल की उम्र में विवाह कर दिया गया था। एक साल की शिशु की कीमत कहीं 350-400 रुपए तक थी।

यह अजीब लग सकता है, फिर भी, कहीं-कहीं गर्भस्थ शिशुओं का दाम भी

निश्चित किया गया था। ऐसी दुर्दशा समाज के लिए लज्जा का कारण है। ऐसे दुराचार को समूल नष्ट करना और उत्तम नैतिक मूल्यों की स्थापना से बढ़कर साहित्य के लिए कोई दूसरा कर्तव्य नहीं है। सामान्य जनता में जब तक पुस्तक पढ़ने की आदत नहीं आएगी, तब तक स्वस्थ विचारों के प्रभावपूर्ण प्रचार-प्रसार के लिए नाटक का आश्रय लेना ही पड़ेगा। 'कन्याशुल्कम्' नाटक रचना के लिए इसी विचार ने मुझे प्रेरणा दी।

इस नाटक को मैंने बोलचाल की भाषा में लिखा है। ऐसा क्यों किया? नाटक देखने वाली साधारण जनता को यह अच्छी तरह समझ में आएगा। इतना ही नहीं मेरी यह निश्चित धारणा है कि मेरे नाटक की भाषा हास्य रस के लिए उपयुक्त भी है। यह सच है कि नाटक की रचना प्रक्रिया को पुरानी परंपरा ही निश्चित करती है। वास्तव में तेलुगु साहित्य में नाटक कहलाने योग्य कृतियों का अभाव है। इसलिए विचार को प्रकट करने योग्य नाटक के रूप विधान के चयन की स्वतंत्रता रचनाकार को है। तेलुगु भाषा में प्रयुक्त छंद, यति, प्रास आदि प्रतिबंध संवादों की सहजता एवं निरंतरता में रुकावट डालते हैं। सहज संवाद शैली, एवं यथार्थ जीवन में अंतर्लीन सहज गति वार्ड के अनुसार सुखांत नाटक में अपेक्षित है। नाटकों के लिए नए छंदों की सृष्टि हो सकती है। किंतु सुखांत नाटकों के संदर्भ में यह अनावश्यक मेहनत है। क्योंकि सारे संसार में नाटक रचना में गद्य का प्रयोग अधिक हो रहा है।

कुछ लोग कहते हैं कि ग्राम्य भाषा (यह नामकरण ही गलत है) के प्रयोग से साहित्य का महत्त्व कम हो जाएगा। आज भाषाशास्त्र की प्रगति के कारण भाषा के गुणों एवं प्रयोजनों के मूल्यांकन के लिए अच्छे मानदंड उपलब्ध हैं। ये मानदंड प्राचीन वैयाकरणों के पास नहीं हैं। इसलिए ऐसी आलोचना की परवाह करने की आवश्यकता नहीं है। तेलुगु की ग्रंथ-भाषा (ग्रंथों की शिष्ट भाषा) में पुराने व्याकरणबद्ध रूपों, अप्रचलित शब्द-जाल एवं तकलीफदेह वाक्य-विस्तार होता है। गण, थति, प्रास आदि के नियमों पर आधारित पद्य-रचना में क्रिया पदों का विस्तार एवं खिंचाव के अनगिनत उदाहरण मिलते हैं। संस्कृत शब्दों के निरंतर प्रयोग की स्वच्छंदता को कवियों ने बेसब्री से प्रयोग कर, पाठकों को शब्दकोशों पर आश्रित होने के लिए विवश कर दिया। ऐसे दीर्घ समासों का प्रयोग होता था, जिनकी दूर-दूर तक कल्पना नहीं की जा सकती। इस प्रकार ग्रंथ-भाषा को दोनों तरफ से मृत भाषा बना दिया गया। भाषा-सुधार समस्या की चर्चा करने का यह स्थान नहीं है। फिर भी एक बात कहूँगा तेलुगु साहित्य की भाषा को सभ्यता-विकास के साधन के रूप में तैयार करना है तो उसे व्यावहारिक भाषा के नजदीक लाना होगा, पूरे तौर पर नया बनाना होगा। तेलुगु प्रदेश के विविध प्रांतों में साधारण रूप से बोलचाल की तेलुगु में आँचलिक भिन्नता ज्यादा नहीं है। अगर सक्षम रचनाकार ठान लें, तो एक नई साझी भाषा को आसानी से रूप दिया जा सकता है।

इस बीच मुझे राय बहादुर वीरेशलिंगम् का 'ब्राह्म-विवाह' पढ़ने का अवसर मिला। मुझे लगा कि हम दोनों के नाटकों में एक ही तरह के विचार हैं। उनके नाटक में ब्राह्मणों के विवाहों के सभी संदर्भों का संस्पर्श है। इसलिए ऐसा लगना सहज है। किंतु इसके अलावा दोनों नाटकों में कोई साम्य नहीं है। विषय का प्रस्तुतिकरण भिन्न है। 'ब्राह्म-विवाह' रीति-रिवाजों एवं परिपाटियों का मजाक उड़ाने वाला प्रहसन है। 'कन्याशुल्कम्' में मैंने हास्य-रस, चरित्र-चित्रण और एक जटिल कथा-संरचना के लिए प्रयत्न किया है। इसमें मैं कहाँ तक सफल हूँ, लोक ही को निर्णय देना होगा।

—1897

'कन्याशुल्कम्' की भूमिका

(दूसरा प्रकाशन)

मैंने सोचा कि इस नाटक को थोड़े परिवर्तन के साथ फिर प्रकाशित करूँ। किंतु मेरे मित्र श्री एस. श्रीनिवास अय्यंगार की सलाह पर मैंने इसे दुबारा लिखा। साहित्यिक रचनाओं से संबंधित उनके विचारों का मैं अत्यंत आदर करता हूँ। नाटक के दुबारा लिखे जाने के कारण उसका आकार बहुत बढ़ गया है। जिस रूप में अब प्रस्तुत है, वह करीब-करीब नई रचना के समान है।

पहला प्रकाशन सफल था। पत्र-पत्रिकाओं ने उसका स्वागत किया। इसे तेलुगु साहित्य के इतिहास में प्रमुख घटना के रूप में अभिनंदित किया। स्त्री-पुरुष एवं बच्चों तक ने इसे उत्साह से पढ़ा। महामहोपाध्याय के. वेंकटरत्नम् पंतुलुगारु ही अपवाद रहे। इस संसार में दो ही उनके लिए असहनीय हैं—समाज सुधार और व्यावहारिक तेलुगु भाषा। इन दोनों को निकाल दें तो यह संसार उनके लिए एकदम ठीक-ठाक है। पहले प्रकाशन की प्रतियाँ कुछ सप्ताहों में ही समाप्त हो गईं। तब से प्रतियों की जरूरत हमेशा ही रही। मैं दूसरे प्रकाशन के लिए नाटक के संशोधन का प्रयास बहुत समय तक टालता रहा। अब भी अगर मैं तैयार हुआ तो श्रेय मित्रों को ही जाता है।

मैंने यह नाटक जब लिखा, मेरे मन में तब प्रकाशन का विचार न था। समाज सुधार के आंदोलन की मदद करने के लिए और लोगों के मन में जो विचार था कि तेलुगु भाषा में नाटक नहीं लिखे जा सकते, उसको दूर करने के लिए मैंने यह नाटक लिखा। महाराष्ट्र के घुमंतू नाटक दलों ने तेलुगु प्रांतों में हिंदी नाटकों का प्रदर्शन करके पैसे बटोर लिए। स्थानीय नाटक कंपनियों ने उनका अनुसरण किया।

दर्शकों ने बिना कुछ समझे ही सिर्फ सुनकर आनंद पाया। अज्ञान से उत्पन्न आनंद का इससे सशक्त उदाहरण नहीं मिल सकता। चमकीले वस्त्र, फूहड़ नृत्य, श्रुति-कटु संगीत आदि रंगमंच के आकर्षक निकृष्ट साधनों को 'कन्याशुल्कम्' में स्थान नहीं दिया गया। फिर भी जनसमूहों को इस नाटक ने आकर्षित किया। इस नाटक ने यह साबित कर दिया कि तेलुगु भाषा नाटक-रचना में सक्षम है।

मुझे खुशी है कि इससे हिंदी नाटकों का मंचन कम हो गया। किंतु तेलुगु रंगमंच की स्थिति भी मेरी दृष्टि में संतोषजनक नहीं है। उल्लेखनीय नाट्यशालाएँ नहीं हैं। अभिनय को एक कला मानकर साधना करने वाले व्यावसायिक कलाकार नहीं हैं। अच्छे नाटक भी ज्यादा नहीं हैं। नाटककार केवल प्रहसन-प्रदर्शन को महत्त्व दे रहे हैं और समकालीन जीवन की जटिल सामाजिक स्थितियों और दशाओं पर ध्यान नहीं दे रहे हैं। पुराने क्लासिक इतिवृत्तों को ही बार-बार उठाने के कारण नई कल्पना की दरिद्रता लक्षित हो रही है। रचना-प्रक्रिया को जानने वाले रचनाकार नहीं हैं। यह आश्चर्य की बात है कि पाश्चात्य संस्कृति से परिचित होकर, विश्वविद्यालयी शिक्षा से संपन्न होकर भी साहित्य-रचना में कुशलता की कमी है। यह एक कारण हो सकता है कि हमारे महाविद्यालयों में अंग्रेजी अध्ययन ठीक से नहीं हो रहा है। अंग्रेजी के आचार्य एवं शिक्षा विभाग के अधिकारी देश की भाषाओं पर जब तक कर्तव्यनिष्ठा से ध्यान नहीं देंगे, इस दशा के सुधरने की संभावना नहीं है।

तेलुगु के बुद्धिजीवी भी अत्यधिक कुंठित हैं, क्योंकि पद्यरचना में कृत्रिम पुस्तकीय भाषा का प्रयोग, यति, प्रास के नियमों का बंधन एवं अप्रचलित साहित्यिक प्रक्रिया के कारण साहित्य क्षेत्र में एक प्रकार की निरंकुशता थी। ग्रंथ-भाषा (ग्रंथिका) के संदर्भ में एक बात कहूँगा। नाटक के पहले संस्करण की भूमिका लिखने के बाद व्यावहारिक भाषा (व्यावहारिका) को बल मिला। मेरे मित्र प्रिंसिपल पी.टी. श्रीनिवास अय्यंगार ने 'तेलुगु भाषा-शिक्षण सुधार समाज' (तेलुगु भाषा बोधन संस्करण समाजम्) की स्थापना की। इस संस्था का सबसे प्रमुख लक्ष्य एवं उद्देश्य था, व्यावहारिक तेलुगु भाषा के महत्त्व का प्रचार-प्रसार। तत्कालीन शिक्षा अधिकारी 'एट्स' ने इस आंदोलन को प्रोत्साहित किया। अपनी पाठशालाओं में नई शैक्षणिक पद्धतियों को प्रारंभ करने के कारण तेलुगु प्रांतों में, इनका नाम सदा स्मरण किया जाएगा।

विदेशियों ने व्यावहारिक तेलुगु भाषा की मृदुलता, भावाभिव्यक्ति में विस्तार आदि विशिष्टताओं को महत्त्व दिया। यह बात मेरी समझ में नहीं आ रही है कि आधुनिक रचनाकार यह सब क्यों नहीं समझ पा रहे हैं। तेलुगु की उत्तम रचनाएँ आज व्यावहारिक भाषा में ही हैं। तेलुगु में गद्य रचना का प्रारंभ और विकास राजाओं के आश्रय या विदेशी साहित्य के प्रभाव से नहीं हुआ। यह आश्चर्यजनक लग सकता है, किंतु एक अंग्रेज व्यक्ति के कारण यह हुआ। उन्होंने पिछली शताब्दी के पहले दशक में व्यावहारिक भाषा में प्रदेशों का इतिहास गद्य में लिखने के लिए प्रोत्साहित

किया। 'मैकंजी कैफियत' के सभी अंश एक ही स्तर के नहीं हैं। उसके कुछ भाग ठीक हैं, कुछ भाग ठीक नहीं भी हैं। फिर भी शब्द-विन्यास, गति, अभिव्यक्ति की भंगिमा आदि में वह किसी उत्तम साहित्यिक रचना से कम महत्त्वपूर्ण नहीं है। वह रचना तत्कालीन साधारण जनता के हृदय को प्रतिबिंबित करती है। उस काल की छाप उन पर स्पष्ट परिलक्षित होती है। यह तेलुगु साहित्य के लिए महत्त्वपूर्ण बात है। व्यावहारिक भाषा के विभिन्न स्तरों एवं शैलियों को साहित्य में प्रस्तुत कर, उन रचनाओं को संकलन के रूप में प्रकाशित कर, राय बहादुर वीरेशलिंगम् पंतुलुगारु ने शायद अनजाने में ही तेलुगु भाषा की विशिष्ट सेवा की। अपने अंग्रेजी नाटकों के अनुवादों में व्यावहारिक भाषा का प्रयोग भारतीय जीवन के अनुरूप विभिन्न स्तरों पर किया गया है। संकलन की रचनाओं का चयन उनकी सूक्ष्म दृष्टि एवं लोकज्ञान का उदाहरण है। इस संकलन में उनकी अत्यंत महत्त्वपूर्ण रचनाएँ संगृहीत हैं। पाठक समुदाय को झकझोरने वाली ये ही रचनाएँ हैं। संस्कृत नाटक परंपरा का अनुसरण करते हुए तेलुगु नाटक में जान-बूझकर व्यावहारिक भाषा का प्रयोग करने का श्रेय मेरे मित्र वेदम् वेंकटराम शास्त्री को है। उन्होंने अपने 'प्रताप रुद्रीयम्' के संवाद व्यावहारिक भाषा में लिखना ही उचित समझा। उसके कलात्मक सौंदर्य का यही महत्त्वपूर्ण कारण है। मेरा नाटक ही व्यावहारिक भाषा में पहली समग्र रचना है। यह मेरा दृढ़ विश्वास है कि मेरा प्रयत्न विफल नहीं हुआ। फिर भी यह सच है कि विभिन्न रचनाकारों की जय-पराजय किसी भाषा की क्षमता की कसौटी नहीं मानी जा सकती है।

इस प्रकार व्यावहारिक भाषा अपनी पहचान बना रही है, तो दूसरी ओर ग्रंथों में प्रयुक्त होने वाली भाषा भी पद-प्रयोग में स्वतंत्रता लेते हुए आधुनिक गद्य-रचना को व्यावहारिक भाषा के समीप ला रही है।

मेरा विचार है कि परंपरा ने ग्रंथ-भाषा को तेलुगु जाति के सिर मढ़ दिया। शृंखलाएँ जिनको प्रिय हैं, उन्हें पूजा करने दीजिए। 'इटालियन ऑफ द ईस्ट' कहलाने वाली मेरी मातृभाषा, सजीव भाषा ही मुझे चाहिए। हमें अपने सुख-दुःख इस भाषा में व्यक्त करने में किसी प्रकार की लज्जा नहीं है। किंतु इस भाषा में लिखने के लिए हममें से कुछ लोग शर्मिंदगी महसूस कर रहे हैं। मातृभाषा साहित्य के द्वारा किसानों को जगाना होगा और भारत के अंग्रेजों को नींद से जगाना पड़ेगा। व्यावहारिक भाषा की अनेक संभावनाएँ हैं।

जिन लोगों को अंग्रेजी-बोलियों के इतिहास एवं प्राकृत-बोलियों के इतिहास का ज्ञान है, उनसे व्यावहारिक भाषा-संबंधी बहस की जरूरत नहीं है। यह मैं जानता हूँ कि तेलुगु में नई साहित्य-भाषा की संरचना बहसों से संभव नहीं है। एक महान रचनाकार को व्यावहारिक भाषा में लिखना होगा और उस भाषा को रूप देना होगा। उसके लिए हम पृष्ठभूमि तैयार करेंगे।

समाज-सुधार आंदोलन के लिए मद्रास हाईकोर्ट की सुनवाई से बड़ा संबल मिला। मुख्य न्यायाधीश सर अर्नाल्ड ह्वाइट, जज मिल्लर एवं जज मर्नो से बनी फुलबेंच की सुनवाई इस प्रकार है—'अपनी बेटी के विवाह के संदर्भ में पिता का कन्याशुल्क लेने के लिए समझौता करना नीति विरुद्ध है। इंडियन कांट्रैक्ट कानून के सेक्शन 23 के अनुसार यह कार्य कानून के खिलाफ है।'

इस पुस्तक को छपवाने में मुझे कई समस्याओं का सामना करना पड़ा। व्यावहारिक भाषा के उच्चारण के अनेक संकेत तेलुगु वर्णमाला में नहीं हैं। अतः उसके नजदीक के वर्णों के ऊपर एक आड़ी रेखा खींचकर काम चलाना पड़ा। व्यावहारिक भाषा की पहचान ज्यादा होने के बाद ही नए संकेत बन सकते हैं और उनको मुद्रण में स्थान मिल सकता है।

मैंने जिन पगडंडियों को अपनाया, उनको प्रसन्नता के साथ स्वीकार कर प्रकाशक ने अपने उत्तरदायित्व को पूरा करने का प्रयत्न किया। यह संतोषजनक है। इसके लिए मैं 'जी. रामस्वामी चेट्टी एंड को.' को धन्यवाद देता हूँ।

—एलक हिल हाउस, उदकमंडलम्, 1 मई, 1909

अनुवाद : **पी. माणिक्यंबा**

चिलकमर्ति लक्ष्मीनरसिंहम्

1867-1946

तेलुगु के लोकप्रिय साहित्यकार ही नहीं, प्रखर देशभक्त और समाज सुधारक भी। गाँधी के भारतीय राजनीति में प्रवेश से पहले ही हरिजनों के लिए पाठशाला खोली एवं जाति-पाँति के विरोध में साधारण जनता को जगाने का काम किया। 1905 में विपिन चंद्र पाल के राजमहेंद्री (आंध्र) आने पर उनके भाषण का तेलुगु में आशु अनुवाद। 1918 में पिठापुरम में रवींद्रनाथ ठाकुर से मुलाकात। उन पर बंगाल के ब्राह्म समाज एवं प्रार्थना समाज का प्रभाव था। कांग्रेस की सभाओं में भाषण और स्वाधीनता आंदोलन में हिस्सेदारी। तेलुगु की 'देशमाता', 'मनोरमा' और 'सरस्वती' पत्रिकाएँ चलाईं। तेलुगु का पहला ऐतिहासिक उपन्यास लिखा। प्रसिद्ध और लोकप्रिय नाटक 'गयोपाख्यान।'

आत्मकथा

फरवरी 1909 में मैंने एक महत्त्वपूर्ण कार्य किया। पिछड़ी जातियों के प्रति मेरे मन में पहले से ही सहानुभूति थी। उनके कष्टों को देखकर और सुनकर मैं कई बार दुःखी हुआ था। मुझे कभी-कभी लगता था कि ऐसे दुर्दशाग्रस्त समाज के लिए कुछ उपकार करूँ तो मेरा जन्म सार्थक हो जाए। मैं बार-बार सोचता था कि मैं उनके लिए क्या कर सकता हूँ? आखिरकार मुझे एक उपाय सूझा। मुझे लगा कि मैं उनके लिए एक पाठशाला की स्थापना करूँ तो ठीक होगा। ऐसी बात नहीं कि राजमहेंद्री में पिछड़ी जाति के बालकों के लिए पाठशालाएँ नहीं थीं। नगरपालिका पंचम जाति के बच्चों के लिए तीन-चार पाठशालाएँ चला रही थी। फिर मुझे ही लगने लगा कि ऐसे में नई पाठशाला चलाने का विशेष प्रयोजन क्या है। मैंने सोचा कि उन पाठशालाओं से भिन्न प्रकार की पाठशाला की स्थापना से ही कुछ होगा। उन पाठशालाओं में केवल तेलुगु की ही पढ़ाई होती है, अंग्रेजी नहीं सिखाई जाती। मुझे गहन विश्वास हो गया था कि अगर मेरी पाठशाला में अंग्रेजी सिखाई जाएगी तो हरिजन बालक

प्रगति करेंगे। इस विश्वास के अनुसार मैंने फरवरी 1909 में पिछड़ी जातियों के लिए एक पाठशाला की स्थापना की। मैंने उसका नामकरण किया—राममोहन पाठशाला। साधारण विद्यालय के लिए ही मकान नहीं मिलते तो पंचम जाति के लिए पाठशाला के निमित्त कैसे मिलेगा? मकान के लिए कोशिश करते समय मेरे मित्र ने कहा कि राजमहेंद्री के गोदावरी नदी के किनारे स्थित उनके मकान को पाठशाला के लिए मैं उपयोग कर सकता हूँ। उन्होंने यह भी कहा कि उस घर के लिए मुझे किराया देने की जरूरत भी नहीं है। किसी भी प्रकार मैंने दो-तीन बेंच और एक कुरसी जुटाकर उस कमरे में राममोहन पाठशाला की स्थापना की। पढ़ने के लिए बच्चे जल्दी नहीं मिले। बड़ी मुश्किल से चार-पाँच बच्चे आए। बच्चों के आने के बाद अध्यापक मिलने की समस्या थी। कई कोशिशों के बाद सुब्बाराव नामक युवक मिला। उसने हायर सेकेंड्री की परीक्षा पास की थी। मैंने उसको बारह रुपए मासिक वेतन पर नियुक्त किया। मैंने चौथी कक्षा तक उसके द्वारा अंग्रेजी पढ़ाए जाने का इंतजाम किया। सुब्बाराव बच्चों को प्यार एवं जतन से पढ़ाता था। मेरे मित्र सोमयाजुलु द्वारा दिए गए घर में मैंने राममोहन पाठशाला दो साल चलाई। अगर सोमयाजुलु घर नहीं देते तो क्या बिना किराया लिए कोई पाठशाला के लिए घर देता? इसलिए उनके प्रति मेरी बड़ी श्रद्धा है। दूसरे साल अध्यापक सुब्बाराव पाठशाला छोड़कर स्वयं पढ़ने के लिए चले गए। मैंने उनके स्थान पर राजम्मा जी को नियुक्त किया था। दूसरे साल बालकों की संख्या बढ़ी। मैं कई बच्चों को निःशुल्क शिक्षा ही नहीं देता था वरन् अपने धन से उनको पट्टियाँ और पुस्तकें भी दिया करता था।

पाठशाला के संचालन में कठिनाई हो रही थी। पहले छात्र कम आते थे, बाद में ज्यादा आने लगे। अगली कथा प्रारंभ करने के कारण भी 1911 में उस स्थान से पाठशाला को अन्य स्थान मुसलमानों के घर में बदलना पड़ा। बालकों की संख्या अधिक होने के कारण और दो अध्यापकों को नियुक्त करना पड़ा। उस पाठशाला के लिए जो व्यय होता था, मैं ही उसका भार वहन करता था। उस समय प्रतिमाह लगभग तीस रुपए पाठशाला के खर्च के लिए आवश्यक थे। दूसरों से कोई विशेष अधिक अनुदान नहीं मिलता था। एक बार नालम् पट्टाभिरामय्या ने स्लेटें एवं पुस्तकें बच्चों के लिए दान में दीं। न्यायपति सुब्बाराव पंतुलु ने पाठशाला को देखा और आनंदित होकर 150 रुपए दान में दिया। उस धन से मैंने बच्चों के लिए मेज, कुरसी एवं श्यामपट बनवाए। हर साल एक कक्षा बढ़ाते हुए मैंने उसे 'हायर एलिमेंटरी' पाठशाला बना दिया। 1911 में ही विजयनगरम् में विशाख मंडल सभा हुई। मंडल की समाज सुधार सभा भी उसी समय हुई। मैंने समाज सुधार सभा का अध्यक्षीय व्याख्यान दिया। समाज-सुधारक नारायण राव नायडू ने अध्यक्ष का धन्यवाद प्रस्ताव रखते हुए मेरे समाज सुधार संबंधी कार्य की प्रशंसा की। किलांबि रामानुजाचार्य (विजयनगरम् कॉलेज के प्रिंसिपल) ने विशेष रूप से समाज सुधार सभा में भाग लिया।

1914 में इंडियन नेशनल कांग्रेस की सभा का आयोजन मद्रास में हुआ। उन्हीं दिनों एंडरसन हाल में पिछड़ी जातियों के विकास से संबंधित एक सभा हुई। यह सभा 30 दिसंबर, 1914 को संपन्न हुई। बंबई के तत्कालीन हाइकोर्ट न्यायाधीश श्री नारायण गणेश चंदावरकर ने सभा की अध्यक्षता की। मद्रास हाईकोर्ट के तत्कालीन न्यायाधीश श्री शंकर नायर मेरे पार्श्व में बैठे। मद्रास प्रांत में निम्न जातियों के विकास के लिए होने वाले कार्य को जानने-समझने के लिए उस समारोह का आयोजन हुआ। मेरे मलयाली मित्र ने मुझे भी सभा में भाषण देने के लिए प्रोत्साहित किया क्योंकि वे जानते थे कि इस क्षेत्र में मैं भी काम कर रहा हूँ। मंगलूर के रंगाराव एवं अन्य व्यक्तियों ने अपने अनुभवों से अवगत कराया। मैंने भी 1909 में पाठशाला की स्थापना से लेकर अपने अनुभवों का विवरण देते हुए बीस मिनट तक अंग्रेजी में व्याख्यान दिया। अंत में मैंने कहा–''I am a blind man, I did this little work, I could not do more'' मैं जब मंच से उतरने लगा तो चंद्रावरकर साहब उठे और उन्होंने मेरा हाथ पकड़ कर कहा–''Shake hand Mr. Narasimham! You are not blind we are all blind.''

1915 तक मेरी राममोहन पाठशाला में सौ विद्यार्थी पढ़ रहे थे। सात अध्यापक काम कर रहे थे। उस साल से पिठापुरम् के राजा ने सहायता करना प्रारंभ किया। हर साल 500 रुपए अनुदान दिया करते थे। मैंने उस पाठशाला में एक हरिजन अध्यापक को नियुक्त किया था (अब तक के सभी अध्यापक सवर्ण ही थे)। उसका नाम नरसिंहराव था। उसका मासिक वेतन था–15 रुपए। वह स्कूल फाइनल पास था। उसने ईसाइयों में मिलने की कोशिश की। उसका कारण था–वे लोग उसे बीस रुपए मासिक वेतन देने के लिए तैयार थे। मिशन स्कूल के प्रधान अध्यापक पोतुकूचि सुब्बय्या मेरे पास आए और उन्होंने अनुनय से कहा–''नरसिंहराव को वेतन कम लग रहा है। उसको 25 रुपए वेतन मिला तो वह आपकी पाठशाला में ही काम करेगा। नहीं तो ईसाइयों में जा मिलेगा। पाँच-दस रुपए ज्यादा देना आपके लिए बेकार खर्च होने के बावजूद उसके धर्म-परिवर्तन को रोकने का श्रेय आपको मिलेगा।'' हिंदू धर्म के प्रति अनुराग के कारण मैंने ऐसा ही किया। किंतु कुछ महीनों के बाद वह किसी और ईसाई स्कूल में अध्यापक बनकर ईसाइयों में मिल गया। ईसाई पादरियों के हाथों में विशेष धन रहने के कारण वे इस प्रकार धन, नौकरी आदि देकर पिछड़ी जातियों को अपने धर्म में सम्मिलित करते रहते हैं।

दिसंबर 1919 में तत्कालीन मद्रास गवर्नर वेलिंगटन राजमहेंद्री आए। मेरे अनुरोध पर उन्होंने राममोहन पाठशाला देखी और प्रसन्न हुए और प्रशंसा करते हुए उन्होंने कहा–''Mr. Narasimham! You are turning out good work.'' 1920 में कट्टमंचि रामलिंगा रेड्डी राजमहेंद्री आए वे भी राममोहन पाठशाला देखकर आनंदित हुए। उन्होंने अपने अनुभवों के आधार पर कुछ सुझाव भी दिए। राममोहन पाठशाला

एवं विवेकानंद पाठशाला (वयस्कों के लिए 1914-15 के दर्मियान स्थापित पाठशाला) को 1922 तक किसी प्रकार मैंने चलाया। किंतु आगे न चला सकने के कारण मैंने उन दोनों को निम्नजाति के विकास में लगे श्री गूडूरु रामचंद्र राव को दे दिया।

मेरी राममोहन पाठशाला में शिक्षित वेकन्ना ने स्कूल फाइनल (मैट्रिक) परीक्षा पास की। उस होशियार बालक की उच्च शिक्षा के लिए मैंने सिफारिश करते हुए श्री रघुपति वेंकटरत्नम् नायडू जी को पत्र लिखा। उन्होंने पिठापुरम् महाराजा से बात करके उसको बी.ए. तक शिक्षा दिलाई। अब वह सेलम जिले में डिप्टी तहसीलदार बन गया। उसने अपने बेटे को मेरा नाम दिया—लक्ष्मी नरसिंहम्। यही नहीं, सुना है—और एक हरिजन मार्कण्डेय ने भी अपने पुत्र को मेरा नाम दिया। पिछड़ी जातियों के विकास की मेरी सेवा यहीं समाप्त हो गई।

—एक अंश

अनुवाद : **पी. माणिक्यंबा**

टी· पट्टाभि रामारेड्डी

1919-दिवंगत

पट्टाभि के नाम से सुपरिचित तेलुगु की उत्तर-नवजागरणकालीन क्लासिक धारा के कवि। प्रमुख कृतियाँ 'फिडेल रागालु' और 'पट्टाभि पंचांगम्'।

सीता

(कविता)

सीता मेरी सहपाठिन थी
गहरे जब हम उतर गए थे
रामायण की महा कथा में
और कथा के अंत में पूछा
झाँक उसकी विदुषी आँखों में

'तुमने पूरी कथा सुनी है
राम के पीछे-पीछे चलते
कालयात्री है कविता, उसमें
देखा हमने है जंगल में
वृक्ष ओट से उनके हाथों
बाली की हत्या का छल
अपनी ही पत्नी सीता का
जीवित अग्नि-परीक्षा का फल

अब बतलाओ क्या सचमुच
तुम, बनना चाहोगी सीता-सी
नायक राम की पत्नी जैसी'

सुनकर मेरा प्रश्न वह बोली
'भाग्यवान सीता बनना है
भारत की नारी का गौरव
सीता होना इक सपना है

फिर भी अगर बनूँगी सीता
राम की पत्नी नहीं बनूँगी
तुम ही बोलो सहचर मेरे
राम-सा बनना चाहोगे क्या'

'राम की पत्नी गर न बनो तुम
क्या होगा फिर राम ही बनकर
मेरी तो अब यही कामना
जीऊँगा रावण ही बनकर

फिर अपने दस मुँह से तेरा
चूमूँ चेहरा, ओठ मैं जी भर
सीमा में रख बीस नयन के
रूप तुम्हारा पीऊँ छककर
छाती से आलिंगन में लूँ
बाँधूँ बीस भुजा में कसकर'

अब सहपाठिन सीता मेरी
प्राणों से प्यारी पत्नी है!

अंग्रेजी से अनुवाद : **महेश जायसवाल**

नारायण गुरु
कुमारन आशान

नारायण गुरु

1856-1928

केरल के प्रसिद्ध समाज सुधारक और जातिप्रथा के जबर्दस्त विरोधी। एक जाति, एक धर्म और एक ईश्वर में विश्वास। दार्शनिक कवि। ताड़ी निकालने वाली जाति का होने की वजह से पंडितों के विरोध का बार-बार सामना करना पड़ा। सर्वप्रथम अरूविप्पुरम में एक ऐसे मंदिर की स्थापना की, जिसमें देवता की जगह आईने का एक टुकड़ा था। कई शिव मंदिरों की स्थापना, जिनके पुजारी पिछड़ी और दलित जाति के व्यक्ति होते थे। विवाह आदि में फिजूल खर्ची और कर्मकांड के विरोधी। शिक्षा एवं उद्योगों को प्रोत्साहन। केरल के सामाजिक जीवन पर व्यापक प्रभाव।

कुछ विचार

सन् 1888 में नारायण गुरु ने अरुविप्पुरम् नामक स्थान पर एक शिव मंदिर की स्थापना की। वहाँ उन्होंने एक आश्रम भी बनाया। उसकी दीवार पर उन्होंने ये पंक्तियाँ लिखीं—

जाति भेद, धर्मद्वेष से मुक्त होकर
सहोदर भाव से रहते हैं सभी
इस आदर्श संस्था में।

1920 में अपने जन्मदिन के अवसर पर गुरु ने सबके लिए यह संदेश भिजवाया—

जाति एक
धर्म एक
ईश्वर एक
मनुष्य के लिए।

अपनी बातचीत में हमेशा 'निम्न वर्ग' शब्द प्रयुक्त करने वाले एक विद्वान से गुरु ने कहा—

ऐसा कोई वर्ग नहीं जिसे 'निम्न वर्ग' के नाम से संबोधित किया जा सके। शुद्ध और अशुद्ध, विद्याविभूषित या विद्याहीन, अमीर या गरीब आदि वर्गीकरण संभव हैं।

× × ×

1916 में टी.के. माधव (गुरु से प्रभावित एक समाज सुधारक) की पत्रिका 'देशाभिमानी' में प्रकाशित कोल्लम में दिया हुआ उनका भाषण–

मनुष्य द्वारा निर्मित जाति वर्गीकरण का कोई महत्त्व नहीं है। उसका कोई मूल्य नहीं, वह दोष प्रदान करने वाला भी है। उसको मिटना ही चाहिए। उच्च जाति और निम्न जाति जैसे वर्गीकरण का कोई अस्तित्व नहीं। यह वर्गीकरण मुझे जरा भी स्पर्श नहीं कर रहा है। यह गलत है कि समाज धर्म के या धर्म समाज के अधीन हो। सामाजिक कार्यकलापों और धर्म के बीच किसी भी प्रकार का संबंध नहीं होना चाहिए। धर्म का संबंध मन से है। किसी के धार्मिक विचारों में हस्तक्षेप नहीं करना चाहिए। मनुष्य विभिन्न प्रकार के होते हैं। प्रत्येक मनुष्य के हृदय की स्थिति और गति के अनुरूप भिन्न धर्मों का होना आवश्यक है। सब के लिए स्वीकार्य एक धर्म का होना कठिन है। मेरा धर्म सत्य है। किसी को यह कहने का अधिकार नहीं है कि बाकी सब असत्य है। सभी धर्मों में सत्य के अंश हैं। उनकी स्थापना भी सदिच्छा से हुई है।

अभी जितने धर्म प्रचारित हैं, उनमें किसी से भी मेरा कोई संबंध नहीं है। सभी धर्म मेरे लिए आदरणीय हैं। प्रत्येक व्यक्ति अपनी इच्छा के अनुरूप कार्य करे। यदि मैंने कुछ मंदिरों की स्थापना की है तो वह हिंदुओं में से कुछ व्यक्तियों की अभिलाषा की पूर्ति है। अगर ईसाई और मुसलमान भी ऐसी ही इच्छा रखते हैं तो उनके लिए भी ऐसे कर्म में लगना मेरे लिए आनंददायक है। मेरे जाति-धर्म से दूर होने का तात्पर्य यही है कि समाज में प्रचारित जाति-धर्म के प्रति मेरे मन में कोई ममता नहीं है।

× × ×

एस.एन.डी.पी. (नारायण धर्मपरिपालन संघ) के चौदहवें वार्षिक समारोह के लिए दी गई शुभ कामनाएँ–

मुझे इस बात की खुशी है कि आप लोग सामाजिक संगठन और धार्मिक परिष्कार संबंधी बातों पर गंभीरतापूर्वक विचार कर रहे हैं। लेकिन संगठनों का लक्ष्य यह न रहे कि वे विशेष वर्ग के लोगों को जुटाकर समाज का निर्माण करें। धार्मिक परिष्कार का मतलब यह नहीं कि आज के किसी धर्म को तजकर दूसरे किसी धर्म को स्वीकार किया जाए। हमारे सामाजिक संगठनों का लक्ष्य यह होना चाहिए कि वे सभी लोगों को एक कर दें। धर्म वह है जो वैचारिक स्वतंत्रता की अनुमति दे, सभ्य समाज के लिए स्वीकार्य हो और मनुष्य को उदात्त आदर्शों की ओर ले जाने वाला भी हो।

'जाति एक, धर्म एक, ईश्वर एक—मनुष्य के लिए' वाला सनातन धार्मिक दृष्टिकोण इस प्रकार के धर्म का है। मुझे यही सही लगता है कि इस सनातन दृष्टिकोण से सहमत सभी को संगठन से जोड़ना चाहिए। जो लोग यह सोचते हैं कि धर्म परिवर्तन किए बिना असमानताओं और कठिनाइयों से उबर पाना मुश्किल है, उन्हें 'सनातन धर्म' की स्वीकृति धर्मपरिवर्तन और स्वतंत्रता की घोषणा सिद्ध हो सकती है।

× × ×

गुरु और सी.वी. कुम्मिरामन के बीच संवाद से—

सभी धर्मों का लक्ष्य एक ही है। नदी के समुद्र में विलीन होने के उपरांत न भँवर का महत्त्व है न समुद्र की गहराई का। धर्म का काम यही है वह जीवात्माओं को उर्ध्वमुखता प्रदान करे। उसकी प्राप्ति के उपरांत जो सूक्ष्म है उसकी खोज लोग स्वयं करेंगे। धर्म सूक्ष्म की खोज के मार्ग-निर्देशक भर हैं। जिसने सूक्ष्म का ज्ञान प्राप्त किया है, उसके लिए धर्म के साक्ष्य की आवश्यकता नहीं है। सूक्ष्म का ज्ञान स्वयं धर्म के लिए साक्ष्य है। क्या गौतम बुद्ध ने बौद्ध धर्म में शिक्षा प्राप्त करके निर्वाण का उपदेश दिया था? बुद्ध ने वह मार्ग ढूँढ़ लिया था; फिर उसका उपदेश दिया था। वही फिर बौद्ध धर्म बन गया। क्या बौद्ध धर्म से बुद्ध को कोई लाभ है?

ईशु को भी ईसाई धर्म से कोई लाभ नहीं है। सभी धर्मों के संबंध में यह तथ्य प्रासंगिक है। परंतु बौद्ध धर्म से बौद्ध धर्मावलंबियों को और ईसाई धर्म से ईसाई धर्मावलंबियों को लाभ है। प्रत्येक कर्म उक्त धर्म के अनुयायियों के लिए प्रयोजन प्रद है।...

धर्म के दो पक्ष हैं—आभ्यंतर एवं बाह्य। इनमें से किसे परिवर्तित किया जाना चाहिए? यदि बाह्य पक्ष में परिवर्तन की आवश्यकता है तो वह धर्म परिवर्तन नहीं बल्कि समाज परिवर्तन है। आभ्यंतर परिवर्तन तो प्रत्येक चिंतनशील व्यक्ति के हृदय में धीरे-धीरे होता है। वह ज्ञान के विकास का सहज साक्षात्कार है। उसे और कोई परिवर्तित नहीं कर सकता। हिंदू, ईसाई आदि नाम से प्रचलित धर्मों में से किसी भी धर्म से जुड़ा एक व्यक्ति यदि यह अनुभव कर रहा है कि उसे अपने धर्म में कोई आस्था नहीं है तो यह आवश्यक है कि अपने धर्म से अलग हो जाए। जिस धर्म के प्रति आस्था नहीं है उसका सदस्य बने रहना कायरता और कपटता है। उसका धर्म परिवर्तन उस व्यक्ति के लिए तथा धर्म के लिए अच्छा है। यह किसी भी धर्म के लिए प्रीतिप्रद बात नहीं है कि धर्म में आस्थाहीन व्यक्तियों की संख्या बढ़े।...

हिंदू धर्म के नाम से कोई धर्म नहीं है। हिंदुस्तान के निवासियों को विदेशी 'हिंदू' कहते हैं। मगर हिंदुस्तान के निवासियों का धर्म हिंदू धर्म है तो यहाँ के ईसाइयों और मुसलमानों का धर्म भी हिंदू धर्म ही है, ऐसा तो कोई नहीं कह रहा है। ऐसा

मानने के लिए कोई तैयार भी नहीं है। अब जिसे हिंदू धर्म का नाम दिया गया है, वह भारत के बाहर से आए ईसाई धर्म और इस्लाम धर्म को छोड़कर यहीं हिंदुस्तान में जन्मे धर्म के लिए प्रयुक्त आम संज्ञा है। संभवतः इसी कारण कुछ लोग बौद्ध धर्म और जैन धर्म को भी हिंदू धर्म से जोड़ते हैं। वैदिक धर्म, पौराणिक धर्म, सांख्य धर्म, वैशेषिक धर्म, मीमांसक धर्म, द्वैतधर्म, अद्वैत धर्म, विशिष्टाद्वैत धर्म, शैव धर्म, शाक्त धर्म, वैष्णव धर्म आदि प्रत्यक्षतः भिन्न दिखने वाले अनेक धर्मों को मिलाकर हिंदू धर्म जैसी आम संज्ञा दिलवाने में कोई गलती नहीं है तो मानव समाज के उत्थान हेतु देशकाल के अनुसार प्रत्येक धर्माचार्य द्वारा किंचित भिन्नताओं के साथ प्रदत्त धर्मों के लिए एक लक्ष्य को दृष्टि में रखकर 'एक धर्म' कहने में क्या असंगति हो सकती है?

अब मंदिर-निर्माण को प्रोत्साहित नहीं किया जाना चाहिए। मंदिर के प्रति जनता की आस्था कम होती जा रही है। हो सकता है कि लोगों को ऐसा लगे कि मंदिर के निर्माण में धन का अपव्यय हो गया है। समय तेजी से बदल रहा है। इतने पर भी सामान्य जनता यह मानने के लिए तैयार नहीं हो सकती कि मंदिर न बनाया जाए। आवश्यक है तो छोटा मंदिर बनवाएँ। अब प्रमुख देवालय विद्यालय हो। चंदा इकट्ठा करके विद्यालय के निर्माण में लगना चाहिए। पहले यह विचार था कि सफाई के लिए, जाति-धर्म से परे होकर लोगों के मिलने-जुलने के लिए मंदिर से बढ़कर और कोई स्थान नहीं है; लेकिन यह विचार गलत निकला। मंदिर जातिगत अंतर को बढ़ाता है। अब जनता के लिए विद्या की ही आवश्यकता है। लोगों का ज्ञान बढ़े। उन्हें सही रास्ते पर लाने के लिए यही एकमात्र दवाई है।

अनुवाद एवं प्रस्तुति : ए. अरविंदाक्षन

कुछ पद

नींद के पहले जागरण
पाचन के पहले भोजन
पश्चात् अन्य इच्छाएँ
यही है शाश्वत जीवन चक्र
जीवन के इस अक्षर यथार्थ पर
हो सकतीं किसे शंकाएँ?

□

यह तल है, यह शिखर और यह अंत, है बस यही यथार्थ
सोच-सोचकर लोग द्वंद्व रच दिखलाते अपना पुरुषार्थ
जड़ता के गुण से संवलित तत्त्व का कुछ अपना भी है गत्यार्थ
जल-मेघ के बीच रूप का अंतर केवल, दोनों एक पदार्थ।।

□

इस जगत के इतर है नहीं सत्य कुछ भी, कोई
'कोई है'—कहनेवालों को इलहाम नहीं कोई
साँप दीखे, तब भी सच है डोरी का डोरी होना
किसी फूल को सर्पीला कभी नहीं कहता कोई!!

□

'यह आदमी', 'वह आदमी' यही होता हर पल जगत-ज्ञान
सार गहो, विश्वास करो, एक स्वत्व से सभी तत्त्व का है निर्माण
अपने सुख के लिए ही अहर्निश करता रहता जगत प्रयास
दूसरे के सुख के अमरकोष में संचित होते रहना चाहिए अनायास।।

□

एक के सुख का साधन, बने जो दूसरे के दुःख का वाहन
अगोचर आत्म-स्व को मिलता नहीं इसमें कोई आराधन
हर पल याद रहे, जो बनते दूसरों के दुःख का कारण
खुद दुःख-सागर के अग्निकुंड में भोगते हैं जलन-दहन।।

□

अपने प्रत्ययों के बीच बना रहता वह अदृश्य, अगम, अगोचर
जैसे अपनी ही प्रशाखाओं के झुरमुट में, छिपा रहता है महावृक्ष
'यह आदमी', 'वह आदमी' का बोध होता है बस इसी कारण
अभेद में भेद, अंश को पूर्ण मान लेने का बढ़ जाता प्रचलन।।

□

लड़कर जीतना, बदलना किसी की आस्था को बिल्कुल असंभव
युद्ध से कभी किसी की आस्था को तोड़ना कब हुआ संभव
दूसरे की आस्था पर तुमुल निनाद कर जो व्यतिरेकी तर्क गढ़ा करते हैं
वे रक्तवाहिनी हृत-शिरा का विषायन कर जीवन को भंगुर करते हैं।।

□

आस्था का एक बिंदु जिसकी चर्चा में रहता हर कोई हरदम तत्पर
पंथ बदलने वाले नहीं हो सकते उस अंतर्पथ के सरल सहचर
चतुर-सुजन के मन में इतर आस्था पर होता नहीं आपत्ति का स्वर
ज्ञानी-गुनी जानते हैं, धारण करते हैं बनते हैं अतएव और पूर्णतर।।

□

ज्ञान में अवस्थित, अस्ति-नास्ति के बीच असंख्य संघात
फैलता चतुर्दिक अमित-प्रकाश, प्रतीति में व्यापता विश्व
जहाँ नहीं किसी प्रकार का कोई ज्ञान वहाँ है केवल शून्य
किसी के होने के बोध का आधार ज्ञान, है इतनी-सी बात।।

□

घूँघट के पट खुले हैं जिनके, बोध और आत्म-चेतना उनकी
अन्य सभी संशय में हैं पड़े, पीसते दो पाटन की चक्की
'मैं' से मुक्त हों, तब ज्ञान न रह जाए जरूरत किसी की
फिर एक अनेक में निरख-परख सके सुंदरता अपनी छवि की।।

□

यह भी नहीं, वह भी नहीं और न ही अपना अस्तित्व
किंतु अस्तित्व, चेतना, अक्षर आनंद से खुदी बुलंद है
अस्ति-न अस्ति के बोध से ऊपर जो है अस्तित्व
उसी सत-ओम में नित्य आकांक्षित लय होता अमंद है।।

□

अंग्रेजी पाठ के आधार पर अनुसृजन : **प्रफुल्ल कोलख्यान**

कुमारन आशान
1873-1924

नारायण गुरु के शिष्य प्रसिद्ध मलयालम महाकवि और केरल के समाज सुधारक। प्रमुख काव्य ग्रंथ 'झराफूल', 'चंडाल भिक्षुकी', 'नलिनी', 'लीला', 'करुणा', 'दुरवस्था'। उनके साहित्य में दर्शन, काव्य और कला का अनोखा संगम। केरल, वहाँ के परिवेश से गहरा जातीय लगाव। उनके संपादकीय व्यक्ति में प्रखर समाज चिंतक का रूप उभर कर आता है। 1904 से 1919 तक 'विवेकोदयम' पत्रिका के संपादक। 'प्रतिभा' पत्रिका का भी कुछ समय तक संपादन। अपने विचारों से निचले तबके के लोगों पर होने वाले अत्याचारों का पर्दाफाश और आम जनता के अधिकारों के लिए संघर्ष। मितभाषी, उदार किंतु दृढ़ युग-निर्माता।

संपादकीय टिप्पणियाँ

हमारे जाति संबंधी विचार

जाति केंद्रित झगड़े मोटे तौर पर देश के लिए तथा प्रत्येक समाज के लिए हानिकारक हैं। इस कथन का समर्थन करने के लिए सिद्धांतों की आवश्यकता नहीं है। हमारे अनुभव ही पर्याप्त हैं। यह अभिशाप हिंदू समाज में जितना गहरा है उतना कहीं अन्यत्र नहीं है। अभिजात कहे जाने वाले समाज में ही नहीं, बल्कि निम्न जाति के लोगों में भी जातिवाद है। जाति जितनी निम्न है, उतनी ही कठोरता बढ़ती जाती है। इन समस्याओं पर विचार करते समय सचमुच हमें लज्जा का अनुभव हो सकता है। इन दोषों की तरफ ध्यान आकर्षित करने वाले सुधीजनों के विचारों की ओर हमारा हृदय उत्सुक हो सकता है।

हमारे समाज के कई इलाकों में जाति केंद्रित उलझनें बढ़ रही हैं। उन्हें शांत किया जाना चाहिए। समाज के भविष्य को समृद्ध बनाने के लिए सहज, स्वीकार्य कानून की ताकत से सामाजिक सहवास की भावना को सुदृढ़ बनाया जाना चाहिए।

इस ओर सभी-महत्त्वपूर्ण व्यक्तियों का ध्यान जाना अत्यंत आवश्यक है।

कई प्रकार की उलझनों की सूचनाएँ हमारे पास उपलब्ध हैं। त्रावणकोर के दक्षिणी छोर पर आम जनता और संपन्न परिवार का अनुपात समान है। इसलिए उलझन ग्रस्त लोगों की संख्या कम है। आम तौर पर कुछ कठिनाइयाँ हैं, लेकिन वे हानिकारक नहीं हैं। वे शांत होने योग्य भी हैं। जहाँ गरीबों की संख्या अधिक और सुविधा संपन्न लोगों की संख्या कम है, वहाँ कठिनाइयाँ अधिक हैं। दक्षिण केरल के तानूर नामक स्थान पर एक घटना घटी। जिस चादर पर एक मछुआरा बैठा हुआ था, उस पर जब एक 'तिय्य' जाति के व्यक्ति ने अनजाने में पैर रखा तो उसी जाति के मुखिया लोगों ने उसका हुक्का-पानी बंद कर दिया। इसके संबंध में हमने इसी स्तंभ में लिखा था। और इसका सख्त विरोध भी किया था।

इस तरह के झगड़ों की सूचनाएँ अन्यान्य प्रदेशों से भी मिलती रहती हैं। आजकल ऐसी घटनाएँ कम हो रही हैं, यह सुखद अनुभव है।

उत्तर केरल में विवाह संबंधी झगड़ों की सूचनाएँ मिल रही हैं। उन पर गंभीरता पूर्वक सोचा जाना चाहिए और उचित निर्णय भी लिया जाना चाहिए; अन्यथा वह समाज के लिए हानिकारक है। रूढ़ियों से मुक्त होना समाज के लिए प्रीतिप्रद है। उत्तर केरल में दिखाई पड़ने वाली एक अन्य समस्या दूसरी जाति से विवाह संबंध जोड़ने से उन लोगों को समाज से बहिष्कृत करने को लेकर है। इस मामले को लेकर उधर के दो मान्य व्यक्तियों ने श्रीनारायण गुरु से पत्र द्वारा संपर्क किया है। छोटी-मोटी ऐसी समस्याओं से उबरकर समाज को एकता के साथ रहना है। यही गुरुजी की राय है। इसके अनुसार हम जीवन बिताएँ तो यथासमय हम प्रगति-पथ पर आगे बढ़ जाएँगे।

—विवेकोदयम्, 1904

हमारा भीषण अभिशाप अथवा केरल का पागलपन

उक्त शीर्षक से हमारा संकेत जातिप्रथा से ही है। यह सुविदित तथ्य है कि भारत के गुलाम होने तथा उसके गौरव के अस्त होने के पीछे यही अभिशाप है। इसका गहरा असर जितना केरल में है, उतना अन्य किसी प्रदेश में नहीं है। एक ही जाति को अलग-अलग प्रदेशों में अलग-अलग समस्याओं का सामना करना पड़ रहा है। एक इलाके में ऊँची जाति के लोगों के साथ निम्न जाति का व्यक्ति खान-पान छोड़कर कुछ खाद्य वस्तुओं को स्वीकार कर सकता है तो उसी जाति के व्यक्ति को दूसरे इलाके में उक्त उच्च जाति से दूर रहना पड़ता है।

वहाँ पर उन दो जातियों के बीच जल-पान तक का विरोध किया गया है। यह पागलपन नहीं तो और क्या है? स्वामी विवेकानंद ने इसी कारण केरल को पागलखाना घोषित किया था। इस दृष्टि के पीछे कुछ ब्राह्मणों की कलुषित बुद्धि

ही काम कर रही है और उनकी हठवादिता भी है। इसके पीछे कोई वैज्ञानिक आधार नहीं है। यदि कोई इसके लिए वैज्ञानिक आधार ढूँढ़ भी ले तो अक्लमंद और स्वतंत्रचेता व्यक्ति इसके लिए मान्यता प्रदान नहीं कर सकता है। शिक्षा और अन्य सुविधाओं के कारण हमारे बीच बहुत अच्छी स्थिति में जीने वाले नायर जाति के लोग तथा तमिल ब्राह्मण (अय्यर जाति) ऐसे कुछ लोग हैं, जिनकी बुद्धि के भ्रमित होने से अब भी लोग ऐसी रूढ़ियों को प्रमुखता देते आ रहे हैं। यह देखकर हम राष्ट्रप्रेमियों का हृदय दुःख रहा है। हम इसलिए यह लिख रहे हैं कि कालीकट के टाउन मजिस्ट्रेट की अदालत में हमें मिस्टर गोविंदन पर दर्ज केस के बारे में सुनने का अवसर मिला है। गोविंदन शहर से दूर एक गाँव से जा रहा था। उसी रास्ते से गलती से एक नायर जाति का व्यक्ति आ रहा था, जिसको देखकर गोविंदन ने अलग रास्ता नहीं अपनाया। इस पर नायर जाति के उस व्यक्ति ने उसे गालियाँ दीं और उसे अपमानित किया। केस का आधार सही है। लेकिन दिलचस्प यह नहीं है। गोविंदन ने बयान दिया कि उसके अपने इलाके में नायर जाति के लोगों के लिए तियर जाति के लोग रास्ते से हटते नहीं है। गोविंदन के बयान पर मजिस्ट्रेट गोपाल कृष्ण अय्यर ने जो गंदा भाषण दिया, वही हमें आश्चर्य चकित कर देने वाला है। उसका कहना था कि गोविंदन खुशकिस्मत व्यक्ति है कि उसे बिना मारे छोड़ दिया गया और दरअसल उसकी हड्डी-पसली एक कर देनी चाहिए थी। भरी अदालत में उस मजिस्ट्रेट की यही राय थी। लानत है ऐसा कहने वाले मजिस्ट्रेटों पर।

—विवेकोदयम्, 1905

निम्न जाति के लोग

कोई ऐसा भारतीय नहीं होगा, जिसने लाला लाजपत राय का नाम न सुना हो। 'इंडियन रिव्यू' के विगत मई के अंक में उन्होंने निम्न जाति के लोगों के बारे में जो लिखा है, उससे परिचित होना सबके लिए आवश्यक है। इसलिए उस प्रकरण का अनुवाद करके हम यथावत् प्रस्तुत कर रहे हैं। उम्मीद यही है कि सभी पाठकों का ध्यान इस प्रकरण पर पड़ जाएगा।

"अस्पृश्य एवं पतित समझे जाने वाले तथाकथित निम्न जाति के लोगों की अवस्था दर्दनाक है। यह अवस्था हमारी मानवीयता और नैतिक बोध के विरुद्ध है। सामाजिक संबंधों के हमारे विचारों के खिलाफ भी है। जब तक पतित कहे जाने वाले लोग इसी हालत में रहेंगे, समाज की एकता की बात की परिकल्पना असंभव प्रतीत होती है। एक बहुत बड़े समाज की तमाम शाखाओं के लोग जब तक मेल-जोल के साथ नहीं रहेंगे तब तक उस बृहत् समाज का बौद्धिक एवं नैतिक विकास संभव प्रतीत नहीं होता है। समाज के सभी सदस्यों को ऊपर आना चाहिए। एक ही स्तर तक पहुँचना कठिन हो सकता है। लेकिन उस स्तर तक सबको पहुँचने की सुविधा

मिलनी चाहिए जहाँ वे अपनी बुद्धि और योग्यता का उपयोग कर सकें।...

"हिंदू धर्म में शामिल इन लोगों को हिंदू धर्म से अलग करने का कार्य किया जा रहा है। अगर ये लोग नहीं हैं तो हिंदुओं की शक्ति कमजोर पड़ जाएगी। इन्हें इनकी स्वतंत्रता प्राप्त न होने पर भी ये हिंदू धर्म के सदस्य बने रहना चाहते हैं। इसलिए हिंदू धर्म का कर्तव्य यही है कि इन्हें पतित स्थिति से ऊपर उठाए। सबसे प्रमुख कार्य यही है कि इन अस्पृश्य कहे जाने वाले लोगों को स्पर्श समझें, इनके नाम पर प्रचलित जहरीले विचारों को उखाड़कर फेंक दें। जो हिंदू यह नहीं कर सकता, चाहे वह इसके गलत परिणाम से जितना भी अनभिज्ञ क्यों न हो, वह जनसमाज का दुश्मन कहा जाएगा।"

'लाजपत राय क्लब', 'लाजपतराय शॉप', 'लाजपतराय बिस्कुट' जैसे नाम अपनी संस्थाओं या उत्पादों को देकर देशप्रेम का ढिंढोरा पीटने वाले यदि उनके विचारों को सही अर्थ में आत्मसात् करते तो वे अपने को सचमुच कृतार्थ करते। यह हिंदू समाज के लिए गौरव की बात भी हो सकती थी।

—विवेकोदयम्, 1908

हिंदू और निम्न जाति के लोग

पिछली जनगणना के अनुसार भारत में कुल 29 करोड़ लोग हैं। इनमें हिंदुओं की संख्या 20 करोड़ 70 लाख है। जिनमें 5 करोड़ 30 लाख लोग अस्पृश्य समझे जाने वाली श्रेणी में आते हैं। मुसलमानों की संख्या 6 करोड़ 20 लाख है। निम्न कहे जाने वाली जातियों में और भी कई हैं, जिनकी हालत उतनी बेहतर नहीं है। इन सबको छोड़कर जितने बचते हैं, वे ही अपने को हिंदू कहकर सिर ऊँचा करके चलते हैं। उनकी संख्या बहुत कम है।

नए परिवर्तन और शिक्षा के प्रचार के साथ शायद हिंदुओं ने अपने निम्नवर्गीय भाइयों के प्रति भी ध्यान देना शुरू किया है। प्रशासन में जनसंख्या का जो महत्त्व है, वह भी इस बदली मानसिकता के पीछे कार्यरत है। ब्रिटिश इंडिया में मुसलमानों को जो विशेष संवैधानिक सुविधाएँ प्रदान की गईं, उनको लेकर हिंदुओं ने विरोध प्रकट करना शुरू किया है। उत्तर भारत के मुसलमानों ने उसका जवाब इस तर्क से देना शुरू किया है कि हिंदुओं की जनसंख्या में अधिकतर निम्न जाति के लोग हैं और उन्हें हिंदुओं की कोटि में गिना नहीं जाना चाहिए। सच तो है। एक साथ न उठने-बैठने वाले, एक साथ न खाने-पीने वाले और स्पर्श तक न करने वाले कैसे एक ही समाज (वर्ग) के सदस्य हो सकते हैं? उपरोक्त झगड़े के कारण बंगाल के नामशूद्रों की हालत कुछ सुधर गई है। वे उस प्रदेश के निम्न जाति के लोग हैं। सुनते हैं कि खेती और व्यवसाय उनके अधीन है। इसलिए उनकी आर्थिक स्थिति अच्छी है। उच्च कुल के लोग समय के अनुरूप परिवर्तित न होने तथा आपसी ईर्ष्या

और हठवादिता के कारण, आगे बढ़ नहीं पाए। मुसलमानों की संख्या के बढ़ने के पीछे निम्न जाति के लोगों का योगदान है। अपनी सुविधा के लिए नामशूद्र आगे भी इस्लाम धर्म अपनाने लगे। तभी वहाँ के सामाजिक कार्यकर्ताओं को बात की गंभीरता का पता चला और उन्होंने नामशूद्रों को कई-कई सुविधाएँ देनी शुरू कर दी, जो उन्हें पहले उपलब्ध नहीं थीं। उनके इस कार्य का असर होने लगा है। अब नामशूद्रों को मुसलमान बनने की आवश्यकता नहीं है।

पंजाब में आर्यसमाजी ही सामाजिक परिवर्तन के कार्य में आगे हैं। उन्होंने शुद्धिकरण संघों का निर्माण आरंभ किया है। लाखों की तादाद में अस्पृश्य समझे जाने वाले लोगों को शुद्ध कर दिया गया है। शुरू-शुरू में हिंदू लोग ऐसे लोगों को मानने के लिए तैयार नहीं थे। लेकिन आर्य समाज द्वारा शुद्ध बनाए गए लोगों के साथ हिंदुओं का उठना-बैठना शुरू हो चुका है।

निम्न जाति के लोगों की एक-तिहाई जनसंख्या दक्षिण भारत में है। शुद्ध कर देने वालों की कमी यहाँ भी नहीं है। पर वे पादरी हैं। मद्रास प्रेसिडेंसी में जनसंख्या की एक-तिहाई निम्न जात के लोग हैं। उनके अलावा ईसाई और मुसलमान भी। इन सब को छोड़ दें तो इस प्रेसिडेंसी में बचे हिंदुओं की संख्या बहुत कम है। धर्म परिवर्तन करने वालों की संख्या भी बढ़ती जा रही है। मद्रास के बिशप महोदय इस बात को लेकर खुश हैं कि तेलुगु देश के दो लाख तथा त्रावणकोर के सात लाख निम्न जाति के लोगों को शुद्ध करके वे ईसाई बना सके हैं।

त्रावणकोर की कुल जनसंख्या 29 लाख है। इनमें अभी सात लाख ईसाई हैं। मुसलमानों की संख्या दो लाख है। बाकी बीस लाख हिंदू है। इनमें ब्राह्मणों और शूद्रों (नायर जाति के लोग) की संख्या अधिकतम छः लाख होगी। त्रावणकोर के उच्च समझे जाने वालों की संख्या भी इतनी ही है। भारत में ऐसा कोई इलाका नहीं है, जहाँ जातिवाद का इतना गहरा असर हो। ईसाई धर्म का ऐसा शीघ्र प्रचार और कहीं नहीं हुआ है। अगर उत्तर भारत में इस्लाम धर्म का प्रचार हुआ है तो उसका कारण शताब्दियों तक मुसलमान शासकों का शासन और उनका डर रहा है। दक्षिण में ईसाई धर्म के प्रचार के कारण दूसरे हैं। हिंदुओं से भयभीत सामान्य जनता पादरियों के स्नेह तथा कृतज्ञता से वशीभूत हो गई।

त्रावणकोर के 'ईषवा' जाति के लोग बंगाल के नामशूद्रों की तरह अपने आप ऊपर आने में सक्षम हैं। बस अब उन्हें कोई नीचे धकेल न दे। वे अपनी प्रगति के कार्य में मग्न हैं और कई प्रकार के कार्य करते आ रहे हैं। उनके बाद जनसंख्या में दूसरा स्थान चान्नान जाति के लोगों का है। इनमें से अधिकतर लोगों ने ईसाई धर्म अपना लिया है। सबसे निम्न जाति है पुलय जाति। इसकी जनसंख्या अच्छी है और उसका महत्त्व है। त्रावणकोर में दो लाख पुलय जाति के लोग हैं। पादरियों के द्वारा शुद्ध बनाए जाने के कार्यक्रम का इनके संदर्भ में कोई महत्त्व नहीं था।

जातिवाद के शिकंजे में चरमराने वाले केरल के पादरियों पर भी यदि उनका असर पड़ा तो यह स्वाभाविक है। यहाँ अब भी पुलय ईसाई और चान्नान ईसाई हैं। समय बीतने पर ये सभी एक हो जाएँगे।

आजकल भारत के कई प्रदेशों में निम्न जाति के लोगों के उद्धार हेतु कार्यरत हिंदुओं के संगठन हैं। त्रावणकोर में भी ऐसे संगठन हैं जो पुलय जाति के लोगों के उद्धार में लगे हैं, यह हर्षदायक तथ्य है। लेकिन इनके कार्यकलाप की निष्ठा और स्थिरता पर विश्वास नहीं किया जा सकता।

रेलगाड़ी, बोट, बाजार और कचहरियाँ हमारे सचमुच के समाज सुधारक हैं। इन स्थानों पर निम्न जाति के लोगों के लिए जो स्वतंत्रता प्राप्त है, वह उच्च वर्ग के लोगों ने उन्हें खुशी से नहीं दी है। अगर ये सक्षम होते तो वे उन्हें अलग ही रखते। यदि उनके पास पर्याप्त धन होता तो एक ब्राह्मण परय जाति के व्यक्ति के साथ बैठकर रेल की यात्रा नहीं करता। यदि उनके अपने यहाँ सभी चीजें उपलब्ध होतीं तो वे बाजार में थोड़े ही आते, वे अपने को 'अस्पृश्य' बनाते। यदि सरकार प्रत्येक जाति के लोगों के लिए अलग-अलग कचहरियाँ बनाने की मूर्खता दिखाती, तो ये उच्च वर्ग के लोग इन कचहरियों में कदम नहीं रखते। इससे यह सिद्ध होता है कि जरूरत और जोर हो तो सब कुछ संभव है।

जाति-सुधार के क्षेत्र में भारत की महत्त्वपूर्ण विभूतियों में महाराजा गायकवाड़ का स्थान विशिष्ट है। इस्लाम और ईसाई धर्मावलंबियों के माध्यम से हिंदू जनता की संख्या को कम किए जाने की दुःस्थिति से दुःखी होकर उच्च वर्ग के लोगों की नहीं, बल्कि सरकार की शिकायत करते हुए उन्होंने लिखा—"सरकार को सिर्फ इस बात को लेकर खुश होना नहीं चाहिए कि वह नए-नए विचारों को बढ़ावा दे रही है, लोगों की प्रगति पर आस्थावान है और समान नियमों के पालन के लिए प्रतिबद्ध है। यह दृष्टिकोण ठीक नहीं है कि जाति और धर्म से संबंधित मसलों पर तभी विचार किया जाए, जब वे प्रशासन पर असर करें। यह प्रशंसनीय बात नहीं है। सरकार का यह रवैया रियासतों और राजाओं के लिए निराशाजनक है। यदि इस मसले पर सरकार सतर्क है तो दूसरे लोग भी उसका अनुसरण करेंगे। सरकार को इस बात पर गंभीरतापूर्वक विचार करना है कि क्या उनकी प्रजा की प्रगति के सभी गवाक्ष खुले हुए हैं। जनसंख्या के छह भाग में से एक भाग पूरी तरह से अज्ञान और बुरी स्थिति में दबा पड़ा है। ऐसे में उनके सुधार के प्रति उदासीन होना सरकार के लिए उचित नहीं है।" उम्मीद यही है कि बड़ौदा के महाराजा के इन सारपूर्ण शब्दों का सरकार पर ही नहीं, बल्कि प्रादेशिक सरकारों पर भी असर पड़ेगा।

—विवेकोदयम्, 1909

अनुवाद : ए. अरविंदाक्षन

लाला लाजपत राय

भाई वीर सिंह

धनीराम चात्रिक

मोहन सिंह वैद

पूर्ण सिंह

तेजा सिंह

गुरुबख्श सिंह 'प्रीतलड़ी'

भगत सिंह

लाला लाजपत राय

1865-1928

अविभाजित पंजाब में आर्य समाज के कर्मठ नेता, सुधारक और राष्ट्रीय स्वाधीनता संग्राम में अविस्मरणीय भूमिका निभाने वाले देशभक्त। कांग्रेस में गरम दल के एक प्रमुख प्रेरणास्रोत। उनके पिता फारसी और उर्दू पढ़ाते थे तथा इस्लामी संस्कृति के प्रशंसक थे। माँ के पूर्वज सिख थे। सैयद अहमद खाँ ने जिस तरह अलीगढ़ में एंग्लो-मोहमडन कॉलेज की स्थापना की, लाजपत राय ने एंग्लो-वैदिक स्कूल और कॉलेज चलाने को अपनी जिंदगी का एक मुख्य लक्ष्य बनाया। दोनों अंग्रेजी और पश्चिमी शिक्षा के पक्षधर थे। 1892 में लाहौर में वकालत का पेशा शुरू किया। राष्ट्रीय राजनीति में भाग लेते हुए गरम दल और उदार नरमपंथियों के बीच संतुलन रखने की कोशिश। प्रथम विश्वयुद्ध के दौरान थोड़े-थोड़े समय अमेरिका और जापान में छिप कर रहे। 1922 में राजद्रोह के अपराध में जेल। गाँधी के सत्याग्रह वापस लेने पर आलोचना। 1928 में लाहौर में प्रदर्शन करते हुए पुलिस की लाठी से आहत और 18 दिनों बाद मृत्यु।

हिंदुओं की वर्तमान अवस्था पर कुछ विचार

मेरे सब मित्र मुझको हर रोज यह सलाह देते हैं कि मुझे कोई लिखने-पढ़ने का काम नहीं करना चाहिए और पूर्ण रीति से आराम करना चाहिए। मगर मैं जितनी देर चुप बैठता हूँ उतनी ही देर मेरे दिलोदिमाग में एक अंगीठी-सी जलती रहती है, जिसको शांत करने के सिवा इसके कोई और तरीका नहीं कि मैं अपने विचारों को लिख या लिखा डालूँ। मैं यह जानता हूँ कि यह केवल मेरा अभिमान होगा यदि मैं सोचूँ कि मेरे विचारों के बिना देश या जाति का कोई काम अटका पड़ा रहेगा। संसार का काम इसी तरह चला जाता है, उसमें किसी एक आदमी के काम न करने से कोई रुकावट अथवा हानि नहीं होती। मैं अभिमान के वश होकर यह काम नहीं करता, केवल अपने भीतर की अग्नि को शांत करने के लिए करता हूँ। इस वास्ते अपने मित्रों से प्रार्थना करता हूँ कि आप मेरे इस अपराध को क्षमा करें।

हिंदुओं की मानसिक और इखलाकी अवस्था

असहयोग का प्रचार करते हुए जो मौके मुझे सर्वसाधारण हिंदुओं से मिलने-जुलने और उनसे संबंध पैदा करने को मिले, उनके सहारे मैं निश्चयात्मक रूप से यह कह सकता हूँ कि हिंदू-जनता अपनी मानसिक और इखलाकी अवस्था में किसी दूसरी जाति के मुकाबिले कम नहीं है। धर्म के लिए तकलीफ उठाने में, शुभ कामों के लिए दान देने में, अपने व्रत को पूरा करने में, सब प्राणियों पर दया करने और उनसे न्याययुक्त व्यवहार करने में हिंदू दुनिया भर की किसी जाति से पीछे नहीं हैं। औरतों के लिए, असहाय जानवरों के लिए, उनके मन में ऐसी कोमलता और पूज्य भाव है कि जिसका अनुभव करके मेरा दिल बहुत प्रसन्न होता है। औरतों के प्रति हिंदुओं का भाव पूरे न्याय का नहीं है। वह उनसे पूर्ण रीति से वैसा सलूक नहीं करते जैसा उन्हें करना चाहिए। पर स्त्री-जाति के लिए जो पूज्य भाव उनके मन में है वह उनके धर्म और सभ्यता की उच्च शिक्षा को प्रकट करता है। मुझे इस बात का बड़ा गर्व है कि हिंदू दूसरी जातियों की अपेक्षा स्त्रियों पर बहुत कम नापाक हमले करते हैं। हिंदुओं में भी गुंडे मौजूद हैं, मगर वे गुंडे भी अपने धर्म की छिपी हुई रेखा से बँधे हुए हैं। और हमारे लिए यह अभिमान की बात है कि जहाँ-जहाँ हिंदू-मुसलमानों के फिसाद हुए हैं वहाँ किसी हिंदू गुंडे ने कभी किसी स्त्री की आन पर हाथ नहीं डाला।

धनियों का अधःपतन

मेरी अपनी सम्मति में जो लोग हिंदुओं में अशिक्षित यानी नातालीमयाफ्ता कहलाते हैं, उनकी इखलाकी और आत्मिक अवस्था, तालीमयाफ्ता श्रेणी से बहुत ऊँची है, उनके भाव में सच्चा धार्मिक मर्म और दूसरों के लिए कष्ट सहने का भाव और समय-समय पर धर्म पर सब कुछ न्यौछावर करने का भाव नई तालीमयाफ्ता जमाअत से कहीं बढ़कर है। नए तालीमयाफ्तों में भी धर्म का भाव उतना ही कम है, जितनी उनकी तालीम ऊँची है। मेरा अपना अनुभव यह है कि जिस कदर कोई अधिक अंग्रेजी पढ़ा हुआ है, उसी कदर वह ज्यादा सुस्त, आराम-तलब, निर्दयी, ऐशपसंद और हिसाबी है, और उसी कदर धर्म का सच्चा मर्म उसके जीवन और मन में कम है। और ये ही लोग और उनके साथ हिंदुओं की वह श्रेणी, जो कि धनी कहलाती है, हिंदुओं की बेइज्जती और बरबादी का कारण हो रहे हैं। धनाढ्य श्रेणी तो केवल धन का ख्याल करती है, वह दिन-रात धन एकत्र करने में लगी रहती है, परंतु अपने धन की रक्षा के लिए दूसरों की मोहताज है। मुझे बड़ी शर्म आती है, जब मैं बार-बार यह सुनता हूँ कि धनाढ्य हिंदू लुट गए, मारे गए और बेइज्जत किए गए। एक तरफ तो मेरे मन में दुःख और पीड़ा होती है, दूसरी ओर मेरे हृदय से आवाज आती

है कि अच्छा हुआ, इनके साथ ऐसा ही होना चाहिए था। मुसलमानी सरकार के समय भी हिंदू बहुत धनी थे, परंतु उस समय वे अपने धर्म और धन की रक्षा करना जानते थे; क्योंकि वे केवल दूसरों के सहारे नहीं रहते थे। वे हर वक्त होशियार रहते थे और हर समय अपने निर्धन भाइयों को अपनी सहायता के लिए अपने साथ रखते थे। परंतु अंग्रेजी सरकार के जमाने में धनाढ्य हिंदुओं का सारा सहारा सरकार पर है और ये अपने निर्धन हिंदू भाइयों की सहायता की कुछ भी परवा नहीं करते।

मार खाना और रोना

मेरे ख्याल में मार खाना बड़ी शर्म की बात है, मगर मार खाकर रोना-पीटना उससे भी अधिक शर्म की बात है। जिस जाति में यह आदत पड़ जाए, वह दिन-प्रतिदिन ज्यादा निर्लज्ज और बेशर्म हो जाती है। मैं 'जब बड़े-बड़े हिंदू अखबारों में बड़े-बड़े मोटे हरूफों में यह लिखा हुआ पढ़ता हूँ कि थोड़े-से मुसलमानों ने बहुत-से हिंदुओं को पीट डाला और सरकारी पुलिस ने उन हिंदुओं की सहायता न की तो शर्म के मारे मेरा जी चाहता है कि जमीन में धँस जाऊँ। मगर हिंदू अखबार प्रायः इसे बड़े गौरव और अभिमान की बात समझते हैं। यदि एक शहर के हिंदू दूसरे शहर के हिंदुओं से या अपने शहर के ही उन हिंदुओं से जो उनसे अधिक बलवान हैं, अपना दुःख-दर्द बयान करें तो इसमें कोई दोष की बात नहीं। पर जिस समय हिंदू मार खाकर रोते और चिल्लाते हुए सरकार के पास दौड़ते हैं और पुलिस की शिकायत करते हैं और पुलिस और सरकार के अन्याय का डंका पीटते हैं तो उस समय वह यह भूल जाते हैं कि दुनिया में कोई सरकार खसूसन, जबकि वह सरकार विदेशी हो, किसी ऐसे समूह की रक्षा नहीं कर सकती जो केवल धन का पुजारी हो और अपनी रक्षा आप करना न जानता हो। जहाँ मैं सर्वसाधारण हिंदुओं का दिलदाद हूँ, वहाँ मुझे धनाढ्य और तालीमयाफ्ता हिंदुओं के घमंड, गरूर और शेखी पर बहुत घृणा आती है। इखलाकी और रूहानी तौर पर हिंदू तालीमयाफ्ता श्रेणी मुसलमानों की शिक्षित जमात से घटिया नहीं है, मगर उनमें सर्वसाधारण के साथ मिल जाने की और उनके साथ घनिष्ठ संबंध उत्पन्न करने की वह शक्ति नहीं है जो मुसलमानों में है। तालीमयाफ्ता श्रेणी जो सभाएँ या संगठन करती है, उसमें सर्वसाधारण शामिल नहीं होते। धनाढ्य और तालीमयाफ्ता लोग अपने सिंहासनों को छोड़कर और अपने कोट पतलून को उतारकर अपने सर्वसाधारण भाइयों से मिलना नहीं जानते। वह थोड़ा-सा चंदा देकर और कुछ जबानी जमाखर्च करके सर्वसाधारण पर एहसान करते हैं।

वोट के वक्त याद आती है

जब उन्हें कौंसिलों या कमेटियों में जाने की जरूरत होती है तो वे अपने दूत छोड़कर हिंदूपन के नाम पर वोट हासिल करने की चेष्टा करते हैं। लेकिन यदि उनसे पूछा

जाए कि वह साल भर में कितनी दफा अपने शहर के गली-मुहल्लों में या अपने समाज के धर्म-मंदिरों में गए तो उनमें से बहुत कम आपको ऐसे मिलेंगे जो इस प्रश्न का संतोषदायक उत्तर दे सकेंगे। हिंदू जाति की इस समय सबसे बड़ी आवश्यकता यह है कि उसका धनाढ्य और शिक्षित भाग सर्वसाधारण से घनिष्ठ संबंध उत्पन्न करे, उनके दुःख-दर्द में शामिल हो, उनकी जरूरतों को पूरा करने की पूरी चेष्टा करे और उनको यह विश्वास दिलाए कि हम सब एक हैं। यह काम मुसलमानों को गालियाँ देने से न होगा, यह काम सरकारी सहायता ढूँढ़ने से न होगा, यह काम कौंसिलों में जाने से न होगा। यह काम तब होगा जबकि हिंदुओं की शिक्षित और धनाढ्य श्रेणी अपने मन के भावों को बदलकर यह समझ ले कि उनका बल सर्वसाधारण हिंदुओं का बल है न कि सरकार का। जब तक हिंदू अपनी जाति के घमंड, अपनी दौलत के घमंड, अपनी शिक्षा के घमंड और शेखी को छोड़कर अपने आपको सर्वसाधारण से नहीं मिलाएँगे और सर्वसाधारण के दिल में अपने लिए प्रेम और स्नेह उत्पन्न नहीं करेंगे, तब तक हिंदू-जाति का कल्याण न होगा। संगठन-संगठन पुकारने से और समय-समय पर रेजोलूशन पास करने से या दूसरी जातियों के साथ द्वेष की अग्नि बढ़ाने से संगठन न होगा।

तीन काने के तीन काने

हिंदू अखबारों में कालम के कालम प्रतिदिन संगठन की पुकार से भरे हुए होते हैं। मैं जिस दिन से जेलखाने से आया हूँ, पंजाब के सारे हिंदू अखबारों को पढ़ता हूँ, मगर मुझे आज तक उनके द्वारा कोई ऐसा उपदेश नहीं मिला, जिससे मुझे यह आशा हो कि यह संगठन बन जाएगा। इन अखबारों में शब्दों के अलंकार बहुत होते हैं, शेखी और अभिमान की कविताएँ बहुत होती हैं, और बड़े-बड़े नाम धारण करने की इच्छा बहुत प्रबल मालूम होती है, लेकिन अंत को तीन काने के तीन काने ही नजर आते हैं। सबों के पवित्र भाव के स्थान पर अहंकार की रेखा ज्यादा जोर पर मालूम पड़ती है। मैं मानता हूँ कि आत्म विश्वास एक बड़ा जबरदस्त हथियार है, मगर आत्मविश्वास के साथ ही साथ नम्रता को त्याग नहीं देना चाहिए। मैं अपने हिंदू भाइयों से प्रार्थना करना चाहता हूँ कि वे इश्तिहारबाजी छोड़कर, तुर्क-ब-तुर्क जवाब देने की कामना न कर, शब्दों की पहलवानी त्यागकर, असली कार्य की ओर झुकें। ऐसा न हो कि इश्तिहारबाजी हमारा सर्वस्व नष्ट कर दे और हमको असल काम की जगह दिखावे की जो आदत पड़ती जाती है, वह हम पर इतना काबू पा ले कि हम किसी काम के न रहें।

युवकों का कर्त्तव्य

नवयुवको! काम अधिक करो और दिखाओ कम। अपने मन को पवित्र करो और

दिखावे की इच्छा को कमजोर करो। हिंदू शिक्षित जमात का यह कर्त्तव्य है कि इस समय अपनी तमाम प्रतिष्ठा की कामनाओं को जरा पीछे डालकर अपनी जाति की असली आवश्यकताओं पर ध्यान दे, निर्धन और उन जातियों को जिनको यह नीच समझती है, अपने प्रेम का पात्र बनाए। सेवा-समिति के पवित्र नाम को छोड़कर बड़े-बड़े लंबे-चौड़े नाम धारण करने की आवश्यकता नहीं है और न बहुत सी हिंदू-रक्षिणी सभाएँ बनाकर ज्यादा ईर्ष्या और द्वेष फैलाने की ही आवश्यकता है। जितनी संस्थाएँ अधिक बनाओगे, उतना मुकाबिला अधिक बढ़ जाएगा। एक ही संगठन कर उसी के मातहत सब काम करो। वह संगठन ऐसा हो, जिसमें सभी हिंदू, तालीमयाफ्ता और अशिक्षित, धनाढ्य और निर्धन, शामिल हो जाएँ। अगर आप मुसलमानों को छेड़ने का कोई काम न करेंगे तो मुझे विश्वास है कि उनको आपके संगठन पर कोई शंका उत्पन्न न होगी, लेकिन यदि आप छेड़खानी के ही काम को अपना असली काम समझेंगे तो आपको कोई सफलता प्राप्त न होगी। मैं यह जानता हूँ कि छेड़खानी दोनों ओर से होती है। मेरा काम इस समय न्याय करना नहीं है, मैं केवल यह चाहता हूँ कि हिंदू या हिंदू अखबार और समाज इस छेड़खानी को एकदम तिलाजंलि देकर अपना असली काम करें। इस काम से मुसलमानों की कोई हानि न होगी। यदि हिंदू निर्बल रहेंगे तो इस देश को कभी स्वाधीनता और स्वराज्य की प्राप्ति न होगी। इसलिए हिंदुओं के अंदर बल का संचार होने से सारे देश का भला है।

—'वंदेमातरम्' में प्रकाशित

भारतवर्ष में राष्ट्रीय शिक्षा का प्रश्न

कुछ ऐसे सिद्धांत और आवश्यक बातें हैं जिन्हें उन लोगों को पूरी तौर से ध्यान में रखना चाहिए, जो राष्ट्रीय शिक्षा का क्रम बनाने में लगे हुए हैं। उनमें से कुछ बातों की ओर मैं उनका ध्यान आकर्षित करना चाहता हूँ। पहली बात जिस पर हमें विचार करना चाहिए वह यह है कि शिक्षा का प्रश्न एक आवश्यक और मूल प्रश्न है। यह एक अनावश्यक प्रश्न नहीं। यह हमारे व्यक्तिगत और सामाजिक जीवन का बुनियादी पत्थर है। यदि वैज्ञानिक रीति से देखा जाए तो समस्त जीवन एक सामाजिक जीवन है और शिक्षा भी उसी में शामिल है, क्योंकि शिक्षा या ज्ञान दूसरों ही की सहायता से प्राप्त हो सकता है। जिस ओर से हम शिक्षा के प्रश्न पर दृष्टि डालते हैं—चाहे हम उसे व्यक्तिगत संबंध से देखें या सामाजिक संबंध से—उसी ओर से शिक्षा की पद्धति, उसका उद्देश्य और उसका मूल-मंत्र सामाजिक मालूम देता है। शिक्षा सामाजिक कार्य है। व्यक्ति और समाज एक-दूसरे से संबंध रखते हैं। जो बात

एक व्यक्ति के लिए उपयोगी है, उससे दूसरे की भी भलाई होगी।

शिक्षा एक उद्देश्य का साधन है। और उद्देश्य है जीवन और उन्नति, और उन्नति भी ऐसी जो सदा होती रहे, उसमें कोई रोक-टोक न हो और वह अनंत हो। जिस प्रकार जीवन के भाग नहीं हो सकते, उसी प्रकार उन्नति भी वास्तव में विभाजित नहीं हो सकती। व्यावहारिक रीति से हम जीवन को शारीरिक, मानसिक, सामाजिक, नैतिक और आध्यात्मिक भागों में बाँट सकते हैं, परंतु सिद्धांत रूप से ये भाग भ्रम में डालने वाले हैं। स्वस्थ और उन्नतिशील जीवन (वास्तव में यही सच्चा जीवन है) के लिए परमावश्यक है कि हमारी सारी शक्तियाँ मिलकर एक उद्देश्य से काम करें और वह उद्देश्य उन्नति है।

जीवन के साथ परिवर्तन मिला है। भलाई के लिए परिवर्तन होना ही उन्नति है। मानवीय प्रकृति स्वभावतः उन्नतिशील है। वह कोई जड़, अपरिवर्तनशील पदार्थ नहीं है, किंतु उसमें अपरिमित परिवर्तन हो सकता है, चाहे परिवर्तन की चाल बहुत ही धीमी हो। कर्म का कानून सदा कार्य करता रहता है और वह मनुष्य की प्रकृति को बदलता रहता है। व्यक्तिगत कर्मों का प्रभाव सामाजिक कर्मों पर होता है और सामाजिक कर्म, व्यक्तिगत कर्मों पर अपना प्रभाव डालते हैं।

सामाजिक उन्नति भिन्न-भिन्न कारणों के कार्य का परिणाम है। यद्यपि ये कारण एक-दूसरे से अलग नहीं किए जा सकते, क्योंकि वे एक पूर्ण वस्तु के अंग हैं, परंतु विस्तार के अभिप्राय से वे निम्नलिखित भागों में बाँटे जा सकते हैं—जैसे प्राकृतिक स्थिति, कलाओं की उन्नति, सामाजिक चरित्र अथवा मानसिक पूँजी की पूर्ति इत्यादि। यदि इन सबको एक ही शब्द में रखा जाए तो वह शब्द 'मन' है, जिसमें वासना और विवेक का भाग बहुत प्रत्यक्ष और बलवान हो जाता है। यह बात सत्य नहीं है कि मनुष्य अपनी स्थिति का पूरा दास है।

स्वतंत्रता की वृद्धि की उन्नति की कसौटी है। अपने पुरुषार्थ द्वारा अपनी स्थिति पर विजय प्राप्त करने ही का नाम स्वतंत्रता है। स्वतंत्रता की वृद्धि एक ऐसा परिवर्तन है, जिसमें प्रकृति की अनुकूलता और व्यक्ति की समाज के प्रति स्वाभाविक पराधीनता बदलकर प्रकृति पर विजय प्राप्त करती है और यही आगे चलकर मनुष्य की स्वाधीनता हो जाती है। इसके पश्चात् मनुष्य अपना और अपने समाज का अस्तित्व स्थापित कर सकता है।

बिना स्वतंत्रता के कोई आनंद नहीं (जो मनुष्य स्वतंत्र नहीं है उसके लिए कोई आनंद नहीं)। यहाँ पर स्वतंत्र का यह अर्थ नहीं है कि हम शारीरिक बंधनों से मुक्त हों, किंतु जहाँ तक संभव हो, हम अपनी जबरदस्त वासनाओं और अपने इर्द-गिर्द की स्थिति से भी छुटकारा पा सकें। व्यक्तिगत स्वतंत्रता की वृद्धि का अर्थ यह है कि हम प्रत्येक ढंग से अपने ऊपर अधिकार प्राप्त करने में उन्नति करें, किंतु इससे यह अर्थ नहीं निकलता कि हम समाज से पृथक हो जाएँ। इस संबंध में जो

बात किसी व्यक्ति के लिए ठीक है, वही बात किसी सामाजिक संप्रदाय अथवा जाति के लिए भी ठीक है। किसी जाति की उन्नति उसके आकार पर निर्भर नहीं है। बड़ी जनसंख्या ही उन्नति का चिह्न नहीं है, किंतु वे ही लोग वास्तविक उन्नति कर सकते हैं, जो स्वस्थ, योग्य और अखंडित अथवा संपूर्ण हों। संपूर्णता का अर्थ एकरूपता अथवा मृत समानता नहीं है। किंतु संपूर्णता का अभिप्राय यह है कि हमारा उद्देश्य और तात्पर्य एक है अर्थात् हम राष्ट्रीय जीवन और जातीय कार्यों में एक-दूसरे से मिलकर और सहानुभूति के साथ काम कर सकते हैं।

इसलिए उचित पूर्ण शिक्षा का पहला उद्देश्य यह होना चाहिए, जिससे मनुष्य को यह बात मालूम हो जाए कि स्वतंत्रता की वृद्धि ही का नाम उन्नति है, और प्रत्येक मनुष्य अपने भाग्य का विधाता है। साथ ही भाग्य और कर्म उसके अधिकार से दूर नहीं हैं। वही मनुष्य उन्नति के मार्ग पर चल सकता है जो अपने व्यक्ति को समाज के अस्तित्व में मिला देता है। राष्ट्र ही एक ऐसा समाज है जिसमें प्रत्येक पुरुष और स्त्री को अपना अस्तित्व सम्मिलित कर देना चाहिए, क्योंकि इस सम्मिलन के बिना उन्नति या स्वतंत्रता की वृद्धि यदि असंभव नहीं तो बहुत कठिन अवश्य है।

भारतवर्ष के जनसाधारण का विश्वास, उनके रिवाज और उनके आचरण उनको इस ओर आकर्षित करते हैं कि वे भाग्य और कर्म की महिमा पर अनुचित जोर देते हैं। हमारे देशवासियों को बड़े जोर से लगातार इस बात की शिक्षा ग्रहण करने की आवश्यकता है कि भाग्य कोई वस्तु नहीं और कर्म स्वयं मनुष्य के पुरुषार्थ के अधीन है, वस्तुतः उसकी सामाजिक स्थिति के बदलते ही उसका कर्म भी बदल जाता है। हिंदू धर्म भाग्य पर विश्वास की शिक्षा नहीं देता, परंतु कर्म की प्रधानता पर उसका हठ लोगों को थोड़ा-बहुत पुरुषार्थहीन और साहसहीन अवश्य बना देता है। अब इस बात पर अधिक जोर देना चाहिए कि हम अपनी योग्यता से अपने कर्म को बदल सकते हैं और उस पर अधिकार प्राप्त कर सकते हैं। हम अपने इसी जीवन में अपनी स्थिति की सहायता से अपने विचारों और कार्यों द्वारा अपने कर्म को अपने अधीन कर सकते हैं। मुसलमान धर्म भी भाग्य पर विश्वास करने की शिक्षा नहीं देता। परंतु इस बात से भी मैं इनकार नहीं कर सकता कि मुसलमानों में भी इस समय भाग्य पर अनुचित विश्वास किया जाता है।

इस समय सामाजिक स्थिति के महत्त्व पर विशेष जोर देने की आवश्यकता है। साथ ही इस बात के प्रचार की भी आवश्यकता है कि हमें अपनी सामाजिक स्थिति को भी बदलना चाहिए।

इस पुराने विचार का अच्छी तरह से खंडन हो रहा है कि किसी जाति के सामाजिक व्यवहारों पर उसकी भौगोलिक स्थिति और उसके रुधिर का अधिक प्रभाव पड़ता है। भारतीय जनता के हृदय से इस ढकोसले को दूर करने के लिए कोई उपाय

उठा न रखना चाहिए, क्योंकि वाग्वीर दार्शनिक और इतिहासज्ञ इस पर आवश्यकता से अधिक जोर दे रहे हैं। किसी जाति का चरित्र-निर्माण करने में उसकी जलवायु का प्रभाव अवश्य पड़ता है। परंतु यदि वह प्रभाव उन्नति के विरुद्ध है, तो वह सबल प्रयत्नों से दूर और ठीक किया जा सकता है।

इस तरह जातीय (Racial) रुधिर और पैतृकता को भी अधिक महत्त्व दिया जाता है। इससे बार-बार यही कहा जाता है कि न केवल हमारी भौगोलिक स्थिति किंतु हमारा पैतृक चरित्र भी हमको प्रजातंत्र-मार्ग पर राजनीतिक उन्नति करने के अयोग्य सिद्ध करता है।

प्रोफेसर टाड कहते हैं कि यद्यपि जातीय जीवन में पैतृक विभिन्नताओं पर अधिक जोर दिया जाता है, परंतु उसका कोई प्रमाण नहीं मिलता। मस्तिष्क की गुरुता और समझदारी की मात्रा में कोई मेल-जोल नहीं। जातीय विभिन्नता को निर्धारित करने में मस्तिष्क-विद्या से कोई उपकार नहीं होता। मनुष्य जाति के वर्णों या रंगों का अध्ययन करने वालों ने ही हाल में यह प्रमाणित कर दिया है कि किसी जाति के सामाजिक चरित्र पर उसके रंग का विशेष प्रभाव नहीं पड़ता। रँगा चमड़ा तेज धूप से रक्षा करता है और धूप की अधिकता या कमी पर उसका रंग भी निर्भर होता है।

कुछ शताब्दियों से भारतीय मन एक प्रकार की पराधीनता में रहा है। भारतवर्ष में जीवन को उन्नत करने की अपेक्षा अवनति के मार्ग पर ले जाने के निम्नलिखित कारणों ने मिलकर कार्य किया है—जीवन व्यवहार में शास्त्रों की कड़ी पाबंदी, पुरोहितों की प्रभुता, शिक्षा के अवसरों की कमी, देश में लगातार गड़बड़ी, सिद्धांतों की दार्शनिक निराशा के दिन और मठों तथा साधुओं के महत्त्व के विचारों द्वारा सांसारिक जीवन की हीनता। इसमें संदेह नहीं कि निकृष्ट प्रकार की पूजा और लोगों की कुरीतियों के विरुद्ध कभी-कभी आवाजें उठाई जाती थीं, परंतु उनमें इतना बल नहीं था कि वे मूर्खता का संहार करके कुछ अपना प्रभाव उत्पन्न करतीं। इसका परिणाम यह हुआ कि पिछले एक हजार वर्ष में भारत ने उन्नति करने की अपेक्षा अवनति ही की है, बहुधा वह पीछे ही हटा है, आगे उसने एक भी कदम नहीं बढ़ाया।

जहाँ तक भूतकाल से संबंध है, हमारे प्रश्न के दो अंग हैं। हमारे समालोचक और दोषदर्शक हमें विश्वास दिलाते हैं कि हम सदा जंगली रहे हैं और अब भी वैसे ही हैं, वस्तुतः भारतवर्ष में कभी कोई सभ्यता नहीं थी। हमारी दशा उन्नतिहीन (Arrested Progress) देशों की-सी है और हमने विचारों, आविष्कारों और कर्मक्षेत्र में प्रशंसा योग्य कभी कोई सफलता प्राप्त नहीं की, अर्थात् हम सदा दूसरों के ही भरोसे रहे हैं। हाल ही में एक बड़े समालोचक ने अपनी पुस्तक में हमारी जातीय पूर्णता की बुरी तरह खबर ली है। अंग्रेजी राज्य के आरंभ काल में भी जेम्स मिल सरीखे विद्वानों और अंग्रेजी सुधारक और ईसाई पादरियों ने भी ऐसा ही किया था।

जब संस्कृत साहित्य की महिमा बढ़ी और यूरोपीय भाषाओं में उस साहित्य के कुछ अंशों का अनुवाद हुआ (यद्यपि वह भद्दा और अशुद्ध था) और थोड़ा-थोड़ा करके भारतीय इतिहास बनने लगा, तब एक परिवर्तन का युग आरंभ हुआ। प्राचीन भारतवासियों ने विचार और ज्ञान में जो सफलता प्राप्त की थी, उसे यूरोपीय संसार प्रतिष्ठा की दृष्टि से देखने लगा और भारतवासी भी यह समझने लगे कि अब तो हमें संसार के विद्वान लोग उन आदमियों की संतान मानते हैं, जो हर प्रकार की मानसिक शक्तियों में उनके बराबर थे। इससे उनकी आत्मप्रतिष्ठा बहुत कुछ बढ़ गई और वे अपनी प्राचीन प्रतिष्ठा को भावी उन्नति का अंकुश बनाने लगे। इस कार्य में उन्हें काफी सफलता हुई और भारत की वर्त्तमान जागृति उसी का परिणाम है।

किंतु इस कार्य में हम में से कुछ लोगों ने संभव-असंभव के विचार को त्याग दिया और ऊटपटाँग बातें करना आरंभ कर दिया। वस्तुतः अपने समालोचकों को तुकी-बेतुकी या ईंट के बदले पत्थर का जवाब देने में हमने अपने पूर्वजों के मत्थे असंभव बातें भी मढ़ना आरंभ कर दिया। हम कहने लगे कि संसार में जो कुछ भलाई, सच्चाई और सुंदरता है, वह भारतवर्ष ही से निकली है। इससे भी कुछ हर्ज न हुआ होता, यदि हमने आधुनिक सभ्यता के विरुद्ध ऊटपटाँग आक्षेप करना आरंभ न किया होता। इन आक्षेपों से हमने यह सिद्ध करना चाहा कि संसार की सारी बुद्धि, सच्चाई और विद्या के ठेकेदार केवल हम ही लोग हैं। हमारे जवाब में विलियम आर्कट ने 'भारत और भविष्य' नाम की एक पुस्तक लिखी। इस संबंध में विचार करते हुए हम लोगों को यह बात याद रखनी चाहिए कि अपनी सभ्यता और जीवन-व्यवहार का ठीक-ठीक मान करने का प्रश्न राजनीति से संबंध रखने के कारण और भी जटिल हो जाता है। हमारी शंका स्वाभाविक है और ठीक भी है, जबकि हम सोचते हैं कि हमें बदनाम करने वाले हमको इसलिए बदनाम करते हैं कि हमारी जाति में ऐसा मानसिक विकार पैदा हो जाए कि हम हुकूमत करने वाली जाति से बराबरी का दावा करना छोड़ दें।...

जर्मनी के राजसत्ताधिकारियों की अब तक यह नीति रही है कि वे इस प्रकार के समाज विज्ञान का प्रचार करें जिससे पिछड़े हुए लोग न तो स्वयं अपने में विश्वास करें और न संसार ही उनका विश्वास करे।... जो लोग सदैव विदेशियों और स्वयं अपने नेताओं द्वारा हीन बतलाए जाते हैं, उनमें आत्म-सम्मान और आत्म-विश्वास आदि आवश्यक गुण कभी उत्पन्न नहीं हो सकते। और जिन लोगों में ये गुण नहीं होते, वे अवश्यमेव पतन और नाश की ओर जाते हैं। इसलिए इस बात की बड़ी भारी आवश्यकता है कि हमारी सारी संस्थाओं पर जो लांछन लगाए जाते हैं, हमें उनके दुष्परिणामों को दूर करने का प्रयत्न करना चाहिए। हमारे समालोचक समय-असमय हमें पिछड़ी हुई जाति कहा करते हैं। वे अपनी जाति, धर्म और भाषा की भिन्नता

का राग अलापा करते हैं और बड़े जोर से कहा करते हैं कि हम लोग प्रजा सत्तात्मक रीति से उन्नति करने में सर्वथा अयोग्य हैं। यदि हम उन्नति कर सकते हैं तो वह बहुत ही धीमी चाल से हो सकती है और धीमी इतनी कि उन्हें भविष्य दिखाई तक नहीं देता कि कब भारतवर्ष के लोग अधिकारयुक्त शासन पाने के योग्य हो जाएँगे। कहना नहीं होगा कि ये ही हमारे शुभचिंतक हैं, जिन्होंने हमारी जनता में प्रारंभिक शिक्षा का प्रचार करने में अब तक टालमटोल की है और हमारे बच्चों के लिए उद्योग-धंधों की शिक्षा का उचित प्रबंध करने में हठधर्मिता के साथ इनकार किया है। ये ही लोग हैं, जो चाहते हैं कि हम अत्याचारी शासन के मिथ्या विश्वास में फँसे पड़े रहें। इसलिए हमारा यह परम कर्त्तव्य है कि हम इन लांछनों और आक्षेपों के दुष्परिणामों को दूर करें और अपने भाइयों को अपने पूर्वजों की कीर्ति बतलाएँ और अपनी संस्थाओं के गुण दिखलाएँ। परंतु अपने पूर्वजों के गुणगान और आत्मप्रशंसा के मार्ग में एक भयंकर अंश भी है। इससे यह भी हो सकता है कि हम आगे की अपेक्षा पीछे की ओर अधिक दृष्टिगत करें और उस उन्नति से आँखें बंद कर लें, जो संसार ने प्राचीन आर्यों के समय के पश्चात् की है।

यदि आधुनिक सत्य (यद्यपि सत्य सत्य है, न वह प्राचीन है और न आधुनिक) की जाँच प्राचीन समय की आज्ञाओं से होगी और उसका प्रचार केवल तभी होगा जबकि वह ऋषियों के उपदेश के अनुकूल हो, तब तो भारत के लिए यह शोक और महान् शोक का विषय है। यह बात दूसरी है कि आधुनिक जातियों के प्रमाण प्राचीन पुस्तकों में भी मिल जाएँ और इन प्रमाणों के द्वारा उनके प्रचार और उनकी स्वीकृति में अधिक सहायता मिले। किंतु उन्हें इसलिए व्यर्थ समझकर छोड़ देना कि वे प्राचीन ऋषियों के सिद्धांत के विरुद्ध हैं और उनके मत से नहीं मिलते, उन्नति के वृद्धि-मार्ग को बंद करना है। हमें उस समय तक उन्नति करने का विचार छोड़ देना चाहिए, जब तक कि हम अपने मन को निष्पक्ष न कर लें और इस मिथ्या विश्वास को छोड़ न दें कि संसार के आरंभ में हम पर सारी सत्यता प्रकट हो चुकी है और जो कुछ जानने योग्य था, वह हमारे पूर्वजों ने जान लिया था और सारे धर्मशास्त्र, राजनीति, अर्थशास्त्र, ललित-कला और विज्ञान के प्रश्नों पर जो कुछ कहा जा सकता है, वह भी पूर्वजों ने कह डाला था और उनके वाक्य अंतिम वाक्य थे, अब आगे उन प्रश्नों पर कुछ कहा नहीं जा सकता। अस्तु, यह आवश्यक है कि हम इस बात को अच्छी तरह से जान लें कि हम एक नवीन संसार में रहते हैं। जिस प्राचीन संसार में हमारे पूर्वज रहते थे, उससे यह संसार बिल्कुल भिन्न है। संभव है कि यद्यपि यह किसी-किसी बात में उतना आगे न बढ़ा हो, तथापि अनेक बातों में उससे बहुत ही आगे बढ़ा हुआ है।...

हमारी उन्नति का दारोमदार इसी पर है कि हम बीच का सुंदर मार्ग ग्रहण करें और भूत तथा वर्जमान के प्रति अच्छी तरह से जँचा हुआ भाव स्थापित करें,

वस्तुतः अपने भूतकाल से अपने भविष्य को अधिक महान् बनाने का पक्का इरादा कर लें।...

किसी अवस्था में हम अपने देशवासियों को इस बात की आज्ञा न देंगे कि वे अपने संबंध में तुच्छ विचार रखें और न विदेशियों को इस बात का मौका देंगे कि वे जातीय कारणों से हमारी बुराई करें अथवा हमें नीची सभ्यता के मनुष्य समझ बैठें। हमें सदा अपना सिर ऊँचा रखना चाहिए और आत्मप्रतिष्ठा एवं आत्मविश्वास के भाव को जागृत रखना चाहिए। वस्तुतः अपने लड़के-लड़कियों में यह भाव भर देना चाहिए। जो मनुष्य अपने विषय में तुच्छ विचार करने लगता है, वह सचमुच नीचे जाने वाले मार्ग पर चला जाता है। हमारे शुभचिंतक साम्राज्य के समाचारपत्रों में इस प्रकार के खेल लगातार खेले जाते हैं। इस संबंध में मैं मिसेज बिसेंट के उस कथन का हृदय से अनुमोदन करता हूँ, जिसमें वे कहती हैं कि भारतवर्ष के लिए, उसके धर्मों के लिए, उसके रीति-रिवाज के लिए, उसकी संस्थाओं के लिए, क्षमा-प्रार्थना करने और अपनी सफाई देने की आवश्यकता नहीं है। हम सच्चे मित्रों की समालोचना का स्वागत करते हैं, उससे लाभ उठाने में प्रसन्न हैं। लेकिन अंधाधुंध आक्षेप, जिसकी नींव जातीय अहम्मन्यता अथवा जातीय पक्षपात पर है, हमें बुरा मालूम पड़ता है और इससे चिढ़ना भी स्वाभाविक है।...

यदि हम अपनी कमजोरियों को नहीं जानते, अपने सामाजिक आदर्श की बुराइयों को नहीं पहचानते, अपने धार्मिक क्षेत्र में गिरी हुई अवस्था पर ध्यान नहीं देते और अपने अनेक रीति-रस्मों के जंगलीपन पर विचार नहीं कर सकते, तो हमें मूल कारणों का विचार करके उनका ठीक-ठीक इलाज करना चाहिए। यदि हम आगे बढ़ना चाहते हैं तो हमें बहुत कुछ संहार करना होगा। संसार की जातियों के कुटुंब में अपना योग्य स्थान प्राप्त करने के लिए और अपनी उन्नति के लिए आवश्यक ढाँचा बनाने के पहले हमें बहुत-कुछ काट-छाँट करनी होगी। हम यह बात नहीं मान सकते कि प्राचीन काल से चली आने वाली प्रत्येक बात पूर्ण और आदर्श रूप है। कुछ विचार ऐसे हैं जिन्हें हमारे पूर्वज मानते थे, परंतु अब वे भ्रमपूर्ण सिद्ध हुए हैं। उन्हें हमको छोड़ देना पड़ेगा। उनके कुछ ढंग दूषित थे, हमको उन्हें ठीक करना पड़ेगा। उनकी कुछ संस्थाएँ ऐसी थीं जो उस समय और अवस्था के अनुसार बहुत ठीक थीं, परंतु जीवन की वर्तमान अवस्थाओं के अनुसार बिल्कुल अयोग्य हैं, अतएव हमें उनकी जगह दूसरी संस्थाएँ स्थापित करनी होंगी। हम अपने पूर्वजों की नकल या तस्वीर नहीं बनना चाहते। हम उनसे अच्छे होना चाहते हैं।...

यह बात सत्य है कि हम अंग्रेज, जर्मन, अमरिकन या जापानी बनना नहीं चाहते, वरन हम हिंदुस्तानी ही रहना चाहते हैं। हमें अपने पूर्वकाल का गौरव होना चाहिए, साथ ही हम लोगों में अपने भविष्य को अधिक महान् और उच्चतम बनाने की इच्छा होनी चाहिए।...

राष्ट्रीय शिक्षा से हमारा तात्पर्य क्या है? क्या हम उसे स्थानीय और प्रांतिक शिक्षा से पृथक चाहते हैं? या हम उसे सांप्रदायिक शिक्षा से अलग करना चाहते हैं? शिक्षा किस प्रकार राष्ट्रीय होती है? भाषा शिक्षा का माध्यम है, क्या भाषा ही से शिक्षा राष्ट्रीय हो जाती है? या जिन लोगों द्वारा शिक्षा दी जाती है उनसे वह राष्ट्रीय हो जाती है? जिन लोगों का उस पर अधिकार है और जो उसका संगठन करते हैं, क्या उनसे वह राष्ट्रीय हो जाती है? अथवा जो पुस्तकें पढ़ाई जाती हैं, उनसे शिक्षा राष्ट्रीय हो जाती है? या उसमें उपस्थित रीति, आदर्शों से शिक्षा राष्ट्रीय हो जाती है?...

'सत्य' न तो स्थानीय है, न राष्ट्रीय और न अंतर्राष्ट्रीय है। वह केवल सत्य है।... पाश्चात्य देशों के विज्ञान और दर्शनशास्त्र से हमें कोई अच्छी चीज छोड़नी नहीं चाहिए।... रही धर्मशास्त्र की बात, उसके विषय में मैं यह कह देना चाहता हूँ कि अपने कानून और समाज विज्ञान को जानना हमारे लिए चाहे जितना आवश्यक हो, किंतु वर्तमान पुस्तकों में ऐसे विचार और सिद्धांत भरे पड़े हैं जो भद्दे, अस्वाभाविक, असंगत और एक-दूसरे से विरोध रखने वाले हैं। जब तक उनकी अच्छी तरह से काट-छाँट न हो जाए, तब तक मनु, नारद और प्राचीन धार्मिक ग्रंथों के वर्तमान संस्करणों को हम अपने बच्चों के हाथ में रखकर उनके दिमाग को सड़ाना नहीं चाहते। यह ठीक है कि उच्च शिक्षा के पाठ्य विषय में इनको एक स्थान मिलना चाहिए। इनका सारांश निकाल लेना चाहिए और बड़ी होशियारी से इनका अध्ययन करना चाहिए। अन्यथा नया समाजदर्शन, जिसकी हमें बड़ी आवश्यकता है, हम बना नहीं सकेंगे। इस बात के कहने से हमारा यह मतलब नहीं है कि हम वर्तमान भारत के कानूनों और अन्य देशों के कानूनों को न पढ़ें और हमारा नुकसान हो। ठीक मार्ग पर भावी उन्नति के लिए हमें आधुनिक कानूनों, वर्तमान संसार के नागरिकशास्त्र और दूसरे देशों में प्रचलित शासन-प्रणाली तथा उनकी राजनीति और अर्थशास्त्र के अध्ययन की परमावश्यकता है। प्रारंभिक स्कूलों के भी प्रत्येक बालक और बालिका को ये बातें अवश्य पढ़ा देनी चाहिए। इन्हीं बातों का खूब प्रचार करने से हमारी राजनीतिक आत्मा जागृत हो सकेगी और वह हमें अच्छी तरह सतर्क कर सकेगी। इससे हमारी राजनीतिक आकांक्षाओं की पुष्टि होगी, हम भ्रम में पड़ने से बचेंगे, हमारी आर्थिक दशा सजीव होगी और हमारी सांप्रदायिक स्थिति के सुधार में हमको सहायता मिलेगी। अच्छा, अब बतलाइए, आधुनिक समर-विज्ञान और विज्ञानशास्त्र के विषय में आपके क्या विचार हैं? क्या हम फिर धनुष-बाण धारण करेंगे या तोड़ेदार बंदूकें चलाएँगे अथवा तलवार और भाला लेकर लड़ेंगे? अगर ऐसा ही हुआ तो हमारे लिए बड़े शोक की बात होगी।...

हमारे देश में कुछ ऐसे सज्जन हैं जो कभी-कभी यह कहा करते हैं कि हमारे देश को संसार से अलग, विरक्त और आत्मप्रतिबंधित व्यतीत करने की आवश्यकता

है। ये लोग प्राचीन काल के लिए चिंतित होकर दुबले हुए जाते हैं और उसे लौटा लाना चाहते हैं। ये ऐसी पुस्तकें बेचते हैं, जिनमें इस प्रकार का खुराफात भरा होता है। ये इस प्रकार की कविता रचते हैं, जिनमें केवल भावुकता भरी होती है। मैं नहीं जानता कि ये सीड़ी हैं या कपटी। मैं अपने देशवासियों को बड़ी गंभीरता और सत्यनिष्ठा के साथ सावधान करता हूँ कि वे ऐसे लोगों और इस प्रकार के साहित्य से बचकर रहें। हमें यह बात अच्छी तरह से सदा के लिए अनुभव कर लेनी चाहिए कि वर्तमान अवस्था में संसार का कोई भी देश विरक्त और आत्म विस्मृत जीवन व्यतीत करने की इच्छा रखता हुआ भी ऐसा नहीं कर सकता। यदि हम अकेले रहना चाहें तो भी संसार हमें अकेले नहीं रहने देगा। जिस देश में बीस लाख वर्ग मील भूमि हो और जिसमें संसार के पंचमांश मनुष्य रहते हों, वह न तो अकेला रह सकता है और न अकेला छोड़ा जाएगा। यदि देश की संतान उसके साधनों की वृद्धि नहीं करती तो दूसरे लोग करेंगे। यदि हम अपने देश को विदेशी लुटेरों (Exploiters) से बचा कर अपने लिए और अपनी संतान के लिए रखना चाहते हैं तो हमें अपने देश को संसार के सबसे आधुनिक देशों के बराबर न केवल राजनीति और संपत्ति-शास्त्र में, बल्कि जीवन के व्यवहारों और विचारों तक में लाना होगा। यह बात सत्य है कि हम भारत को इंग्लैंड, फ्रांस, जापान या अमेरिका नहीं बनाना चाहते। हम चाहते हैं कि भारत भारत ही बना रहे। अगर हम हिंदुस्तानी बने रहना न चाहते तो हम हिंदुस्तानी ही न रहते। किंतु हमें यह बात सदा के लिए याद रखनी चाहिए कि जीवन की वर्तमान स्थिति में इस देश और अन्य देशों में जो भेद है वह उन दिनों की अपेक्षा, जबकि संसार में भाषा और बिजली का आविर्भाव नहीं हुआ था, बहुत कम होता जाएगा। जलवायु संबंधी, स्थिति संबंधी, जाति संबंधी, भाषा संबंधी, समाज संबंधी रिवाज संबंधी और इतिहास संबंधी भेदभाव बिल्कुल उड़ नहीं जाएँगे। परंतु आकार और प्रकार में वे बहुत कुछ कम हो जाएँगे। संसार धीरे-धीरे एक कुटुंब बनता जाता है। जो मनुष्य इस उन्नति के क्रम में बाधा डालता है, वह अपने देश के प्रति और संसार के प्रति विश्वासघात करता है। जो जोग बलवान, बुद्धिमान, शक्तिशाली और उद्योगी हैं, उन्हें इस क्रम से डरने का कोई कारण नहीं है। परंतु दुर्बल, पिछड़े हुए, शक्तिहीन, सुकुमार और अवस्था के अनुकूल न बनने वाले लोग या तो अंत में संसार से बिल्कुल मिट ही जाएँगे या दूसरों से लुटते रहेंगे।...

वह समय समीप आ रहा है जबकि अरबी, फारसी, हिंदू, चीनी और जापानी अधिकतर उन बातों का जिक्र करेंगे जो उन सब में मिलती है, न कि उन बातों का जिनमें वे एक-दूसरे से भिन्न हैं। यह बात चाहे आश्चर्यजनक प्रतीत होती हो और चाहे क्षुद्र मालूम होती हो, परंतु यूरोप और यूरोपियन विचारों के भय से एशिया की एकता अवश्य होगी। यूरोप के डर से एशिया वाले मिल जाएँगे और एशिया के डर के कारण यूरोप और एशिया का मेल हो जाएगा। जब यूरोप और एशिया

मिल गए तो संसार एक हो गया। अमेरिका यूरोप का बच्चा है और आदिम अफरीका किसी न किसी रूप में एशिया का बच्चा है, ओर ये दोनों इस मेल-मिलाप और एकता के क्रम को अपने तरीकों पर सहायता करेंगे। इस विश्वव्यापी युद्ध (या युद्धों) से संसार की एकता प्रकट होगी।

भारतवर्ष में यूरोपियन भाषाओं, यूरोपियन साहित्यों और यूरोपियन विज्ञानों का अध्ययन और प्रचार रोकने की कोशिश करना मेरी समझ में बड़ी मूर्खता और पागलपन है। असल बात यह है कि अभी उनका हमारे यहाँ काफी प्रचार हुआ ही नहीं है। अब तक हमारी अवस्था ऐसी रही है कि हम उनसे बहुत दूर रहे हैं। उनका प्रचार और प्रसार करने के लिए हमें अपनी सारी शक्ति लगा देनी चाहिए, यहाँ तक कि प्रत्येक भारतवासी कम से कम एक यूरोपियन भाषा सीख जाए और उसके हाथ में यूरोप के औजार हों और वह यूरोपियन मशीनों को सुगमता के साथ व्यवहार में ला सके। यूरोप और संसार ने हमसे बहुत-कुछ सीखा है, इसलिए उनसे कोई बात सीखने में शर्म करने का हमें कोई कारण नहीं है। साथ ही साथ हमारी यह भी इच्छा होनी चाहिए कि हम उनका भी ज्ञान विस्तृत करें और अपनी ओर से उन्हें कुछ शिक्षा दें।

—'मर्यादा' में अनूदित रूप में प्रकाशित

सुधार बनाम पुनरुत्थान

समाज का वह वर्ग जिसने एक ख्याति अर्जित कर ली है, उस ख्याति को छोड़ना नहीं चाहता जिसके द्वारा उसे समाज में एक विशिष्ट दर्जा प्राप्त हुआ है। यह भद्र लोक अपने को सुधारक कहता है तथा 'सुधार' के नाम पर हो रहे सामाजिक परिवर्तनों पर विशेष बल देता है। एक दूसरा वर्ग भी है जिसने कुछ बाद में महत्त्व पाया, वह अपने को 'पुनरुत्थानवादी' कहता है। इसका दृढ़ मत है कि सामाजिक रीतियों और सामुदायिक संस्थाओं में पुनरुत्थान के द्वारा ही परिवर्तन लाया जा सकता है। उनके लिए सुधार असह्य है। इसका नतीजा यह हुआ कि पहला वर्ग दूसरे को 'पुनरुत्थानवादी एवं प्रतिक्रियावादी' कहकर उस पर छींटाकशी करता है तो दूसरा वर्ग पहले को 'सुधारवादी और क्रांतिवादी' कहकर उपहास करता है। दोनों वर्गों में महान और अच्छे लोग शामिल हैं, जिनके इरादे नेक और उत्कृष्ट हैं। दोनों वर्गों के लोग अपने विचारों और प्रयासों के प्रति हर तरह से निष्ठावान प्रतीत होते हैं, किंतु देश का दुर्भाग्य है कि वे एकमत होकर साथ-साथ काम नहीं कर सकते। कभी-कभी शाब्दिक हथियार बदल जाते हैं और जब सुधारवादी 'बुद्धिसम्मत आधार पर सुधार' की बात

करते हैं तो क्रांतिवादी 'राष्ट्रीय आधार पर सुधार' की वकालत करते हैं। कम से कम दोनों पक्ष सुधार के बारे में एकमत दिखाई पड़ते हैं, क्योंकि मतभेद केवल 'बुद्धिसम्मत' (रेशनल) और 'राष्ट्रीय' (नेशनल) इन दो शब्दों पर केंद्रित है।

यह इंगित करने के लिए हमें क्षमा किया जाए कि यह विवाद हमें पुराने पंडितों के शास्त्रार्थ जैसा लगता है। वास्तविकता यह है कि ये तथाकथित सुधारक अपनी आस्था और धर्म से प्रायः ब्राह्मसमाजी हैं। इस क्षेत्र में वे सबसे पहले आए और सुधार के लिए लड़ाई की। उस समय पुनरुत्थानवादियों का अस्तित्व भी नहीं था। पुनरुत्थानवादी संस्कृत साहित्य के व्यापक प्रसार के उत्पाद हैं, वे मुख्यतः 19वीं शताब्दी के चौथे हिस्से में हुए। संस्कृत के अध्ययन से उन्हें इस बात के पर्याप्त एवं दृढ़ साक्ष्य प्राप्त हुए कि उनके पूर्वजों ने एक ऐसी महान और गौरवशाली सभ्यता अर्जित की थी, जिसमें वे अधिकांश कुरीतियाँ और कुप्रथाएँ नहीं थीं जो आज विद्यमान हैं एवं आधुनिक हिंदू धर्म के लिए अभिशाप हैं। अतः दृष्टि और मार्गदर्शन प्राप्त करने के लिए स्वभावतः उन्होंने अतीत की तरफ दृष्टिपात किया एवं इस बात पर बल दिया कि पुनरुत्थान के द्वारा प्रगति के स्वर्ग तक पहुँचा जा सकता है, जो सबकी आकांक्षा है।...

(इसके बाद लाजपत राय ने रानाडे के 1897 के सामाजिक सम्मेलन में दिए गए भाषण का संदर्भ दिया, जो इस संकलन में अन्यत्र प्रकाशित है।)

...अब यदि एक अपेक्षाकृत युवा और अनुभवहीन व्यक्ति को अनुमति दी जाए तो अपनी महान बुद्धिमत्ता, गहरे अध्ययन एवं न्यायसम्मत सोच-समझ के लिए सर्वस्वीकृत स्वर्गीय श्री रानाडे को उचित सम्मान देते हुए मैं उनके मंतव्यों के अनौचित्य की तरफ संकेत करना चाहूँगा। क्या उसी ताकत के साथ तर्क करते हुए मैं सुधारवादियों से यह नहीं पूछ सकता कि वे पुनरुत्थानवादियों में क्या सुधार करना चाहते हैं? क्या सुधारें? क्या वे चाहते हैं कि हम ईसाई समाज के तलाक संबंधी कानूनों अथवा फ्रांस या अमेरिका में प्रचलित अस्थायी वैवाहिक प्रथा को अंगीकार करें? क्या वे हमारी महिलाओं को अप्राकृतिक वृत्तियों की तरफ धकेल कर उन्हें पुरुष बनाना चाहते हैं? क्या वे महाभारतकालीन विधान 'नियोग' को हटाकर उसके स्थान पर आज के यूरोपीय समाज में प्रचलित अवैध और अनैतिक 'नियोग' को लाना चाहते हैं? क्या वे हमें सुधार कर रविवार को ब्रांडी पीनेवालों एवं अविवेकपूर्ण ढंग से गोमांस खाने वालों में शामिल करना चाहते हैं? संक्षेप में, क्या वे यूरोपीय रीति-रिवाजों की विदेशी नकल करके एवं यूरोपीय विकृतियों को यथावत अपनाकर हमारे समाज में क्रांति लाना चाहते हैं। पुनरुत्थानवादी यह स्वीकार नहीं करते कि वे जिन संस्थाओं को पुनर्जीवित करना चाहते हैं वे मृत हो चुकी हैं, जल चुकी हैं और समाप्त हो चुकी हैं। तथ्य यह है कि वे उन चीजों को पुनर्जीवित करना चाहते हैं, जिनके बारे में उनका विश्वास है कि उनमें अभी भी कुछ जीवन शेष है तथा उचित उपचार से

उनकी वर्तमान रुग्णता एवं असामान्य स्थिति समाप्त हो सकती है तथा सामान्य एवं स्वस्थ स्थिति बहाल हो सकती है।

वास्तव में अपने भाषण के आरंभिक हिस्से में रानाडे महाशय ने सटीक शब्दों में पुनरुत्थानवादियों की स्थिति का संक्षिप्त ब्यौरा दिया, जब उन्होंने यह स्वीकार किया कि ''विशेषतः हमारे समाज में आज प्रथाएँ जिस रूप में विद्यमान हैं, ये रूप वे नहीं हैं, जो हमारे इतिहास के सर्वाधिक गौरवशाली अवधि में थे। हमारे कार्यक्रम में सम्मिलित अधिकांश विषयों के बारे में प्राचीन प्रमाणों से पता चलता है कि हालत को बदतर करने के लिए जान-बूझ कर कुछ परिवर्तन किए गए। निश्चित रूप से यह हमारी व्यावहारिक संभाव्यताओं की परिधि में है कि हम आशा कर सकते हैं कि पहले की ही तरह बेहतर हालत में हो सकते हैं। धार्मिक मतभेदों द्वारा निर्मित और पोषित विद्वेषपूर्ण लड़ाई को यदि प्रोत्साहित किया जाए तो हम पुनः बेहतर स्थिति में पहुँच सकते हैं।'' यह वास्तव में पीछे को देखकर अपने मार्ग में सुधार लाना है और यही पुनरुत्थानवादियों का लक्ष्य है।

ऐसा लगता है कि 'सुधार' और 'पुनरुत्थान' शब्दों का वास्तविक महत्त्व उसकी ऐसी 'सत्ता' या 'सत्ताओं' में निहित है जिनसे सुधारवादी और पुनरुत्थानवादी सामाजिक मामलों में मार्गदर्शन के लिए प्रेरणा प्राप्त करते हैं। पूर्व पक्ष यूरोपीय समाज के तर्कों और अनुभवों पर अधिक भरोसा करता है, जबकि उत्तरपक्ष मुख्यतः अपने उन शास्त्रों, प्राचीन इतिहास, अपनी लोक परंपराओं और देश की प्राचीन संस्थाओं पर भरोसा करता है जो तब प्रचलित थीं, जब देश अपने गौरव के शिखर पर था। जहाँ तक हमारी बात है। हम पंजाब में इन दोनों स्रोतों से प्रेरणा प्राप्त करने के लिए तैयार हैं, हालाँकि उत्तरपक्ष से प्रारंभ करना हमारी पहली पसंद है तथा उत्तरपक्ष में जो अस्पष्ट और अनेकार्थक है, मुख्यतः उसे समझने और उसकी व्याख्या करने के लिए पूर्वपक्ष से सहायता लेना चाहते हैं। किंतु, जब तक हमारे निष्कर्ष मुख्यतया समान हैं, मेरा विचार है कि इस लड़ाई का जारी रहना उचित नहीं है एवं इसे बंद कर देने में ही भलाई है।

अनुवाद : **शंभू प्रसाद**

भाई वीर सिंह
1872-1957

आधुनिक पंजाबी कविता के महापिता और एक आध्यात्मिक रुझान के व्यक्ति। दिखावा और पाखंडों के विरोधी। अमृतसर में जन्म। 1894 में खालसा ट्रैक्ट सोसाइटी की नींव रखी। 1899 में 'खालसा समाचार' साप्ताहिक पत्र का प्रकाशन शुरू किया। प्रमुख कृतियाँ—'राणा सूरत सिंह' (महाकाव्य), 'लहरां दे हार', 'मटक हुलारे', 'बिजलियां दे हार' 'कंबदी कलाई', 'प्रीत वीणा' (काव्य) 'सुंदरी', 'बिजै सिंह', 'बाबा नौध सिंह' (उपन्यास) 'गुरुनानक चमत्कार' (निबंध) 'पुरातन जनम साखी' का संपादन।

अशिक्षित ग्रंथियों द्वारा हो रही हानियाँ

अच्छे ग्रंथियों के अभाव में श्री गुरुग्रंथ साहिब जी की शिक्षा में कई प्रकार से अंतर हो रहे हैं। आज हम इस तथ्य पर विस्तारपूर्वक प्रकाश डालेंगे। जब छापाखाने का आविष्कार नहीं हुआ था, श्री गुरुग्रंथ साहिब हस्तलिखित प्राप्त होते थे। लेखक भी ऐरा-गैरा नहीं होता था। इसका लिखित संपादन पूर्ण समर्पित सिख द्वारा ही होता था। जिन व्यक्तियों को इसके लेखन में रुचि होती थी, वे शुद्धता का विशेष ध्यान रखते थे।

जैसे-जैसे इसकी माँग बढ़ती गई, अनेक पुराने सिखों ने इसे अपनी जीविका का साधन बना लिया। प्रतिदिन चार-पाँच पृष्ठ लिखे जाते, साथ ही इसकी प्रतिलिपि तैयार की जाती। जब भी कोई इसे लेने के लिए आता, वह उनके परिश्रम का मूल्य देकर ले जाता। परंतु लेने वाला तीन बातों की ओर विशेष ध्यान देता था। प्रथम यह कि पृष्ठ अच्छे और मोटे हों, दूसरे, इसकी स्याही फीकी न हो, लिखावट सुंदर हो तथा तृतीय बात यह कि इसका पाठ शुद्ध हो। श्री गुरुग्रंथ साहिब ले जाने वाले सज्जन उसकी प्रतिलिपि को पूर्ण प्रामाणिक प्रतिलिपियों के साथ मिलाकर देख लेते थे। यदि उसे ले जाने के बाद किसी प्रकार की अशुद्धि का पता चलता तो उसे

शुद्ध करने का यत्न किया जाता था। जाँच का विशेष कारण उस पर होने वाला व्यय था। अनेक प्रसिद्ध लिपिकार घराने अमृतसर जी में उपलब्ध थे। भाई कपूर सिंह, भाई गोपालसिंह आदि कई प्रसिद्ध घराने थे, जिनका निर्वाह इसी कार्य से होता था। इसके साथ-साथ इसका पाठ करने वाले भी अनेक थे, जो अपने जीवन में इसे अनगिनत बार पढ़े होते थे। ऐसे पुराने सुपरिचित सिखों में भाई बुद्धसिंह रागी अभी तक विद्यमान हैं। वे वाचन, लेखन तथा रागी (गायन) ये तीनों कार्य करते हैं। इन्हें गुरुवाणी इतनी कंठस्थ है कि नींद से बोझिल आँखों के बंद हो जाने पर भी ये अनेक पन्नों का वाचन कर लेते हैं। किसी भी तुक अथवा पद के बारे में बताते ही ये पूर्ण शब्द दुहरा देते हैं। यह दृश्य देखने का सही समय अभी ही है, क्योंकि आने वाली पीढ़ी शायद इसे कोरी गप्प समझे, परंतु जो चाहे इस तथ्य को कसौटी पर कसकर देख सकता है।

परंतु ये सज्जन अब ऐसे क्यों हो गए? इसका एकमात्र कारण यही है कि इन्होंने अनेकानेक वाचन किए, जाने कितने वाचन (पठन-पाठन) किए और इसी व्यवसाय पर अपना निर्वाह करते रहे। इस संदर्भ में एक और उदाहरण दिया जाता है। श्री अमृतसर में भाई विवेका सिंह तथा सूरमे सिंह ज्ञानी हैं। कोई व्यक्ति श्री गुरुग्रंथ साहिब के वाचन पर बैठ जाता और पढ़ते-पढ़ते यदि कहीं वह ठहर जाता तो वे तत्काल उसे बता देते हैं, अर्थात् पाठ का श्रवण करने वाले ऐसे सिद्ध श्रोता भी आज हैं। आखिर ऐसा क्यों? इसका कारण है कि प्रकाशन-व्यवस्था से पहले शुद्ध पाठ करने तथा शुद्ध पाठ सुनने वालों की बहुत प्रतिष्ठा थी। परंतु जबसे छापाखाना का आविष्कार हुआ है और सस्ते साधन आए, श्री गुरुग्रंथ साहिब की बीड़ें प्राप्त होने लगी हैं, तभी से दुकानदारों में सस्ता बेचने की होड़-सी लग गई है। लोग भी धर्मशाला जाने के कष्ट से बचने के लिए घर के किसी कोने में श्री गुरुग्रंथ साहिब जी का प्रकाश करने में ही आनंद का अनुभव करने लगे हैं। परिणामस्वरूप लोग इसे घर ले जाने लगे हैं, भले ही कितनी भी अशुद्ध प्रतिलिपि हो। उन्हें केवल उसके सस्ता होने से मतलब है। घर में कोई न इसकी अशुद्धियाँ ठीक कर सकता है और न ही इसका पाठ करने वाले विद्वान होते हैं। यदि कभी कोई धर्मशाला जाता भी हो तो वहाँ भी पाठ करने वाले भाई अनपढ़ नहीं तो अज्ञानी अवश्य होते हैं। फिर भला प्रतिलिपियों में हुई अशुद्धियों के बारे में कौन बताए। परंतु यदि पहले से ही शिक्षित एवं चिंतक ग्रंथी विद्यमान हों तो वे उन अशुद्ध छपने वाली प्रतिलिपियों को समझ सकते हैं और लोगों को समझा सकते हैं, ताकि इसके प्रकाशन की होड़ पर अंकुश लगे और शुद्ध प्रतिलिपियों का प्रकाशन हो, भले ही उनका कितना भी मूल्य हो। इस प्रकार इसके सस्तेपन की माँग भी घट जाएगी। यदि कोई इन्हें खरीदकर ले भी जाए तो वह स्वयं भी उसको सुधार सकता है। परंतु बिना शिक्षित ग्रंथियों के यह कार्य संपन्न नहीं हो सकता। योग्य ग्रंथियों के बिना अक्षरशः शुद्ध प्रतिलिपि

पाना असंभव है तथा अशुद्ध प्रतिलिपियों पर अंकुश लगाना भी असंभव है। यही कारण है कि दुकानदार इस अवसर का अनुचित लाभ उठा रहे हैं। बात यहीं पर समाप्त नहीं हो जाती अपितु प्रतिलिपियों को प्रकाशित करने वाले उन्हें सस्ता बेचने की धुन में उनकी अशुद्धियों को ठीक करवाने के व्यय से बचने में लगे हुए हैं। यदि वे इसके व्यय का भार उठा भी लेते हैं तो ऐसे अज्ञानी सिख मिलते हैं, जिन्हें शुद्ध-अशुद्ध की परख नहीं और न ही शुद्ध प्रतिलिपि के लिए कुछ अधिक व्यय करने की बात वे सोचते हैं। खालसा ट्रैक्ट सोसाइटी ने एक प्रति को शुद्ध करने के पश्चात् प्रकाशन किया था परंतु मूल्य बहुत कम होने पर भी उसकी अधिक बिक्री नहीं हुई। अतः यदि पूर्ण शुद्ध प्रतिलिपि का प्रकाशन किया जाता तो उसे खरीदता कौन? सोसाइटी के पास धन का अभाव होने के कारण यह कार्य संभव नहीं था। इसलिए मित्रो! विचार करें कि योग्य ग्रंथियों के अभाव में न कोई अशिक्षित सिखों को अशुद्ध प्रतिलिपियाँ खरीदने से बचा सकता है और न ही कोई उन्हें शुद्ध कर सकता है। अज्ञानता में भटक रहे सिख यदि आज यह हानि उठा रहे हैं, जबकि शिक्षित सिख जब बाल की खाल उतारने में पारंगत हो जाएँगे तो योग्य ग्रंथियों के बिना सिखों को कितनी हानि उठानी पड़ेगी। इसलिए खालसा कॉलेज के प्रबंधक, मित्रो! (इन्हीं आलेखों का परिणाम था कि चीफ खालसा दीवान द्वारा भले ही कॉलेज में नहीं परंतु 'तरनतारन' में 'गुरमत प्रचारक विद्यालय' की नींव रखी गई) जहाँ आप सिखों को शिक्षित कर रहे हैं, वहाँ विद्वान ग्रंथियों को पैदा करने का उपाय करें; नहीं तो शिक्षा का एक दिशा की ओर झुकाव कष्ट का कारण बन जाएगा जो कि अभी हो रहा है।

हक्सले और ह्यूम की पुस्तकें पढ़कर पश्चिमी विद्या के प्रति मोहित हो रहे हमारे कुछ सज्जन अपने घर के बारे में न जानने के कारण कुरीतियों की ओर उन्मुख हो रहे हैं। यदि योग्य ग्रंथी उपलब्ध हों, गुरुवाणी के आशय को सिखों तक बाल्यावस्था में ही ऐसा पहुँचा दें कि यथार्थ ढंग से बताई गई गुरु नानक देव जी की आत्मविद्या से पश्चिमी विद्या के प्रति अनुरागी लोगों का हृदय निरंतर उसके प्रभाव से मुक्त होता चला जाए। हमारे सज्जन अपना घर क्यों छोड़ जाते हैं? इसका केवल एक ही कारण है कि बचपन में उनका वास्ता महामूढ़ एवं महाअज्ञानी ग्रंथियों से पड़ता है, जिन्हें अपने घरबार की कोई चिंता नहीं होती। केवल कड़ाह (पूजा का हलवा) प्रसाद खाने वाले ऐसे लोग गाँवों और नगरों की हर गली में होते हैं। जाहिर है जब ऐसे महामूर्खों द्वारा प्रदर्शित ज्ञान की तुलना पश्चिमी दर्शन अथवा विज्ञान से की जाती है तो उनका अपने धर्म के प्रति लगाव नहीं रह जाता, वे इससे नफरत करने लगते हैं।

हमारे शिक्षित सज्जन अपने ही घर से कितनें अनजान होते हैं, इसका प्रत्यक्ष देखा हुआ उदाहरण यहाँ दे रहा हूँ। एक सिख सज्जन हमें अजमेर में मिले। आपने

कुछ दिन पूर्व एक्सट्रा असिस्टैंट कमिश्नर का पद सुशोभित किया था। आपने हमें बातों ही बातों में बतलाया कि जब उनका नाम 'गैजट' हुआ तो अपने नाम के आगे 'भाई' लगा देख अत्यंत अफसोस हुआ, परंतु प्रसन्नता की भी कोई सीमा न थी। प्रसन्नता इसलिए कि सरकार ने मुझे यह नौकरी मेरी विद्या के कारण दी, परंतु अफसोस इस बात का हुआ कि नाम के आगे 'भाई' लिखा गया था। मैंने तत्काल 'सिविल एंड मिलिटरी गैजट' को पत्र लिखा कि भविष्य में हमें 'भाई' न लिखा करें। खोज-पड़ताल करने पर पता चला कि मैं एक गरीब सिख का बेटा था तथा अपनी विद्या के बल पर इस उच्च स्थान पर पहुँचा था। परंतु गुरुमुखी के कुछ ही अक्षरों की पहचान थी। इनके पिता गुरुवाणी पढ़नेवाले तथा धर्मशाला जानेवाले सिख थे। परंतु वहाँ के भाई नगर की गली के भाई थे, जिन्हें केवल कड़ाह-प्रसाद खाने में ही रुचि थी। पूजा का धान खाने तथा धर्म के भाव से अनजान होने के कारण उनके साथ लगा हुआ 'भाई' पद भी कलंकित हो गया। हमें एक और सज्जन का उदाहरण स्मरण हो रहा है, जिन्होंने 'भाई' शब्द की सुहृदयता से अज्ञात होने के कारण बड़े प्रयास के पश्चात् अपने साथ लगे 'भाई' पद को 'बाबू' में परिवर्तित करवा लिया। एक और ऐसे सज्जन के बारे में बताना ठीक होगा जो कहते थे कि उन्हें इस बात का अफसोस है कि उन्होंने सिख का जन्म लिया, क्योंकि एक ओहदे पर पहुँचकर भी उन्हें 'भाई' संबोधित किया गया। इसलिए खालसा कॉलेज के प्रबंधको! यदि आपके विद्यार्थी बी.ए., एम.ए. उत्तीर्ण होने के बाद भी इन्हीं विचारों से पोषित हुए तो पंथ को उच्च शिक्षा से क्या लाभ पहुँचेगा? आपका उत्तर होगा कि मामूली बातें तो कॉलेज के धार्मिक अध्यापक बता ही देंगे, आपकी बात मान ली कि विद्यार्थियों को तो वे बतला देंगे, परंतु सारी कौम के बच्चों को कौन बताएगा? यदि आप लोग कौम के बच्चे और बच्चियों का मार्गदर्शन नहीं करेंगे तो कौन करेगा? आपसे निवेदन है कि योग्य ग्रंथियों को पैदा करने का दायित्व आप स्वयं उठाएँ।

—1906

निंदा एवं नुक्ताचीनी

अब हमें देखना है कि हमारी दशा क्या है? हमारी अविद्या के कारण तथा अविद्या जनित स्वार्थपरता के कारण विघ्नकारक बंधुओं की कोई कमी नहीं है। उदार सिख पब्लिक, हमदर्द और सहायकों के निश्चय भी हर पल डगमगाते रहते हैं। उनका हृदय तो यह बात स्वीकार करता है कि यह काम ठीक हो रहा है, परंतु कान सदैव निंदा की प्रतीक्षा में रहते हैं। इधर किसी ने कहा 'देखिए जी, फलाँ भले पुरुष ने

कितना उपद्रव किया है।' आप चौंक उठे, 'ऊफ-हो...क्या करें...हमारा दुर्भाग्य।' बस इतना कहते हुए उठ खड़े हुए, दुकान-दुकान घूम कर कहने लगे, 'लीजिए महाराज, देखिए क्या हुआ।' ऐसा कहते हुए स्वयं गर्म होते गए दूसरों को गरमाते रहे। आप स्वयं तो बुरे नहीं, परंतु बुरे लोगों के संदेशवाहक बन गए। उन लोगों ने भले पुरुषों को अपना अस्त्र बनाकर उनका उपयोग कर लिया। तनिक विचार करें, सतगुरु हमसे क्या चाहते हैं और हम कहाँ पहुँच गए हैं। हमारा गंतव्य कहाँ है और यह हमारी कैसी दशा है? यदि ऐसे भलेमानुष को पता चल जाए कि वह बात झूठी थी तो वह पश्चाताप करने लगता है। फिर भ्रमित करने वाले को गालियाँ निकालने लगता है। परंतु पुनः धोखा खाने के लिए तैयार रहता है। जितनी बार धोखा खाएँ, उतनी बार पुनः तैयार! जिस कौम की जनता और उसकी सहानुभूति ऐसी हो, उससे कैसी आशा? आवश्यकता इस बात की थी कि कार्य करने वालों पर भरोसा होता। यदि ये बुरे हों तो इन्हें पहले ही निकाल दिया जाता अथवा जब भेद खुले, तत्काल निकाल दें। ऐसा नहीं चाहिए कि झंडे की सलवटों की भाँति स्वयं को सदैव उलझन में डाले रखें। आम पब्लिक और सेवकों के बीच विश्वास होना चाहिए। अपनी कौम के सेवकों का प्रत्येक कौम के सज्जन व्यक्ति पर भरोसा होना चाहिए। ऐसा विश्वास उनकी सेवाभावना के ऊपर होना चाहिए। अपनी कौम के सेवकों का प्रत्येक कौम के सज्जन व्यक्ति पर भरोसा होना चाहिए। ऐसा विश्वास उनकी सेवाभावना के ऊपर होना चाहिए कि निंदक की वाणी तथा चुगलखोर का विष उनको प्रभावित न कर सके बल्कि इसके विपरीत उन्हें डाँटना-डपटना चाहिए। यदि जनता द्वारा निंदकों की ऐसी सेवा होती रहे तो अकारण द्रोहियों की संख्या में कमी आ सकती है। इस प्रकार सहकारिता का कार्य अपने लक्ष्य तक पहुँच सकता है। आम पब्लिक तथा सेवकों का रिश्ता ऐसे विश्वास पर टिका हुआ है, जिसकी आँच में द्रोही के वाक्य भस्म हो जाते हैं मित्रो! यदि आप सहकारिता चाहते हैं तो अपने निजी अनुभव पर भरोसा करें, इधर-उधर के व्यर्थ बहकावे में मत आएँ।

हमें यह देखकर बहुत आश्चर्य होता है कि सिख अपने पंथ के सेवकों की निंदा करते समय तनिक भी यह विचार नहीं करते कि जिनके सुपुर्द यह कार्य है वे कौम के प्रिय हैं तथा समर्पित होकर कार्य करते हैं। वे ये भूल जाते हैं कि किसी सुनिश्चित जानकारी, जान-पहचान पर निर्भर न करने वाली उनकी व्यक्तिगत राय भला किस प्रकार महान हो सकती है। यह माना जा सकता है कि सेवक धोखा खा जाए। परंतु हमारी दृष्टि में जो सचमुच पंथ के सेवक हैं वे जान बूझ कर गलत कार्य नहीं कर सकते। इस प्रकार सहकारिता में विश्वास का न होना हानिकारक है। नुक्ताचीनी कोई बुरी बात नहीं, परंतु हम लोग निंदा तथा नुक्ताचीनी का फर्क नहीं जानते। नुक्ताचीनी करने वाला कार्य की क्षमता में विश्वास रखता है और सहानुभूति से मुँह नहीं मोड़ता। निंदक हृदयहीन होता है तथा कार्य में विघ्न डालना

उसकी प्रकृति है। नुक्ताचीनी करने वाला अपनी भूल की क्षमा माँगने को तत्पर रहता है। वह शोर नहीं मचाता, परंतु निंदक अक्खड़ता और बदी का ढिंढोरा पीटता रहता है। नुक्ताचीनी के लिए योग्यता और समझ की आवश्यकता है, जबकि निंदक के लिए हृदय की कुटिलता ही पर्याप्त है। सतगुरु ने इसी कारण श्री गुरुग्रंथ साहिब में समग्र रूप से निंदा एवं निंदक का तिरस्कार करते हुए लिखा है–

"निंदा भली किसै की नाही मनमुख मुगध करंनि।।
मुँह काले तिन निंदका नरके घोर पवंनि।।6।। (सू ही महला 3)

निंदा किसे कहते हैं? जिस बात को हम प्रत्यक्ष रूप में उस प्रकार न जानते हों जिस प्रकार हम जानते हैं कि एक और एक दो होते हैं, वह बात बुरा प्रभाव डालने के उद्देश्य से किसी व्यक्ति अथवा आश्रम के बारे में कही जाए, तो यह निंदा है। जो बात नहीं है और हमने उसको प्रत्यक्ष प्रमाणित नहीं कर लिया है, यदि वह बात किसी की बुराई के बारे में है, तो वह कहना निंदा है। परंतु जो सुनिश्चित रूप से सुधार के उद्देश्य से सुधार के साधन के रूप में प्रयुक्त हो, वह नुक्ताचीनी है।

हमारी सहकारिता का सबसे बड़ा रोग यही है–सेवक पूर्णरूप से परख कर बनाओ। परंतु कसौटी पर कसने के पश्चात् उस पर पूर्ण विश्वास करो और उसकी सेवा भावना पर गर्व करो। उसकी निंदा को पटककर समाप्त कर दो। यदि उसमें कोई भूल देखो तो प्रेमपूर्वक उसे ठीक करने का प्रयास करो। अतः स्वयं को कभी भी भुलक्कड़, हठी, जिद्दी एवं अवमानना करने वाला मत बनाओ। ये सब रोग हैं, जो हममें सहकारिता का गठन नहीं होते देते। प्रत्येक सिख को चाहिए कि इसका उपचार करे।

ऐसा कौन-सा धागा है, जो कौमी कर्त्तव्यों को एक-एक करके पिरोकर सहकारिता की माला बना देता है? कुछ भी हो कौमी प्रेम के धागे में पिरोए जाने पर ही उपर्युक्त रोगों का उपचार संभव है।

–1905

रसम कुरबानी

यदि कोई कहे कि दशहरे के दिन अकाल बुंगे (स्वर्ण मंदिर के परिसर में बना एक भवन) के आगे जो बकरों को झटकाया जाता है (जिन दिनों यह आलेख लिखा गया ऐसा ज्ञात हुआ है कि उस समय यह घटना होती थी), वह सिखों के पुरातन समय की बलि की रसम की प्रतिष्ठा का प्रतीक है, सिखों के धर्म का एक अंग है तो

हम इसे कदापि स्वीकार करने को तैयार नहीं हैं। यह अकाल बुँगे वाली रसम हमारे धर्म का अंग कभी भी नहीं बन सकती, क्योंकि हमारे मूल मंत्र में प्रसाद पद के आ जाने से यह रसम कभी भी विद्यमान नहीं हो सकती। जब अकाल पुरख (ब्रह्म) स्वयं प्रसादि (कृपा) रूप है अथवा ऐसा कहना उचित होगा कि वह 'कृपा' (Grace) रूप है, तो क्या वह हमारे पापों के बदले में बकरों को लेकर हमें पाप मुक्त करने वाला हो सकता है? (सेमेटिक कुरबानी का अर्थ है अपने पापों के बदले अपने धन तथा पशु आदि खुदा की भेंट कर देना अथवा अपने प्राण बचाने के लिए अपने पशु की जान दे देना।)

यहाँ एक और प्रश्न उठेगा कि यदि कुरबानी वर्जित है तो झटका क्यों होता है? इसका हम केवल यही उत्तर दे सकते हैं कि झटका कुरबानी नहीं है। यह 'जिबह करने' के स्थान पर पशु को कम दुःख देते हुए मारने का ढंग है। इसके साथ ही 'रहतनामों' में (सिख धर्म की आज्ञाएँ) यह कहीं नहीं लिखा है कि सिख अवश्य ही मांस खाएँ और इसके लिए निरीह पशुओं को मारते फिरें। परंतु युद्धक कौमों को कभी न कभी पशुओं के मांस पर निर्वाह करना ही पड़ता है। जिस कारण रहतनामों में इस खाने पर कुछ ढील दी गई है ताकि सिख 'शमशेरजनी' शस्त्र ज्ञान में प्रवीण बने रहें और जैन और बौद्धों की तरह समय आने पर देश की रक्षा के लिए कीट मारने से भी भय न खाते रहें। वरन् 'झटका' कोई कुरबानी नहीं है, इसलिए सिख अपने पापमोचन की खातिर पशुओं की बलि का सिद्धांत स्वीकार करने को तैयार नहीं है।

यदि यह आरोपित किया जाए कि सिख कुरबानी के स्थान पर 'कड़ाह प्रसाद' (पूजा के लिए हलवा) श्री गुरुग्रंथ साहिब के चरणों में तथा साधु संगत (श्रद्धालु लोगों) में प्रस्तुत करते हैं तो इसे भी कुरबानी नहीं कहते। यह केवल अपनी नम्रता दिखाने के लिए, संगत के भीतर जाति-पाँति का अभिमान तोड़ने के लिए तथा सलीम (त्रिकुटी) को समाप्त कर 'परमात्मा की एकता' प्रदर्शित करने की गुरु रीति है। इस विचार विमर्श से हम भली भाँति समझ सकते हैं कि यहूदियों की रस्म 'कुरबानी' जो 'अकाल पुरख' को केवल शक्तिमान अथवा सर्वशक्तिमान स्वामी घोषित करके तथा खुदा को डरावना मुखौटा बनाते हुए भेंट लेने का ढंग मात्र है। मूल मंत्र के पद में चित्रित 'पुरख' को मानने वाला सिख उक्त रसम को न कभी अपने जीवन में प्रवेश पाने देगा और न ही वह उन तथाकथित कहानियों पर कभी विश्वास कर सकता है, जो तोरेत में खुदा को यहूदियों की सहायता करने वाला तथा यहूदियों द्वारा हजारों पशुओं की बलि लेने वाला, यहूदियों के लिए दूसरी कौमों को नष्ट करने वाला बताती हैं। यदि हम मान लें कि यहूदियों में सिख मत का प्रसार हो अथवा ऐसा कहें कि यह ईसाइयों अथवा मुहम्मदियों में फैल जाए जिन्होंने यहूदीमत के अनेक सिद्धांत और रस्में अपने मत में स्वीकार की हुई हैं तो यदि हमारे ग्रंथी ज्ञानवान

और विवेकशील न हुए, अपने धर्म पर अडिग तथा दृढ़ निश्चय वाले न हुए तो वे अपने सिखों को, उनके मन को प्रभावित करने वाले यहूदियों के 'कुरबानी' वाली रसम से कैसे मुक्त कर पाएँगे।

आप यहूदियों, ईसाइयों अथवा मुहम्मदियों की ओर न जाकर तनिक वैदिक काल पर दृष्टिपात करें, जिसमें हिंदू कहीं कम बलि नहीं चढ़ाया करते थे। इस रसम को भले गौतम बुद्ध ने तोड़ा, परंतु अभी भी हमारे हिंदू भाई देवी-देवताओं के समक्ष नारियल फोड़ने अथवा बलि चढ़ाने में लगे हुए हैं। इस प्रकार ग्रंथी भी झटके को बलि समझकर अनैतिकता की, कुरबानी की रसम को सिखी का अंग बनाकर 'अकाल पुरख' को पशुओं को खाने वाले तथा उनका रक्त पीने वाले, प्रतिशोध लेने वाले तथा डरावने मुखौटे वाले के रूप में प्रस्तुत करेंगे जो सिखी के नियमों के नितांत प्रतिकूल कार्य है। सिखी में 'अकाल पुरख' सर्वशक्तिमान स्वामी माना जाकर भी प्रसादि अर्थात् कृपा का रूप माना गया है। वह कभी भी किसी को दुःख नहीं देता। सारा दुःख हमारे अज्ञान और कुकर्मों का फल है, अन्यथा 'अकाल पुरख' तो हर पल हमारा मित्र है। सज्जन व्यक्तियो! यदि आप चाहते हैं कि सिख धर्म के नियमों की पावनता सुरक्षित रहे तो इनको अनैतिकता की रसमों के नीचे दबने मत दो तथा अच्छे विद्वान और दृढ़ संकल्प वाले ग्रंथियों का निर्माण करो, जो सिख-धर्म के प्रत्येक पहलू से परिचित होकर धर्मशालाओं तथा गुरुद्वारों की संगतों में अनैतिकता तथा अन्य देशों की प्रचलित रस्मों को सिखों में प्रविष्ट न होने दें।

...हम बता चुके हैं कि यहूदियों तथा वैदिक काल की चलाई हुई बलि की रस्म सिख सिद्धांत के अनुकूल नहीं है। यदि ग्रंथी अशिक्षित होंगे तो वे इस रस्म को 'झटके' अथवा 'कड़ाह प्रसाद' को संदर्भित कर सिख-धर्म में प्रविष्ट करा देंगे। हो सकता है कि कुछ लोग कहें कि हमारा विचार उचित नहीं है। क्योंकि जिस प्रकार 'झटका' अथवा 'कड़ाह प्रसाद' कुरबानी नहीं, इसी भाँति यहूदियों में भी पशु कुरबानी के लिए नहीं मारे जाते। वैदिक युग में भी लोग इनको अपने भोजन के लिए मारते थे, न कि कुरबानी के लिए। वैदिक काल की स्थिति का वर्णन हम फिर कभी करेंगे, अभी हम एक अंग्रेज की कलम से लिखे गए लेख का उदाहरण देते हुए यहूदियों की कुरबानी के वास्तविक रूप पर प्रकाश डालेंगे। इस लेख के अनुसार 'कुरबानी की वास्तविकता यह है कि ईश्वर द्वारा मनुष्य के पतन के पश्चात् यह रसम बनाई गई, ताकि मानव जाति के मसीहा से मुक्ति प्राप्त करने का ठोस प्रमाण प्रस्तुत किया जा सके। मूसा के पश्चात् जो ढंग विशेष रीति एवं रसमों सहित ठोस मर्यादा के अनुरूप प्रचलित हुआ, वह इस तथ्य को और भी प्रामाणिकता प्रदान करता है।'

इससे पूर्णतया स्पष्ट हो जाता है कि यहूदियों द्वारा पशुओं की कुरबानी पापों के बदले दी जाती थी। उपरोक्त विचारधारा में जहाँ 'मसीहा' पद प्रयुक्त हुआ है, उससे यहूदियों का तात्पर्य हजरत ईसा से नहीं है, क्योंकि यहूदी ईसा को 'मसीहा'

नहीं मानते। उनका विश्वास है कि मसीहा का तो संसार में अभी तक जन्म ही नहीं हुआ है। ईसाइयों ने यहूदियों का ध्यान हजरत ईसा की ओर आकृष्ट करने के उद्देश्य से ही हजरत का नाम ईसा मसीह रखा था।

स्मरण रखने योग्य दूसरी बात यह है कि कुरबानी की जो रसम यहूदियों में विद्यमान थी, वह समस्त संसार में प्रचलित थी। कई विद्वानों को इसका ज्ञान होगा कि पीरू, मैक्सिकन ट्यूटन, स्लाव आदि अनेक जातियों के प्राचीन मत, जो अब लुप्त हो चुके हैं, बलि प्रथा के पक्ष में थे। वेदों के समय में भी भारत में इसका जोर कम न था। इस प्रकार यह बहुत ही पुरानी प्रथा है। बुद्ध मत ने इसका उन्मूलन करने का बहुत प्रयास किया, जैसा कि अशोक आदि महाराजाओं के उल्लेखों से सिद्ध होता है। परंतु यह खत्म नहीं हो सकी। मुहम्मदी मत में अभी भी यह रसम विद्यमान है। धर्म की चादर के नीचे हिंसात्मक पाप का यह प्रतिरूप अभी तक संसार में गतिशील है। मुहम्मदी मत विश्व के सभी भागों में किसी न किसी रूप में प्रचलित हो रहा है। यदि सिखमत को विकास करना है तो कुरबानी के मामले को उसके विरुद्ध मुहम्मदी तो उठाएँगे ही, वे भी यह प्रश्न उठाएँगे जो यह कहते हैं कि इस कुरबानी के नियम की प्रतिष्ठा रखने के लिए ही हजरत मसीह ने अपना बलिदान कर दिया। दूसरे मतावलंबियों के द्वारा भी ऐसे प्रश्नों की बौछार होती रहेगी। इस समय हमारे आर्य भाई संस्कृत की शिक्षा पर विशेष बल दे रहे हैं। जब संस्कृत का प्रभुत्व बढ़ता जाएगा तो वेदों में जो नरमेध, गोमेध आदि बलियों का वर्णन उपलब्ध होता है, किसी न किसी रूप में वह अपना रंग अवश्य दिखाएगा। क्योंकि भारत में ब्राह्म, सनातनी, मुसलमान, ईसाई, जैनी आदि अनेक मतों वाले लोग वेदों के मंत्रों का यथार्थ अर्थ अवश्य करेंगे। अभी भी विभिन्न मतावलंबी साधु दयानंद सरस्वती द्वारा किए गए अर्थ को ठीक नहीं मान रहे हैं, वे आगे भी इनके अर्थ को अशुद्ध ही कहेंगे। अर्थ में उलट-फेर करने से उन्हें कुछ भी लाभ पहुँचने वाला नहीं है।

गौतम बुद्ध के समय पहले से ही भारत में कुरबानियाँ होती थीं। अतः अभी तक इन्हीं कुरबानियों को समक्ष रखकर हिंदुओं की कई जातियाँ अपने-अपने ईष्ट देवता के स्थानों पर जाकर नारियल, तरबूज आदि फल तथा बकरे, सांड आदि पशुओं की बलि चढ़ाते हैं। नरमेध की परंपरा के स्थान पर अपने सिर के बाल मुँडवाने की कु-प्रथा आज भी इस प्रकार पूर्ववत प्रचलित है कि हमारे सिंधी भाई पाँच आने अरदास (बढ़ावा) देकर अपना मुंडन विशेष रूप से श्री गुरुग्रंथ साहिब के समक्ष धर्मशाला में जाकर करवाते हैं। इस प्रकार यदि संस्कृत की उन्नति की जाएगी तो ऐसी कुरीतियों को बनाए रखने के लिए लोग वेद-मंत्र के उदाहरण प्रस्तुत किया करेंगे। इस प्रकार कुरबानी की रसम सिखमत के विरुद्ध अपने दलबल सहित खड़ी हो जाएगी। यही वजह है कि हमारे ज्ञानियों तथा विद्वानों को कुरीति से दूर रखने के लिए श्री गुरुग्रंथ साहिब जी के 'शब्द' तथा सिखमत की शक्तिशाली दलीलों की ओर पूर्ण

ध्यान देना अनिवार्य है, ताकि हमारे ग्रंथ इस सिद्धांत से पूर्ण रूप से परिचित होकर इस कुरीति का सिखों में प्रवेश न होने दें। परंतु यह सारा कार्य कोई छोटा कार्य नहीं है। जिस प्रकार इस विषय को अच्छी तरह स्पष्ट रूप से लिखने का कार्य सिख विद्वानों का है, उसी प्रकार इससे पूर्णतया सजग रहने का कार्य अच्छे ग्रंथियों का है। यदि ऐसा न किया गया तो अनेक कुरीतियाँ कुरबानी के बहाने सिखों में घर कर जाएँगी, जैसे श्री गुरुग्रंथ साहिब जी के सामने घी जलाने का काम आरंभ हो गया है, जिसे हवन की संज्ञा दी जाती है। हमारे अज्ञानी ग्रंथी अपनी अज्ञानता के कारण अथवा लालच में फँसकर इस कार्य पर अंकुश गाने की बजाए इस कार्य में स्वयं भाग लेने लगे हैं। इस तथ्य को दृष्टि में रखते हुए मित्रो! इस कुरीति को समस्त संसार से समाप्त करने के लिए अच्छे ग्रंथी पैदा करो।

अनुवाद : **लखबीर सिंह निर्दोष**

कुतुबमीनार

क्या तू कुतुब, कुतुब का बेटा
सेमेटिक मूल रूप में?
या पिथौरा की प्रस्तर-संतति
आर्य-रक्त नस-नस में?

क्या तू ध्रुव का अनुज
इसी से नाम कुतुब है तेरा?
वह ध्रुव अटल हो रहा नभ में
तेरा भू पर डेरा।

चंद्रराय ने अष्टधातु का
थंभ एक बनवाया।
यादगार की इच्छा के वश
इसे यहाँ गड़वाया?

या फिर स्मरण-चिह्न देने की
पृथ्वीराज की इच्छा।

हिंदू राज्य की मात्र निशानी
बन तू भू पर उभरा?

ज्यों अशोक-पुत्री लंका को
बौद्ध-वृक्ष दे आई।
क्या त्यों ही तू कुतुबदीन का
धर्म-थंभ है भाई?

या तुझ हिंदू को पढ़वाया
कुतुबदीन ने कलमा?
तू पहला हिंदू जो आया
धर्म इस्लाम की शरणा?

जिसने भी तुझको बनवाया
भूल बड़ी की उसने।
शिलालेख अपने परिचय का
रखा न कोई तुझ में।

अष्टधातु की लाट के ऊपर
चंद्रराय यदि अंकित।
परिचय-शिला यदि रही होती
लोग न होते शंकित।

तेरा जनक यदि परिचय के
दो अक्षर अंकित करता।
तेरा मूल खोजने वाला
संशय में नहीं पड़ता।

कुतुब नाम से सेमेटिक दीखे
लाठ नाम से हिंदू
किंतु हमें तू साँझा दीखे
हिंद-गगन का इंदू।

भारतीय विस्मय भवनों में
तू मीनार लासानी।

अस्ल-नस्ल चाहे कुछ भी हो
तू है हिंदुस्तानी।

जात, जन्म और अस्ल-नस्ल का
अन्वेषण छुट जाए।
सुंदरता हो मूर्त्त सभी में
अपना बोध जगाए।

—*'लहराँ दे हार'* संग्रह से

अनुवाद : **नरेश**

धनीराम चात्रिक
1876-1954

पंजाब के अमृतसर जिले के पसियांवाला गाँव में जन्म। 1911 में मुंबई जाकर गुरुमुखी के टाइप बनवाकर अमृतसर में पंजाबी प्रेस खोला। 'पंजाबी सभा' का 1914 में गठन। इसमें हिंदू, सिख एवं मुसलमान सभी पंजाबी भाषी लेखक शामिल थे। उनकी रचनाओं में 'भर्तृहरि', 'नल दमयंती' में नाटकीयता का अंश अधिक है। सिख धार्मिक इतिहास के कुछ वीरों पर भी रचनाएँ। कवि रूप में विशेष प्रसिद्धि पाई, खासकर पंजाब के लोकजीवन से जुड़ी कविताओं और लोकगीतों के कारण। कविताओं में समाज को बदलने का तीखा स्वर। प्रसिद्ध संग्रह—'चंदन बाड़ी', 'नवां जहाने', 'सूफी नामा' केसर क्यारी' आदि। उनकी कविताओं में राष्ट्रीय भावना के अलावा काफी प्रगतिशील तत्त्व हैं।

नया संसार

पंख पसार फुलाकर छाती
पहुँच शून्य में देख धरा पर
मातृलोक में सृजित हो रहा,
नूतन स्वप्न-जहान।
रे पक्षी! भर तू नई उड़ान।
रंग नस्ल घुलते-मिलते हैं
पाट दिलों के भी सिलते हैं
रक्त-मिलन रीति-परिवर्तन
ऐक्य-प्रचार प्रधान।
रे पक्षी! भर तू नई उड़ान।
दफन हो रही फ़िर्कादारी
छूत की लानत बे-एतिबारी
गलत अकीदों की बीमारी

जग इनसे बौरान।
रे पक्षी! भर तू नई उड़ान।
देख धर्म-पूषण है ढलता
मानवता का सिक्का चलता
ढोंग दिखावे का मुँह काला
विजयी सत्य महान।
रे पक्षी! भर तू नई उड़ान।
युद्ध-कलह-पग उखड़े-उखड़े
शांति नया संसार रच रही
अपनी मौत मरने को आतुर
सत्ता का अभिमान।
रे पक्षी! भर तू नई उड़ान।
अखिल विश्व की थाती धरती
अन्वेषक आगे आते हैं
खोज-खोज बाहर लाते हैं
दौलत अमित महान।
रे पक्षी! भर तू नई उड़ान।

अनुवाद : **नरेश**

दिल

ऐ दिल! होश कर! नेह न लगाना, देखो!
इश्क के पेंच बुरे, जी न फँसाना, देखो!
तुम हो अनजान बड़े, लोग हैं भारी छलिए
खोटे बाज़ार में कहीं भरमा न जाना देखो!
फूलों के खार बुरे, खारों पर नोकें बुरी
शोखियों के साथ नयन न लगाना देखो!
इन गलियों में नर, फिर लौटते न घर को,
राह अपने जीते, कहीं फाँसी न डलवाना देखो!
लेके दिल कह देते : जाओ जी अब मौज करो,
धोखेबाजों के दर पैर न पाना, देखो!

बह गए बड़े तैराक, उल्टे बहाव में
उफनती इश्क नदी, पाँव बचाना, देखो!
तड़पते रहने की क्या लगा ली बीमारी तूने,
हौसले से रहो, जी न डुलाना, देखो!
तुम्हें आदत है बुरी, देख कर बिछ जाने की,
'चात्रिक' की तरह कहीं धोखा न खाना, देखो!

समय की बहार

नई से नई बहार
समय की नई से नई बहार।

नए समय के नए नज़ारे
नई जवानी, नए हुलारे
नए बाजार, तमाशे-मेले
नए हसीन, नए अलबेले
नए-नए की तार
समय की नई से नई बहार।

पिछली हो गई बात पुरानी
नए स्पर्श, नई कहानी
पिछली लीक पे खड़े हो गए
नए निशान आगे हो गए
बदल गया संसार
समय की नई से नई बहार।

कुदरत अदल बदल पे हँसी
नई सड़क, नयों की बताई
सहम गुलामी भीतर घुस गई
आज़ादी कोठे पर चढ़ गई
मोर्चा लिया मार
समय की नई से नई बहार।

पुराने रह गए शोर मचाते
नए बढ़ कर हँसते-गाते
नाच उठी फिरकापरस्ती
मचल गया चतुर मदारी
लगा देने प्यार
समय की नई से नई बहार।

बाबा रास्ते से हट जा
या फिर नयों के साथ हो जा
छिछली लहरें कहाँ गईं सब
यह हिम्मत हैं कर रहीं अब
अगली भी हैं तैयार
समय की नई से नई बहार।

गर्म समा गए शीत समय में
वक्त से निपटने हो नए इकट्ठे
युग-युग काल का चक्र चले
मुश्किलें होती जा रहीं आसान
चलती जा रही कतार
समय की नई से नई बहार।

सच कहना है बड़ा ही मुश्किल

लड़ता-लड़ता थक गया मैं
सौ भूखे बाघों से
सच कहना है बड़ा (ही मुश्किल) मुहाल।
जगह-जगह बन गए रब्ब के अड्डे
रहें पुजारियों के मुँह खुले
उसके नाम पे जाएँ समेटे
लूट-लूट कर दुनिया का माल,
सच कहना है बड़ा मुहाल।

सच्ची बातें गर कोई कह दे,
ये हो जाते लोहे-लाखे,
रब्ब की जान-माल के राखे,
यही बेचारे नमक हलाल,
सच कहना है बड़ा मुहाल।

मजहब इन्होंने मजाक बनाया,
बात-बात पर खतरे में डाला
जो न वहाँ चढ़ाए चढ़ावा
पकड़ लेते हैं सिर के बाल,
सच कहना है बड़ा मुहाल।

किस्मत नई बता सकते हैं
नरकों से स्वर्ग पहुँचा सकते हैं
पासपोर्ट मुक्ति के बिकते
जगह-जगह ये घूमें दलाल,
सच कहना है बड़ा मुहाल।

अनुवाद : **चमनलाल**

मोहन सिंह वैद

1881-1936

पंजाबी के प्रमुख साहित्यकार, समाज सुधारक एवं चिंतक। अमृतसर के तरन तारन में जन्म। औषधि विज्ञान में दक्षता। अकाली लहर के समय जेल। समाज सुधारपरक रचनाएँ—'निंदत भ्रिष्टाचार', 'ब्रिद्ध विवाह दुरदशा', 'आरियाँ दे ढोल दा पोल'। उपन्यास—'श्रेष्ठ कलां दी चाल', 'संदूक दा मुरदा', 'कपटी मित्र'। कहानी संग्रह—'नरक सरग', 'साडे घर की दशा'। जीवन सुधार-संबंधी 'जीवन सुधार', 'उत्तम सिखिया'। स्त्री शिक्षा—'स्त्री धर्म सिंमृति सार', 'अबला विलाप' इत्यादि।

निष्काम कर्म की महत्ता

दूसरे लोगों को शारीरिक सहायता प्रदान करना तथा उनकी शारीरिक आवश्यकताओं की पूर्ति करना बहुत ही अच्छा कार्य है। परंतु आवश्यकतानुसार दी गई सहायता ही सबसे उत्तम है। उसका प्रभाव नित्य रहने वाला तथा स्थायी होता है। ऐसी सहायता मनुष्यों को लाभ पहुँचाती हुई जातीय अनिवार्यताओं की भी पूर्ति करती है। यदि एक घंटे के लिए मनुष्य की किसी आवश्यकता को पूरा कर दिया जाए तो उसे सहायता अवश्य कहा जाएगा, पर निरंतर एक वर्ष तक की जाने वाली सहायता उससे अधिक बड़ी सहायता मानी जाएगी। इस प्रकार आयु पर्यंत किसी की की गई सहायता का क्या कहना! इस भाँति की सहायता अद्वितीय होती है। आत्मज्ञान एक ऐसा तत्त्व है, जिसके द्वारा हमारे दुःखों की सदैव के लिए निवृत्ति हो जाती है। इसके विपरीत दूसरे प्रकार के ज्ञान हमें कुछ समय तक शांति प्रदान करते हैं। परंतु अपने स्वरूप का ज्ञान ही हमें हमारे दुःखों से मुक्त करता है। इसलिए आत्मिक सहायता सबसे बड़ी एवं मुख्य सहायता है। इस प्रकार की आत्मिक सहायता प्रदान करने वाला आदमी मानव समुदाय का सच्चा मित्र एवं सच्चा गुरु है। इतिहास इस तथ्य का साक्षी है कि जिन्होंने मानव की आत्मिक आवश्यकताओं को पूर्ण करने का प्रबंध एवं प्रयास किया है, वे ऐसे महाप्रतापी पुरुष थे, जिन्होंने संसार की काया

पलट कर दी। वास्तव में आत्मिकता ही हमारे जीवन के समस्त कर्मों की कुंजी है। आत्मबल का स्वामी व्यक्ति यदि चाहे तो वह जीवन के अन्य क्षेत्रों में भी उच्चतम सफलता प्राप्त कर सकता है। आत्मिक सत्ता के बिना सांसारिक एवं शारीरिक आवश्यकताओं की पूर्त्ति भली प्रकार संभव नहीं।

आत्मिक सहायता का ऐसा अद्‌भुत वरदान श्री गुरु नानक देव ने अपने दशम् रूप में प्रदान किया है एवं श्री गुरुग्रंथ साहिब के रूप में एक चिरंतन और अटल वरदानी स्वरूप की प्रतिष्ठा की है, ताकि इस अकाट्य तथ्य का सजीव प्रमाण रहे कि ऐसा न तो किसी ने किया, न किया जा रहा है तथा न ही कोई और कर सकेगा। किसी भी देश अथवा मत का प्राणी श्री गुरुग्रंथ साहिब मनन करके इसकी महानता की निष्पक्ष परीक्षा कर सकता है।

आत्मिक सहायता के पीछे बुद्धि तथा मन की सहायता है। शिक्षा और ज्ञान की सहायता रोटी-कपड़े की सहायता से कहीं अधिक बड़ी है। यह प्राण रक्षा एवं जीवन दान से भी अधिक आवश्यक है, क्योंकि मनुष्य के जीवन का वास्तविक गंतव्य तो विद्या तथा ज्ञान की प्राप्ति ही है। अज्ञानता मृत्यु है और ज्ञान जीवन है। यदि अज्ञानता के कारण मनुष्य अंधेरे में भटकता रहता है तो उसका जीवन व्यर्थ ही नहीं, दुःखदायक भी है। इसके बाद ही शारीरिक सहायता की बारी आती है। इसलिए दूसरों की सहायता करते समय हमें शारीरिक सहायता को प्राथमिकता नहीं देनी चाहिए। शारीरिक सहायता अंतिम कोटि की है, क्योंकि इससे स्थायी सुख की उपलब्धि नहीं होती। भूख का दुःख रोटी खा लेने के बाद दूर हो जाता है, पर कुछ समय बाद हमें भूख फिर सताने लगती है। यदि हमारी इच्छाएँ सदैव के लिए पूर्ण हो जाएँ तभी हमें शांति और संतोष प्राप्त हो सकते हैं। यह केवल आत्मज्ञान द्वारा ही संभव है। इसलिए ज्ञान की सहायता सबसे बड़ी सहायता है।

संसार के दुःखों का निवारण केवल शारीरिक सहायता द्वारा नहीं हो सकता। पंजाबी की कहावत है—'न सुख विच जहान दे न सुख छड्ड गिआं। सुख है विच विचार दे संतां शरण पिआं।' जब तक मनुष्य अपने मन पर संयम नहीं रखता और इंद्रीय निग्रह नहीं करता, तब तक उसे शारीरिक आवश्यकताएँ बराबर दुःख देती रहेंगी और वह दुःखों से दुःखी होता रहेगा। बड़ी से बड़ी शारीरिक सहायता भी उसके दुःखों का अंत नहीं कर सकती। अज्ञानता ही सभी दुःखों और पापों की जड़ है। अविद्या के अँधेरे मिटाओ और मनुष्य को आत्मिक शक्ति प्राप्त करने की प्रेरणा दो। यदि मनुष्य अच्छी शिक्षा ग्रहण करे और उसकी आत्मा शुद्ध एवं शक्तिशाली हो जाए तब किसी भी बात से उसे दुःख का अनुभव नहीं होगा। भूखों के लिए सदाव्रत तथा रोगियों के लिए औषधालय और अस्पताल खोलना धर्म का कार्य है। मनुष्य को जब तक उच्च शिक्षा नहीं दी जाती, तब तक उसकी भूख और रोग सदैव के लिए मिट नहीं सकते।

धर्म शास्त्रों में बारंबार यही उपदेश दिया गया है कि दृढ़ संकल्प सहित प्रतिदिन कर्म करने चाहिए। परंतु विश्व में कोई ऐसा कर्म नहीं, जिसमें धर्म और अधर्म दोनों साझीदार न हों। किसी कर्म में धर्म अधिक है और अधर्म कम तथा किसी में अधर्म बहुत है और धर्म कम। परंतु इस तथ्य को सदैव स्मरण रखना चाहिए कि कोई भी अशुभ कर्म ऐसा नहीं है जिसमें पुण्य का अंश न हो। प्रत्येक कार्य में पाप और पुण्य दोनों का सम्मिश्रण रहता है। तभी विवेक की आवश्यकता होती है। विवेक के द्वारा शुभ कर्म में से अशुभ को निकाल दो तथा अशुभ में से शुभ कर्म को चुनकर धारण कर लो, इसी को पांडित्य अथवा बुद्धिमानी कहते हैं। शुभ कर्म का फल अच्छा तथा अशुभ का फल बुरा होता है। ये दोनों आत्मा के बंधन के कारण हैं। स्वामी रामकृष्ण परमहंस ने इस बंधन से मुक्त होने का उपाय बताते हुए कहा है कि यदि आप स्वयं को किसी कर्म के बंधन में नहीं बाँधते, तो उसका फल आपके लिए बंधन का कारण नहीं होगा। हमें विचारपूर्वक असंबंध का अर्थ समझ लेना चाहिए।

गुरुवाणी कहती है कि कर्म करो परंतु कर्म अथवा उसके फल से दूर रहो। संस्कार मन के वासनात्मक संबंधों को उत्पन्न करते हैं। इस तथ्य को इस दृष्टांत द्वारा समझा जा सकता है—मनुष्य का मन एक तालाब है, इसमें लहरें उठती रहती हैं, ये लहरें भले ही किसी समय शांत हो जाएँ पर सदैव के लिए नहीं मिटतीं, बल्कि अपने पीछे कुछ चिह्न छोड़ जाती हैं। यह संभव है कि आगे चलकर इनसे और लहरें उपजें। ये चिह्न ही संस्कार हैं। अतः इनसे और लहरों के उत्पन्न होने की आशा रहती है। हमारी शारीरिक क्रियाओं अथवा मन के संकल्प आदि की छाप हमारे मन पर पानी के बुलबुले की भाँति खिंच जाती है। यह छाप बाहर से भले ही दिखाई न दे, पर इसमें भीतर ही भीतर कार्य करने की अदम्य शक्ति विद्यमान रहती है। अतः यह छाप निधड़क होकर अपना कार्य करती रहती है। हमारी वर्तमान दशा हमारे संस्कारों और हमारे कर्मों का फल है। प्रत्येक मनुष्य का चरित्र उसके संस्कारों के साँचे में ढलता है। जैसे संस्कार होंगे, चरित्र भी वैसा ही होगा। जो मनुष्य सदैव बुरी बातें सुनता है, बुरी इच्छाएँ मन में लाता है तथा बुरे कर्म करता है, उसका मन बुरे संस्कारों से भरा रहेगा। अतः उसके द्वारा सदैव वैसे ही कर्म एवं संकल्प प्रकट होते रहेंगे और वैसा ही उसका स्वभाव बनेगा। इसी भाँति यदि कोई मनुष्य अच्छी इच्छाएँ मन में धारण करता है, मुख से अच्छी बातें करता है, शरीर के साथ अच्छे कर्म करता है तो उसके संस्कार भी अच्छे ही होंगे, जो उसे खींच कर पुण्य की ओर ले जाएँगे। यदि वह भूलकर भी पाप करना चाहेगा तो उसके मन के भीतर एक प्रकार के दुःख की उत्पत्ति होगी, जिस कारण उसे पाप करने का साहस नहीं होगा। जब शुभ इच्छा धारण कर अच्छे कर्म करते-करते वह एक धार्मिक अवस्था पा लेगा, तब उसके मन से पाप करने का भय ही समाप्त हो जाएगा। ऐसी स्थिति

में वह भूलकर भी पाप कर्म की ओर प्रवृत्त नहीं होगा। उसके हृदय में ऐसे शुभ संस्कारों का उदय होगा जो उसके जीवन को धर्म के साँचे में ढालकर ध्रुव की भाँति अटल बना देगा।

जिस भाँति कछुआ जब अपने हाथ-पाँव तथा सिर को अपने भीतर सिकोड़ लेता है और अपनी पीठ पर भयंकर से भयंकर प्रहार होने पर भी अपना सिर बाहर नहीं निकालता, उसी प्रकार जिस मनुष्य का जीवन पवित्र बन चुका है और जिसने अपने मन को अपने वश में कर लिया है, वह कभी भी सीमा का उल्लंघन नहीं करेगा। उसके सभी आंतरिक विचारों पर उसका अधिकार होगा। किसी प्रकार का प्रलोभन उसे उसके कर्म से च्युत नहीं कर सकता। उसके संस्कार शुभ संकल्पों की इच्छा तथा शुभ कर्मों के निरंतर अभ्यास द्वारा पवित्र हो जाते हैं। इस प्रकार जब मनुष्य के व्यवहार में पावनता आ जाती है, तब किसी अनुचित मनोरथ और अनिष्ट का भय नहीं रहता। ऐसे महात्मा पुष्प की सुगंधि की भाँति होते हैं, जो अपना प्रभाव दुष्ट प्रवृत्ति वालों पर तो छोड़ते हैं, पर स्वयं उनसे कदापि प्रभावित नहीं होते, जैसा इस नीति के दोहे में कहा गया है—'सति पुरखन दे संग ते दुरजन सुजन हो जात/पर दुरजन दे संग ते सजन न नीत धरात/मिट्टी है जिऊँ धार दी फुल्लण दी खुशबोए। पर मिट्टी दी मुशक नूँ फुँल्लन धारे कोए।' ऐसे ही पुरुष धर्मात्मा, परम जिज्ञासु एवं मुमुक्षु बन सकते हैं।

स्मरण रखना होगा कि प्रत्येक योग का लक्ष्य मुक्ति है। कर्म करने से भी मनुष्य वही पदवी प्राप्त कर सकता है, जिसे भगवान् बुद्ध ने ध्यान द्वारा और ईसा ने प्रार्थना द्वारा प्राप्त किया था। पूर्ण स्वतंत्रता का नाम मुक्ति है। अतः स्वतंत्रता शुभ तथा अशुभ दोनों से असंपृक्त है। पुण्य और पाप के बंधनों से दूर। सुवर्ण की शृंखला वैसी ही निकृष्ट है, जैसी कि लोहे की। मान लें कि मेरे हाथ में काँटा चुभ गया है तथा उस काँटे को निकालने के लिए मैं दूसरे काँटे को उठा लेता हूँ, परंतु काँटा निकल जाने के बाद मैं दोनों फेंक देता हूँ। दूसरे काँटे को अपने पास रखने का कोई औचित्य नहीं है। क्योंकि काँटा आखिर काँटा ही है। इसी प्रकार अच्छे संस्कारों के साथ बुरे संस्कार तथा पुण्य की प्रवृत्ति के साथ पाप की प्रवृत्ति को दबाया अथवा मिटाया जा सकता है। जब बुरे संस्कार मिट अथवा दब गए तो अच्छे संस्कारों को भी दबा लेना चाहिए। यही एक उपाय है, जिसके द्वारा कर्म करते हुए भी हम उसके प्रभाव से निर्लिप्त रह सकते हैं। कर्म अवश्य करो, लहरों को आने और जाने दो, पर इतना ध्यान रहे कि वे कर्म आपके मन में स्थायी घर न बना लें। मस्तिष्क और मन द्वारा भले ही बड़े-बड़े विचार एवं आविष्कार होते रहें, परंतु सावधान रहें कि आत्मा पर उनका प्रभाव न पड़े। यह भला कैसे संभव है? हम प्रत्यक्ष देखते हैं कि जिस कर्म के साथ हमारा प्रगाढ़ संबंध होता है, उसका हमारे मन पर प्रभाव विद्यमान रहता है।

दिन के समय हम सैकड़ों मनुष्यों को देखते हैं। अतः ऐसे लोगों से भी मिलने का संयोग होता है, जिन्हें हम बहुत प्यार करते हैं।

रात के एकांत में जब हम उन चेहरों की ओर ध्यान लगाते हैं तो हमें केवल वही चेहरे दिखते हैं अथवा हम उन्हीं का स्मरण करते हैं जो हमें बहुत प्रिय हैं। हो सकता है कि ये चेहरे क्षण भर के लिए ही हमारी दृष्टि के समक्ष आए हों। पर स्नेह अथवा प्रेम संबंध के कारण मन के ऊपर उनका ही प्रभाव शेष रहेगा। भले ही मन के ऊपर सभी चेहरों की प्रतिच्छाया एक समान ही पड़ती है, लेकिन उसी की छवि स्पष्ट उभरती है जिसके साथ मन का कुछ लगाव होता है। आपने अपने किसी प्रिय मित्र को चाहे आँख के झपकने तक ही देखा हो, आप उसे भुला नहीं पाते। पर जिनके साथ आप अधिक संबंधित नहीं, उन्हें आप बहुत समय तक देखते रहें, कुछ समय बाद भूल जाएँगे। इस प्रकार उनका देखना न देखने जैसा हो जाता है। कर्मों की भी यही अवस्था है। यदि आप फल की इच्छा रखते हुए कर्म करते हैं तो स्वयं को उनके बंधनों से मुक्त नहीं करा पाएँगे। हाँ, कर्म समझ कर निष्काम भाव से आप भले दिन-रात कर्म करते रहें—आप पर उनका कुछ भी प्रभाव नहीं पड़ेगा।

इसलिए यदि आप स्वतंत्रता चाहते हैं तो निर्लिप्त बने रहें। मस्तिष्क को प्रतिस्पर्धा के लिए कार्य में जुटे रहने दो। मन को रचना का चित्र बने रहने दो, अतः शरीर को निरंतर कार्यरत रहने दो। परंतु इस बात का विशेष ध्यान रहे कि संसार की एक भी लहर मन को चंचल तथा अवश न कर सके। अतिथि अथवा अजनबी की अवस्था में कर्म करो। इस संदर्भ में किसी ने कहा भी है, 'रहै अतीत जाणै सब तिसका, मन तन अरपै है इह जिसका।' इस प्रकार दिन-रात कर्म में लीन रहो, परंतु संसार के किसी पदार्थ के साथ स्वयं को बाँधो मत, क्योंकि बंधन अथवा अधीनता आत्मा को विश्व में सबसे अधिक घृणा के योग्य बना देते हैं।

यह विश्व हमारे रहने का स्थान नहीं है, पर हमारे विश्राम के लिए एक मुसाफिर खाना जरूर है। सुनो, सांख्य क्या कहता है—"प्रकृति आत्मा के लिए है, आत्मा प्रकृति के लिए नहीं।" सांख्य शास्त्र की शिक्षा का एकमात्र यही तात्पर्य है। प्रकृति का अस्तित्व केवल आत्मा को शिक्षित करने के लिए है। इसके अतिरिक्त उसका कोई और संबंध नहीं है। प्रकृति इसीलिए है कि आत्मा ज्ञान प्राप्त करके मुक्त हो जाए। यदि आप इस रहस्य को सदैव याद रखेंगे तब प्रकृति हमारे लिए कभी भी बंधन का कारण नहीं बनेगी। हम बराबर यही समझते रहेंगे कि प्रकृति हमारे पढ़ने के लिए एक पुस्तक है, जिसे हमें पढ़ना है। जब हमें विद्या की प्राप्ति हो जाती है, तदोपरांत पुस्तक से हमारा कोई मतलब नहीं रहता। दिग्भ्रम होकर हम स्वयं को प्रकृति समझ लेते हैं। हम सोचने लगते हैं कि आत्मा प्रकृति के लिए है। अतः यह हाड़-मांस का शरीर है। हम दिन-रात इसी भ्रम में भटकते रहते हैं कि जीवन खाने के लिए है

न कि खाना जीने के लिए। अर्थात् स्वयं को शरीर तथा प्रकृति मानते हैं। यही कारण है कि हम इसके बंधन से मुक्त नहीं हो सकते। इससे मुक्ति कैसे प्राप्त करें, जबकि हम इसके दास अथवा सेवक बनकर कार्य कर रहे हों?

वेदांत की शिक्षा हमें यह सिखाती है कि आप स्वामी और स्वतंत्र होकर स्वामित्व एवं स्वतंत्रता की दशा में काम करें। हमें प्रकृति का सेवक तथा उपासक नहीं बनना चाहिए, क्योंकि जो लोग अधीन होकर कार्य करते हैं, उनके कार्य में स्वार्थ का अंश अधिक होता है। काम स्वतंत्रता तथा प्रेमपूर्वक होना चाहिए, पर जब तक स्वतंत्रता न हो तब तक प्रेम होना असंभव है। कुछ समय के लिए कार्यरत सेवक में सच्चा प्रेम हो नहीं सकता। किसी बंधन में बाँधकर आप उससे जितना चाहे काम ले लें, पर उसका कार्य प्रेम रहित होगा। इसी प्रकार यदि हम पदार्थों के दास बनकर तथा मन एवं इंद्रियों के अधीन होकर कार्य करते हैं, हमारे हृदय में सच्चा प्रेम और विश्वास उत्पन्न नहीं होगा। इसी प्रकार जो कार्य अपने संबंधों अथवा मित्रों के लिए किया जाता है, उसमें भी स्वार्थ ही निहित है। अतः जहाँ स्वार्थ है, वहीं दुःख है। सच्चा प्रेम केवल निष्काम कर्म में ही विद्यमान है। जहाँ सच्चा प्रेम है, वहीं सच्चा सुख तथा शांति होती है। वास्तविक जीवन, वास्तविक ज्ञान तथा वास्तविक प्रेम का पारस्परिक नाता है। सत्य तो यह है कि ये तीनों एक ही हैं। जहाँ एक होगा वहाँ दूसरे भी विद्यमान रहेंगे। वस्तुतः ये एक ही वस्तु के तीन अंग हैं। इन्हीं को सत्-चित् और आनंद कहा जाता है। 'सत्' हमारा जीवन है, चित् उसमें निहित ज्ञान है तथा आनंद ही प्रेम है जिसे हमारा हृदय पहचानता है। जहाँ ईर्ष्या अथवा दुःख है, वहाँ सच्चा प्रेम कभी नहीं रह सकता। मान लो, एक पुरुष एक स्त्री पर मोहित होने के कारण चाहता है कि वह स्त्री उसके अतिरिक्त अन्य की ओर न देखे। ईर्ष्या की अग्नि में वह झुलसता रहता है। वह उस स्त्री को पूर्ण रूप से अपने वश में रखना चाहता है। वह स्वयं तो उस स्त्री का सेवक है, उसे भी अपनी दासी बनाना चाहता है। यह भावना प्रेम का प्रतीक न होकर उस सेवक की निम्न या स्वार्थमयी वासना का फल है। इसके द्वारा प्रेम की अवज्ञा होती है। यदि वह स्त्री उसकी इच्छानुसार नहीं चलती तो उसे दुःख होता है। प्रेम में दुःख कहाँ? प्रेम में तो आनंद ही आनंद है। जिसके प्रेम में आनंद की अनुभूति नहीं होती, उससे भूलकर भी प्रेम न करो। विश्व में प्रेम के प्रति अनेक भ्रांतियाँ फैली हुई हैं। जब आपको अपनी स्त्री, अपने पति, अपने अपने पुत्र, मित्र आदि से प्रेम करने में दुःख अथवा ईर्ष्या न हो और न ही आपके मन में स्वार्थ का भाव जागृत हो, तब आप समझ लें कि आपका प्रेम सच्चा है। तब आप निःसंग एवं स्वतंत्र बन सकते हैं।

भगवान् कृष्ण कहते हैं : 'हे अर्जुन! यदि मैं कुछ समय के लिए भी कर्म करना छोड़ दूँ तो यह जगत ध्वस्त हो जाए। भले ही मेरे करने के लिए कुछ भी नहीं और न ही मुझे कुछ प्राप्त होना है, क्योंकि मैं 'आप्त काम हूँ।' न ही कर्म

में और न ही उसके फल में मेरी वासना है। पर मैं कर्म इसलिए करता हूँ क्योंकि मुझे जगत से प्रेम है। इसी प्रेम से सच्चे त्याग की उत्पत्ति होती है।' जहाँ सांसारिक संबंध होता है, जहाँ मनुष्य सांसारिक भोगों में लिप्त रहते हैं, वहाँ केवल शारीरिक संबंध ही विद्यमान रहता है। शरीर के परमाणुओं में आकर्षण के उत्पन्न होते ही दो पृथक शरीरों का एक-दूसरे से मिलाप होता है। यदि उनसे मिलन नहीं होता तो उन्हें दुःख का अनुभव होता है। पर जहाँ सच्चा प्रेम होता है वहाँ सांसारिक संबंधों का लेशमात्र प्रभाव नहीं पड़ता। सच्चे प्रेम के उपासक चाहे सहस्रों योजन दूर रहते हों, परंतु उनके प्रेम की दशा एक समान होगी। ऐसे प्रेम की कभी मृत्यु नहीं होती, शरीर भले ही मृत हो जाएँ। उसमें कभी भी दुःख का भय नहीं रहता है।

इस निष्काम पद को प्राप्त करने के लिए जन्म लग जाते हैं, पर जैसे ही उसकी उपलब्धि हो गई, समझ लीजिए मानव-जीवन सार्थक हो गया। प्रेम का अनंत वैभव हमारे हाथ आ गया और हम स्वतंत्र हो गए। तब प्रकृति का बंधन टूट जाता है। जब हम प्रकृति को उसके वास्तविक रूप-रंग में देखने लग जाएँगे तब वह हमें बाँधने के लिए नई श्रृंखलाओं का निर्माण नहीं करेगी। परतंत्रता में ही स्वार्थ बुद्धि का निवास होता है। जहाँ स्वार्थ बुद्धि है, वहीं फल की इच्छा होगी। जो मनुष्य स्वतंत्र होकर प्रेमपूर्वक कार्य करता है, उसे कभी भी फल की इच्छा नहीं होती। यदि उसका स्वार्थ किसी में नहीं तो कर्मफल से वह कभी भी दुःखित नहीं होता।

क्या आप अपने पुत्रों से भी प्रेम का प्रतिदान चाहते हैं? कभी नहीं, क्योंकि उनके लिए व्यवसाय करना आपका धर्म है। इसी भाँति यदि आपको किसी विशेष व्यक्ति, विशेष नगर अथवा विशेष देश के लिए कार्य करने की आवश्यकता आन पड़े, उसे आप दृढ़ता तथा प्रेमपूर्वक करें। पर इसके साथ ही आपका व्यवहार बिलकुल वैसा होना चाहिए जैसा कि आप अपने बच्चों के साथ करते हैं। प्रतिदान, सेवा का मूल्य अथवा फल की प्राप्ति की कभी भी इच्छा न करो। यदि आप परमार्थ के लिए लोगों को दान दें अथवा निष्काम भाव से संसार का उपकार करते हों तो निश्चय ही आपका कर्म कभी भी बंधन का कारण नहीं बनेगा। जहाँ फल की इच्छा होती है, बंधन केवल वहीं होता है।

सेवक की भाँति कार्य करने से स्वार्थ बुद्धि कभी नष्ट नहीं हो सकती, अपितु यही बंधन का कारण है। यदि आप स्वामी की भाँति करें तो उस कार्य में सच्चे प्रेम और आनंद की अनुभूति होगी। हम अधिकांशतः न्याय तथा अधिकार के लिए व्यर्थ वाद-विवाद करते रहते हैं। पर हम देखते हैं कि संसार में न्याय एवं अधिकार की बातें बच्चों की बकवास से अधिक मूल्य नहीं रखतीं। केवल दो वस्तुएँ ही मनुष्य के चरित्र की रचना अथवा रक्षा करती हैं—एक दया, दूसरी शक्ति। परंतु शक्ति के घमंड में रहना और सदैव उसका अभ्यास करना निपट स्वार्थपरता है। प्रत्येक मनुष्य एवं स्त्री अपने अधिकार एवं शक्ति से लाभ उठाने की चिंता में मग्न रहता है।

दया स्वर्ग का द्वार है। जो धर्मात्मा बनना चाहता है, वह दया करना सीखे। न्याय, अधिकार एवं शक्ति इन सभी का सच्चा संयोग दया के ऊपर ही स्थित है। कर्मों का फल चाहने से आत्मिक उन्नति के मार्ग में बाधा उत्पन्न होती है, जिससे आत्मा को दुःख होता है। यह भी बात है कि फल के साथ कुछ भी संबंध नहीं रखने से केवल कर्म के साथ संबंध नहीं हो सकता।

एक दूसरा उपाय है, जिसके द्वारा दया का निस्वार्थ उदारतामयी रूप उजागर हो सकता है। वह उपाय है कर्म को 'उपासना' समझकर करना। यदि आपको किसी प्रभु पर भरोसा है तो यह कर्म उसकी उपासना है। इसलिए कर्म करते हुए उसका फल परमात्मा को अर्पित कर दो। यदि आप ईश्वर के उपासक हैं तो आपको यह अधिकार नहीं है कि आप उससे उन कर्मों के फल की इच्छा रखें, जो आप संसार के लिए कर रहे हैं। ईश्वर स्वयं बिना किसी नाते एवं बिना किसी स्वार्थ के कर्म करता है। आप भी बिल्कुल वैसा ही करें। जिस भाँति कमल के पात को जल भगो नहीं सकता, उसी प्रकार निष्काम कर्म करने वाले के लिए कर्म बंधन का कारण नहीं हो सकता। निःस्वार्थी पुरुष चाहे बड़े से बड़े नगर में रहे, वह पापियों से घिरा रहने पर भी कभी भी पाप कर्म में लिप्त नहीं होगा।

निम्नलिखित कथा उपरोक्त तथ्य पर प्रकाश डालती है—कुरुक्षेत्र का युद्ध समाप्त हो गया तो पांडवों ने बड़े भारी यज्ञ का आयोजन किया, जिसमें गरीबों को बहुत अधिक दान दिया गया। सभी को बहुत आश्चर्य हुआ, क्योंकि इससे पहले ऐसा दान न किसी के देखने में आया था, न ही सुनने में। जब यज्ञ समाप्त हो गया तो वहाँ एक ऐसा नेवला आया जिसका आधा शरीर सोने का था और आधा भूरे रंग का। वह वहाँ आकर यज्ञ के स्थान पर लोटने लगा। कुछ समय बाद वह यज्ञ करने वालों के नाम लेते हुए कहने लगा, "तुम सभी के सभी झूठे तथा धोखा देने वाले हो—यह यज्ञ कदापि नहीं।" यज्ञ करने वालों ने कहा, "आप क्या कहते हैं? क्या इससे पहले किसी यज्ञ में इतना दान हुआ था? देखो! गरीब, धनी एवं सुखी हो गए।" नेवले ने उत्तर दिया—'सुनो! एक छोटा-सा गाँव था। उसमें एक दरिद्र ब्राह्मण अपने परिवार सहित रहता था। उसके परिवार में चार सदस्य थे—एक वह आप, दूसरी उसकी स्त्री, तीसरा उसका पुत्र और चौथी उसकी बहू! इनका भरण-पोषण भिक्षा के ऊपर होता था। परमात्मा के प्रकोप द्वारा देश में तीन वर्षों का अकाल पड़ गया। वह ब्राह्मण बहुत ही गरीब था, इसलिए उसके दुःख की कोई सीमा न थी। एक बार अन्न का प्रबंध न होने के कारण चारों प्राणी पाँच दिनों तक भूखे रहे। छठे दिन किसी ने उन्हें थोड़े से जौ दिए जिससे उन्होंने सत्तू बनाया। ब्राह्मण ने तदनुसार उसके चार भाग कर दिए। वे अभी खाने के लिए बैठे ही थे कि किसी ने दरवाजा खटखटाया। ब्राह्मण ने द्वार खोल दिया और अतिथि को भीतर आने के लिए कहा। भारत में प्रारंभ से ही यह रीति चली आई है कि गृहस्थी के सदस्य स्वयं

भूखे रहते हुए अतिथि को भोजन कराते रहे हैं। गरीब ब्राह्मण ने अतिथि का स्वागत करते हुए अपने भाग का सत्तू उसके आगे रख दिए। अतिथि भूखा था, वह एक बार में ही सब खा गया और कहने लगा, ''आपने मुझे मार दिया। मैं दस दिनों से भूखा हूँ। इस थोड़े से सत्तू ने तो मेरी भूख को और भी तेज कर दिया है।'' तब ब्राह्मण की पत्नी ने पति से कहा, ''मेरे भाग का सत्तू भी इसे दे दीजिए।'' पति ने मना किया। परंतु स्त्री हठपूर्वक कहने लगी, ''देखिए, यह गरीब प्राणी हमारा अतिथि है और भूखा है। यह हमारा धर्म है कि हम इसे भोजन कराएँ, क्योंकि मैं आपकी अर्धांगिनी हूँ इसलिए मुझे अधिकार है कि मैं आपके आतिथ्य सत्कार में भाग लूँ।'' ऐसा कहते हुए उसने भी अपना भाग अतिथि के सामने रख दिया। उसे खाने के पश्चात् भी उसने कहा कि अभी भी उसकी भूख शांत नहीं हुई। तब ब्राह्मण के पुत्र ने कहा कि ''मेरा भी भाग इसे दे दीजिए क्योंकि मैं पिता की संपत्ति का भागी हूँ। इसलिए अपना कर्त्तव्य पालन करने के लिए उनकी सहायता करना मेरा धर्म है।'' पुत्र के भाग को ग्रहण करने पर भी अतिथि का पेट नहीं भरा। तब ब्राह्मण की बहू ने भी अपना भाग अतिथि के समक्ष रख दिया। अतिथि ने पेट भर कर भोजन किया और आशीर्वाद देते हुए वहाँ से चला गया। उसी रात वे सभी भूख का कष्ट सहन करते हुए बंधन-मुक्त हो गए। उस सत्तू का सफूफ धरती पर गिरा हुआ था, मैं उस पर लोटने लगा। मेरा आधा शरीर जैसा कि आप देख रहे हैं—सोने का हो गया। उस समय से मैं निरंतर संसार में इस ध्येय को लेकर घूम रहा हूँ कि शायद कहीं ऐसी घटना घटित हुई हो तो वहाँ लोट-लोट कर शरीर के शेष भाग को भी स्वर्ण बना लूँ। पर आपके इस यज्ञ में लोटते हुए भी मैं वैसा नहीं हुआ। इसीलिए मैं कहता हूँ कि आप झूठे हैं और यह यज्ञ नहीं।

शोक इस बात का है कि उदारता एवं आतिथ्य सत्कार का उदाहरण दिन-प्रतिदिन भारत से लुप्त होता जा रहा है। जब मैंने प्रथम बार अंग्रेजी पढ़नी आरंभ की तो उस लड़के के बारे में पढ़ा जो विदेश में कार्य करने के लिए गया हुआ था और विदेश से धन भेजकर अपनी माँ की सहायता करता था। उसकी पुस्तक के चार पृष्ठ रंगीन देखकर मुझे आश्चर्य हुआ। भारतवासियों की दृष्टि में इसका कुछ भी महत्त्व नहीं। पर मुझे अब जाकर उसका अर्थ समझ में आया कि उसमें उस लड़के की प्रशंसा की गई थी। इंग्लैंड में यह शिक्षा दी जाती है कि प्रत्येक मनुष्य को अपनी चिंता स्वयं करनी चाहिए। विलायत के लोग केवल अपनी ही चिंता करते हैं। उन्हें इस बात की कतई चिंता नहीं कि लड़के के माता-पिता और उसके घर के दूसरे प्राणियों की क्या अवस्था होगी? यह एक अति शोचनीय विषय है। गृहस्थ-जीवन में ऐसे उदाहरण की कोई आवश्यकता नहीं।

अब आप विचार करें कि कर्मयोग क्या है? जीवन पर्यंत दूसरों का उपकार करना तथा उसके निमित्त नाम तक मुँह पर न आने देना ही कर्मयोग है। गरीबों

को दान देने के पश्चात् उनसे धन्यवाद अथवा कृतज्ञता की आशा न करो। इसके विपरीत आप उनके कृतज्ञ बनें, क्योंकि उन्हीं के कारण आपको उदारता का अभ्यास करने का समय प्राप्त हुआ है। इसलिए गृहस्थ आश्रम का धर्म संन्यास आश्रम से कुछ कठिन है। कर्ममय जीवन त्यागी जीवन से अत्यंत कठिन है। तभी गुरुमत के अनुसार गृहस्थ धर्म ही प्रधान है।

अनुवाद : **लखबीर सिंह निर्दोष**

पूर्ण सिंह

1881-1938

प्रमुख निबंधकार। सीमा प्रांत में एबटाबाद से कुछ दूर सलहट गाँव में जन्म। रावलपिंडी में आरंभिक शिक्षा। पंजाबी, हिंदी, उर्दू तथा अंग्रेजी–चार भाषाओं में लेखन। अध्यापक के रूप में विख्यात। रामतीर्थ के भाषण से प्रभावित होकर संन्यास। प्रमुख निबंध संग्रह–'सच्ची वीरता', 'कन्यादान' और 'आचरण की सभ्यता'।

मज़हब

धर्म (मजहब) सबसे उत्तम, स्वच्छ, तीक्ष्ण तथा सजीव ध्यानमय प्रेम है। इस आंतरिक ऊँची सुरति तथा क्षेत्र को रस्मो-रिवाजों, विधानों, पाप-पुण्य के विवादों, जगत की उत्पत्ति तथा लय होने के दार्शनिक झमेलों में उलझा कर कभी कुछ कहना, कभी कुछ कहना तथा मन-गढ़ंत झूठी उलझनों में पड़ कर यह भूल जाना कि महज एक ध्यानी (चिंतनपूरक) प्रेम है, हमारे अपने निकृष्ट भावों का फल है। हर कोई किसी न किसी प्रेम में रहता है, जीता तथा श्वास लेता है। अपनी अपनी स्थिति के अनुकूल प्रत्येक मनुष्य का अंतःकरण मजहब अर्थात प्रेम की टेक बनता है, यह टेक स्वतः बनती है। यह बात कि अमुक हिंदू या ईसाई, या मुसलमान, सिक्ख, या बौद्ध, या जैन है एक कथन-मात्र की बात है, हो सकता है इसमें से बहुतों में मजहब की अनुगामिता का लेश ही न हो। सारी आयु कई नाम धारण करते-करते एक प्रकार की धूलि-धूसरित सी जहालत की 'मूर्छित-सी दशा में ही बीत जाए। मजहब तो अंतर में गूँजती प्रकाश की भाँति कोई आसक्ति है, वह छुप नहीं पाती। गुरु नानक इसी भारत देश में सारी आयु घूमते-फिरते रहे और बड़े-बड़े मंदिरों में गए, बड़ी-बड़ी मस्जिदों में फिरे, परंतु सभी ओर असमानता की मूर्छा का अवलोकन किया, मजहब इतना ऊँचा तथा हृदय में निहित कोई बहुमूल्य दिव्य भाव है जो गुरुनानक साहिब को कहीं दिखाई नहीं दिया। काशी में बड़े-बड़े पंडित थाली में दीप सजा कर एक पत्थर

की कुरूप मूर्ति के आगे आरती करते दिखे। आपको यह सब कुछ अनर्गल दिखाई दिया, आपने 'गगन मै थाल' अपनी कॉस्मिक (Cosmic) अनेक आकाशी आरती का उच्चारण किया। आपने मस्जिद में काजियों को ईमान के केंद्र से दूर भटकते हुए देखा और उनकी मानसिक गति का समाधान किया कि वे नमाज तथा इस्लाम के साथ उपहास कर रहे थे। आपने मांस का आहार न करने वाले शौचाहारी वैष्णवों को उनकी भ्रांति बतलाई कि यह मजहब नहीं हो सकता, मांस से जन्म लेकर, मांस द्वारा पल कर, मांस से निर्मित हम लोग मांस से भाग कर कहाँ जा सकते हैं? स्त्री के विषय में गुरुनानक ने कहा है कि कच्चा मांस घर लाने वाले, हम कब तक, कहाँ तक और किस प्रकार उस दार्शनिकता के पथरीले मणि-माणिक्य के निर्जीव शौचपरायणता पर टिक सकते हैं? आपके मस्तिष्क को भारत के मजहबों से अत्यंत घृणा हुई। मजहब वह नहीं जिसके साथ हम धोखा कर सकें अथवा स्वयं को धोखा दे सकें, मजहब कामिनी, 'नामे' का मजहब मुरारी की प्रीति। यदि हम पीतल हैं तो पीतल ही हों, मुलम्मे के स्वर्ण का गिल्टी काम अपने ऊपर करके, मिथ्या मिस करके अपने आपको धोखा न दें। उमर खैय्याम ने अपनी एक रुबाई में बताया है कि एक लंबी दाढ़ी वाला मौलवी, सब्ज रंग का हजरती लंबा चोला पहने, तस्बी हाथ में लिए, एक पहलवी गानेवाली को रास्ते में मिला–

मौलवी "तुम कौन हो?"

गानेवाली–"मैं तो जो हूँ, सामने हूँ। तुम जो हो, वही हो?"

निष्कपटता–मजहब जब मिल जाए, तब स्वतः प्राप्ति होती है। जैसे कोई यात्री अपनी राह चले जाता है, वैसे ही मजहब जब मिलता है हमें मार्ग में राह पर डाल कर लिए जाता है, हम आगे-आगे पग बढ़ाने पर विवश हो जाते हैं। एक बार एक नीली घंटी पुष्पों की बेल कहीं उग आई और लगी प्रार्थना करने–हाय प्रभु! मैं न उगूँ, मैं न उगूँ। वह भले ही कहती रही कि मैं न उगूँ, किंतु प्रतिदिन वह बढ़ती ही गई। मजहब भी कुछ ऐसी ही चाल है, यदि हम चाहें भी कि न चलें, चाल रुक नहीं सकती, हमारी प्रगति बंद नहीं हो सकती।

निष्ठा स्वतः आ जाती है। जब किसी एक भोली कन्या से हमारा संपर्क होता है, एकमात्र नयन-भंगिमा द्वारा हमारे आपस में अनंत प्रेम के नाते जुड़ जाते हैं। एक अवलोकन मात्र से उस प्रेम में निष्ठा स्वतः ही आ जाती है। इसी प्रकार जब कूप से जल भरती पेलेस्टाइन की युवतियाँ ईसा को निहारती हैं, उस के वचन सुनती हैं तो उन्हें स्वतः ही उस महापुरुष पर निष्ठा, विश्वास तथा आस्तिक-बुद्धि आ जाती है। कोई बुद्धि के समझौते द्वारा नहीं, आत्मा आत्मा-शरीरों में से कूद-फाँद कर जा मिलती है। इसी प्रकार के मिलाप निष्ठा हैं। इस प्रकार के गुरुमुख लोगों से मिले बिना बौद्धिकता का विनाश नहीं हो पाता, स्फुरण मिटता नहीं, शंकाएँ दूर नहीं होतीं, भ्रम जाते नहीं। रात्रि, बिना सूर्योदय के, बातों तथा चिंतन मात्र से तो लुप्त नहीं

होती और जब सूर्य उदित हो जाता है तब रात्रि रहती ही नहीं। महापुरुषों के दर्शन में एक जीवन-वेग है जो हमारे बीच निश्चेष्ट बहने लग जाता है। हमारे नयनों में अनदेखे साजनों की तथा आध्यात्मिक देशों की चकाचौंध की उड़ती-उड़ती सी परछाइयाँ घुली-मिली सी प्रतिबिंबित होती हैं, प्रतीति स्वतः आती है। जिसे बुद्धिवादी मौत समझते हैं, उसे निष्ठावान् दूसरे ही प्रकार से देखते हैं। प्रत्यक्ष जो उन्हें लिवाने के हेतु परलोक के देवता आते हैं, यह जीवन तो उन्हें, उस समय, मात्र एक यात्रा दिखाई देता है।

स्मरण अथवा भगवद्-चिंतन आध्यात्मिक-जीवन है। जब प्रिय सामने हो, तब प्रेम-दर्शन की मादकता रोम-रोम में बसती है, हाड़-हाड़ में कसक होती है। ये शरीरों से उत्थान कर आत्माओं का मिलाप है, शरीरों के भी मिलाप हैं। आत्मा के मिलन के पीछे शरीरों का स्पर्श भी प्रगाढ़ एकता का मिलाप है। यदि आत्मा का मिलाप न हो पाए तो शरीरों का मिलाप तो कोई मिलाप ही नहीं होता। मन मिलने में ही मिलाप की पूर्णता है, तन के मिलाप की देन तो सदा विरह की पीड़ा और निराशा ही है और जब प्रिय आँख से ओझल हो तो उसकी स्मृति हड्डियों में गूँजे, यह याद स्मरण-प्रेम का दूसरा रस-मय स्वरूप है।

सुधि को भीतर ही से झपाका पड़ा, कुछ हुआ, हालत वही हो गई जो प्रिय की उपस्थिति में होती थी, जो प्रत्यक्ष-मिलन के रस थे। वही प्रभाव, वही दिव्य शीतलता, वही आध्यात्मिक उजाला, शरीर तो इससे पूर्व भी कभी नहीं मिला था, अतः आज भी शरीर तो वहीं का वहीं पड़ा रहा, यह कौन आ गया कि सुधि ने झपाका खाया। वही रस हो गया, बस स्मृति में कुछ गुम हुआ नहीं कि प्रिय स्मृति में नाम हो गया और नाम कौन-सा? वही जो प्रभु रूप मनुष्य बन आया, वही जो एक बार मिला तो फिर कभी बिछुड़ा नहीं। जिसने कभी न छोड़ा, मेरी आत्मा की आत्मा, श्वास का श्वास, मेरे मिथ्या का सत्य, मेरे सत्य का महासत्य, निष्कपटता, सिदक, ध्यान, स्मरण और नाम—ये हैं सर्वोत्तम तथा तीव्र प्रेम के विकास और प्रकाश जिन्हें मजहब कहना चाहिए।

मजहब प्रेम की तरह, भावों की तरह शारीरिक शोक-हर्ष व स्वभाव की तरह, जीवन-गति की तरह, जीवनेच्छा की तरह, सभी को किसी न किसी रूप में, अंशमात्र में, दशमलव संकेत-सा प्राप्त होता है और उसी (धर्म) के सहारे जीवन-यापन होता है, बिना स्मरण, नाम, सुधि (ध्यान) के कोई प्राणी जीवित ही नहीं रह सकता, किंतु यह हर एक के हिस्से उतना ही आया हुआ है जितनी कि जीवनाग्नि उस व्यक्ति-विशेष में प्रज्वलित है। एक शेरनी, जो इतनी भयानक है कि हिरनी को मार कर उसका रक्त पीती है फिर-फिर पीछे मुड़कर अपने बच्चों की ओर देखती है, उनको दूध पिलाती है, उनको क्यों नहीं मार डालती? उतनी दया उसमें सहज-स्वाभाविक रूप में क्यों विद्यमान है? और दूसरी ओर पशुओं के देश में एक दया का अवतार आता है, वह उस शिकारी राजा के धनुष पर चढ़े बाण और मृग के बीच निज का दिव्य

प्रकाश-युक्त शरीर रखता है, ''मुझे मार डालो किंतु उसे न मारो'' कहता नहीं, लेकिन राजा का बाण गिर पड़ता है, राजा की आत्मा चरणों में नत होती है। शेरनी की दया अपने शावकों के प्रति, और बुद्धदेव की दया मृग-शावकों के प्रति, दोनों ईश्वरीय सृष्टि हैं। शेरनी की जीवात्मा मृग को मारकर खा जाने की विवशता में बंदिनी है, किंतु उस कारागृह की एक खिड़की है अपने शावकों का प्रेम, उनका ध्यान, स्मरण और चाहे वह कहीं भी क्यों न चली जाए, उसे अपने शावक भूलेंगे नहीं।

''ऊडे ऊडि आवै सै कोसा
तिसु पाछै बचरे छरिआ।।
तिन कवणु खलावै कवणु चुगावै
मण महि सिमरनु करिआ।''

ये विहंग (कूंजे) जो रूस के ठंडे साइबेरिया से उड़ान भरकर पंजाब में गीत गाते आते हैं, कदाचित ये चोगा ही चुगें, इन सुंदर उड़ान भरने वाले अतिथियों के लिए ही यह ईश्वरीय-वाणी हुई है। यह स्मरण, पशुओं, पक्षियों, मनुष्यों—सभी को प्राप्त है। यह मजहब का काम है, सुबकतगीन को जब घोड़े के पीछे आती मृगी पर दया आई तो उसने उसका शावक मुक्त कर दिया। किसी और भी ऊँचे प्रेम के स्मरण का क्षण उस पर आया, वही उसकी नमाज का क्षण था। दिन में पाँच बार! नहीं, यदि जीवन में एक बार भी ऐसी नमाज पढ़ ली जाए और मांस की कारा में बंदी लोग को शेरनी के प्यार के क्षण की तरह किसी खुल जाने वाली खिड़की से ईश्वरीय प्रेम की झाँकी यदि मिल जाए तो स्मरण का आनंद स्थायी हो जाता है। रामकृष्ण परमहंस ने किसी स्थल पर लिखा है, ''यदि हरि का नाम लेकर एक बार भी जीवन में आत्मा के रोमों के द्वार खुल जाएँ तो अहोभाग्य! जो गृहस्थ अपने परिवार का पालन कर रहा है, स्वयं को एक लघु से आकर्षण पर बलि चढ़ा रहा है, चाहे शेरनी के सहज-स्वाभाविक मारकर आहार करने की भाँति उसका जीवन कितना ही बंदी है, तब भी उसका अपने बाल-बच्चों के छोटे-छोटे से स्मरण (याद) भूल में भी चलते हैं, निरंतर है, यही उसका धर्म है और जो वह बरबस गिरजाघर अथवा मस्जिद अथवा ठाकुरद्वारे जाता है, वह एक आत्म-प्रवंचना है।''

हम आश्चर्यचकित हैं कि अली जिसने हजरत साहिब के दर्शन पहले प्राप्त किए अथवा अन्य चार मित्र-प्रेमी जिन्होंने उनके दर्शन किए, उन्हें कितना इस्लामी अद्भुत प्रेम रहा होगा! खलीफों के विनीत जीवन और उनके प्रेम-संतप्त हृदय की व्याकुल चिनगारियों से पता चलता है कि उनको इस्लाम में कितना रसानुभव हुआ होगा, उस रस में उन्होंने अपना सर्वस्व न्यौछावर कर दिया। न्यौछावर करना गलत है, उनसे उस रसानुभव में और सब कुछ छूट गया जिस प्रकार प्रगाढ़ निद्रा आने पर हमारा शरीर और हमारे प्रियजन हमसे छूट जाते हैं, जैसे सहसा मृत्यु के आगमन पर हमारी सभी प्रकार की संपत्तियाँ यहीं पर धरी रह जाती हैं। इस्लाम को प्रथम

आनंदानुभूति उसी मृत्यु की-सी प्रसन्नता हुई होगी जो ईसा के दर्शन प्राप्त करके मेरी मैराडालीन को हुई थी, जो महात्मा बुद्ध के दर्शन प्राप्त करके एशिया भर को कभी हुई थी। बस घड़ी भर के लिए नव-दर्शन, किसी धर्म के किसी-किसी को मानव-जीवन इतिहास में, प्राप्त होते हैं, और जब वे दर्शन प्राप्त हो जाएँ तब वे उच्च, शुचितापूर्ण, सत्य, सुंदर 'सच' के दर्शन होते हैं कि मानव उस दीप शिखा का पतंगा बन जाता है। मजहब एक बहुमूल्य और भीतर अवतरित ईश्वर की उपस्थिति तथा दर्शनों की लालसा, स्मरण, ध्यान, तथा सत्य-हठ का नाम है। इसमें मनुष्य का न केवल जीवन, बल्कि समस्त चराचर जगत एक प्रेमी का प्रेम-मंदिर, हरि-मंदिर हो जाता है।

"इह जगत हरि का रूप है
हरि रूप नदरी आइआ।।"

नयनों में बसता है, नयन खुलते हैं तब वही झड़ी-सी लगाए हुए अनुराग-रूप 'फैलिड अनुराग' दिखाई देता है। अपना हाड़-मांस प्रिय लगता है, सब जगत प्रिय लगता है, मधुर लगता है, कभी निराशा, उदासी, घृणा, ग्लानि, उदासीनता, नाउमीदी पास नहीं फटक सकती।

अतः सर्वाधिक प्रिय वस्तु यह मजहब (धर्म) रूपी वस्तु है—

"टूणे कामन करके नी, मैं पिआरा यार मनावाँगी।
ला-मकान दी पौड़ी उप्पर, चढ़ के ढोला गावाँगी।
सूरज आँगन अपसंद तारे, मैं ताँ इहो जोत जगावांगी।।"

आश्चर्य का रंग, नित्य नवीन विस्मयादि और तीक्ष्ण प्रेम की उन्मादावस्था भीतर छा जाती है।

मजहब महापुरुषों की देन है—'एहु पिरम पिआला खसम दा जै भावै तिसु देइ।।'

वह देन है, वह तो किसी की कृपावश हमारी झोली में आ पड़ी है। वह वस्तु खोजने से, साधन से, अपनी ओर से छलाँगें लगाने से कैसे हमें मिल सकती है? किसी चरवाहे की बकरी के खुर में मेख लगी हुई थी। बियाबानों में भ्रमण करती बकरी का खुर पारस को छू गया, मेख सोनें-सी चमकने लगी, चरवाहा अनेक पत्थरों में पारस खोजने लगा। वह शेष सारी आयु ढूँढ़ता-ढूँढ़ता पागल हो गया, पारस न मिला। तो वह कौन-सा नियम है कि उसकी भेड़ (बकरी) की मेख का भाग्य तो जागा। जो चीज भेड़ (बकरी) को स्पर्श कर गई, वह उसके स्वामी को प्राप्त नहीं हुई।

ऐसी ही देन यह मजहब है। एक आवेश है, इसे स्कूलों में पढ़ाया नहीं जा सकता। यह उपदेशकों के व्याख्यानों द्वारा नहीं सिखाया जा सकता, यह मौलवियों, मौलानों, पादरियों तथा भाइयों (धर्म-पुरोहितों) की धार्मिक-पुस्तकों के उपदेशों से नहीं

समझा जा सकता। पराजित होकर जब मनुष्य नहीं बना सकते, तो ये बेचारे औषधालय, अनाथालय, स्कूल और गिरजे खोलते हैं। ईसा ने तो अपना संदेश मात्र दृष्टि-संकेत से, वृक्ष के नीचे बैठकर दे दिया और वहाँ से राईम्ज के से सुंदर गिरजे होते हुए भी भाइयों की तोपें एक-दूसरे को समाप्त करने के लिए चलीं और उन्होंने गिरजे को भी ढेरी कर दिया। मजहब कहाँ? भाई-भाई से लड़ता है और लोग अपने तुच्छ और हीन भावों को नहीं कोसते, मजहबों (धर्मों) को कोसते हैं। मजहब तो कभी बहुवचन हो ही नहीं सकता, वह तो सदैव एक है—

"हिंदू और तुरक कोऊ राफ़ज़ी ईमाम साफी,
मानस की जात सबै एकै पहिचान बो।।
करता करीम सोई राजक रहीम ओई,
दूसरो न भेद कोई भूल भ्रम मानबो।।
एक ही की सेव सब ही को गुर देव एको,
एक ही सरूप सबै एकै जोत जानो।।
देहुरा मसीत सोई पूजा औ निमाज ओई,
मानस सबै एक पै अनेक को भ्रमाउ है।।"

मजहब जो प्रेम के इतने अगाध समुद्र हमारे अंतर में प्रविष्ट करता है, "मैं वह हूँ कि प्रेम के समुद्र बहाऊँगा, पीछे स्वयं रहूँगा।" वह मजहब जिसकी छोटी, रेशम की डोरी छोटी-छोटी, सुनहली चमकती लकीरें हमारे साधारण जीवन में प्रवाहित होती हैं और हम उनके मंद प्रकाश के सहारे जीवित हैं। यदि वह कभी हमारे अंतर में निवास करें तब हम तो मर जाते हैं, देवतागण हमारे मानसिक शरीर व सुरति (ध्यान) में आ बसते हैं। धरती और ही हो जाती है, उस मजहब का नाम लेकर लोग लड़ते हैं—ईश्वर एक, वाणी एक, मनुष्य भी एक वही, और फिर शुद्ध, मजहब कहाँ? यह उपहार इतना अमूल्य है कि इस काव्य का नाम लेना सौम्यता व सहृदयता के विरुद्ध है।

चरखे की यदि डोरी (माल्ह) ही टूट जाए तो वह चले कैसे? मजहब प्रेम के बिना संसार में कब आ सकता है, छोड़कर देखिए क्या हाल होता है। व्यर्थ में मजहब का नाम ले-लेकर सिंहनी की तरह चढ़-चढ़ कर अपने शावक फिर आप ही पालने को 'मनुष्य का मजहब' क्या कहा जाए? मनुष्य का मजहब तो पशु को स्पर्श करके देवता बनाता है, अभी हम मनुष्य-जन्म तक ही नहीं पहुँचे, हमारा मजहब क्या है और हम चले हैं ऐसे ऊँचे विषय पर तर्क करने?

यह ठीक है कि जानवरों के शरीर से तो हम ऊपर उठ आए हैं पर अभी हम मनुष्याकृति में शेर, कुत्ते, बाघ, लोमड़ी आदि ही हैं। इसकी कहानियाँ हमारी प्रकृति की कहानियाँ हैं, हमारे मजहब कहाँ? किंतु यह अवश्य है कि कभी-कभी हममें से कोई मजहब अथवा नाम के दर्शन प्राप्त करता है और वह पुनः कभी नहीं

भूलता। वह हममें से साधु, मनुष्य, ईश्वर, परोपकारी हो जाता है, उसकी दृष्टि कृपामयी होती है।

एमर्सन ने ठीक ही कहा है कि तू जानेगा, कि तू बहुत चलकर आया है, आध्यात्मिक मंजिल पार कर आया है, शताब्दियों से तू चलता रहा है परंतु शताब्दियों पीछे एक दिन सहसा तुझे पता लगेगा कि तू वहीं खड़ा है जहाँ से चला था। आध्यात्मिक अथवा धार्मिक प्रगति तो किसी की कृपा-दृष्टि से होगी, 'नानक नदरी नररि निहाल'। मजहब जीते होने के रसात्मक प्रकाश का सदैव चलता हुआ चक्कर है। देवी-देवताओं की छाया, मनुष्य की छाया, हर किसी के निजी व्यक्तित्व की अमृत-छाया है, इसके बिना कोई रह नहीं सकता, जी नहीं सकता मजहब को तब तक ही भ्रमवश एक साधन बतलाया जाता है जब तक कोई पूर्ण अनुभव नहीं कर लेता, किंतु जो पूर्ण-पुरुष है, उसका धर्म वह तो नहीं जो चोर-जार को सुधारने के लिए बखाना जाता है। विशुद्ध धर्म तो कोई भीतरी सूर्य के निजी प्रकाश की तरह है, जिससे सूर्य को पृथक कभी नहीं किया जा सकता। मनुष्य का धर्म वास्तव में वह नहीं जो करता है अथवा जो उससे करवाया जाता है। वास्तविक धर्म तो उसका वह है जिसके बिना वह जीवित ही नहीं रह सकता, स्वतः उसका ही एक रूप हुए बिना वह रह नहीं सकता। यह अस्तित्व का कोई गुह्य राज है, भेद है। यह कोई भीतर का मर्म है जिसकी सुगंधि सब नेकियों, शील तथा प्रेम में है तथा सर्व-मैत्री अथवा अन्य सुंदर भावों में है, मधुर मधु सब वस्तुओं से परे हूँ, परंतु अपनी दोनों भुजाओं द्वारा यह कह कर कि यह 'मैं' हूँ, भींच-भींच कर स्वयं का आलिंगन करता हूँ, वैसे ही मजहब मेरे अस्तित्व का कोई मार्मिक भेद है जो समझ में नहीं आता परंतु जिसे मैं अपने अधरों के दबाव तले अनुभव करके अपने वचनों को सुधि से जोड़ सकता हूँ, देख नहीं सकता परंतु अपने नयनों की पलकों तले उस ऊर्ध्वकमल का स्पर्श कर सकता हूँ और कपाट खुल जाते हैं, बल क्षीण होता है, अतः उस प्रीतम के दर्शन बिना देखे ही स्पर्शाभास हो जाता है। स्पर्श हो नहीं पाता किंतु रोम रोम में किसी अनदेखे के आलिंगन द्वारा मेरा मन और तन अमृत से भर जाता है–

गुरमुखि रंगचलूलिआ मेरा मनु तनु भिन्ना।
जनु नानकु-मुसकि झकोलिआ सभजनमु धन धन्ना।।

गुरुमुखों ने रंग डाला मेरा मन-तन भीग गया, 'नानक' कहते हैं सुगंधि की झकझोर का माता सब जन्म धन्य-धन्यकृत हो गया।

मजहब नियम, सदाचार, यह करो, यह न करो की लौकिक दुकानदारी की नियत सूचियों से परे, एक किसी अदृश्य की टेक में जुड़ी सुरति का प्रकाश है। एक किसी प्रेम-केंद्र में जीवन, स्थायित्व, अस्तित्व, रहने-सहने की सहज स्वाभाविक कीर्ति है। इसमें कोई दिखावा, बनावट, कोई यत्न, हठक्रिया, तथा कष्टों-तपों की सिखावट का कोई फल नहीं। प्रकृति की अनगिनत शक्तियों तथा जीवन को विकास

देने वाली शक्तियों के समूह के 'जोर' से भरी, भले ही मेरी सहज स्वाभाविकता हो, परंतु मेरा मजहब वही सहज स्वाभाविक सौंदर्य है जिसमें देवदार जब खड़ा पवन झकोलों से लगभग हिमानी पर्वतों पर झूम रहा है। हम तो उस नैसर्गिक, सादा, बिना बल-प्रयोग के ऊपर आई अवस्था उन्माद को मजहब बनाकर देख रहे हैं। हाय! मैं इस हर्षोद्रेक में किस प्रकार झूमूँ और पनसारी से नुस्खे बनवाकर खाने शुरू करूँ कि जिससे वह देवदार-सा उन्माद प्राप्त हो, अतः देख लें कि प्रकृति के गंभीर तथा अनंत विस्तार में इन नुस्खों का कितना दीन-हीन-सा परिणाम है?

('खुल्हे लेख' से

तेजा सिंह

1883-1958

पंजाबी तथा सिख परंपरा को सूत्रबद्ध करने वाले एक प्रमुख चिंतक और निबंधकार। जन्म रावलपिंडी के अडिआला गाँव में। खालसा कॉलेज में प्राध्यापन। गुरुद्वारा सुधार लहर के दौरान जेल भी काटी। विभिन्न कॉलेजों के प्रिंसिपल रहे। निबंध संग्रह—'नवीयां सोचां', 'सहिज सुभा', 'समियाचार', 'घर दा प्यार अते स्मृतियां'। आलोचना ग्रंथ—'साहित दर्शन', 'चोनवीं पंजाबी', 'कविता अते पंजाबी भौरे'। शब्दकोष का निर्माण। कुछ पुस्तकें अंग्रेजी में भी। सरल और टकसाली बोली में लिखते थे।

भद्रता

भद्र उसे कहते हैं जो सुंदर व्यवहार करे। अंग्रेजी के शब्द 'जेंटलमैन' की भाँति 'भद्र' के अर्थ में भी परिवर्तन होता रहा है। प्रारंभ में यह शब्द सामाजिक अथवा खानदानी प्रशंसा का प्रतीक था। 'भद्र' अथवा 'राठ' वे लोग होते थे जो राजा के साथी हों, जो साधारण लोगों की भाँति मेहनत-मजदूरी करते हुए जीवन यापन की आवश्यकताओं से ऊपर हों। 'नाइयों की जँज सब्बे साऊ' की लोकोक्ति में इसी विभाजन की ओर संकेत है। भद्र लोग 'भुई नई दे साई' (भूमि संपत्ति के स्वामी) होते थे। अच्छा खाते और सुंदर पहनते थे। उनकी देह मक्खनों से पोषित सुंदर सुडौल तथा नैन-नक्श तीखे होते थे। 'जेडा सिर तेडी सिरपीड़ा' की लोकोक्ति से ध्वनित होता है कि भद्र पुरुषों के सिर बड़े होते थे और उतनी ही बड़ी पगड़ियाँ उनके माथे पर होती थीं। उनका परिधान आकर्षक तथा दूसरों के लिए अनुकरणीय होता था। उनकी वाणी विशेष रूप से मधुर, कोमल तथा सभ्य होती थी। उन्हें अवसरानुसार बात कहने का ढंग आता था। उनकी चाल-ढाल अहं रहित और गंभीर होती थी। निडर होने के बावजूद वे संकोची, निम्न प्रदर्शन से दूर, उदारचित्त वाले एवं मैत्री पूर्ण व्यवहार वाले होते थे। आन पर मर मिटना, बाँह पकड़कर लाज निभाना, वचन पर दृढ़ रहना,

विपत्ति के समय धैर्यहीन न होकर हँसते-हँसते उत्कट साहस से कठिनाइयों का सामना करना उनके विशिष्ट गुण होते थे। इसके विपरीत 'दुष्टता' अभद्र अथवा निम्न लोगों का विशेष अवगुण थी, जिसमें नीचता, कायरता, ओछापन, संकीर्णता, निर्लज्जता दादागीरी, अश्लीलता, कर्ण कटु बोली तथा हर प्रकार की कलुषता सम्मिलित थी।

ज्यों-ज्यों समाज की संरचना में परिवर्तन आता गया तथा विशिष्ट अकर्मण्य वर्गों के स्थान पर सर्वसाधारण की प्रतिष्ठा बढ़ती गई, ऊँच-नीच का भाव जातीय अथवा खानदानी भेद-भाव पर निर्भर होने की बजाए व्यक्तिगत आचरण पर निर्भर रहने लगा, त्यों-त्यों भद्रता भी व्यक्तिगत गुण के रूप में प्रयुक्त होने लगी। अब इस गुण को केवल उच्च जातियों में ही नहीं देखा जाता, बल्कि साधारण लोगों में भी यह उपलब्ध है। इसी का नाम सौम्यता, शराफत या भलमनसाहत है।

इस गुण की आजकल विशेष आवश्यकता है। भले ही लोगों में जातीय भेद-भाव कम हो रहे हैं, परंतु मानसिक और सामाजिक उन्नति-अवनति के कारण अनेक प्रकार के प्रदर्शन बढ़ रहे हैं। शिक्षितों की अशिक्षितों के साथ, अमीरों की गरीबों के साथ तथा धर्म के ठेकेदारों की विचारोत्तेजना और मनमर्जी के कारण जनसाधारण के साथ उनका पारस्परिक मन-मुटाव बना रहता है। इस टकराव में हर समय यह भय बना रहता है कि कहीं एक पक्ष का दूसरे पक्ष के साथ बर्ताव सभ्यता की सीमा पार न कर जाए।

अब तो जीवन की भाग-दौड़ जीवन-यापन की अफरा-तफरी इतनी बढ़ गई है कि इस खेल में भद्रता के नियमों का पालन करना कठिन हो गया है। प्रत्येक व्यक्ति अपने स्वार्थ की पूर्ति में संलग्न है तथा औरों को पीछे छोड़कर शीघ्र ही सफलता का स्वाद चखना चाहता है। इस उतावलेपन में कई बार सभ्यता का दामन हाथ से छूट जाता है।

आजकल लोगों द्वारा स्वाभिमान का अर्थ गलत धारणा के रूप में लिया जाने लगा है और वह है अपनी जगह को बनाए रखने का अहं। पहले लोग अपनी प्रतिष्ठा के प्रति बहुत सजग थे, परंतु उसका स्थान अब पदवी ने ले लिया है। गाड़ी के डिब्बे में समीप बैठा हुआ यात्री भले ही प्यास एवं ज्वर से तड़प रहा हो परंतु बाबूसाहब तो उससे बात तक नहीं करेंगे, क्योंकि उसके साथ उनका परिचय जो नहीं कराया गया। माटी में लिपटे हुए घायल को कांधे पर उठाकर अस्पताल पहुँचाने के लिए मैले-कुचैले कपड़ों वाला मजदूर भले आगे बढ़ आए, परंतु यह कार्य सूट-बूट पहने हुए 'जेंटलमैन' से होना संभव नहीं, क्योंकि ऐसा करते समय उसकी पतलून की करीज टेढ़ी हो जाती है अथवा कोट का स्वरूप बिगड़ जाता है! लोग तो मुँह मोड़ कर माथे पर बल डाले रखने में ही अपनी बड़ाई समझते हैं। किसी के साथ खुलकर बातचीत करना और हँसना तो दूर की बात। आजकल अफसरी की पदवी एक ऊँचे पहाड़ के शिखर जैसी हो गई है जिस पर केवल शीतल कोहरे वाले एकाकी लोग

विराजमान रहते हैं। ऐसे दुर्भाग्यशाली अफसर को अपने साथ अथवा अपने अधीन काम करने वालों के साथ किसी भाईचारे का निर्वाह नहीं करना होगा, यदि ऐसा विचार उसके मन में आ भी जाए तो वह अपने स्तर की प्रतिष्ठा को दृष्टि से ओझलकर, किसी को साथी समझकर उसका आलिंगन करने अथवा अपने होंठों से हँसी निकालने की जहमत भी नहीं कर सकता।

यह एक निपट थोथा दंभ है, स्वाभिमान नहीं। वास्तव में स्वाभिमान बाहरी दिखावे की वस्तु नहीं होता। फिर भी लोकाचार की पराधीनता से मुक्ति, सच्चाई से अटल प्रेम, आचरण की स्वच्छता तथा दृढ़ता में इसकी प्रत्यक्ष अनुभूति की जा सकती है। इसी स्वाभिमान के कारण गरीब व्यक्ति अपनी कच्ची छत को लीप-पोत कर रखता है, लोगों के समक्ष स्वच्छ कपड़े पहनकर आता है और अजनबी के समक्ष अपने दुखड़े व्यक्त करने से परहेज करता है। इस तरह के स्वाभिमान से भरा व्यक्ति हीन भावना, चापलूसी तथा अश्लील व्यंग्य-बाणों से कोसों दूर भागता है। वह अपने क्रोध को वश में रखते हुए लोगों के समक्ष झगड़ने तथा खीझने से झिझकता है। परंतु यदि किसी के साथ कठोर न्याय का प्रयोग करना पड़े तो वह अपने निर्णय को अहं रहित करते हुए सुंदर-कोमल तथा करुणामयी वाणी का प्रयोग करता है।

इस युग ने भद्रता के मार्ग में एक और कठिनाई स्वयं ही उत्पन्न कर दी है—वह है मनुष्य की पारस्परिक समानता की चिंता। इस नई चिंता ने जहाँ रूढ़िवादी पराधीनता से मुक्त होने में सहायता की है, वहाँ अनेक प्रकार की ढिठाई और अशिष्टता को भी बढ़ाया है, जहाँ कि भद्रता विद्यमान नहीं रह सकती। उदाहरणतया अधिकांश लोगों का विचार है कि पूर्ण समानता तभी संभव है यदि आयु, बुद्धि तथा स्तर की बड़ाई का विचार त्यागकर सबसे एक जैसा व्यवहार किया जाए। हो सकता है कि हमारे माता-पिता हमसे कम शिक्षित हों, परंतु इस कारण उनके विवेक और अनुभव को निम्न समझना उनका अपमान करना है। शालीनता इसी में है कि उनके स्तर पर सम्मान करते हुए हम उनकी दलीलों को धैर्य के साथ सुनें। यदि उनकी बातें हमें अनुचित भी लगें तो प्रेम से हँसकर उन्हें टाल देना चाहिए। परंतु ऐसा करने के बाद अपनी विजय का डंका नहीं पीटना चाहिए। अध्यापकों तथा विद्यार्थियों का संबंध भी प्रेम और सम्मान का संबंध है। समानता के विचार के कारण कई बार विद्यार्थियों को यह भ्रम हो जाता है कि कॉलेज भी कारखानों के सदृश्य होते हैं, जिनमें लड़के मजदूरों की भाँति कार्य करते हैं; अथवा ऐसा करना चाहिए। लड़के फीस के रूप में परिश्रमिक देते हैं तथा प्रोफेसर धन लेकर अध्यापन करते हैं। जब कभी भी प्रोफेसरों अथवा प्रबंधकों के साथ विद्यार्थियों का टकराव हुआ, हड़ताल द्वारा उन पर दबाव डाल कर उन्होंने अपनी शर्तें मनवा लीं। अनेक बार विद्यार्थी कॉलेज को क्लब अथवा सभा मानते हुए अपनी धारणाओं को बहु-सम्मति द्वारा मनवाना चाहते हैं। उन्हें स्मरण रखना चाहिए कि कॉलेज, सभा नहीं अपितु आश्रम

होता है। जिस प्रकार घर में माता-पिता को बच्चों की राय का सम्मान करना चाहिए, बल्कि उन्हें राय बनाने तथा उसे मानने का ढंग सिखलाना चाहिए, उसी प्रकार अंतिम निर्णय माता-पिता के हाथ में होना चाहिए, न कि बच्चों को समस्त परिवार की सम्मति के ऊपर होना चाहिए। इस प्रकार प्रबंधकों का कर्त्तव्य है कि शिक्षण आश्रमों में वे विद्यार्थियों को स्वतंत्र विचारधारा निर्मित करने तथा उसे उनकी योग्यता की सहायता से स्वीकृत कराने का ढंग सिखलाएँ। परंतु विद्यार्थियों को भी अपनी विचारधारा की बहुलता अथवा आमदनी के घाटे के भय के दबाव में अपनी इच्छापूर्ति का प्रयास नहीं करना चाहिए। सभा तथा आश्रम में यही अंतर होता है कि सभा में सभी सदस्य अपनी-अपनी स्वतंत्र विचारधारा रखते हैं तथा उनके अधिकार समान होते हैं। परंतु आश्रम में सभी शिक्षार्थी होते हैं। जिनकी विचारधारा अभी स्वतंत्र रूप ले रही होती है, परंतु पूर्ण रूप से परिपक्व नहीं होती। प्रबंध में तो उनको अधिकार भी प्राप्त नहीं होता। ऐसी अवस्था में प्रबंधकों तक अपनी राय पहुँचाना उनका कर्त्तव्य है, परंतु केवल बहुमत का आश्रय लेकर उसे मनवाना अनुचित है। क्योंकि यहाँ तो संबंध स्वामी और सेवकों जैसा न होकर पारिवारिक सदस्यों के सदृश्य होता है, जिन्हें एक साथ मिल-जुलकर कुछ सीखना है, कुछ बनना-बनाना है, न कि कुछ देना और लेना।

भद्रता क्या है? मनुष्यों का पारस्परिक सुंदर व्यवहार। यह मन की एक ऐसी अवस्था होती है, जिसकी उत्पत्ति सदियों के परिश्रम तथा पीढ़ियों के निरंतर पारस्परिक व्यवहार द्वारा होती है। इसमें अधिकांश श्रेय खानदानी जीवन के ढंग और रीतियों को जाता है, जब उनमें मनुष्य की अपनी सामाजिकता और सौंदर्यबोध भी सम्मिलित होता है।

भद्र का सबसे बड़ा गुण है कि वह किसी के हृदय को पीड़ित नहीं करना चाहता। वह 'समना मन माणिक, ठाहुण मूल मचांगवा' (सबसे मन मणि सदृश्य हैं, उसके मूल-मूल्य की रक्षा हो) के ब्रह्मवाक्य का अनुसरण करता है। विचार प्रकट करते समय यदि कहीं राय में अंतर्विरोध लगे तो वह अपनी राय देकर उसे दूसरों के विचारार्थ छोड़ देता है। अपनी राय को बारंबार दुहरा कर वह किसी को कष्ट देने से कतराता है। यदि कोई उसकी विचारधारा के अनुसार अपनी राय में परिवर्तन नहीं करता तो व्यर्थ वितंडावाद खड़ा नहीं करता, अपितु उस विषय को वहीं त्यागकर किसी और विषय की ओर मुड़ते हुए बात को बदल देता है। वह अपनी दलील में धमकी अथवा पद का प्रदर्शन नहीं करता। अपने सामने वाले व्यक्ति को अपने जैसा समझकर धीरे-धीरे सौम्यता से बात करता है। वह न तो कटु बोलता है और न ही अनर्गल पूछ-ताछ करता है। अपितु बड़ी सहजता से अपनी बात को समझाता है। पारस्परिक विचार-विनियम के मध्य दूसरे की कमजोरी का अनुचित लाभ नहीं उठाता। इसके विपरीत उसकी दलील के औचित्यपूर्ण अंश को स्वीकारता तथा उसका सम्मान करते हुए बात को आगे बढ़ाता है। वह विरोधी के भीतर बैठकर उसके

विचारों को समझने की चेष्टा करता है, ताकि उसके साथ अन्याय न हो जाए। अपना राग अलापने वाला व्यक्ति भी भद्र नहीं कहलाता, क्योंकि वह अपने अहं के समक्ष दूसरों को तुच्छ समझते हुए उनकी बातों में रुचि नहीं रखता। इसके विपरीत, भद्र पुरुष न किसी को अपनी बात कहने से रोकता है, और न ही उसकी बात पूरी होने से पहले अपनी बात कहने का प्रयास ही करता है। दूसरों को धैर्य के साथ सुनना भी अच्छाई का प्रतीक है। इसमें नम्रता तथा मिठास होती है, जो सभी गुणों के सार हैं। गुरुनानक देव कहते हैं :

'मिठ्ठत नीवीं नानका गुण चगियाईआं तत्' (वार आसा)। यह नम्रता और मिठास सभी प्रौढ़ों में दिखाई देती है। सादी के कथनानुसार, "प्रौढ़ व्यक्ति के व्यवहार में नम्रता होती है, ठीक वैसे ही जैसे वृक्ष में फल आने पर वे धरती की ओर झुक जाते हैं।" विश्व प्रसिद्ध अंग्रेज वैज्ञानिक न्यूटन अपने अपरिचित ज्ञान के बावजूद कहता है कि ज्ञान एक अथाह सागर के सदृश्य मेरे समक्ष फैला हुआ है और मैं उसके तट पर एक मासूम बालक की भाँति घोंघे चुन रहा हूँ। यूनान का सबसे महान एवं परम विवेकी दार्शनिक कहता है कि इतना पढ़ने के पश्चात् मैं एक ही निश्चय पर पहुँचा हूँ कि मुझे कुछ भी नहीं आता।

यह नम्रता सर्वाधिक प्रभावशाली तभी होती है जब उसके द्वारा 'होंदै ताणि निताणीयाँ रहहि निमाणनीयाँ' की परमोक्ति चरितार्थ हो। हजरत मुहम्मद ने सारी आयु किसी के द्वारा अपने को 'सलाम अलैकुम' नहीं कहने दिया। अनेकानेक सज्जन लोगों ने उनको पहले 'सलाम' करने का प्रयास किया, पर वे सफल न हो सके। एक बार नबी अपने सेवक के साथ मदीने जा रहे थे। उनके पास एक ही ऊँट था जिस पर वे दोनों क्रम वार सवार होते थे। जब वे मदीना नगर में प्रवेश करने लगे उस समय सेवक के सवार होने की बारी थी। सेवक ने नबी से कहा, "रसूल करीम! आप सवार हो जाइए, लोग देखेंगे तो क्या कहेंगे?" भद्रता की प्रतिमूर्ति नबी ने कहा, "नहीं तुम ही चढ़ो, मैं ऐसे ही ठीक लगता हूँ।" भद्रता की पहचान इसी से हो जाती है कि कोई उच्च पदवी वाला अपने सेवकों अथवा अपने अधीन कर्मचारियों के साथ कैसा व्यवहार करता है। गुरुनानक अपने अलौकिक व्यक्तित्व के होते हुए भी स्वयं को 'सग नानक', 'नानक नीच', 'हम आदमी हाँ एक दमी', 'हऊ ढाढी वेकार' कहते हैं। वे पैगंबरों तथा अवतारों में से एक ऐसे असाधारण भद्र हैं, जिसने अनंत विभ्रांतियों के मध्य भी किसी के धर्म पर कभी भी समग्र रूप से आक्रमण नहीं किया, बल्कि पापियों का मार्गदर्शन करते समय भी उनके हृदय को ठेस नहीं लगने दी। सज्जन ठग को सुधारने के लिए उन्होंने उसे इस ढंग से समझाया कि वह अपने अंतर में भले ही लज्जित होता रहे, परंतु गुरु जी के समक्ष अपना मुँह छिपाने की आवश्यकता न पड़े। प्रथम वे उसके नाम के ऊपर कटाक्ष करते हुए कहते हैं—

सजण सेई नालि मै चल दिआ नाल चलंनि।
जित्थे लेखा मंगीए तित्थे खड़े दसनि।

तत्पश्चात् वे बाह्य रूप से चित्रित घरों, तीर्थों पर बैठे हुए बगुले तथा सेमल के लंबे ऊँचे वृक्ष की ओर संकेत करते हुए उसकी दंभपूर्ण जिंदगी की ओर उसका ध्यान खींचते हैं, परंतु उसे रंचमात्र भी इसका एहसास नहीं होने देते कि वह निम्न है तथा गुरु जी उससे उच्च हैं। अपितु अपने और उसके बीच के अंतर को मिटाते हुए कहते हैं—

अंधले भार उठाइया, डूंगर वाट बहुत।
अक्खी लोड़ी ना लहा, हऊ चड़ि लंगा कित्?

वे उसे इस प्रकार संबोधित नहीं करते, 'हे सज्जन! तू अंधा है, तूने पापों की गड्डी सिर पर उठाई हुई है। अपितु इसके विपरीत स्वयं की ओर उन्मुख होते हुए कहते हैं कि मैं अंधा हूँ, मैंने सिर पर बोझ उठाया हुआ है, मार्ग में दुर्गम पहाड़ी है, नयनों से टटोलने का प्रयास करता हूँ परंतु मार्ग सूझता नहीं, मैं किस प्रकार चढ़कर उसे पार करूँगा?'

इसी प्रकार एक बार लोग एक स्त्री को वेश्यावृत्ति करते देख उसे पकड़कर ईसा के पास लाए। ईसा ने लोगों को उनकी भलाई के अभिमान पर लज्जित करके वहाँ से भेज दिया, जबकि स्त्री वहीं धरती पर बैठी रही। यह दृश्य कितना भयावह है कि एक ओर पापकर्म पर लज्जित होती हुई नारी धरती को खुरच रही है, दूसरी ओर उससे भी अधिक लज्जा वनत ईसा बैठा हुआ रेत पर रेखाएँ खींच रहा है और उस स्त्री की ओर आँख उठाकर भी इसलिए नहीं देख रहा कि वह बेचारी उसके समक्ष लज्जा का अनुभव न करे। अंततः ईसा ने दया और प्रेम भरी वाणी में कहा—'बेटी, अब जाओ! फिर ऐसा नहीं करना।'

भद्र पुरुष किसी की भूल देखकर अपनी निर्दोषिता के अहं में उससे घृणा नहीं करता, अपितु उसके भीतर उतर कर उसकी विवशताओं, समाज तथा घर-बाहर के परिवेश की शिथिलताओं और भूल करने के विशेष कारणों तथा अवसरों पर विचार करते हुए, दोषी के साथ सहानुभूति करते हुए उसे उसकी भूल में से मुक्त करने के प्रयास में जुट जाता है। उसमें न तो किसी को स्वयं से नीचा समझने की रुचि होती है और न ही लज्जित करने के लिए व्यर्थ समय होता है।

वह उसी व्यक्ति की गल्तियाँ निकालता है जिससे वह बहुत प्रेम करता है और उसे उसकी गल्तियों से मुक्त देखना चाहता है। वह उन्हीं त्रुटियों की ओर ध्यान दिलाता है, जिन्हें दूर किया जा सके। वह किसे के प्राकृतिक अभावों अथवा दोषों की ओर संकेत नहीं करता। उदाहरणतया वह किसी अंधे या लूले को देखकर उसकी शारीरिक स्थिति का उपहास नहीं उड़ाता, क्योंकि वह इस तथ्य से भली प्रकार परिचित है कि यह उसके बस की बात नहीं। वह किसी की दरिद्रता को भी अपने व्यंग्य का निशाना नहीं बनाता।

वह उपकार करते समय दिखावा नहीं करता। इस बात का ध्यान रखता है कि वह जिसकी भलाई करने जा रहा है, उसके मन को किसी प्रकार भी ठेस न लगे और न ही वह अपनी गरीबी और असमर्थता पर लज्जित हो। हम कई बार दान करते समय न केवल अपनी उदारता का प्रदर्शन करते हैं, बल्कि दान पाने वाले प्राणी को लज्जित करते हुए उसकी मनुष्यता का अपमान भी करते हैं। भद्र पुरुष शब्द गायन करते हुए रागी को भेंट देने की घोषणा करते हुए, गुरुद्वारों में संगमरमरी पत्थरों के ऊपर अपने ढाई रुपए के दान का विज्ञापन सदैव के लिए उत्कीर्ण करने अथवा यात्री-विश्राम गृहों के लिए चादरों तथा चारपाइयों के किए गए दान का प्रार्थना में उल्लेख कराने में लज्जा का अनुभव करेगा। भद्र पुरुष दान नहीं करता, अपितु भेंट चढ़ाता है। वह किसी गरीब को अपने सामने हाथ फैलाते हुए देखकर प्रसन्न नहीं होता, बल्कि उसकी पीड़ा को अपनी पीड़ा समझकर उसके समीप खड़ा होता है। वह उसे जो कुछ भी देता है, उसको भेंट करता है, उसको नजर करता है।

अनाथ बच्चों को पीले-मैले कुचैले वस्त्र पहनाकर गाड़ियों तथा दीवानों में दान माँगने के लिए उन्हें घुमाते रहना उनकी मनुष्यता की दुर्गति करना है। यह सब उन्हें इस बात का अहसास दिलाना है कि वे अनाथ हैं, अभावग्रस्त हैं, उनके बादशाही हृदयों को आत्मसम्मान की भावना से वंचित रखना है। आश्रम का नाम भी भला अनाथालय क्यों हो?

वे अनाथ निरीह क्यों कहलाएँ? यदि आप उनके माता-पिता नहीं बन सकते, उनकी इच्छाओं का केंद्र एक सुंदर घर नहीं बना सकते तो आपको उनके पालन-पोषण करने का बीड़ा उठाने का भी अधिकार नहीं।

वह भलाई भलाई नहीं जिसे करते हुए कोई स्वयं को निम्न अनुभव करे। जात-पाँत, छुआ-छूत, शुद्धि-अशुद्धि, कट्टरपंथी रामदासिए आदि के भेद-भाव पारस्परिक घृणा एवं अभद्रता के प्रतीक हैं। इन्हें किसी भी रूप में स्वीकार करना न केवल धर्म, बल्कि साधारण मानवता के भी प्रतिकूल है।

धार्मिक प्रदर्शनों में भी साधारणतया हम असभ्यता से काम लेते हैं। सभी को अपना धर्म प्रिय होना चाहिए। उस पर दृढ़ होने से उसका प्रभाव जीवन पर पड़ता है। मैं इस दिखावे की हामी नहीं भर सकता कि कोई व्यक्ति अपना धर्म न रखते हुए सभी धर्मों का समान रूप से श्रद्धालु बनने की कोशिश करे, क्योंकि ऐसा व्यक्ति वस्तुतः अधार्मिक ही होता है। भद्रता की दृष्टि में वह व्यक्ति भी धार्मिक नहीं जो दूसरों के धर्मों पर आक्षेप करता है अथवा अपने धर्म का यह कहते हुए डंका पीटता रहे कि केवल उसका धर्म ही भवसागर पार करा सकता है। भद्रता तो इस बात की माँग करती है कि मनुष्य धार्मिक मामलों में पूर्ण रूप से निरपेक्ष हो। इस निरपेक्षता का निर्वाह तब तक नहीं हो सकता, जब तक कोई यह समझता रहे कि उसका धर्म ही सच का भंडार है तथा दूसरे धर्म केवल आडंबर हैं। भद्रता का निश्चय इसी

में है कि वाहेगुरु के दरबार में हिंदू, मुसलमान तथा ईसाई सब एक समान हैं। वहाँ तो इस बात से निर्णय नहीं होगा कि अमुक प्राणी सिख था अथवा मुसलमान, (क्योंकि, 'अगै जिऊ न वै' होते हुए प्रभु के दरबार में खड़े होना है) बल्कि इस बात से होना है कि प्राणी में अच्छाई कितनी थी और उसका हृदय ईश्वर के कितना समीप था। भलाई और प्रेम ग्रहण करने के लिए, अपने व्यक्तित्व को ढालने के लिए किसी आदर्श व्यक्तित्व को हमेशा आँखों के सामने रखना पड़ता है। इसका यह अर्थ कदापि नहीं कि यदि किसी को अपना जीवन ईसा के साँचे में ढालना है तो वह यह मान ले कि किसी दूसरे व्यक्ति के लिए यही कार्य गुरु गोविंद सिंह अथवा मुहम्मद साहिब का साँचा नहीं कर सकता। पूर्ण निरपेक्षता के लिए इस तथ्य को स्वीकार करना अनिवार्य है कि सभी धर्म अपने-अपने स्थान पर मनुष्य को पूर्णता प्रदान कर सकते हैं।

यदि इस विचारधारा को स्वीकार कर लिया जाए तो आजकल की साधारण मिशनरी गतिविधियाँ भद्रता की कसौटी पर खरी नहीं उतरतीं। प्रत्येक व्यक्ति को इस बात की छूट होनी चाहिए कि वह चाहे कोई भी धर्म माने। इस कार्य में हमें उसकी हर संभव सहायता करनी चाहिए। यह कार्य करते समय केवल संख्या बढ़ाने का पुण्य कमाने का विचार अथवा विजयी होने की भावना उचित नहीं है। यह एक ऐसी पुरानी शहंशाहियत की विचारधारा है जो जैसे-जैसे राष्ट्रीय गतिविधियों से दूर होती चली जाती है वैसे ही वैसे धर्म के दायरे से भी दूर होती चली जाती है। सेवा अथवा उपकार की इच्छा साहित अस्पताल अथवा स्कूल खोलने अच्छे हैं, परंतु उसके पर्दे के पीछे दूसरों के दिलों को धार्मिक फंदे में कसने का प्रयास करना न केवल अभद्रता है, बल्कि पाप है। एक सिख का किसी गैर-सिख भाई को दरिद्र जीवन जीते हुए देखकर उसे अपने धर्म में सम्मिलित होने के लिए कहना नितांत धृष्टता है। यहाँ मुझे एक धार्मिक भद्र पुरुष का उदाहरण स्मरण हो आता है। भाई तारासिंह शाहदरा का निवासी था। उसे मृत्युशैय्या पर पड़ा हुआ उसका एक मुसलमान दोस्त अपनी तीन वर्ष की बेटी सौंप गया। उसने इस धरोहर का पूर्ण रूप से निर्वाह किया। उसने उस बालिका का अपनी लड़की के समान पालन-पोषण किया और बड़ा किया। परंतु उस लड़की के धर्म अथवा निश्चय में किसी प्रकार का कभी भी हस्तक्षेप नहीं किया। उसके लिए एक हाफिज (मौलवी) रखा और उसे कुरान मजीद की शिक्षा दी और इससे उसे परिचित कराया। इस प्रकार उसने इस लड़की को एक अच्छे मुसलमान जैसी शिक्षा दिलाई। वह जब विवाह के योग्य हुई तो बड़ी धूमधाम से उसका निकाह एक सुयोग्य मुसलमान के साथ पढ़वा दिया। इस प्रकार की भद्रता के उदाहरण मुसलमानों तथा हिंदुओं में भी मिलते हैं।

भद्रता के और भी अनेक गुण हैं जो भाईचारे के सुंदर व्यवहार में सम्मिलित हैं। भद्र प्राणी किसी के समक्ष कानाफूसी नहीं करते, दूसरों की उनकी पीठ के पीछे

निंदा नहीं करते, लोगों के सामने नौकरों अथवा बच्चों को ऊँचे स्वर में कोसते नहीं, न ही घर के झगड़ों की चर्चा करते हैं। अतिथि के सामने किसी पर क्रोधित होना अतिथि के सामने उसका अपमान करना है। किसी के मुँह पर उसकी प्रशंसा करना उसको लज्जित करना है। इसी कारण ये सब नीचता के प्रतीक माने जाते हैं। बिना किसी कार्य के किसी के पास बैठे रहना तथा लंबी-लंबी बातें करते हुए समय बर्बाद करना और उसे बारंबार घड़ी निकालकर दिखाने के लिए विवश करना उचित नहीं। जब भी किसी के पास जाएँ, जब तक वह स्वयं बैठने के लिए न कहे, तब तक बैठना नहीं चाहिए। अनेक व्यक्ति ऐसे अक्खड़ अथवा गर्वीले होते हैं कि वे बैठने के लिए नहीं कहते। वे इसी में अपनी अफसरी समझते हैं। अपने वतन के भाई के साथ अपनी मातृभाषा छोड़कर किसी अन्य भाषा में बातचीत करना एक प्रकार का दिखावा है, जिसे भद्र व्यक्ति अच्छा नहीं समझते। जब कभी सभा का कार्यक्रम हो रहा हो, उसमें विलंब करके आना उचित नहीं। यदि ऐसी स्थिति आ जाए तो क्षमा माँगते हुए आसन ग्रहण करना चाहिए। जो व्यक्ति बातचीत कर रहा हो, उसे चाहिए कि नए पधारे हुए सज्जन व्यक्ति के बारे में जो कुछ भी कहा गया हो उसका सारांश सबको सुना दे। श्रोताओं को जुम्हाइयाँ नहीं लेनी चाहिए। जैसे समय बताने पर मिलने के लिए आया हुआ व्यक्ति न मिलने पर लौट जाने के लिए विवश हो जाता है, वैसे ही श्रोताओं को जम्हाइयाँ लेते हुए देखकर वक्ता को अपना भाषण बंद करने की सूचना प्राप्त हो जाती है। बिना आज्ञा लिए हुए बाहर नहीं जाना चाहिए। किसी को सामने से लाँघना नहीं चाहिए। किसी के अंग का स्पर्श होने पर अथवा वस्त्र को पाँव लग जाने पर क्षमा माँग लेनी चाहिए। किसी को बिना सिर ढाँपे हुए अथवा अर्धनग्नावस्था में नहीं मिलना चाहिए। यदि देह पर पूर्ण वस्त्र न हों तो क्षमा माँग लेनी चाहिए। सभा-सोसाइटी में बैठते समय कमीज अथवा कोट के बटन खुले नहीं रखने चाहिए। बाजार में अथवा सार्वजनिक स्थान पर खाने-पीने के लिए मुँह चलाना व्यक्ति को शोभा नहीं देता। पत्र की लिखावट सुंदर होनी चाहिए, क्योंकि शीघ्रता में कलम घसीटते हुए लिखकर पत्र भेजना पढ़ने वाले को अपमानित करना है।

भद्र पुरुष को मैं अधिक उपदेश नहीं देना चाहता। इसे धृष्टता समझा जाता है, इसलिए मैं यह धृष्टता यहीं बंद करता हूँ।

अनुवाद : लखबीर सिंह निर्दोष

गुरुबख्श सिंह 'प्रीतलड़ी'

1895-1977

पंजाबी के आधुनिक और प्रगतिशील मिजाज के साहित्यकार। सियालकोट में जन्म। उच्च शिक्षा अमेरिका में। 1933 में मासिक पत्र 'प्रीतलड़ी' पत्रिका का प्रकाशन शुरू किया, यह काफी लोकप्रिय हुई। 1938 में अटारी के निकट 'प्रीतनगर' की नींव रखी, जो जल्दी बस गया। देश भ्रमण किया। प्रमुख कहानी संग्रह—'प्रीत कहानियाँ', 'नागप्रीत का जादू', 'अनोखे ते इकल्ले'। नाटक—'पूरब-पछम', 'प्रीतमणी'। निबंध—'साँवी पध्धर जिंदगी', सुखाबी सुंदर जिंदगी'। जीवनी—'परम मनुख', 'मेरीआं अमुल यादां। इत्यादि।

स्त्री के प्रति व्यवहार सभ्यता की परीक्षा है

यह विचार जितना सर्वसाधारण है उतना ही अनुचित है कि आज के संसार की सभ्यता दिन-प्रतिदिन अवनति की ओर जा रही है, अथवा आज के मनुष्य का सम्मान बीते दिनों के मनुष्य के सम्मान से कहीं कम है।

किसी सभ्यता की उन्नति का मापदंड उसके प्रचलित मूल्यों का निरंतर सूक्ष्मतर होते जाना है। यह मापदंड किसी भी भाईचारे में स्त्री के साथ हो रहे व्यवहार द्वारा मापा जा सकता है। जीवन की प्रगति की सुनिश्चित एवं औचित्यपूर्ण कसौटी समाज में स्त्री का स्थान है। पंडित नेहरू ने पिछले दिन बंबई में भाषण देते हुए कहा था, "किसी जाति में स्त्रियों का स्थान उस जाति की प्रगति के सबसे जरूरी मापदंडों में एक है।... राजनीतिक क्रांति से कहीं अधिक आर्थिक क्रांति की आवश्यकता है। परंतु सामाजिक क्रांति इन दोनों से भी कहीं अधिक अनिवार्य है। इस प्रकार की क्रांति केवल नारी द्वारा ही संभव है। ऐसी क्रांति के योग्य बनने के लिए उनका उन बंधनों से मुक्त होना आवश्यक है जिन बंधनों में उन्हें समाज ने जकड़ रखा है।...नए चीन का सबसे बड़ा कार्य यह है कि चीन सरकार ने स्त्रियों को दासता की शृंखलाओं से पूर्णतया मुक्त कर दिया है। इन्हीं शृंखलाओं ने अनंत-काल से

चीनी स्त्रियों को निढाल कर रखा था।...मुझे इसमें रंच मात्र भी शंका नहीं कि भारत भी अपनी उन्नति को स्त्री की स्वतंत्रता के साथ नापा करेगा।" स्त्री की सामाजिक पदवी की उच्चता को नेहरू जैसे राजनीतिज्ञ ने सबसे उचित दर्जा दिया है। इस मापदंड के साथ पुरातन और नवीन सभ्यता की परख दिलचस्पी से रिक्त नहीं।

पहले सहस्रों वर्षों तक विवाह की अवधारणा नहीं थी। स्त्रियाँ एवं बच्चे भूमि के समान सारे कबीले के साझे हुआ करते थे। ऐतिहासिक युग तक पुराने सपार्टनों और अनेक दूसरे लोगों में स्त्रियाँ सबकी होती थीं तथा बच्चे मिल-जुलकर पाले जाते थे। जब किसी बच्चे का नाक-नक्शा किसी व्यक्ति से मेल खाने लगता तो उसे उसका बेटा कहा जाता था।

ईसवी शती से पंद्रह सौ वर्ष पहले की बात है, यूनान में, चीन में, पीरू और कैलिफोर्निया में स्त्रियों एवं पुरुषों का संबंध पशुओं की भाँति होता था। लैकोडा हब्शियों में स्त्रियों को सबका माना जाता था। कई प्रदेशों में स्त्रियाँ सभी भाइयों की साँझी होती थीं।

धीरे-धीरे आर्थिक अवस्था में परिवर्तन आता गया। व्यक्तिगत संपत्ति की प्रथा बढ़ती गई। इसके साथ-साथ सामूहिक स्त्रियों की प्रथा में भी कमी आती गई। अंततः नारी को भी व्यक्तिगत संपत्ति माना जाने लगा। परंतु व्यक्तिगत स्वामित्व के लिए स्त्री को कहीं से अपहरण करके लाना होता था। निर्भीक युवक स्त्रियों का अपहरण करने के लिए इस प्रकार शिकार की तैयारी करते थे, जिस प्रकार पशुओं के शिकारी। जब कोई निस्सहाय स्त्री दृष्टि में आ जाती तो उसे घायल कर, बेहोश करके उठा ले आते। जिन लोगों की स्त्रियों का अपहरण होता, वे अपहरणकर्ता की खोज में लग जाते। कबीलों की आपसी शत्रुता का रोष दोनों ओर से स्त्रियों पर ही निकाला जाता।

सभ्यता की प्रगति के साथ-साथ स्त्रियों के बलपूर्वक अपहरण करने की प्रथा भी कम होती गई। समय पाकर कन्यादान का रीति-रिवाज स्वीकृति प्राप्त करता गया। परंतु कन्यादान अथवा आदान-प्रदान का बाह्य स्वरूप अपहरण प्रणाली के अनुरूप ही बना रहा। अपने घर ही दहलीज से नई नवेली दुल्हन को उठा कर लाना इस बात का द्योतक है कि स्त्री को बड़ी वीरता से अपहृत करके लाया गया है। दूल्हे के हाथ का हथियार उसके परिधान का एक जरूरी भाग होता है।

यही कारण है कि स्त्री और पुरुष के मध्य प्रेम का संबंध युगों तक उत्पन्न न हो सका। पुरुष अपनी स्त्रियों के संग कभी भी हँसते-खेलते नहीं थे। स्त्री पुरुष की दासी हुआ करती थी, सेविका थी, बेची जा सकती थी, अनावश्यक होने पर उसकी हत्या की जा सकती थी। बच्चों को भी अपनी संतान न मानते हुए दासी से उत्पन्न संतान को भी दास समझा जाता था। पिता और पुत्र के बीच गहन ईर्ष्या हुआ करती थी। पुत्र दांव लगते ही पिता की हत्या कर देते तथा पिता की स्त्रियों एवं बेटियों को भी अपने अधिकार में ले लेते थे।

भाई का बहनों के साथ विवाह करना आम बात थी। भारत में भी यह प्रथा एक समय तक प्रचलित थी। केवल ऋग्वेद के काल में आकर इस प्रथा का खंडन किया गया। यूनान तथा जर्मनी में ऐसा संबंध सर्वसाधारण में प्रचलित था। कैस्पियन सागर पर जो पार्सियन लोग रहते थे, उनमें न केवल बहन-भाई के विवाह का प्रचलन था, अपितु बहादुर लड़ाकू अपने पिता के मरणोपरांत अपनी माँ के साथ विवाह कर लेते थे। मिस्र में बहन-भाई के विवाह की छूट थी। मिस्र की विश्वप्रसिद्ध साम्राज्ञी क्लियोपेट्रा ने अपने दोनों छोटे भाइयों के साथ विवाह किया हुआ था। इस तथ्य को बीते अभी दो हजार वर्ष भी नहीं हुए।

यूलैंड (पूर्वी कांगो) में अभी भी भाई का बहन के साथ विवाह होता है। अभी भी अनेक पिछड़ी जातियों में एक से अधिक स्त्रियों तथा एक से अधिक पुरुषों के साथ विवाह होते हैं।

एक समय था, जब स्त्रियों की संख्या कम हो गई तब उनके लिए एक प्रथा का प्रचलन हुआ कि जब कोई स्त्री पुरुष को दो बच्चे दे दे, तो वह किसी दूसरे पुरुष से विवाह रचाए। इस प्रकार एक जीवन में एक-एक स्त्री को छह छह घर बसाने पड़ते थे।

अफ्रीका के हसैनिए अरबों में एक विशेष प्रकार के विवाह की प्रथा थी। इसके अनुसार एक स्त्री तीन दिनों के लिए एक पति की पत्नी होती थी, परंतु चौथे दिन किसी और व्यक्ति के साथ संबंध बनाना पड़ता था। इसके बाद पाँचवें, छठे तथा सातवें दिन अपने विवाहित पति के घर रहना पड़ता था। इस प्रथा का मंतव्य यह था कि स्त्रियों की संख्या कम होने के कारण बहुसंख्यक पुरुष स्त्री से दूर रहने के कारण कहीं गुमराह न हो जाएँ। सभी संतानें विवाहित पुरुष की ही स्वीकार की जाती थीं। वहाँ बच्चों को बोझ नहीं समझा जाता था। उन्हें शिक्षा नहीं देनी पड़ती थी, अधिक वस्त्र पहनने नहीं होते थे। अपितु वे वयस्क होकर संपत्ति बन जाते थे, अन्न उत्पन्न करते थे तथा शत्रुओं के साथ युद्ध करते थे।

इससे स्पष्ट हो जाता है कि जिस स्थान की सभ्यता जितनी निम्न होगी वहाँ की स्त्री की अवस्था उतनी ही निम्न होगी। किसी समय स्त्री को घर के पालतू पशु से अधिक ऊँचा दर्जा कभी नहीं दिया जाता था। उसकी सार्थकता की सीमा कार्य करना और बच्चों को जन्म देने तक ही थी। बाँझ एवं काम करने के लिए स्वस्थ शरीर न रखने वाली स्त्री का कहीं कोई स्थान नहीं था। नपुंसक पुरुष का किसी भी स्त्री पर अधिकार नहीं समझा जाता था। लड़की को बारह-तेरह वर्ष की अल्पायु में ही संतानोत्पत्ति की परीक्षा से गुजरना पड़ता था। किसी भी पुरुष को उसके साथ संपर्क बनाने की छूट थी। जिस किसी से भी वह गर्भवती हो जाती, उससे उसका विवाह कर दिया जाता था। किसी भी संयोग को व्यभिचार की संज्ञा नहीं दी जाती थी। यही कारण था कि तीस-पैंतीस वर्ष की आयु तक पहुँचने से पहले ही स्त्री

बूढ़ी हो जाती थी। प्रेम और सौंदर्य के शब्द उस समय की बोली में न थे।

जब धार्मिक संस्थाओं का निर्माण हुआ, उस समय मंदिरों, धर्मशालाओं, सरायों में ठहरे यात्रियों, मुसाफिरों तथा पुरोहितों की कामना पूर्ण करने हेतु अपने यौवन के प्रारंभिक तीन अथवा पाँच साल स्त्रियों को बलिदान करने पड़ते थे, तब जाकर उन्हें विवाह करने का अधिकार प्राप्त होता था। उन दिनों न किसी स्त्री-अधिकार का नामोनिशान था और न ही व्यभिचार शब्द की व्युत्पत्ति हुई थी।

जब किसी छोटे रजवाड़े के किले में कोई बड़ा राजा आता था, रजवाड़े की स्त्री तथा युवती बेटियाँ अतिथि राजा को स्वयं स्नान करातीं तथा उसका मनोरंजन करने के लिए सर्वप्रकार से प्रस्तुत रहतीं। सौदागरों के निवास पर जब कोई बड़ा सौदागर आता तो छोटे सौदागर के द्वारा बड़े सौदागर को अपनी स्त्री को समर्पित करना आतिथ्य सत्कार का हिस्सा था।

वस्तुतः पुरातन सभ्यता में तथा आज भी धरती के अनेक पिछड़े वर्गों में स्त्री का स्थान गाय, बैल, बकरी से ऊँचा नहीं है। स्त्री की निजी जिंदगी स्वीकार नहीं की जाती थी, न ही उसका व्यक्तित्व और न ही उसका कोई अधिकार समझा जाता था। वह तो पुरुषों की इच्छाओं की पूर्ति एवं उनके वंश की वृद्धि के लिए पाली-पोसी जाती थी। वह यदि पूर्णरूप से उपयोगी न समझी जाए तो उसकी हत्या कर दी जाती थी।

जैसे-जैसे सभ्यता उन्नत होती गई, वैसे-वैसे नारी को कुछ अधिकार दिए जाते रहे। उन्नत हो रही सभ्यता को नारी से बहुत-कुछ पाने की आवश्यकता रहती है। कलाओं तथा साहित्य का प्रारंभ नारी की सहमति के साथ होता है। उनकी संपूर्णता का तोल नारी की संपूर्णता है। जिस सभ्यता में नारी को पुरुष के साथ समानता प्रदान की गई है, उसके साहित्य, विज्ञान तथा सौंदर्य में निरंतर वृद्धि होती गई है।

दूसरे शब्दों में, सभ्यता के विकास को स्त्रियों का विकास कहा जा सकता है। मानवीय जीवन का मनोरथ है एक कोमल, सौम्य, प्रेम तथा सान्निध्यमयी सभ्यता अर्जित करना। इस मनोरथ की संपूर्णता वहाँ दृष्टिगोचर होती है, जहाँ स्त्री और पुरुष जीवन में बराबर माने जाते हैं। यहाँ स्त्री अपनी उम्र से पहले ही मसली-कुचली आत्मा के रूप में दिखाई नहीं देती। इसके विपरीत दीर्घायु तक उसका यौवन विद्यमान रहता है। ऐसा देखने में आता है कि जिन स्त्रियों को भरपूर भावनात्मक जीवन जीने का अवसर प्राप्त हुआ है, वे सत्तर-अस्सी वर्षों तक लावण्यमयी रह सकती हैं।

बैरेटोम ने सोलहवीं शती की एक विधवा का वर्णन करते हुए बताया है कि वह 76 वर्ष की आयु में भी युवती दिखाई देती थी। जब एक नवयुवक ने उसके साथ की इच्छा प्रकट की तो उसने उससे विवाह कर लिया। तत्पश्चात् सौ वर्षों तक वह लावण्यमयी रही। बैरेटोम ने अनेक सुंदर स्त्रियों पर पुस्तक लिखी है, जिसमें उसने नीनो की लैकलाम का वृत्तांत इस प्रकार दिया कि वह नारी अत्यधिक वैभवशाली,

उच्च शिक्षा प्राप्त और स्वस्थ थी। वह अविवाहित थी, क्योंकि उससे प्रेम करने वालों की संख्या इतनी अधिक थी कि वह किसी एक की जीवन साथिन बनकर दूसरों को निराश नहीं कर सकती थी। तत्कालीन समय के योग्य पुरुष उसके घर जाने में अपनी प्रतिष्ठा समझते थे। वह ऐसे लोगों को अति सुंदर संध्याएँ प्रदान करने के लिए विख्यात थी। वह अपने संतुलित मस्तिष्क तथा शारीरिक सौंदर्य को स्थायी रखने का रहस्य जान चुकी थी। उसकी प्रसिद्धि से देश-विदेश से सौंदर्य-प्रेमी खिंचे हुए उसका साक्षात्कार करने के लिए चले आते थे। ऐसे अतिथियों को प्रसन्नचित्त रखने की कला में वह निपुण थी।

अपने स्पर्श द्वारा संतुष्ट करने वाली ऐसी स्त्रियाँ उस पुरातन सभ्यता को नहीं दुहरा सकतीं, जिसमें नारी को व्यक्ति के रूप में स्वीकार नहीं किया जाता था। यही कारण है कि वे स्त्रियाँ अपने मानवीय व्यक्तित्व से कोई चमत्कार पैदा नहीं कर सकीं और न ही अपने मानव को कोई चमत्कार प्रदान कर सकीं।

यूनानी सभ्यता ने सभी स्त्रियों को स्वाधीनता नहीं दी थी, किंतु स्वतंत्र स्त्री की सार्थकता को पहचानते हुए कुछ स्त्रियों को स्वतंत्र कर दिया था। ऐसी स्त्रियों को वे 'हेतेराई' (मित्र स्त्रियाँ) कहते थे। इन्हें सामूहिक व्यय से उच्च शिक्षा दी जाती थी। इन्हें अभिजात गृहों में स्वतंत्र रखा जाता था। ये स्त्रियाँ विवाह नहीं करती थीं। इनका कार्य उच्च रुचियों वाले पुरुषों के जीवन में अपने पावन स्पर्श द्वारा नवीनता बनाए रखना होता था। प्रसिद्ध यूनानी नीतिज्ञ डिमासथेनीज इन 'मित्र स्त्रियों' का वर्णन इस प्रकार करता है, "हमारी पत्नियाँ हमें संतान देती थीं तथा हमारी गृहस्थी सँभालती थीं परंतु 'हेतेराई', हमारी मित्र स्त्रियाँ हमें प्रसन्नता एवं रस प्रदान करती थीं।" एक और यूनानी नेता एबरज लिखता है, "यूनानी पत्नी घर की स्वामिन है, बच्चों को अन्न देती है, रोगियों का कुशल-क्षेम पूछती है। यह हमारे घर की प्रतिष्ठा है, परंतु वह अकेली सब कुछ नहीं कर सकती। हमें उस स्त्री की भी आवश्यकता है, जिसमें मन तथा देह की सभी उच्च योग्यताएँ हों और जो हमारी कल्पनाओं को स्पंदित कर सकने में सक्षम हो।" मिस्र में आज तक ऐसी स्त्रियों के समुदाय का सम्मान किया जाता है, जो अविवाहित रहती हैं। परंतु पुरुष के जीवन को प्रेरणामयी बनाए रखने के लिए उच्च शिक्षा प्राप्त करती हैं। वे अनेक कलाओं का शिक्षण प्राप्त करने के साथ-साथ अपने शरीर को सुंदर बनाए रखती हैं। इन्हें वेश्या की कोटि में नहीं रखा जाता है। पर अच्छी रुचियों का इच्छुक हर व्यक्ति इनका साहचर्य खरीद सकता है।

वह समय भले ही दूर हो, परंतु उस समय की ओर जीवन अग्रसर है, जब प्रत्येक नारी यूनानी 'हेतेराई' जैसी सुंदर तथा सुयोग्य हुआ करेगी। वह पुरुष की 'मित्र स्त्री' होते हुए उसका तथा अपना जीवन नवीनता से परिपूर्ण रखेगी।

हमारी वर्तमान सभ्यता में बहुत कुछ कुरूप है, त्रासदीपूर्ण है, बहुत कुछ रूढ़िवादी

है। इस समस्त कुरूपता का संबंध नारी के सामाजिक स्थान से जुड़ा हुआ है। नारी के व्यक्तित्व की सामाजिक स्वीकृति नए शौक तथा नई स्पर्धा को जन्म देती है। युद्ध तथा शस्त्रों की परंपरा उतने ही समय तक चलेगी, जब तक सुंदर स्त्री को मानवीय जीवन में इसका उपयुक्त स्थान नहीं दिया जाता।

जो सभ्यता नारी को पुरुष के साथ तुलनीय समानता प्रदान कर सकेगी, उस सभ्यता तथा आज की सभ्यता में इससे कहीं अधिक अंतर दृष्टिगोचर होगा, जितना अंतर स्त्री और पशु में होता है। वह सभ्यता नारी की भाँति सुंदर तथा कोमल होगी। वर्तमान सभ्यता पशु के समान भद्दी तथा स्वप्नहीन है। जो सभ्यता अपनी माताओं, बहनों तथा पत्नियों को अतिथियों, अफसरों, यात्रियों के निम्नस्तरीय दिल बहलावे तथा घर की देखभाल के लिए हाथ के अंगूठे से अधिक दर्जा नहीं देती, वह मनुष्य को जीवन का स्वर्ग नहीं दे सकती।

आज बंबई सूबे में ही हजारों स्त्रियों को आत्महत्या करनी पड़ती है, क्योंकि पुरुष के अत्याचार ने उनके जीवन को जीने योग्य नहीं छोड़ा। आज भी कई स्थानों पर स्त्री नंगे मुख और नंगे सिर घूम-फिर नहीं सकती। आज भी पराए पुरुष के साथ संबंध को लेकर उस पर सच्चा अथवा झूठा लांछन लगाए जाने पर उसे बदनाम और कभी-कभी उसकी हत्या भी कर दी जाती है। आज भी नारी की भावनात्मक संतुष्टि को किसी भी गणना में नहीं लिया जाता। आज भी कितने ही देशों में स्त्री को वोट डालने का अधिकार नहीं है। उसे पुनर्विदाह करने अथवा अपने विवाह के समय अपनी इच्छा बताना विवर्जित है। आज भी मंदिरों तथा धर्म स्थानों में नारी को खुल्लम-खुल्ला काम-नागिनी कहा जाता है तथा उस पर इस आरोप को श्रद्धा के साथ सुना जाता है।

अपनी अपार उन्नति के बावजूद हमारी सभ्यता अभी भी बहुत पिछड़ी सभ्यता है तथा हम अपने मानवीय लक्ष्य से बहुत पीछे हैं। पूर्ण सभ्यता में नारी और पुरुष इस धरती और आकाश पर एक समान अधिकार रखने वाले प्राणी होंगे। दोनों का सौंदर्य एक दूसरे के साथ निमज्जित होकर एक ऐसे असाधारण मानवीय सौंदर्य को जन्म देगा, जिसकी झलक की कल्पना आज तक कोई नहीं कर सका है।

जीवन की कविता

...वाल्ट ह्विटमैन के जीवनोद्देश्य को मैं अपने समकालीन नवयुवकों के समक्ष रखना चाहता हूँ—'हमारी देह की त्वचा भी एक बड़ी कविता हो, क्योंकि संपूर्ण सौंदर्य सुंदर लहू और सुंदर मस्तिष्क की उपज है।' हम अपने चहुँ ओर क्या देखते हैं? अधिकांश

लोगों का शरीर कविता क्या, एक अच्छा गद्य भी नहीं होता। वाल्ट ह्विटमैन शरीर से आरंभ करते हुए संपूर्ण जीवन को एक कविता बनाने की सिफारिश करता है।

कई मनुष्य जीवन का दुर्लभ समय इन्हीं भ्रांतियों एवं अंधविश्वासों में व्यतीत कर देते हैं कि यह जीवन पिछले जन्म के उन पुण्य-पापों का भोग है, जिनका फल निश्चित है। यह दुःख अटल है, क्योंकि पहले के बीते पलों को न आगे और न पीछे किया जा सकता है। वाल्ट ह्विटमैन सोचता है कि प्रत्येक मानव एक कवि है, उसका अपने जीवन की कविता रचने के लिए जन्म हुआ है। खुशियाँ मनाना तथा दुःखों का भोगना उसका कर्तव्य नहीं, अपितु वे उसकी कविता के अच्छे और बुरे छंद हैं। कविमानव का मनोरथ दुःख और सुख के भोग से बहुत विशाल है, वह है अपने जीवन, साथियों के जीवन तथा धरती के जीवन को कविता बनाना।

वास्तविकता से अनभिज्ञ मनुष्य अपने भाग्य के बारे में जानकारी प्राप्त करने के लिए पूछताछ करता है, ग्रह दशा टालने के लिए मनौतियाँ मानता है, क्षमा याचना करते हुए कहीं जाकर दंडवत करता है, कष्ट झेलता है, तीर्थ स्नान करता है तथा किसी मुक्तिदाता के लिए व्याकुल रहता है। यही वजह है कि वह मूल उद्देश्य से भटक जाता है और ऊर्ध्वमुखी होते हुए सुंदर कवि बनने में सहायक पल-पल की अनिवार्य संतुष्टि से वंचित रह जाता है।

अधिकांश लोगों का जीवन कविता की पांडुलिपि नहीं, अपितु त्रुटियों से काले हुए प्रूफों की ढ़ेर होता है। कुछ लोगों का जीवन-पांडुलिपि का प्रकाशन सुंदर होता है, पर शब्दों का गठन अधिकतर त्रुटिपूर्ण होता है और वाक्यों की बनावट आकर्षक नहीं होती। कुछ लोगों में, ये दोष नहीं होते। वे देखने में सुंदर पांडुलिपि सदृश्य दिखते हैं, पर उन्हें पढ़ते समय कोई विचार नहीं उभरता, क्योंकि उनके शब्दों में न कोई चमक होती है और न ही वाक्यों में कोई चित्र होता है।

कुछ पांडुलिपियाँ ऐसी भी होती हैं, जिनके शब्द-चयन तथा शब्द-चित्र उचित होते हैं, परंतु हाशिए अनियंत्रित, जिल्द रंगहीन तथा उस पर व्यक्तित्व की कोई मुहर नहीं होती।...

जीवन-कविता का विकास एक वृक्ष का विकास है। वृक्ष उगता है, पौधा बनते हुए उस पर टहनियाँ और पत्ते निकलते हैं। वह हरा-भरा हो जाता है। पतझड़ आता है, ठूँठ बन जाता है। परंतु बड़ी आतुरता से बहार की प्रतीक्षा करता है। बहार आने पर वह शीघ्रतापूर्वक अपनी समस्त प्राणवत्ता अंतिम पत्ते की नाड़ी तक पहुँचा देता है। उसके फलों में से बीज बिखरते रहते हैं, उनसे नए पौधे उगते हैं। विशाल वृक्ष कोपलों के विकसित होने पर फल, फूल एवं पत्तियों से लद जाता है। उसके नन्हे पौधे उसके समान वृक्ष बन जाते हैं, तब धरती का रस संचित करने के लिए उसे स्वयं कम से कम पर निर्वाह करना पड़ता है। अंततः वह अपना समस्त भाग छोड़ देता है तथा दूसरों के उपयोग में आने के लिए स्वयं को कटाने के लिए तत्पर रहता

है। इसकी डालियाँ ईंधन के रूप में जलाई जाती हैं, इसके पत्ते खाद बन जाते हैं। इसके तने चीरकर शहतीर बनाए जाते हैं। इसके अति कोमल-सुंदर भाग से अनेक बार शृंगार-मूढ़ों की सजावट की जाती है तथा चित्रों को लंबे समय तक सुरक्षित रखने के लिए फ्रेम बनाए जाते हैं।

जीवन-कविता का विकास भी इसी प्रकार होता है। जीवितावस्था में उसने सौंदर्य का प्रसार किया, मैत्री और प्रेम के गीत गाए, दुःखी दिलों को आनंदित किया, मृण्मय हृदयों को उष्णता प्रदान की, गिरतों को बल दिया तथा निर्बलों को सहारा दिया। परंतु जब जीवन-कविता का अंत हो गया, उसकी स्मृति सदियों के दिलों में सुरक्षित रही और अनेक लोगों की प्रेरणा बनी।...

यह ठीक है कि आदमी के जीवन की पुस्तक जन्म से ही लिखी जा रही है, उसके अनेक अध्याय लिखे जा चुके हैं, वे अच्छे हों अथवा बुरे, उन्हें अब पृथक नहीं किया जा सकता। परंतु इसके लेखक को जब कोई नवीन प्रकाश दिखाई देता है, उस समय वह अपनी कहानी में अच्छे पात्र सम्मिलित कर कहानी के अंत को काफी सीमा तक नया मोड़ दे सकता है। कोई भी 'जीन वैल्जियन' किसी पादरी की आत्मिक शिक्षा से प्रभावित होकर हत्यारा बनने की जगह इच्छा इंसान भी बन सकता है।

अच्छी जीवन-कविता की रचना केवल शब्दों के जादूगरों का ही कार्य नहीं है। अनेक कवियों ने उच्च कोटि की साहित्यिक कविताओं की रचना की है। यद्यपि उनमें से अधिकांश का जीवन शून्यता से भरा हुआ था। ऐसे शून्य को भरने के लिए वे शराब के नशे में डूबे रहे। वे अपनी संतान के प्रति अपने कर्तव्य पूरे न कर सके। उनमें से अनेकों को आत्महत्या करनी पड़ी। उन्होंने अपनी अद्वितीय योग्यता को काव्यात्मकता के उत्कर्ष के लिए प्रयुक्त तो किया, परंतु अपने जीवन के ढंग में उन्नति न ला सके। वे अपना जीवन सार्थक न कर सके। क्योंकि 'कविता उतनी कला नहीं जितनी कि वह जीने का ढंग है।'

कविता की कला के लिए भाषा और छंद का ज्ञान आवश्यक है। परंतु जीवन की कविता के लिए शरीर, मन, समाज तथा प्रकृति के ज्ञान की अत्यधिक आवश्यकता है। जीवन का कवि अपनी देह से कविता आरंभ करता है, क्योंकि शरीर जीवन-कविता का कागज है। इस पर हमारी जीवन-कथा के वे सभी पात्र चित्रित किए जाते हैं, जिनसे कहानी का कथानक विस्तृत होता है। उसके लिए अपने शरीर को दीर्घायु तथा कविता में ढाले रखना अनिवार्य है। अभिनेत्री सारा बर्नार्ट अस्सी वर्ष की आयु तक एक नवयुवती का अभिनय प्रसन्नतापूर्वक करती रही। आज भी उनकी आयु वाली अभिनेत्रियाँ दर्शकों के अचंभे एवं प्रसन्नता का कारण बनी हुई हैं। अधिक वर्ष देह की कविता को कम नहीं करते। सफेद बाल कविता से रिक्त नहीं होते।

कविता का निवास आकृति में नहीं होता। अनेक सुडौल चेहरे कविता से शून्य

होते हैं तथा अनेक बेडौल चेहरे-मोहरे कविता से उद्भासित होते हैं। दरअसल समस्त उजास और आकर्षण रक्त की तंदरुस्ती और देह की सुघड़ता से पैदा होता है। रक्त को स्वच्छ एवं शरीर को अत्यधिक समय तक अनावश्यक मांस से मुक्त रखा जा सकता है। प्रतिदिन अभ्यास और सादी उचित खुराक द्वारा रक्त को यौवनयुक्त तथा शरीर को सुडौल बनाए रखा जा सकता है। पवन, पानी तथा खुला आकाश कविता के अजस्र स्रोत हैं, वे चाहें तो किसी भी अंग में कविता का जादू भर सकते हैं। प्रत्येक अंग में कविता की लय तरंगायित हो सकती है। अनेक ललनाओं के हाथ ही नहीं, अपितु पाँव भी पूर्ण कविता होते हैं। हाथ दो मटक रही छुग्गियाँ तथा पाँव तैरते हुए दो हंस दृष्टिगोचर होते हैं। नयनों की कविता के ऊपर किसने अपना सर्वस्व न्यौछावर नहीं किया होगा? कविता से परिपूर्ण आँखों की ज्योति पूरी आयु विद्यमान रहती है। जब जीवन से कविता कम होने लगती है, तभी आँखों की ज्योति भी कम हो जाती है। वास्तव में अपने कद पर तो हमारा वश नहीं होता, परंतु छोटे अथवा लंबे कद में कोई जितनी चाहे कविता डाल सकता है। जीवन के परिपक्व कवि अपने नाखूनों से भी कविता समाप्त नहीं होने देते। कविता से भरा बुढ़ापा काव्यहीन यौवन से कहीं अधिक आकर्षण रखता है। बाल अधिक हों अथवा कम, लंबे रहें अथवा छोटे, काले हों या सफेद, जब तक उन पर कविता की चमक विद्यमान है, सुंदरता का पारखी भौंरा दौड़-दौड़ कर उन्हें चुंबन देने के लिए आता रहेगा। कौन ऐसा है, जिसने अधरों और दांतों की कविता पर वाह-वाह नहीं की? अधरों की फूल-पत्तियों तथा दाँत के मोतियों पर भला किसने अपना संपूर्ण हृदय न्यौछावर नहीं करना चाहा?

यह कितने संतोष की बात है कि कविता कभी कठिन शब्द नहीं माँगती। कठिन शब्द काव्यहीन समझे जाते हैं। किसी कविता में अश्लील शब्दों का प्रयोग नहीं होता, न ही लच्छेदार तथा न ही अलंकृत शब्दों को कविता में रखना संभव है। कविता वह सुंदर माला है जो सादे, सरल तथा भावना से सिक्त शब्दों से बनी होती है। छोटे-छोटे शब्दों को एक-दूजे से जोड़े रखना ही कविता की नैसर्गिक कला है। नैसर्गिक इसलिए कि सृष्टि की सबसे महान कविता हमारा तारा-मंडल है, जिसका हर नक्षत्र एक-दूसरे के साथ सुरक्षित एवं एक-दूसरे पर निर्भर है।

इसी दैवी चमत्कार का मानवीय उदाहरण हमारी जीवन-कविता है। इस कविता के लिए न महान कोशों में से कठिन शब्दों को ढूँढ़ने की और न ही जीवन से अद्वितीय समृद्धि की याचना करने की आवश्यकता है। वस्तुतः सरल मानवीय जुबान हर हृदय के रक्त की चमक और साधारण मानवीय नियमों पर हृदय-संवेदना की कोमलता छोटे से छोटे मनुष्य को भी महान कवि बना सकती है।

शरीर को कविता बनाने के लिए किसी जन्मजात सौंदर्य का होना अनिवार्य नहीं। हर चेहरा कविता का बंद बन सकता है, यदि उसके भीतर प्रेम, मैत्री तथा सुंदरता की चाह है। हर लंबाई तथा रंग वाले शरीर में कविता दृष्टिगोचर हो सकती

है, यदि उसके अंगों पर एक छटाँक भी अधिक मांस नहीं हो और न ही अनावश्यक कपड़ा हो।

अनावश्यक कपड़े की बात कहते हुए परिधान का मामला सामने आ जाता है। कविता जैसे शरीर को कविताहीन परिधान से ढकना अथवा लादना उसके प्रति अन्याय करना है। कपड़े ऐसे होने चाहिए कि देह की सुंदर रेखाएँ उभरें तथा वे कम अच्छी लगने वाली रेखाओं को प्रभावहीन बनाएँ। कहीं देह से अधिक वस्त्र ही ध्यानाकर्षण करने वाले न हों। वस्त्रों का काम तो मौसम से सुरक्षित रखना तथा शारीरिक रेखाओं को उभारना है। वैभव के प्रदर्शन से शरीर की कविता पीछे रह जाती है। अधिकांश लोग अपने वस्त्रों का प्रदर्शन करते हैं। परंतु वास्तविक सम्मान तो शरीर का सम्मान है। यदि गलियों, बाज़ारों तथा उद्यानों में शारीरिक सम्मान अत्यधिक प्रत्यक्ष हो तो जीवन का दृश्य कितना प्रिय हो जाए। सुंदर मानवीय शरीर ही प्रकृति के सुंदर पक्षियों, फूलों तथा नक्षत्रों की सुडौलता के साथ मेल खा सकता है। प्रकृति का राजकुमार मानव है। वह प्रकृति की सभी सौंदर्य-प्रदर्शनियों में एक कारुणिक झाँकी सदृश्य है।

धरती और आकाश के चप्पे-चप्पे पर फैला हुआ प्राकृतिक सौंदर्य इस तथ्य का उद्घोष करता है कि सर्वाधिक संभावनाओं का स्वामी मनुष्य पाँव से लेकर सिर तक एक कविता हो। जूते से लेकर टोपी-पगड़ी तक वह एक लुभावना दृश्य लगे। उसका घर तथा उसके आसपास का परिवेश उसकी जीवन-कविता पर खरा उतरने वाला पूर्ण कवित्व हो।

मुनष्य का घर केवल उसके काव्य का एक छंद ही नहीं, अपितु उसकी कविता में नई लय का प्रेरक भी होता है। जिस प्रकार कविता को कठिन शब्द और गहनों तथा शृंगार की भाँति दुर्लभ शब्द की जरूरत नहीं है, उसी प्रकार घर को भी किसी मूल्यवान प्रसार की आवश्यकता नहीं है। अपने जीवन के कर्तव्य निभाने के लिए जिन वस्तुओं की आवश्यकता हो, उनकी उपलब्धि के लिए किए गए प्रयत्नों में भी कविता होनी चाहिए। कविता के अनुरूप उनका चयन हो। घर के परिवेश का निर्माण करना भी एक कविता है। प्रत्येक घर का अपना व्यक्तित्व हो। यह व्यक्तित्व परिवेश के ही संपूर्ण व्यक्तित्व की छवि होता है। इस छवि में कविता की लय को प्राप्त करना दुष्कर नहीं, अपितु यही जीवन-कला है। सौंदर्य की भूख, स्वच्छता के लिए प्रयास तथा नवीन-नवीन योजनाओं की ललक घर को सुंदर बनाने के लिए पर्याप्त है। परंतु इनमें कविता का रंग भरने के लिए पारिवारिक संबंधों में तालमेल आवश्यक है।

कोई घर चाहे जितना सुंदर हो, परंतु यदि उस घर में साथी ऊँचा बोलने के लिए विवश है, यदि एक-दूजे की त्रुटियाँ स्वाभाविक ही उनके मुँह पर आ जाती हैं, यदि एक-दूजे की कठिनाइयों को कम करने तथा पारस्परिक प्रगति के लिए उनमें

स्वाभाविक रुचि नहीं, यदि किसी की अनुपस्थिति में उसकी निंदा होती है, यदि क्षमा करना तथा क्षमा माँगना कठिन समझा जाता है, यदि घरेलू नौकरों के साथ बोली और व्यवहार में अंतर रखा जाता है, यदि उस घर में अतिथि का सम्मान नहीं होता, यदि पड़ोसियों को उस घर से कोई आशा नहीं होती तो भले ही वह घर संपन्न कहलोए पर वह घर कविता से रिक्त है, क्योंकि कवितामय होने के लिए कवि-भाव का होना अनिवार्य है।

कवि गलत आरोप लगाने वाले पक्ष का वकील नहीं होता, वह आरोपितों का वकील होता है। कवि अवगुणों का समालोचक न होकर प्रत्येक स्व-प्रकाशित गुण का प्रशंसक होता है। वह जातियों, पीढ़ियों एवं देशों की एकता का चित्रकार होता है, युद्ध और घृणा उसकी कविता के विषय नहीं होते।

कवि पुरस्कारों का याचक नहीं होता और न ही वह आगे बढ़ने के लिए लालायित रहता है। कवि प्रसिद्धि का मुहताज नहीं होता। वह प्रतिस्पर्धा का भी इच्छुक नहीं होता। कवि तो जीवन को मोहित करने वाला प्राण है। वह जीवन पर न्यौछावर होने के लिए कटिबद्ध है। प्रथम वह अपनी देह को, फिर अपने घर को, अपने गाँव, नगर, देश के सभी साथियों को, तत्पश्चात् समग्र धरती को जहाँ उसके सभी प्रिय बसते हैं–सुंदर कविता के रंगों में पिरो देना अपने जीवन का मनोरथ समझता है। इस मनोरथ की पूर्ति का पुरस्कार कोई दूसरा नहीं प्रदान कर सकता। उसका पुरस्कार पग-पग पर, प्रत्येक पल, उसकी दृष्टि, उसकी वाणी, उसकी गति तथा उसके स्वप्नों में रचित होता है। उसकी महान जीवन-कविता का अंतरिम कवित्त यह होता है, 'ना को वैरी नाहि बेगाना। सगल संग हम को बण आई।।'

अनुवाद : **लखबीर सिंह निर्दोष**

भगत सिंह

1907-1931

पंजाब के जालंधर जिले के गाँव खटकड़ कलां में एक आर्य समाजी परिवार में जन्म। छोटी उम्र से ही मन में देश की आजादी का लक्ष्य मचलने लगा। उन्हें 1919 के जलियाँवाला बाग हत्याकांड ने झकझोर दिया। महात्मा गाँधी के आह्वान पर स्कूली शिक्षा छोड़ दी और असहयोग आंदोलन में कूद पड़े। आंदोलन वापस लिए जाने पर क्षुब्ध। कुछ समय तक गुरुद्वारा आंदोलन से भी जुड़े। मुश्किल से 'नेशनल कॉलेज' में दाखिले के बाद सुखदेव, भगवती चरण बोहरा आदि से संपर्क एवं क्रांतिकारी जीवन की शुरुआत। 1927 से फाँसी के पहले तक उन्होंने काफी क्रांतिकारी साहित्य लिखा। वे जनमानस में क्रांति के पर्याय बन गए। वे केवल अंग्रेजी राज से मुक्ति नहीं, पूरी समाज-व्यवस्था को बदलना चाहते थे। नेशनल असेंबली में बटुकेश्वर दत्त के साथ बम फेंकने के बाद दिलेरी से पर्चे बाँटे। 23 मार्च 1931 को फाँसी।

धर्म और हमारा स्वतंत्रता संग्राम

अमृतसर में 11-12-13 अप्रैल को राजनीतिक कांफ्रेंस हुई और साथ ही युवकों की भी कांफ्रेंस हुई। दो-तीन सवालों पर इसमें बड़ा झगड़ा और बहस हुई। उनमें से एक सवाल धर्म का भी था। वैसे तो धर्म का प्रश्न कोई न उठाता, किंतु सांप्रदायिक संगठनों के विरुद्ध प्रस्ताव पेश हुआ और धर्म की आड़ लेकर उन संगठनों का पक्ष लेने वालों ने स्वयं को बचाना चाहा। वैसे तो यह प्रश्न और कुछ देर दबा रहता, लेकिन इस तरह सामने आ जाने से स्पष्ट बातचीत हो गई और धर्म की समस्या को हल करने का प्रश्न भी उठा। प्रांतीय कांफ्रेंस की विषय समिति में भी मौलाना जफर अली साहब के पाँच-सात बार खुदा-खुदा करने पर अध्यक्ष पंडित जवाहरलाल ने कहा कि इस मंच पर आकर खुदा-खुदा न कहें। आप धर्म के मिशनरी हैं तो मैं धर्महीनता (Irreligion) का प्रचारक हूँ। बाद में लाहौर में भी इसी विषय पर नौजवान सभा ने एक मीटिंग की। कई भाषण हुए और धर्म के नाम का लाभ उठाने

वाले और यह सवाल उठ जाने पर झगड़ा हो जाने से डर जाने वाले कई सज्जनों ने कई तरह की नेक सलाहें दीं।

सबसे जरूरी बात जो बार-बार कही गई और जिस पर श्रीमान भाई अमरसिंह जी झबाल ने विशेष जोर दिया, वह यह थी कि धर्म के सवाल को छेड़ा ही न जाए। बड़ी नेक सलाह है। यदि किसी का धर्म बाहर लोगों की सुख-शांति में कोई विघ्न न डालता हो तो किसी को भी उसके विरुद्ध आवाज उठाने की क्या जरूरत हो सकती है? लेकिन सवाल तो यह है कि अब तक का अनुभव क्या बताता है? पिछले आंदोलन में भी धर्म का यही सवाल उठा और सभी को पूरी आजादी दे दी गई। यहाँ तक कि कांग्रेस के मंच से भी आयतें और मंत्र पढ़े जाने लगे। उन दिनों धर्म में पीछे रहने वाला कोई भी आदमी अच्छा नहीं समझा जाता था। फलस्वरूप संकीर्णता बढ़ने लगी।

जो दुष्परिणाम हुआ, वह किससे छिपा है? अब राष्ट्रीवादी या स्वतंत्रता प्रेमी लोग धर्म की असलियत समझ गए हैं और वही उसे अपने रास्ते का रोड़ा समझते हैं।

बात यह है कि क्या धर्म घर में रखते हुए भी, लोगों के दिलों में भेदभाव नहीं बढ़ता? क्या उसका देश के पूर्ण स्वतंत्रता हासिल करने तक पहुँचने में कोई असर नहीं पड़ता? इस समय पूर्ण स्वतंत्रता के उपासक सज्जन धर्म को दिमागी गुलामी का नाम देते हैं। वे यह भी कहते हैं कि बच्चे से यह कहना कि—ईश्वर ही सर्वशक्तिमान है, मनुष्य कुछ भी नहीं, मिट्टी का पुतला है—बच्चे को हमेशा के लिए कमजोर बनाना है। उसके दिल की ताकत और उसके आत्मविश्वास की भावना को ही नष्ट कर देना है। लेकिन इस बात पर बहस न भी करें और सीधे अपने सामने रखे दो प्रश्नों पर ही विचार करें तो भी हमें नजर आता है कि धर्म हमारे रास्ते में एक रोड़ा है। मसलन हम चाहते हैं कि सभी लोगों में समता हो। उनमें पूँजीपतियों के ऊँच-नीच की छूत-अछूत का कोई विभाजन न रहे। लेकिन सनातन धर्म इस भेदभाव के पक्ष में है। बीसवीं सदी में भी पंडित, मौलवी जी जैसे लोग भंगी के लड़के के हार पहनाने पर कपड़ों सहित स्नान करते हैं और अछूतों को जनेऊ तक देने से इनकारी है। यदि इस धर्म के विरुद्ध कुछ न कहने की कसम ले लें तो चुप कर घर बैठ जाना चाहिए, नहीं तो धर्म का विरोध करना होगा। लोग यह भी कहते हैं कि इन बुराइयों का सुधार किया जाए। बहुत खूब! छूत-अछूत को स्वामी दयानंद ने जो मिटाया तो वे भी चार वर्णों से आगे नहीं जा पाए। भेदभाव तो फिर भी रहा ही। गुरुद्वारे जाकर जो सिख 'राज करेगा खालसा' गाएँ और बाहर आकर पंचायती राज की बातें करें, तो उसका मतलब क्या है?

धर्म तो यह कहता है कि इस्लाम पर विश्वास न करने वाले काफिर तलवार के घाट उतार देने चाहिए और यदि इधर एकता की दुहाई दी जाए तो परिणाम

क्या होगा? हम जानते हैं कि अभी कई और बड़े ऊँचे भाव की आयतें और मंत्र पढ़कर खींचतान करने की कोशिश की जा सकती है, लेकिन सवाल यह है कि इस सारे झगड़े से छुटकारा ही क्यों न पाया जाए? धर्म का पहाड़ तो हमें हमारे सामने खड़ा नजर आता है। मान लें कि भारत में स्वतंत्रता-संग्राम छिड़ जाए। सेनाएँ आमने-सामने बंदूकें ताने खड़ी हों, गोली चलने ही वाली हो और यदि उस समय कोई मुहम्मद गोरी की तरह–जैसी कि कहावत बतायी जाती है–आज भी हमारे सामने गायें, सूअर, ग्रंथ साहिब, वेद, कुरान आदि चीजें खड़ी कर दी जाएँ, तो हम क्या करेंगे? यदि पक्के धार्मिक होंगे तो अपना बोरिया-बिस्तर लपेटकर घर बैठ जाएँगे। धर्म के होते हुए हिंदू-सिख गाय पर और मुसलमान सूअर पर गोली नहीं चला सकते। धर्म के बड़े पक्के इंसान तो उस समय सोमनाथ के कई हजार पंडों की तरह ठाकुरों के आगे लोटते रहेंगे और दूसरे लोग धर्महीन या अधर्मी–काम कर जाएँगे। तो हम किस निष्कर्ष पर पहुँचे? धर्म के विरुद्ध सोचना ही पड़ता है। लेकिन यदि धर्म के पक्ष वालों के तर्क भी सोचे जाएँ तो वे यह कहते हैं कि दुनिया में अंधेर हो जाएगा, पाप बढ़ जाएगा। बहुत अच्छा, इसी बात को ले लें।

रूसी महात्मा टॉल्स्टॉय ने अपनी पुस्तक (Essay and Letters) में धर्म पर बहस करते हुए उसके तीन हिस्से किए हैं–

1. Essentials of Religion, यानी धर्म की जरूरी बातें अर्थात् सच बोलना, चोरी न करना, गरीबों की सहायता करना, प्यार से रहना, आदि।

2. Philosophy of Religion, यानी जन्म-मृत्यु, पुनर्जन्म, संसार-रचना आदि का दर्शन। इसमें आदमी अपनी मर्जी के अनुसार सोचने और समझने का यत्न करता है।

3. Rituals of Religion, यानी रस्मो-रिवाज आदि। मतलब यह कि पहले हिस्से में सभी धर्म एक हैं। सभी कहते हैं कि सच बोलो, झूठ न बोलो, प्यार से रहो। इन बातों को कुछ सज्जनों ने Individual Religion कहा है। इसमें तो झगड़े का प्रश्न ही नहीं उठता। वरन् यह कि ऐसे नेक विचार हर आदमी में होने चाहिए। दूसरा फिलासफी का प्रश्न है। असल में कहना पड़ता है कि Philosophy is the out come of human weakness यानी फिलासफी आदमी की कमजोरी का फल है। जहाँ भी आदमी देख सकते हैं, वहाँ कोई झगड़ा नहीं। जहाँ कुछ नजर न आया, वहीं दिमाग लड़ाना शुरू कर दिया और खास-खास निष्कर्ष निकाल लिए। वैसे तो फिलासफी बड़ी जरूरी चीज है, क्योंकि इसके बगैर उन्नति नहीं हो सकती, लेकिन इसके साथ-साथ शांति होनी भी बड़ी जरूरी है। हमारे बुजुर्ग कह गए हैं कि मरने के बाद पुनर्जन्म भी होता है, ईसाई और मुलसमान इस बात को नहीं मानते। बहुत अच्छा, अपना-अपना विचार है। आइए, प्यार के साथ बैठकर बहस करें। एक-दूसरे के विचार जानें। लेकिन 'मसला-ए-तनासुक' पर बहस होती है तो आर्यसमाजियों

व मुसलमानों में लाठियाँ चल जाती हैं। बात यह कि दोनों पक्ष दिमाग को, बुद्धि को, सोचने-समझने की शक्ति को ताला लगाकर घर रख आते हैं। वे समझते हैं कि वेद में ईश्वर ने इसी तरह लिखा है, वही सच्चा है। वे कहते हैं कि कुरान शरीफ में खुदा ने ऐसे लिखा है और यही सच है। अपने सोचने की शक्ति (Power of Reasoning) को छुट्टी दी हुई होती है। सो जो फिलासफी हर व्यक्ति की निजी राय से अधिक महत्त्व न रखती हो तो एक खास फिलासफी मानने के कारण भिन्न गुट न बनें, तो इसमें क्या शिकायत हो सकती है।

अब आती है तीसरी बात—रस्मो-रिवाज। सरस्वती पूजा वाले दिन सरस्वती की मूर्ति का जुलूस निकलना जरूरी है और उसमें आगे-आगे बैंड-बाजा बजना भी जरूरी है। लेकिन हैरीमन रोड के रास्ते में एक मस्जिद भी आती है। इस्लाम धर्म कहता है कि मस्जिद के आगे बाजा न बजे। अब क्या होना चाहिए? नागरिक आजादी का हक कहता है कि बाजार में बाजा बजाते हुए भी जाया जा सकता है। लेकिन धर्म कहता है कि नहीं। इनके धर्म में गाय का बलिदान जरूरी है और दूसरे में गाय की पूजा लिखी हुई है। अब क्या हो? पीपल की शाखा कटते ही धर्म में अंतर आ जाता है तो क्या किया जाए? तो यही फिलासफी व रस्मो-रिवाज के छोटे-छोटे भेद बाद में जाकर (National Religion) बन जाते हैं और अलग-अलग संगठन बनने का कारण बनते हैं। परिणाम हमारे सामने है।

सो यदि धर्म पीछे लिखी तीसरी और दूसरी बात के साथ अंधविश्वास को मिलाने का नाम है, तो धर्म की कोई जरूरत नहीं। इसे आज ही उड़ा देना चाहिए। यदि पहली और दूसरी बात में स्वतंत्र विचार मिलाकर धर्म बनता हो, तो धर्म मुबारक है।

लेकिन अलग-अलग संगठन और खाने-पीने का भेदभाव मिटाना जरूरी है। छूत-अछूत शब्दों को जड़ से निकालना होगा। जब तक हम अपनी तंगदिली छोड़कर एक न होंगे, तब तक हममें वास्तविक एकता नहीं हो सकती। इसलिए ऊपर लिखी बातों के अनुसार चलकर ही हम आजादी की ओर बढ़ सकते हैं। हमारी आजादी का अर्थ केवल अंग्रेजी चंगुल से छुटकारा पाने का नाम नहीं, वह पूर्ण स्वतंत्रता का नाम है—जब लोग परस्पर घुल-मिलकर रहेंगे और दिमागी गुलामी से भी आजाद हो जाएँगे।

सांप्रदायिक दंगे और उनका इलाज

भारतवर्ष की दशा इस समय बड़ी दयनीय है। एक धर्म के अनुयायी दूसरे धर्म के अनुयायियों के जानी दुश्मन हैं। अब तो एक धर्म का होना ही दूसरे धर्म का कट्टर

शत्रु होना है। यदि इस बात का अभी यकीन न हो तो लाहौर के ताजा दंगे ही देख लें। किस प्रकार मुसलमानों ने निर्दोष सिखों, हिंदुओं को मारा है और किस प्रकार सिखों ने भी वश चलते कोई कसर नहीं छोड़ी है। यह मार-काट इसलिए नहीं की गई कि फलाँ आदमी दोषी है, वरन इसलिए कि फलाँ आदमी हिंदू है या सिख है या मुसलमान है। बस किसी व्यक्ति का सिख या हिंदू होना मुसलमानों द्वारा मारे जाने के लिए काफी था और इसी तरह किसी व्यक्ति का मुसलमान होना ही उसकी जान लेने के लिए पर्याप्त तर्क था। जब स्थिति ऐसी हो तो हिंदुस्तान का ईश्वर ही मालिक है।

ऐसी स्थिति में हिंदुस्तान का भविष्य बहुत अंधकारमय नजर आता है। इन 'धर्मों' ने हिंदुस्तान का बेड़ा गर्क कर दिया है। और अभी पता नहीं कि यह धार्मिक दंगे भारतवर्ष का पीछा कब छोड़ेंगे। इन दंगों ने संसार की नजरों में भारत को बदनाम कर दिया है। और हमने देखा है कि इस अंधविश्वास के बहाव में सभी बह जाते हैं। कोई विरला ही हिंदू, मुसलमान या सिख होता है, जो अपना दिमाग ठंडा रखता है, बाकी सबके सब धर्म के ये नामलेवा अपने नामलेवां धर्म के रोब को कायम रखने के लिए डंडे-लाठियाँ, तलवारें-छुरे हाथ में पकड़ लेते हैं और आपस में सर फोड़-फोड़कर मर जाते हैं। बाकी बचे कुछ तो फाँसी चढ़ जाते हैं और कुछ जेलों में फेंक दिए जाते हैं। इतना रक्तपात होने पर इन 'धर्मजनों' पर अंग्रेजी सरकार का डंडा बरसता है और फिर इनके दिमाग का कीड़ा ठिकाने पर आ जाता है।

जहाँ तक देखा गया है, इन दंगों के पीछे सांप्रदायिक नेताओं औरं अखबारों का हाथ है। इस समय हिंदुस्तान के नेताओं ने ऐसी लीद की है कि चुप ही भली। वही नेता जिन्होंने भारत को स्वतंत्र कराने का बीड़ा अपने सिर पर उठाया हुआ था और जो 'समान राष्ट्रीयता' और 'स्वराज-स्वराज' के दमगजे मारते नहीं थकते थे, वही या तो अपने सिर छिपाए चुपचाप बैठे हैं या इसी धर्मांधता के बहाव में बह चले हैं। सिर छिपाकर बैठने वालों की संख्या भी क्या कम है? लेकिन ऐसे नेता जो सांप्रदायिक आंदोलन में जा मिले हैं, वैसे तो जमीन खोदने से सैकड़ों निकल आते हैं। जो नेता हृदय से सबका भला चाहते हैं, ऐसे बहुत ही कम हैं, और सांप्रदायिकता की ऐसी प्रबल बाढ़ आई हुई है कि वे भी इसे रोक नहीं पा रहे। ऐसा लग रहा है कि भारत में नेतृत्व का दिवाला पिट गया है।

दूसरे सज्जन जो सांप्रदायिक दंगों को भड़काने में विशेष हिस्सा लेते रहे हैं, वे अखबार वाले हैं।

पत्रकारिता का व्यवसाय, जो किसी समय बहुत ऊँचा समझा जाता था, आज बहुत ही गंदा हो गया है। ये लोग एक-दूसरे के विरुद्ध बड़े मोटे-मोटे शीर्षक देकर लोगों की भावनाएँ भड़काते हैं और परस्पर सिर-फुटौव्वल करवाते हैं। एक-दो जगह ही नहीं, कितनी ही जगहों पर इसलिए दंगे हुए हैं कि स्थानीय अखबारों ने बड़े

उत्तेजनापूर्ण लेख लिखे हैं। ऐसे लेखक, जिनका दिल व दिमाग ऐसे दिनों में भी शांत रहा हो, बहुत कम हैं।

अखबारों का असली कर्त्तव्य शिक्षा देना, लोगों से संकीर्णता निकालना, सांप्रदायिक भावनाएँ हटाना, परस्पर मेल-मिलाप बढ़ाना और भारत की साझी राष्ट्रीयता बनाना था, लेकिन इन्होंने अपना मुख्य कर्त्तव्य अज्ञान फैलाना, संकीर्णता का प्रचार करना, सांप्रदायिक बनाना, लड़ाई-झगड़े करवाना और भारत की साझी राष्ट्रीयता को नष्ट करना बना लिया है। यही कारण है कि भारतवर्ष की वर्तमान दशा पर विचार कर आँखों से रक्त के आँसू बहने लगते हैं और दिल में सवाल उठता है कि 'भारत का बनेगा क्या?'

जो लोग असहयोग के दिनों के जोश व उभार को जानते हैं, उन्हें यह स्थिति देख रोना आता है। कहाँ थे वे दिन कि स्वतंत्रता की झलक सामने दिखाई देती थी और कहाँ आज यह दिन कि स्वराज्य एक सपना मात्र बन गया है। बस यही तीसरा लाभ है, जो इन दंगों से अत्याचारियों को मिला है। वही नौकरशाही-जिसके अस्तित्व को खतरा पैदा हो गया था, कि आज गई, कल गई—आज अपनी जड़ें इतनी मजबूत कर चुकी है कि उसे हिलाना कोई मामूली काम नहीं है।

यदि इन सांप्रदायिक दंगों की जड़ खोजें तो हमें इसका कारण आर्थिक ही जान पड़ता है। असहयोग के दिनों में नेताओं व पत्रकारों ने ढेरों कुर्बानियाँ दीं। उनकी आर्थिक दशा बिगड़ गई थी। असहयोग आंदोलन के धीमा पड़ने पर नेताओं पर अविश्वास-सा हो गया, जिससे आजकल के बहुत-से सांप्रदायिक नेताओं के धंधे चौपट हो गए। विश्व में जो भी काम होता है, उसकी तह में पेट का सवाल जरूर होता है। कार्ल मार्क्स के तीन बड़े सिद्धांतों में से यह एक मुख्य सिद्धांत है। इसी सिद्धांत के कारण ही तबलीग, तनकीम, शुद्धि आदि संगठन शुरू हुए और इसी कारण से आज हमारी ऐसी दुर्दशा हुई, जो अवर्णनीय है।

बस, सभी दंगों का इलाज यदि कोई हो सकता है तो वह भारत की आर्थिक दशा में सुधार से ही हो सकता है, क्योंकि भारत के आम लोगों की आर्थिक दशा इतनी खराब है कि एक व्यक्ति दूसरे को चवन्नी देकर किसी और को अपमानित करवा सकता है। भूख और दुख से आतुर होकर मनुष्य सभी सिद्धांत ताक पर रख देता है। सच है, मरता क्या न करता।

लेकिन वर्तमान स्थिति में आर्थिक सुधार होना अत्यंत कठिन है क्योंकि सरकार विदेशी है और यही लोगों की स्थिति को सुधरने नहीं देती। इसीलिए लोगों को हाथ धोकर इसके पीछे पड़ जाना चाहिए और जब तक सरकार बदल न जाए, चैन की साँस न लेना चाहिए।

लोगों को परस्पर लड़ने से रोकने के लिए वर्ग-चेतना की जरूरत है। गरीब मेहनतकशों व किसानों को स्पष्ट समझा देना चाहिए कि तुम्हारे असली दुश्मन पूँजीपति

हैं, इसलिए तुम्हें इनके हथकंडों से बचकर रहना चाहिए और इनके हत्थे चढ़ कुछ न करना चाहिए। संसार के सभी गरीबों के, चाहे वे किसी भी जाति, रंग, धर्म या राष्ट्र के हों, अधिकार एक ही हैं। तुम्हारी भलाई इसी में है कि तुम धर्म, रंग, नस्ल और राष्ट्रीयता व देश के भेदभाव मिटाकर एकजुट हो जाओ और सरकार की ताकत अपने हाथ में लेने का यत्न करो। इन यत्नों में तुम्हारा नुकसान कुछ नहीं होगा, इससे किसी दिन तुम्हारी जंजीरें कट जाएँगी और तुम्हें आर्थिक स्वतंत्रता मिलेगी।

जो लोग रूस का इतिहास जानते हैं, उन्हें मालूम है कि जार के समय वहाँ भी ऐसी ही स्थितियाँ थीं, वहाँ भी कितने ही समुदाय थे जो परस्पर जूत-पतांग करते रहते थे। लेकिन जिस दिन से वहाँ श्रमिक-शासन हुआ है, वहाँ नक्शा ही बदल गया है। अब वहाँ कभी दंगे नहीं हुए। अब वहाँ सभी को 'इंसान' समझा जाता है, 'धर्मजन' नहीं। जार के समय लोगों की आर्थिक दशा बहुत ही खराब थी, इसलिए सब दंगे-फसाद होते थे। लेकिन अब रूसियों की आर्थिक दशा सुधर गई है और उनमें वर्ग-चेतना आ गई है, इसलिए अब वहाँ से कभी किसी दंगे की खबर नहीं आई।

इन दंगों में वैसे तो बड़े निराशाजनक समाचार सुनने में आते हैं, लेकिन कलकत्ते के दंगों में एक बात बहुत खुशी की सुनने में आई। वह यह कि वहाँ दंगों में ट्रेड यूनियनों के मजदूरों ने हिस्सा नहीं लिया और न ही वे परस्पर गुत्थमगुत्था ही हुए, वरन सभी हिंदू-मुसलमान बड़े प्रेम से कारखानों आदि में उठते-बैठते और दंगे रोकने के भी यत्न करते रहे। यह इसलिए कि उनमें वर्ग-चेतना थी और वे अपने वर्गहित को अच्छी तरह पहचानते थे। वर्ग-चेतना का यही सुंदर रास्ता है, जो सांप्रदायिक दंगे रोक सकता है।

यह खुशी का समाचार हमारे कानों को मिला है कि भारत के नवयुवक अब वैसे धर्मों से जो परस्पर लड़ना व घृणा करना सिखाते हैं, तंग आकर हाथ धो रहे हैं और उनमें इतना खुलापन आ गया है कि वे भारत के लोगों को धर्म की नजर से—हिंदू, मुसलमान या सिख-रूप में नहीं, वरन सभी को पहले इंसान समझते हैं, फिर भारतवासी। भारत के युवकों में इन विचारों के पैदा होने से पता चलता है कि भारत का भविष्य सुनहला है और भारतवासियों को इन दंगों आदि को देखकर घबराना नहीं चाहिए, बल्कि तैयार-बर-तैयार हो यत्न करना चाहिए कि ऐसा वातावरण ही न बने, ताकि दंगे हों ही नहीं।

1914-15 के शहीदों ने धर्म को राजनीति से अलग कर दिया था। वे समझते थे कि धर्म व्यक्ति का व्यक्तिगत मामला है, इसमें दूसरे का कोई दखल नहीं। न ही इसे राजनीति में घुसाना चाहिए, क्योंकि यह सरबत को मिलकर एक जगह काम नहीं करने देता। इसीलिए गदर पार्टी जैसे आंदोलन एकजुट वह एकजान रहे, जिसमें सिख बढ़-चढ़कर फाँसियों पर चढ़े और हिंदू-मुसलमान भी पीछे नहीं रहे।

इस समय कुछ भारतीय नेता भी मैदान में उतरे हैं, जो धर्म को राजनीति

से अलग करना चाहते हैं। झगड़ा मिटाने का यह भी एक सुंदर इलाज है और हम इसका समर्थन करते हैं।

यदि धर्म को अलग कर दिया जाए तो राजनीति पर हम सभी इकट्ठे हो सकते हैं। धर्मों में हम चाहे अलग-अलग ही रहें।

हमारा ख्याल है कि भारत के सच्चे हमदर्द हमारे बताए इलाज पर जरूर विचार करेंगे और भारत का इस समय जो आत्मघात हो रहा है, उससे हमें बचा लेंगे।

मैं नास्तिक क्यों हूँ

एक नई समस्या उठ खड़ी हुई है—क्या मैं किसी अहंकार के कारण सर्वशक्तिमान, सर्वव्यापी तथा सर्वज्ञानी ईश्वर के अस्तित्व पर विश्वास नहीं करता हूँ? मैंने कभी कल्पना भी न की थी कि मुझे इस समस्या का सामना करना पड़ेगा। लेकिन अपने दोस्तों से बातचीत के दौरान मुझे ऐसा महसूस हुआ कि मेरे कुछ दोस्त, यदि मित्रता का मेरा दावा गलत न हो, मेरे साथ अपने थोड़े से संपर्क में इस निष्कर्ष पर पहुँचने के लिए उत्सुक हैं कि मैं ईश्वर के अस्तित्व को नकार कर कुछ जरूरत से ज्यादा आगे जा रहा हूँ और मेरे घमंड ने कुछ हद तक मुझे इस अविश्वास के लिए उकसाया है। जी हाँ, यह एक गंभीर समस्या है। मैं ऐसी कोई शेखी नहीं बघारता कि मैं मानवीय कमजोरियों से बहुत ऊपर हूँ। मैं एक मनुष्य हूँ, इससे अधिक कुछ नहीं। कोई भी इससे अधिक होने का दावा नहीं कर सकता। एक कमजोरी मेरे अंदर भी है। अहंकार मेरे स्वभाव का अंग है। अपने कामरेडों के बीच मुझे एक निरंकुश व्यक्ति कहा जाता था। यहाँ तक कि मेरे दोस्त श्री बी.के. दत्त भी मुझे कभी-कभी ऐसा कहते थे। कई मौकों पर स्वेच्छाचारी कहकर मेरी निंदा भी की गई। कुछ दोस्तों को यह शिकायत है, और गंभीर रूप में है कि मैं अनचाहे ही अपने विचार उन पर थोपता हूँ और अपने प्रस्तावों को मनवा लेता हूँ। यह बात कुछ हद तक सही है, इससे मैं इनकार नहीं करता। इसे अहंकार भी कहा जा सकता है। जहाँ तक अन्य प्रचलित मतों के मुकाबले हमारे अपने मत का सवाल है, मुझे निश्चय ही अपने मत पर गर्व है। लेकिन यह व्यक्तिगत नहीं है। ऐसा हो सकता है कि यह केवल अपने विश्वास के प्रति न्यायोचित गर्व हो, इसको घमंड नहीं कहा जा सकता। घमंड या सही शब्दों में 'अहंकार' वस्तुतः स्वयं के प्रति अनुचित गर्व है। क्या यह अनुचित गर्व है जो मुझे नास्तिकता की ओर ले गया, अथवा इस विषय का खूब सावधानी के साथ अध्ययन करने और उस पर खूब विचार करने के बाद मैंने ईश्वर पर अविश्वास किया? यह वह प्रश्न है जिसके बारे में मैं यहाँ बात करना चाहता हूँ। लेकिन पहले

मैं यह साफ कर दूँ कि आत्माभिमान और अंहकार—दो अलग-अलग बातें हैं।

पहली बात तो मैं यह समझने में पूरी तरह से असमर्थ हूँ कि अनुचित गर्व या वृथाभिमान किस प्रकार किसी व्यक्ति के ईश्वर में विश्वास करने के रास्ते में रोड़ा बन सकता है। मैं वास्तव में किसी महान व्यक्ति की महानता को मान्यता न दूँ, यह तभी हो सकता है जब मुझे भी थोड़ा ऐसा यश प्राप्त हो गया हो जिसके या तो मैं योग्य नहीं हूँ या मेरे अंदर वो गुण नहीं है जो इसके लिए आवश्यक अथवा अनिवार्य है। यहाँ तक तो समझ में आता है। लेकिन यह कैसे हो सकता है कि एक व्यक्ति, जो ईश्वर में विश्वास रखता हो, सहसा अपने व्यक्तिगत अहंकार के कारण उसमें विश्वास करना बंद कर दे? दो ही रास्ते संभव हैं। मनुष्य अपने को ईश्वर का प्रतिद्वंद्वी समझने लगे या वह स्वयं को ही ईश्वर मानना शुरू कर दे। इन दोनों ही अवस्थाओं में वह सच्चा नास्तिक नहीं बन सकता। पहली अवस्था में वह अपने प्रतिद्वंद्वी के अस्तित्व को नकारता ही नहीं है। दूसरी अवस्था में भी वह एक ऐसी चेतना के अस्तित्व को मानता है, जो पर्दे के पीछे से प्रकृति की सभी गतिविधियों का संचालन करती है। हमारे लिए इस बात का कोई महत्त्व नहीं कि वह अपने को ही परम-आत्मा समझता है या समझता है कि परम-चेतना उससे परे कुछ और है। मूल बात तो मौजूद है। इसका विश्वास मौजूद है। वह किसी भी तरह नास्तिक नहीं है। मैं यह कहना चाहता था कि न मैं पहली श्रेणी में आता हूँ, न दूसरी में। मैं उस सर्वशक्तिमान परम-आत्मा के अस्तित्व से ही इनकार करता हूँ। मैं इससे क्यों इनकार करता हूँ, इसको बाद में देखेंगे। यहाँ मैं एक बात यह स्पष्ट कर देना चाहता हूँ कि यह अहंकार नहीं है, जिसने मुझे नास्तिकता के सिद्धांत को ग्रहण करने के लिए प्रेरित किया। न मैं एक प्रतिद्वंद्वी हूँ, न ही एक अवतार और न ही स्वयं परम-आत्मा। एक बात निश्चित है, यह अहंकार नहीं है जो मुझे इस भाँति सोचने की ओर ले गया। इस अभियोग को अस्वीकार करने के लिए, आइए, तथ्यों पर गौर करें।

मेरे इन दोस्तों के अनुसार, दिल्ली बम केस और लाहौर षड्यंत्र केस के दौरान मुझे जो अनावश्यक यश मिला, शायद उस कारण मैं वृथाभिमानी हो गया हूँ। आइए, देखें कि क्या यह पक्ष सही है। मेरा नास्तिकतावाद कोई अभी हाल की उत्पत्ति नहीं है। मैंने ईश्वर पर विश्वास करना तब छोड़ दिया था जब मैं एक अप्रसिद्ध नौजवान था, जिसके अस्तित्व के बारे में मेरे उपरोक्त दोस्तों को कुछ पता भी न था। कम-से-कम एक कॉलेज का विद्यार्थी ऐसे किसी अनुचित अहंकार को नहीं पाल-पोस सकता जो उसे नास्तिकता की ओर ले जाए। यद्यपि मैं कुछ अध्यापकों का चहेता था तथा कुछ अन्य को मैं अच्छा नहीं लगता था, पर मैं कभी भी बहुत मेहनती अथवा पढ़ाकू विद्यार्थी नहीं रहा। अहंकार जैसी भावना में फँसने का कोई मौका ही न मिल सका। मैं तो एक बहुत लज्जालु स्वभाव का लड़का था, जिसकी भविष्य के बारे में कुछ

निराशावादी प्रकृति थी। और उन दिनों मैं पूर्ण नास्तिक नहीं था। मेरे बाबा, जिनके प्रभाव में मैं बड़ा हुआ, एक रूढ़िवादी आर्यसमाजी हैं। एक आर्यसमाजी और कुछ भी हो, नास्तिक नहीं होता। अपनी प्राथमिक शिक्षा पूरी करने के बाद मैंने डी.ए. वी. स्कूल, लाहौर में प्रवेश लिया और पूरे एक साल उसके छात्रावास में रहा। वहाँ सुबह और शाम की प्रार्थना के अतिरिक्त मैं घंटों गायत्री मंत्र जपा करता था। उन दिनों मैं पूरा भक्त था। बाद में मैंने अपने पिता के साथ रहना शुरू किया। जहाँ तक धार्मिक रूढ़िवादिता का प्रश्न है, वह एक उदारवादी व्यक्ति हैं। उन्हीं की शिक्षा से मुझे स्वतंत्रता के ध्येय के लिए अपने जीवन को समर्पित करने की प्रेरणा मिली। किंतु वे नास्तिक नहीं हैं। उनका ईश्वर में दृढ़ विश्वास है। वे मुझे प्रतिदिन पूजा-प्रार्थना के लिए प्रोत्साहित करते रहते थे। इस प्रकार से मेरा पालन-पोषण हुआ। असहयोग आंदोलन के दिनों में मैंने राष्ट्रीय कॉलेज में प्रवेश लिया। यहाँ आकर ही मैंने सारी धार्मिक समस्याओं, यहाँ तक कि ईश्वर के बारे में उदारतापूर्वक सोचना, विचारना तथा उसकी आलोचना करना शुरू किया। पर अभी भी मैं पक्का आस्तिक था। उस समय तक मैंने अपने बिना काटे व सँवारे हुए लंबे बालों को रखना शुरू कर दिया था, यद्यपि मुझे कभी भी सिक्ख या अन्य धर्मों की पौराणिकता और सिद्धांतों में विश्वास न हो सका था। किंतु मेरी ईश्वर के अस्तित्व में दृढ़ निष्ठा थी।

बाद में मैं क्रांतिकारी पार्टी से जुड़ा। वहाँ पर जिस पहले नेता से मेरा संपर्क हुआ, वे तो पक्का विश्वास न होते हुए भी ईश्वर के अस्तित्व को नकारने का साहस ही नहीं कर सकते थे। ईश्वर के बारे में मेरे हठपूर्वक पूछते रहने पर वे कहते, 'जब इच्छा हो तब पूजा कर लिया करो।' यह नास्तिकता है जिसमें इस विश्वास को अपनाने के साहस का अभाव है। दूसरे नेता जिनके मैं संपर्क में आया वे पक्के श्रद्धालु थे। उनका नाम बता दूँ—आदरणीय कामरेड शचींद्रनाथ सान्याल, जो कि आजकल काकोरी षड्यंत्र केस के सिलसिले में आजीवन कारावास भोग रहे हैं। उनकी अकेली प्रसिद्ध पुस्तक 'बंदी जीवन' में पहले पेज से ही ईश्वर की महिमा का जोर-शोर से गान है। उस सुंदर पुस्तक के दूसरे भाग के अंतिम पेज में उन्होंने ईश्वर के ऊपर प्रशंसा के जो रहस्यात्मक वेदांत के कारण पुष्प बरसाए हैं, वे उनके विचारों का अजीबोगरीब हिस्सा हैं। 28 जनवरी, 1925 को पूरे भारत में जो 'दि रिवोल्यूशनरी' (क्रांतिकारी) पर्चा बाँटा गया था, वह अभियोग पक्ष की कहानी के अनुसार उन्हीं के बौद्धिक श्रम का परिणाम है। अब इस प्रकार के गुप्त कार्यों में कोई प्रमुख नेता अनिवार्यतः अपने विचारों को ही रखता है, जो उसे स्वयं बहुत प्रिय होते हैं और अन्य कार्यकर्त्ताओं को उनसे सहमत होना होता है, उन मतभेदों के बावजूद जो उनको हो सकता है। उस पर्चे में पूरा एक पैराग्राफ उस सर्वशक्तिमान तथा उसकी लीला एवं कार्यों की प्रशंसा से भरा पड़ा था। यह सब रहस्यवाद है। मैं जो कहना चाहता था वह यह है कि ईश्वर के प्रति अविश्वास का भाव क्रांतिकारी दल में भी प्रस्फुटित नहीं हुआ

था। काकोरी के प्रसिद्ध सभी चार शहीदों ने अपने अंतिम दिन भजन-प्रार्थना में गुजारे थे। रामप्रसाद बिस्मिल एक रूढ़िवादी आर्यसमाजी थे। समाजवाद तथा साम्यवाद के बहुत अध्ययन के बावजूद राजेंद्र लाहिड़ी उपनिषद् एवं गीता के श्लोकों के उच्चारण की अपनी अभिलाषा को दबा न सके। मैंने उन सब में सिर्फ एक ही व्यक्ति को देखा जो कभी प्रार्थना नहीं करता था और कहता था, 'दर्शनशास्त्र मनुष्य की दुर्बलता अथवा ज्ञान के सीमित होने के कारण उत्पन्न होता है।' वह भी आजीवन निर्वासन की सजा भोग रहा है। परंतु उसने भी ईश्वर के अस्तित्व को नकारने की कभी हिम्मत नहीं की।

इस समय तक मैं केवल एक रोमांटिक आदर्शवादी क्रांतिकारी था। अब तक हम दूसरों का अनुसरण करते थे, अब अपने कंधों पर जिम्मेदारी उठाने का समय आया था। कुछ समय तक, अवश्यंभावी प्रतिक्रिया के फलस्वरूप पार्टी का अस्तित्व ही असंभव-सा दिखा। उत्साही कामरेडों—नहीं नेताओं—ने भी हमारा उपहास करना शुरू कर दिया। कुछ समय तक मुझे यह डर लगा कि एक दिन मैं भी कहीं अपने कार्यक्रम की व्यर्थता के बारे में आश्वस्त न हो जाऊँ। वह मेरे क्रांतिकारी जीवन का एक निर्णायक बिंदु था। 'अध्ययन' की पुकार मेरे मन के गलियारों में गूँज रही थी—विरोधियों द्वारा रखे गए तर्कों का सामना करने योग्य बनने के लिए अध्ययन करो। अपने मत के समर्थन में तर्क देने के लिए सक्षम होने के वास्ते पढ़ो। मैंने पढ़ना शुरू कर दिया। इससे मेरे पुराने विचार व विश्वास अद्भुत रूप से परिष्कृत हुए। हिंसात्मक तरीकों को अपनाने का रोमांस, जो कि हमारे पुराने साथियों में अत्यधिक व्याप्त था, की जगह गंभीर विचारों ने ले ली। अब रहस्यवाद और अंधविश्वास के लिए कोई स्थान नहीं रहा। यथार्थवाद हमारा आधार बना। हिंसा तभी न्यायोचित है, जब किसी विकट आवश्यकता में उसका सहारा लिया जाए। अहिंसा सभी जन-आंदोलनों का अनिवार्य सिद्धांत होना चाहिए। यह तो रही तरीकों की बात। सबसे आवश्यक बात उस आदर्श की स्पष्ट धारणा है, जिसके लिए हमें लड़ना है। चूँकि उस समय कोई विशेष क्रांतिकारी कार्य नहीं हो रहा था अतः मुझे विश्व-क्रांति के अनेक आदर्शों के बारे में पढ़ने का खूब मौका मिला। मैंने अराजकतावादी नेता बाकुनिन को पढ़ा, कुछ साम्यवाद के पिता मार्क्स को, किंतु ज्यादातर लेनिन, त्रात्सकी व अन्य लोगों को पढ़ा जो अपने देश में सफलतापूर्वक क्रांति लाए थे। वे सभी नास्तिक थे। बाकुनिन की पुस्तक 'ईश्वर और राज्य' इस विषय पर, यद्यपि आंशिक रूप में, एक अच्छा अध्ययन है। बाद में मुझे निरलंब स्वामी द्वारा लिखी एक पुस्तक 'सहज ज्ञान' मिली। इसमें केवल एक रहस्यवादी नास्तिकता थी। इस विषय के प्रति मेरा गहरा रुझान हो गया। 1926 के अंत तक मुझे इस बात का विश्वास हो गया कि एक सर्वशक्तिमान परम-आत्मा की बात जिसने ब्रह्मांड का सृजन किया, दिग्दर्शन और संचालन किया—एक कोरी बकवास है। मैंने अपने इस अविश्वास को प्रदर्शित

किया। मैंने इस विषय पर अपने दोस्तों से बहस की। मैं एक घोषित नास्तिक हो चुका था। किंतु इसका अर्थ क्या था, यह मैं आगे बतलाऊँगा।

मई, 1927 में मैं लाहौर में गिरफ्तार हुआ। यह गिरफ्तारी अकस्मात हुई थी। मुझे इसका जरा भी अहसास नहीं था कि पुलिस को मेरी तलाश है। अचानक एक बगीचे से गुजरते हुए मैंने पाया कि मैं पुलिस वालों से घिरा हुआ हूँ। मुझे स्वयं आश्चर्य हुआ कि मैं उस समय बहुत शांत रहा। न तो मुझे कोई सनसनी महसूस हुई, न ही जरा भी उत्तेजना का अनुभव हुआ। मुझे पुलिस हिरासत में ले लिया गया था। अगले दिन मुझे रेलवे पुलिस हवालात में ले जाया गया, जहाँ मुझे पूरा एक महीना काटना पड़ा। पुलिस अफसरों से कई दिनों की बातचीत के बाद मुझे ऐसा लगा कि उन्हें मेरे काकोरी दल के साथ संबंधों के बारे में तथा क्रांतिकारी आंदोलन से संबंधित मेरी गतिविधियों के बारे में कुछ जानकारी है। उन्होंने मुझे बताया कि मैं लखनऊ में था जब वहाँ मुकदमा चल रहा था, कि मैंने उन्हें छुड़ाने की किसी योजना पर बात की थी, कि उनकी सहमति पाने के बाद हमने कुछ बम प्राप्त किए थे, कि 1926 में दशहरा के अवसर पर उन बमों में से एक परीक्षण के लिए भीड़ पर फेंका गया। उसके बाद मेरे भले के लिए उन्होंने मुझे बताया कि यदि मैं क्रांतिकारी दल की गतिविधियों पर प्रकाश डालने वाला एक वक्तव्य दे दूँ तो मुझे गिरफ्तार नहीं किया जाएगा और इसके विपरीत मुझे अदालत में मुखबिर की तरह पेश किए बगैर रिहा कर दिया जाएगा और इनाम दिया जाएगा। मैं इस प्रस्ताव पर हँसा। यह सब बेकार की बात थी। हम लोगों की भाँति विचार रखने वाले अपनी निर्दोष जनता पर बम नहीं फेंका करते।

एक दिन सुबह सी. आई. डी. के वरिष्ठ अधीक्षक श्री न्यूमन मेरे पास आए। लंबी-चौड़ी सहानुभूतिपूर्ण बातों के बाद उन्होंने मुझे, अपनी समझ में, यह अत्यंत दुःखद समाचार दिया कि यदि मैंने उनके द्वारा माँगा गया वक्तव्य नहीं दिया तो वे मुझ पर काकोरी केस से संबंधित विद्रोह छेड़ने के षड्यंत्र तथा दशहरा बम उपद्रव में क्रूर हत्याओं के लिए मुकदमा चलाने पर बाध्य होंगे। आगे उन्होंने मुझे यह भी बताया कि उनके पास मुझे सजा दिलाने व (फाँसी पर) लटकवाने के लिए उचित प्रमाण मौजूद हैं। उन दिनों मुझे यह विश्वास था, यद्यपि मैं बिल्कुल निर्दोष था—कि पुलिस यदि चाहे तो ऐसा कर सकती है। उसी दिन से कुछ पुलिस अफसरों ने मुझे नियम से दोनों समय ईश्वर की स्तुति करने के लिए फुसलाना शुरू कर दिया। पर अब मैं एक नास्तिक था। मैं स्वयं के लिए यह बात तय करना चाहता था कि क्या शांति और आनंद के दिनों में ही मैं नास्तिक होने का दंभ भरता हूँ अथवा ऐसे कठिन समय में भी मैं उन सिद्धांतों पर अडिग रह सकता हूँ। बहुत सोचने के बाद मैंने यह निश्चय किया कि किसी भी तरह ईश्वर पर विश्वास तथा प्रार्थना मैं नहीं कर सकता। न ही मैंने एक क्षण के लिए भी अरदास की। यही असली परीक्षण

था और इसमें मैं सफल रहा। एक क्षण को भी अन्य बातों की कीमत पर अपनी गर्दन बचाने की मेरी इच्छा नहीं हुई।

अब मैं एक पक्का नास्तिक था और तब से लगातार हूँ। इस परीक्षण पर खरा उतरना आसान काम न था। 'विश्वास' कष्टों को हल्का कर देता है, यहाँ तक कि उन्हें सुखकर बना सकता है। 'उसके' बिना मनुष्य को स्वयं अपने ऊपर निर्भर होना पड़ता है। तूफान और झंझावात के बीच अपने पाँवों पर खड़ा रहना कोई बच्चों का खेल नहीं है। परीक्षा की इन घड़ियों में अहंकार, यदि है, तो भाप बनकर उड़ जाता है और मनुष्य आम विश्वास को ठुकराने का साहस नहीं कर पाता। पर यदि करता है, तो इससे यह निष्कर्ष निकलता है कि उसके पास सिर्फ अहंकार नहीं, वरन् कोई अन्य शक्ति है। आज बिल्कुल वैसी ही स्थिति है। पहले ही अच्छी तरह पता है कि (मुकदमे का) क्या फैसला होगा। एक सप्ताह में ही फैसला सुना दिया जाएगा। मैं अपना जीवन एक ध्येय के लिए कुर्बान करने जा रहा हूँ, इस विचार के अतिरिक्त और क्या सांत्वना हो सकती है? ईश्वर में विश्वास रखने वाला हिंदू पुनर्जन्म पर एक राजा होने की आशा कर सकता है, एक मुसलमान या ईसाई स्वर्ग में व्याप्त समृद्धि के आनंद की तथा अपने कष्टों और बलिदान के लिए पुरस्कार की कल्पना कर सकता है। किंतु मैं किस बात की आशा करूँ? मैं जानता हूँ कि जिस क्षण रस्सी का फंदा मेरी गर्दन पर लगेगा और मेरे पैरों के नीचे से तख्ता हटेगा, वही पूर्ण विराम होगा—वही अंतिम क्षण होगा। मैं, या संक्षेप में आध्यात्मिक शब्दावली की व्याख्या के अनुसार, मेरी आत्मा, सब वहीं समाप्त हो जाएगा। आगे कुछ भी नहीं रहेगा। एक छोटी-सी जूझती हुई जिंदगी, जिसकी कोई ऐसी गौरवशाली परिणति नहीं है, अपने में स्वयं एक पुरस्कार होगी—यदि मुझमें उसे इस दृष्टि से देखने का साहस हो। यही सब कुछ है। बिना किसी स्वार्थ के, यहाँ या यहाँ के बाद पुरस्कार की इच्छा के बिना, मैंने अनासक्त भाव से अपने जीवन को स्वतंत्रता के ध्येय पर समर्पित कर दिया है, क्योंकि मैं और कुछ कर ही नहीं सकता था। जिस दिन हमें इस मनोवृत्ति के बहुत-से पुरुष और महिलाएँ मिल जाएँगे, जो अपने जीवन को मनुष्य की सेवा तथा पीड़ित मानवता के उद्धार के अतिरिक्त और कहीं समर्पित कर ही नहीं सकते, उसी दिन मुक्ति के युग का शुभारंभ होगा। वे शोषकों, उत्पीड़कों और अत्याचारियों को चुनौती देने के लिए उत्प्रेरित होंगे, इसलिए नहीं कि उन्हें राजा बनना है या कोई अन्य पुरस्कार प्राप्त करना है—यहाँ या अगले जन्म में या मृत्योपरांत स्वर्ग में। उन्हें तो मानवता की गर्दन से दासवृत्ति का जुआ उतार फेंकने और मुक्ति एवं शांति स्थापित करने के लिए इस मार्ग को अपनाना होगा। क्या वे उस रास्ते पर चलेंगे जो उनके अपने लिए खतरनाक किंतु उनकी महान आत्मा के लिए एकमात्र शानदार रास्ता है? क्या अपने महान ध्येय के प्रति उनके गर्व को अहंकार कह कर उसका गलत अर्थ लगाया जाएगा? कौन इस प्रकार के घृणित विशेषण लगाने का

साहस करता है? मैं कहता हूँ कि ऐसा व्यक्ति या तो मूर्ख है या धूर्त्त। हमें चाहिए कि उसे क्षमा कर दें, क्योंकि वह उस हृदय में उद्वेलित उच्च विचारों, भावनाओं, आवेगों तथा उनकी गहराई को महसूस नहीं कर सकता। उसका हृदय एक मांस के टुकड़े की तरह मृत है। उसकी आँखें अन्य स्वार्थों के प्रेत की छाया पड़ने से कमजोर हो गई हैं। स्वयं पर भरोसा करने के गुण को सदैव अहंकार की संज्ञा दी जा सकती है। यह दुखपूर्ण एवं कष्टप्रद है, पर चारा ही क्या है?

तुम जाओ, और किसी प्रचलित धर्म का विरोध करो; जाओ, और किसी हीरो की, महान व्यक्ति की—जिसके बारे सामान्यतः यह विश्वास किया जाता है कि वह आलोचना से परे है, क्योंकि वह गलती कर ही नहीं सकता—आलोचना करो, तो तुम्हारे तर्क की शक्ति हजारों लोगों को तुम पर वृथाभिमानी होने का आक्षेप लगाने को मजबूर कर देगी। ऐसा मानिसक जड़ता के कारण होता है। आलोचना तथा स्वतंत्र विचार, दोनों ही एक क्रांतिकारी के अनिवार्य गुण हैं। क्योंकि महात्माजी महान हैं, अतः किसी को उनकी आलोचना नहीं करनी चाहिए; चूँकि वह ऊपर उठ गए हैं, अतः हर बात जो वे कहते हैं—चाहे वह राजनीति के क्षेत्र की हो अथवा धर्म, अर्थशास्त्र अथवा नीतिशास्त्र के—सब सही है। आप चाहे आश्वस्त हों अथवा नहीं, आपको कहना चाहिए, 'हाँ यही सच है' ऐसी मानसिकता विकास की ओर नहीं ले जा सकती। यह तो स्पष्ट रूप से प्रतिक्रियावादी है।

क्योंकि हमारे पूर्वजों ने किसी परम-आत्मा (सर्वशक्तिमान ईश्वर) के प्रति विश्वास बना लिया था, अतः किसी भी ऐसे व्यक्ति को, जो उस विश्वास की सत्यता या उस परम-आत्मा के अस्तित्व ही को चुनौती दे, विधर्मी, विश्वासघाती कहा जाएगा। यदि उसके तर्क इतने अकाट्य हैं कि उनका खंडन वितर्क द्वारा नहीं हो सकता और उसकी आस्था इतनी प्रबल है कि उसे ईश्वर के प्रकोप से होने वाली विपत्तियों का भय दिखाकर दबाया नहीं जा सकता—तो उसकी यह कहकर निंदा की जाएगी कि वह वृथाभिमानी है, उसकी प्रकृति पर अहंकार हावी है। तो इस व्यर्थ विवाद पर समय नष्ट करने का क्या लाभ? फिर इन सारी बातों पर बहस करने की कोशिश क्यों? यह लंबी बहस इसलिए, क्योंकि जनता के सामने यह प्रश्न आज पहली बार आया है, और आज ही पहली बार इस पर वस्तुगत रूप में चर्चा हो रही है।

जहाँ तक पहले प्रश्न की बात है, मैं समझता हूँ कि मैंने यह साफ कर दिया है कि यह मेरा अहंकार नहीं था, जो मुझे नास्तिकता की ओर ले गया। मेरे तर्क का तरीका संतोषप्रद सिद्ध होता है या नहीं, इसका निर्णय मेरे पाठकों को करना है, मुझे नहीं। मैं जानता हूँ कि वर्तमान परिस्थितियों में ईश्वर पर विश्वास ने मेरा जीवन आसान और मेरा बोझ हल्का कर दिया होता और उस पर मेरे अविश्वास ने सारे वातावरण को अत्यंत शुष्क बना दिया है और परिस्थितियाँ एक कठोर रूप ले सकती हैं। थोड़ा-सा रहस्यवाद इसे कवित्वमय बना सकता है। किंतु मेरे भाग्य

को किसी उन्माद का सहारा नहीं चाहिए। मैं यथार्थवादी हूँ। मैं अपनी अंतःप्रकृति पर विवेक की सहायता से विजय चाहता हूँ। इस ध्येय में मैं सदैव सफल नहीं हुआ हूँ। प्रयत्न तथा प्रयास करना मनुष्य का कर्त्तव्य है, सफलता तो संयोग तथा वातावरण पर निर्भर है।

और दूसरा सवाल कि यदि यह अहंकार नहीं था, तो ईश्वर के अस्तित्व के बारे में प्राचीन तथा आज भी प्रचलित श्रद्धा पर अविश्वास का कोई कारण होना चाहिए। जी हाँ, मैं अब इस पर आता हूँ। कारण है। मेरे विचार से कोई भी मनुष्य जिसमें जरा-सी भी विवेक शक्ति है, वह अपने वातावरण को तार्किक रूप से समझना चाहेगा। जहाँ सीधा प्रमाण नहीं होता, वहाँ दर्शनशास्त्र महत्त्वपूर्ण स्थान बना लेता है। जैसा कि मैंने पहले कहा था, मेरे कुछ क्रांतिकारी साथी कहा करते थे कि दर्शनशास्त्र मनुष्य की दुर्बलता का परिणाम है। जब हमारे पूर्वजों ने फुरसत के समय विश्व के रहस्य को—इसके भूत, वर्तमान एवं भविष्य, इसके क्यों और कहाँ से को—समझने का प्रयास किया तो सीधे प्रमाणों के भारी अभाव में हर व्यक्ति ने इन प्रश्नों को अपने-अपने ढंग से हल किया। यही कारण है कि विभिन्न धार्मिक मतों के मूलतत्त्व में ही हमें इतना अंतर मिलता है जो कभी-कभी तो वैमनस्य तथा झगड़े का रूप ले लेता है। न केवल पूर्व और पश्चिम के दर्शनों में मतभेद है, बल्कि प्रत्येक गोलार्द्ध के विभिन्न मतों में आपस में अंतर है। एशियाई धर्मों में, इस्लाम तथा हिंदू धर्मों में जरा भी एकरूपता नहीं है। भारत में ही बौद्ध तथा जैन धर्म उस ब्राह्मणवाद से बहुत अलग हैं, जिसमें स्वयं आर्य समाज व सनातन धर्म जैसे विरोधी मत पाए जाते हैं। पुराने समय का एक अन्य स्वतंत्र विचारक चार्वाक है। उसने ईश्वर को पुराने समय में ही चुनौती दी थी। यह सभी मत एक-दूसरे से मूलभूत प्रश्नों पर मतभेद रखते हैं और हर व्यक्ति अपने को सही समझता है। यही तो दुर्भाग्य की बात है। वजाय इसके कि हम पुराने विद्वानों एवं विचारकों के अनुभवों तथा विचारों को भविष्य में अज्ञानता के विरुद्ध लड़ाई का आधार बनाएँ और इस रहस्यमय प्रश्न को हल करने की कोशिश करें, हम आलसियों की तरह, जो कि हम सिद्ध हो चुके हैं, विश्वास की—उनके कथन में अविचल एवं संशयहीन विश्वास की—चीख-पुकार मचाते रहते हैं। इस प्रकार मानवता के विकास को जड़ बनाने के अपराधी हैं।

प्रत्येक मनुष्य को, जो विकास के लिए खड़ा है, रूढ़िगत विश्वासों के हर पहलू की आलोचना तथा उन पर अविश्वास करना होगा और उनको चुनौती देनी होगी। प्रत्येक प्रचलित मत की हर बात को हर कोने से तर्क की कसौटी पर कसना होगा। यदि काफी तर्क के बाद भी वह किसी सिद्धांत अथवा दर्शन के प्रति प्रेरित होता है, तो उसके विश्वास का स्वागत है। इसका तर्क असत्य, भ्रमित या छलावा और कभी-कभी मिथ्या हो सकता है लेकिन उसको सुधारा जा सकता है, क्योंकि विवेक उसके जीवन का दिशा-सूचक है। पर निरा विश्वास और अंधविश्वास खतरनाक है।

यह मस्तिष्क को मूढ़ तथा मनुष्य को प्रतिक्रियावादी बना देता है। जो मनुष्य अपने को यथार्थवादी होने का दावा करता है, उसे सभी प्राचीन विश्वासों को चुनौती देनी होगी। यदि वे तर्क का प्रहार न सह सकें तो टुकड़े-टुकड़े होकर गिर पड़ेंगे। तब उस व्यक्ति का पहला काम होगा, तमाम पुराने विश्वासों को धराशायी करके नए दर्शन की स्थापना के लिए जगह साफ करना। यह तो नकारात्मक पक्ष हुआ। इसके बाद सही कार्य शुरू होगा, जिसमें पुनर्निर्माण के लिए पुराने विश्वासों की कुछ बातों का प्रयोग किया जा सकता है। जहाँ तक मेरा संबंध है, मैं प्रारंभ में ही मानता हूँ कि इस दिशा में मैं अभी कोई विशेष अध्ययन नहीं कर पाया हूँ। एशियाई दर्शन को पढ़ने की मेरी बड़ी लालसा थी, पर ऐसा करने का मुझे कोई संयोग या अवसर नहीं मिला। किंतु जहाँ तक इस विवाद के नकारात्मक पक्ष की बात है, मैं प्राचीन विश्वासों के ठोसपन पर प्रश्न उठाने के संबंध में आश्वस्त हूँ। मुझे पूरा विश्वास है कि एक चेतन, परम-आत्मा का, जो कि प्रकृति की गति का दिग्दर्शन एवं संचालन करती है, कोई अस्तित्व नहीं है। हम प्रकृति में विश्वास करते हैं और समस्त प्रगति का ध्येय मनुष्य द्वारा अपनी सेवा के लिए, प्रकृति पर विजय पाना है। इसको दिशा देने के लिए पीछे कोई चेतन शक्ति नहीं है। यही हमारा दर्शन है।

जहाँ तक नकारात्मक पहलू की बात है, हम आस्तिकों से कुछ प्रश्न करना चाहते हैं–

(1) यदि, जैसा कि आपका विश्वास है, एक सर्वशक्तिमान, सर्वव्यापक एवं सर्वज्ञानी ईश्वर है जिसने कि पृथ्वी या विश्व की रचना की, तो कृपा करके मुझे यह बताएँ कि उसने यह रचना क्यों की? कष्टों और आफतों से भरी यह दुनिया–असंख्य दुखों के शाश्वत और अनंत गठबंधनों से ग्रसित। एक भी प्राणी पूरी तरह सुखी नहीं।

कृपया, यह न कहें कि यही उसका नियम है। यदि वह किसी नियम से बँधा है तो वह सर्वशक्तिमान नहीं। फिर तो वह भी हमारी ही तरह गुलाम है। कृपा कर यह भी न कहें कि यह उसका शगल है। नीरो ने सिर्फ एक रोम जलाकर राख किया था। उसने चंद लोगों की हत्या की थी। उसने तो बहुत थोड़ा दुःख पैदा किया, अपने शौक और मनोरंजन के लिए। और उसका इतिहास में क्या स्थान है? उसे इतिहासकार किस नाम से बुलाते हैं? सभी विषैले विशेषण उस पर बरसाए जाते हैं। जालिम, निर्दयी, शैतान जैसे शब्दों से नीरो की भर्त्सना में पृष्ठ के पृष्ठ रंगे पड़े हैं। एक चंगेज खाँ ने अपने आनंद के लिए कुछ हजार जानें ले लीं और आज हम उसके नाम से घृणा करते हैं। तब फिर तुम उस सर्वशक्तिमान अनंत नीरो को जो हर दिन, हर घंटे और हर मिनट असंख्य दुःख देता रहा है और अभी भी दे रहा है, किस तरह न्यायोचित ठहराते हो? फिर तुम उसके उन दुष्कर्मों की हिमायत कैसे करोगे, जो हर पल चंगेज के दुष्कर्मों को भी मात दिए जा रहे हैं? मैं पूछता हूँ कि उसने यह

दुनिया बनाई ही क्यों थी—ऐसी दुनिया जो सचमुच का नर्क है, अनंत और गहन वेदना का घर है? सर्वशक्तिमान ने मनुष्य का सृजन क्यों किया, जबकि उसके पास मनुष्य का सृजन न करने की ताकत थी? इन सब बातों का तुम्हारे पास क्या जवाब है? तुम यह कहोगे कि यह सब अगले जन्म में, इन निर्दोष कष्ट सहने वालों को पुरस्कार और गलती करने वालों को दंड देने के लिए हो रहा है। ठीक है, ठीक है। तुम कब तक उस व्यक्ति को उचित ठहराते रहोगे जो हमारे शरीर को जख्मी करने का साहस इसलिए करता है कि बाद में इस पर बहुत कोमल तथा आरामदायक मलहम लगाएगा? ग्लैडियेटर संस्था के व्यवस्थापकों तथा सहायकों का यह काम कहाँ तक उचित था कि एक भूखे-खूँख्वार शेर के सामने मनुष्य को फेंक दो कि यदि वह उस जंगली जानवर से बचकर अपनी जान बचा लेता है तो उसकी खूब देखभाल की जाएगी? इसलिए मैं पूछता हूँ, "उस परम चेतना और सर्वोच्च सत्ता ने इस विश्व और उसमें मनुष्यों का सृजन क्यों किया? आनंद लूटने के लिए? तब उसमें और नीरो में क्या फर्क है?"

मुसलमानो और ईसाइयो! हिंदू-दर्शन के पास अभी और भी तर्क हो सकते हैं। मैं तुमसे पूछता हूँ कि तुम्हारे पास ऊपर पूछे गए प्रश्नों का क्या उत्तर है? तुम तो पूर्वजन्म में विश्वास नहीं करते। तुम तो हिंदुओं की तरह यह तर्क पेश नहीं कर सकते कि प्रत्यक्षतः निर्दोष व्यक्तियों के कष्ट उनके पूर्वजन्मों के कुकर्मों का फल है। मैं तुमसे पूछता हूँ कि उस सर्वशक्तिशाली ने विश्व की उत्पत्ति के लिए छह दिन मेहनत क्यों की और यह क्यों कहा था कि सब ठीक है। उसे आज ही बुलाओ, उसे पिछला इतिहास दिखाओ। उसे मौजूदा परिस्थितियों का अध्ययन करने दो। फिर हम देखेंगे कि क्या वह आज भी यह कहने का साहस करता है—सब ठीक है!

कारावास की काल-कोठरियों से लेकर, झोंपड़ियों तथा बस्तियों में भूख से तड़पते लाखों-लाख इंसानों के समुदाय से लेकर, उन शोषित मजदूरों से लेकर जो पूँजीवादी पिशाच द्वारा खून चूसने की क्रिया को धैर्यपूर्वक या कहना चाहिए, निरुत्साह होकर देख रहे हैं तथा उस मानवशक्ति की बर्बादी देख रहे हैं, जिसे देखकर कोई भी व्यक्ति, जिसे तनिक भी सहज ज्ञान है, भय से सिहर उठेगा; और अधिक उत्पादन को जरूरतमंद लोगों में बाँटने के बजाय समुद्र में फेंक देने को बेहतर समझने से लेकर राजाओं के उन महलों तक—जिनकी नींव मानव की हड्डियों पर पड़ी है... उसको यह सब देखने दो और फिर कहे—'सब कुछ ठीक है।' क्यों और किसलिए? यही मेरा प्रश्न है। तुम चुप हो? ठीक है, तो मैं अपनी बात आगे बढ़ता हूँ।

और तुम हिंदुओ! तुम कहते हो कि आज जो लोग कष्ट भोग रहे हैं, ये पूर्वजन्म के पापी हैं। ठीक है। तुम कहते हो आज के उत्पीड़क पिछले जन्मों में साधु पुरुष थे, अतः वे सत्ता का आनंद लूट रहे हैं। मुझे यह मानना पड़ता है कि आपके पूर्वज बहुत चालाक व्यक्ति थे। उन्होंने ऐसे सिद्धांत गढ़े, जिनमें तर्क और अविश्वास के

सभी प्रयासों को विफल करने की काफी ताकत है। लेकिन हमें यह विश्लेषण करना है कि ये बातें कहाँ तक टिकती हैं।

न्यायशास्त्र के सर्वाधिक प्रसिद्ध विद्वानों के अनुसार, दंड को अपराधी पर पड़ने वाले असर के आधार पर, केवल तीन या चार कारणों से उचित ठहराया जा सकता है। वे हैं—प्रतिकार, भय तथा सुधार। आज सभी प्रगतिशील विचारकों द्वारा प्रतिकार के सिद्धांत की निंदा की जाती है। भयभीत करने के सिद्धांत का भी अंत वही है। केवल सुधार करने का सिद्धांत ही आवश्यक है और मानवता की प्रगति का अटूट अंग है। इसका उद्देश्य अपराधी को एक अत्यंत योग्य तथा शांतिप्रिय नागरिक के रूप में समाज को लौटाना है। यदि हम यह बात मान भी लें कि कुछ मनुष्यों ने (पूर्व जन्म में) पाप किए हैं तो ईश्वर द्वारा उन्हें दिए गए दंड की प्रकृति क्या है? तुम कहते हो कि वह उन्हें गाय, बिल्ली, पेड़, जड़ी-बूटी या जानवर बनाकर पैदा करता है। तुम ऐसे 84 लाख दंडों को गिनाते हो। मैं पूछता हूँ कि मनुष्य पर सुधार के रूप में इनका क्या असर है? तुम ऐसे कितने व्यक्तियों से मिले हो जो यह कहते हैं कि वे किसी पाप के कारण पूर्वजन्म में गदहा के रूप में पैदा हुए थे? एक भी नहीं? अपने पुराणों से उदाहरण मत दो। मेरे पास तुम्हारी पौराणिक कथाओं के लिए कोई स्थान नहीं है। और फिर, क्या तुम्हें पता है कि दुनिया में सबसे बड़ा पाप गरीब होना है? गरीबी एक अभिशाप है, यह एक दंड है। मैं पूछता हूँ कि अपराध-विज्ञान, न्यायशास्त्र या विधिशास्त्र के एक ऐसे विद्वान की आप कहाँ तक प्रशंसा करेंगे जो किसी ऐसी दंड-प्रक्रिया की व्यवस्था करे जो कि अनिवार्यतः मनुष्य को और अधिक अपराध करने को बाध्य करे? क्या तुम्हारे ईश्वर ने यह नहीं सोचा था? या उसको भी ये सारी बातें-मानवता द्वारा अकथनीय कष्टों के झेलने की कीमत पर—अनुभव से सीखनी थीं? तुम क्या सोचते हो—किसी गरीब तथा अनपढ़ परिवार, जैसे एक चमार या मेहतर के यहाँ पैदा होने पर इंसान का भाग्य क्या होगा? चूँकि वह गरीब है, इसलिए पढ़ाई नहीं कर सकता। वह अपने उन साथियों से तिरस्कृत एवं त्यक्त रहता है जो ऊँची जाति में पैदा होने के कारण अपने को उससे ऊँचा समझते हैं। उसका अज्ञान, उसकी गरीबी तथा उससे किया गया व्यवहार उसके हृदय को समाज के प्रति निष्ठुर बना देते हैं। मान लो यदि वह कोई पाप करता है तो उसका फल कौन भोगेगा? ईश्वर, वह स्वयं या समाज के मनीषी? और उन लोगों के दंड के बारे में तुम क्या कहोगे, जिन्हें दंभी एवं घमंडी ब्राह्मणों ने जान-बूझ कर अज्ञानी बनाए रखा तथा जिन्हें तुम्हारी ज्ञान की पवित्र पुस्तकों—वेदों के कुछ वाक्य सुन लेने के कारण कान में पिघले सीसे की धारा को सहने की सजा भुगतनी पड़ती थी? यदि वे कोई अपराध करते हैं तो उसके लिए कौन जिम्मेदार होगा और उसका प्रहार कौन सहेगा? मेरे प्रिय दोस्तो! ये सारे सिद्धांत विशेषाधिकार युक्त लोगों के आविष्कार हैं। ये अपनी हथियाई हुई शक्ति, पूँजी तथा उच्चता को इन सिद्धांतों

के आधार पर सही ठहराते हैं। जी हाँ, शायद वह सिंक्लेयर ही था, जिसने किसी जगह लिखा था कि मनुष्य को बस (आत्मा की) अमरता में विश्वास दिला दो और उसके बाद उसका सारा धन व संपत्ति लूट लो। वह बगैर बड़बड़ाए इस कार्य में तुम्हारी सहायता करेगा। धर्म के उपदेशकों तथा सत्ता के स्वामियों के गठबंधन से ही जेल, फाँसीघर, कोड़े और ये सिद्धांत उपजते हैं।

मैं पूछता हूँ कि तुम्हारा सर्वशक्तिशाली ईश्वर हर व्यक्ति को उस समय क्यों नहीं रोकता है जब वह कोई पाप या अपराध कर रहा होता है? यह तो वह बहुत आसानी से कर सकता है। उसने क्यों नहीं लड़ाकू राजाओं को या उनके अंदर लड़ने के उन्माद को समाप्त किया और इस प्रकार विश्वयुद्ध द्वारा मानवता पर पड़ने वाली विपत्तियों से उसे क्यों नहीं बचाया? उसने अंग्रेजों के मस्तिष्क में भारत को मुक्त कर देने हेतु भावना क्यों नहीं पैदा की? वह क्यों नहीं पूँजीपतियों के हृदय में यह परोपकारी उत्साह भर देता है कि वे उत्पादन के साधनों पर व्यक्तिगत संपत्ति का अपना अधिकार त्याग दें और इस प्रकार न केवल संपूर्ण श्रमिक समुदाय, वरन समस्त मानव-समाज को पूँजीवाद की बेड़ियों से मुक्त करें। आप समाजवाद की व्यावहारिकता पर तर्क करना चाहते हैं, मैं इसे आपके सर्वशक्तिमान पर छोड़ देता हूँ कि वह इसे लागू करे। जहाँ तक जन सामान्य की भलाई की बात है, लोग समाजवाद के गुणों को मानते हैं, पर वह इसके व्यावहारिक न होने का बहाना लेकर इसका विरोध करते हैं। चलो, आपका परमात्मा ही आए और वह हर चीज को सही तरीके से कर दे। अब घुमा-फिराकर तर्क करने का प्रयास न करें, वह बेकार की बातें हैं। मैं आपको यह बता दूँ कि अंग्रेजों की हुकूमत यहाँ इसलिए नहीं है कि ईश्वर चाहता है, बल्कि इसलिए कि उनके पास ताकत है और हममें उनका विरोध करने की हिम्मत नहीं। वे ईश्वर की सहायता से हमें अपने प्रभुत्व में नहीं रखे हुए हैं, बल्कि बंदूकों, राइफलों, बम और गोलियों, पुलिस और सेना के सहारे रखे हुए हैं। यह हमारी ही उदासीनता है कि वे समाज के विरुद्ध सबसे निंदनीय अपराध—एक राष्ट्र का दूसरे राष्ट्र द्वारा अत्याचारपूर्ण शोषण सफलतापूर्वक कर रहे हैं। कहाँ है ईश्वर? वह क्या कर रहा है? क्या वह मनुष्य जाति के इन कष्टों का मजा ले रहा है? वह नीरो है, चंगेज है, तो उसका नाश हो!

क्या तुम मुझसे पूछते हो कि मैं इस विश्व की उत्पत्ति तथा मानव की उत्पत्ति की व्याख्या कैसे करता हूँ? ठीक है, मैं तुम्हें बतलाता हूँ। चार्ल्स डारविन ने इस विषय पर कुछ प्रकाश डालने की कोशिश की है। उसको पढ़ो। सोहन स्वामी की 'सहज ज्ञान' पढ़ो। तुम्हें इस सवाल का कुछ सीमा तक उत्तर मिल जाएगा। यह (विश्व-सृष्टि) एक प्राकृतिक घटना है। विभिन्न पदार्थों के, नीहारिका के आकार में, आकस्मिक मिश्रण से पृथ्वी बनी। कब? इतिहास देखो। इसी प्रकार की घटना से जंतु पैदा हुए और एक लंबे दौर के बाद मानव। डारविन की 'जीवन की उत्पत्ति'

पढ़ो। और तदुपरांत सारा विकास मनुष्य द्वारा प्रकृति से लगातार संघर्ष और उस पर विजय पाने की चेष्टा से हुआ। यह इस घटना की संभवतः सबसे संक्षिप्त व्याख्या है।

तुम्हारा दूसरा तर्क यह हो सकता है कि क्यों एक बच्चा अंधा या लंगड़ा पैदा होता है, यदि यह उसके पूर्वजन्म में किए कार्यों का फल नहीं है तो? जीवविज्ञानवेत्ताओं ने इस समस्या का वैज्ञानिक समाधान निकाला है। उनके अनुसार इसका सारा दायित्व माता-पिता के कंधों पर है, जो अपने उन कार्यों के प्रति लापरवाह अथवा अनभिज्ञ रहते हैं जो बच्चे के जन्म के पूर्व ही उसे विकलांग बना देते हैं।

स्वभावतः तुम एक और प्रश्न पूछ सकते हो—यद्यपि यह निरा बचकाना है। वह सवाल यह कि यदि ईश्वर कहीं नहीं है तो लोग उसमें विश्वास क्यों करने लगे? मेरा उत्तर संक्षिप्त तथा स्पष्ट होगा। जिस प्रकार लोग भूत-प्रेतों तथा दुष्ट आत्माओं में विश्वास करने लगे, उसी प्रकार ईश्वर को मानने लगे। अंतर केवल इतना है कि ईश्वर में विश्वास विश्वव्यापी है और उसका दर्शन अत्यंत विकसित। कुछ उग्र परिवर्तनकारियों (रैडिकल्स) के विपरीत मैं इसकी उत्पत्ति का श्रेय उन शोषकों की प्रतिभा को नहीं देता जो परमात्मा के अस्तित्व का उपदेश देकर लोगों को अपने प्रभुत्व में रखना चाहते थे तथा उनसे अपनी विशिष्ट स्थिति का अधिकार एवं अनुमोदन चाहते थे। यद्यपि मूल बिंदु पर मेरा उनसे विरोध नहीं है कि सभी धर्म, संप्रदाय, पंथ और ऐसी अन्य संस्थाएँ अंत में निर्दयी और शोषक संस्थाओं, व्यक्तियों तथा वर्गों की समर्थक हो जाती हैं। राजा के विरुद्ध विद्रोह हर धर्म में सदैव ही पाप रहा है।

ईश्वर की उत्पत्ति के बारे में मेरा अपना विचार यह है कि मनुष्य ने अपनी सीमाओं, दुर्बलताओं व कमियों को समझने के बाद, परीक्षा की घड़ियों का बहादुरी से सामना करने, स्वयं को उत्साहित करने, सभी खतरों को मर्दानगी के साथ झेलने तथा संपन्नता एवं ऐश्वर्य में उसके विस्फोट को बाँधने के लिए—ईश्वर के काल्पनिक अस्तित्व की रचना की। अपने व्यक्तिगत नियमों तथा अभिभावकीय उदारता से पूर्ण ईश्वर की बढ़ा-चढ़ाकर कल्पना की गई एवं चित्रण किया गया। जब उसकी उग्रता तथा व्यक्तिगत नियमों की चर्चा होती है तो उसका उपयोग एक डराने वाले के रूप में किया जाता है, ताकि मनुष्य समाज के लिए खतरा न बन जाए। जब उसके अभिभावकीय गुणों की व्याख्या होती है तो उसका उपयोग एक पिता, माता, भाई, बहन, दोस्त तथा सहायक की तरह किया जाता है। इस प्रकार जब मनुष्य अपने सभी दोस्तों के विश्वासघात तथा उनके द्वारा त्याग देने से अत्यंत दुःखी हो तो उसे इस विचार से सांत्वना मिल सकती है कि एक सदा सच्चा दोस्त उसकी सहायता करने को है, उसे सहारा देगा, जो कि सर्वशक्तिमान है और कुछ भी कर सकता है। वास्तव में आदिम काल में यह समाज के लिए उपयोगी था। विपदा में पड़े मनुष्य के लिए ईश्वर की कल्पना सहायक होती है।

समाज को इस ईश्वरीय विश्वास के विरुद्ध उसी तरह लड़ना होगा जैसे कि मूर्ति-पूजा तथा धर्म-संबंधी क्षुद्र विचारों के विरुद्ध लड़ना पड़ा था। इसी प्रकार मनुष्य जब अपने पैरों पर खड़ा होने का प्रयास करने लगे तथा यथार्थवादी बन जाए तो उसे ईश्वरीय श्रद्धा को एक ओर फेंक देना चाहिए और उन सभी कष्टों, परेशानियों का पौरुष के साथ सामना करना चाहिए, जिनमें परिस्थितियाँ उसे पटक सकती हैं। मेरी स्थिति आज यही है। यह मेरा अहंकार नहीं है। मेरे दोस्तो! यह मेरे सोचने का ही तरीका है जिसने मुझे नास्तिक बनाया है। मैं नहीं जानता कि ईश्वर में विश्वास और रोज-बरोज की प्रार्थना—जिसे मैं मनुष्य का सबसे अधिक स्वार्थी और गिरा हुआ काम मानता हूँ—मेरे लिए सहायक सिद्ध होगी या मेरी स्थिति को और चौपट कर देगी। मैंने उन नास्तिकों के बारे में पढ़ा है, जिन्होंने सभी विपदाओं का बहादुरी से सामना किया, अतः मैं भी एक मर्द की तरह फाँसी के फंदे की अंतिम घड़ी तक सिर ऊँचा किए खड़ा रहना चाहता हूँ।

देखना है कि मैं इस पर कितना खरा उतर पाता हूँ। मेरे एक दोस्त ने मुझे प्रार्थना करने को कहा। जब मैंने उसे अपने नास्तिक होने की बात बतलाई तो उसने कहा, "देख लेना, अपने अंतिम दिनों में तुम ईश्वर को मानने लगोगे।" मैंने कहा, "नहीं प्रिय महोदय, ऐसा नहीं होगा। ऐसा करना मेरे लिए अपमानजनक तथा पराजय की बात होगी। स्वार्थ के लिए मैं प्रार्थना नहीं करूँगा।" पाठकों और दोस्तों, क्या यह अहंकार है? अगर है, तो मैं इसे स्वीकार करता हूँ।

अनुवाद : **शिव वर्मा**

बलिदान से पहले साथियों को अंतिम पत्र

साथियो,

स्वाभाविक है कि जीने की इच्छा मुझमें भी होनी चाहिए, मैं इसे छिपाना नहीं चाहता। लेकिन मैं एक शर्त्त पर जिंदा रह सकता हूँ, कि मैं कैद होकर या पाबंद होकर जीना नहीं चाहता।

मेरा नाम हिंदुस्तानी क्रांति का प्रतीक बन चुका है और क्रांतिकारी दल के आदर्शों और कुर्बानियों ने मुझे बहुत ऊँचा उठा दिया है—इतना ऊँचा कि जीवित रहने की स्थिति में इससे ऊँचा मैं हर्गिज नहीं हो सकता।

आज मेरी कमजोरियाँ जनता के सामने नहीं हैं। अगर मैं फाँसी से बच गया तो वे जाहिर हो जाएँगी और क्रांति का प्रतीक-चिह्न मद्धिम पड़ जाएगा या संभवतः

मिट ही जाए। लेकिन दिलेराना ढंग से हँसते-हँसते मेरे फाँसी चढ़ने की सूरत में हिंदुस्तानी माताएँ अपने बच्चों के भगत सिंह बनने की आरजू किया करेंगी और देश की आजादी के लिए कुर्बानी देने वालों की तादाद इतनी बढ़ जाएगी कि क्रांति को रोकना साम्राज्यवाद या तमाम शैतानी शक्तियों के बूते की बात नहीं रहेगी।

हाँ, एक विचार आज भी मेरे मन में आता है कि देश और मानवता के लिए जो कुछ करने की हसरतें मेरे दिल में थीं, उनका हजारवाँ भाग भी पूरा नहीं कर सका। अगर स्वतंत्र, जिंदा रह सकता तब शायद इन्हें पूरा करने का अवसर मिलता और मैं अपनी हसरतें पूरी कर सकता।

इसके सिवाय मेरे मन में कभी कोई लालच फाँसी से बचे रहने का नहीं आया। मुझसे अधिक सौभाग्यशाली कौन होगा? आजकल मुझे स्वयं पर बहुत गर्व है। अब तो बड़ी बेताबी से परीक्षा की अंतिम घड़ी का इंतजार है। मेरी कामना है कि यह और नजदीक आ जाए।

आपका साथी
भगत सिंह
22 मार्च, 1931

लक्ष्मीनाथ बेजबरुआ
ज्योतिप्रसाद अगरवाला

लक्ष्मीनाथ बेजबरुवा

1868-1938

असमिया जीवन शैली और जीवन मूल्यों में आ रहे बदलाव तथा उससे उत्पन्न होने वाली विसंगतियों को अपने लेखन का केंद्र बिंदु बनाया। जब लिखना आरंभ किया था, असम के सामाजिक जीवन में बदलाव का दौर था। चाय की खेती के कारण एक नई तरह की अर्थव्यवस्था का प्रभाव दिखने लगा था। चाय और तेल के कारोबार के कारण कस्बे शहर में बदलने लगे थे। असमिया भाषा की अस्मिता के लिए लगातार कार्य। कलकत्ता प्रवास के दौरान ही असमिया भाषा के विकास और स्वतंत्र पहचान के लिए 'असमिया भाषा उन्नति सभा' का गठन किया, जो कालांतर में 'असम साहित्य सभा' में परिणत हो गया। उन्होंने साहित्य क़ी प्रायः सभी विधाओं में लिखा। सामाजिक कुरीतियों के खिलाफ जमकर लिखा। अपनी व्यंग्यात्मक शैली के कारण काफी लोकप्रिय। संत शंकरदेव और माधवदेव उनके आदर्श। 'जोनाकी' और 'बांही' पत्रिका का प्रकाशन। अपनी मातृभाषा से बहुत लगाव था। उन्हें साहित्यरथी कहा गया। बरबरुवा के नाम से व्यंग्य रचनाएँ लिखीं।

धर्म, सांप्रदायिक समस्या एवं स्वराज

प्रारंभ में मैं क्या था, कह नहीं सकता। कोई जानता है तो कहे। संसार में प्रकाश फैलाकर भास्कर बना था या रत्नाकर से एक कदम आगे बढ़कर तस्कर बना। पर अब कोई चारा नहीं। उमर बढ़ने के साथ-साथ धर्म-कर्म के सूखे झरने में पानी बढ़ने लगा। अब उमर की बाढ़ है। आदमी की आयु का वैशाख होते ही वहाँ धर्म का पानी बुदबुदाने लगता है। क्यों, कैसे और कहाँ से वह पानी आता है। कहा नहीं जा सकता। आयु के आषाढ़-श्रावण में धर्म की बाढ़ आती है। उसके बाद बुढ़ापा। इस अवस्था में शरीर पर धर्म कुम्हलाता है। कुम्हलाने पर गहराना निश्चित हो जाता है। उसके बाद यमराज ले जाए या जमाई ले जाए, बात एक ही है। दोनों का उद्देश्य है—तुम्हें घड़े के भीतर घुसाकर घड़े का मुँह बंद करना। घुसाए या बंद करे, वहाँ

तुम सुख निद्रा में डूबकर पथ की थकान मिटाओ। अगर कोई कभी घड़े का ढक्कन हटाकर वहाँ से तुम्हें मुट्ठी भर या आध-मुट्ठी खरोंच कर ले भी जाए तो उसमें आपत्ति नहीं करनी चाहिए, क्योंकि लेने वाले का उद्देश्य है अपने मुँह का स्वाद बनाना।

ऐसी बातें सोच-सोच कर मन को प्रबोधित करने पर भी, मन का डर समाप्त नहीं होता है कि मरने के बाद कहाँ जाऊँगा? गुड़ के कलश की ओर इशारा करने पर भी वह पूछ बैठेगा–'वहाँ किससे भेंट होगी?' उत्तर है–'कीड़े-मकोड़े से।' 'वे मेरा क्या करेंगे?' उत्तर है–'उदरस्थ भी कर सकते हैं और तुम्हारे साथ महत्त्व प्राप्त कर निवास भी कर सकते हैं।''

इस भरोसे से संतोष न होने पर मैंने भय-रोग की दवा की दुकानों पर जाने का निर्णय लिया। गुड़ के कलश में सोना, कीड़े-मकोड़े के साथ रमण करना इत्यादि छिछली बातों को छोड़ कर सर्वप्रथम ईसाई धर्म की दुकान गया। सोचा, ईसाई धर्म हमारे राजा का धर्म है। निश्चय ही यह धर्म सभ्य और शीतल होगा। हिंदू धर्म में तैंतीस या चौंतीस व्यंजन हैं–खट्टा, मिर्चदार, कड़वा, कसैला आदि। रविवार को गिर्जा गया। एक धर्म-प्रचारक उपदेश दे रहे थे। वे बाइबिल खोल कर वहाँ से एक श्लोक पढ़कर हाथ-मुँह से विभिन्न भंगिमा दिखाकर कहने लगे–

श्लोक ऐसा है–

As they were eating, Jems took bread and blesed it and broke it, and gave it to the disciple and said, 'take eat. This is my body.'

And he took the cup and gave thanks and gave them saying Drind ye all of it. For this is my blood of the new testament, which is shed for many for the remission of sim.

पके हुए पान के साथ कच्चे पान का आधा भाग मिलाकर उसमें चूना-तंबाकू डाल कर दोनों तांबूल के सम्मिश्रण से मजा लेते हुए अवशिष्ट फेंकने के लिए कुछ समय की आवश्यकता होती है। दो-तीन पान के बीड़े खाने के समय तक उन्होंने भाषण जारी रखा। ईसा मसीह द्वारा अपने शिष्यों को खून-मांस खाने के लिए आग्रह करने की उनकी बात सुनकर मुझ हिंदू को ताज्जुब हुआ और मैं वहाँ से धीरे-धीरे खिसक गया। गुरु के खून-मांस खाने की बात सुनते ही हम हिंदू कान पकड़ कर भूमि छूकर तौबा-तौबा करते हैं। इसीलिए मैं वहाँ कैसे रह सकता था?

आगामी रविवार को ब्राह्मसमाज गया। वेदी के सामने वक्ता ने लगभग घंटा भर भाषण दिया। शास्त्र के इस कथन को उन्होंने भाषण का आधार बनाया–'दान के लिए अन्याय से धन उपार्जन न करना। ऐसे दान से पुण्य-प्राप्ति नहीं हो सकती है; बल्कि अन्यायपूर्वक उपार्जन कर दानी बनने वाला महापाप में पतित होकर नरकगामी होता है।'

कितना भयंकर! तब 'Any how make money' उपदेश शिरोधार्य कर धन

उपार्जन कर उससे गिर्जा, मंदिर और 'मिशन' बनाने वालों की क्या दशा होगी? साँप का तेल, महुवा का तेल, गाय की चर्बी, सुअर की चर्बी घी में मिलाते हुए बेचकर उससे उपार्जित धन से स्नान-घाट और अतिथि-निवास बनाने वालों की क्या दशा होगी?

इसके बाद सोचा मुस्लिमों के मसजिद जाऊँ। पर साहस नहीं हुआ। बहुत सोच-विचार करके हिंदू समाज का भाषण सुनने गया। भाषणकर्ता श्रीमद्‌भागवत के दशम स्कंध के एक श्लोक की व्याख्या करते हुए उस पर भाषण दे रहे थे।

इसमें ब्रह्मा ने कृष्ण से स्तुति करते हुए कहा है–क्षुद्र मैं कहाँ? और परम महान तुम कहाँ? इस ब्रह्मांड का मैं ब्रह्म हूँ। और तुम्हारे शरीर के रोमकूप में ऐसे अगणित ब्रह्मांड धूल की तरह उड़ते-फिरते रहते हैं।

मैं यह सुनकर घर लौटा। लौटने पर भी विचार का प्रवाह चलता रहा। तभी एक युवक आकर आग्रह करने लगा कि बेजबरुआ जी! आप हमारी सभा में एक भाषण दीजिए। हमने स्थान चुन लिया है। मैंने कहा कि स्थान के अभाव से हमारे खाने-पीने के वर्तन भी बासी पड़े हुए हैं, मैं अभी तक रसोई भी नहीं कर सका क्योंकि मेरे पास चावल का एक दाना तक नहीं है। इसलिए बेटे, मुझे भाषण के लिए आग्रह मत करो। परंतु युवक केवल युवक ही नहीं, बल्कि एक जोंक होता है। एक बार पकड़ने पर छोड़ता ही नहीं है। आखिर सहमत होना ही पड़ा। उसने कहा–'हमें धर्म पर भाषण नहीं चाहिए।' 'मैं धर्म पर भाषण नहीं दूँगा। धर्म का भाषण सुनकर मैं तक उसका पार नहीं पा सका, तुम्हें किस विषय पर भाषण चाहिए?' उसने कहा–'स्वराज के बारे में।' मैंने कहा–'अच्छी बात है। कल शाम को चार बजे तुमलोगों की सभा में मैं भाषण दूँगा। तुम लोग घिरकर बैठना। कान साफ कर लेना और जिज्ञासु श्रोता बनकर रहना–Militant अर्थात् लड़ाकू का मन लेकर नहीं।'

दूसरे दिन मैंने भाषण दिया। स्वराज के संबंध में किसी सर्वसम्मत पुस्तक से पाठ लेकर अर्थात् किसी एक वाक्य के आधार पर भाषण देना चाह कर भी वैसा वाक्य खोज नहीं पाया। बचपन में सुना हुआ 'खोल' (ढोल जैसा वाद्य) का एक बोल ध्यान में आया। सभा में गाकर, उस पर ही एक भाषण निम्नांकित प्रकार से देने लगा।

खोल का बोल है :

ऋण थाक् ताधेइ।
दादाओ तात् ताओ खिति दाओ,
ता, ता, ताओ।
ताओ खिखिराओ खिता खिता धिनि दाओ, इत्यादि।

भाइयों, खोल स्वराज के बारे में बोल रहा है–'ऋण थाक्।' (ऋण रहे) अर्थात् गवर्नमेंट ने भारतीय प्रजा का परामर्श न लेकर जो धन कर्जा लिया है, स्वराज मिलने

पर हम वह नहीं चुकाएँगे; वह ऋण पड़ा रहे। यदि हमसे सरकार माँगे तो मुकद्दमा चलाया जाएगा। न्यायालय द्वारा स्वतंत्र और तटस्थ न्याय करना होगा। न्यायालय के आदेश पर ही हम ऋण चुकाएँगे। अन्यथा सरकार को वह कर्ज अपने घर से चुकाना होगा।

स्वराज मिलने पर जो अन्य विशेष सुविधा प्राप्त होगी, उसके बारे में भी अभी से बता देना चाहता हूँ। स्वराज माँगने वाले Personal व्यक्तिगत कर्ज को नकार सकेंगे अर्थात् उन्हें अपने लिए उधार लिए गए कर्ज को न लौटाने का अधिकार प्राप्त होगा। कारण कि वे लोग 'स्वराजिस्ट' हैं, स्वतंत्र हैं। जी चाहने पर ही वे चुकाएँगे, जी न चाहने पर नहीं चुकाएँगे। मारवाड़ी दुकानदार और अन्य दुकानदारों का कर्ज चुकाना या न चुकाना उनकी मर्जी पर निर्भर है। इसीलिए कहता हूँ–'धिनि दाओ।' धिन का अर्थ है–इच्छाधीन।

इसके बाद आता है 'ता धेइ'। 'ता' शब्द बांग्ला का है। जैसे 'ता भाल, मशाइ ना देबेन तो ना देबेन आपनारा स्वराजी, आमि आपनादेर आर कि करिते पारि?' (तो अच्छा, महाशय नहीं देना है तो मत दीजिए, आप स्वराजी हैं, हम आपका क्या बिगाड़ सकते हैं?) खोल का बोल 'इंटरनेशनल' है अर्थात् सार्वभौमिक, सार्वजनिक है। इसलिए वहाँ सभी देश के शब्दों का समावेश है। 'धेइ' का अर्थ है 'धेइत कटा' (धत् तेरि) अर्थात् कर्ज देने वाले जब कर्ज माँगने आएँ तो सर्वप्रथम तुम स्वराजी उनसे कह सकते हो–'ऋण रहे।' फिर भी यदि वह उसे अनसुना करके तुम्हें परेशान करने पर तुल जाता है तो तुम धमक लगाकर उसे 'धेइत कटा' कहकर भगा सकते हो। इसके अतिरिक्त कर्ज देने वाले को तुम कह सकते हो 'दादाओ', अर्थात् मुझे और उधार दे दे। बोल के इन गूढ़ार्थ की व्याख्या करने पर भाषण लंबा हो जाएगा और श्रोता-भाइयों को कष्ट होगा। इसीलिए संक्षेप में केवल एक-दो बातें ही कहूँगा। 'खिखि राओ' अर्थात् हम स्वराज मिलने पर, जहाँ कहीं दूध देने वाली गाय देखेंगे, बिना पूछताछ के, उसका दूध निकाल कर और उसे उबाल कर खीर बनाकर खाएँगे। इसीलिए एक बड़े शहर के 'बिफर्स्मड कॉरपोरेशन' के प्रथम मेयर ने दूध की उन्नति के लिए प्रयास करने का इश्तहार निकाला था।

बैठने से पहले इतना कहना चाहता हूँ कि आजकल सभी समझदार नेता कहते हैं कि स्वराज पाने के लिए हिंदू-मुसलमानों के बीच मेल करना होगा, इसका समर्थन करते हुए मैं तुम लोगों से पूछना चाहता हूँ–मेल-जोल क्यों नहीं बढ़ाते हो? बढ़ाओ।

तुमने कहा है मेल-मिलाप बढ़ाना कठिन है; क्योंकि मुस्लिम भाई स्वराज की बड़ी सभा में अपना हिस्सा अधिक बटोरना चाहते हैं। मैं कहता हूँ कि यदि वे अधिक की माँग करते हैं तो क्या हर्ज है? उन्हें माँगने का संपूर्ण अधिकार है। बस कुछ ही दिन पूर्व वे हिंदुओं पर नवाबी और बादशाहगिरी करते थे। क्या तुम लोग उनसे उसे भूलने के लिए कहना चाहते हो? भला क्या तुम लोग यह भूल सकते हो। इसीलिए

उनकी जो माँग है स्वीकार करो। कार्पण्य न करो। हिंदू हमेशा दाता के लिए प्रख्यात हैं। दाता कर्ण, दधीचि, शिवि का जन्म हिंदुओं में ही हुआ है। इन्हें क्यों भूलना चाहिए? लेजिसलेटिव कौंसिल और सरकारी नौकरियों में उनकी नियुक्तियाँ हों, तुम लोग दूर हट जाओ। उन तुच्छ चीजों को लेकर पर काल में तुम लोग क्या करोगे? मुस्लिम भाई उन सब चीजों को लेकर इस लोक में क्या करते हैं, देखते क्यों नहीं हो? वे लोग कौंसिल में बैठकर कानून बनाना चाहते हैं तो बनाएँ। कानून से यदि जनता की भूख मिटती तो भारत में कानून की इतनी भरमार के बावजूद गरीब हिंदू और मुसलमान लोग अकाल में बिना खाए इतनी अधिक संख्या में नहीं मरते। किसी एक धर्मावलंबी या इने-गिने प्रमुख लोग कानून बनाने का सामर्थ्य प्राप्त कर, कानूनों की बाढ़ लाकर गरीब जनता का पेट भर सकते तो इंग्लैंड आदि देशों में बेकार लोगों का हाहाकार सुनाई नहीं पड़ता। पेट की ज्वाला हिंदू-मुसलमान दोनों में समान है। पेट की ज्वाला बढ़ने पर, कानून बनाने वाले सरकार के घर में हिंदू या मुसलमान का ध्यान नहीं रहता, और उससे प्रजा का पेट नहीं भरता। अन्यथा एक ईसाई धर्मावलंबी इंग्लैंड में कानून और शासकों के खिलाफ प्रजा इस प्रकार नित्य विद्रोह का आचरण नहीं करती। इराक, तुर्की, अफगानिस्तान जैसे धर्मावलंबी देशों में रामराज्य होता। जहाँगीर से लेकर बहादुर शाह तक की राजसभा एवं नौकरी पेशा में अधिकतर तो बड़े मुसलमान ही थे, फिर भी उनके समय में प्रजा (हिंदू और मुसलमान प्रजा) की दुर्गति दूर क्यों नहीं हुई? और वह साम्राज्य ही क्यों विनष्ट हो गया?

गाँधी महाराज के साथ स्वर मिलाकर मैं भी कहना चाहता हूँ—मुस्लिमों ने जो माँग की है—दे दो और दूर से देखते रहो। वे बिना मेहनत के लाभ का अधिकांश पाने पर संभवतः अपदार्थता की ओर झुकते चले जाएँगे। अवश्य ही उनकी अवस्था वैसी होने की हम कामना नहीं करते हैं। क्योंकि सर सैयद अहमद के कथनानुसार हिंदू और मुस्लिम भारतमाता सुंदरी की दो आँखें हैं। एक आँख कमजोर होने पर हमारी सुंदरी माता को कितनी करुणा होगी। परंतु भैया मुस्लिम लोग न समझें तो क्या किया जाए? हाथ-पैर मारकर सीखा जाए तो अच्छा है। सरकारी नौकरी के लिए उनका कितना आग्रह है। नौकरी की Mentality अर्थात् मानसिकता स्वतंत्रता के प्रतिकूल है। मुसलमान भाइयों को इसकी जाँच करा लेने दो। निर्मम होकर भविष्यवाणी की जा सकती है कि नौकरी के गर्त से मुक्त होने वाले हिंदू मनुष्यत्व के रास्ते पर त्वरित गति से आगे बढ़ेंगे। आज नौकरियों ने हमारे भारत में 'बेस्ट ब्रेन्स' विश्वविद्यालयों के प्रतिभावान छात्रों को ग्रस लिया है। वे प्रतिभावान बच्चे अगर इससे मुक्त हो सकें, तो उनसे ही मातृभूमि का अनेक उपकार होगा।

भाइयों, मेरा भाषण समाप्त हुआ। अब घर चलो। मैं भी घर चलता हूँ।

—1924

ऐक्य

घुमावदार, टेढ़ी-मेढ़ी, छिछलेदार, चिकनी चुपड़ी बातें जरूरत पड़ने पर भी बेजबरुवा कहने से सकुचाता है। परंतु आजकल कुछ पाखंडी लोग अपना अभिप्राय सिद्ध करने के लिए हिंदू-मुसलमानों के बीच द्वंद्व रूपी रबर के गेंद की थैली को फूँककर बहुत फुला देते हैं, उसे सहेज कर रखने के लिए वे जितने ही प्रयास क्यों न करें, कुछ दिनों के बाद वह ढह ही जाएगा। इसी तथ्य को स्पष्ट रूप से कहने के लिए आज बेजबरुआ उपस्थित हुआ है। रोहू मछली के पेट के भीतर रहने वाली वायु-थैली (जिसे असमिया में हिलै कहा जाता है) को एक ओर से चाँपते हुए फुलाकर कुछ समय तक बड़ा किया तो जा सकता है; परंतु कोई उस पर एक मुक्का लगा देगा तो वह थैली फटकर एक धुप-से आवाज करती हुई सिकुड़ जाएगी। उसके पेट के भीतर की प्राण-वायु अर्थात् उसके भीतर रहने वाली वायु उसे चाँपकर सताने वाले को 'चुप' सी डाँट लगाकर उस दुष्ट का साथ छोड़कर, उसके समझ के परे ऊँचे आसमान की तरफ चली जाएगी। इसी तरह हिंदू और मुसलमान के मन के दुराग्रह की भावनाओं को दबाते-चाँपते हुए एक ओर ले जाकर फुलाने वाले द्वंद्व का भी अंतिम परिणाम सत्य के मुक्के से यही होगा और इसके लिए जिम्मेदार व्यक्तियों की या तो छीछालेदर होगी या वह जहन्नुम में चले जाएँगे; इस बात को कहने के लिए बेजबरुवा विवश हुआ है। समय की पहचान को समझने वाला यह समझ ही रहा है कि उच्च शिक्षा के हल से मुसलमानों की आबादी-जमीन की सीमा और बढ़ती हुई बंदोबस्ती भूमि की मात्रा को फैला रही है। 'हाजारी-घोषा' (महापुरुष माधवदेव कृत 'नामघोषा') पोथी में लिखे 'हरि नाम की ध्वनि सुनकर, चहुँ दिशाओं में पाप भागने' की तरह उच्च शिक्षा की ध्वनि उनकी अज्ञानता के कानों में पड़कर आँधी-तूफान की तरह भाग रही है। अब वे स्पष्ट रूप से देख पाएँगे कि हिंदू के गले में जो फंदा है, मुसलमानों के गले में भी वही फंदा है। भारत में हिंदू-मुसलमान दोनों एक ही सूत्र से बँधे हुए हैं। दोनों के पैरों पर एक ही प्रकार के लौह-शृंखल हैं और दोनों एक ही प्रकार के बंदी भी।

लोग चाहे कुछ भी कहें, पर बेजबरुवा ठीक ही समझ रहा है कि सर सैयद अहमद ने फटी-फटी आँखों से दूर भविष्य को ठीक से समझकर ही मुसलमानों को राजनैतिक आंदोलन में भाग लेने से मना किया था और ठीक से सब सोच-समझकर ही उन्हें पढ़ने-लिखने का उपदेश देकर अलीगढ़ में उन्होंने कॉलेज खुलवा दिया था। उन्हें यह ठीक से पता था कि मुसलमान अब हिंदुओं के ऊपर दबाव डाल कर राजशासन में अपना हक नहीं माँग सकते हैं, क्योंकि वे लिखाई-पढ़ाई तथा धन-सम्पत्ति की दृष्टि से हिंदुओं से काफी पिछड़े हुए हैं। अब मुसलमानों को हिंदुओं के साथ मिलकर

राजनैतिक आंदोलन करने पर, सूद और मूल दोनों ही गँवाना पड़ जाएगा। अर्थात् शिकार करके लाने वाले हिरण के मांस का अधिकांश हिंदुओं को प्राप्त होगा और उन्हें सरकार के घर में झूठ-मूठ अप्रिय बनना पड़ेगा। इसीलिए मुसलमान सरकार को संतुष्ट करके लिखने-पढ़ने का काम करें। सरकार के घर की विषय-वासना आदि का लाभ लेकर सर्वप्रथम अपनी जड़ को मजबूत बनाना ही बुद्धिमानी का परिचायक है, सैयद को इसका पक्का विश्वास हो गया था। इसके पश्चात् रात के बाद दिन होने की तरह मुसलमानों की प्रगति होने और उन्हें हिंदुओं के साथ राजनैतिक अधिकार प्राप्त होने की बात भी निश्चित ही कही जा सकती है। सैयद अहमद ने लोगों को विशेषतः शासन को सुनाकर मुँह से जो भी मंत्रोच्चारण किया हो, पर काम बिल्कुल ठीक कर गए। इस बात के प्रमाणस्वरूप बेजबरुवा कहता है कि अधिकतर शिक्षित मुसलमान लुक-छिपकर या दिखाकर हिंदू राजनैतिक आंदोलन कर्ताओं के साथ एक ही पंक्ति में खड़े हुए हैं और भविष्य में भी यही करेंगे। उनमें से अधिकांश कांग्रेस को योगदान करें या न करें, परंतु कांग्रेस वालों की तरह या सामान्य परिवर्तन के साथ अपनी 'मांग' के कारण आंदोलन तो कर ही रहे हैं या करना सीख रहे हैं—इसमें कोई संशय नहीं है। इसका एक उदाहरण ही देना पर्याप्त होगा, यथा—(उस दिन बड़े लाट मिंटो के पास जाने वाला 'ऑल इंडिया मुस्लिम डेपुटेसन जैसे पहले जिह्वा के स्वाद के लिए घी खाने पर अंत में जिह्वा भीं चिकनी हो जाती है, वैसे ही पहले ज्ञान अर्जन के लिए विद्या सीखने के फलस्वरूप भी वही अवस्था प्राप्त हो जाती है।) सैयद जानते थे कि रत्नावली शास्त्र (माधवदेव अनूदित कृति) का मर्म समझने के लिए, सर्वप्रथम ठीक से 'क' बोलना होगा और उसके बाद 'सिद्धिवस्तु' बारहखड़ियाँ, काणखोवा (श्रीधर कन्दलि कृत), लीलामाला (श्रीकृष्ण की लीलामाला) आदि पोथियाँ पढ़नी होंगी। अन्यथा अज्ञानी-अशिक्षित के सामने रत्नावली का राग अलापने पर 'भैंस के आगे बीन बजाए भैंस रही पगुराय' की ही दशा होगी। बल्कि अधिक बीन बजा कर उसे तंग करने पर बीन बजाने वालों को और साथ ही शासन को भी, हो सकता है कि वह सींग से आक्रमण करे।

सैयद चालाक व्यक्ति हैं। उन्हें काफी सोच-समझकर ऐसा प्रतीत हुआ कि बिना राजा को अपने पक्ष में किए कोई कार्य सिद्ध नहीं हो सकता है। राजा दुधारू गाय है, बड़ा पेड़ है, कल्पतरु है। राजा के अनुग्रह करने पर दूध, छाँव और धन-वित्त के स्रोत से उनका जीवन लबालब भर जाएगा। इसीलिए उन्होंने मीठी बात, सुरीली आवाज और हाथ जोड़कर गवर्नमेंट की हर बात का समर्थन कर और कड़ुवे, कसैले, छूरीधार वचनों से हिंदू-पारसी, कांग्रेरा वालों पर कठोर आक्रमण कर और राजशासन के अधिकारी-वर्गों के मन में संतोष का फूल फुलाकर अलीगढ़ कॉलेज के लिए सरकार से धन की सहायता ली। बेजबरुआ का कहना है कि सैयद ने बहुत ही अच्छा किया, बढ़िया किया, तोफा किया। ढिठाई न करके लचीलेपन से सिर देखकर आघात करके

उन्होंने अपने लोगों के लिए जो अवसर जुटाया, उसके फलस्वरूप प्रधानतः उनके और भारतवर्ष के अन्य जाति के लोगों का भी अप्रत्यक्ष उपकार हुआ और भविष्य में भी होगा। हिंदू, पारसी आदि अशिक्षित साथियों की अपेक्षा शिक्षित साथी पाकर बच गए और बचेंगे भी। और एक बात नहीं भूलनी चाहिए; देश के सभी लोगों के लिए यह जरूरी नहीं कि आंदोलन करना ही पड़ेगा। सभी कामों में बँटवारा चाहिए। अन्यथा वह असंभव है। एक ही रास्ते से सभी लोग अगर पर्वत खोदने जाएँ तो पर्वत खोदना तो दूर, अपने में ही अव्यवस्था हो जाएगी। एक लकड़ी बीनने, एक पत्ते लेने, एक नमक-तेल-चावल के लिए न जाकर सभी लकड़ी लेने ही चले जाएँगे तो पूरे दिन घर के लोगों के पेट में गमछा बाँधे रखने के सिवा और कोई उपाय नहीं बचेगा। बेजबरुआ का कहना है कि बेटो, तुम में से कोई खेती कर, कोई दुकानदारी कर, कोई सरकारी नौकरी कर, कोई परनिंदा कर, कोई अखबार निकाल, लोगों को गाली दे, कोई सजधज कर युवा बनता फिर, कोई दूसरे के सर का बोझ बनकर खा और मौज-मस्ती कर, कोई संभव हो तो लोगों की खुशामद कर। अरे, बेटे सब! तुम लोग देश की उन्नति के हाथ-पैर, सिर, मुख, रूसी, नाखून सब कुछ हो; तुममें से किसी को छोड़ा नहीं जा सकता, किसी को फेंका नहीं जा सकता। सुरेंद्र, सैयद, मेहता, टाटा, चिलिमौल्ला, रसुउल्ला सभी हमें चाहिए। हमारी जातीय उन्नति के नामघर (असम में श्रीमत शंकरदेव द्वारा स्थापित सामूहिक उपासना-गृह) के लिए तुम लोगों के सभी खूँटा, 'चति', 'कामी', 'तङाल' (असम में बाँस-फूस के सामान्य घर बनाने के लिए बाँस से बने विविध उपकरण), चौखट, दहलीज, मुंडेर, गोबर, मिट्टी सब कुछ को आवश्यकतानुसार और योग्यतानुसार काट-छील कर उस नामघर के निर्माण में लगाएँगे। केवल तुम लोगों के सामने इतनी-सी बिनती है कि तुम लोग आपस में लड़ना-झगड़ना मत, गुत्थमगुत्थी मत करना, चिकुटना मत, आँखें मत दिखाना, गाली-गलौज मत करना, परस्पर व्यंग्य मत करना।

संप्रति कुछ अंग्रेज भारत में भेद की कूटनीति चलाकर लाभान्वित होने के कारण परम संतोष से ठठाकर हँस रहे हैं, मगर बेजबरुवा इतना अवश्य कहना चाहता है कि अंत में वर्ष भर के हिसाब के समय इस सर्वनाशी नीति से प्राप्त गुड़ चींटी चाट जाएगी। बेजबरुवा इतना अवश्य कहता है कि इस नीति से किसी भी पक्ष का कोई उपकार नहीं हो सकता है। हिंदू और मुसलमान के आपस में कुछ दिनों तक मार-काट कर कमजोर बने रहने पर भी, आखिर में जब दोनों पक्षों की आँखें खुलेंगी तब तक भींगकर, सीखकर दोनों के एक न हो जाने का कोई कारण नहीं है और एक बात कह देना उचित होगा कि निचले तबके के मुसलमानों की नीच प्रवृत्ति को उजागर कर फायदा उठाने की बात सोचने पर भी अंग्रेजों की स्थिति 'खोदा पहाड़, निकली चुहिया' जैसी होनी असंभव नहीं। बेजबरुवा का कथन है कि अंग्रेज का अर्थ केवल ब्रिटिश या भारत सरकार और राजा ही नहीं है। अंग्रेज का अर्थ है फुलार साहब

की तरह दो-चार अंग्रेज अधिकारी, 'द इंग्लिशमैन' जैसे पत्रों के अंग्रेजी संपादक। और इन्हीं तरह के दो-चार लोगों की तरफ संकेत करके ही ऐसी बात कही गई है। फुलार साहब ने हिंदू को 'उपेक्षिता' और मुसलमान को आदर की 'पत्नी' की मर्यादा देते हुए ढोल पिटवाकर विवाह और निकाह की घोषणा कराई थी। इंग्लिशमैन अखबार मुसलमान गुंडों की लूटपाट, दौरात्म्य और उत्पातों में घी-शक्कर का स्वाद पाता है और हिंदू पग भर बढ़ने पर भी और पग भर पीछे हटने पर भी, पितृहीन बेटे की तरह गाली खाता है। इस प्रकार की हरकत से किसी का भला नहीं हो सकता है। अधिक न कहकर बेजबरुवा मात्र इतना ही कहना चाहता है कि उन लोगों की दृष्टि छोटी है और वे आग से खेल रहे हैं। मुसलमान जरा गंभीरतापूर्वक विचार करें तो समझ सकेंगे कि उन्हें दूसरों की बात में आकर अपने घर में हिंदुओं से लड़ने का कोई फायदा नहीं हो रहा है, बल्कि अनेक नुकसान ही हुआ है। हिंदुस्तान में इतने हिंदू हैं कि उन्हें मुसलमान सात-सात बार परशु-कुल्हाड़ी से काटने पर भी, थाली-पर-थाली चावल निगलवाकर भी अथवा जबर्दस्ती साफ करके भी हिंदुस्तान को हिंदूविहीन नहीं कर सकते हैं। ऐसा असाध्य काम अपने सुख एवं गौरव के समय में तो वे कर नहीं पाए। अब तो कोई बात ही नहीं उठती। आज उनके हाथों में न तो ढाल है, और न ही तलवार है। केवल खाली हाथों से निधिराम सरदार बनना चाहें तो क्या यह संभव है? इसीलिए बेजबरुवा पुनः उनसे और साथ ही हिंदुओं से भी पूछता है कि घर के भीतर लड़-झगड़ कर अशांति फैलाने का क्या तुक है? वे झगड़ेंगे और फायदा होगा दूसरों का। उन दिनों लोक-कथा में सुना था, दो बिल्लियाँ एक टिकिया (पीठा) के लिए लड़ पड़ी थीं। बाद में उस लड़ाई की मीमांसा के लिए आने वाले एक बंदर ने टिकिया को दोनों में समान रूप से बँटवारा कर देने का भरोसा दिलाकर तराजू में टिकिया के दो टुकड़े कर तौल और उसे समान करते-करते टिकिया को ही हजम कर गया। दोनों बिल्लियाँ ताकती रह गईं। हिंदुओं पर मुसलमानों को भी अविश्वास करना या उन पर क्रोधित होना उचित नहीं है। हिंदू अंग्रेज को भगाकर भारतवर्ष में राज करना नहीं चाहते हैं और मुसलमानों को अपनी प्रजा बनाकर पुराना बदला भी चुकाना नहीं चाहते हैं। ऐसी असंभव बात केवल पागल ही सोच सकता है। शिक्षित ज्ञानी हिंदू की इच्छा मात्र इतनी है कि अंग्रेजों के शांतिपूर्ण शासन के अंतर्गत हिंदू, मुसलमान आदि सभी भारतवासी सुख-संतोष से दिन व्यतीत करें और संसार के अन्य अंग्रेज शासित राज्यों की प्रजा की तरह वे भी अपने प्राप्य स्वत्त्वों को हासिल कर देश की उन्नति तथा सुख-संपदा की राह में आगे बढ़ते रहें। कांग्रेस के द्वारा माँगे जा रहे स्वराज का यही अर्थ बेजबरुवा समझ पा रहा है और दूसरे भी इसी तरह समझ लें तो उसके मन की चिंता मिट जाएगी, अपर किम्।

—1924

स्त्री-स्वाधीनता

एक

(बरबरुवा गुमसुम बैठा है। जयध्वज का प्रवेश)

बरबरुवा : आओ जयध्वज, आज मैं समाधि-वमाधि में नहीं हूँ, डरना नहीं। आज जयध्वज, धर्मध्वज, मूर्खध्वज, कपिध्वज, जो भी मेरे करीब आएगा उसकी खातिरदारी मैं करूँगा।

जयध्वज : आज जनाब की तबीयत खुशहाल है, यह देखकर दिल बाग-बाग हो गया है। जनाब गए नहीं?

बरबरुवा : कहाँ, रसातल में?

जयध्वज : भाषण सुनने। एल्बर्ट हॉल में नित्यानंद स्वामी का भाषण था।

बरबरुवा : मेरी किस्मत! मुझे खबर ही नहीं हुई। मेरा बहुत नुकसान हुआ। कौन नित्यानंद? बेचारा किस अभागन का स्वामी है?

जयध्वज : किसी का स्वामी नहीं हैं जनाब। स्वामी उनकी उपाधि है।

बरबरुवा : सस्ते में ही निपटा दिया पट्ठे ने। होशियार आदमी है। आजकल शादी में काफी खर्च हो जाता है। किसी का स्वामी नहीं है मगर स्वामी का दीर्घ ईकार रूपी पगड़ी सिर पर पहन रखी है। मेरी बात का जवाब दो। स्वामी का मतलब पति होता है या नहीं?

जयध्वज : जनाब देख रहा हूँ बाल का खाल निकाल रहे हैं। उनका नाम नित्यानंद है, उपाधि स्वामी है। वे भला किसी के पति कैसे हो सकते हैं? वे तो बाल ब्रह्मचारी हैं। चिर कुमार।

बरबरुवा : ठहरो, जरा धीरे-धीरे बोलो। हमारे कुमार गाँव के सात पुरखों से वास कर रहे अनि कुमार-मणि कुमार, चिर कुमार नहीं हैं क्या? वे उनकी श्रेणी में आते हैं या उनसे नीचे हैं?

जयध्वज : एक ही श्रेणी में हैं या नीचे, बता नहीं सकता। नित्यानंद स्वामी चिरकुमार ब्रह्मचारी हैं, इतना ही जानता हूँ। वे पंडित हैं। सभी उनका मान करते हैं।

बरबरुवा : अच्छी बात है। उनके मान-सम्मान में मैं कोई रुकावट नहीं डालूँगा। तुम कहो तो मैं भी उनका मान करूँगा और तुम्हारी बात का पालन करूँगा। उन्होंने किस विषय पर भाषण दिया था?

जयध्वज : फीमेल इमेनसिपेशन।

बरबरुवा : यानी? अगर मैंने ठीक समझा है तो लगता है बहुत बड़ा विषय है। एक बात बताओ, किस तरह का फीमेल? आदमी वाला या दूसरे प्राणी वाला?

जयध्वज : बेशक आदमी वाला। और किसी प्राणी के बारे में वे भला क्यों कहेंगे?

बरबरुवा : चलो ठीक है। और प्राणी का होता तो मैं खड़े-खड़े जान दे देता। सुना है बैरासी हथिनी आदमी को कुचल देती है। शेर से ज्यादा गुस्सा शेरनी को आता है, सही बात कौन नहीं जानता? इसीलिए जिस-तिस फीमेल का जिक्र करना खतरनाक साबित हो सकता है। तुम्हारे स्वामीजी ने नारी-मुक्ति के समर्थन में भाषण दिया था या विरोध में?

जयध्वज : समर्थन में।

बरबरुवा : ठीक ही हुआ। मैं घर में ही पड़ा रहा। मैं तुम्हें एक बात बता देता हूँ। फिलहाल तुम भी कलकत्ते में हो, मैं भी कलकत्ते में हूँ! रिहाइशी इलाका एक होने की वजह से ही मैं तुम्हें अपना नातेदार समझता हूँ। प्रिय नातेदार! दया करके बताओ, सुबह-शाम, दोपहर-रात जब हम कलकत्ता की सड़कों पर घूमते हैं तो लोगों की भीड़ में हमें जगह मिलती है?

जयध्वज : नहीं मिलती।

बरबरुवा : उन लोगों में ज्यादा संख्या किसकी होती है? औरतों की या मर्दों की?

जयध्वज : मर्दों की।

बरबरुवा : वजह बता सकते हो?

जयध्वज : नहीं।

बरबरुवा : मैं बता सकता हूँ। सुनो। हिंदू-मुसलमान परिवार की नब्बे प्रतिशत महिलाएँ परदा करती हैं। वे खुले आम घूमने के लिए बाहर नहीं निकलतीं।

जयध्वज : जी हाँ।

बरबरुवा : जी हाँ, मतलब क्या? सुनकर ही एहसास होता है। अगर फीमेल वृंद को आजाद कर दिया जाए तो कलकत्ता की सड़कों पर भीड़ दोगुनी नहीं हो जाएगी?

जयध्वज : हो जाएगी जनाब।

बरबरुवा : फिर तुम मुझे नातेदार कहकर पुकारना भूल गए। बोलो-हो जाएगी नातेदार महाशय। तुम होपलेस केश हो। तुम्हारे साथ नातेदारी कायम कर मैंने गलती की। इसीलिए उसे कैंसल करता हूँ। जो भी हो। मोटर, बस, लॉरी और बैलगाड़ी, भैंसागाड़ी के उपद्रव के बीच सड़क पर चलना भी मुश्किल है। और अगर तुम्हारा फीमेल इमनसिपेशन हो गया तो फुटपाथों की हालत कैसी हो जाएगी, जानते हो? चार पैसे का चावल, तीन पैसे का तेल, दो पैसे के आलू-परवल, एक पैसे का नमक खरीदने के लिए तब क्या तुम बाजार जा पाओगे? मान लो धक्कामुक्की करके जाने में तुम कामयाब हो भी गए, मगर तुम्हारे घर का लड़का या तुम्हारी अपनी लड़की

ऐसी भीड़-भाड़ में ठीक से खरीदारी करने जा नहीं पाएगी। जाने पर भी राहगीरों के धक्के खाकर देह की चमड़ी कितने दिनों तक बची रह पाएगी? अगर अपने बच्चों को बाजार भेजोगे तो संदेश-रसगुल्ला खाकर मुटाई हुई बंगाली औरतें, घी पीने वाली मारवाड़ी औरतें और कसे बदन वाली भूटिया औरतें उन्हें खीसकर नहीं रख देंगी? फिर तो तुम्हारी पत्नी आँधी की तरह माँ के घर चली जाएगी और तुम्हें उपवास करना होगा। अगर मैं अल्बर्ट हॉल में गया होता तो तुम्हारे भक्तिभाजन महाप्रभु नित्यानंद के भाषण के बीच ही मैं सवाल पूछता—स्वामीजी, मैं महिला वृंद को कलकत्ता की सड़कों पर छोड़ देने के लिए तैयार हूँ मगर शर्त यह है कि आप रोज मेरे घर की जरूरत की चीजें बाजार से खरीदकर ला दें।

जयध्वज : बरबरुवा महाशय! आप तो बात को कहाँ से कहाँ लेकर चले गए। वैसे आपका तर्क अपनी जगह सही है। अगर फिर मुलाकात हुई तो नित्यानंदजी से मैं यह सवाल जरूर पूछूँगा। वे क्या जवाब देंगे, मैं आपको बता दूँगा।

बरबरुवा : तो अपने स्वामी जी से कहना कि बरबरुवा ने एक और बात कही है। वक्तागण आजकल जिस अंदाज में स्त्री की स्वाधीनता, बालविवाह, विधवा विवाह जैसे मुद्दों पर भाषण झाड़ रहे हैं, उससे मुझे खुशी हो रही है। वक्तागण राजनीति के फटे में टाँग अड़ाना छोड़ चुके हैं। ताकतवर प्रभु ने उनका ध्यान अपने घर की तरफ आकर्षित कर दिया है तो ठीक ही किया है। उन्हें समझना चाहिए कि राजनीति राज के परिवार के लिए होती है। प्रजानीति प्रजा की चीज होती है। राजपुरुष ऐसे विलक्षण लोग होते हैं जो प्रजानीति को हाथ भी नहीं लगाते। राजा अगर पेड़ की एक डाली प्रजा पर फेंक देता है तो प्रजा उफ तक नहीं करती। मगर प्रजा उसी डाली को पकड़कर जीने की प्रक्रिया जारी न रखकर राजा की तरफ देखते हुए मचलती क्यों है? प्रजा सभा करे, झूमे-नाचे और अगर धर्म के रक्षक राजा के पक्ष में एक बार नारा लगाए तो राजा को संतोष ही होगा। मगर प्रजा अपनी सीमा को लाँघकर उछल-कूद मचाएगी तो राजा कैसे बर्दाश्त करेगा। जो भी हो, कुछ दिनों के लिए राजनीति की चर्चा बंद हुई, उससे बरबरुवा को खुशी हुई है। हमारे विदेशी प्रभुगण अच्छे लोग हैं। बरबरुवा उन्हें पसंद करते हैं। बरबरुवा अगर किसी बेटी के पिता होते और वह बेटी राजी हुई होती, और काले आदमी की बेटी से शादी करने के लिए गोरा आदमी तैयार हो गया होता और इस शादी के बारे में हमारे पुरोहित विद्याधर पंडित वर-कन्या की राशि मिलती है, ऐसा कहते और वर की वर्तमान गृहिणी श्रीमती बरबरुवा की काली बहन को दासी बनाने के लिए राजी हो जाते तो बरबरुवा भविष्य में जन्म लेनेवाली अपनी काली बेटी का ब्याह गोरे साहब से करवा देते। और अपने भावी जमाई को आशीर्वाद देते हुए बरबरुवा कहते—"मेरे प्यारे जमाई राजा! अपना कारवां चलाओ, कुत्तों को भौंकने दो। उसके बाद बरबरुवा जमाई के बहाने राज्य का माल लूटते। जाति? जाति कौन पूछता है?

अंत में एक और बात बताना चाहता हूँ जयध्वज! स्त्रियों को मुक्त करने के लिए तुम्हारे स्वामीजी ने सभासदों में कहा था न?

जयध्वज : जी हाँ।

बरबरुवा : तो क्या स्वामी जी आर्डिनेंस की पिकेटिंग की धारा के तहत पकड़े नहीं जाएँगे?

जयध्वज : सिर्फ बात को समझकर अनुरोध करने से ही पिकेटिंग की धारा के तहत क्यों फँसेंगे?

बरबरुवा : फँसेंगे, जैसे भी हो, दूसरे की आजादी और मर्जी का मामला है। जो बात मुँह से कही गई है, सड़क पर उसका पालन भी तो किया जा सकता है। समझ गए न?

दो

अपने एक लेख में मैंने भाषण देने वाली एक स्त्री का उल्लेख किया था, जिसे पढ़कर एक परिचित महिला ने रोष के साथ मुझे एक लंबा पत्र लिखा है। उस पत्र को संक्षेप में यहाँ प्रस्तुत कर रहा हूँ पर उससे पहले एक सवाल—'ठेस' देकर बात कहने का तात्पर्य क्या है? यह बांग्ला भाषा का Idiom है या लेखिका की मातृभाषा असमिया का? असमिया महिलाएँ कहती हैं—'ठेलीया ठेली के' बात कर रहा है। 'ठेस' देकर नहीं कहा जाता। कहता हूँ—माताओ, बहनो! भाषण दो। जी चाहेगा तो भाषण सुनकर अपने कान साफ कर लूँगा। बुरा नहीं मानूँगा, अच्छा ही लगेगा। लेकिन भाषण के दौरान असमिया बोली भूलकर बबुआइन जैसी बोली क्यों बोलती हो? तुम लोग रिहा-मेखला का त्याग कर साड़ी पहन रही हो, पहनो, क्योंकि तुम्हारे पतिदेव को वैसे कपड़े ज्यादा अच्छे लगते होंगे और तुम लोगों को भी आइने के सामने होंठ रंगते हुए अपने सौंदर्य को देखकर इतराने का जी चाहता होगा। अपने असमिया बुनकरों की बनाई पोशाक छोड़कर तुम लोग ऊनी मोजे, गंजी, फ्राक बुनने में जुटी हो, जुटी रहो। तुम लोग असम के परंपरागत आहार का त्याग कर बांग्ला उपन्यास हाथों में लेकर हलवाई की दुकान से रसगुल्ला, संदेश, कचौड़ी वगैरह खरीदकर मर्दों को खिलाती हो और खुद भी खाती हो। करो, जो करना हो, हम लोग क्यों बोलेंगे? चूँकि आजकल तुमने पढ़ना-लिखना सीख लिया है! हम कुछ कहेंगे तो क्या पता, हमारे देश के अखबारों की मदद से तुम लोग स्वयं या अपने अनुगत लिक्खाड़ मर्दों की सहायता से मेरे ऊपर हमला बोल दो। उफ! 'साहित्य पत्रिका' के संपादक की दशा देखकर वैसे ही मैं डरा हुआ हूँ। तुम लोगों को जो भी जी में आए, करो। मगर दुखियारी माता की भाषा को बिगाड़कर हमारी थाली में क्यों परोस रही हो? भूलो मत, उम्र गुजरने के साथ-साथ मेरे पेट की आग धीमी होती जा रही है, असमिया 'पीठा' ही अब मुझे भाता है। अगर तुम लोग सचमुच मुझ पर स्नेह रखती हो तो

वैशाख बिहू (नए वर्ष का त्यौहार) के मौके पर शुद्ध असमिया गमछा बुनकर मुझे उपहार देना। असमिया चरखे पर विदेशी धागा कातकर एक 'टावेल' मुझे मत दे देना। खैर जो भी हो।

पत्र लेखिका का कहना है—'हम भाषण क्यों नहीं देंगे? भाषण देना हमारा अधिकार है।'

मैं कहता हूँ, अच्छी बात है। तुम लोगों पर ही भाषण की जिम्मेवारी है। मर्दों ने जबरन तुम लोगों से यह अधिकार छीनकर रखा है। ज्यादा कुछ कहने की जरूरत ही नहीं है, वाणी की देवी सरस्वती तुम्हारी जाति की है, हमारी जाति की नहीं है। धन की देवी लक्ष्मी भी तुम्हारी जाति की है। इसीलिए मुँह की बोली और धन की पोटली की जिम्मेवारी तुम लोगों की है। हम धन कमाकर लाते रहेंगे। तुम लोग तिजोरी में बंद करती रहोगी और अपनी बोली के तीर हम पर चलाती रहोगी। हम कुछ कर नहीं सकते, क्योंकि बोलना मना है। लक्ष्मी और सरस्वती दोनों देवी ठहरीं। सचमुच, एनी बेसेंट और सरोजनी नायडू की तरह कौन मर्द भाषण झाड़ सकता है? इसीलिए हे लेखिका देवी, तुमने बरबरुवा को गलत समझकर यूँ ही गुस्सा जाहिर किया है। लेखिका का कहना है—'मर्दों को जिस तरह स्वराज चाहिए, हमें भी उसी तरह चाहिए, हमारे स्वराज के साथ अन्याय करते हुए तुम लोग सदियों से हस्तक्षेप करते रहे हो, अब और हस्तक्षेप हम बर्दाश्त नहीं करेंगे।'

देवी! तुम्हारी इन बातों से बरबरुवा को गुस्सा नहीं आया है। बरबरुवा ने अपने बराबर आसन डालते हुए कह दिया है, बैठो, और तो छोड़ो, अगर तुम लोग जिद करो तो बरबरुवा लड़के की माँ तक बनने के लिए तैयार हैं, इसके लिए विज्ञान को कोई करिश्मा जरूर करना पड़ेगा। वैज्ञानिकों में 99 प्रतिशत स्वार्थी मर्द ही हैं, इसीलिए उन्होंने इस तरह की खोज पर कोई ध्यान नहीं दिया है, ऐसा बरबरुवा का विचार है। तुम लोग साइंस को अपने हाथ में ले लोगी तो कोई रास्ता निकल आएगा। बंगाली कवि द्विजेन्द्रलाल भविष्य वाणी करके जा चुके हैं कि विज्ञान असंभव को भी संभव कर दिखाएगा। जैसे विज्ञान की मदद से रसगुल्ले कद्दू के आकार के हो जाएँगे, घर की छप्पर पर लौकी की तरह जलेबियाँ दिखाई देंगी। तालाबों में पानी की जगह दूध नजर आएगा और कमल के पत्ते के आकार की पुड़ियाँ तालाब में हिलती हुई नजर आएँगी, वगैरह वगैरह। याद रहे, कवि की वाणी झूठी नहीं होती। तुमलोग कमीज-पतलून पहनकर फुटबाल खेलोगी, बैरिस्टर, वकील, जज, मैजिस्ट्रेट, हाकिम बनकर अदालत में बैठोगी (पश्चिम में यह सब शुरू हो चुका है), हम घर में बच्चों की देखभाल करेंगे, बच्चों को दूध पिलाएँगे, ऐसे ही घरेलू कार्य करेंगे, इतना तय है। इसीलिए देवी, प्रसीदः। हमारी दाढ़ी-मूछें देखकर अगर तुम्हें जलन होती हो, ये दोनों चीजें भी साइंस के जरिए धीरे-धीरे तुम लोगों को प्रदान कर दी जाएँगी। स्थिर भवः।

हम खाना बनाएँगे, तुम लोग जलावन जुटा कर दोगी। जिस दिन संतुलन बनाए रखने के लिए तुम लोग खाना पकाने जाओगी, हम लोग भी जरूर जलावन का इंतजाम कर देंगे। जिस दिन तुम्हें हजामत करनी होगी, हम तुम्हारे उस्तरे की धार तेज कर देंगे और तुम लोग भी हमारी हजामत के दिन उस्तरे की धार तेज करोगी। कभी-कभार अगर हम दाढ़ी-मूँछें बढ़ाएँगे, तुम लोग भी मापकर बड़ी-बड़ी दाढ़ी-मूँछे बढ़ा लोगी। मगर बता देता हूँ। कोई अतिथि-अभ्यागत अगर दाढ़ी-मूँछ वाली दंपति को एक जगह बैठे हुए देखकर पूछेगा—"आपमें से बरबरुवा कौन हैं?" हम लोग एक साथ जवाब देंगे—"मैं", "मैं"। "श्रीमती बरबरुवा कौन हैं?" इसका जवाब भी दोनों एक साथ देंगे—"मैं"।

इसीलिए गुस्सा थूक दो देवी! बरबरुवा बहुत ही उदार इंसान हैं।

तीन

बरबरुवा ने सीख लिया।

प्रश्न : क्या सीख लिया? किसने सीख लिया? भीगकर-डूबकर या बिना भीगे-बिना डूबे?

उत्तर : भीगना भी नहीं पड़ा, डूबना भी नहीं पड़ा, सुराख में यानी बीच में ही बढ़ गई?

प्रश्न : असली बात साफ नहीं हुई। क्या सीखा? ठेस लगकर बुद्धि बढ़ गई क्या?

उत्तर : नहीं, नहीं, नहीं। बुद्धूराम, मूर्खाधिराज! गोवर्द्धन चंद्र। अरे बरबरुवा ने भाषण देना सीख लिया। थोड़ा सा ही सही। और वह भी कूंहिला की सभा में?

प्रश्न : कूंहिला की सभा क्या बला है?

उत्तर : श्री विष्णु! गलती हो गई, कूंहिला की नहीं—महिला की सभा में। महिला की सभा कहना चाहता था—अचानक मुँह से कूंहिला की सभा निकल गया। एक कहावत है न, चमड़े की जबान फिसल ही जाती है।

खैर, गलती को सुधारता हूँ, मगर उसके बाद पूछो तो, अगर महिला को कूंहिला कहा जाए तो गलत क्या है? मेरे विचार से महिला और कूंहिला दोनों की जाति एक ही है। कूंहिला (कोंपल) नर्म-नाजुक चीज का नाम है। महिला पुरुष के नजरिए में वैसी ही नहीं होती क्या? गोबर फेंकने वाली टोकरी से भी बड़ी कूंहिला की टोपी पहनकर बरबरुवा को खुशी-खुशी धूप-बारिश में घूमते हुए देखा है। उसका कोई बोझ भी होता है, इसके बारे में उन्होंने जरा भी नहीं सोचा होगा? बरबरुवा और उनके जैसे हजारों लोग विवाह कर स्त्री-रत्न को सिर पर या कंधे पर उठाकर पुलकित मन के साथ जीवन यात्रा संपन्न कर रहे हैं। कभी उन्हें पता ही नहीं चलता कि वे कोई बोझ उठाते फिर रहे हैं, बल्कि बोझ के झूठे डर से विवाह न करने वाले

अभागों पर वे तरस ही खाते रहे हैं। एक बात पर तुमने गौर किया है या नहीं, मैं नहीं जानता। अगर गौर नहीं किया है तो अब गौर करने का समय आ गया है। समुद्र या ब्रह्मपुत्र जैसी नदियों में सफर करने वाले तमाम जहाजों में, हिंदुस्तानी और उड़िया औरतों के गले की हँसुली की तरह कूंहिला की बनी एक गोलाकार चीज होती है। किसी कारणवश अगर जहाज डूब जाता है तो यात्रीगण उसी गोलाकार चीज में गरदन फँसा कर पानी में तैरते रहते हैं।

विवाह कर औरत का बोझ उठाना दरअसल बोझ उठाना नहीं होता, वह गोलाकार चीज की तरह होता है। उसके भरोसे शादीशुदा मर्द अपनी जीवन रूपी नौका को संसार सागर में निडर होकर संचालन कर सकते हैं। वैसा न करके कोई-कोई असमिया कवि 'खोल दे नाव ओ मछुआरे' जैसी कविता लिखकर जीवन की छोटी नाव खेना चाहता है। यह कितना खतरनाक हो सकता है, उन कवियों को मालूम नहीं होता है। जो भी हो, शादी के नाम से पीछे हटने वाले लोग बरबरुवा की एक लाख टके की बात्र याद रखकर कृतार्थ हो सकते हैं–'परोपकाराय संता ही जीवनम्' बरबरुवा के जीवन का यही व्रत है।

ईश्वर के बारे में लिखे गए एक सुंदर बांग्ला गीत की पैरोडी उस दिन एक गायक गा रहा था। असली गीत है–'तार, तार हरि दीन जने।' पैरोडी गायक ने गाया–'तार तार तिरी पति जने।'

धार्मिक गीत को इस तरह विकृत बनाना गलत बात है। गायक पर मुझे गुस्सा आया था। मगर सोचकर देखा–'After all the way is right.'

यानी गायक की बात ठीक थी।

महिला सभा में जाकर भाषण देने की मजबूरी में बरबरुवा ने ऐसी बातें ही कही। इसीलिए वह क्षमा प्रार्थी है।

महिला सभा ययाति राजा के जमाने में भी होती थी। और तो और जिस दिन मणिराम देवान को फाँसी हुई, उस दिन भी हुई थी और आज गाँधी महाराज के जमाने में भी हो रही है। इस हिसाब से इसमें कोई नई बात नहीं है। मगर वह कोई और दिन था, यह कोई और दिन है। पुराने जमाने से जलधारा की तरह सभाएँ बहती जा रही हैं। मगर अब उसके स्वरूप में बदलाव आ गया है। पहले के जमाने में महिला सभा का विषय होता था–पति परमगुरु, आज की महिला सभा में विषय होता है–पति परम बौड़म। पुराने जमाने की उन सभाओं में चर्चा होती थी पड़ोसी-पड़ोसन के स्वभाव-चरित्र के बारे में, भात, साग, सब्जी में खटाई डालना!, चटनी बनाना आदि के बारे में। महिलाओं को आज स्वराज चाहिए। इसका मतलब डोमिनियन स्टेट्स नहीं, पूरी तरह आजादी या इंडीपेंडेंस। वैसे महिला की इस पूर्ण स्वाधीनता के सीने में पति नामक परम लघु जीव छिपा न हो, ऐसी बात नहीं है। इन महिलाओं को लकड़ी चीरने का हुक्म पति को देते हुए खुशी होगी। सुंदरियों का फरमान जारी

होने से पहले ही बरबरुवा संबलपुर के जंगल में लकड़ी काट रहे हैं और जब तक हथेली में फफोले नहीं हो जाते तब तक काटते रहने का प्रण किए हुए हैं, इसीलिए उन्हें घबराने की जरूरत नहीं है।

उस दिन बरबरुवा को एक महिला सभा का निमंत्रण मिला था, इससे उन्हें खुशी हुई। उन्होंने सोचा था महिलाओं की मधुर आवाज को सुनकर वे तृप्त हो उठेंगे। वह सभा में गए। मगर मुसीबत भी उनके पीछे-पीछे गई। जब वे सभा में गए तो चंपाकली जैसी उँगलियों वाली महिलाओं की नर्म हथेलियों की ताली की गड़गड़ाहट ने ही उनका स्वागत किया। स्वागत का यह अंदाज देखकर गुलाब की तरह उनका मन पुलकित हो उठा। मगर कहते हुए अफसोस होता है कि कुछ ही पल में गुलाब का फूल मुरझा गया। जब वे निर्धारित आसन की तरफ बढ़े तो एक दिव्य सुंदरी ने प्रस्ताव दिया–''आज की सभा में पूज्यवाद महोदय कृपावर बरबरुवा अध्यक्ष का आसण ग्रहण कर हमें कृतार्थ करेंगे।''

वैसी विपदा। सोच था महिलाएँ मधुर स्वर में भाषण देकर कानों में गुलाब जल का छिड़काव करेंगी, यहाँ तो महिलाएँ ही बरबरुवा की बेसुरी आवाज में भाषण सुनना चाहती हैं? यह नियति का मजाक है या विधाता का खेल? अगर पता होता कि ऐसा होने वाला है तो कौन मूर्ख ऐसी सभा में आता? विपत्ति में धैर्य सोचकर धीरज रखते हुए महिलाओं से कहा–माताओ-बहनो! मुझे माफ करें। मैं आप लोगों का भाषण सुनने के लिए आया हूँ, खुद कुछ कहने के लिए नहीं आया हूँ। मैं भाषण देना भी नहीं जानता। मर्दों की सभा में भी मेरी जुबान खुल नहीं पाती। महिला सभा की तो बात ही छोड़िए। मुझे डर लगता है कि कहीं बुखार न चढ़ जाए। वैसे अधिभौतिक बुखार का क्या नतीजा हो सकता है, कौन जानता है? ब्रह्मवध के पाप से जरूर माननीय महिलाओं को डर लगता होगा, ऐसा मेरा विचार है। मेरी बात सुनकर पहले वाली सुंदरी ने कहा, ''बरबरूवा महाशय! यह ब्रह्मवध की बात बेकार है। हम छोड़ेंगे नहीं। आपको भाषण देना होगा। और, सिर्फ भाषण देने से ही काम नहीं चलेगा, हमारी सभा की अध्यक्षता भी करनी होगी।''

मैंने सविनय निवेदन करते हुए कहा–''भद्र महिलावृंद, आप लोगों के अनुरोध का मैं पालन नहीं कर पाऊँगा। भाषण मैं दे नहीं सकता। अगर आप लोग मुझे नहीं छोड़ेंगी, सामान्य दर्शक के रूप में एक-दो बातें कहने की कोशिश करूँगा। मुझे भाषण देने की आदत नहीं है। कहते-कहते हकलाहट होने लगती है। इसीलिए मुझे बख्श दें।'' मेरी बात सुनकर उनको दया नहीं आई और सोलह साल की, सत्ताईस साल की, पचास साल की, तीस साल की-हर तरह की महिलाओं ने मुझे घेर लिया। काफी बहस के बाद तय हुआ कि बरबरुवा अध्यक्ष न बनें, कोई बात नहीं, फिर भी उन्हें आज की सभा में महिलाओं को उपदेश देना ही पड़ेगा। असहाय होकर तथास्तु कहने के लिए मैं खड़ा हो गया।

भाषण

भले घर की माँ-बहनें, बहू-बेटियाँ, प्रतिष्ठित महिला गोपिनियाँ! मैं आजकल आपलोगों को पुरुषों के स्वराज और स्वाधीनता का मतलब समझा नहीं पाता। ऐसा लगता है बचपन में मेरी बुद्धि तीक्ष्ण थी जो उम्र बीतने के साथ-साथ भोथरी हो गई। मिट्टी खोदते-खोदते या आँगन की सफाई करते-करते कुदाल भोथरा हो जाता है। आप लोगों को स्वराज चाहिए, स्वाधीनता चाहिए, कान में बाली चाहिए, गले में हार चाहिए, हाथ में कंगन चाहिए वगैरह-वगैरह जो भी चाहिए, आप लोगों को जो दे सकता है उससे माँगकर या हक जताकर या छीनकर ले लीजिए, इसमें मुझे कोई एतराज नहीं, बल्कि आप अबलाएँ अगर सबला प्रबला हो गईं तो जंग छेड़कर भी हासिल कर सकती हैं, इसमें मुझे कोई एतराज नहीं, क्योंकि मैं सुरक्षित हूँ। वक्ता की श्रीमती दुर्बल है, उस हिसाब से बरबरुवा को कोई डर नहीं है। मगर एक बात आज मैं आप लोगों से कहूँगा। मजाक की बात नहीं। यह मेरी बदकिस्मती है कि मैं जो भी बात कहता हूँ उसे कोई सीरीयसली यानी गंभीरता से नहीं लेना चाहता। यह मेरे कर्मों का ही फल है, क्योंकि बरबरुवा हँसोड़ है, टोपीराम है, इस रूप की वजह से हमेशा बदनाम होता रहा है।

आप लोगों को पुरुषों ने सहधर्मिणी और अर्द्धांगिनी बनाकर रखा है, अच्छी बात है। दोनों तरफ से हिसाब कर जोड़-घटाव का नतीजा अच्छा ही निकलता है। विवाहित जीवन यात्रा के लिए यह उत्तर प्रबंध किया गया है। वैसे इस भागीदारी के कार्य को हिंदुओं ने धर्म का पका तेल डालकर पुख्ता इंतजाम कर लिया है, करते रहें। क्योंकि हिंदू होशियार होते हैं, कच्चा काम नहीं करते। मगर बुद्धि की अति हो जाने पर गड़बड़ हो जाती है, उसका लुत्फ खत्म हो जाता है। हिंदू पत्नी का पति मर जाता है तो पत्नी के लिए दुनिया एक शून्य में तब्दील हो जाती है। पति के संग ही उसका सुख-संतोष, आहार, पोशाक भी चला जाता है। हिंदू शास्त्र में यह व्यवस्था की गई और आप लोग भी कड़ाई से इस नियम का पालन करती रही हैं। मैं कहता हूँ, यह बुद्धिमती स्त्रियों का काम नहीं है। धर्म और कॉमनसेंस यानी सहज बुद्धि के बीच विरोधाभास की स्थिति नहीं हो सकती। धर्म ही सहज बुद्धि या विवेक है और विवेक ही धर्म है। धर्म के जिस विधान में सहजबुद्धि और विवेक नहीं है, वास्तव में वह धर्म नहीं है, अधर्म है जो धर्म का मुखौटा पहनकर समाज में विचरण करता है। जीते हुए पति-पत्नी दोनों का मन-चित्त एक ही रहे। इसमें बरबरुवा को कोई एतराज नहीं है यह तो अच्छी बात ही है। मगर एक के बिना दूसरे के अस्तित्व का लोप हो जाना नासमझी का ही उदाहरण हो सकता है, सनातन धर्म नहीं हो सकता। अगर कोप होता तो दोनों की मौत एक साथ ही होती। मगर

पार्टनर की मौत नहीं होती। यानी पार्टनर बदलकर फिर शादी कर गृहस्थी बसाकर सुखपूर्वक जीवन-यापन करने के कार्य से ऊपर की बात की कलाई खुल जाती है। मैं कहता हूँ, जब तक पति इस दुनिया में था, जीवन यात्रा में वह स्त्री पार्टनर से अपना हिस्सा यानी लाभ-हानि का अंश लेता था और लेना ही चाहिए, इसमें गलत ही क्या है? बल्कि वैसा न मिलने पर अदालत में गुहार लगाने का ही नियम है। क्योंकि अपना हिस्सा न मिलना गलत, अधर्म और अन्याय है। मगर देवता की इच्छा से जब भागीदारी का व्यवसाय खत्म होता है, तब भी अनुपस्थित भागीदार या स्वर्गीय पति एक पार्थिव स्त्री से लाभ के अंश की माँग करता हो, यह सुनकर बरबरुवा को हँसी ही आती है। मनुष्य का स्वभाव होता है कि अपनी प्रिय चीज किसी व्यक्ति के पास छोड़कर वह जाना नहीं चाहता। अंग्रेज भारत से स्वदेश लौटते समय अपने प्रिय घोड़ा या कुत्ते को किसी के हवाले करके नहीं जाते, बल्कि गोली मारकर चले जाते हैं, यह भी वैसी ही बात है। अगर यही हिंदू धर्म की व्यवस्था है तो पत्नी की मौत के बात पति का नई लड़की से ब्याह न करने का नियम होना चाहिए, तभी सामंजस्य नजर आ सकता है। सदियों से हिंदू शास्त्र, समाज और रीति की यह व्यवस्था आप लोगों का संचालन कर रही है और आप लोग भी उसका पालन करते हुए उस व्यवस्था की त्रुटि की तरफ ध्यान नहीं दे रही हैं। जैसा महात्मा गाँधी कहते हैं, यह भी एक प्रकार की 'स्लेव मेंटालिटी' यानी दासता की मानसिकता है। सोचकर देखें, व्यवस्था में कितना विरोधाभास है। हिंदू कर्मफल पर विश्वास करते हैं। मनुष्य के मरने के पीछे स्वकर्म फल को माना जाता है। उसी के आधार पर पुनर्जन्म में विश्वास रखा जाता है। पति-पत्नी दो अलग-अलग जीव हैं। अतः उनके कर्म का फल भी अलग-अलग है। उस फल के अनुसार मरने के बाद परलोक में दोनों का मिलन नहीं भी हो सकता है, या दोनों अलग-अलग स्थानों पर अलग-अलग जन्म ले सकते हैं। इसके अलावा हिंदू शास्त्र के अनुसार इस जन्म में पुरुष योनि में पैदा होने वाले जीव को अगले जन्म में महिला योनि में भी जन्म लेना पड़ सकता है। तब? कैसी स्थिति होगी। जरा सोचकर देखें। हिंदू शास्त्र में कहा गया है मानव जीवन पाकर ईश्वर की उपासना न करने पर घास और पत्थर के रूप में जन्म लेना पड़ता है—'मनुष्य जन्म पाई हरिफ नभजिला। अवश्ये हैराहा भाई तृण-तरु-शिला।।' तो फिर यह सब 'फस्स' यानी झमेला किसके लिए?

इन कारणों से बरबरुवा का कहना है—हे महिलावृंद! आप लोग अगर सचमुच स्वाधीनता चहाती हैं, तो इस पुरानी सड़ी-गली व्यवस्था के भँवर से बाहर निकलें। विधवा यह न सोचे कि स्वामी के बिना उसका जीवन निरर्थक है। उसका अलग वजूद है और मनुष्यता पर विश्वास करके उसे हौसला रखना चाहिए। अगर उनका जी चाहे-मृतक स्वामी को यादकर दुःख जाहिर करे, इसमें कोई बुराई नहीं है। मगर वह पार्टनर या भागीदार चला गया, इसीलिए हाथ पर हाथ धर कर लोगों की कृपा

के सहारे न जीए। हर मनुष्य के पास अलग-अलग प्राण, आशा, विश्वास, इच्छा, अनुभूति है। स्वर्गीय भागीदार की अनुपस्थिति में अपने जीवन यात्रा व्यवसाय की नाव डूबने न दें। विधवा को आत्मनिर्भर होकर जीना सीखना होगा। आप लोगों की सभा भी महिलाओं को ऐसी शिक्षा ही दे, ऐसा मैं चाहता हूँ। विधवा के पुनर्विवाह का मुद्दा उसकी मर्जी पर छोड़ देना चाहिए। इस महासत्य की शिक्षा आप लोग तमाम महिलाओं को दें। तब आप देखेंगी कि आपको स्वराज या स्वाधीनता का स्वाद मिलने लगेगा और पूरे मानव समाज को भी स्वराज मिल जाएगा। वेद जो कहता है, कहे। स्मृति में जो लिखा है, लिखा रहे। काल अनंत और असीम है। वेद के काल में वेद ने ठीक से कहा था और स्मृति के काल में बौराए लोगों को ठीक करने के लिए स्मृति ने जो कहा था, ठीक ही कहा था। मगर वे ही बातें अनंतकाल के लिए उपयोगी होंगी, ऐसा जो सोचते हैं वे भोले और बुद्धू हैं। ईश्वर अनंत असीम है। काल कोद की व्यवस्था परिवर्तनशील है। और छोड़िए, वेद के लिए भी ईश्वर अज्ञेय हैं। अगर वेद ईश्वर को पूरी तरह समझ लेता तो ईश्वर का ईश्वरत्व नहीं रह जाता। श्रीमद् भागवत् में वेदस्तुति करते हुए बेहिचक इस बात को स्वीकार किया गया है—"ब्रह्मायो नापाय अंत तोमाक नाजाने वेदे।" (कीर्तन)

वेद में पालक, सरसों या ढेकिया साग का कोई उल्लेख नहीं है तो क्या कोई बीमार आदमी पालक साग के झोल के साथ भात नहीं खाएगा। स्मृति में पके हुए लंगड़ा आम का उल्लेख नहीं किया गया है, फूलगोभी, पत्ता गोभी, शलगम, गाजर का उल्लेख नहीं है तो क्या माताएँ लंगड़ा आम मिलने पर उसका स्वाद नहीं चखेंगी या गोभी-शलगम की सब्जी के साथ भात नहीं खाएँगी? इसीलिए कहता हूँ कि यह महिला सभा महिलाओं को सभी मामले में मानवीय गुणों से परिपूर्ण बनाने की कोशिश करे। आप लोग पुरुषों के सहयोग से अपनी-अपनी जीविका का मार्ग स्वयं प्रशस्त कर लें। आप लोग अबला नहीं हैं, नहीं हैं, नहीं हैं। समझ लें, प्रबला हैं। सोचते-सोचते और उसी के आधार पर काम करते हुए आप महा प्रबला बन जाएँगी। तब आप देखेंगी। पुरुषों की रुकावट दूर हो जाएगी और आपके कार्यों की ताकत देखकर राह रोकने वाले पुरुष दूर हट जाएँगे। आज बस इतना ही।

युग धर्म

बड़े दुःख की बात है कि इस कलियुग में सब कुछ छोटा होता रहा। आत्मा छोटी हो गई। मन छोटा हो गया। कद-काठी छोटी हो गई और तो और भविष्य के उम्मीद लड़के-लड़की भी छोटे हो गए।

पिछले युग में एक गाय दो-ढाई मन दूध देती थी। कलियुगी बेजबरुवा के दिनों में पहले की गायों की संतानों की हालत का निरीक्षण करने की जरूरत है। इस युग की गाय घास खाती है एक बोझा, एक कड़ाही माड़ पीती है और दो बोझा नमक मिले केले के पत्ते का भक्षण करती है। फिर भी दूध देती है—आधा सेर, तीन पाव या जोर-जबर्दस्ती एक सेर। द्वापर के अंतिम दौर में श्रीकृष्ण की धवली, श्यामली, कमलिनी गायें गोपालक कृष्ण के प्रेम और स्नेह में राह चलते दौड़ती हुई दूध देती थीं। जबकि आजकल चोरनी गाय पता नहीं किसके प्रेम में बेजबरुवा की बाड़ तोड़कर बाड़ी में घुसकर लफसाग, बाबरीसाग (असम में मिलने वाली साग) खाती ही नहीं, तहस-नहस कर देती है।

यह सब कलियुग का खेल है। कलियुग ने सिर्फ भारत में प्रवेश नहीं किया है, बल्कि पृथ्वी का कोई भी देश उसके प्रभाव से अछूता नहीं है। लेकिन उन देशों में कलि ने इस तरह गाय और दूध के मामले में हस्तक्षेप नहीं किया। उसने हिंदुओं की मुख्य दो चीजों—गाय तथा ब्राह्मण पर अपना प्रभाव दिखाया। गाय का दूध ही सूख गया, शरीर कंकाल में परिणत हो गया। ब्राह्मणों का वेद-पाठ बंद हो गया। संध्या-पूजा समाप्त हुई, शिखा रखना बंद हो गया। सभी जातियों और वर्गों का घाल-मेल हो गया। छत्तीस सौ छत्तीस जातियों के लोग कुत्ते की तरह भोजन पर टूटते हैं, मदिरापान करते हैं, झूठ बोलते हैं और वेश्यागमन आदि करते हैं।

सतयुग में मनुष्य, पेड़, पशु-पक्षी कितने विशाल होते थे, यह शास्त्रों को पढ़ने से ही पता चलेगा। उनकी आयु लाख वर्ष की होती थी। उन्हें इच्छामृत्यु मिलती थी। उनके बर्तन सोने के होते थे और आज हमारे बर्तन कांसा से मिट्टी, चीनी मिट्टी, एवं केले के पत्ते में परिणत हो गए। त्रेतायुग में ये सब और कम थे। तब मनुष्य की आयु दस हजार वर्ष की होती थी। मनुष्य चौदह हाथ लंबा होता था। द्वापर में आकर आयु हजार वर्ष की हो गई। मनुष्य सात हाथ लंबा था, लेकिन हमारे कलियुग में स्थिति चरम पार कर गई। मनुष्य की आयु 120 वर्ष की हो गई। 'मेलिंग फूड', 'माल्टेड मिल्क' और साबूदाना के बल पर 120 वर्ष जीने वाले हजार में दो-एक ही हैं। औरतें साठ वर्ष में बूढ़ी हो जाती हैं और मर्द 40 वर्ष या खींच-खाँचकर 50 में बूढ़े हो जाते हैं। द्वापर के सात हाथ का मनुष्य कलियुग में मात्र तीन हाथ का हो गया। कलि की आयु 4,32,000 वर्ष की है, अभी इसका 5,031 वर्ष पूरा हुआ है। अभी ही यह अवस्था है। कलि के अंत होते-होते मनुष्य बच्चों की तरह नहीं हो जाए, यही गनीमत है। गनीमत क्या, यह होना निश्चित है। घरेलू शब्दों में कहें तो तब मनुष्य बैंगन के गाछ पर सीढ़ी लगाकर चढ़ेगा। अर्थात मनुष्य तब शाली धान या अहू धान (असम में उगने वाले धान की प्रजातियाँ) के बीच विचरण करेगा। जिस साल खेत में धान नहीं होता, उस साल मनुष्य को भात नहीं मिलता। वे तालाब में बिन पानी पुठिया मछली की तरह छटपटाते-मरते हैं।

कुछ लोग सोने के कटोरे में, चाँदी की थाली में भात खा सकते हैं। लेकिन अन्य लोगों के नसीब में केले का पत्ता ही है। राजा प्रजा की चिंता छोड़ 'कर-कर' चिल्लाएगा। राजा बोलेगा—पानी पीया, पैसा दो। साँस ली, पैसा दो। नमक खाया, पैसा दो। मिट्टी खाई, पैसा (राजस्व) दो। दो पैसा अर्जित किया, उसका हिस्सा दो। वही देखकर कलियुग में हरिकीर्तन की व्यवस्था है। सतयुग का ध्यान, त्रेता का यज्ञ, द्वापर की पूजा मनुष्य आलस्य के ताप से कलियुग में कभी नहीं करता। यही सब देखकर राजा के दूत दो-चार दम भरकर खींच ले जाते हैं। हे प्रभु! रक्षा करो, बंदे मातरम्, गाँधी बाबा की जय इत्यादि कीर्तनों का कलियुग के कीर्तनों में शास्त्र सम्मत व्यवस्था हो।

कलियुग में क्या होगा, शास्त्रों में उसका विस्तार से वर्णन किया गया है। वे सब घटित हुए हैं कि नहीं, आँख खोलेंगे तो दिखाई देगा। कलियुग में बाबा, फकीर, धर्मध्वजा कैसे होंगे, इसका भी वर्णन शास्त्रों में है। हमारे शास्त्रों ने ढोंगी—तपस्वी को कभी प्रश्रय नहीं दिया और देंगे भी नहीं। आत्मा में वैराग्य नहीं, मात्र बाहरी चोला पहनकर बैरागी कहलाने वालों को शास्त्र मुफ्त में नहीं छोड़ेगा। और सुनो, गुरु का पुत्र उत्तराधिकार-सूत्र के अनुसार गुरु होता है। शिष्य को ज्ञान देकर मुक्ति दिलाने की क्षमता गुरु-पुत्र ने गुरु-पिता से माटी-बारी, खाट-पाट समेत पा लिया। भले उस गुरु का ज्ञान, विद्यातत्व, धर्मभाव न हो। यानी गुरुगिरी व्यापार में बदल गया।

यह हो रहा है कि नहीं, देखो और उस बारे में बरबरुवा से कहो—"कलियुग में कम होगी सबकी आयु, मतैक्य होगा लोगों में।" इस बात के प्रमाण की आवश्यकता नहीं है। एक सौ बीस वर्ष पूर्व हमारे असम में एक सौ बीस वर्ष के मनुष्य गाँव-गाँव में मिलते थे। आज साठ वर्ष के मनुष्य का पता लगाने के लिए गुप्तचरों की सहायता लेनी पड़ती है।

"सभी गायों से अल्प दूध होगा। इस दूध से घी नहीं निकलेगा। सबसे बड़ा अज्ञानी महापंडित कहलाएगा।" दूध की बात मैं ऊपर कह चुका हूँ। मक्खन की भी वही कहानी है। नहीं तो बंबई के 'बटर' को अलीगढ़ का 'बटर' बताकर बेचना देखकर और केला मिलाए हुए मक्खन को मक्खन समझ-खाकर मनुष्य को इतनी मंदाग्नि नहीं हुई होती।

और परम अज्ञानी महापंडित कहलाने वाले सम्मान ढूँढ़ते फिर रहे लोगों का उदाहरण खोजने के लिए ज्यादा दूर जाने की जरूरत नहीं है।

"ब्राह्मण का एकमात्र धर्मसूत्र यज्ञ है, उनका कोई और धर्म नहीं।" सच कहूँ तो आजकल यज्ञसूत्र भी कई ब्राह्मणों को छोड़ चुका है। विपत्तिकाल में ऐसा ही होता है। दिन-रात साथ लगा रहने वाला जनेऊ भी ब्राह्मण को छोड़ गया तो अब ब्राह्मणों का रह ही क्या गया? धैर्य पर विपत्ति देख बरबरुवा धैर्य पकड़ कर रह गए।

हमारे कीर्तन में है कि त्रेताकालीन मुचकुंद जब कालयवन को अपनी आँखों की अग्नि से भस्म कर, श्रीकृष्ण के दर्शन कर, कृष्ण की आज्ञा से पर्वत की गुफा से बाहर आए, तब उन्होंने कहा कि...।

हमारे शास्त्र को मानने वाला अंग्रेजी शिक्षित युवा कहेगा कि यह सब मनगढ़ंत है। कहो! लेकिन उसके बाद वे लोग कलकत्ता के म्यूजियम या जादूघर में रखे विशाल हाथी के दो दाँत किस युग के हैं और मिट्टी खोदकर निकाले गए यूरोप के जादूघरों में रखे बड़े-बड़े सरीसृप, जीव-जंतुओं के बारे में विस्तार से बताएँगे। इनमें से जो दो-चार आज तक मिले हैं, वे नदी के एक बूँद पानी के समान हैं। युगों-युगों का ज्ञान-विज्ञान का भंडार आज भी पृथ्वी के अँधेरे में पड़ा है। उन्हीं में से एक-दो-चार छिटककर हमारी आँखों के सामने पड़ा देख हम मिला-मिला, जान गए-जान गए' कहकर चिल्लाने लगे।

सर आइजक न्यूटन ने यही देखकर कहा था कि उन्होंने सागर के किनारे रेत से कंकड़ ही बटोरे हैं।

ब्रह्म या ईश्वर कैसा है, इस प्रश्न के उत्तर में उपनिषद् ने कहा है—सत्यंग, ज्ञानमस्तंग ब्रह्म अर्थात ब्रह्म सत्यस्वरूप, ज्ञान-स्वरूप ज्ञानमय, वह यदि अनंत है तो ज्ञान भी अनंत है। इस अनंत ज्ञान के एक-दो कण पाकर ही हम स्वयं को परमज्ञानी कहते हैं। लार्ड आर.इरविन भोजन कर चुके हैं और एक चूहा अर्द्धरात्रि को आ भोजन की मेज के नीचे पड़ी पावरोटी के टुकड़े को खाकर सोचता है कि उसने वायसराय या गवर्नर जनरल जैसा भोजन कर लिया, यह ठीक उसी तरह की बात है। आँखों के बारे में भी।

इसलिए आज से तुम लोग बरबरुवा महाशय को ज्ञानवृद्ध, वयोवृद्ध कुछ नहीं कहना। बरबरुवा के बारे में उस तरह के विशेषण घोर अपमान है। क्यों? उसका कारण अब बता दिया गया। उनकी बात नहीं मानने पर उन्हें गुस्सा आ सकता है। गुस्सा चढ़ने से उनके मुँह से कठोर आवाज निकल सकती है, जैसे—तुम लोग-तुम लोग!!

इतने प्रोभेकेशन अर्थात उत्तेजना के बीच भी बरबरुवा ने स्वयं को कैसे सँभाल लिया, देखा?

—1931

अनुवाद : **रवि शंकर रवि**

ज्योतिप्रसाद अगरवाला

1903-1951

एक ही समय कवि, संगीतकार, कथाकार, चित्रकार, नाटककार, नृत्य-परिचालक, चलचित्र निर्देशक, स्वाधीनता संग्रामी सभी। रूपकुँवर के नाम से लोकप्रिय। असमिया नवजागरण के एक प्रमुख व्यक्तित्व। विश्व की प्रगतिशील सांस्कृतिक धाराओं से असम की सांस्कृतिक धाराओं का संपर्क स्थापित किया। यूरोपीय देशों के अलावा टर्की, बगदाद आदि स्थानों का भ्रमण। राष्ट्रीय आंदोलन में हिस्सा लिया और जेल गए। असमिया चलचित्र निर्माण की शुरुआत की। कलकत्ते में भी सक्रिय। 'दैनिक असमीया' का कुछ समय तक संपादन किया। राजपूताने की पृष्ठभूमि का होने के बावजूद असमीया जाति के सांस्कृतिक उत्थान में महत्त्वपूर्ण योगदान दिया। यहाँ की मिट्टी से आकार पाई हुई प्रतिभा।

नए युग की संस्कृति

प्यारे छात्र-छात्राओ,

आज भारतीय इतिहास की महासंक्रांति के शुभ अवसर पर, नवयुग के नवयुवकों के बीच आने का निमंत्रण पाकर मैं कृतार्थ हो गया हूँ और आपके प्रति अपना आभार प्रकट करता हूँ। मैंने आज के दिन को महासंक्रांति का दिन इसलिए नहीं कहा है क्योंकि आज भारत स्वाधीनता संग्राम में विजयी होकर अन्तर्राष्ट्रीय स्तर पर अपने लिए एक योग्य स्थान बनाने में सफल हुआ है बल्कि इसलिए कहा है कि हमारे भारत का एक महत्त्वपूर्ण और अभिनव रूप संगठित होने वाला है। भारतीयों के मन में घोर प्रतिक्रिया होते हुए भी एक प्रखर मौलिक प्रकाश और विकास की प्रगति को मैं अपने मन में देख रहा हूँ।

सृजनशील विश्व में सृष्टि का अखण्ड प्रवाह चल रहा है। नवसृजन के लिए विनाश का आगमन होता है। सृष्टि के लिए मानव को सृष्टि-योग्य मन तथा कुछ निर्माण-योग्य सामग्री की जरूरत होती है। संसार में जब विचित्र और नवसृजन होता

है, मानव खुद उसका आनन्द-उपभोग करता है और साथ में उसकी अखंडता को भी कायम रखता है। यही वजह है कि संसार में सृष्टि, सभ्यता के पश्चात सभ्यता, एक मानसिक विकास के पश्चात और एक मानसिक विकास का जन्म हो रहा है। जब तक किसी एक जाति की सृष्टि का यह आधार बना रहेगा तब तक नव उन्मेष की अनंत पंखुड़ियाँ खिलती रहेंगी, तब तक संसार में उसका स्थान बना रहेगा, अगर वह इसे खो देता है तो काल के पदाघात से वह विचलित हो जाएगा और उसे पद्दलित होकर हीन जीवन बिताना पड़ेगा। कितनी ही उन्नत सभ्यता-सम्पन्न जातियाँ परिवर्तनशीलता को खोने के कारण संसार में विलुप्त हो गई हैं। कितनी ही जातियाँ ऐसी भी हैं जिन्होंने नव सृष्टि प्रतिभा के सामने अपना सिर झुकाया है। ऐसे कितने ही उदाहरण हमें विश्व इतिहास में मिलते हैं।

हमारा भारत भी नव उन्मेषशालिनी सृष्टि प्रतिभा को खोकर भ्रष्ट हालत में पड़ा है। दो हजार साल से भारत का महामन चुपचाप पड़ा है। पृथ्वी हिलाने वाली महान प्रतिभाएँ प्रचंड ज्वालामुखी की तरह नहीं फट रही है। पर पिछली शताब्दी से भारतीय जीवन में उस महान मन के पुनः अभ्युदय होने के लक्षण प्रकट होने लगे हैं। कुछ महान प्रतिभाओं की अभिनव पंखुड़ियाँ खिलने लगी हैं जिससे समझा जा सकता है कि भारत ने अपनी सृजन क्षमता को नहीं खोया है। दो हजार सालों से यह महाविकास के तत्त्व, तथ्य, और सत्य की खोज में समाधि लगाए बैठा था। आज उस समाधि का अंत हो गया। एक आलोड़न आ गया है। भारत की आध्यात्मिक तथा दार्शनिक चिंतन धाराओं के अभिनव सत्य ने विश्व में आलोक-वाष्प का सृजन किया है। इसका मतलब है, भारत फिर से एक महाजातीय महाप्रतिभा युक्त होने वाला है। नए युग की नई सभ्यता भारत के उदायाँचल में उदित होने वाली है।

बौद्ध युग के अंत होने ही भारत का नव विकास भी बंद हो गया था। इसके पश्चात भारतीय जीवन के हर क्षेत्र में जिन प्रतिभाओं और मनीषाओं ने काम किया, वे सब केवल भारत की प्राचीन मौलिक कृति एवं सभ्यता को विनाश से बचाने में लगी रहीं।

जिस प्रकार गीता, उपनिषद, वेदान्त-दर्शन की केवल नई व्याख्या मिलती है, आध्यात्मिक विज्ञान और दर्शन का कोई नया मौलिक तत्व या तथ्य सृजन नहीं हो रहा है, उसी प्रकार भारतीय संगीत भी छः राग और छत्तीस रागिनियों सहित पुराने मूल संगीत के तथ्यों को केंद्र बनाकर घूम रहा है। संगीत विज्ञान की कोई उन्नति नहीं हुई है। बौद्ध युग के पश्चात हमारे स्थापत्य में कोई नया आकार या रेखागणित की ओर से नई योजना और सौन्दर्य का कोई नया समावेश नहीं हुआ है। हमारे भास्कर्य के प्रकाश में कोई मौलिक दृष्टि का प्रकाश नहीं है। चित्रकला और अन्य कलाओं के नव विकास का श्रोत भी सूख गया है। प्राचीन सौंदर्य सृष्टि में सीमित आयुर्वेद में भी हमने कोई उन्नति नहीं की है। अर्थात् भारतीय सभ्यता तथा संस्कृति

के मौलिक विकास का अंत हो गया है। विगत दो हजार सालों से भारतीय प्रतिभाएँ केवल बाहरी आक्रमणों से भारतीय संस्कृति की विशेषता और मौलिकता की रक्षा करने में व्यस्त रहीं। अब जाकर श्री अरविन्द और गाँधीजी द्वारा एक अभिनव मानव सभ्यता और संस्कृति का प्रसार होने वाला है।

बौद्ध युग के पश्चात इस्लामी और यूरोपीय संस्कृति तथा सभ्यता का श्रोत भारत में बहने लगा है। इसके फलस्वरूप भारत में एक मिश्रित संस्कृति पनपने लगी है। पर जो भारतीय महामन समाधिग्रस्त था वह इन बाहरी प्रभावों से प्रभावित नहीं हुआ है। उसके बाहरी स्तर ने ही केवल इस संस्कृति और सभ्यता के साथ मुकाबला करके एक नई सभ्यता को जन्म दिया है, जो विश्व इतिहास में चमक नहीं पायेगी। लेकिन स्वामी विवेकानंद और रवींद्रनाथ की प्रतिभा द्वारा भारतीय महामन का पुनः अभ्युदय होने लगा है। श्री अरविंद और गाँधी जैसी प्रतिभाओं ने इस नई रोशनी को स्पष्ट रूप से प्रकट किया हैं इसके साथ ही हमारे नवयुवकों की क्रांतिकारी मनोवृत्ति के कारण हमारे देश में राजनैतिक जागरण आया है। विनाश का आगमन नव सृजन की पूर्व सूचना देता है। क्रांति का रक्तराग ही अरुणोदय के रक्तिम आकाश की तरह नए दिन के नए उजाले के आगमन का प्रथम प्रकाश है। क्रांति की अग्नि की लाल लपटों को देखकर हम समझ सकते हैं कि भारत में एक नई सभ्यता का आलोक वसंत आने वाला है।

आज हमारे देश में जीवन-मरण का संग्राम और प्रलय चल रहा है। लेकिन आपने जातीय संस्कृति की अवहेलना नहीं की और इसे अपने विचार तथा कार्य के अन्तर्गत रखा। आपने जातीय जीवन के निर्माण में स्वाधीनता संग्राम और क्रांति की तरह सांस्कृतिक चर्चा को भी आवश्यक समझा और इस सांस्कृतिक सभा का आयोजन किया, यह वास्तव में शुभ लक्षण है। महान उद्देश्य प्राप्ति के लिए युद्ध, क्रांति आदि विनाशकारी अभियान का सहारा लिया तो जाता है पर यह हमारे मन को बर्बर बनाता है। इससे हिंसा, घृणा, क्रोध आदि को बढ़ावा मिलता है। इन्हीं कारणों से कभी-कभी समाज और देश अपने आदर्श से विचलित होकर अवांछित लड़ाई-झगड़ा करते हैं। युद्ध और क्रांति के फलस्वरूप किसी भी देश की संस्कृति अपने स्तर (स्थान) से नीचे गिर जाती है। यही वजह है कि संग्राम और क्रांति के चलते भी कुछ लोग संस्कृति और सभ्यता के दीपक को बुझने नहीं देते हैं। अगर बुझ जाएँ तो परिणति भयावह होती है। इसलिए कुरुक्षेत्र की लड़ाई में श्रीकृष्ण ने अर्जुन को युद्ध की अनिवार्यता के बारे में कहा, उन्हें आध्यात्मिक तत्त्व का ज्ञान दिया और हौसला बढ़ाया। युद्ध तो करना ही है पर युद्ध के कारण अर्जुन अपने आध्यात्मिक तथा सांस्कृतिक आदर्शों से विचलित न हो इसके प्रति भी वे सजग थे। यही कारण था कि संग्राम, शास्त्र और आग्नेय अस्त्र के बीच भी वे खुद निरस्त्र थे।

संग्राम विजेता अपनी सभ्यता और संस्कृति के प्रभाव द्वारा हमें लगाम लगाकर घूमा रहे हैं। हमें इनसे अपने को मुक्त करना है ताकि जीवन के हर क्षेत्र में हम मुक्त होकर काम कर सकें। यह मुक्ति हमें काफी हद तक मिल भी चुकी है पर यह अभी भी हमारी संस्कृति और सभ्यता के हर क्षेत्र में विकास न होने के कारण अपूर्ण है। थोड़ा वक्त जरूर लगेगा पर फिर भी हम एक नई रोशनी की ओर उन्मुख हैं। इसलिए भारत के राजनैतिक क्षेत्र में, क्रांति की आग अनिर्वापित होकर जल रही है जिसमें कभी-कभार क्रांतिकारी भूचाल आता है। इस क्रांतिकारी भूचाल से हमारे जीवन में परिवर्तन आएगा–यह हमारे वर्तमान को बदल देगा और देश की सभ्यता की राह में आने वाली हर अड़चन को दूर करेगा। इस भूचाल की जलती अग्नि में स्नान कर नई रोशनी की वन्दना के लिए देश के नौजवानों को प्रस्तुत होने का समय भी अब आ गया है।

ज्ञानी-अज्ञानी और राजकीय सभ्य जातियों ने मुख्य रूप से राजनैतिक-सांस्कृतिक आदर्श को माना है। भारत के तपोवन में ज्ञान-साधना का राज था पर संसार में राजतंत्र का ही प्रचलन था। इसका कारण था सांसारिक क्षेत्र में बौद्धिक सांस्कृति को कार्यकारी न कर पाना। बुद्ध और यीशु ने मानव जाति को संस्कृति की ओर ले जाने का प्रयास किया था। लेकिन फिर भी संसार में राजनीतिक संस्कृति की ही प्रधानता है।

मनुष्य सात्विक सभ्यता का सपना तो देखता है लेकिन राजतंत्र का अनुसरण करता है। इसका कारण यह है कि संसार की बहुत सारी समस्याओं का समाधान केवल राजनैतिक कौशल के द्वारा ही होता है। जब सात्विक कौशल के द्वारा इन समस्याओं का समाधान होगा तब मानव समाज में परिवर्तन आएगा और मानव सभ्यता की उन्नति भी होगी।

सभ्यता के प्रथम प्रभात से ही मानव इस दैविक सात्विक सभ्यता संस्कृति में जाने का प्रयास कर रहा है। लेकिन मानव अपने स्वभाव पर विजय पाने और सात्विक कौशल के अभ्युदय में असफल होने के कारण राजकीय संस्कृति पर आश्रित है। हजारों वर्षों से मानव जिस कारणवश मानवीय स्तर प्राप्त नहीं कर पाया है, उस विषय पर आज भारत संसार को कुछ तर्क देना चाहता है। जिस क्रमोन्नति के पथ से मानव मानवीय स्तर की ओर गतिशील है, इसे उसने दार्शनिक तत्त्व और तथ्य द्वारा जगत को बताया है तथा दूसरी ओर वह सत्याग्रह, दर्शन एवं विज्ञान के सात्विक विचार के कार्यकारी प्रयोग की सफलता के बारे में भी बता रहा है। कालान्तर में इस सत्याग्रह दर्शन और विज्ञान का पूर्ण विकास होगा जिससे सशस्त्र युद्ध, पाशविक बल प्रयोग आदि सभ्य लोगों के लिए अनावश्यक हो जाएँगे। संसार में अति मानव का आगमन होगा ही। इस महासभ्यता की पहली किरण भारत में चमक रही है–इसलिए कहना चाहूँगा कि दो हजार वर्षों से समाधि में लीन रहने के बाद नव

आलोक और नवीन सभ्यता की योजना को पाकर भारतीय महामन जाग उठा है। इसलिए हमारे देश के महान भविष्य को लेकर एक सुनिश्चित आशा मन में जगी है। इस प्रकाश के उद्भासित होते ही—भारत की सभी सभ्यता और सांस्कृतिक क्षेत्र में अभिनव प्रतिभाओं का आगमन होगा, जिसका नव विकास भारतीय सभ्यता और संस्कृति को सम्पूर्ण रूप से परिवर्तित करेगा और साथ ही सारे संसार को एक नई सभ्यता की लहर बहाकर ले जाएगी। वर्तमान की यांत्रिक सभ्यता और वैज्ञानिक दृष्टिकोण उस महासभ्यता के साथ घुल-मिलकर उसको नई शक्ति देगा।

सर्व भारतीय क्षेत्र में जो ध्वनि उच्चारित होगी उसकी प्रतिध्वनि भारत के विभिन्न प्रान्तों में सुनाई देगी। इसलिए भारत की प्रादेशिक संस्कृति एवं सभ्यताएँ प्रतिध्वनिमूलक हैं, अलग-अलग भौगोलिक परिस्थितियों के कारण इस प्रतिध्वनि में विभिन्नता उत्पन्न होती है। यही विभिन्नता ही भारतीय प्रदेशों की संस्कृति-सभ्यता, ललित कला, संगीत, स्थापत्य, भास्कर्य, शिल्प, चिंतन, कल्पना और प्रतिभाओं के विकास की विशेषताओं को दर्शाती है। यह सर्वभारतीय संस्कृति सभ्यता में नवीनता लाती है और प्रादेशिक राष्ट्रवाद का सृजन करती है।

जिस प्रांत में जिस ध्वनि का जन्म होता है, उस प्रांत की विशेषता अन्य प्रांतों में दिखाई देती है। इसलिए सर्वभारतीय सभ्यता और प्रादेशिक संस्कृति एवं सभ्यता पारस्परिक सहयोग और प्रभाव से समृद्ध होती है। इसी प्रकार विश्व संस्कृति और राष्ट्रीय संस्कृति भी ध्वनि-प्रतिध्वनि की क्रिया-प्रतिक्रिया के समन्वय से पनपती है।

आदिम युग में असम में आसुरी वृत्ति और सभ्यता का प्रचलन था। आर्य सभ्यता के समन्वय से प्रागज्योतिष सभ्यता ने आकार लिया। फिर इसके सर्वभारतीय संस्कृति में रूपांतरित होने के बारे में सब लोग जानते हैं। कामरूपी संस्कृति और सभ्यता भी भारतीय संस्कृति के अंतर्गत विकसित हुई है। कामरूपी सभ्यता और संस्कृति द्वारा अपनी जातीयता में रूपांतरण करने वाली जाति का उदाहरण है—मणिपुर। फिर आहोम जाति इस देश की अधिपति बनी और कहीं-कहीं कामरूपी सभ्यता और संस्कृति में थोड़ा सा परिवर्तन आया। आहोम लोगों ने कामरूपी संस्कृति को अपनाया और मंगोलीय संस्कृति के कुछ अंशों को आगे बढ़ाया जिससे कामरूपी सभ्यता और संस्कृति को एक नया रूप मिला। कामरूपी संकृति के पश्चात जो युग आया वह शंकर-माधव के प्रभाव से प्रभावित था और उसी संस्कृति को आज तक असमीया लोग पकड़े बैठे हैं। यद्यपि हमारी संस्कृति पर उपजातियों का प्रभाव नहीं है, फिर भी हमारी कला, संगीत, शिल्प आदि उन उपजातियों द्वारा कुछ हद तक प्रभावित हैं क्योंकि असमीया सभ्यता पूर्वी एशिया तथा भारतीय सभ्यता के सम्मिश्रण से बनी है। पाश्चात्य सभ्यता-संस्कृति का काफी प्रभाव हमारे बीच है लेकिन फिर भी महापुरुषों की कामरूपी सभ्यता और संस्कृति द्वारा हमार जीवन पूरी तरह से प्रभावित है।

आज फिर हमारी जातीय संस्कृति और सभ्यता, और एक रूपांतर के द्वार

पर खड़ी हैं। यह रूपांतर विश्व में आने वाली नई सभ्यता और संस्कृति के साथ जुड़ी है। हमारी भावी संस्कृति और सभ्यता के बारे में दो बातें कहकर मैं आज का अपना यह भाषण समाप्त करने की इजाजत चाहूँगा।

विज्ञान के अभूतपूर्व विकास के कारण राजनैतिक, अर्थनीतिक और सामाजिक क्षेत्रों में जो क्रांतिकारी आदर्शवाद का आगमन हुआ है उससे मानव समाज में भूचाल आया है। इससे संसार की विभिन्न जातियों की सभ्यता-संस्कृति और जीवन में परिवर्तन हुआ है। इस क्रांतिकारी आदर्श ने सम्पूर्ण भारत में परिवर्तन की लहर लाई है, इसलिए आने वाले दिनों में हमारी सभ्यता और संस्कृति का स्वरूप कैसा होगा इसे हम नहीं जानते। भविष्य का भारत हमारे जीवन को प्रभावित करने वाले साम्यवादी और गणतांत्रिक आदर्श को और साथ ही पाश्चात्य वैज्ञानिक संस्कृति को किस प्रकार ग्रहण करेगा? सच कहा जाए तो विश्व के किसी भी देश में सही गणतंत्र का प्रचलन नहीं हुआ है। इंग्लैंड और अमरीका में जो गणतंत्र है, वह गणतंत्र नहीं, दलतंत्र है। केवल रूस में गणतंत्र और साम्यवाद का प्राथमिक विकास हुआ है। इसलिए भारत यह निर्णय नहीं ले पा रहा है कि इसे अपनाया जा सकता है या नहीं।

अगर भारत इस राजनैतिक, सामाजिक और आर्थिक आदर्शवाद को अपनाता है तो भी भारत में उदित महासभ्यता के साथ इसका तादात्मय हो भी सकता है या फिर उस सभ्यता के साम्यवाद और जनतंत्र के अभिनव और मौलिक संस्करण, तत्त्व, तथ्य के विकास द्वारा ज्ञानी जनतंत्र की रचना कर, मानव का सपना–'सुख और शांति का राज्य'–की स्थापना कर सकता है। इसलिए हर भारतीय नवयुवक को उस आदर्श के मौलिक नए तत्त्व-तथ्य के प्रति सजग रहना चाहिए। इस प्रांत की भौगोलिक स्थिति और पुरानी सभ्यता-संस्कृति की जो सम्पदाएँ बचेंगी उनके साथ असमीया द्वारा गृहीत नव सभ्यता और जातीय मौलिकता एवं विशेषताओं को मिलाकर एक अलग आकार दिया जाएगा, जो असमीया सभ्यता और संस्कृति का आकार होगा।

आने वाले दिनों में विश्व, भारत और असम की सभ्यता एक समन्वित सभ्यता होगी जिससे जगत आलोकित करने वाले कोहिनूर हीरे के अलावा विभिन्न प्रकार की मणि-मुक्ताओं से सजाकर ज्योतिर्मय किया जाएगा–यह हमारी आशा है।

इसी एक बात पर हमें गौर करना है। आज हमारी सभ्यता और संस्कृति जिस हालत में क्या यह इससे उबर पाएँगी? क्या यह उपरोक्त नवसभ्यता के साथ मिलकर अपनी एक अलग स्थिति बना पाएगी? आज असम में असमीया संस्कृति-सभ्यता द्वारा परिचालित असमीया लोग मुट्ठी भर ही है। चाय मजदूर, मैमनसंगीया, नेपाली, बंगाली, मारवाड़ी और अय प्रांत के लोग यहाँ आकर बस गए हैं और अपनी विशेषताओं को यहाँ छोड़ते जा रहे हैं। इस जनसंख्या के अधिकतर लोगों को अगर हम यहाँ की भाषा-संस्कृति और सभ्यता द्वारा हमारे बीच नहीं लाते हैं तो हम मुश्किल में

पड़ सकते हैं। विगत तीस सालों से हम इस मुश्किल में हैं पर इसकी ओर हमने ध्यान नहीं दिया। हमारे पूर्वजों तथा वयोवृद्धों की इस अदूरदर्शिता और अवहेलना का फल आज हमारे नवयुकों को भुगतना पड़ रहा है। 'जब तक साँस तब तक आस'—इस कहावत को ध्यान में रखकर नवयुवकों को इन समुदायों के अधिसंख्यक लोगों को हमारे बीच लाने का प्रयास करना चाहिए।

असम का इतिहास हमें बताता है कि भारत के अन्य प्रांतों से आए लोगों तथा असम की नाना उपजातियों के सम्मिश्रण से ही असमीया जाति बनी है। इसलिए हम अगर कोशिश करें तो इस सम्मिश्रित असमीया जाति को हाल ही में आई अन्य जातियों के लोगों के साथ घुल-मिलकर आगे ले जा सकते हैं। यह इतिहास द्वारा प्रमाणित है। इसलिए हमें निःसंकोच काम में लग सकते हैं। असम साहित्य सभा के सप्तम अधिवेशन में साहित्यरथी बेजबरुवा ने असमीया जाति के गठन के बारे में कहा था, इसी तरह भविष्य में ही नहीं वर्तमान में भी असमीया जाति की परिधि विस्तृत होने लगी है। कन्नौजी, हिंदुस्तानी, पंजाबी, बंगाली, उड़िया, नेपाली, गुजराती आदि से पीछे रहकर भी असमीया जाति की संख्या में वृद्धि हो रही है, इसे कौन नहीं जानता? कितने ही विजयी आहोम वंश के लोग, कितने ही चिम्फौ, मोराण, नागा, मिकिर, मिरि, डफला, गारो, धीरे-धीरे हिंदू धर्म तथ हिदू प्रभाव के संपर्क में आकर पूरी तरह से असमीया हिंदू बनकर असमीया जाति को मजबूत बना रहे हैं—इसकी कोई गिनती नहीं। इसी प्रकार मुसलमानों के असम पर आक्रमण काल से विदेशी मुसलमान असम निवासी बनकर असमीया जाति की संख्या तथा शक्ति में वृद्धि कर रहे हैं।

हमारे आस-पास की पहाड़ी उपजातियाँ एक प्रकार से हमारे बीच प्रवेश कर चुकी हैं पर फिर थी ये कभी-कभार विदेशी प्रचार द्वारा भ्रमित हो जाती हैं। हमें इस ओर ध्यान देना चाहिए। स्थानीय नेपाली लोग काफी संख्या में करीब 70/80 सालों से असम में बसकर असमीया लोगों के साथ घुल-मिल गए हैं। बगीचे के मजदूरों की संख्या भी कम नहीं है। असमीया महापुरुषों की संस्कृतिक द्वारा इन्हें बहुत जल्दी असमीया बनाया जा सकता है। अब बारी है मैमनसिंग के लोगों की। अगर इन्हें असमीया बनाना है या फिर अपनी उन्नत संस्कृति को लेकर बैठे बंगाली, मारवाड़ी और हिंदुस्तानी जो असम में हैं उन्हें भी हमारी संस्कृति से प्रभावित करना है तो हमें उनके साथ सामाजिक संबंध बनाना पड़ेगा। ललित कला, शिल्प, साहित्य और संगीत के माध्यम से हमें इन्हें अपनी भाषा-संस्कृति की ओर आकर्षित करना होगा। लेकिन आज हमारी संस्कृति और जातीय विपदाओं के इस क्षण में भी इन सांस्कृतिक विषयों की साधना क्यों नहीं हो रही है? यह विषय ही तो हमारी जातीयता की रक्षा करने वाला प्रधान अस्त्र है। हमें इस विषयों के प्रदीप को कठोर तपस्या और साधना से जलाना है जिससे लुइत के किनारे प्रतिभाओं की दिवाली मनायी जा सके। असमीया

नवयुवकों को दृढ़ प्रतिज्ञ होकर इस तपस्या में बैठना है। असमीया नवयुवकों में मेधा या प्रतिभा की कमी नहीं है—केवल साधना और तपस्या से विमुख होने के कारण हम उसे बढ़ावा नहीं दे पा रहे हैं। इसलिये मैं नौजवानों से कठोर तपस्या और साधना करने को कह रहा हूँ। साधना से अवश्य ही सिद्धि प्राप्त होगी। असम में नयी संस्कृति और सभ्यता चमक उठे—असमीया जाति की जय हो।

असमीया संस्कृति

असमीया संस्कृति महाभारतीय संकृति का ही पूर्व भारतीय अंग है। मध्य युगीन भारतीय संस्कृति का जो विकास पूर्वी भारतीय संस्कृति में प्रतिफलित हुआ था वही असमीया संस्कृतिक है। असमीया संस्कृति को पूर्णता देने वाले महापुरुष शंकरदेव थे। मध्ययुगीन भारतीय सांस्कृतिक आंदोलन ने शंकरदेव को प्रभावित किया था जिससे असमीया संस्कृति का विकास हुआ।

असमीया संस्कृति के बारे में विस्तृत रूप में वर्णन करने से पहले यहाँ प्राक शंकरी संस्कृति-सभ्यता के बारे में कुछ बातों का उल्लेख करना होगा।

असम के इतिहास के प्रारंभ में असम में आसुरिक सभ्यता-संस्कृति का आविर्भाव हुआ था। यद्यपि उस युग में असम आर्य सभ्यता-संस्कृति द्वारा प्रभावित नहीं था फिर भी उस युग में पूर्वी भारतीय सभ्यता और संस्कृतिक आर्य सभ्यता की तरह ही उन्नत थी। यहाँ तक कि ललित कलाओं में भी असमीया संस्कृति भारत के सभी प्रांतों से उन्नत थी। हम सि असमीया भाषा और संस्कृति कहते हैं, उसने शंकरी युग के संभवतः 200 वर्ष पहले असमीया के रूप में आकार प्राप्त किया था। उससे पहले असम का नाम कामरूप था। कामरूपी सभ्यता-संस्कृति का प्राधान्य अधिक था और परवर्ती असमीया सभ्यता-संस्कृति उसके ऊपर ही आधारित है। कामरूप से पहले इसका नाम प्राग्ज्योतिष था। प्राग्ज्योतिष में यद्यपि आसुरिक सभ्यता-संस्कृति का प्राधान्य था फिर भी इसमें आर्य सभ्यता-संस्कृति का प्रभाव भी काफी पड़ा था। उस युग में प्राग्ज्योतिषपुर की सभ्यता मध्य भारत, पश्चिम भारत और दक्षिण भारत की सभ्यता से उन्नत थी, इसे हम उस युग की ललित कला द्वारा समझ सकते हैं। भारतीय ललित कला के इतिहास लेखक तथा उस विषय के जगप्रसिद्ध पण्डित डॉ. आनन्दकुमार स्वामी ने अपने 'History of Indian of Fine Arts' में लिखा है, "Chitralekha is the earliest known painter in Indian History." भारतीय इतिहास के अनुसार चित्रलेखा ही आदि चित्र-शिल्पी थी।

प्राचीन भारत के उपाख्यान में हमें मिलता है कि उस युग में चित्रलेखा चित्र-विद्या

और नृत्य-कला में भारत की एक शिरोमणि शिल्पी थी। और वह थी शोणितपुर के बाण राजा की बेटी, असाधारण रूपसी उषा की सखी। उन्होंने अपनी चित्र-कला की सहायता से उषा का उसके सपनों के दुल्हे श्रीकृष्ण के पोते अनिरुद्ध से मिलन कराया था। चित्रलेखा और उषा ने पार्वती से नृत्य शिक्षा प्राप्त की थी और विवाह के पश्चात उषा ने द्वारिका में गोपियों को नृत्य सिखाया था। शिव-पार्वती से ही भारतीय संगीत निकला है। शिव ही नटराज हैं। शिव-पार्वती का निवास है कैलाश पर्वत। कैलाश असम के उत्तर की ओर स्थित है। भारतीय ललित कला का केंद्र अगर कैलाश ही था और अगर चित्रलेखा, उषा आदि उनकी प्रधान शिष्याएँ थीं तो उस युग में पूर्वी भारत को ही ललित कला की महापीठ कहना पड़ेगा। इसके अलावा राग-रागनियों से भरपूर नाटकाचल पर्वत कामरूप के उत्तर की ओर कैलाश के आस-पास ही था। इसका मतलब है वह स्थान शिव-पार्वती के निवास कैलाश के पास ही है। यह नाटकाचल भारतीय संगीत चच्र का महाकेन्द्र था और यह चित्र-विद्या में निपुण और नृत्य-गीत में शिरोमणि शिल्पी बाण के राज्य में स्थित था। यानि उस युग में पूर्वी भारत ही जरूर भारतीय संस्कृति का एक महाकेन्द्र था। प्राग्ज्योतिष के लिए ही अपना यह नाम मिला था। प्राग्ज्योतिषपुर की उन्नत सभ्यता-संस्कृति के बारे मेंर प्राचीन में वर्णन किया गया है।

यहीं पर हम एक बात पर विचार करें तो अच्छा होगा। साधारणतः हम लोगों की धारणा यह है कि आर्य लोग ही सभ्य था और केवल उन लोगों की ही संस्कृति थी। पर हमारी वह धारणा गलत और प्रमाणित नहीं थी। प्राचीन प्राग्ज्योतिष की जिस सभ्यता के बारे में अभी हमने कहा और जिस सभ्यता के बारे में अभी हमने कहा और जिस सभ्यता के बारे में प्राचीन भारत ने वर्णन किया है वह आर्य सभ्यता के बारे में अभी कहा और जिस सभ्यता के बारे में प्राचीन भारत ने वर्णन किया है वह आर्य सभ्यता की तरह ही थी। दानव-असुरों के महल पार्थिव सम्पदा और समृद्धि में देवताओं के स्वर्ग की तरह ही थे। दैहिक सौंदर्य में दानव कन्याएँ आर्य कन्याओं से भी सुंदर थीं। उस युग में दानव कन्या उषा भारत की सबसे सुंदर कन्या थी। इसलिए सभ्यता-संस्कृति की तरफ से या मानव जाति की तुलना में दानव-असुर निम्न श्रेणी के नहीं होते थे। शारीरिक, मानसिक गुणों में ये असुर, देवताओं के समकक्ष ही थे--कभी-कभरार तो वे देवताओं से भी उन्नत होते थे। पर एक ही तरह की सभ्यता होने के बावजूद भी इन लोगों का सांस्कृतिक दृष्टिकोण अलग था जिसने असुर-दानवों को आर्य-मानव और देवताओं से अलग कर दिया था और संघर्ष की शुरुआत भी कर दी थी। गीता में कहे गये दैवी और असुरी जीवन-दर्शन शायद यही दो संस्कृति दृष्टिकोण हैं--आर्यों की दैवी (आध्यात्मिक आनंद) और असुर-दानवों का (संपूर्ण पार्थिव) असुरी जीवन-दर्शन। लेकिन दानव-असुरों के ऊपर भी आर्यों के दैवी आदर्श का प्रभाव पड़ा था जिसका प्रमाण है हिरण्यकशिपु का बेटा प्रह्लाद।,

इसलिए देखा गया है कि पार्थिव समृद्धि तथा मानसिक उत्कर्ष में असुरी सभ्यता और आर्य सभ्यता एक-दूसरे की तुलना में निकृष्ट नहीं है। अगर आध्यात्मिक दृष्टिकोण के कारण एक को उन्नत संस्कृति कहा जाये तो आर्य संस्कृति आसुरीक संस्कृति से उन्नत थी। लेकिन प्राचीन भारत के आर्य, दानव, असुर आदि की जीवन प्रणाली को देखते हुए आर्य संपूर्ण दैवी आदर्श वाले और असुर संपूर्ण आसुरिक आदर्श वाले थे—यह बात नहीं है। आर्यों के बीच असुरिक स्वभाव था पर वे लोग मुख्यतः दैवी भावापत्र थे और असुर-दानवों के बीच दैवी प्रभाव क्षीण था। शायद आध्यात्मिक अंधेपन के कारण आर्य सभ्यता की तरह समृद्धशाली सभ्यता होते हुए भी असुर-दानव जाति संसार से लुप्त हो गयी। दैवी संस्कृति का आदर्श था पार्थिव जीवन के विकास द्वारा—आध्यात्मिक उन्नति करना—मानव जीवन के आनंद का उपभोग करना—विशेषकर आध्यात्मिक ज्ञान के आलोक द्वारा मनुष्य के सभी सांसारिक प्रकाश को सु-नियंत्रित कर, मनुष्य के जीवन में साम्य, शांति और आनंद की सृष्टि करना। लेकिन दूसरी ओर आसुरी संस्कृति का आदर्श था—पार्थिव चरम उत्कर्ष और समृद्धि द्वारा इंद्रियों के जरिये संसार के सभी सुख और आनंद को प्राप्त करना। आर्य सभ्यता और संस्कृति में आध्यात्मिक अंधेपन न रहने के कारण वह आगे बढ़ती गयी और असुरों में आध्यात्मिक दृष्टि न रहने के कारण काल के हाथों वे विलीन हो गये—इसलिए यह प्रमाणित होता है कि एक जाति की आयु पर उसकी संस्कृति का काफी प्रभाव पड़ता है।

असुर-दानव लोग भौतिक समृद्धि और मानसिक उत्कर्ष में आगे थे यह प्रमाणित है। उत्तर भारतीय आर्य लोग असुर-दानवों को नगर निर्माण करने के लिए ले जाते थे—इसका मतलब है आर्यों से दानव अधिक श्रेष्ठ स्थापत्य शिल्पी थे। इसी तरह उस युग की चित्रलेखा चित्र-कला और नृत्य-कला में सर्वश्रेष्ठ थी। फिर आयुर्वेद में भी देवगुरु बृहस्पति जो मंत्र और रसायन नहीं जानते थे उसे दैत्यगुरु शुक्राचार्यजी जानते थे, जिनसे मृत्यु संजीवनी सीखने के लिए क आये थे। इस तरह देखा जाता है कि भारत में आर्य सभ्यता से पहले असुर-दानवीय सभ्यता का प्रचलन था जिसका केंद्रस्थल था पूर्वी भारत। धीरे-धीरे पश्चिम से आर्य सभ्यता-संस्कृति का आगमन हुआ—भारत के दक्षिण में द्रविड़ सभ्यता-संस्कृति—उत्तर भारत में मंगोलीय संस्कृति और पूर्वी भारत में दानवों की सभ्यता-संस्कृति—इन सभी का आगमन एक साथ हुआ। इसी बीच पूर्वी भारत में आर्य सभ्यता और आसुरी सभ्यता के बीच आदान-प्रदान हुआ। उषा-अनिरुद्ध की शादी इसका प्रमाण है। इस प्रकार प्राग्ज्योतिष सभ्यता-संस्कृति आर्य सभ्यता के संस्पर्श में आकर कामरूपी सभ्यता कामरूपी सभ्यता में परिणत हुई।

जिस प्रकार विभिन्न जाति और सांस्कृति आदर्शों के सम्मिश्रण और समन्वय से भारतीय संस्कृति का एक अलग रूप प्रकट हुआ उसी प्रकार असम में भी संस्कृति

का गठन हुआ। इसलिए हमें अगर आज की असमीया संस्कृति के बारे में कुछ विश्लेषणमूलक तथ्य चाहिए तो जिस प्राचीन सांस्कृतिक धाराओं के संघात से इसका रूप बना है उसके बारे में भी विचार-मंथन करना चाहिए। भारतीय संस्कृति के रूपांतर के पीछे जो तथ्य हैं वे ही संस्कृति को आधुनिक बनाने में भी हैं।

प्राचीन भारतीय ऐतिहासिक युग में देवता-असुरों का आविर्भाव हुआ था। ये दो जातियाँ ही आदि काल की प्रधान कलाकार थीं। इन लोगों की सभ्यता-संस्कृति का वर्णन संघर्ष की बातें ही हमारे प्राचीन भारत के ऐतिहासिक उपाख्यान हैं। इन लोगों की सभ्यता-संस्कृति एक ही स्तर की होते हुए भी सांस्कृति दृष्टिकोण से दोनों में काफी अंतर था। फिर ये दो जातियाँ संसार में विलुप्त हो गयीं तो मानव का आगमन हुआ। मनुष्य ने मुख्य रूप से दैवी आदर्श को अपनाया, और आर्य-असुर के बीच हुए संघर्ष के फलस्वरूप उन लोगों की सभ्यता-संस्कृति में समन्वय हुआ। वास्तव में देवतागण कौन थे—वे आर्यों के आदि पुरुष थे या मानव से उच्च स्तर के कोई प्राणी थे—वे कहाँ चले गये—वर्तमान दानव-असुर आदि किस जाति में परिणत हुए—इस बारे में इतिहास या पुरातत्वविदों से हमें कोई जानकारी नहीं मिलती है। हमारे वर्तमान भाषातात्विक और प्राणीतात्विक लोग जब हमें भारत के आदिवासियों के बारे में बताते हैं तो मंगोल, आर्य, द्रविड़, ऑष्ट्रिक आदि जातियों के बारे में बताते हैं। आर्य, द्रविड़, मंगोल के वंशज आज कौन हैं इसकी पहचान की जा सकती है—लेकिन ऑष्ट्रिक जाति के वंशजों की पहचान करना कठिन है। हमारे इतिहास की एक प्रमुख जाति है असुर-दानव—वर्तमान इनका प्राणीतात्विक रूपांतर क्या है, इसे कोई नहीं कह सकता। पर इनका सांस्कृतिक दृष्टिकोण हमारे लिए एक बड़ी समस्या बन गयी है। संसार में अब देवता, असुर, यक्ष नहीं है—है तो आर्य, मंगोल, द्रविड़, सेरसेन (saracen) आदि जाति के लोग। लेकिन संसार में दो सांस्कृतिक आदर्श हैं—एक दैवी (spriritual) और दूसरा आसुरी (materialistic) लोग इन दो मिश्रित आदर्शों के अनुगामी बने हैं।

दैवी और आसुरी, प्राचीन भाषा में कहा जाये तो आध्यात्मिक और भौतिकवादी। ये दो सांस्कृतिक विाग आज की विचारधारा से एक नहीं भी हो सकते हैं। आज की भावधारा से अगर हमें एक को आध्यात्मिक कहते हुए कठिन लगता है तो भी सांस्कृतिक दृष्टिकोण मुख्यतः दो ही हैं—एक निस्वार्थ और दूसरा स्वार्थी। जिसे हम दैवी और आध्यात्मिक कहते थे वह निःस्वार्थ संस्कृति है। दैवी आदर्श के लोगों की जो प्राकृति है वही निःस्वार्थ आदर्श के लोगों की भी होती है। स्वार्थी प्रकृति में आसुरीक प्रकृति और दृष्टिकोण व्यक्त होता है। इसलिए दैवी संस्कृति को आध्यात्मिक कहें या न कहें उसे आज के सांस्कृतिक दृष्टिकोण के अनुसार किसी एक में रखा जा सकता है।

संसार में मानव जाति को उसके आचरण अनुसार दो भोगों में बाँटा जा सकता

है। एक वह है जो स्वार्थ को प्रधानता देकर औरों पर प्रभुत्व करके केवल अपने लिये सुख-सम्पदा-आनंद पाना चाहती है, दूसरी वह जो दूसरों के साथ अपने सुख-संपदा-आनंद को मिलाकर जीवन के आनंद का उपभोग करना चाहती है और उसके जरिये व्यक्ति विशिष्टता को प्रकट करना चाहती है। इस प्रकार व्यक्ति स्वाधीनता अधिकतर स्वाधीनता के गलत प्रयोग द्धारा सामाजिक पीड़ा उत्पन्न कर, व्यक्ति तथा समाज को भ्रष्टाचार के पथ से परिचालित कर विनाश की ओर ले जाती है। इसलिए उपरोक्त व्यक्ति-स्वाधीनता अंधेपन की परिपोषक है और मानव संस्कृति विरोधी—जो आगे जाकर दुष्कृति बन जाती है।

बहनों का ज्योत्सना-पथ

आलोकमयी माताओ तथा ज्योत्सना पथ की बहनो।

सबसे पहले माताओं को मेरा भक्तिपूर्ण प्रणाम—और बहनों को मेरी हार्दिक शुभेच्छा। आपके बीच आने का आदेश पाकर मैं धन्य हो गया। आपके आशीर्वाद और प्यार का भागीदार बनने का सौभाग्य प्राप्त कर मेरा हृदय—सुन्दरता का पुजारी—और अधिक शक्तिशाली बन गया है। आज की इस दुष्कृतिपूर्ण पृथ्वी में आपके प्यार का हर एक बोल—संस्कृति-सेवक मैं और मेरे दोस्त, असम के सभी शिल्पियों—के लिए प्रेरणापद ओंकार-स्वरूप हैं। आज आप लोगों को अपने मन की दो बातें कहने का, अपने प्राणों के गीत की एक पंक्ति सुनाने का सुअवसर मिला है, उसके लिए हम शिल्पीगण आप लोगों के आभारी हैं। विश्व को सुंदरता से सजाकर विश्ववासियों को भीतर और बाहर से सुंदर बनाने की चाहत रखने वाले, लोगों के द्वारों से सुंदरता की वीणा बजाकर, व्यथा और दुःख का भार वहन कर, अव्यक्त प्राणों की कथा अपने हृदय से छुपाकर, सुबह-शाम न जाने कितने लोगों की दुत्कार की उपेक्षा कर, कठिन संघर्ष के कुहासे के बीच में से आती हुई धूमिल प्रकाश की किरणों को देखकर आगे बढ़ने की हिम्मत करने वाले शिल्पियों की ओर से मैं माताओं को प्रणाम करता हूँ और अपने मन की कुछ बातें कहना चाहता हूँ।

जो बातें, कार्य, चिंता, प्रयास और प्रचेष्टा मनुष्य तथा उसके वास्तविक जीवन को सुंदर और महान बनाती हैं, मनुष्य को बर्बर तथा आदिम परिवेश से ऊपर उठाकर दिव्य प्रकृति प्रदान करती हैं, इस पृथ्वी के वास्तविक जीवन को सुंदर बनाकर उसे सुख-शांति तथा आनंद प्रदान कर उसे और अधिक आनंद की ओर ले जाती है—वही संस्कृति है। मनुष्य की वही बातें, कार्य, चिंता और प्रयास ही संस्कृति हैं। इसके विपरीत जो चिंता, कार्य और प्रयास मनुष्य को निम्न स्तर पर ले जाता है, उसके

जीवन को आनंद रहित, दुःखमय व्याधिपूर्ण और दुर्नीतियों से भर देता है तथा उसे पिशाच और असुर बना देता है—वही दुष्कृति है।

आदिम युग से हम संसार में संस्कृति तथा दुष्कृति का संघर्ष देखते आ रहे हैं। युग-युग से संसार के हर देश में यह संघर्ष चलता आ रहा है। वर्तमान मानव-जगत एक होकर एक ही प्रयास में लगा है कि संसार से दुष्कृति को हमेशा के लिए मिटा कर संस्कृति का स्थायी और खुशनुमा राज्य स्थापित करे। इस शताब्दी में आलोक यात्रा का यही अभियान चल रहा है और इस शताब्दी की एक अभिनव विशेषता यह है कि इस आलोक यात्रा के मुख्य अभियात्री हैं संसार (विश्व) के जनसाधारण। भारत के जनगण भी इस आलोक तीर्थ के यात्री बनकर निकल पड़े हैं। असम में रहने वाली असमीया, बंगाली, हिंदुस्तानी, नेपाली, तथा पहाड़ में रहनेक वाली बहनों की आँखों में आज अरुण ज्योति की किरणें चमक उठी हैं और वे ज्योत्सना-पथ पर अग्रसर हो रही हैं। संस्कृति केवल कवि की कविता, साहित्यकारों के साहित्य, शिल्पियों के मनमोहक चित्रों, कालजयी स्थापत्य, भास्कर्य, संगीत विशारद के सुर, लय, ताल; नृत्यकारों की अभिनव भाव-भंगिमा; रूप, रस, गंध तथा गीतों की मनमोहक ज्योत्सना मेला ही नहीं बल्कि मानव जीवन की संस्कृति का एक सुकुमार प्रकाश है। वास्तविकता के माध्यम से ही संस्कृति का पूर्ण विकास होता है। मानव वास्तविक मानसिक तथा आध्यात्मिक पूर्णानन्द प्राप्ति के लिए जीवन के हर स्तर पर जो करता है वही संस्कृति के अंतर्गत आता है। इसलिए मानव का पार्थिव जीवन एक सांस्कृतिक अभियान है और इस अभियान में दुष्कृति के साथ संघर्ष अनिवार्य है। संसार में दुष्कृति क्यों है, इस बारे में आज तक किसी दार्शनिक ने हमें इस प्रकार नहीं समझाया कि हम उस पर यकीन कर सकें।

विश्व में इन दोनों का संघर्ष हमेशा से होता आया है। इसलिए जो लोग संसार में संस्कृति का निर्माण करने तथा संस्कृति को गढ़ने निकले हैं उन्हें शिल्पी के साथ-साथ योद्धा भी बनना पड़ेगा। जिस जाति में उच्च श्रेणी की संस्कृति-सृजन की प्रतिभा तो है पर दुष्कृति पर विजय प्राप्त करने की क्षमता नहीं है, उस जाति का संसार में टिकना मुश्किल है। इसका एक उदाहरण है भारत। उच्च संस्कृति संपन्न होने के बावजूद भी हम संसार में अवनत थे पर जब से दुष्कृति के साथ संघर्ष करने के योग्य बने तब से उन्नत बन गए। शिल्पी होकर भी मैं संघर्ष की बात करता हूँ—क्रांति की बात कहता हूँ—संग्राम की बात कहता हूँ। सपने देखकर चित्र बनाने वाले शिल्पियों के द्वारा आज हमारा काम नहीं बनेगा—आज हमें वह शिल्पी चाहिए जो अपने खून से भोर के उगते हुए लाल सूरज का चित्र अंकित कर सके।

पहले ही कह चुका हूँ कि जीवन को सुंदर बनाने वाली सभी बातें तथा जीवन के माध्यम से आनंद प्राप्त करने वाली सभी बातें ही संस्कृति हैं। भोजन बनता है—सुस्वाद, शरीर के लिए उपकारी, तृप्ति का आनंद प्राप्त करने के लिए—भोजन

केवल खाते समय ही नहीं, उसे परोसते समय भी परिवेशन की कला का प्रयोग किया जाता है ताकि खाने वालों को आनंद प्राप्त हो—यह भी संस्कृति है। रहने के लिए घर बनाया जाता है, विभिन्न प्रकार से उसे सजाया जाता है ताकि रहने में सुख मिले, वैज्ञानिक उपायों का इस्तेमाल किया जाता है—घर के सामने सुंदर बगीचा बनाकर, सुगन्धित फूलों को लगाया जाता है—जिससे आनंद प्राप्त होता है—तथा शारीरिक, मानसिक सुख प्राप्त होता है—यह भी संस्कृति है। अपनी दैहिक सौंदर्य-साधना के लिए व्यायाम आदि शारीरिक सौष्ठव से मिली दैहिक स्वस्थता तथा सौंदर्य द्वारा खुद को आनन्द मिलना और दूसरों को भी आनन्द देना—यह भी संस्कृति है।

आज नाना वस्त्र, अलंकार और प्रसाधनों के आविष्कार द्वारा साज-सज्जा में विचित्रताओं का सृजन कर खुद को आनन्द मिल रहा है। मनुष्य की कल्पना और बुद्धि की एक सुंदर कलात्मक अभिव्यक्ति का होना—यह भी संस्कृति है।

उसी तरह लोगों में व्याप्त आदिम और बर्बर प्रकृति को सुंदर और महान बनाने के लिए—हिंसा, द्वेष, कपटता, क्रूरता आदि पाशविक प्रवृत्तियों को नियंत्रित कर स्नेह, दया, क्षमा, साम्यता और लोक कल्याण आदि गुणों को प्राथमिकता देकर उसका विकास करना भी संस्कृति है। मनुष्य की बाहरी सुंदरता बहिःसंस्कृति तथा मन और हृदय की सुंदरता अंतर-संस्कृति है। ये दोनों पूर्ण संस्कृति का आधा भाग हैं। मनुष्य को संपूर्ण सांस्कृतिक जीव के रूप में विकसित होने के लिए बहिःसंस्कृति तथा अंतर-संस्कृति का विकास होना जरूरी है अन्यथा उस व्यक्ति या उसके समाज की संस्कृति अपूर्ण रहती है। इसलिए कहना चाहता हूँ कि यद्यपि आज संसार में वैज्ञानिक प्रगति हिमालय के उच्च शिखर को स्पर्श करने लगी है—अर्थात रहन-सहन, खान-पान, पर्यटन आदि में कुछ लोग उच्च संस्कृति के स्तर तक पहुचे हैं—फिर भी अंतर-संस्कृति में मनुष्य पशुत्व से अधिक ऊपर नहीं पहुँच पाया है। हालाँकि व्यक्तिगत जीवन में मानव जाति कुछ उन्नत जरूर हुई है पर अंतर्राष्ट्रीय स्तर पर अभी भी अपना जंगलीपन छोड़ नहीं पाई है। अंतर-संस्कृति की यह शोकाकुल (दयनीय) हालत ही वर्तमान युग की अशांति का मूल कारण है। जिस समाज अथवा देश में अंतर-संस्कृति का पूर्ण विकास हुआ है, उस समाज में एक वर्ग दूसरे वर्ग का शोषण नहीं करता, एक वर्ग विलासिता में डूब कर अन्य लाखों लोगों को भूखे मरने के लिए नहीं छोड़ता, एक वर्ग समाज के उच्च आसन पर विराजित होकर अन्य लाखों लोगों को कीचड़ में धकेल कर तमाशा नहीं देखता।

जहाँ हृदय में सुंदरता विराज करती है, उस देश के एक भाग में सुंदर बगीचा और दूसरे भाग में टूटी झोंपड़ी में भूखी माँ अपने शिशु को बारिश से बचाने के लिए छाती से चिपकाए नहीं बैठेगी। जिस देश या समाज में अंतर-संस्कृति प्रतिष्ठित है उस देश के महानगरों के रेस्तराँ या होटलों के सामने रखी डस्टबीन से कंकालनुमा शरीर जूठी पत्तलों से खाना बटोरकर अपने प्राणों की रक्षा नहीं करते। पर संसार

की यही तस्वीर आज के शिल्पी के दुःख का कारण है। आज संसार का बाहरी रूप सुंदर है पर अंदर से वह सड़ा हुआ है। जिस संसार में मनुष्य के हृदय में संस्कृति बसी है, उस संसार में शोषण नहीं होता, अत्याचार या उत्पीड़न नहीं रहता—पर आज संसार में अंतर-संस्कृति नहीं है। जीवन के शिल्पी महात्माजी जब अंतर-संस्कृति को प्रतिष्ठित करने के लिए आगे बढ़े थे तो उन्हें गोली खाकर मरना पड़ा। आज की दुष्क्रितिपूर्ण पृथ्वी में साहस बटोर कर संस्कृति के बारे में कहने के लिए जो आगे बढ़ता है, उसके भाग्य में गोली खाना ही लिखा होता है—जो आलोक के आदर्श की बात कहेंगे उनकी आवाज को बंदूक की गोली से दबा दिया जाएगा, पर मं इसे अटल सत्य मानकर विश्वास करता हूँ कि बंदूक की गोली से मनुष्य की हत्या तो की जा सकती है पर उसके आदर्शों की हत्या नामुमकिन है। जिन लोगों का सोचना है कि केवल बंदूक से वे मनुष्य के आलोकमय आदर्श को प्रतिहत करेंगे उन्हें बंदूक उठाने से पहले एक बार जरूर सोचना पड़ेगा।

यद्यपि संसार में दुर्गति के सांप्रतिक कारण अनेक हैं, फिर भी अंतर-संस्कृति की भयानक दशा ही मानव समाज को अधिक कष्ट देती है। इसलिए प्रगति पथ के आलोकयात्री का मुख्य कर्तव्य और साधना होनी चाहिए मनुष्य की अंतर-संस्कृति को प्रतिष्ठित करना। संघात के जरिये पृथ्वी की आर्थिक असमानता को कुछ दिनों के लिए शायद हम दूर का पाएँगे पर इसके साथ ही अगर हम अंतर-संस्कृति की प्रतिष्ठा न कर पाए तो यह असमानता फिर से वापस आ सकती है—क्योंकि मनुष्य की सांस्कृतिक दृष्टि भंगिमा ही अर्थनीति, समाजनीति और राजनीति में प्रतिफलित होती है। इसलिए मूल बात यह है कि अगर अंतर-संस्कृति सुंदर होगी तो समाज की सभी बातों और विभागों में उसका प्रभाव पड़ेगा ही।

हजारों साल से धर्म-प्रचारकों ने मानव हृदय का आह्वान किया, पर व्यर्थ हुए। पृथ्वी के दुष्कृतकारी तथा अन्य वर्गों ने महान संस्कृति के आदर्श की धर्म-दीक्षा तो ली पर उन लोगों ने संस्कृति को पैरों तले कुचल डाला—दुर्नीति द्वारा—शक्ति क्षमता व साधनों को अपने हाथों में लिया, और पृथ्वी को अशांतिमय कर डाला। इन अंतर-संस्कृति विहीन लोगों के कारण, समाज और जनसाधारण को कष्ट भोगना पड़ रहा है। विश्व का इतिहास कहता है कि संघात के बिना दुष्कृति का दमन नहीं होता है। हमारे संस्कृति सेवकों का मुख्य कर्तव्य है हमारे देश के जिस क्षेत्र में भी दुष्कृति का आविर्भावी हो उसे प्रतिरोध कर निर्मूल कर देना। दुष्कृति का दमन कर संस्कृति को प्रतिष्ठित करने का सबसे अच्छा उपाय है क्रांति। क्रांति ही संस्कृति सृष्टि का अमूर्त अभियान है। संस्कृति प्रतिष्ठा के लिए क्रांति हमेशा सृष्टिमूलक तथा सांस्कृतिक होनी चाहिए। वही असली क्रांति है। जिस क्रांति में कंठ में अभिनव सृष्टि का ओंकार नहीं, गीत नहीं, वह क्रांति तो क्रांति नहीं होती। समाज को सामाजिक, नैतिक, आर्थिक अथवा राष्ट्रीय परिवर्तन की ओर ले जाने के लिए जो भूकंप का

काम करती है उसे ही क्रांति कहा जाता है। इस क्रांति के मुकुट पर सौंदर्य के स्यमंतक जलते रहते हैं—यह क्रांति ही कल्याणकारी आलोक का अभियान है।

जीवन के महाशिल्पी महात्मा गाँधी ने विश्व के इतिहास में जो अभिनव सांस्कृतिक क्रांति का सूत्रपात किया था—उसकी आग में भारत तथा सारे विश्व को जलाकर सोना बनाना है। समग्र विश्व में भारत का यह सांस्कृतिक अभियान होना चाहिए। लेकिन अब वह मनमोहक क्रांति की लाल-नीली अग्नि शिखा कहाँ है? कहाँ है वह मानव महाप्रगति की ज्वलन्त ज्योति-रेखा? महात्ममाजी के महान व्यक्तित्व के बुझते ही दुष्कृति तथा दुर्नीति के धुएँ ने हमारे नए उदित सांस्कृतिक सूर्य को ढक दिया है। नव-ज्योत्सना का दीपक सर पर लेकर निकली नए दिनों की भारतीय बहनों की आलोकयात्रा को दुर्नीति रूपी महिषासुर ने अवरुद्ध किया है। हमारे स्वाधीनता के सपने को चूर-चूर कर दिया है। हाल ही में गण परिषद के सभापति मावलंकार ने कहा था कि आज "Average Indian is immoral"—इस तरह की सांस्कृतिक विपत्ति भारत में कभी नहीं आई थी। देश के सभी लोग इस दुर्नीति को बहलाने में असमर्थ हैं। दुर्नति को दूर न कर पाने के कारण हमारे प्रवीण नेतागण सर पर हाथ धरे बैठे हैं और आहें भर रहे हैं। देश की सरकार ने दुर्नीति का नाश करने के लिए अनेक क़ानून बनाए पर फिर भी नियन्त्रण करने में नाकाम रही। देश की युवा शक्ति ने दुर्नीति नाश करने के लिए एक के बाद एक अभियान चलाया पर विफल हुई। देश का जनसाधारण दुर्नीति के प्रहार से उत्तेजित हो उठा। कलाकार, साहित्यकार, अध्यापक—सभी संस्कृति के लिए चिल्लाते हुए देश में खलबली मचाते हैं लेकिन दुर्नीति का राज्य कभी समाप्त नहीं होता। अन्त में रह जाती हैं मातायें। यदि मातायें इस महिषासुर का विनाश नहीं कर पाती हैं तो भारत में नई संस्कृति की रचना के लिए निकलना केवल पागलपन ही होगा।

इसलिए मैं माताओं से कहना चाहता हूँ कि यदि वे चाहती हैं कि भविष्य में, भावी भारत में, बहनें ज्योत्सना पथ से आगे बढ़ें—तो वे इस दुर्नीति के विनाश के लिए शक्ति स्वरूपिणी बनकर हमारे जीवन के केंद्र में खड़ी हो जाएं। आज मैं एक कलाकार आप लोगों के हृदय में बसी असुर-विनाशिनी शक्ति को एक बार प्रचंड रूप से जलने को आमंत्रित करता हूँ। आज भारत के इस दुर्योग के क्षण में भारतीय मातायें अगर कुछ नहीं कर पाईं तो मेरे असम की मातायें भारत की संपूर्ण महिला समाज का ही नेतृत्व ले लें। दुष्कृति का प्रतिरोध कर विश्व इतिहास में एकमात्र उदाहरण रखने वाली जयमती के देश की माताओं ने शायद आज भी उस शक्ति को नहीं खोया है।

मेरे भाषण की समाप्ति से पहले मैं एक बात और कहना चाहता हूँ। यह मेरा अनुभव है कि मानव जीवन एक सांस्कृतिक अभियान है। जीवन को विचित्र प्रकाश से और एक विचित्र प्रकाश की ओर ले जाना और इस पृथ्वी के जीवन को

आनन्दमय करना ही संस्कृति का लक्ष्य है। मनुष्य के सभी सुकर्मों ने इस सांस्कृतिक अभियान की सहायता की है। मनुष्य ने दर्शन, विज्ञान, अर्थनीति, समाजनीति, आध्यात्मिक ज्ञान तथा मानव जीवन के सभी शारीरिक और मानसिक प्रयास द्वारा इस संस्कृति-पूर्ण जीवन को संसार में प्रतिष्ठित करने का प्रयास किया है। पर मानव जाति की इस आलोकयात्रा के पथ में बहुत सी बाधाएँ हैं। सबसे पहले संस्कृति का संघर्ष होता है दुष्कृति के साथ। मानव प्रकृति के पाशविक तथा पिशाचपूर्ण भाग के अधिकतर स्थान पर दुष्कृति ने कब्जा कर रखा है। संस्कृति की और एक दुश्मन है मानव मन की गलत धारणाएँ। अर्ध-ज्ञान तथा सत्य की गलत अवधारणा के अनुभव ने संस्कृति को विकृत कर दिया है। इस विकृति तथा दुष्कृति से मनुष्य जिस दिन अपने ज्ञान के प्रभाव द्वारा मुक्त हो जाएगा, उसी दिन मानव को मुक्ति मिलेगी, उसी दिन इस संसार में शिल्पी की पृथ्वी अर्थात संस्कृति के स्वर्ग-राज्य की रचना होगी, दुष्कृति तथा विकृति पर विजय के लिए मनुष्य का अमोघ अस्त्र है, 'पूर्ण ज्ञान'। ज्ञान सत्य पर प्रतिष्ठित होता है। इसलिए संस्कृति के सोने के मंदिर का मूल स्तम्भ है 'सत्य'। इसी कारण आदिम युग से मानव संस्कृति-सृष्टि करने वाले सत्य की खोज में व्याकुल है। जब वे सत्य की उपलब्धि करते हैं—तब मनुष्य को उस पथ में बुलाकर, भ्रांत लोगों के हाथों अपने जीवन को भी सौंपकर इस पृथ्वी में संस्कृति को पत्थर की बुनियाद पर खड़ी करने का प्रयास करते हैं। मनुष्य के संपूर्ण जीवन विकास को ही जब मैं एक सांस्कृतिक अभियान कह रहा हूँ तब कलाकार होकर भी मैं क्यों संस्कृति के प्रसंग में राजनीति, समाजनीति, धर्मनीति, अर्थनीति, दर्शन, विज्ञान और ललित कला की बातों को समेट रहा हूँ, इसे आप लोग समझ गए होंगे। दरअसल मानव जीवन एक अविभाज्य समू है, पर कार्य तथा चिंतन की सुविधा के लिए हम इसे विभक्त कर देते हैं। जीवन की इस एकता को हमें महसूस करने का प्रयास करना चाहिए। पृथ्वी के सभी धर्म-प्रचारक सब धर्मों को समेट लेते हैं। इसीलिए महात्मा गाँधी ने राजनीति, अर्थनीति तथा धर्म को अलग नहीं सोचा था। आज नवभारतीय संस्कृति रचना के बारे में दो बातें कहकर मैं अपने भाषण को समाप्त कर रहा हूँ।

भारत के इतिहास में पहले कभी संपूर्ण भारतवर्ष एक राष्ट्रीय संहति के अंतर्गत नहीं आया था, यद्यपि संस्कृति और धर्म में एकता संपूर्ण भारत में थी। जब असमीया, बंगाली, पंजाबी, मद्रासी, मराठी आदि जातियाँ अलग-अलग राजनैतिक समूह के रूप में थी, उस समय इन प्रदेशों का जातीय दृष्टिकोण जिस प्रकार का था, वही दृष्टिकोण यदि ये प्रांत आत 15 अगस्त के पश्चात भी रखने का प्रयास करें तो यह उनकी गलती होगी। आज अगर हम असमीया या बंगाली हैं—फिर भी हम भारतीय ही हैं। भारत माता की संतान होने की वजह से असमीया, बंगला, मराठी, मद्रासी—सभी मेरी मातृभाषाएँ हैं। हमारी भारत माता बहुभाषिणी हैं। एक प्रादेशिक समूह को दूसरे

प्रादेशिक समूह की भाषा-संस्कृति को पहले वाले दृष्टिकोण से नहीं देखना चाहिए–यह केवल भारतीय महासंस्कृति की विचित्रता है और इस भाषायी, सांस्कृतिक विशेषता के रहने से ही भारतीय महासंस्कृति सुंदर बनेगी–यह हमें समझना चाहिए। हमारे 15 अगस्त वाले दृष्टिकोण के लिए प्रदेशों के बीच व्यर्थ और बेकार का झगड़ा होता है। अपनी सारी सांस्कृतिक शक्ति को बटोर कर हमें हमारे पुराने दृष्टिकोण का परित्याग करना चाहिए। जो असम में आए हैं, उन्हें हम द्वेषपूर्ण या अभिमानपूर्ण किसी चिंता अथवा कार्य द्वारा हमारी संस्कृति को ग्रहण करने के लिए बाध्य नहीं कर सकते हैं।

उन्हें हम हमारी संस्कृति द्वारा अगर मुग्ध कर सकें तो ही वे हमारे अपने होंगे। इस आधुनिक युग में नवीन दृष्टि लेकर माताओ, आप आगे बढ़िए! नए भारत का निर्माण करने के लिए मातृ-सुलभ स्नेह, शक्ति तथा उदारता से आप हमारे जीवन को आलोकित कीजिए।

आज जागो मेरी मातृ!
जागो आज ज्योतित पथ की समस्त
शक्तिरूपिनी अभियात्री।
अँधेरे के साथ अंतिम संग्राम के लिए
जागो जननी जाति–
प्रालेयक छन्द में–
अभिनव जीवन के
सुर लय ताल मात्रा में
आलोकमयी गान गंध में।
जागो नव भारत की
जागो नव असम की
उद्‌बोधिता जन मातृ,
संस्कृति सविता से
प्रकाशित कर नवीन धरित्री।
राह दिखाती चलो
निखिल पृथ्वी की
पुण्यभूमि भारत की
ज्ञानारूढ़ ज्योतिस्नाता
ज्योतित पथ की अभियात्री–
जागो नव जीवन की
अभिनव मातृ।

अनुवाद : **देवी प्रसाद बागड़ोदिया**

पेरियार ई॰ वी॰ रामस्वामी
सुब्रह्मण्य भारती
सर्वपल्ली राधाकृष्णन
भारतीदासन

पेरियार ई. वी. रामस्वामी

1879-1973

तमिल आंदोलन के पुरोधा, समाज सुधारक और बुद्धिवादी विद्रोही। इरोदनगर के एक समृद्ध व्यापारी परिवार में जन्म। बचपन से ही अछूतों और दलितों से मेल-जोल। आरंभ में कांग्रेस के नशा और छुआछूत विरोधी आंदोलनों में शरीक। 1925 में कांग्रेस छोड़कर आत्मसम्मान आंदोलन छेड़ा, जिसके लक्ष्य थे ब्राह्मणवाद का विरोध, धर्म और ईश्वर के नाम पर चल रहे पुरोहितों के शोषण की समाप्ति और तमिल स्वाभिमान जगाना। द्रविड़वाद का उग्र प्रवर्तन। 1938 में जस्टिस पार्टी के सभापति। 1944 में द्रविड़ कड़गम की स्थापना, स्वतंत्र सार्वभौम राज्य की माँग। बौद्ध धर्म से निकटता। स्त्री के अधिकारों के लिए संघर्ष, आत्मसम्मान विवाह की परंपरा शुरू की। तमिलनाडु के सामाजिक, सांस्कृतिक और राजनैतिक जीवन पर इनके आंदोलनों का व्यापक प्रभाव पड़ा।

धार्मिक उन्माद

यद्यपि धर्मों का आरंभ हजारों वर्ष पहले हुआ था, सभी धर्मों के प्रवर्तक दिव्य शक्तियों से विभूषित और भविष्य-द्रष्टा माने जाते हैं और सभी धर्मों के सिद्धांत ईश्वर द्वारा साधुओं एवं महात्माओं के माध्यम से धरती पर भेजे गए समझे जाते हैं; तथापि सभी धार्मिकों के भीतर डर बैठा होता है कि यदि उनके धर्म का लगातार प्रचार न किया गया तो उनका धर्म नष्ट हो जाएगा। यह विकट भय आदिकाल से ही बिना किसी अपवाद के सभी धर्मों के अनुयायियों में है।

फर्ज कीजिए हमारे पास पचास करोड़ रुपए हैं और हम हजार-दो हजार लोगों को नियुक्त कर पाँच-छः भाषाओं में पत्र-पत्रिकाओं के प्रकाशन के माध्यम से किसी भी निम्न प्रजाति के एक जानवर के नाम पर किसी धर्म की शुरुआत करते हैं। उसे देवत्व से विभूषित कर उस 'दिव्य जीव' द्वारा किए गए अद्‌भुत चमत्कारों की मनगढ़ंत और अविश्वसनीय कहानियों का प्रचार आरंभ कर देते हैं। हम पाएँगे कि

कुछ ही वर्षों में लाखों लोग उस धर्म के अनुयायी हो चुके हैं। जब बहुतेरे लोग उस धर्म को मानने लगेंगे और कोई एक व्यक्ति उस धर्म की आलोचना करने का साहस करेगा, तब उस धर्म के अनुयायी उसे बुरा-भला कहेंगे, पीटेंगे या फिर खत्म कर देंगे।

अतः हम कह सकते हैं कि सभी धर्मों के पीछे अर्थ और प्रचार की शक्तियाँ ही मुख्य रूप से कार्यरत हैं। कोई व्यक्ति दावा नहीं कर सकता कि धर्म देवत्व, आदर्श और तर्कपूर्ण सिद्धांतों पर आधारित हैं।

हाल ही में, लोगों ने बताया कि किसी गाँव में एक औरत एक दुष्टात्मा के वशीभूत होकर उन्मत्त-सी नाचने लगी। जब एक तांत्रिक की सहायता लेने की कोशिश की गई तब उस तांत्रिक ने दो दिन सिर्फ उस आत्मा की प्रकृति आदि की जाँच में लगा दिए। अंत में कहा कि 5-6 वर्ष पहले महाराष्ट्र के एक व्यक्ति की उसी गाँव के एक कुएँ में गिरने से मृत्यु हो गई थी। उसका पुनर्जन्म एक कुत्ते के रूप में हुआ था। उस 'कुत्ते' का पालन-पोषण उसी महिला के यहाँ हुआ और एक दिन उस कुत्ते की मृत्यु भी उसी कुएँ में गिरने से हो गई। उस तांत्रिक ने अंत में यह घोषणा की कि दरअसल औरत उसी 'कुत्ते' की आत्मा की गिरफ्त में है। गाँव वालों ने उसकी बातों पर विश्वास किया। वे उससे प्रभावित भी हुए, जब उन्होंने देखा कि 'दुष्टात्मा से वशीभूत' उस औरत ने कुत्ते की तरह भौंकना और कभी-कभार मराठी बोलना शुरू कर दिया। जल्दी ही उसने दूसरे कुत्तों के साथ खेलना, लोगों की जूठन, मल आदि खाना शुरू कर दिया। यह सब देखकर ग्रामीण पूर्ण रूप से आश्वस्त हो गए कि वह औरत पूर्णतः उस मृत कुत्ते की 'आत्मा' के अधीन हो चुकी है।

धर्म का प्रभाव भी ठीक इसी तरह कार्य करता है। प्रत्येक व्यक्ति जो अपने धर्म में अनुरक्त होता है, वैसा ही आचरण करता है जैसा कि उस धर्म के नेता या प्रचारक अपने सच्चे भक्तों से आशा करते हैं। इसी से वे ख्याति प्राप्त करते हैं।

सभी धर्मों के लोगों का मानना है कि धर्म विश्वास पर आधारित होता है। इसलिए वैज्ञानिक और तार्किक सिद्धांत उस पर लागू नहीं किए जा सकते और इसलिए महान धार्मिक नेताओं के मंतव्यों का आदर किया जाना चाहिए और बिना किसी विवाद के उनका पालन भी। इन परिस्थितियों में कोई सनकी ही धर्म पर अंगुली उठाने का जोखिम उठा सकता है। यही वजह है कि धर्म के नाम पर कई घृणित कर्म और ठगी संसार में स्थान पाने लगते हैं।

इस माहौल में कुछ लोग धार्मिक प्रचार में लग जाते हैं ताकि संख्या के आधार पर अपनी श्रेष्ठता प्रमाणित कर सकें। यह कार्य पहले से ही अशिक्षित जनता को और भी मूढ़ बनाता है। हमारे देश की 92 प्रतिशत जनता अशिक्षित है और उनमें से 90 प्रतिशत के पास जीवन यापन के लिए कोई साधन नहीं है। इन लोगों के

बीच धर्म प्रचार और धर्म परिवर्तन का काम अत्यंत सरल है।

भारत में प्राचीन काल से आज तक हिंदू, ईसाई, बौद्ध, जैन, पारसी, सिख, आर्यसमाजी, वैष्णव, शैव, स्मार्त और अन्य धार्मिक संस्थाएँ धर्म प्रचार और धर्म परिवर्तन के कार्य में लगी हुई हैं।

लोगों के जीवन पर प्रभाव डालने के संदर्भ में कोई भी एक धर्म दूसरे से अलग नहीं है।

सभी धर्मों के अनुयायी एक ईश्वर, एक पारलौकिक दुनिया, स्वर्ग-नरक और आत्मा में विश्वास रखते हैं। हम व्यावहारिक स्तर पर देखते हैं कि सभी धर्मों में पाजी और बेईमान लोग हैं।

सभी धर्मों में सामान्य रूप से अमीर और गरीब हैं, मालिक और नौकर हैं, पर्व और विभिन्न उत्सव हैं, तमाम तरह की पूजाएँ और प्रार्थनाएँ हैं। सभी धर्मों के अनुयायियों में यह गहरी आस्था है कि उनकी पूजाएँ और प्रार्थनाएँ उन्हें सभी पापों से मुक्ति दिला देंगी। यद्यपि सभी धर्मों के अनुयायियों का यह दावा होता है कि उनका धर्म ग्रंथ ईश्वर प्रदत्त है, फिर भी सभी धर्म ग्रंथ एक-दूसरे से काफी भिन्न हैं। मुझे यह बिल्कुल समझ में नहीं आता कि जब सारे धर्मों की यही स्थिति है तो फिर लोग धर्म प्रचार और धर्म परिवर्तन में इस तरह लिप्त क्यों हैं।

आज भारत में आठ करोड़ मुस्लिम, एक करोड़ ईसाई, दस करोड़ वैष्णव और पाँच करोड़ शैव हैं। कुछ ऐसे भी हैं जो इसमें से किसी भी धर्म के नहीं हैं। पिछले हजार-दो-हजार सालों में कई हैं, जो एक धर्म से दूसरे धर्म में गए हैं। फिर भी सामाजिक, राजनीतिक और आर्थिक स्तर पर एक धर्म के अनुयायी दूसरे धर्म के अनुयायियों से बहुत भिन्न नहीं हैं। हम यह बिल्कुल नहीं कह सकते कि कोई भी धर्म विशेष अपने अनुयायियों को व्यावहारिक दृष्टि से इस योग्य बना देता है कि उन्हें सिर्फ धर्म के बल पर संसार में विशेष स्थान प्राप्त हो जाए। इन स्थितियों में सही दिशा में सोचने वाले व्यक्ति का यह दायित्व बनता है कि वह सोचे कि क्या हमें किसी धर्म, धर्म प्रचार या धर्म परिवर्तन की आवश्यकता भी है?

कुछ ही वर्ष पहले दुनिया के अनेक भागों में और विशेषकर दक्षिण भारत में धर्म प्रचार और धर्म परिवर्तन की कोशिशों ने उग्र और हिंसात्मक रूप धारण कर लिया था। कई लोगों की हत्या कर दी गई और यातना दी गई थी। दरअसल जब तक बुद्धिवादी और आत्मसम्मान का आंदोलन पूरी दुनिया में नहीं फैलता और इनके अनुयायियों द्वारा सरकार बनाकर व्यर्थ की धार्मिक गतिविधियों पर प्रतिबंध नहीं लगाया जाता और लोगों को पूरी तरह समता के साथ जीने लायक नहीं बनाया जाता, तब तक मुझे पूर्ण विश्वास है कि ऐसी घटनाएँ होती रहेंगी।

—1937

धर्म अंधविश्वासों को ही पुष्ट करता है

आरंभ में मनुष्य भी जानवरों की भाँति जंगलों में रहते थे। वे स्वयं अपना ख्याल रखते थे। फिर उन्होंने इस मंजिल को पार किया और स्नेहपूर्वक समूह में रहना आरंभ किया। इस नई मंजिल पर उन्होंने कुछ नियमों की आवश्यकता महसूस की। यदि कुछ लोग किसी खास जगह पर आम फायदे के लिए किसी संस्था की शुरुआत करते हैं, तब वे उस संस्था के प्रबंध के लिए कुछ नियमों की आवश्यकता भी महसूस करते हैं। प्राचीन काल में जब लोगों ने साथ-साथ रहना आरंभ किया, तब उन्हें उस सामूहिक जीवन के लिए कुछ नियमों का निर्माण करना पड़ा या आम सहमतियों की ओर बढ़ना पड़ा। वे सिद्धांत ही आज 'धर्म' कहलाते हैं। उन सिद्धांतों के खिलाफ जाने से रोकने के लिए उन लोगों ने आचरण-संबंधी कुछ नियम भी बनाए थे। शायद इन नियमों और सिद्धांतों के निर्माता इस स्थिति में नहीं थे कि इन्हें तोड़ने वालों को दंडित कर सकें, अपने व्यक्तिगत स्वार्थ के लिए या उनका शोषण करने के लिए। फिर उन लोगों ने सोचा कि सामान्य लोगों को तभी धोखे में रखा जा सकता है, जब आचरण के उन नियमों को ईश्वर से संबद्ध कर दिया जाए। उन्हें कहना पड़ा कि ये नियम ईश्वर द्वारा निर्मित हैं और इन्हें भंग करने वालों को वह अवश्य दंडित करेगा। यही मनुष्य की पहली गलती थी। यदि हम जानने की कोशिश करें कि किन आधारों पर ये नियम निर्मित हैं तो हम इस परिणाम पर पहुँचेंगे कि सामयिक स्थिति, जलवायु, मनुष्य की मानसिक स्थिति (समूह की मूढ़ता और कुछ लोगों की धूर्त्तता) से ही ये नियम प्रभावित और निर्मित थे।

बाद में, जब किसी खास समूह से संबद्ध कोई सिद्धांत बदले समय और माहौल के अनुरूप नहीं रह जाता या समाज के कुछ स्वार्थी और धूर्त्त लोगों के लिए असुविधा पैदा करता है तब वे लोग उसे बदल डालने की कोशिश करते हैं। यदि अंधविश्वासी जनसाधारण उस बदलाव का हठपूर्वक विरोध करता है, तब परिवर्तन चाहने वाले लोग एक अलग समूह बना लेते हैं। वे या तो पुराने नियमों में सुधार करते हैं या नए नियम जोड़ते हैं। परिणामस्वरूप नए धर्म का जन्म होता है। जब दो या अधिक धर्म होते हैं तब इनके अनुयायियों द्वारा घोषणा की जाती है कि उनका धर्म दूसरे धर्म से श्रेष्ठ है। इस तरह धार्मिक कलह उत्पन्न होता है।

कुछ बुद्धिमान पूर्वजों ने प्राचीन सिद्धांतों की नवीन व्याख्या कर धार्मिक संघर्षों को खत्म करने तथा सभी को संतुष्ट करने की कोशिश की है। इसके बावजूद इन कोशिशों से धर्म की शाखाओं का ही जन्म हुआ है। लोगों को इन शाखाओं से धार्मिक सिद्धांतों के वास्तविक तात्पर्य को समझने में कठिनाई ही पैदा हुई है। अभी भी धार्मिक सिद्धांतों में बदलाव, सुधार और नई-नई व्याख्या की प्रक्रिया जारी है। इसके बावजूद अब भी लोग धर्मों की प्रकृति और उनकी आवश्यकता बिलकुल नहीं समझ पाए

हैं। परिणामस्वरूप धर्म को कर्मकांड ही समझा जाने लगा है।

यदि हम किसी भी धर्म से संबद्ध व्यक्ति से पूछें कि उसके धर्म के मूल सिद्धांत क्या हैं, तो वह संतोषजनक उत्तर नहीं दे पाएगा। वह सिर्फ उससे संबंधित क्रियानुष्ठानों का ही विवरण देगा। धर्म के संबंध में इस प्रकार की अज्ञानता समाज में बुराइयों को ही पुष्ट करती है। कुछ लोग अपने व्यक्तिगत स्वार्थ के लिए जनता की इस अज्ञानता का भरसक शोषण ही करते आए हैं।

संसार के तथाकथित महान धर्मों ने मनुष्य जाति का किसी भी रूप में भला नहीं किया है। उनसे सामान्य लोगों के साथ धोखा और दुर्व्यवहार करने वाले पंडितों, पुरोहितों, धनवानों और सरकारों को ही मदद मिली है। इसके अलावा, हम पाते हैं कि धर्म समाज में अनेक तरह की बुराइयों को जन्म देते हैं। सर्वप्रथम, धर्म आदमी की बुद्धि को ही दूषित कर देता है। सभी यही सोचते हैं कि उनका धर्म ईश्वर प्रदत्त है। वे यह सोचने के लिए बिल्कुल तैयार नहीं होते कि दूसरे धर्मों से संबद्ध लोग भी यही समझते हैं कि उनका धर्म भी ईश्वर द्वारा ही बनाया गया है। एक ही ब्रह्म अलग-अलग धर्मों को क्यों और कैसे उत्पन्न कर सकता है, जो आपस में एक-दूसरे से भिन्न हों। कोई भी व्यक्ति इस मूल विषय पर नहीं सोचता। धर्मों के अनुयायी और धार्मिक नेता दोनों ही समान स्थिति में हैं।

इसी से हम समझ सकते हैं कि धर्म मनुष्य के सोचने की शक्ति को कहाँ तक कुंद कर सकता है। द्वितीयतः, धर्म लोगों को मिलाने के स्थान पर एक-दूसरे से पृथक करने में ही ज्यादा सहायक सिद्ध होता है। तृतीयतः, धर्म मनुष्य के चरित्र और आंतरिक विकास पर बल न देकर उसे बाह्याडंबर से ही संतुष्टि प्रदान कर देता है। धर्म चाहे जितना भी अच्छा क्यों न हो, अपनी प्रकृति के अनुसार वह मनुष्य को बाध्य कर देता है कि धर्म की हर बात को सत्य मानो। धर्म से संबंधित कुछ बातों या विचारों की जाँच हम नहीं कर सकते या करने की इजाजत हमें नहीं है। यदि हम किसी विचार विशेष को आँखें बंद करके सिर्फ इसलिए स्वीकारते हैं कि वह किसी धर्म विशेष से संबद्ध है तो हम उसी प्रकार अनेक दूसरे विचारों को भी स्वीकारने के लिए प्रवृत्त होंगे।

इतना ही नहीं, धर्म हमें मनुष्यों और भगवान के बीच मध्यस्थता करने वाले पंडितों और पुजारियों को सर्वाधिक प्रधानता देने की भी शिक्षा देते हैं। हम इनकी अव्यावहारिक तथा ऊल-जलूल बातों को भी अपनी बुद्धि एवं अनुभव से प्राप्त सच्चाइयों से अधिक महत्त्व और स्वीकृति देने लगते हैं। धर्म लोगों को विश्वास दिलाता है कि खुले हाथों धन खर्च करके वे अपने पापों से मुक्ति प्राप्त कर स्वर्ग पहुँच सकते हैं। धर्म लोगों को यह विश्वास दिलाता है कि प्रार्थना द्वारा भगवान से अपने पापों के लिए क्षमा प्राप्त की जा सकती है। इसलिए वे बुरे और घृणित कार्यों में, यदि उनसे धन-प्राप्ति होती है, तो लिप्त हो जाते हैं। निकम्मे और उद्देश्यविहीन लोगों

के लिए धर्म की दुनिया में काफी अवसर हैं। धर्म लोगों को कायर भी बनाता है, क्योंकि इससे स्वतंत्र सोच के लिए आत्मविश्वास कुंठित हो जाता है। यह मनुष्य को इस लायक नहीं रहने देता कि वह व्यावहारिक जीवन में सही और गलत में फर्क कर सके। यह कुछ धूर्त्त लोगों को इस योग्य बना देता है कि वे दूसरों के श्रम का लाभ उठा सकें। शैव धर्म के अनुयायियों का दावा है कि जिस क्षण उनके शरीर पर पवित्र भस्म पड़ता है, उसी क्षण वे सारे पापों से मुक्त होकर स्वर्ग के अधिकारी बन जाते हैं।

धर्म की वकालत करने वाले और असत्य, अप्रामाणिक पुराणों पर प्रवचन करने वाले खुद को शैव समझते हैं, क्योंकि वे अपने ललाट पर भभूत लगाते हैं। वे दूसरों से भी शैवत्व धारण करने की उम्मीद करते हैं। इससे हम शैव धर्म और उसकी प्रकृति को भली-भाँति समझ सकते हैं।

वैष्णवों का दावा है कि राम से बढ़ कर कोई नहीं है। यदि कोई व्यक्ति एक बार राम के नाम का उच्चारण कर देता है तो उसके सारे पाप धुल जाते हैं।

इसी प्रकार सच्चा ईसाई होने का दावा करने वाले कहते हैं कि यदि कोई व्यक्ति ईसा में दृढ़ विश्वास रखता है तो वह सारे पापों से मुक्त हो जाता है। इस तरह एकमात्र ईसामसीह ही मनुष्य को सारे पापों से मुक्ति प्रदान करने में सक्षम हैं।

इसी परंपरा का अनुकरण करते हुए मुस्लिम कहते हैं कि 'कुरान' खुदा द्वारा उच्चरित शब्दों का ही पूर्ण संग्रह है और समान रूप से सभी कालों एवं सभी देशों के लिए उपयुक्त है। यदि कुरान में जरा भी परिवर्तन किया जाता है तो वह परिवर्तित संस्करण इस्लाम में मान्य नहीं होगा।

इस प्रकार सभी धर्मों के लोग दावा करते हैं कि उनका धर्म ही सच्चा धर्म है और यह ईश्वर के अवतार द्वारा, ईश्वर के बेटे या फिर खुद ईश्वर द्वारा ही उत्पन्न है।

—1929

क्या धर्म कठोर और अपरिवर्तनीय है?

सबसे पहले हम स्वयं से पूछें, धर्म क्या है? यह सिद्धांतों का एक पुंज है, जिसे मनुष्य ने एक खास समय में उपलब्ध ज्ञान और समय की माँग के आधार पर अपने हित में विकसित किया था। यह कहना मूर्खतापूर्ण होगा कि नियम और सिद्धांत अपरिवर्तनीय हैं, ये सबके द्वारा सभी कालों एवं परिस्थितियों में पूर्ण रूप से मान्य होंगे।

एक उदाहरण लीजिए, सरकारी कर्मचारियों द्वारा अपने अवकाश के उपयोग के लिए 'स्पोर्ट्स क्लब' और 'मनोरंजन क्लब' स्थापित किए जाते हैं। वे इन्हें सुचारु रूप से चलाने के लिए कुछ नियम बनाते हैं। कालचक्र में कुछ कारणवश उन नियमों में फेर-बदल किए जाते हैं। इसी तरह काल-क्रम में मनुष्य ने अपने कल्याण के लिए निर्मित नियमों को अपनी जरूरत और परिस्थितियों के आधार पर हमेशा बदला। कभी-कभी कुछ स्वार्थी मनुष्य स्वार्थ सिद्धि के लिए नियम बदलते हैं। वैसे ही जैसे अफ्रिका में बसे भारतीयों के लिए यूरोपियों ने कुछ नियम लागू किए। शारीरिक रूप से प्रबल या बौद्धिक रूप से सक्षम मनुष्य ही अपनी सुविधा और आवश्यकताओं के आधार पर नियमों का निर्माण करते हैं और समाज पर थोप देते हैं। यही धर्म के क्षेत्र में भी हुआ। बिना जाने यदि कोई दावा करता है कि धर्म सर्वशक्तिमान है और उसके सिद्धांत ईश्वर द्वारा निर्मित होने के कारण अपरिवर्तनीय हैं तो उससे जल्द से जल्द छुटकारा पाने में ही सबका कल्याण है। लोगों को ऐसे धर्म के प्रति अंधविश्वासी नहीं बने रहना चाहिए। उस धर्म से उन्हें चिपके भी नहीं रहना चाहिए।

अरब के रेगिस्तानों में रहने वाले लोगों को उनका धर्म कभी भी दिन में तीन बार स्नान करने के लिए बाध्य नहीं कर सकता। जो यूरोप के अत्यंत सर्द इलाकों में रहते हैं, उनका धर्म उन्हें हर बार शौच के बाद स्नान करने के लिए बाध्य नहीं कर सकता। वैसे ही भारत के सर्द-पर्वतीय इलाकों में रहने वालों को भी उनका धर्म आग तापने से मना नहीं कर सकता। इसी तरह दक्षिण भारत में रहने वालों को भी उनका धर्म आग तापने के लिए बाध्य नहीं कर सकता।

जैसे अंग्रेजों ने अपने स्वार्थ और सुविधा के अनुरूप हमारे ऊपर कानून और शासन लादा है, वैसे ही भारत में जिन्हें भी शासन का अवसर मिला, अपने लाभ के लिए हम पर कानून और व्यवस्था थोप दी। हम पर पूरी तरह हावी होने के कारण उन लोगों ने अपने द्वारा निर्मित नियमों को ईश्वर द्वारा प्रदत्त नियमों के रूप में लिपिबद्ध कर दिया। हम इन नियमों का अनुसरण हमेशा के लिए कैसे स्वीकार कर सकते हैं? क्या हमारे पास विवेक नहीं है? यदि हमारा विवेक इस तरह के एक महत्त्वपूर्ण उद्देश्य के लिए प्रयुक्त नहीं होता तो फिर यह किसलिए है?

इसीलिए हमें धर्म की बेड़ियों से मुक्त हो जाना चाहिए, देश इसके बाद ही स्वतंत्रता प्राप्त कर सकता है। यह कहना गलत है कि देश को सिर्फ अंग्रेजी शासन से मुक्त होना है। अंग्रेजों के आने के पूर्व भी हम धर्म के दास थे। मुसलमानों के आने से पूर्व हम असभ्य और बर्बर थे। हमारे ऊपर देवी-देवताओं, राम, कृष्ण, हरिश्चंद्र आदि का शासन था। ब्राह्मणेतर लोग शूद्र और दोगले माने जाते थे। उन्हें विद्या प्राप्त करने का अधिकार न था। उन्हें ईश्वरोपासना का भी अधिकार न था। और, देश को विदेशियों के हाथों सौंप दिया गया। जब भारत में न अंग्रेजों का शासन था और न मुस्लिमों का, तब समान अधिकार के सिद्धांत पर आधारित बौद्ध धर्म

को पूरी तरह नष्ट कर दिया गया था और अंततः जैन धर्म से भी छुटकारा पा लिया गया था। आज भी भारत की देसी रियासतों मैसूर, त्रावणकोर, कोचीन आदि में आम निम्न जाति के लोगों के साथ कुत्तों, गधों और सूअरों की तरह व्यवहार किया जाता है। इसीलिए यदि गोरे शासक इस देश को छोड़ भी देते हैं तो पीली या लाल जाति हमारे ऊपर शासन करने के लिए चली आएगी। इस देश पर सिर्फ काले भारतीय ही शासन नहीं कर सकते। हमारे लोगों में कुछ विशेष गुण और प्रवृत्तियाँ पाई जाती हैं, जो विदेशी प्रभुत्व को आमंत्रित करती हैं। जब तक हमारी ये प्रवृत्तियाँ नहीं बदलतीं, हम विदेशी शासन से मुक्त नहीं हो सकते।

—1929

दुनिया में अन्याय का कारण है धर्म

मेरे अक्सर धर्म के संबंध में बोलते रहने का कारण यह है कि जब मैं सामाजिक कार्यों में लगा हुआ था, तब मैंने जाना कि धर्म के नाम पर किए जाने वाले कार्य ही मनुष्य के विकास में अधिक बाधक हैं। कहा जाता है कि मनुष्य का कोई न कोई धर्म अवश्य होना चाहिए। यदि यह सही है तो धर्म को भी चाहिए कि वह अपने से संबद्ध मनुष्य को कुछ-न-कुछ व्यावहारिक लाभ अवश्य पहुँचाए। लेकिन व्यावहारिक रूप में हम पाते हैं कि हमारे देश में आदमी अपने धर्म की उन नीतियों और परिपाटियों को भी जानने के लिए बाध्य है, जिनकी व्यावहारिक जिंदगी में कोई उपयोगिता नहीं है। यह देखा जाता है कि सभी धर्म, पारसी, ईसाई, इस्लाम, शैव, वैष्णव आदि अपने अनुयायियों को कुछ निर्देश मानने के लिए विवश करते हैं।

विभिन्न धर्मों के अनुयायी, जिनसे मैं मिल चुका हूँ, अपने-अपने धर्म के बाध्यतामूलक नियमों और व्यवस्थाओं की ही बातें करते हैं। कोई अपने धर्म के नैतिक सिद्धांतों की बात नहीं करता। कोई धर्म मनुष्य को अपने विवेक और अनुभव के आधार पर सच्चाई के साथ चलने की सलाह नहीं देता। लोगों से सिर्फ यही कहा जाता है कि अपने धार्मिक सिद्धांतों के विरुद्ध कोई भी बात मन में लाना पाप है। ऐसा भाव व्यक्त करना अधार्मिकता है और इस संबंध में किसी शंका के निवारण का प्रयत्न करना नास्तिकता है। इस तरह संसार में शायद ही कोई धर्म है जो आदमी को अपने विवेक, समझ और प्रकृति के आधार पर आचरण करने की अनुमति देता है।

वास्तव में, बहुत कम लोग ही अपने धर्म की प्रकृति और उसकी आवश्यकताओं को समझ पाते हैं। अधिकांश लोग किसी धर्म को सिर्फ इसीलिए मानते हैं, क्योंकि

उनके पूर्वज इसी धर्म को मानते थे। ऐसे लोग अपनी धार्मिक प्रथाओं के आशय और धार्मिक निषेधों से बिल्कुल अनभिज्ञ होते हैं। वे अपने धर्म से संबंधित सच्चाइयों को जानने की बिल्कुल कोशिश नहीं करते। वे अपनी स्थिति को, कमी को, यह कहकर सही ठहराने का प्रयत्न करते हैं कि यदि वे अपने पूर्वजों की प्रथाओं को नहीं मानेंगे। तो उन्हें पाप लगेगा।

धर्म जिन उद्देश्यों की पूर्ति का दावा करता है, उन्हें किसी भी रूप में पूरा नहीं करता। किसी व्यक्ति से यह पूछना कि तुम्हारा धर्म क्या है, एक औपचारिक प्रश्न बन गया है। ठीक वैसे ही जैसे–'क्या तुम्हारे घर में बीवी और बच्चे हैं?' या 'तुम्हारी शैक्षणिक योग्यता क्या है?'

यदि हम स्वयं से पूछें, 'हम धर्म क्यों मानते हैं? इसका आविर्भाव कब हुआ? यह स्थायी है या परिवर्तनशील या ऐसा जिसे पुनर्निर्मित किया जा सकता है?' और इन प्रश्नों पर गंभीरतापूर्वक विचार करें तो पाएँगे कि दुनिया की अन्य वस्तुओं की तरह धर्म या किसी व्यक्ति की धार्मिक भावनाएँ भी परिवर्तनशील हैं। यह नहीं कहा जा सकता कि किसी व्यक्ति का किसी खास धर्म में होना स्थायी है और न यह बदल सकता है और न इसे बदलना ही चाहिए। बदलते समय की आवश्यकताओं के अनुसार मनुष्य के सामाजिक जीवन को बनाए रखने के लिए कुछ सिद्धांत विकसित होते हैं। कुछ समर्थ लोग दूसरों को उन सिद्धांतों से बाँधने के लिए उन्हें सुविधानुसार धार्मिक सिद्धांत घोषित कर देते हैं। 'धर्म' को मनगढ़ंत प्रमाणों और चमत्कारों की कहानियों से पुष्ट किया जाता है, जिन्हें बाद में सामान्य लोगों द्वारा सत्य मान लिया जाता है। आज के तथाकथित 'धार्मिक' लोग इस बात की जाँच-पड़ताल की आवश्यकता नहीं समझते कि प्राचीन काल में विकसित सिद्धांत आज की परिस्थितियों और आवश्यकताओं के अनुकूल हैं भी या नहीं।

प्रत्येक धर्म में ईश्वर, ईश्वर के अवतार या ईश्वर के दूत का उल्लेख किया गया है। यदि कहा जाए कि ये मनुष्य के प्राचीन समाज की आदिम प्रवृत्तियों की उपज हैं तो अत्युक्ति नहीं होगी। इस प्रवृत्ति की निरंतरता से स्थिति और बदतर होती गई। यह कहना कि ईश्वर ने मनुष्य के रूप में अवतार लिया और ऐसा कहा–वैसा कहा, इसके बाद ऋषि, आचार्य और नायनमार इस संसार में आए और उन्होंने अनेक चमत्कार किए, हमें तरह-तरह के उपदेश दिए–इन चीजों से समाज में अनेक मुसीबतों का जन्म होता है और लोग मूर्ख बनते हैं, ठगे जाते हैं।

मेरा यह मानना है कि बिना किसी दूसरे को कष्ट दिए यदि कोई मनुष्य समाज की सेवा करना चाहता है तो उसे किसी भी धर्म की कोई आवश्यकता नहीं है और न ही उसे किसी ईश्वर-पुत्र, नबी, ऐजवार, आचार्य, नायनमार आदि की पवित्रता और उनके चमत्कारों की जरूरत है। मैं नहीं जानता, आज कोई ऐसा धर्म भी है जो समाज सेवा का समर्थन करता है। यदि कोई व्यक्ति प्राचीन अभिलेखों की गहराई से जाँच

कर समाज़ सेवा के उल्लेख का प्रमाण देता है तो मैं सिर्फ यही कहूँगा कि वे सभी मनगढ़ंत और जाली अभिलेख हैं। कोई भी धर्म समाज सेवा पर बल नहीं देता है।

बहुत से धर्मों और उनकी शाखाओं-प्रशाखाओं के बावजूद उनमें कोई ऐसा नहीं है जो आदमी को खुशहाल और उपयोगी जीवन देने में मददगार हो सके। जो व्यक्ति ऐसा जीवन जीना चाहता है, उसे दूसरे साधन की तलाश करनी पड़ेगी। जब तक यह समझ समाज के सभी लोगों में नहीं आ जाती, उनका समाज में पारस्परिक प्रेम और स्वतंत्रता के साथ जीना असंभव है।

हम देखते हैं कि बार-बार नए धर्म बनते हैं और प्राचीन धर्मों की नई व्याख्याएँ आती हैं। इन पर अनंत रूप से असंख्य प्रवचन होते हैं। किंतु कोई धर्म नहीं सोचता कि हमारे समाज का नया गठन कैसे होगा, धर्म और उनकी असंख्य व्याख्याएँ उसमें कहाँ तक सहायक हो सकेंगी। असंख्य लोगों ने धर्म और ईश्वर से संबंधित हजारों सिद्धांतों के विषय में लिखा है—हम उनकी चिंता नहीं करते। हम उन्हीं सिद्धांतों को सत्य और कल्याणकारी स्वीकार कर सकते हैं, जो व्यावहारिक और उपयोगी हों। वे सभी अव्यावहारिक सिद्धांत और निषेध जो शिव, विष्णु, ईसा, नबी, बुद्ध, किसी ऋषि या मनु आदि के नाम पर हमारे ऊपर आरोपित किए गए हैं, वे दुनिया का कभी भला करने वाले नहीं हैं।

जो भी धर्म मानव प्रकृति के विपरीत सिद्धांतों का उपदेश देता है, त्याज्य है। मानव समाज को धर्म, पाप, सदाचार और नैतिकता के नाम पर असंख्य समस्याओं और कठिनाइयों के अधीन कर दिया गया है। मैं दृढ़ता के साथ कह सकता हूँ कि संसार के सभी अन्याय और असामाजिक कार्य धर्म और ईश्वर के नाम पर ही होते हैं। पुराणों और महाकाव्यों में वर्णित है कि धर्म और देवताओं ने चोरी, व्यभिचार, धोखा, हत्या, मदिरा पान, विलासिता, श्रम के शोषण आदि की अनुमति दी है। उनमें यह भी वर्णित है कि देवताओं द्वारा ये कमजोरियाँ और अपराध क्षम्य हैं, क्योंकि वे स्वयं इनमें लिप्त रहते हैं।

ऐसी अनेक झूठी और कल्पित कहानियाँ हैं, जिन्हें वेदों और पुराणों पर आधारित माना जाता है और जिनमें कुछ देवताओं को मदिरापन करते, व्यभिचार में लिप्त रहते, चोरी और गरीबों पर अत्याचार करते हुए दिखाया गया है। वस्तुतः लोग तभी सुख और आनंद प्राप्त करेंगे, जब ऐसे अनुपयोगी और अव्यावहारिक धर्मों और देवताओं से उन्हें छुटकारा मिल जाएगा। मनुष्य इनसे छुटकारा तभी पा सकते हैं जब वे जीवन के आनंद के लिए धर्म के बंधनों से मुक्त होने की हिम्मत जुटा सकें। इस रास्ते में बाधाएँ एवं कठिनाइयाँ आएँगी। पर यदि मनुष्य स्वतंत्रता और खुशहाली पाने में सफल होना चाहता है तो उसे हर तरह के बंधन को अस्वीकृत कर देना चाहिए। उसे विद्रोह के लिए तैयार हो जाना चाहिए, उसे सभी बाधाओं को नष्ट कर देना चाहिए।

मनुष्य का लक्ष्य अपने लिए खुशियाँ प्राप्त करना है। पर इसके लिए उसे अपने पड़ोसियों के लिए बाधाएँ नहीं खड़ी करनी चाहिए। उनकी हर संभव सहायता करनी चाहिए। इतना ही नहीं, धर्म को, जिसका उद्देश्य धार्मिक प्रतिबंधों और बाध्यताओं द्वारा किसी वर्ग विशेष को आम लोगों के शोषण का अधिकार देना है, धरती की अतल गहराइयों में दफ्न कर देना चाहिए। धर्म की ऐसी किताबों को, जो इस शोषण का किसी भी तरह समर्थन करती हैं, आग में जला देना चाहिए और इसके भस्म को समुद्र में बहा देना चाहिए।

मैं धर्म के संबंध में जो भी कहता हूँ उसे सुनकर कुछ व्यक्ति नाराज होंगे। वे अवश्य नाराज होंगे, क्योंकि उन्हें किसी भी वस्तु या विचार को उन हिंदू धार्मिक मान्यताओं के आधार पर देखने की आदत-सी पड़ गई है, जिनका उद्देश्य आम लोगों को धोखा देना है। मुझे किसी भी धर्म से संबद्ध किसी भी व्यक्ति की कोई फिक्र नहीं है। किसी भी धर्म से संबद्ध कोई व्यक्ति इस प्रश्न का जवाब दे—"उनका धर्म वस्तुतः देश और मानव जाति का कितना कल्याण करता है?" आलसी व्यक्ति ही कह सकता है कि जीवन तृणमूल से आरंभ होता है, फिर वह पौधा बनता है। इसके बाद जीव और मानव स्तर आते हैं। मानव जब उच्च स्तर पर पहुँच जाता है, वह ईश्वर के करीब होता है। मूर्ख लोग विश्वास कर सकते हैं कि कुछ आदमी ऐजवारों और नायनमारों की तरह जीते हैं। यह कहा जाता है कि मनुष्यों का बौद्धिक स्तर सारे जीवों से ऊँचा है। लेकिन अधिकांश लोगों का बौद्धिक स्तर कई मनुष्येतर जीवों से न सिर्फ नीचे होता है, बल्कि ये उनसे अधिक कष्ट, दुःख और कठिनाइयाँ उठाते हैं। यदि मानव का बौद्धिक स्तर अन्य जीवों के बराबर होता है तो शायद वे भी अपनी कठिनाइयों को कठिनाइयाँ नहीं समझते। ऐसा कोई धर्म नहीं है जो मनुष्य को अपनी वास्तविक स्थिति समझने एवं अपने पड़ोसियों की सहायता करते हुए संतुष्ट जीवन जीने की शिक्षा देता है। जो भी लोग ज्ञान के इस स्तर तक नहीं पहुँच पाए हैं, उन्हें कीड़े-मकोड़ों की तरह लगातार भयंकर और अश्रुपूर्ण जीवन जीने के लिए बाध्य किया जाता रहेगा।

हिंदू धर्म के साथ-साथ सभी धर्म ऐसी शर्तों और प्रतिबंधों से भरे पड़े हैं, जो किसी भी देश और समाज का नाश कर सकते हैं। वास्तव में हिंदू धर्म और इसके सिद्धांत लोगों को धोखा देने एवं तमाम तरह की शर्तों एवं प्रतिबंधों को आरोपित करने के मामले में अन्य धर्मों से बदतर है। यह माना जाता है कि बौद्ध धर्म और उसके सिद्धांत अन्य धर्मों से अच्छे हैं। ये अधिक उदार, मानव प्रकृति और व्यावहारिक अनुभवों के अनुकूल माने जाते हैं। यह विचार मेरे किसी गंभीर अध्ययन का परिणाम नहीं है। सामान्यतः बौद्ध अनेक अच्छे कामों से जुड़े होते हैं, जिनके कारण इस धर्म के प्रति मेरी अच्छी धारणा है।

यह जान लेना परमावश्यक है कि संसार के बड़े धर्म अपने अनुयायियों को

व्यावहारिक जीवन में उच्च आदर्शों को धारण करने योग्य क्यों नहीं बना पाते। यदि हम पूछें कि सभी लोग किसी एक ही धर्म को क्यों नहीं स्वीकार कर लेते, जबकि सारे धर्म व्यक्ति को मानसिक, बौद्धिक और व्यावहारिक रूप से संतुष्ट करने का दावा करते हैं, तो धर्म के ठेकेदारों का यही उत्तर होगा—'शत्रुओं की चालाकी भरी योजनाएँ इसके लिए उत्तरदायी हैं।' सभी धर्मों के अनुयायी इसी तरह की बात करते हैं। यदि हम ऐसे किसी धर्म की तलाश करें, जिसकी मनुष्य के जीवन में गहरी पैठ हो और जिसने जीवन को सही आकार दिया हो तो हमें निराश होना पड़ेगा। ऐसा एक भी धर्म हमें प्राप्त नहीं होगा। धर्म के नाम पर संचालित कोई भी कार्य मनुष्य को वास्तविक मनुष्य बनाने में उपयोगी सिद्ध नहीं होता।

इसीलिए दृढ़ संकल्प के साथ हमें मानवता-निर्माण के इस साहसिक कार्य में लग जाना चाहिए, जिससे ऐसे सिद्धांतों का विकास हो, जिन्हें लोग आसानी से अपने व्यावहारिक जीवन में प्रयुक्त कर सकें। इस कार्य को सफल बनाने के लिए हमें सबसे पहले उन कुप्रथाओं और सिद्धांतों का पता लगाकर उनसे छुटकारा पा लेना होगा, जिनसे मानवता-निर्माण की परियोजना में बाधा पहुँचती है। हमें स्त्री-पुरुषों में आधारभूत मानवीय गुणों के विकास के मार्ग को साफ कर लेना होगा। इस कार्य में सफलता संसार के सभी लोगों को स्वतंत्र और खुशहाल बना देगी। मेरी बुद्धि ने मुझे इस नतीजे पर पहुँचाया है कि 'हिंदुत्व' कोई धर्म नहीं है। कुछ लोगों का कहना है कि हिंदुत्व शैव, वैष्णव आदि अनेक धर्मों का सम्मिलित रूप है। मैं इसे सही नहीं मानता। शैव और वैष्णव दो अलग-अलग धर्मों के लिए एक नाम 'हिंदुत्व' असत्य पर आधारित है।

इसके प्रमाण हैं कि इस्लाम और ईसाई धर्मों का प्रवर्तन कब हुआ, किसने किया। किंतु इसका कोई प्रमाण नहीं है कि शैव और वैष्णव धर्मों का आरंभ कब और किसके द्वारा हुआ। वस्तुतः इन धर्मों का जन्म लोगों की अज्ञानता से हुआ। इन धर्मों ने सबसे बड़ा काम यह किया कि लोगों को एकजुट नहीं होने दिया, उनमें एकता और सौहार्द नहीं आने दिया। मैंने इन दोनों धर्मों के दर्शन एवं व्याख्याओं की जाँच की है। इन धर्मों के कारण ही हमारे इतने बड़े समाज में एकता नहीं आ पाई है और लोग इतने कष्ट सहन कर रहे हैं। धर्मों के झूठ और चालबाजी के कारण ही विशाल जनसमूह अज्ञानता की गहराई में डूबा पड़ा है। धर्म के इसी झूठ, धोखा और चालबाजी के कारण ही इस देश के कुछ हिस्सों के लोग अत्यंत सभ्य और संपन्न हैं, जबकि अधिकांश लोग अभी तक सामान्य मनुष्य का जीवन स्तर भी नहीं पा सके हैं। हम इतनी जल्दी बड़ी बाधाओं पर विजय प्राप्त नहीं कर सकते, किंतु छोटी बाधाओं से छुटकारा तो प्राप्त कर ही लेना चाहिए। महात्मा गाँधी ने लोगों में भाईचारा और समानता लाने के लिए पूरे देश का भ्रमण किया, लेकिन अंत में हार कर उन्होंने जनता को असहाय अवस्था में ही छोड़ दिया। लोगों ने महसूस किया

कि वे असहाय हैं और उनके साथ विश्वासघात हुआ है। उनके द्वारा हाल में लाए गए परिवर्तनों से संसार को काफी नुकसान हुआ है। माना जाता है कि रामानुजाचार्य ने लोगों में समानता और सौहार्द स्थापित करने की दिशा में काफी परिश्रम किया था। किंतु उनके धर्म ने अंततः लोगों में विभेद ही फैलाया। यद्यपि शंकराचार्य ने कहा कि एक मनुष्य दूसरे से किसी भी रूप में भिन्न नहीं है। फिर भी उन्होंने आम लोगों में बड़ा भारी विभेद पैदा कर उनके जीवन को छिन्न-भिन्न कर दिया। इस तरह विभिन्न धार्मिक नेताओं और व्याख्याओं ने मनुष्य के सामाजिक जीवन में अव्यवस्था और गड़बड़ी ही फैलाई। यदि हम हिंदू धर्म का सूक्ष्म विश्लेषण करें तो आसानी से समझ में आ जाएगा कि धर्म के नाम पर सामान्य मनुष्य के जीवन में कठिनाइयों और मजबूरियों की गुणात्मक वृद्धि होती गई है। वस्तुतः इसने सामान्य लोगों के जीवन को और भी मुश्किल, फूहड़ और कलंकित कर दिया है।

निष्कर्षतः, हमें किसी नए धर्म या सिद्धांत की कोई आवश्यकता नहीं है। प्रचलित रीति-रिवाजों और प्रथाओं में जो मनुष्य के स्वभाव, अनुभव और मानवीय गुणों के अनुकूल न हों, उनसे छुटकारा पा लेना चाहिए। यह सोचना मूर्खता है कि इन मुसीबतों से छुटकारा दिलाने के लिए किसी दैवी पुरुष का अवतार होगा। सभी लोग भली-भाँति यह गाँठ बाँध लें कि तमाम तरह की अनचाही प्रथाओं को नष्ट करने का अधिकार खुद उन्हें हासिल है।

–1928

अनुवाद : **नागेंद्र सिंह**

सच्ची रामायण

...रामायण की घटनाएँ और कथा-क्रम बहुत कुछ 'अरबी योद्धा', 'मदन कामराज' और 'पंचतंत्र' नामक पुस्तकों के समान कल्पित हैं। वे मानवमात्र की समझ और गूढ़ विचारों से दूर हैं। इसके फलस्वरूप यह दृढ़तापूर्वक कहा जा सकता है कि रामायण कोई वास्तविक कथा नहीं है। कोई भी कह सकता है कि केवल अनोखी बातों और कल्पित स्वर्ग तथा ईश्वर द्वारा भोले-भाले अशिक्षित पुरुषों पर अपनी स्वार्थपूर्ण बातों का प्रभाव डाला जा सकता है। किंतु कोई भी समझ सकता है कि रामायण में वर्णित तत्त्व निराधार, निरर्थक और अनावश्यक हैं। उन परिस्थितियों में जिनमें सद्गुण, दूरंदेश, करुणा तथा शुभेच्छाओं की शिक्षा असत्य तथा निर्मूल रूप में दी गई है, यह शिक्षा मानव-शक्ति तथा समझ के परे है जबकि इस बात पर अत्यधिक जोर दिया गया

है कि रामायण का प्रमुख पात्र 'राम' मनुष्य रूप में स्वर्ग से उतरे और उन्हें ईश्वर समझा जाना चाहिए।... आगे पाठक स्पष्ट देखेंगे कि राम तथा उनकी कथा में स्वर्गीय शक्ति नहीं है। उनके विषय में वर्णित गुण मानव-मात्र की समझ से बाहर है। वे तमिलनाडु के निवासियों एवं भारत के शूद्रों तथा महाशूद्रों के लिए शिक्षाप्रद एवं अनुकरणीय नहीं है।...

1. रावण में नीचे लिखी विशेषताएँ थीं–

(1) एक महान विद्वान

(2) बहुत बड़ा संत

(3) वेद शास्त्रों का ज्ञाता

(4) अपने संबंधियों एवं प्रजा का दयालुतापूर्वक पालनकर्ता

(5) वीर योद्धा

(6) शक्तिशाली पुरुष

(7) शूर-वीर सिपाही

(8) पवित्र आत्मा

(9) परमात्मा का प्रियपुत्र

(10) वरदानी पुरुष

वाल्मीकि ने स्वयं रावण की उपरोक्त दस विशेषताओं का वर्णन किया है तथा उसकी प्रशंसा कई स्थलों पर की है।

2. अपने भाई रावण की संपूर्ण प्रभुत्व-संपन्नता से द्वेष रखने वाला... विभीषण उसकी मृत्यु का कारण बना। रावण मर गया तो विभीषण उसकी अंत्येष्टि-क्रिया के समय मन मसोस कर अंदर ही अंदर दुःखी होकर उसका योग्यतापूर्ण गुणानुवाद करता हुआ, उसके शव पर गिर पड़ा और कहा कि 'तुम न्याय करने में कभी असफल नहीं रहे तथा सदैव महान पुरुषों का सम्मान किया' (युद्ध कांड 111 अध्याय)।

3. अपनी बहिन सूर्पनखा के प्रति की गई असहनीय दुष्टता और अपमान से कुपित होकर उसके प्रतिकारस्वरूप रावण सीता को लंका में ले गया था, सीता के प्रति अनुचित प्रेम होने के कारण नहीं–न दूसरे की स्त्री का सतीत्व भंग करने के उद्देश्य से।

4. हनुमान ने स्वयं रावण के प्रेम के विषय में सफाई देते हुए कहा कि 'रावण के महल की सभी स्त्रियों ने स्वेच्छापूर्वक उसकी रानियाँ होना स्वीकार किया था। उसने किसी भी स्त्री को बिना उसकी इच्छा के छुआ तक नहीं।' (सुंदर कांड 9 अध्याय)

5. रावण देवताओं और ऋषियों से घृणा करता था। क्यों? क्योंकि वे यज्ञ के नाम पर छल-कपटपूर्ण स्वधर्म नियमानुसार गूँगे पशुओं को आग में बलि देकर हृदय-विदारक जघन्य-अपराध करते थे। वह किसी अन्य कारण से घृणा नहीं करता था।

वाल्मीकि ने खुद कहा है कि 'रावण एक सज्जन पुरुष था। वह सुंदर एवं उत्साही था, किंतु जब ब्राह्मणों को यज्ञ करते हुए एवं सोमरस पीते हुए देखता तब उन्हें दंड देता था।'

6. वाल्मीकि ने कहा है कि राम एवं लक्ष्मण के द्वारा सूर्पनखा के प्रति किए गए दुर्व्यवहार के दुष्परिणामस्वरूप गंभीर चिढ़ तथा अनुत्तरदायित्वपूर्ण ढंग से उकसाए जाने पर भी रावण ने अपनी बहिन सूर्पनखा के प्रतिकार स्वरूप सीता के अंग नहीं काटे।

–एक पतली विवादास्पद प्रचार पुस्तिका से कुछ अंश

मैं हिंदुत्व का विरोधी क्यों हूँ?

(पेरियार और गाँधी की बातचीत)

पेरियार–हिंदुत्व को बिल्कुल ही समाप्त कर देना चाहिए।

गाँधी–आप ऐसा क्यों सोचते हैं?

पेरियार–ऐसा कोई धर्म नहीं, जिसे 'हिंदुत्व' कहा जाए।

गाँधी–लेकिन यह तो है।

पेरियार–यह ब्राह्मणों का षड्यंत्र है। उन्होंने लोगों को यह विश्वास दिला दिया है कि हिंदुत्व भी एक धर्म है।

गाँधी–क्या हम यह नहीं कह सकते कि सारे धर्म ही विश्वास और कल्पना पर आधारित हैं?

पेरियार–नहीं, हम ऐसा नहीं कह सकते, क्योंकि अन्य सभी धर्मों के ऐतिहासिक साक्ष्य उपलब्ध हैं। उन सभी धर्मों में ऐसे सर्वस्वीकृत सिद्धांत हैं, जिनको उनके सभी अनुयायी समान रूप से स्वीकार करते हैं।

गाँधी–क्या हिंदू धर्म में ऐसे सिद्धांत नहीं हैं?

पेरियार–कहाँ हैं? इसने पूरे समाज को ब्राह्मण, शूद्र और वैश्य जैसी अलग-अलग इकाइयों में विभक्त कर दिया है। यह घोषणा करता है कि ब्राह्मण सर्वोच्च हैं एवं अन्य नीच। यह विभेद ही इस तथाकथित धर्म की एकमात्र उपलब्धि है। इस 'धर्म' के वकीलों द्वारा किसी भी घोषित दावे की सच्चाई के लिए कोई पुख्ता सबूत उपलब्ध नहीं है।

गाँधी–ठीक है! हिंदू धर्म में कम से कम सिद्धांत तो हैं!

पेरियार–हमारे लिए यह कितना उपयोगी है? इस सिद्धांत के अनुसार सिर्फ

ब्राह्मण ही उच्च जाति के हैं। आप, मैं और बाकी सभी निम्न जाति के लोग हैं।

गाँधी–आपकी बात सही नहीं है। वर्णाश्रम धर्म में ऊँची-नीची किसी भी जाति का कोई उल्लेख नहीं है।

पेरियार–आप इससे संतुष्ट तो हो सकते हैं, किंतु व्यावहारिकता इसके बिल्कुल उलट है।

गाँधी–इसे व्यवहार में लाया जा सकता है।

पेरियार–जब तक हिंदुत्व का अस्तित्व है, तब तक यह असंभव है।

गाँधी–हिंदू धर्म की मदद से यह संभव है।

पेरियार–इस सूरत में धर्म द्वारा समर्थित ब्राह्मण और शूद्र के जाति-विभाजन का क्या होगा?

गाँधी–अभी अप ने कहा कि हिंदू धर्म में जाति-विभाजन सहित किसी भी सिद्धांत के समर्थन के लिए कोई प्रमाण नहीं है।

पेरियार–मैं कहता हूँ कि हिंदुत्व कोई धर्म ही नहीं है। इसीलिए इस धर्म के नाम पर समाज को ऊँच-नीच जातियों में विभक्त करने वाले दावे एवं सिद्धांत भी मान्य नहीं हैं। लेकिन यदि हम हिंदुत्व को एक धर्म के रूप में स्वीकार कर लेते हैं तो फिर धर्म के नाम पर किए जाने वाले दावों पर भी विचार करना पड़ सकता है।

गाँधी–हम लोग धर्म को स्वीकार कर सकते हैं और इसकी बुनियादी नीतियों के समर्थन में कुछ सिद्धांत बना सकते हैं।

पेरियार–यह असंभव है। यदि हम किसी धर्म को स्वीकार कर लेते हैं तो उससे संबद्ध किसी भी चीज को बदल नहीं सकते।

गाँधी–आपका यह कथन बाकी सभी धर्मों पर लागू होता है, किंतु हिंदू धर्म पर नहीं। इसे स्वीकार करने के बाद आप इसके नाम पर कुछ भी कर सकते हैं, आपको कोई नहीं रोकेगा।

पेरियार–आप यह कैसे कह सकते हैं? मुझे धर्म के नाम पर 'कुछ भी' करने की अनुमति कौन देगा? क्या मैं यह जान सकता हूँ कि इस धर्म का कौन-सा सिद्धांत मुझे यह करने की अनुमति देगा?

गाँधी–आप ठीक कहते हैं, हिंदुत्व कोई धर्म नहीं है। मैं यह मानता हूँ। मैं आपके इस कथन से भी सहमत हूँ कि हिंदू धर्म में स्थिर सिद्धांत नहीं हैं। इसी कारण मैं कहता हूँ कि सबसे पहले हम यह मान लें कि हम हिंदू हैं। फिर हम हिंदू धर्म के लिए सिद्धांतों का निर्माण कर सकते हैं। यदि हम चाहते हैं कि इस देश में ही नहीं, बल्कि सारी दुनिया में लोग अनुशासित और सम्मानित जीवन जीएँ तो यह हिंदुत्व की सहायता से ही संभव है। अन्य धर्म इसमें हमारी कोई सहायता नहीं कर सकते, क्योंकि वे ऐतिहासिक दृष्टि से प्रामाणिक और विश्वसनीय हैं। उनके

सिद्धांतों के लिए संगत तर्क और सटीक प्रमाण भी उपलब्ध हैं। यदि हम वहाँ कोई चालाकी करते हैं तो उस धर्म के अनुयायी हमें दंडित भी कर सकते हैं। ईसामसीह के शब्दों या फिर बाइबल में उनके विचार के रूप में जो भी संकलित है, उसे मानने के लिए ईसाई बाध्य हैं। मुसलमानों को भी कुरान में विद्यमान मुहम्मद नबी के विचारों को मानना अनिवार्य है। यदि उसमें परिवर्तन के लिए कोई सुझाव रखा जाता है तो वह अधार्मिक कर्म माना जाएगा। यदि कोई ऐसा विचार रखता है तो सबसे पहले उसे उस धर्म के बाहर आना पड़ेगा। इसके बाद ही अपने विचारों को अभिव्यक्त कर पाने के लिए वह स्वतंत्र होगा, अन्यथा उसे भयंकर दंड मिलेगा। सभी प्रामाणिक धर्मों की यही प्रकृति है। किंतु चूँकि हिंदुत्व कोई वैसा धर्म नहीं है, इसीलिए इस धर्म के नाम पर कोई भी व्यक्ति महान के रूप में स्वीकृति पा सकता है। वह अपने विचारों को धार्मिक सिद्धांत के रूप में व्यक्त कर सकता है। इस तरीके से कई महान व्यक्ति धर्म के नाम पर अपने बहुत से विचार व्यक्त कर चुके हैं। इसलिए हम भी इस धर्म में कुछ ऐसे सुधार ला सकते हैं, जो आज के समाज और समय के अनुसार जरूरी हों।

पेरियार–क्षमा कीजिए! यह असंभव है।

गाँधी–क्यों?

पेरियार–हिंदुत्व के स्वार्थी गिरोह हमें इसकी अनुमति कभी नहीं देंगे।

गाँधी–यह आप कैसे कह सकते हैं? क्या इस धर्म के सभी लोगों ने यह स्वीकार नहीं कर लिया है कि हिंदुत्व में छुआछूत नाम की कोई चीज नहीं है।

पेरियार–सैद्धांतिक रूप से किसी भी विचार की स्वीकृति एक चीज है और उसे व्यवहार में लाना दूसरी चीज। इसलिए कोई सुधार हिंदू धर्म में लागू करना बिल्कुल असंभव है।

गाँधी–मैं इसे संभव बना रहा हूँ। क्या आपने अनुभव नहीं किया कि विगत चार-पाँच वर्षों में समाज में कितना परिवर्तन आ गया है।

पेरियार–समाज में होने वाले इन परिवर्तनों का मुझे ज्ञान है, किंतु ये वास्तविक परिवर्तन नहीं हैं। लोग आपके द्वारा सुझाए गए सुधारों को मानने का ढोंग कर रहे हैं, क्योंकि आप प्रभावशाली हैं और आपकी ख्याति की उन्हें सख्त जरूरत है और आपने उनकी बातों पर विश्वास कर लिया।

गाँधी–(मुस्कुराते हुए) आप किनकी बात कर रहे हैं?

पेरियार–ब्राह्मणों की।

गाँधी–आपका मतलब है सभी ब्राह्मण?

पेरियार–हाँ, बिल्कुल। सभी ब्राह्मण, वे भी जो आपके साथ हैं।

गाँधी–इस स्थिति में, क्या आप किसी भी ब्राह्मण पर विश्वास नहीं करते?

पेरियार–किसी पर भी विश्वास करना मेरे लिए संभव नहीं है।

गाँधी–क्या आप श्री राजगोपालाचारी पर भी विश्वास नहीं करते?

पेरियार–वे एक अच्छे और विश्वसनीय इंसान हैं। वे निःस्वार्थ और आत्मसमर्पित व्यक्ति हैं। ये सारे गुण उनके अपने समुदाय के कल्याण के लिए ही हैं। किंतु मैं अपने लोगों, अब्राह्मणों के हितों को उनके सुपुर्द नहीं कर सकता।

गाँधी–यह मेरे लिए विस्मय की बात है। क्या एक भी ईमानदार ब्राह्मण इस दुनिया में नहीं है?

पेरियार–कुछ हो सकते हैं। किंतु मुझे अभी तक कोई ऐसा ब्राह्मण नहीं मिला।

गाँधी–ऐसा मत कहिए। मैं ऐसे एक ब्राह्मण को जानता हूँ। मैं उसे संपूर्ण ब्राह्मण मानता हूँ। वह हैं गोपाल कृष्ण गोखले।

पेरियार–चलिए, संतोष हुआ। यदि आप जैसे महात्मा इतनी कोशिश करके सिर्फ एक ब्राह्मण तलाश सकते हैं, तो हमारे जैसा 'पापी' भला कोई संपूर्ण ब्राह्मण कैसे पा सकता है?

गाँधी–(हँसते हुए) संसार हमेशा ज्ञानियों के अधीन रहेगा। ब्राह्मण शिक्षित हैं और वे हमेशा ही प्रभावी रहेंगे। इसके लिए उन्हें दोष देने से कोई लाभ नहीं है। दूसरों को भी ज्ञान और बौद्धिकता के उसी स्तर पर आना होगा।

पेरियार–हिंदुत्व एक मायने में अन्य सभी धर्मों से भिन्न है। इस धर्म में सभी ब्राह्मण शिक्षित हैं और सिर्फ वे ही ज्ञान और बौद्धिकता की बागडोर सँभाले हुए हैं। दूसरे लोगों में 90 प्रतिशत से भी अधिक अशिक्षित और मूर्ख हैं। एक ही धर्म को मानने वाले समाज में यदि सिर्फ एक समुदाय शिक्षित और प्रभावी बन सकने का अधिकार रखता है तो क्या हमें यह नहीं समझना चाहिए कि यह धर्म अन्य समुदायों के लिए अनिष्टकर है? इसीलिए मैं कहता हूँ कि हिंदुत्व एक घटिया धर्म है। इसका नाश हो जाना चाहिए।

गाँधी–आखिरकार आपके विचार क्या हैं? क्या हम यह मान लें कि आप हिंदुत्व का नाश इसलिए चाहते हैं कि ब्राह्मणों से छुटकारा मिल जाए।

पेरियार–यदि हिंदुत्व, जो हिंदू धर्म का एक गलत रूप है, का नाश हो जाता है तो कोई ब्राह्मण नहीं होंगे। हमारे हिंदू धर्म मानने के कारण ही ब्राह्मणों का अस्तित्व है और वे शक्तिसंपन्न हैं तथा हम और आप शूद्र कहे जाते हैं।

गाँधी–ऐसा नहीं है। क्या ब्राह्मण मेरी बातें नहीं सुनते? क्या इस वक्त हम सब एक साथ मिलकर हिंदू धर्म में पाई जाने वाली बुराइयों को जड़ से खत्म नहीं कर सकते?

पेरियार–मेरा यह विनम्र विचार है कि आप ऐसा नहीं कर सकते। यदि आप ऐसा कर पाने में सफल भी हो जाते हैं तो आपके बाद किसी ऐसे 'महात्मा' का प्रादुर्भाव होगा जो आपके परिवर्तन को पूर्णतः बदल देगा और इस धर्म को पुनः उसी रूप में ला देगा, जिस रूप में आज हम इसे पाते हैं।

गाँधी–वह ऐसा कैसे कर सकता है?

पेरियार–अभी आपने कहा कि लोगों को धर्म के नाम पर हम अपने विचार स्वीकार करा सकते हैं। क्या भविष्य में उत्पन्न होने वाला 'महात्मा' धर्म के नाम पर 'कुछ भी' नहीं कर सकेगा?

गाँधी–भविष्य में कोई भी व्यक्ति आसानी से धार्मिक रिवाजों को बदल नहीं सकता, जैसा आज तक हम अनुभव कर रहे हैं।

पेरियार–क्षमा कीजिए। हिंदुत्व को प्रचलन में रखकर आप कोई भी स्थायी परिवर्तन नहीं ला सकते। ब्राह्मण किसी को भी वहाँ तक जाने नहीं देंगे। उन्हें ज्यों ही यह लगेगा कि आपके विचार उनके हित के विरुद्ध हो रहे हैं, त्यों ही वे आपका विरोध आरंभ कर देंगे। अब तक किसी भी महात्मा ने कोई परिवर्तन नहीं किया। यदि कोई व्यक्ति करने की कोशिश करता है तो ब्राह्मण इसे कभी भी बर्दाश्त नहीं करेंगे।

गाँधी–ब्राह्मणों के संबंध में आपने गलत धारणा बना रखी है, जो आपके विचार पर हावी है। इतनी चर्चा करने के बाद भी मुझे नहीं लगता कि हम लोग किसी सहमति तक पहुँच पाए हैं। अभी भी हमें दो-तीन बार बैठकें करनी होंगी और तब फैसला करेंगे कि हम क्या कर सकते हैं (यह कहते हुए वे बिस्तर पर पूरी तरह लेट जाते हैं और अपना हाथ सिर पर रखकर धीरे-धीरे सहलाने लगते हैं!)

–1927

अनुवाद : **नागेंद्र सिंह**

सुब्रह्मण्य भारती

1882-1921

तमिल कविता के सिरमौर और आरंभ से ही देशभक्त। काशी में उच्च शिक्षा। 1906 में राष्ट्रीय कांग्रेस के कलकत्ता अधिवेशन में भाग लिया। तिलक के प्रशंसक। 'इंडिया' पत्र में संपादन कार्य। अधिकांश रचनाएँ पांडिचेरी में लिखीं। 'पांचालि शपथम्' 'कुथिल पाट्टु', 'कण्णन पाट्टु' आदि काव्य ग्रंथ। गद्य काव्य 'ज्ञान रथम्'।

गाओ वंदेमातरम्

आओ, उच्चारित सब मिलकर एक बार कर लें : वंदेमातरम्, वंदेमातरम्।
जननी जन्म-भूमि के प्रति नत नमस्कार कर लें : वंदेमातरम्।
दूर करें हम जात-पाँत के भेद-भाव!
ब्राह्मण हो या अब्राह्मण क्यों हो दुराव?
जन्म लिया है एक देश की मिट्टी पर,
इस नाते सब एक; नहीं कोई अंतर!
आओ, उच्चारित सब मिलकर एक बार कर लें : वंदेमातरम्!
जो अछूत है, वह भी कोई और नहीं,
क्योंकि उसे भी तो रहना है साथ यहीं।
जो अपने हों, वे बन जाएँ पराए क्यों?
और पराए अपनी हँसी उड़ाएँ क्यों?
आओ, उच्चारित सब मिलकर एक बार कर लें : वंदेमातरम्!
अपने घर में हैं जातियाँ हजार!
इससे क्या बाहरी जमा लेगा अधिकार?—
यह अनीति है, यह अन्याय सरासर है!
भले लड़ें-झगड़ें हम, किंतु सहोदर हैं!

आओ, उच्चारित सब मिलकर एक बार कर लें : वंदेमातरम्!
मिल-जुलकर रहने-सहने में है जीवन,
और भेद में है सामूहिक अधःपतन!
यदि हम इस रहस्य को कर लें हृदयंगम,
तो सब चिंताओं से बच सकते हैं हम!
आओ, उच्चारित सब मिलकर एक बार कर लें : वंदेमातरम्!
भले किसी स्थिति में हों, कोई पद पाएँ,
भारतीय होने का गौरव अपनाएँ!
जन्म-मरण के संगी हैं हम तीस करोड़!,
जन्म-मरण में संग रहेंगे तीस करोड़!
आओ, उच्चारित सब मिलकर एक बार कर लें : वंदेमातरम्!
पराधीनता का जीवन लज्जा की बात,
पराधीन जीवन पर लज्जित हों हम साथ!
दास-वृत्ति से अब तो पिंड छुड़ा लें हम,
निंदनीय स्थिति से छुटकारा पा लें हम!
आओ, उच्चारित सब मिलकर एक बार कर लें : वंदेमातरम्!

अर्वाचीन नारी

'नारी की अनिवार्य अपेक्षा है : स्वतंत्रता'
निकली बदन कमल से यह स्वरसुरभि तुम्हारे!
अथवा था नारद की वीणा का निनाद वह?
या मोहन की मुरली की वह मधुर टेर थी?
या श्रुतियाँ ही रूपकुमारी-रूप धारकर
उन्नति पथ पर हमें अग्रसर करने आईं?
अथवा आवागमन-निवारक अमृत स्वयं था?
नारि, तुम्हारी जय हो, युग-युग हो, जय हो!

सम-सुयोग नर-नारी को यदि सदा सुलभ हों,
तो संसृति के चिद्विलास का चिरविकास हो।
शीलवती, गुणवती, सौम्य नारी, सुलक्षणा,
स्वयं व्यक्त शिवशक्ति जगन्माता-स्वरूप है।

श्वानों के 'गुण' होंगे भय-संकोच आदि 'गुण',
किंतु कुलीना के विशिष्ट : शिष्टि, भव्यता,
स्वतंत्रता प्रियता, मतिमत्ता, शील आदि हैं।
नारिरूप देवी! देवी की बातें सुनिए!

गरिमामंडित गति हो, लक्ष्य निबद्ध दृष्टि हो,
निश्चय से निश्शंक और निर्भीक आचरण,
ज्ञान-समर्थित स्वाभिमान तो हो यथेष्ट, पर
चंचलता को पास न आने दे सुशीलता।
नारी ऐसी हो! यह नहीं कि नीरस जीवन
घोर अज्ञता-तम-निमग्न रह, कलाहीन रह
यापित करे!—तिरस्कृतव्य वह 'नारिधर्म' से!
नव विहान की कन्या का वक्तव्य श्रव्य है!

'ब्यौरे और मरम इह जीवन के हृदयंगम,
करके सत्साहित्य-अध्ययन करके सम्यक्,
देश विदेशाटन से अभिनव अनुभव संचित
करके उनसे बहुविध बहुश्रुतता साधित कर,
भारत के उन्नतिसाधन में यथाशक्ति श्रम
किया करेंगी ससिंदूर-सीमंतिनियाँ हम।
गृह कोटर में बंद समाजविमूढ़ा रहने की'
परंपरा को तोड़ेंगी हम वीर-रमणियाँ।

'हम आयत करेंगी विविध कला-विधाएँ।
हम रच देंगी विविध यंत्र-साधन-सुविधाएँ।
गतावधिक युगबाधित मिथ्या भाव मिटाकर
भग्न करेंगी हम विमूढ़ता के बंधन सब।
कर मानव कर्तव्य कर्म सम्यक्-संपादित
उन्हें करेंगी हम आराध्यदेव को अर्पित।
आदर पूजित महापुरुषों की सदा रहेंगी।'
उदय कन्या का ये कैसे ऊँचे विचार हैं।

अनुवाद : **आनंदी रामनाथन**

भारत देश

हम शुभ्र हिमाचल पर सैर करेंगे; पश्चिम के समुद्रों पर जहाज चलाएँगे, निचले प्रदेशों में मंदिर बनाएँगे–'भारत देश हमारा' कहकर ताल भुजा ठोकेंगे।

सिंहल द्वीप तक एक पुल बनाएँगे। सेतु को ऊँचा बनाकर सड़कें बनाएँगे। बंग में आने वाले पानी के आधिक्य को लेकर बीच के प्रदेशों की खेती बढ़ाएँगे।

खोद-खोदकर सोना और अन्य अनेक द्रव्य निकालेंगे। आठों दिशाओं में जाकर उन्हें बेचेंगे और इच्छित वस्तुओं को ले आएँगे।

मोती निकालने का काम दक्षिणी समुद्र में होता है। वहाँ अनेक देशों के व्यापारी आएँगे और हमारी पसंद की चीजें हमें देकर हमारी कृपा चाहेंगे।

सिंधु नदी पर चाँदनी रात में चेर प्रदेश की नवयुवतियों के साथ सुंदर तेलुगु भाषा के गीत रचकर गाते हुए नाव चलाकर आनंद मनाएँगे।

कावेरी की ओर के नागर पानों के बदले में गंगा नदी की ओर के गेहूँ लेंगे; सिंह जैसे वीर मराठों की कविता लेकर उन्हें चेर प्रदेश के हाथी दाँत से पुरस्कृत करेंगे।

काशी नगर के विद्वान जो व्याख्यान देंगे, वह कांची में सुना जाए, ऐसा यंत्र बनाएँगे। राजपूताना के वीरों को कन्नड़ प्रदेश का उत्तम सोना देंगे।

रेशम और सूती वस्त्र बनाकर पहाड़-सा ढेर लगा देंगे। गजनी के व्यापारी ठोस पदार्थ लाएँगे–उन्हें हम वस्त्र आदि देंगे।

औजार बनाएँगे–अच्छे कागज बनाएँगे; कारखाने खोलेंगे, विद्यालयों की स्थापना करेंगे। हम थकेंगे नहीं, सिर को नीचे गिरने नहीं देंगे; सच्ची बात बोलेंगे एवं उदारता के कार्य करेंगे।

छाते बनाएँगे, हल आदि खेती के लिए आवश्यक वस्तुएँ बनाएँगे, बोरे बनाएँगे–लोहे की कीलें बनाएँगे। कवच और विशाल गाड़ियाँ बनाएँगे। जिनको आते देखकर यम भी डर जाए, ऐसे जहाज बनाएँगे।

मंत्र सीखेंगे, काम करने के तंत्र सीखेंगे। आकाश को नापेंगे–समुद्र की मछलियों को नापेंगे। चंद्रमंडल की बनावट की जानकारी पाएँगे। खान की सुरंगों को बढ़ा सकें–ऐसी विद्या सीखेंगे।

काव्य रचेंगे, सुंदर वन निर्मित करेंगे, कला की वृद्धि करेंगे, कारीगरों (लुहार आदि) की भट्ठियाँ बढ़ाएँगे। चित्र बनाएँगे, अच्छी सुइयाँ बनाएँगे। संसार की जितनी भी कारीगरियाँ हैं, मन लगाकर करेंगे।

प्रसिद्ध तमिल पुत्री औवे ने जो कहा कि "जातियाँ केवल दो हैं–कोई तीसरी नहीं; वह अमृतवचन है–यह घोषित करेंगे। नीति-निष्ठ होकर दूसरों का उपकार करने वाले उत्तम जाति के और अन्य लोग निम्न जाति के–यह घोषित करेंगे।

डंका

हे डंके! तुम इस तरह की ध्वनि पैदा करो कि विजय की घोषणा आठों दिशाओं में हो जाए। तुम्हारी चोट में वेदों की सदा जय गुंजरित हो उठे। तुम्हारी चोट की झंकार में 'त्रिनेत्र के साथ नर्तन करने वाली शक्ति की सदा जय हो!' यह ध्वनि गुंजरित हो उठे।

मैं देश के हित की बात कहता हूँ; मुझे जो सत्य प्रतीत होता है वह कहता हूँ; जितनी भी भलाइयाँ हैं, उन सबका आदि पुरुष हमारी सहायता करे।

वेद जानने वाले ब्राह्मण हैं, कई विद्याएँ जानने वाले ब्राह्मण हैं। नीति और नियम का पालन करते हुए दंड और पालन करने वाले नायक हैं।

वस्तुएँ बेचने वाले श्रेष्ठि हैं। औरों की भूख मिटाने वाले श्रेष्ठि हैं। 'दास' नाम की कोई जाति नहीं है। सुस्ती से बढ़कर कोई अन्य नीचता नहीं है।

यहाँ चारों वर्ण एक समान हैं। इन चार में से यदि एक भी कम हो जाए तो काम बिगड़ जाएगा। मनुष्य वर्ग ही (भग्न होकर) गिर जाएगा।

कुटुंब में वस्तुओं का संग्रह पिता करता है। अन्य काम संभालती हुई माँ कुटुंब चलाती है।

पुत्र सेवा के काम करते हैं। क्या सभी जातियों के लोग एक ही कुटुंब के नहीं हैं? हम देखते हैं कि सब एक होकर अच्छा कुटुंब चलाते हैं।

जो जाति का भेद बताकर उसमें ऊँच और नीच का अंतर मानते हैं, वे नीति में अंतर लाते हैं और प्रतिदिन झगड़ा पैदा करते हैं।

जाति का कटु वर्गीकरण हमें नहीं चाहिए। यह संसार प्रेम से पलता है। हम यहाँ आदर के साथ रहेंगे और अनेक कार्य करेंगे।

संसार का भार सँभालने वाले ईश्वर ने स्त्रियों को भी ज्ञान प्रदान किया है। परंतु इस मिट्टी के मोह में कुछ लोगों ने स्त्रियों की बुद्धि भ्रष्ट कर दी है।

दो आँखों में एक को नष्ट करके क्या हृदय का आनंद उठाया जा सकता है? यदि स्त्रियों की बुद्धि को बढ़ाया जाए तो निश्चित है कि संसार की कमियाँ दूर हो जाएँगी।

जो लोग दैव की अनेकता मानते हैं, वे शत्रुता की आग प्रज्ज्वलित करते हैं। ईश्वर एक है और सबमें समाया हुआ है।

अग्नि की पूजा करने वाले ब्राह्मण, प्रतिदिन दिशा की वंदना करने वाले मुस्लिम, चर्च में सूली के सामने खड़े होकर प्रार्थना करने वाले ईसाई; ये सब जिस देवता की पूजा करते हैं, वे सर्ववंदित हैं, सर्वव्यापी हैं। सबका एक ही दैव रूप है–इसमें झगड़े की आवश्यकता नहीं है।

और सुनिए, हमारे घर पर एक सफेद रंग की बिल्ली पलती है। उसके कई बच्चे एक ही माँ से उत्पन्न होने पर भी हर एक का अलग-अलग रंग है।

उनमें से एक मटमैला है, एक काजल-सा काला। एक बच्चा साँप के रंग का है और एक दूध-सा सफेद।

रंग चाहे जो हो, क्या वे सभी बच्चे एक समान नहीं हैं? क्या यह कहा जा सकता है कि अमुक रंग अच्छा है और अमुक बुरा?

रंग बदलता है, इसलिए यह आवश्यक नहीं कि मनुष्य भी बदले। विचार और कार्य सबके एक हैं—यह जानो।

हे डंके! तुम्हारी ध्वनि में यह उद्घोषित हो कि हम संसार के सभी निवासी समान हैं। अपनी ध्वनि से यह घोषित करो कि झूठा जातिभेद तोड़ा जाए।

सभी यह समझें कि प्रेम आवश्यक है और उसी में भलाई है। यदि छल-कपट का भेद-भाव मिट जाए तो बुराइयाँ दूर हो जाएँगी।

सभी मनुष्य समान हैं। यदि हम जान जाएँ कि सब समान हैं तो सुख की खूब वृद्धि होगी।

इस संसार के सब लोग भाई-भाई के समान हैं। यहाँ स्थान बहुत है। इस संसार में फिर व्यर्थ ही क्यों लड़ा जाए।

जिसने पौधा लगाया, वह बराबर पानी देकर उसकी वृद्धि का ध्यान रखता है। ईश्वर सतर्क है। यहाँ अन्न अपार है।

इस संसार के सभी मनुष्यों के पेट के लिए यहाँ अन्न है। तुम लोग परिश्रम करके अन्न पैदा करो और खाओ, दूसरों का हिस्सा मत चुराओ।

इस संसार के सभी लोग सहोदर-सम हैं। क्या यह उचित है कि सबल निर्बल को खाए?

दैव सबल है। हमारा पालन दैव करता है। बच्चा दुर्बल है इसलिए क्या उसको ठुकराया जाए?

छोटा भाई जरा कमजोर है—इस कारण क्या बड़ा भाई उसे अपना दास बना ले। ताँबे के या लाठी के भय से क्या मनुष्य दास बन जाए?

सुखी जीवन के लिए प्रेम आवश्यक है। उसमें सबका स्वातंत्र्य है। इसके बाद सब लोग सुशिक्षित और सभ्य होंगे।

सब लोगों को अपना ज्ञान बढ़ाना चाहिए। यदि छोटों का उद्धार कर दिया जाए, तो दैव सबका भला करेगा।

संसार में समता और भ्रातृत्व आ जाए तो ऐसी परिस्थिति आएगी कि किसी की बुराई किए बिना सारा संसार स्वतंत्रतापूर्वक जीवन बिताएगा।

इस संसार में सभी लोगों को पेट भर भोजन अवश्य मिले। अनेक प्रकार की विद्याओं को सीखकर और दूसरों को सिखाकर इस संसार को ऊपर उठाना चाहिए।

हे डंके! तुम्हारी ध्वनि द्वारा एक तत्त्व की घोषणा हो। यह घोषित करो कि प्रेम में बंधे सब एक हैं। हे डंके! प्रेम में सभी लोगों की भलाई है।

अनुवाद : **शिवराम शर्मा**

सर्वपल्ली राधाकृष्णन
1888-1967

तमिलनाडु में जन्मे एक विख्यात भारतीय दार्शनिक और शिक्षाविद्। रूस में भारत के राजदूत, भारत के उपराष्ट्रपति तथा राष्ट्रपति जैसे उच्चतम पद को सुशोभित किया। धर्म और दर्शन के महान विद्वान। चार-पाँच विश्वविद्यालयों में प्रोफेसर रहे। कई मूल्यवान पुस्तकों के लेखक, 'भारतीय दर्शन', 'सभ्यता का भविष्य' 'जीवन का आदर्शवादी दृष्टिकोण' इत्यादि।

प्रेम

प्राणिशास्त्रीय, जातीय और मानवीय तत्त्व ही वे आधार हैं, जिनके ऊपर हम आत्मा के सृजनशील जीवन के सुंदर मंदिर का निर्माण करना चाहते हैं। यौन-आनंद, जातियों का वंशक्रम बनाए रखने या साहचर्य की अपेक्षा प्रेम एक अधिक महत्त्वपूर्ण वस्तु है। यह एक व्यक्तिगत मामला है, जिसमें पाशविक आवश्यकताओं की तृप्ति या परिवार की स्थापना या स्वार्थपूर्ण आनंद की अपेक्षा कुछ और घनिष्ठ बंधन पाए जाते हैं। प्रेम के द्वारा हम एक आध्यात्मिक वास्तविकता का सृजन करते हैं और व्यक्तियों के रूप में अपनी भवितव्यता का विकास करते हैं और शारीरिक आनंद के द्वारा मन की प्रसन्नता और आत्मिक आनंद का विकास करते हैं। हृदय के तूफान प्रेम के द्वारा आत्मा की शांति तक पहुँच जाते हैं। प्रेम केवल ज्वाला का ज्वाला से मिलन नहीं है, अपितु आत्मा को आत्मा की पुकार है।

मानव-जीवन के सुनिर्दिष्ट क्षेत्र में समानता बहुमूल्य वस्तु है। इसमें संदेह नहीं कि विवाह के विषय में नियम समान होने चाहिए। परंतु कोई न कोई बिंदु ऐसा आ जाता है, जहाँ पहुँचकर हम न केवल असमानता को स्वीकार कर लेते हैं, अपितु उसमें आनंद भी अनुभव करते हैं। सच्चे प्रेम में संपूर्ण आत्मसमर्पण का वह भाव होता है, जो प्रेम को सफल बना सकता है।[1] विशुद्ध प्रेम प्रतिदान में कुछ नहीं चाहता।

---

1. मृदुत्वं च तनुत्वं च पराधीनत्वमेव च
स्त्रीगुणाः ऋषिभिःप्रोक्ताः धर्मतत्वार्थदर्शिभिः।

यह बिना किसी प्रतिबंध या दुराव के बाहर निकल पड़ता है। यह भारी कामों को भी हल्का बना देता है; यह बड़े से बड़े बोझ को बिना भार अनुभव किए ढो सकता है। यह कभी थकता नहीं। किसी कार्य को असंभव नहीं समझता और सब कष्टों का सामना करने के लिए तैयार रहता है। ऐसा प्रेम शाश्वत होता है। यह हमारी आत्मा की गहराइयों में विद्यमान रहता है। यह एक न बुझ सकने वाली पवित्र ज्वाला है, जिसे हम अपने जीवन के अंत तक बनाए रह सकते हैं। इस प्रकार के प्रेम का निम्न, पाशविक, स्वार्थपूर्ण, उग्र या तुच्छ मानवीय लालसाओं या भंगुर, ऊपरी और थकाने वाली भावनाओं से कोई मेल नहीं है। यह तो वह शक्ति है, जो स्वर्ग से पृथ्वी पर इसलिए भेजी गई है कि पृथ्वी को फिर स्वर्ग तक वापस ले जाया जा सके। शरीर के साथ-साथ मन और आत्मा का ऐसा संयोग अमर होता है। यह पवित्रतम संबंध है, जो हमें आंतरिक दृष्टि से पूर्ण और संतुष्ट बनाता है। प्रेम ही एक वस्तु है जिसे मनुष्य अपना कह सकता है। जीवन की एक यही निधि है, क्योंकि जीवन की और सब वस्तुएँ समाज की साझी बना दी गई है। भले ही इसके कष्ट कितने ही कठोर क्यों न हों और इसकी त्रुटियां कितनी ही शोचनीय क्यों न हों, यह जीवन का सर्वोच्च वरदान है।

हममें से अधिकांश के लिए विवाह केवल दांपत्य, संतानोत्पादन के लिए एक-दूसरे को सहन करने का संकल्प एवं आदान-प्रदान के सिद्धांत पर साथ रहने का निश्चय मात्र होता है। परंतु कभी-कभी कोई पुरुष या कोई स्त्री ऐसे आ मिलते हैं, जिनके जीवन एक-दूसरे से पूरी तरह मेल खाते हैं। इस प्रकार के व्यक्ति सदा के लिए साथ रहने लगते हैं। सच्चा प्रेम आत्मा और शरीर का मिलन है, इतना घनिष्ठ और इतनी दृढ़ता से स्थापित, कि ऐसा अनुभव होने लगता है कि यह आजीवन बना रहेगा। यह इतना गहरा और बाँधने वाला, अपनी सुकुमारता से हृदय को जकड़ लेने वाला और अपने आवेश की तीव्रता से जीवन का रूपांतर कर देने वाला संबंध है कि इसी प्रकार का दूसरा संबंध बनाने की कल्पना भी अपवित्र मालूम होती है। सावित्री से उसके पिता ने दूसरा पति चुनने के लिए कहा था, क्योंकि जो पति उसने चुना था उसके भाग्य में जल्दी मर जाना लिखा था। इस पर सावित्री ने उत्तर दिया था, "चाहे वह दीर्घायु हो अथवा अल्पायु, चाहे उसमें गुण हों या वह गुणहीन हो, परंतु मैंने एक बार पति चुन लिया है; अब मैं दूसरा पति कदापि नहीं चुनूँगी।"[1] हनुमान जब सीता से, जो कहा जाता है कि वस्तुतः देवमाया थी और राक्षस-माया को पराजित करने के लिए अवतरित हुई थी,[2] मिलकर आया, तब उसने राम को

1. दीर्घायुरथवाल्पायुः सगुणो निर्गुणोपि वा
सकृद्वृतो मया भर्ता न द्वितीयं वृणोम्यहम्।
2. जनकस्य कुले जाता देवमायेव निर्मिता।—रामायण बालकांड 1-25

बताया कि वह लंका में बहुत कष्ट पा रही है और जब मैं उससे मिला तो वह मरने का निश्चय किए बैठी थी।[1] और फिर भी राम ने रावण पर विजय पाने के बाद जब सीता को देखा, जो आनंद और प्रेम के साथ-साथ लज्जा से भरी हुई थी, तो उसे बताया कि मैंने तुम्हारे प्रेम के कारण यह युद्ध करके विजय नहीं पाई है, अपितु अपने और अपने वंश के यश की रक्षा करने के लिए यह युद्ध किया है।[2] "मैं तुम्हें फिर ग्रहण नहीं करना चाहता। तुम लक्ष्मण, भरत, सुग्रीव या विभीषण, जिसे भी चाहो उसके साथ चली जाओ।"[3] कुछ लोगों का कहना है कि ये आपत्तिजनक श्लोक बाद में मिलाए गए प्रक्षिप्त अंश हैं। परंतु इन श्लोकों से यह बात ध्वनित होती है कि हममें से अच्छे से अच्छे पुरुष प्रेम और कष्ट सहन करने के मामले में बड़ी-बड़ी भूलें करने वाले नौसिखिए हैं, जबकि स्त्रियाँ इन मामलों में श्रेष्ठ कलाकार हैं। जब सीता को उसके पति ने त्याग दिया तो कालिदास के अनुसार वह कहती है कि "पुत्र का जन्म होने के बाद मैं सूर्य की ओर दृष्टि लगाकर तपस्या करूँगी, जिससे अगले जन्म में भी तुम ही मेरे पति बनो और तुमसे मेरा वियोग न हो।"[4] वे स्त्रियाँ महानतम प्रेमिकाएँ हैं, जो प्रतिदान में प्रेम पाने की भी आवश्यकता नहीं समझतीं और जो उन्हें त्याग जाने वाले पुरुष से कह सकती हैं कि "मेरा प्रेम इस बात पर निर्भर नहीं है कि तुम मेरे साथ कैसा बर्ताव करते हो।" क्या स्पिनोजा ने हमें यह नहीं बताया है कि परमात्मा से बिना किसी प्रतिफल के आशा किए प्रेम करना उच्चतम और विशुद्धतम प्रेम है। परंतु सामान्य मनुष्यों के लिए प्रेम दोनों पक्षों की ओर से होना चाहिए।

प्रेम ऐसी वस्तु नहीं है, जिस पर हमारा वश हो। दो व्यक्तियों के बीच का वह संबंध एकांतिक होता है और उनके बीच में कोई तीसरा व्यक्ति स्थान नहीं पा सकता। अविश्वास व्यक्ति की प्रकृति को नष्ट कर देता है, क्योंकि मनुष्य के व्यक्तित्व को जो पूर्णता प्राप्त हुई होती है, वह अविश्वास से समाप्त हो जाती है। विवाह का यह पहलू संस्कृति का विषय है। ऐसी अनेक जातियाँ हैं, जहाँ अपरिचित अतिथि को अपनी पत्नी प्रस्तुत करना आतिथ्य का चिह्न समझा जाता है और जहाँ परिवार की आय बढ़ाने के लिए पत्नी का काम करना वैध समझा जाता है। परंतु अधिकांश पति अपनी पत्नियों के बारे में दूसरों के साथ हिस्सा बँटाने को अनिच्छुक होते हैं

---

1. मर्तव्येति कृतनिश्चया।–सुंदरकांड 45-18
2. युद्धकांड, 118-15-16
3. लक्ष्मणे वाथ भरते वा किं बुद्धिं यथासुखम्
   सुग्रीवे वानरेन्द्रे वा राक्षसेन्द्रे विभीषणे
   निवेशय मनः सीते यथा वा सुखमात्मनः।–युद्धकांड 118-20-23
4. साहं तपः सूर्यनिविष्टदृष्टिः, ऊर्ध्वं प्रसूतेश्चरितुं यतिष्ये
   भूयो यथा मे जननान्तरेपि त्वमेव भर्ता न च विप्रयोगः।–रघुवंश 14-66

और विकसित संस्कृतियाँ एक विवाह के आदर्श को बढ़ावा देती हैं।

विवाह, यद्यपि एकमात्र नहीं परंतु, एक सरल उपाय है, जिसके द्वारा हम एक उच्चतर संयोग बनाने के लिए अपनी स्वाभाविक सहजवृत्तियों को आत्मा में लीन कर सकते हैं। विवाह का उद्देश्य प्रेम के द्वारा, जोकि एक स्थायी गठबंधन है, मानवीय पूर्णता और व्यक्तित्व का विकास करना है। हम विवाहित जीवन प्राकृतिक वासना को पूरा करने के लिए नहीं अपनाते, अपितु आत्मा के लिए, आत्मनस्तु कामाय, आत्मिक संपत्ति को बढ़ाने के लिए तृप्ति की समृद्धि के लिए अपनाते हैं। प्रेम की भावना के कारण हमारे उत्सुक चित्त अनुभवों को नए उत्साह के साथ ग्रहण करते हैं; सभी इंद्रियाँ तीव्रतर आनंद से पुलकित होती हैं, मानो किसी अदृश्य आत्मा ने संसार के सब रंगों को नया कर दिया हो और प्रत्येक जीवित वस्तु में नवजीवन भर दिया हो। प्रेम को इंद्रियों से पृथक् कर पाना, उसे शरीर का बहुत दास न बनाए रखना संभव है, जिससे कि आत्मा हमारे अंदर विद्यमान पशु को अपने वश में किए रहे। हम किसी पुरुष या स्त्री से प्रेम नहीं करते, अपितु उसके अंदर निहित व्यक्ति से प्रेम करते हैं; पद, संपत्ति, नौकरी या सुंदरता, चारुता या लालित्य से प्रेम नहीं करते, अपितु इनके पीछे छिपे व्यक्ति से प्रेम करते हैं। विवाह दो स्वतंत्र और समान व्यक्तियों का सम्मिलन है, जो पारस्परिक संबंध द्वारा उस आत्मविकास को प्राप्त करने का प्रयत्न कर रहे होते हैं, जिसे अकेले रहकर उन दोनों में से कोई भी प्राप्त नहीं कर सकता था। विसादृश्य अवश्य होता है और हमें उसके अंदर यथासंभव गहराई तक पैठना चाहिए। स्पिनोजा का कथन है किं "हम अलग-अलग व्यष्टि वस्तुओं को जितना अधिक समझ पाते हैं, उतना ही अधिक हम परमात्मा को समझ पाने में समर्थ होते हैं।" यदि किसी मनुष्य ने इस संसार में परमात्मा के बनाए किसी प्राणी को भली-भाँति प्यार नहीं किया, तो वह परमात्मा से भी प्रेम नहीं कर सकता। एक मानव-प्राणी के दूसरे मानव-प्राणी के प्रति प्रेम से बढ़कर आनंद का सुनिश्चित और सच्चा साधन दूसरा कोई नहीं है। इसके द्वारा हम पहले की अपेक्षा अधिक ज्ञानी, अधिक अनुभवी और अधिक उत्कृष्ट बनते हैं। अपनी क्षुधा और असहायता के कारण हृदय यह अनुभव करता है कि, चाहे जैसे भी हो, उसे प्रेम करना ही चाहिए। इससे कम से कम उसे यह तो अनुभव हो जाएगा कि उसका अस्तित्व व्यर्थ नहीं है। स्वर्ग का रास्ता कष्टों से भरे हुए और आँसुओं से तर भौतिक प्रेम में से होकर ही है।

कहा जाता है कि भगवान् ने अपने-आपको पति और पत्नी के दो रूपों में विभक्त कर दिया।[1] पुरुष अपनी स्त्री के बिना पूर्ण नहीं है। पति और पत्नी दोनों मिलकर एक पूर्ण वस्तु बनते हैं। पत्नी अर्धांगिनी, आधा अंग है। भारत में बहुत से प्रदेशों में महादेव और पार्वती का एक ही शरीर में अंकन किया गया है। प्रेम

---

1. स. इमां एवात्मानं द्वेधापातयत् ततः पतिश्च पत्नी चाभवताम्।—बृहदारण्यक उप., 1.4.3

के लिए दो मूलतः भिन्न एकाकी व्यक्तियों के शारीरिक सद्भाव, बौद्धिक संबंध और आत्मिक समझ द्वारा मिलकर एक हो जाने की आवश्यकता होती है। पुरुष और स्त्री केवल एक शरीर ही नहीं, अपितु एक आत्मा हैं। यह बात नहीं कि उनकी रुचियाँ और दृष्टिकोण ठीक एक जैसे हों, अपितु वे एक-दूसरे के अनुकूल, समस्वर होते हैं। क्योंकि इसमें आत्मिक लक्ष्य के अंदर अनुभवजन्य तत्त्व रहता है, इसलिए विवाह को सांस्कारिक कहा जाता है। हमारा लक्ष्य ऐसे दो व्यक्तियों का सम्मिलन होता है, जो एक-दूसरे से प्रेम करते हैं। उनकी इच्छाएँ पूर्ण हो चुकी होती हैं (आप्तकाम) और इसलिए उन्हें कोई इच्छा शेष नहीं रहती (अकाम)। यह गंभीर और सुकुमार संयोग पथभ्रष्टता के विरुद्ध सर्वोत्तम बचाव है। जब हम ऐसे व्यक्ति के साथ होते हैं, जिसे हम बहुत प्रेम करते हैं, तो हम संतुष्ट होते हैं और यह प्रश्न नहीं उठता कि हम किसलिए जी रहे हैं और हमारा जन्म किसलिए हुआ है। हम जानते हैं कि हम प्रेम और मित्रता के लिए पैदा हुए हैं।

विवाह और प्रेम

कुछ विवाह ऐसे भी होते हैं, जो प्राणिशास्त्रीय स्तर पर ही रह जाते हैं। वे प्रेम के उदाहरण नहीं, अपितु यौन-उपभोग और पाशविक इच्छा के उदाहरण हैं, जो आवेशशून्य और स्वार्थपूर्ण होती है। इन मामलों में एक संगी की मृत्यु का अर्थ "एक आदत के छूट जाने का दुःख अधिक होता है और एक व्यक्ति के छूट जाने का दुःख कम।" यदि विवाह को केवल कर्तव्य और सुविधा की वस्तु माना जाए, तो यह एक सीमित प्रयोजन वाली उपयोगितावादी संस्था बन जाती है।[1] यह स्वाभाविक मनुष्य पर कुछ प्रतिबंध लाद देती है, जो प्रतिबंध के रूप में अनुभव होता रहता है, क्योंकि प्रेम तो वहाँ होता नहीं। वे विवाह भी, जो धन या पद की इच्छा से किए जाते हैं, बहुत बार समृद्धतर और गंभीरतर वस्तु के रूप में विकसित हो सकते हैं। प्रेमपूर्ण सम्मिलन का आनंद वहाँ विकसित हो सकता है। किसी की पत्नी होना एक संयोगमात्र है, किंतु प्रेम करना वास्तविकता है।

एक ऐसा भी दृष्टिकोण है, जो यह मानता है कि विवाह की संस्था की प्रकृति

1. एच.जी.वेल्स ने लिखा है : "विवाह की परिभाषा एक मूर्खतापूर्ण सौदे के रूप में की गई है, जिसमें एक पुरुष दूसरे पुरुष की कन्या के भरण-पोषण का प्रबंध करता है। परंतु इस बात के लिए कोई कारण नहीं कि यह भरण-पोषण इतनी दूर तक क्यों जाए कि उस कन्या की शिक्षा पूरी करना भी इसमें सम्मिलित कर लिया जाए।"

में ही कुछ घातक तत्त्व विद्यमान हैं।[1] हम असुख के पीछे भटकते प्रतीत होते हैं। निषिद्ध वस्तु हमें आकर्षित करती है और अकट्टर प्रेम बहुत कुछ मानवीय असुख, संन्यास, मध्यमार्ग, विच्छेद, पश्चात्ताप और विद्रोह का कारण है। उपन्यास और चित्रपट जीवन के वासनात्मक पहलू का अतिरंजन करते हैं और यह समझा जाता है कि वे हमें यांत्रिक उकताहट से छुटकारा दिलाते हैं। अवैध यौन-संबंध सभ्य लोगों का मुख्य धंधा प्रतीत होते हैं।

कभी-कभी गंभीर प्रेम और विस्फोटक वासना में घपला हो जाता है। हम समझते हैं कि जब हमें कोई आवेशपूर्ण अनुभव हो रहा हो, कुछ चक्कर-सा आ रहा हो, बिना चेतना के और बिना इच्छा के मन पर कुछ बादल-सा छाया हो, तो हम अधिक पूर्णता और तीव्रता के साथ जी रहे होते हैं। यह वस्तु एक रूपांतरकारी शक्ति समझी जाती है। कुछ ऐसी वस्तु, जो आनंद और कष्ट के ऊपर है, एक आवेश भरा ज्वर, एक उत्तेजनापूर्ण जीवन, जो सब रूढ़ियों को और सब कानूनों को एक स्वाभाविक और दिव्य वस्तु के नाम पर तोड़ डालता है। इस प्रकार के संबंधों में कुछ दुःखांतता रहती है, जो थकाने वाली अधिक और सहायक कम होती है। जब हम वासना की शक्ति के अधीन होते हैं, तो हम अपने आप में नहीं होते। वासना मनुष्य का अपने हृदय में ही बैठा हुआ शत्रु है, जिससे उसे संघर्ष करना है। यह एक दूषित अतिरेक है; प्रकृति की एक ऐसी शक्ति, जो प्रेमियों को जकड़ देती है और सामान्यता उनका विनाश करके ही समाप्त होती है। प्रेम कोई दौरा नहीं है, यह तो अपने प्रियतम के प्रति गंभीर आत्मसमर्पण और उसके साथ एकात्मीकरण है। हमें परमोच्च वस्तु की तुच्छ वस्तु से समता नहीं करनी चाहिए। वासनात्मक प्रेम की उत्तेजनाओं का गंभीर प्रेम के साथ घपला नहीं करना चाहिए।

प्लेटो ने अपने 'फैड्रस' और 'दि सिम्पोजियम' में एक ऐसे उन्माद का उल्लेख किया है, जो शरीर से फैलता हुआ सांघातिक मनोविनोदों से आत्मा तक को आक्रांत कर लेता है। इस प्रकार प्रेम को वह प्रशंसनीय नहीं मानता। परंतु एक और प्रकार का उन्माद या प्रलाप है, जो मनुष्य की आत्मा में बिना स्वर्ग की प्रेरणा के उत्पन्न

1. सत्रहवीं शताब्दी के राजतंत्रोद्धार काल के नाटककारों का विश्वास था कि विवाहित प्रेम उबाने वाली वस्तु है। वान ब्रघ ने इस प्रवृत्ति का दायित्व सर जॉन ब्रूट के सिर डाला है : "प्रेम भी कितना उबाने वाला मांस है–जबकि विवाह इसके लिए चटनी है। विवाह के दो वर्षों में मेरी सूक्ष्म अनुभूतियाँ नष्ट हो गई हैं। कोई लड़का अपने शिक्षक से इतना ऊबा हुआ न होगा, कोई लड़की अपने गले की गतिया (ठोड़ी के नीचे बाँधने का कपड़ा) से, कोई साधुनी प्रायश्चित करने से और कोई वृद्धा कुमारी ब्रह्मचर्यपालन से इतनी ऊबी हुई न होगी, जितना मैं विवाहित होने से ऊब गया हूँ। अवश्य ही 'पत्नी' शब्द को ही कोई गुप्त अभिशाप लगा हुआ है।" "स्त्री होना काफी है। जहाँ तक मुझे मालूम है, स्त्री में कोई पाप नहीं है; परंतु वह पत्नी होती है और पत्नी को लानत है।" –'दि प्रोवोक्ड वाइफ,' 1-1, 2-1

नहीं होता। यह हमारे लिए बिल्कुल नई वस्तु है। इसका जादू हम पर बाहर से छा जाता है। यह एक प्रकार का उत्तारण है, एक ऐसा असीम आनंद, जो तर्क और स्वाभाविक इंद्रियों से परे है। इसे समुत्साह (ऐन्थ्यूजियाज्म) कहा जाता है, जिसका वस्तुतः अर्थ है 'परमात्मा द्वारा आविष्ट', क्योंकि यह उन्माद न केवल स्वर्ग से आया होता है, अपितु इसका अंत भी सर्वोच्च स्थिति में पहुँचकर दिव्यता की एक नई प्राप्ति में होता है। यह पागलपन और सर्वोच्च मानसिक स्वस्थता दोनों ही है।

आदर्श नारी उस प्रेम की प्रतीक है, जो हमें खींचकर उच्चतम स्थिति की ओर ले जाता है। हमें स्त्री को केवल आनंद का साधन नहीं समझना चाहिए। यह सच है कि वह नारी है, वह सहायता करने वाली भी है, परंतु सबसे पहले और सबसे महत्त्वपूर्ण वह एक मानव-प्राणी है। उसके साथ पवित्रता और रहस्य जुड़ा हुआ है। उसके साथ उसे चल-संपत्ति, या नौकरानी, या घर की देखभाल करने वाली गृहिणी समझकर ही व्यवहार नहीं किया जाना चाहिए। उसमें भी आत्मा है और सामान्यतया वह पुरुष के वास्तविकता तक पहुँचने के लिए एक सेतु का काम करती है। यदि हम उसे केवल गृहिणी या माता बना देते हैं और उसका स्तर घटाकर उसे सामान्य बातों की सेवाओं में लगा देते हैं, तो उसका सर्वोत्तम अंश अभिव्यक्त नहीं हो पाता। पुरुष की भाँति प्रत्येक स्त्री को भी अपनी आवेश की आग को, हृदय के उत्तारण को और आत्मा की ज्वाला को विकसित करने का अवसर मिलना चाहिए। रवि बाबू की चित्रा कहती है, "मैं चित्रा हूँ। न तो मैं देवी हूँ, जिसकी कि पूजा की जाए, और न मैं कोई दया की पात्र हूँ, जिसे चींटी की भाँति उपेक्षा से हटाकर अलग कर दिया जाए। यदि तुम संकट और साहस के मार्ग में मुझे अपने साथ रखोगे और अपने जीवन के महान् कर्तव्यों में मुझे हिस्सा बँटाने दोगे, तब तुम मेरे वास्तविक रूप को समझ पाओगे।" विवाह की संस्था को इस बात को मानकर चलना चाहिए। सुखी प्रेम का कोई इतिहास नहीं होता। हम प्रेम के विषय में तभी चर्चा करते हैं, जबकि वह अभाग्यग्रस्त हो और जीवन द्वारा अभिशप्त हो।

एक कुछ ऐसी अस्पष्ट-सी धारणा चली आ रही है कि विवाह और प्रेम परस्पर बेमेल हैं।[1] कभी-कभी कहा जाता है, "विवाहित मनुष्य प्रेम के विषय में जानता ही

1. काउंटेस ऑफ शेम्पेन के घर में प्रेम के न्यायालय द्वारा सुनाए गए एक प्रसिद्ध निर्णय में यह कहा गया है : "हम इस बात को घोषित और पुष्ट करते हैं कि इन उपहारों के प्रयोजन की दृष्टि से प्रेम अपने अधिकारों का विस्तार दो विवाहित व्यक्तियों के ऊपर नहीं कर सकता। क्योंकि प्रेमी एक-दूसरे को अपनी सब वस्तुएँ स्वतंत्रतापूर्वक देते और लेते हैं, चाहे उनकी आवश्यकता हो या नहीं; जबकि पति और पत्नी का यह कर्तव्य होता है कि वे एक-दूसरे की इच्छा के आगे सिर झुकाएँ और एक-दूसरे को किसी बात से इनकार न करें।" 1174 के वर्ष में मई के तीसरे दिन सुनाई गई; घोषणा 7। डेनिस डि रूजमेंट द्वारा 'पैशन एंड सोसाइटी' में उद्धृत अंग्रेजी अनुवाद (1940) पृष्ठ, 42।

क्या है?" "वे एक-दूसरे को इतना अधिक चाहते हैं कि उनका विवाह हो ही नहीं सकता था।" विवाह प्रेम की कब्र नहीं है, अपितु जैसा कि क्रोचे का कथन है, वह केवल बर्बर प्रेम या कामवासना की कब्र है। जब लक्ष्य पूर्ण हो जाता है, तब प्रेम और विवाह दोनों साथ विद्यमान रहते हैं, परंतु यह मार्ग बहुत लंबा और कठिन है। प्रेम विवाह-संबंध का प्रारंभ-बिंदु नहीं है, अपितु एक उपलब्धि है, जिसे प्रयत्न और धीरता द्वारा प्राप्त किया जाना है। विवाहित जीवन में सफलताएँ उन लोगों में अधिक होती हैं, जो प्रारंभ ही एक मिथ्या आदर्श से करते हैं और यह आदर्श प्रारंभिक प्रेम और उमंगपूर्ण आनंद पर आधारित रहता है। जब विवाह की नवीनता समाप्त होने लगती है, नए अनुभवों की उत्तेजना और भावना-प्रधान स्वप्नों का स्थान जीवन की नीरसता और नित्य की दिनचर्या ले लेती है; तब भावुक प्रेमी अभ्यासगत पति के रूप में विलीन हो जाता है और असंयत उल्लास घरेलू संतुष्टि के रूप में शांत हो जाता है। विवाह गुलाबों और स्वप्नों का अंतहीन दौर नहीं है; यह तो शांत आनंद के लिए तैयारी है। आनंद क्षणिक होता है और काल तथा देश की दुर्घटनाओं का इस पर प्रभाव पड़ता है। जीर्णता में, जो सब नश्वर वस्तुओं की प्रतीक्षा में खड़ी है, शरीर के सौंदर्य और वासना की आग को नष्ट कर देने की शक्ति है, किंतु वह उस अनश्वर आनंद को नष्ट नहीं कर सकती, जो संयम का पुरस्कार है। हमारी वांछित वस्तु शरीर नहीं है, जो वास्तविक पूर्ण जीवन का एक भ्रामक और क्षणिक पहलू है। विवाहित युगल की पारस्परिक निष्ठा है अपने साथी-प्राणी को अंगीकार करना, दूसरे को उसकी सब विशेषताओं (गुण-दोषों) के साथ अपनाने की इच्छा। कुछ वर्षों के बाद प्रारंभिक उमंगों और असंयत उत्तेजना का स्थान विश्वासपूर्ण साहचर्य, कार्य और रुचियों में हिस्सा बँटाना, सहिष्णुता और समझौता ले लेते हैं। विवाह में आनंद प्राप्त करने के लिए उदारतापूर्ण आत्मत्याग, अंतहीन सहिष्णुता और भद्रता, तथा हृदय की विनम्रता की आवश्यकता होती है।

यह विचार ही, कि विवाह से एक व्यक्ति को दूसरे पर स्वामित्व का अधिकार प्राप्त हो जाता है, सच्चे प्रेम के विकास का विरोधी है।[1] सुरक्षितता की भावना ही आवेश को न्यून कर देती है। आदत अनुभूतियों को निर्जीव कर देती है, मनोवेगों को मार डालती है और आत्मा को तृप्ति और हानि दोनों के प्रति समान रूप से अंधा कर देती है।

हमारा लक्ष्य निष्ठाशील एकविवाही विवाह का आदर्श होना चाहिए, यद्यपि इस

---

1. सकलैः नायकगुणैः सहितः सखि मे पतिः
स एव यदि जारः स्यात् सफलं मम जीवितम्।
सहजिया संप्रदाय के लोगों का विश्वास है कि परमात्मा के लिए जैसे तीव्र प्रेम की अनुभूति मनुष्य को होनी चाहिए, वह केवल गुप्त और निषिद्ध प्रेम में ही संभव है।

लक्ष्य तक पहुँच पाना कठिन है। संसार की महान् प्रेमकथाएँ निष्ठाशील प्रेम की ही कथाएँ हैं। कष्टों और वेदनाओं में भी निष्ठा को बनाए रखना ही वह वस्तु है, जिसने संसार को द्रवित कर दिया है और उसकी श्रद्धांजलि प्राप्त की है। संसार के महानतम विचारकों में से एक ने कहा है, "सच्चे प्रेम का मार्ग कभी सुगम नहीं रहा," भले ही यदि हम सौभाग्यशाली हों, तो सुसंयोग से इस मार्ग पर चल पड़ें। विवाह एक कला है, जिसमें कष्ट और आनंद, दोनों ही होते हैं। विवाह से जीवन की कठिनाइयों का अंत नहीं, अपितु आरंभ होता है। विवाह को सफल बनाने के लिए पति-पत्नी दोनों के प्रयत्न की अपेक्षा है, परंतु उसे विफल बनाने के लिए दोनों में से कोई भी एक काफी है। यह एक ऐसी साझेदारी है, जिसमें धैर्य की बड़ी आवश्यकता होती है। यह कोई परीक्षण नहीं है, अपितु एक गंभीर अनुभव है, जो यद्यपि शुरू में बहुत सुकुमार और भंगुर होता है, परंतु वेदनाओं और कष्ट में बढ़ता ही जाता है। द्रौपदी सत्यभामा से कहती है कि "सुख सुख से नहीं मिलता, अपितु साध्वी नारी कष्टों में ही सुख का अनुभव करती है।"[1] जिस स्त्री ने विपत्तियाँ नहीं सहीं, वह अपूर्ण है, क्योंकि कष्टों द्वारा उसका पावनीकरण नहीं हुआ। उमा ने शिव पर अपने शारीरिक सौंदर्य द्वारा विजय नहीं पाई, अपितु तप और कष्टसहन द्वारा पाई। स्त्रियों में कष्टसहन की एक विलक्षण शक्ति होती है और यदि वे उस शक्ति के प्रति सच्ची न रहें, तो वे जीवन को समृद्ध करने की अपनी एक प्रतिभा गँवा बैठती हैं। कालिदास ने अपने 'शाकुंतल' में दिखाया है कि किस प्रकार दो प्रेमी आत्माएँ कष्ट द्वारा रूप धारण करती हैं और एक-दूसरे के अनुकूल ढलती हैं। देवता भी विचित्र हैं। हममें जो कुछ अच्छा, भद्र, मानवोचित और प्रेममय अंश है, उसी के द्वारा वे हमें कष्टों में ला पटकते हैं। वे हमारे पास कष्ट इसलिए भेजते हैं कि हम महानतर बातों के लिए उपयुक्त बन सकें। शताब्दियों की परंपरा ने भारतीय नारी को सारे संसार में सबसे अधिक निःस्वार्थ, सबसे अधिक आत्मत्यागी, सबसे अधिक धैर्यशील और सबसे अधिक कर्तव्यपरायण बना दिया है। उसे अपने कष्टसहन पर ही गर्व है।

विवाह अपने आप में कोई साध्य नहीं है। यह तो आत्म-पूर्णता प्राप्त करने का सामान्य साधन है। मानवीय संबंध हमारे जीवन का सर्वाधिक वैयक्तिक अंग हैं, जिनमें हम अपने पूर्ण रूप में जीवित रह सकते हैं। सार्वजनिक जीवन में हमारी सत्ता के केवल कुछ ही अंग कार्य करते हैं। हमारे वैयक्तिक जीवन का, जो प्रेम और साहचर्य है, अपने आप से आगे और कोई लक्ष्य नहीं है। मानव-प्राणियों के लिए यह बिलकुल स्वाभाविक है कि वे दूसरों के अनुभवों में हिस्सा बटाएँ, एक-दूसरे को समझें, और पारस्परिक विश्वास में आनंद और संतोष अनुभव करें। इस प्रकार

---

1. सुखं सुखेनेह न जातु लभ्यं दुःखेन साध्वी लभते सुखानि।—वनपर्व, 233-4

के संबंध किसी आंशिक या सीमित प्रयोजन को पूरा नहीं करते और न उनका अस्तित्व ही समाज के लिए होता है। अपितु समाज और कानूनों का अस्तित्व ही उन संबंधों के लिए होता है। लोगों के कुछ ऐसे संगठन होते हैं, जो वैयक्तिक नहीं होते, उनमें व्यक्ति का स्थान इस बात से निर्धारित होता है कि वह उस समूह में क्या कृत्य करता है; उस विशिष्ट सेवा से, जो वह एक सारे समूह के कल्याण के लिए करता है। जब हम किन्हीं साझे उद्देश्यों को पूरा करने के लिए दूसरे लोगों के साथ संबंध स्थापित करते हैं, तो कृत्यात्मक समूहों और सामाजिक सहयोग का जन्म होता है। भिड़ंत न होने देने के लिए और साझे उद्देश्यों को पूर्ण करने के लिए हम कानून द्वारा लागू किए गए अथवा प्रथा द्वारा बने हुए नियमों और विनियमों की वशवर्तिता स्वीकार करते हैं। क्योंकि व्यक्ति समाज का सदस्य है, इसलिए समाज को व्यक्तियों की स्वतंत्रता पर प्रतिबंध लगाने का अधिकार है। सुव्यवस्थित समाज में ये प्रतिबंध व्यक्तिगत स्वाधीनता पर बंधन के रूप अनुभव नहीं होंगे। क्योंकि विवाहों का परिणाम समाज पर पड़ता है, इसलिए विवाह करने के संबंध में सामाजिक विधान संहिताएँ बनाई गई हैं। सामाजिक कानून अपने आप में सामाजिक दोषों और बुराइयों के लिए कोई सार्वभौम रामबाण औषध नहीं हैं। मनुष्य के बनाए हुए कानून कभी भी अपने आपको मानव-मन की मौज के अनुकूल नहीं ढाल सकते। परंतु यदि ये कानून कठोर और लचकहीन होंगे, तो संभव है कि वे व्यक्तियों के रूप में हमें नष्ट कर डालें और हमें जीवन के विकृत और अर्थहीन मार्गों का अवलंबन करने को विवश कर दें।

—*'हिंदू समाज में नारी' का एक अंश*

भारतवर्ष में पाश्चात्य शिक्षा

आज आपके विद्यालय की जयंती के दिन भारतवर्ष में पाश्चात्य शिक्षा को आरंभ हुए ठीक सौ वर्ष हुए। सौ वर्ष पहले मैकाले ने अपनी सुप्रसिद्ध टिप्पणी लिखी थी। उसी को कार्यरूप देने के लिए तत्कालीन भारतवर्ष के बड़े लाट, लार्ड विलियम बेंटिंक ने अपना ऐतिहासिक प्रस्ताव, 7 मार्च, 1835 में रखा था जिसमें कहा गया था कि "ब्रिटिश सरकार का यह महान् उद्देश्य होना चाहिए कि भारतवासियों में योरोपीय-साहित्य तथा विज्ञान का प्रचार किया जाए।" पाश्चात्य शिक्षा के प्रचार ने हमारे राष्ट्रीय जीवन में जान डाल दी। लोगों को शिकायत है—ठीक और उचित शिकायत है—कि ईस्ट इंडिया कंपनी ने एक लाख रुपया सालाना खर्च करके जिस पश्चिमी शिक्षा को प्रारंभ किया था, वह एकांगी थी। जो शिक्षा दी जाती थी वह साहित्यिक अथवा बौद्धिक

थी और उसका अर्थ साम्राज्यवादी व्यवस्था को उचित रूप से चलाते रहने के लिए क्लर्क तैयार करना था, प्रजातंत्र शासन के लिए आवश्यक नेता नहीं। इसके अलावा सौ वर्ष तक अंग्रेजों की अधीनता में शिक्षा का प्रचार होते रहने पर भी 36 करोड़ निवासियों में से कुल 40 लाख अंग्रेजी जानने वाले और 2 करोड़ 40 लाख देशी भाषा जानने वाले साक्षर मनुष्य हो सके हैं। प्राथमिक शिक्षा की उपेक्षा बुरी तरह से की गई है। ग्राम निवासी, जो भारत की जनसंख्या का एक बहुत बड़ा भाग है, ऐसे वातावरण में रहते हैं जो सदियों से नहीं बदला है। अब परिस्थिति कदाचित् कुछ और अधिक खराब हो गई है। जैसे ही आने-जाने में सुविधा हुई और रेलगाड़ियाँ देश के भीतरी भाग में पहुँचीं, वैसे ही गाँव का शिल्पकार–कुम्हार, जुलाहा अथवा लुहार–अपने वंशगत व्यवसाय को छोड़ने पर विवश हो गया तथा खेती करके ही, किसी प्रकार जीवन-निर्वाह करने लगा। भद्दे मध्यकालीन तरीकों से अब तक काम लिया जाता है। उच्च विज्ञान तथा व्यवसाय-संबंधी शिक्षा की बात सोची भी नहीं गई। इसके लिए हम शासकों को दोषी नहीं ठहरा सकते क्योंकि योरोप के देशों में भी प्राथमिक शिक्षा का प्रचार कुछ ही दिनों से हुआ है। बहुत दिनों तक प्रायः सभी शिक्षित लोग लेटिन, ग्रीक, व्याकरण, तर्कशास्त्र अथवा अलंकारशास्त्र का ही अध्ययन करते रहे। अब दृष्टिकोण तथा व्यवस्था में परिवर्तन हो रहा है और हमें कोई संदेह नहीं कि शिक्षा-संबंधी केंद्रीय मंत्रणा-समिति शिक्षा के नव-विकास में हमारी नीति को बदल देगी और इस बात पर जोर देगी कि उच्च विज्ञान तथा व्यवसाय-संबंधी शिक्षा के साथ ही प्राथमिक शिक्षा का प्रसार भी किया जाए।

इस समय मैं पाश्चात्य शिक्षा-व्यवस्था की सविस्तार व्याख्या करना नहीं चाहता, मुझे केवल यह बताना है कि वह शिक्षा किस ढंग की है। दो मुख्य बातें, उस विषय में, हमारे सामने आती हैं, एक तो लोकतंत्रात्मक पद्धति और दूसरी वैज्ञानिक भावना। हमारे देश के विद्वानों ने विज्ञान अथवा पांडित्य की वृद्धि में कितनी सहायता दी है, यह बताना मेरा उद्देश्य नहीं है। अब लोगों ने इस पुराने ख्याल को बदल दिया है कि विश्वविद्यालय के लोग संसार से अलग, बिल्कुल एकांत जीवन बिताते हैं और अपना सारा समय अध्ययन अथवा अनुसंधान में, विवाद अथवा विचार में, लगाते हैं। विद्यालय का कर्त्तव्य केवल सिद्धांत तैयार करना ही नहीं है, उसे देश के लिए श्रेष्ठ नेता भी तैयार करना है। मुझे अपने नौजवान दोस्तों को एक चेतावनी देनी है कि अध्ययन तथा अभ्यास संघर्ष में वास्तविक भाग लेना नहीं है। यदि आवेश में आकर समय से पहले ही क्रियात्मक राजनीति में वे भाग लेने लगें एवं उन बहुमूल्य वर्षों को, जो उन्हें जीवन-समर के लिए तैयारी करने में लगाना चाहिए था, यों ही बरबाद कर दिया तो उनकी भारी हानि होगी। पश्चिम की श्रेष्ठता का कारण दिमागी ईमानदारी, सत्य का निश्छल अन्वेषण है। सत्य-भक्त सुकरात के समय से अब तक एकाध अपवादों को छोड़कर, आत्मतुष्टि, मानसिक आलस्य तथा अतीत के ज्ञान

में अंध-श्रद्धा से पश्चिमी विद्वान् बिल्कुल बचे रहे हैं। उन्होंने कुतूहल की, निरीक्षण अथवा परीक्षण से निकट तथा दूर के संबंध में सच्चा ज्ञान उपार्जन करने की उत्कट अभिलाषा को, कभी हाथ से जाने नहीं दिया। विज्ञान ने करोड़ों आदमियों की जिंदगी को आसान बना दिया था। हमारे शिक्षकों ने मस्तिष्क को वैज्ञानिक बनाने का प्रयत्न किया। वैज्ञानिक मस्तिष्क तथा वैज्ञानिक साधनों का प्रयोग करना एक ही बात नहीं है। हम टेलीफोन, बेतार के तार, रेल, हवाई जहाज आदि का इस्तेमाल जान भी जाएँ, तो भी, हो सकता है कि हमारा मस्तिष्क वैज्ञानिक न हो। वैज्ञानिकता कोई बाहरी, केवल अलंकारिक, वस्तु नहीं है, वह तो मस्तिष्क का ही अंग है, उसी का एक अविच्छेद्य अवयव है। इस वैज्ञानिक पद्धति का उपयोग केवल व्यावहारिक जीवन तथा अवकाश की साधारण व्यवस्था में, भौतिक पदार्थों के विवरण में, उद्योग-धंधों एवं खेती की उन्नति में ही नहीं करना चाहिए वरन् उन बातों में भी करना चाहिए जो जाति के मन तथा उच्च आचरण से संबंधित हैं। हमारे वैज्ञानिक मस्तिष्क को कल्पनातीत ऐश्वर्य और घोर दरिद्रता के विपरीत दृश्यों से ही नहीं वरन् अत्यधिक पवित्रता और मूर्खतापूर्ण अंधविश्वासों से भी ठेस पहुँचनी चाहिए। हमने अपने पारस्परिक संबंधों में वैज्ञानिक तथा सामाजिक ज्ञान का ठीक-ठीक प्रयोग नहीं किया है। हमारी इस असफलता के चिह्न समाज में स्पष्ट दिखाई पड़ रहे हैं। अस्पृश्यता जैसी समाजिक दुर्बलताएँ केवल इसलिए हमारे समाज में प्रचलित हैं कि हमारा आदर्श प्रथा के भार से दबा हुआ है। जो लोग अन्य बातों में भले तथा दयालु हैं वह भी उन्हें चुपचाप मान लेते हैं क्योंकि परंपरा ने उनकी बुद्धि को भ्रष्ट कर दिया है तथा उनकी संवेदना शक्ति नष्ट हो चुकी है। आज हमारे देश में लाखों आदमी ऐसे हैं जो वैज्ञानिक यंत्रों का उपयोग करते हैं फिर भी अंध-विश्वासों में, उन्हें ईश्वर-दत्त-रहस्य-ज्ञान बताकर, अत्यधिक श्रद्धा रखते हैं और निरर्थक प्रथाओं को परंपरा के नाम से, मानकर चलते हैं। इस संबंध में विज्ञान तथा धर्म में कोई वास्तविक झगड़ा भी नहीं है। भगवान् हमसे यह नहीं कहता कि "मैं परंपरा हूँ" वरन् वह तो सिर्फ यह कहता है कि "मैं सत्य हूँ"। हमें सत्य का अनुसंधान करने वालों की भक्ति करनी चाहिए क्योंकि वे हमारे हृदयों पर सत्य की भावना से अधिकार कर लेते हैं तथा किसी का अनुगत नहीं होना चाहिए क्योंकि वे लोग हमें प्रथाओं का गुलाम बना देते हैं। परंपरा कभी सत्य से श्रेष्ठ नहीं हो सकती। जो स्पष्टतः अनुचित है, वह रूढ़ि अथवा आप्त-वाक्य होने से उचित नहीं हो सकती। हमारी सद्सद्विवेक-बुद्धि धर्म, वाक्य के द्वारा दबाई नहीं जा सकती। हमें अपने मस्तिष्क की गंदगी को साफ कर देना होगा।

हमारे देश में कुछ ऐसे लोग भी हैं जो वैज्ञानिक तथ्यों एवं सिद्धांतों को अपने प्रिय अंध-विश्वासों की रक्षा के लिए प्रयोग करते हैं। वे कहते हैं कि 'मिल' से भी पहले हमारे यहाँ उसी प्रकार के सिद्धांतों के प्रचारक मनु हो चुके हैं और प्राचीन

भारत में वायुयान तो थे ही। वे मानव-विज्ञान-विशारदों तथा सुंदर संतानोत्पादन शास्त्रियों की आधुनिकतम खोजों का उपयोग वर्ण की क्रूरता के समर्थन में करते हैं। जब अंध-विश्वास वैज्ञानिक महत्ता का रूप धारण कर लेते हैं, जब वे वास्तविक-विज्ञान से बचने के इरादे से एक अर्द्ध-विज्ञान अथवा विज्ञानाभास को जन्म देते हैं, तब वे बहुत भयानक हो जाते हैं। हमें वैज्ञानिक हृदय विकसित करना होगा, एक बौद्धिक गंभीरता का अभ्यास करना होगा और आवेशपूर्ण उद्वेगों से भरी परिस्थिति में भी मानसिक शांति बनाए रखनी होगी। हमें साधारण जनता को भी ऐसे विचार बनाने में सहायता देनी होगी जिन तक समूह-मनोविज्ञान अथवा जनता के पागलपन की पहुँच भी नहीं हो सकती। हमारे विद्यालयों में शिक्षा प्राप्त कर चुकने वाले नवयुवकों का कर्त्तव्य है कि वे अंध-विश्वासों के विरुद्ध विवेक के धर्मयुद्ध में भाग लेंगे। आशा है कि सत्य के द्वारा हम अवश्य स्वतंत्रता प्राप्त कर सकेंगे। सत्य तथा स्वतंत्रता बिल्कुल एक हैं और यदि हमारे विश्वविद्यालय एवं अन्य विद्यालय सत्य का अन्वेषण और स्वतंत्रता प्राप्त करने का उद्योग छोड़ देंगे, यदि वे मनुष्यों के हृदयों में श्रेष्ठ अभिलाषाओं को जागृत न करेंगे, तो वे प्राणहीन हो जाएँगे।

यदि विचार-क्षेत्र में बुद्धि अथवा विवेक का राज्य कायम करना विज्ञान का लक्ष्य है तो आचरण-क्षेत्र में समता को स्थापित करना लोकतंत्र का उद्देश्य है। लोकतंत्र किसी राजनीतिक व्यवस्था अथवा शासन-पद्धति को नहीं कहते। वह तो जीवन अथवा व्यवहार का ढंग है, एक सक्रिय विश्वास है जो प्रत्येक कार्य, वचन तथा विचार को उत्साहित करता है, उसमें जान डालता है। इसलिए मौजूदा सामाजिक व्यवस्था विशेष सौभाग्यशाली वर्ग के लोगों में एक ऐसी भावना उत्पन्न कर देती है जिससे वे विशेषाधिकारों को उचित मानने को तैयार हो जाते हैं, जैसे वह समाज-व्यवस्था का कोई अनिवार्य लक्षण हो, वह जैसे स्वाभाविक, उचित एवं न्याय-सम्मत हो। अगर हम ईमानदारी से लोकतंत्र को पसंद करते हैं तो वर्तमान समाज-व्यवस्था के उन दोषों से आँखें नहीं बंद कर सकते जो बिल्कुल स्पष्ट हैं। जो व्यवस्था बहुत बड़ी संख्या में शिक्षित नवयुवकों को काम नहीं दे सकती तथा उनकी रक्षा का उचित प्रबंध नहीं कर सकती, उसमें निश्चय ही कोई न कोई स्वाभाविक दोष है। यदि वे थोड़े लोग जो सभ्यता के सुखों के आज मालिक हैं, उन सुखों का भाग बाकी लोगों को बाँटना नहीं चाहते तो निश्चय ही हमारा समाज छिन्न-भिन्न हो जाएगा। कोई भी ऐसा राज्य स्थायी नहीं हो सकता जो भद्र जीवन के उपयुक्त साधन अपनी समस्त जनता के लिए सुलभ नहीं कर देता। हम मानते हैं कि रोग से स्वास्थ्य अच्छा होता है, दरिद्रता से संपन्नता श्रेष्ठ है, शीत एवं ताप से आश्रय स्थान बढ़कर है, चिंता-व्यथा से मानसिक शांति कहीं अधिक वांछनीय है। हमारा कर्त्तव्य है कि सभ्य-जीवन के लिए परमावश्यक इन उपकरणों को हम जन-साधारण के लिए सुलभ करें, हम मूलभूत आर्थिक न्याय को सब तक पहुँचाएँ और यदि आवश्यक हो तो इसके लिए आय

पर, भूमि पर, पैतृक धनाधिकार पर लगने वाले कर में वृद्धि कर दें। भगवान् ने संपत्ति को समाज के हित में ही उपयोग किए जाने के लिए बनाया था ''यज्ञाय सृष्टानि धानादि धात्रा'' (महाभारत)। लेनिन ने नहीं ब्लैकस्टोन ने लिखा था—''कानून केवल इतना ही नहीं करता कि जीवन को विशेष महत्त्व दे तथा प्रत्येक व्यक्ति की प्राण-रक्षा करे वरन् इसके लिए आवश्यक साधनों को भी जुटाता है। कोई कितना ही गरीब तथा दुःखी क्यों न हो, उसे अधिकार है कि वह समाज के धनवान व्यक्तियों से जीवन की सब आवश्यकताओं को पूरा करने के लिए पर्याप्त अर्थ माँगे।'' कुछ ऐसे भी मूलभूत धंधे हैं जिनके लिए सरकारी सहायता मिलती है और कोई वजह नहीं कि सरकार उनका इंतजाम अपने हाथ में न ले ले। इससे उच्च पदों पर भारतीय नियुक्त किए जा सकेंगे और काम भी अच्छा होगा। यदि उत्पादन के साधन सरकारी कब्जे में लेने पड़े तो उनके वर्तमान स्वामियों को उचित मुआवजा मिलना चाहिए। भूमि-कर व्यवस्था में संशोधन करना बहुत आवश्यक है। यद्यपि प्रजातंत्रवादी उन क्रांतिवादियों का अनुयायी नहीं होता जो स्वतंत्र-प्रेम, अनीश्वरवाद तथा सभी संपत्ति का बँटवारा करने के पक्षपाती हैं, तो भी शांत रहकर संपत्ति का अधिक न्यायसम्मत वितरण करना उसका भी ध्येय है। पर इस लक्ष्य की प्राप्ति लोकतंत्र की पद्धति से होनी चाहिए जिसमें जबर्दस्ती नहीं की जाती, उसके बजाय समझाकर, मानकर, काम निकाला जाता है। उद्देश्य की प्राप्ति भयानक क्रांतिकारी विप्लव के द्वारा नहीं होती। लोकतंत्र-पद्धति उस संकीर्णता तथा असहिष्णुता का विरोध करती है जिनके कारण पुराने जमाने में धर्म विरोधी बातें करने के फलस्वरूप लोगों को जान से भी हाथ धोना पड़ता था और आज भी अनेक देशों में उसी पद्धति के द्वारा विरोधी राजनीतिक सिद्धांतों का दमन किया जा रहा है।

हमारे देश में कुछ ऐसी शक्तियाँ भी हैं जो लोकतंत्र का विरोध कर रही हैं धर्म राजनीति में घुस गया है। नवयुवक ऐसे वातावरण में पल रहे हैं जहाँ वर्गकृत अथवा संप्रदायकृत विद्वेष को प्रोत्साहन मिलता है। बचपन ही से उन्हें यह शिक्षा मिलती है कि अपने वंश अथवा संप्रदाय की भक्ति बिल्कुल स्वाभाविक है। सकीर्णता बढ़ रही है। भद्दी प्रांतीयता को देशभक्ति अथवा मानवता-प्रेम के विरुद्ध अपराध नहीं गिना जाता।

वह लोग भी जो अपने को राष्ट्रभक्त कहते हैं संप्रदाय के प्रति अपने कर्त्तव्य को बहुत ऊँचा, बहुत महत्त्वपूर्ण स्थान देते हैं तथा मनुष्य के प्रति अपने कर्त्तव्य को बहुत साधारण दृष्टि से देखते हैं। अतएव यह स्वाभाविक ही है कि बड़े-बड़े लोग भी घूस तथा पक्षपात के दोषी हो रहे हैं। इस प्रतिद्वंद्विता से भरे संसार में यह बहुत जरूरी है कि सभी बुद्धिमान व्यक्तियों की सेवाएँ राष्ट्र के लिए हों, वह सरकार के अधीन हों। प्रत्येक सच्चा लोकतंत्र का भक्त पूर्ण प्रयास करेगा कि सांप्रदायिक दासता तथा वर्ग की गुलामी से देश मुक्त हो। हमें आदमियों को लोकतंत्रात्मक राज्य का नागरिक बनाना है, फासिस्ट अथवा नाजी नहीं।

वैज्ञानिक दृष्टिकोण तथा सामाजिक आदर्शवाद हमारी राजनीतिक महत्त्वाकांक्षाओं में घोर परिवर्तन कर रहे हैं। हम स्वराज्य इसलिए नहीं चाहते कि हमारे देश के कुछ लोग ऊँचे-ऊँचे पद पा जाएँ, वरन् इसलिए कि हमारी जनता भद्र जीवन बिता सके, सर्व-साधारण सुख से रह सके। हम राजनीतिक गुलामी दूर करना चाहते हैं जिससे हम अपने देशवासियों के दुःख मिटा सकें। आज राष्ट्रीयता की भावना राजनीतिज्ञों अथवा सुशिक्षित व्यक्तियों तक ही सीमिति नहीं है। इस महान् परिवर्तन का श्रेय केवल एक व्यक्ति को है।

समय-समय पर इस दोषयुक्त संसार में ऐसी महान् आत्माएँ अवतरित होती रहती हैं जिनमें अपूर्व प्रतिभा होती है, जिनमें यह जानने की शक्ति होती है कि हम क्या गलती करते हैं, जिनमें अपनी पीढ़ी के लोगों को रास्ता दिखाने की ताकत होती है, विरोधी शक्तियों का सामना करने का साहस होता है तथा देश को विजय एवं सफलता की ओर ले जा सकने में आत्मविश्वास होता है। गाँधीजी उन्हीं पुरुषों में हैं। उन्होंने ही पहले-पहल हमें यह बताया कि राजनीतिक दशा को शेष जीवन से अलग करके नहीं देखना चाहिए। राजनीतिक दशा तो उस रोग का एक लक्षण मात्र है जिससे हम सब पीड़ित हैं। जो दुःख हम भोग रहे हैं वह हमारी साधारण दुर्बलताओं का ही प्रतिफल है। हम जो यह दिखाया करते हैं कि निर्दोष होने पर भी हम दुःख पा रहे हैं, उसे बंद करना होगा। उससे हमारी आत्मा को संतोष अवश्य मिलता है, पर वह बात गलत है। स्त्रियों तथा शूद्रों के प्रति हमने बहुत अत्याचार किया है। उसके लिए हमें पर्याप्त प्रायश्चित करना होगा। जो लोग हमारी राजनीतिक दासता को निरीह पुरुषों पर डाकुओं द्वारा किया गया बाहरी अत्याचार समझते हैं उन्होंने इतिहास को ठीक समझा नहीं है। जातियों के ऐतिहासिक भाग्य का निबटारा हम इतनी सरलता से नहीं कर सकते। अंग्रेज डाकू नहीं हैं जो उसके इतिहास रूपी राजमार्ग पर उसके ऊपर टूट पड़े हों और उसके हाथ-पैरों को बंधनों से जकड़ दिया हो। अंग्रेजी शासन एक बहुत बड़ी घटना है जो भारतीय समाज-व्यवस्था के भयानक दोषों को प्रतिबिंबित करती है। वह हमारे आंतरिक विप्लव का केवल बाह्य रूप है, हमारी धर्महीनता का, हमारे भयोत्पादक चारित्रिक पतन का, हमारी फूट तथा अनुशासनहीनता का, हमारे अत्याचार एवं गँवारपन का, बाहरी लक्षण मात्र है। 'राबर्ट ब्रिजेज' के शब्दों में कहना चाहिए कि हमारी हीन दशा की जिम्मेदारी 'आत्मिक मलीनता की भीड़' पर है। हमें इस पर विजय पाना है। जब तक हम अपना पुनर्निर्माण नहीं कर लेते भारत का नव-निर्माण भी नहीं कर सकते। हमारा सर्वप्रथम कर्त्तव्य नैतिक परिष्कार, आध्यात्मिक नव-जीवन है। केवल तभी हमारे राष्ट्र को नया जीवन तथा स्वाधीनता प्राप्त हो सकती है।

पिछले पचास वर्षों में, हमारे देश के साधारण जीवन में महत्त्वपूर्ण उन्नति हुई है। यह सच है कि हम एक ऐसी दुनिया में रहते हैं जिसमें सांप्रदायिक ईर्ष्या, अंतर्प्रांतीय

विद्वेष तथा बेकारी से उत्पन्न दुःखों की प्रचुरता है, जिसमें आर्थिक अनिश्चय एवं घोर प्रतिद्वंद्विता के कारण अनेक प्रकार की चिंताएँ हमें घेरे रहती हैं और जहाँ हम जान-बूझकर सुख प्राप्त कर सकने के अवसरों को हाथ से निकल जाने दिया करते हैं। इन परिस्थितियों से हम विचलित न हों। यह तभी हो सकता है जब हम या तो घोर नास्तिक हों या फिर बिल्कुल मूर्ख हों, पर हमारे सौभाग्य से, यह दोनों स्थितियाँ अत्यंत विरल हैं, किंतु निराश होने की जरूरत नहीं। यद्यपि मुझे उन खतरों का पता है जो हमें चारों ओर से घेरे हुए हैं फिर भी जीवन-आदर्श के गिरने के लक्षण तो मुझे दिखाई नहीं देते और यदि हम साधारण रूप से देखें तो मालूम होगा कि जो उन्नति हमने की है वह महान् है तथा उसकी गति अत्यंत तीव्र है। पिछले पचास वर्षों में अन्य देशों की भाँति हमारे देश में भी एक सामाजिक क्रांति हो गई है जिसका अभूतपूर्व प्रभाव पड़ा है। चूँकि इसमें कोई बाहरी जोर-जबरदस्ती नहीं दिखाई पड़ती अतएव अनेक लोग तो समझ भी नहीं पाते कि कोई क्रांति हो भी रही है। इस परिवर्तन का सबसे अधिक प्रभाव नवयुवकों पर दिखाई पड़ता है। यद्यपि अपने छोटे, सीमित अनुभव के आधार पर किसी व्यापक सिद्धांत का प्रतिपादन करना खतरे से खाली नहीं, फिर भी मेरा अनुमान है कि आधुनिक छात्र पहले की अपेक्षा अधिक गंभीर उद्देश्य लेकर चलते हैं, उनकी समाज-भावना अधिक व्यापक तथा मनुष्य मात्र के प्रति बंधुत्व अधिक दृढ़ है। सर्वसाधारण की शिक्षा में निश्चय ही उन्नति हुई है और शिक्षा प्राप्त करने की इच्छा तो विशेष रूप से तीव्र हो गई है। मैं जानता हूँ कि इस नई आजादी से भी हमें खतरा है, पर पुरानी गुलामी में जो खतरे थे उनकी तुलना में यह बहुत कम है। यदि हमें उन उत्सुक नवयुवकों की मूर्खता एवं दांभिकता से कुछ परेशानी होती है जो समझते हैं कि उत्साहपूर्ण कर्म की प्रशंसा करनी चाहिए, चाहे वह कुपथ की ओर ले जाने वाला क्यों न हो, तो हमें यह सोचकर उसकी उपेक्षा करनी चाहिए कि वह तो आर्थिक न्याय तथा लोकतंत्र के आदर्श की स्थापना के स्वाभाविक मर्यादोल्लंघन का फल है। मुझे मालूम है कि इस युग में अशिष्टता कुछ बढ़ गई है। संस्कृत लोगों का वह गुण जो परंपरा की रक्षा तथा सुरुचिपूर्ण व्यवहार में प्रकट होता था, अब कम हो रहा है। जिन लोगों को स्वतंत्रता मिल गई है उनका अभद्र व्यवहार, उन संदेहजनक कार्यों के प्रति लोगों की सहानुभूति जिनसे सफलता अथवा यश मिलने की संभावना हो, जोश में आने पर अथवा निर्वाचन के अवसर पर विनीत कहे जाने वाले लोगों का भी कुरुचि-प्रदर्शन, नित्य के वाद-विवाद में संयम का अभाव आदि कभी-कभी हृदय में नैराश्य का संचार कर देते हैं और चिंता होने लगती है कि क्या लोकतंत्र इस योग्य है कि उनके लिए इतना श्रम किया जाए? पर लोकतंत्र के संबंध में उसके वर्तमान रूप को देखकर ही हमें कोई निर्णय नहीं दे देना चाहिए। शिक्षित व्यक्ति ही जाति के स्वाभाविक नेता हैं। वही लोगों की नैतिक भावनाओं का पथ-प्रदर्शन करते हैं। यदि उन्हें वह सच्ची आत्म-दृष्टि मिल सके जिससे

आर्थिक, सामाजिक एवं राजनीतिक जीवन में लोकतंत्र की भावना उत्पन्न हो जाती है, यदि इस संघर्ष में त्याग तथा सेवा की भावना से भाग लें, वासना, शक्ति तथा लाभ की दृष्टि से नहीं तो वे हमारी राष्ट्रीय उन्नति में काफी सहायक हो सकते हैं। ऐसा कोई काम न करो जिससे तुम्हारे उद्देश्य को बदनाम किया जा सके अथवा तुम्हारे देश का अपमान हो। मातृभूमि की इज्जत एक बहुत बड़ी जिम्मेदारी है। मैं वर्नार्ड शा के शब्दों में समाप्त करना चाहता हूँ। ''किसी ऐसे कार्य में नियोजित होना जिसे हम स्वयं ही हृदय से महान् समझते हैं, बिलकुल बेकार हो जाने से पहले ही किसी अच्छे काम में सारी शक्ति को खर्च कर डालना तथा आवेश में आकर, स्वार्थ भावना से यह शिकायत करते घूमने की अपेक्षा कि दुनिया हमारे सुखों का कोई प्रबंध न करेगी, प्रकृति की शक्ति बनना ही जीवन का सच्चा सुख है।''

—1935

भारतीदासन

1891-1964

पांडिचेरी में जन्म एवं शिक्षा। देशभक्ति, जातीय स्वाभिमान, स्त्री-अधिकार के लिए संघर्ष, समाज सुधार और प्रगतिशील आंदोलनों से जुड़े प्रमुख तमिल कवि। 1928 में शूद्रों के अपमान के विरोध में आवाज उठाने के साथ-साथ कर्मकांड एवं अंधविश्वासों का खंडन। प्रसिद्ध 'कुमिल' पत्रिका का संपादन किया। कई कविता संग्रहों को काफी प्रसिद्धि मिली। तमिल आंदोलन के प्रणेता। साम्यवाद की ओर आकर्षित।

मीठी भाषा तमिल हमारी

मीठी भाषा तमिल हमारी
नाभि-नाल से बँधी यह जुबाँ
परमानंद का मधुर किनारा
फलों से हो जैसे निकला रस

स्वत्व के अपने उच्च शिखर
पर पहुँचाए, वरदान है ऐसी
अन्यत्र न कहीं, यहीं मिलेगी
माटी की खुशबू जो सोंधी

प्रचुर अनोखा प्रेम लबालब
तमिल भूमि के ऐक्य का तान
दिया है कौशल अपराजेय
सांसों में बस उसी का नाम

तमिल हमारी प्राण-संजीवनी
यह जिंदा तो हम सब जीवित
अगर गिरेगी यह मधु-बोली
तमस में डूबेगा तमिल-भू निश्चित

इसकी सेवा करें अहर्निश
गाएँ इसके गीत हम हरदम
झूमें नाचें संग मीत हों
फहरे ऊँचा तमिल का परचम।

विश्व एकता

जो कहते हैं–
मेरी बीवी, मेरे बच्चे
मेरा भोजन, मेरा घर
मेरा है रोजगार
सब कुछ मेरे पास
और न कुछ दरकार

हृदय है उनका सरसों जैसा
अपनों के कुछ काम न आया
छोटा बहुत और बेकार

जो कहते हैं
मेरा मीठा गाँव, समाज
मसूर दाल के दाने जैसा
दिल उनका थोड़ा ही बड़ा है
सरसों के ही अग्रज जैसा

ऐसे भी कुछ लोग
कि जिनका हृदय नारियलाकार
औरों को देते दुःख-दर्द
भोगते खुद आजादी

और भी हैं कुछ ऐसे
जिनका हृदय आम अनपका
शस्त्र त्यागते शांति पूजते
पर जुबान हाथ से हिंसा
उनका हृदय न छोड़ सका

हृदय हो तो माँ के जैसा
स्नेहिल, विस्तृत और पवित्रतम
सारे मानव एक हैं अपने
वसुधैव कुटुंबकम्
सुख का उद्‌गम
जहाँ न कोई कभी द्वंद्व है
सब कुछ होता है परमार्थम्।

न्याय मिले नारी को

परिणय-सूत्र से मुक्त ओ नारी
बनो भाग्य की अपने स्वामिन

आएँगे कुछ लोग दुआरे
करने बातें परिणय की
बोलेंगे मीठी और ऊँची
बोली क्रय-विक्रय जैसी
कष्ट से तुझको पालने वाले
समझेंगे बेजान शिला-सी
इतना भी अधिकार न देंगे
निरख ही पाओ जीवनसाथी

सिरमौर जाति-परिजन के
तनिक विरोध न सुनना चाहें
मुखिया-माथा और ऋणदाता
कहें जाति ही सही राह है

इस पर सहमत रिश्तेदार
जल्दी तुमसे मुक्ति वे पाएँ

रे विदुषि, सुन ध्यान से मुझको
जीवन साथी वही है सच्चा
तेरे हृदय नयन को जिसने
सहज ही अपनी ओर है खींचा।

औरत

दुनिया में अनोखेपन की
मिसाल है औरत
सास की आँखों का तारा
श्वसुर का वह है सहारा
पति के असीम विश्वास की आत्मा
आडंबर से मुक्त उसका मन
खूबसूरत देहयष्टि की स्वामिनी

मूल्य और परंपरा का
सम्यक निर्वाह करती
मोतियों से शब्द वाली
अतिथियों की सुश्रुषा में
माँ जैसे अपनापे से
दक्षिणी संस्कृति को
आजन्म वह समर्पित

तमिल की परंपरा का अपमान स्वीकार नहीं
तिरस्कार मर्यादा का नहीं, कभी नहीं
ऐसा हो अगर, वह क्रुद्ध घायल पक्षी है
आभूषण के बदले मर्यादा पहनती है
मूल्यों की रक्षा में, पवित्र एक दीपशिखा घर के लिए जलती है।

आराध्य की उपासना में प्रातः वह लीन है
घर के नित्यकर्म में भूल है मंजूर नहीं
चलते जो पाप मार्ग, देख मन खिन्न है
जात-पात, छूत के व्यवहार से मुक्त रह
सत्य का मार्ग ही, उसको समीचीन है

नारियों में रानी-सी, बच्चों की मार्गदर्शक
भूखे लाचार के लिए अन्न-उपाय करती है
प्रेम और सेवा की अद्‌भुत राही वह
उर्वर तमिल की माँ परिपक्व है
परिणय के साथी की आराधना ही सब कुछ
ऐसी ही वह एक तमिल औरत है।

निष्ठुर बालविवाह

सिर्फ सात की उम्र है उसकी
गहरे प्यारे नयन फूल से
कुमुद-सा मुख साँचे में तन
निर्मल मीठे होठ शहद से

कोमल कन्या वह कोकिल-सी
जिसे सीखना अभी गान है
नन्हीं हिरनी सहमी सिमटी
मुक्त कुलाँचों से अजान है

नन्ही-मुन्नी एक कली-सी
गंध न फूटी अब तक जिससे
हुई है विधवा इसी उम्र में
चिर रूठी है माँ भी जिससे

पिता के घर अब आई है वह
पुनः रचाया जिसने परिणय
नई नवेली के संग ढूँढ़ें
दाहक निशि के मादक विस्मय

यह सब सहना, मौन निरखना
दुःख से विचलित कर देता है
व्यथा-कथा एकाकीपन की
शिशु-मन दादी से कहता है

क्या पापा को शोभा देता
प्रेम-केलि में खोए रहना
रहूँ एकाकी मैं अवहेलित
पुष्प-सेज पर सोए रहना
रहते वे अभिसार कक्ष में
बाहर मेरा श्वान-सा रहना

मैं उनकी अपनी दुहिता हूँ
ऐसा करना नहीं उचित है
मेरा होना उन्हें न भाए
दुःख गालों पर बह संचित है

वह दादी की गोद में लेटी
हाल पर अपने सुबक सोचती
बूढ़ी आँखों में भी उसका
भविष्य है उभरा, दर्द-सा बनकर
झरझर झरने आँख से फूटे
दुःख उमड़े बाढ़-सा गुरुतर

कन्या के दुःख की पीड़ा से
उनका दुःख था आह गहनतर।

पुस्तकालय

एक में आबद्ध थे हम
किताब और मैं
निर्जन इस एकांत भवन में
निरावृत थी मेरे आगे
स्नेहिल धरती की गरमाई
मुझे मिला
संगीत, प्यार और गंध
सर्जक के मन के वैभव-सा
मेरा मन भी गर्व-दीप्त था
जन्म ले रही वहाँ उमगकर
अलग अनोखी नई चेतना

जो कुछ भी हासिल पुस्तक से
सहज, विराट, सचमुच उपकारी
मिल सकती है राह प्रेम की
बन सकता मन विस्तृत नभ-सा
हटे दूर निजता का अँधेरा
जगे आस जग हो एक जैसा
विज्ञ जनों की पुस्तक से ही
मिला हमें विश्वास किनारा
बने चतुर्दिक ही पुस्तकालय
नवजीवन हो दिव्य हमारा

कला-विज्ञान की तमिल पुस्तकों का
पुस्तकालय हर जगह हो
जो नहीं उपलब्ध हो हमारी भाषा में
वह विदेशी पुस्तकों से तमिल में अनुवाद हो
वह हर तमिल के पास हो
हों किताबें काव्य की अमृत-सरस
और गद्य गांभीर्य में धारा प्रवाह
अनगिनत हों पर सजी तरतीब से

कला की, विज्ञान की पुस्तकें विषयबद्ध
हो विशाल परिपूर्ण पुस्तकालय भवन
लग सकें न्यूनतम चार-पाँच पंक्तियाँ
पुस्तकें चुनिंदा और सजी हों जतन से
सूचनाप्रद-लाभप्रद अखबार भी हों वहाँ
मिल सकें विपुल जिनसे ताजातरीन उक्तियाँ
नई-नई पुस्तकें सभी को उपलब्ध हों
चाहे जितनी ओट में हों, चाहे जितनी छोटी हों

गर्मजोशी खुलेपन से यहाँ हो स्वागतम्
हर कोई सम्मान और सौजन्य का हकदार हो
बैठने को एक आसन सर्वदा उपलब्ध हो
और हो नई पुस्तकों के आगमन की सूचना
पाठकों की संख्या में अनवरत बढ़ोत्तरी
ऐसी सेवा और सुविधाएँ वहाँ उपलब्ध हों

इस तरह चिंतन की वाणी और ऊँचे कर्म हों
उद्घोषित करो नवजागरण-रचो नया समाज।

नई दुनिया

नई दुनिया सिरजें हम
परास्त कर के अशुभ को
हर दिशा तक ले चलें
साम्य का संदेश अनुपम

प्राण से प्रिय और पवित्रतम
विश्व भीगे प्रेम नद में
हो तिरोहित 'तेरा-मेरा'
भाव तत्पर राख अलस में

कर यहाँ उपहास उनका
मोह जिनकी निजी संपत्ति
गर मिले कोई सर्वहारा
सहें उसके संग विपत्ति
और जब समृद्धि आए
बाँटें सबमें हो सहज मन।

अंग्रेजी से अनुवाद : **महेश जायसवाल**

आत्तिच्यूडि

[नैतिक सूक्तियाँ]

1. सब बंधु हैं। 2. शासन में प्रजातंत्र लाएँ। 3. संगीत श्रेष्ठ है। 4. दान देने में सुख है। 5. संपत्ति समाज की है। 6. मन का विकास सोचने पर निर्भर है। 7. नए ग्रंथ लिखें। 8. अधिक ग्रंथ लिखें। 9. पाँच कर्मो के (बनाना, बिगाड़ना, दूर करना, पालन करना, कृपा करना आदि) तुम ही मालिक हो। 10. एकता में शांति है। 11. चित्रकला सीखें। 12. ईर्ष्या बड़ा रोग है। 13. अनपढ़ नष्ट होंगे। 14. हवा शुद्ध रखें। 15. चित्रकला का विकास करें। 16. विनयी उन्नत होगा। 17. निम्न विचार छोड़ें। 18. कुटिल चाल न चलें। 19. बुरे विचारों को दूर रखें। 20. समझकर उत्तर दें। 21. वैधव्य दूर करें। 22. दाता ही पाता है। 23. राजा का शासन मिटाएँ। 24. बुद्धिमान दूसरों का सेवक है। 25. मृत्यु निश्चित है। 26. शिशु कल्याण खोजें। 27. प्रतिष्ठा कर्म से मिलती है। 28. रुचि लेने का सामर्थ्य पाएँ। 29. परिस्थिति को समझें। 30. सूक्ष्म बुद्धि ही संपत्ति है। 31. बचपना छोड़ें। 32. नृत्य के साथ हाव-भाव मिलाएँ। 33. शब्द-प्रवाह की क्षमता अपनाएँ। 34. आलस्य को दूर करें। 35. बंधन तोड़कर जिएँ। 36. पराधीनता हीनता है। 37. कृषि का फल ही संपत्ति है। 38. मीठे फलों का उत्पादन करें। 39. दुःख सुख की जड़ है। 40. शुद्ध पानी में नहाएँ। 41. मर्मभर वृक्ष लगाएँ। 42. मधुर स्वर में गाएँ। 43. प्रभावी ढंग से बोलें। 44. पुरानापन बदलें। 45. हार प्रेरणा देगी। 46. कंपन अज्ञान से है। 47. वर्ण-विभाग झूठा है। 48. विचार से स्पष्ट रहें। 49. धरती तुम्हारा घर है। 50. सूक्ष्म सत्य को पहचानें। 51. ग्रंथ भी झूठ कहेंगे। 52. संसार भर सैर करें। 53. गहराई से सीखें। 54. दुःखी लोगों की सहायता करें। 55. प्रतिक्षण नवीनता

लाएँ। 56. दुराचार ही रोग है। 57. कलाओं की स्थापना करें। 58. कच्ची, पक्की नहीं होती। 59. स्वाभिमान ही गौरव है। 60. भोजन में नई रुचि ढूँढ़ें। 61. फूलने पर सुगंध पाएँ। 62. पुरुष एवं स्त्री समान हैं। 63. धर्म ही पिशाच है। 64. मधुर तमिल ही प्राचीन भाषा है। 65. रात को भी दिन समझें। 66. युद्ध-कला सीखें। 67. परिवर्तन स्वाभाविक है। 68. पादरक्षक पहनकर चला करें। 69. व्यर्थ व्यय न करें। 70. बुढ़ापे को स्थान न दें। 71. शरीर का मल दूसरों के लिए हानिकारक है। 72. अपना नाम श्रेष्ठों में अंकित करें। 73. केंद्र-बिंदु को पहचानें। 74. संपत्ति गरीबों से बाँट लें। 75. सूक्ष्म को पहचानें। 76. दरिद्रता हेय है। 77. कष्टजीवी को जीवन दें। 78. मृत्यु ही मोक्ष है। 79. निरर्थक बातें न करें। 80. समय पर आराम से खाएँ। 81. संसार जीने के लिए जीएँ।

अनुवाद : **पी.के. बालसुब्रह्मण्यन**

कुछ स्वतंत्र दस्तावेज

1857 के घोषणापत्र और एलान
दलित पैंथर का घोषणापत्र
स्त्री-शिक्षा विधायक
कांग्रेस के प्रस्ताव
सीमंतनी उपदेश–एक अज्ञात हिंदू औरत
हिंदी स्त्री–चेतना की पीठिका
हीरा डोम की कविता
मौलिक अधिकार एवं राज्य के नीति निदेशक सिद्धांत
रामविलास शर्मा द्वारा प्रस्तावित स्वदेशी (नए राष्ट्रीय) आंदोलन का कार्यक्रम

कुछ स्वतंत्र दस्तावेज

1857 के घोषणापत्र और एलान

सन् 1857 में मध्य भारत के कई भागों में ब्रिटिश शासन के खिलाफ विद्रोह उठ खड़ा हुआ था। इस समय कुछ मुनादियाँ, एलान और इश्तहार प्रचारित किए गए। उनमें से कुछ यहाँ प्रस्तुत हैं, जिनसे हिंदू-मुस्लिम एकता की एक मुकम्मल तस्वीर मिलती है।

आजमगढ़ घोषणापत्र

सबको मालूम है कि इस समय हिंदुस्तान की हिंदू-मुस्लिम रियाया पर म्लेच्छ, धोखेबाज अंग्रेजों द्वारा किस प्रकार के निर्मम अत्याचार ढाए जा रहे हैं। इस मुनादी द्वारा यह बात सामने रखी गई कि ऐसे धर्माधिकारी (पंडित, मौलवी, मुल्ला) तथा रियाया के मालिक व ऐसे लोग जिनका मुस्लिम राज-दरबार से किसी भी प्रकार का संबंध है, उनका यह बाध्यतामूलक कर्त्तव्य है कि वे अपने प्राण और धन की बाजी लगाकर भी अपने मुल्क की रियाया (जनता) की रहनुमाई करें।

ब्रिटिश हुकूमत का तख्ता पलटने के उद्देश्य से दिल्ली राजघरानों के बहुत से राजकुमार, नवाब भारत, ईरान, तूरान (तुर्किस्तान) तथा अफगानिस्तान के विभिन्न भागों में जा चुके हैं। अफगान सेना का एक प्रमुख विद्रोहियों का साथ देने के लिए भारत पहुँच चुका है। अबुल मुजफ्फर सेराजुद्दीन बहादुर गाजी के प्रपौत्र की हैसियत से मैंने अंग्रेज म्लेच्छों को दंडित करने तथा पूर्वी भारत के लोगों को उनके कठोर शासन से भयमुक्त करने के लिए बदले की कार्यवाही आरंभ कर दी है। मेरे इस अभियान में मुजाहिदीन (नास्तिकों के विरुद्ध इस्लामी जेहाद करने वाले) भी साथ हैं। म्लेच्छ अंग्रेजों के दमन तथा हजरत मुहम्मद व भगवान महावीर की खोई प्रतिष्ठा की पुनः स्थापना हेतु उन कट्टरपंथी हिंदुओं का भी आह्वान करता हूँ जो हमारे पूर्वज रह चुके हैं और आज भी हमारे अभियान में सहयोगी हैं।

ऐसे कई हिंदू-मुस्लिम सरदार जो धर्म के रक्षार्थ घर-बार छोड़ कर बाहर चले गए हैं तथा ब्रिटिश शासन को समूल नष्ट करने के लिए संघर्ष कर रहे हैं—मेरे अभियान

में शरीक होने के लिए मेरे पास आए हुए हैं। वे सभी अंग्रेजों के खिलाफ हिंदुस्तानी जेहाद की इस मुहिम में शामिल हैं। देश के पश्चिमी प्रदेशों से भी सहायता पहुँचने की हमें उम्मीद है। रियाया की भलाई को मद्देनजर रखते हुए जारी किए गए इस इश्तहार में कई दफाएँ हैं। रियाया का फर्ज है कि वे इस इश्तहार को जरूर पढ़ें तथा उसकी सभी दफाओं पर अमल करें। अंग्रेजी हुकूमत को उखाड़ फेंकने की मुहिम में शरीक होने के इच्छुक साधनहीनों (गरीब) को दिल्ली सल्तनत की ओर से दैनिक सहायता प्रदान की जाएगी। हिंदू-मुस्लिम लेखक, नजूमी, पंडित, ज्योतिषी, भविष्यवक्ता सभी भारत से बरतानिया हुकूमत को उखाड़ फेंकने के लिए कृतसंकल्प हैं।

बरतानिया हुकूमत के खैरख्वाहों की गलत बातों के बहकावे में नहीं आना चाहिए। उनका यह सोचना भूल है कि आज उन्हें जो थोड़ी-बहुत तकलीफें उठानी पड़ रही हैं, वे कष्ट बादशाही हुकूमत कायम हो जाने पर भी बने रहेंगे। किसी भी व्यक्ति या दल को विद्रोही सिपाहियों द्वारा यदि कोई क्षति पहुँचती है तो उन्हें बादशाह के पास फरमाइश या शिकायत का पूरा अधिकार है। बादशाह उनकी फरियाद पर गौर करेंगे और उनकी शिकायतें दूर की जाएँगी। बादशाह का राज कायम हो जाने पर विद्रोह के कारण फैली अराजकता और उसके फलस्वरूप हुए नुकसान की भरपाई बादशाही खजाने से की जाएगी।

दफा 1 : जमींदारों के लिए

जहाँ तक जमींदारों का सवाल है, बरतानिया सरकार ने जमींदारी बंदोबस्त के दौरान उन पर करों (टैक्स) का अत्यधिक बोझ लाद दिया है। यहाँ तक कि किसी भी साधारण व्यक्ति, संस्था, रैय्यत (प्रजा या किसान), गुलाम या घर में काम करने वाली दाई (लौंडिया) द्वारा रईस जमींदारों के खिलाफ मुकदमा दायर करने पर उन्हें सम्मन भेज कर कोर्ट में हाजिर किया जाता है और वहाँ उन्हें अपमानित किया जाता है। जमींदारी के मुकदमों में कोर्ट-कचहरी में बेहिसाब खर्च होता है। कीमती कोर्ट स्टांप खरीदना पड़ता है। अदालतों में तरह-तरह से मुवक्किलों से रुपए ऐंठे जाते हैं। मुकदमा वर्षों तक चलता है। यह सब एक सोची-समझी साजिश के तहत होता है, ताकि वादी (वादाकारी) मुकद्दमा लड़ते-लड़ते तबाह हो जाएँ। जमींदारों के दिल्लेदारों (मुनीम या खजांची) को स्कूल, अस्पताल, सड़क आदि के लिए वार्षिक चंदा देना पड़ता है। बादशाही हुकूमत में इस प्रकार का कोई भी चंदा या कर नहीं देना होगा। जमींदारों के साथ हुकूमत सम्मानपूर्वक व्यवहार करेगी। करों की राशि नाम मात्र की होगी तथा जमींदार अपनी जमींदारी की देखभाल और उसके आंतरिक प्रशासन के मामले में पूर्ण स्वतंत्र होंगे। अंग्रेजी हुकूमत के खिलाफ विद्रोह में धन-जन से बादशाह की सहायता करने वाले जमींदारों का राजस्व (सरकार को प्राप्त होने वाला) हमेशा के लिए आधा मुआफ कर दिया जाएगा।

दफा 2 : व्यापारियों के लिए

जाहिर है कि काफिर धोखेबाज बरतानिया सरकार ने बेशकीमती वस्तुओं (सौदों) के व्यापार पर एकाधिकार (मोनोपॉली) कर लिया है। नील, कपड़ा तथा जहाजरानी के अन्य सभी बहुमूल्य सामानों के कारोबार को हथिया लिया है। आम भारतीयों को केवल छोटी-मोटी साधारण स्तर की वस्तुओं के व्यापार की सुविधा है। उनके मुनाफे को भी बतौर सीमा शुल्क (दस्तूरी), कोर्ट-फी के रूप में हड़प लिया जाता है। बादशाही हुकूमत कायम होने पर व्यापारियों को बरतानिया सरकार के धोखाधड़ी वाले नियम-कानूनों से मुक्त कर दिया जाएगा। उन्हें स्थल तथा जल मार्ग से व्यापार की पूरी छूट होगी। व्यावसायिक वस्तुओं को विदेश भेजने के लिए सरकारी स्टीमरों, भाप से चलने वाले वाहन उपलब्ध कराए जाएँगे। पूँजी का अभाव होने पर बादशाह की ओर से व्यापारियों को सरकारी खजाने से आर्थिक सहायता दी जाएगी।

दफा 3 : सरकारी मुलाजिमों के लिए

यह किसी से छिपा नहीं है कि ब्रिटिश हुकूमत में सरकारी-गैर सरकारी नौकरियों में काम करने वाले देश के मूल निवासियों (भारतीयों) को सम्मान की दृष्टि से नहीं देखा जाता। उनका वेतन-मान बहुत कम होता है तथा दफ्तरों में उनका प्रभाव नहीं होता, जबकि अंग्रेज सभी बड़े-बड़े और ओहदेदार पदों पर काबिज हैं। उन्हें तमाम सुख-सुविधाएँ उपलब्ध हैं। बादशाह के राज में अंग्रेजों को प्राप्त सभी सुविधाएँ अपने देश के कर्मचारियों को उपलबध होंगी। वफादार कर्मचारियों को जागीरें बख्शी जाएँगी, खिलअत व इनामात मिलेंगे और उनका रुतबा भी बरकरार रहेगा। अंग्रेजों के विरुद्ध लड़ रहे तथा युद्ध में मारे जाने वाले सभी हिंदू-मुस्लिम देशवासियों को स्वर्ग मिलेगा। अंग्रेजों की ओर से लड़ने वाले नरक के अधिकारी होंगे। सभी देशवासियों को, जो इस समय अंग्रेज सरकार की सेवा में लगे हैं, अपने धर्म के प्रति जागरूक होना चाहिए, अंग्रेजों की वफादारी छोड़कर बादशाह का साथ देना चाहिए। ऐसे वफादार लोगों को 200 से 300 रुपए तक प्रति माह वेतन मिलेगा और भविष्य में वे ऊँचे ओहदे पाने के अधिकारी होंगे।

दफा 4 : शिल्पकारों, दस्तकारों के लिए

जाहिर है कि ब्रिटिश सरकार ने हमारे सभी देशी दस्तकारों जैसे बुनकर, दर्जी, लोहार, बढ़ई, चर्मकार को बेरोजगार कर दिया है। उनका पेशा छिन गया है। वे भिखारी बनने पर मजबूर हो गए हैं। बादशाही अमल में ऐसा कतई नहीं होगा। सभी दस्तकारों-शिल्पकारों को राजा-महाराजा, नवाब तथा धनीमानी लोगों के यहाँ विशेष रूप से काम मिलेगा। इसमें कोई शक नहीं कि उनकी माली हालत फिर से सुधर

जाएगी तथा संपन्नता लौट आएगी। सभी दस्तकारों, शिल्पकारों को चाहिए कि वे अंग्रेजों की नौकरियाँ छोड़ कर उनके खिलाफ युद्ध कर रहे विद्रोहियों तथा धर्म के प्रति आस्थावान मुजाहिदीनों का साथ दें। ऐसा करके वे भौतिक और स्थायी सुख प्राप्त करेंगे।

दफा 5 : पंडितों, फकीरों और अदीबों के लिए

साधु-संत, मुल्ला, मौलवी, पंडित, जो हिंदू तथा मुस्लिम धर्म के अभिभावक (गार्जियन) हैं—अच्छी तरह जानते हैं कि यूरोपवासी हमारे दोनों धर्मों के विरोधी हैं। अंग्रेजों के विरुद्ध इस धर्मयुद्ध में शरीक होने के लिए वे सभी मेरे पास आएँ तथा इस पवित्र युद्ध में हमारा साथ दें। ऐसा नहीं करने वाले शास्त्र और शरीयत की दृष्टि में अपराधी, दोषी माने जाएँगे। बादशाही हुकूमत कायम होने पर ऐसे पंडितों, मौलवियों, अदीबों को करमुक्त जमीन प्रदान की जाएगी।

और अंत में, उपर्युक्त सभी वर्गों, समुदायों के लोगों को सूचित किया जाता है कि इस इश्तहार (मुनादी) के बावजूद ब्रिटिश सरकार का साथ देने वालों की सारी जागीर-जायदाद जब्त कर ली जाएगी तथा उन्हें उनके परिवार सहित कैद किया जाएगा और अंततः वे सजा-ए-मौत के दोषी होंगे।

(इस मुनादी के कुछ महीनों बाद ही दिल्ली में बादशाह को गिरफ्तार कर लिया गया।)

—1857

अनुवाद : **श्रीनिवास शर्मा**

दिल्ली घोषणापत्र

(8 जून, 1857 को 'दूरबीन' उर्दू समाचारपत्र में बहादुरशाह जफर के शासन की ओर से छपा घोषणापत्र)

समस्त हिंदुओं तथा मुसलमानों और देहली एवं मेरठ के अंग्रेजी शासन के कर्मचारियों और अधिकारियों को ज्ञात होना चाहिए कि समस्त यूरोपियन इस बात पर संघटित हैं कि सबसे पहले सेना को धर्म से वंचित कर दिया जाए, तत्पश्चात् समस्त प्रजा को जबर्दस्ती ईसाई बनाया जाए। वास्तव में गवर्नर जनरल का यह आदेश है कि गाय तथा सूअर की चर्बी के बने हुए कारतूस सेना को दिए जाएँ। यदि दस हजार व्यक्ति तक इसका विरोध करें तो उन्हें तोप से उड़ा दिया जाए। यदि पचास हजार व्यक्ति विरोध करें तो सेनाएँ भंग कर दी जाएँ।

इस बात को ध्यान में रखते हुए हमने धर्म की रक्षा हेतु प्रजा को संघटित किया है और इस स्थान के किसी भी काफिर (अंग्रेज) को जीवित नहीं छोड़ा है और देहली के बादशाह को इस बात पर तैयार कर लिया है कि जो सेना भी समस्त

यूरोपियन अधिकारियों की हत्या करके उनके शासन की अधीनता स्वीकार कर लेगी उसे दुगुना वेतन दिया जाएगा। सैकड़ों तोपें और अपार धन-संपत्ति प्राप्त हो चुकी है। यह आशा की जाती है कि जो ईसाई नहीं होना चाहता, वह सेना का साथ दे, साहस से कार्य करे और किसी स्थान पर भी शैतान (अंग्रेजों) का कोई चिह्न शेष न रहने दे।

प्रजा में से जिस किसी को भी सेना के लिए जो कुछ भी खर्च करना पड़े, उसकी वह उस सेना के अधिकारी से रसीद प्राप्त कर ले और उसे अपने पास सुरक्षित रखे। उसे उसके बदले में बादशाह की ओर से दुगुना धन दिया जाएगा...।

समस्त हिंदुओं और मुसलमानों के लिए आवश्यक है कि वे इस संघर्ष में दिलोजान से एक हो जाएँ और अपनी रक्षा का उस स्थान के किसी योग्य व्यक्ति के नेतृत्व में प्रबंध कर लें। यदि वह प्रबंध अच्छा होगा और जिस किसी के द्वारा भी किया जाएगा, उसे उस स्थान पर उच्च पद प्रदान होगा।

इस घोषणापत्र की प्रतिलिपियाँ प्रत्येक स्थान में प्रसारित की जाएँ और इस कार्य को युद्ध करने से कम महत्त्व का न समझा जाए। घोषणापत्र मुख्य स्थानों पर चिपका दिया जाए ताकि समस्त हिंदू तथा मुसलमान इस विषय में ज्ञान प्राप्त करके तैयार हो जाएँ। यदि इस समय कोई काफिर (अंग्रेज) नरमी का प्रदर्शन करता है तो केवल इस आशा से कि वह अपने प्राणों की रक्षा करना चाहता है। जो कोई भी उसके जाल में फँस जाएगा, उसे पछताना होगा। हमारा राज्य स्थापित रहेगा। देहली में जो नई सेना भरती की जाएगी, उसमें 30 रुपए एक अश्वारोही को और 10 रुपए एक पदाती को प्रदान किए जाएँगे।

बहादुरशाह जफर की ओर से एलान

1857 के पहले स्वाधीनता संग्राम के आरंभ में दिल्ली के स्वाधीन होते ही बहादुरशाह जफर की ओर से समय-समय पर एलान प्रकाशित हुए। एलान से कुछ अंश।

पहला एलान

'ऐ हिन्दोस्तान के फरज़ंदो! अगर हम इरादा कर लें तो बात की बात में दुश्मन का खात्मा कर सकते हैं! हम दुश्मन का नाश कर डालेंगे और अपने धर्म और अपने देश को, जो हमें जान से भी ज्यादा प्यारे हैं, खतरे से बचा लेंगे।

दूसरा एलान

तमाम हिंदुओं और मुसलमानों के नाम!–हम महज अपना धर्म समझकर जनता के साथ शामिल हुए हैं। इस मौके पर जो कोई कायरता दिखलाएगा या भोलेपन के कारण दगाबाज फिरंगियों के वादों पर एतबार करेगा, वह शीघ्र ही शर्मिंदा होगा और इंगलिस्तान के साथ अपनी वफादारी का उसे वैसा ही इनाम मिलेगा जैसा लखनऊ के नवाबों को मिला। इसके अलावा इस बात की भी जरूरत है कि इस जंग में तमाम हिंदू और मुसलमान मिल कर काम करें और किसी प्रतिष्ठित नेता की हिदायतों पर चल कर इस तरह का व्यवहार करें कि जिससे अमनो-आमान कायम रहे और गरीब लोग संतुष्ट रहें; तथा उनका अपना रुतबा और उनकी शान बढ़े। जहाँ तक मुमकिन हो सकता है, सबको चाहिए कि इस एलान की नकल करके किसी आम जगह पर लगा दें।

तीसरा एलान (बरेली से)

हिंदोस्तान के हिंदुओ और मुसलमानो, उठो! भाइयो, उठो! खुदा ने जितनी बरकतें इनसान को अता की हैं, उनमें सबसे कीमती बरकत आजादी की है। क्या वह जालिम नाकस जिसने धोखा दे दे कर यह बरकत हमसे छीन ली है, हमेशा के लिए हमें उससे महरूम रख सकेगा? क्या खुदा की मरजी के खिलाफ इस तरह का काम हमेशा जारी रह सकता है? नहीं, नहीं! फिरंगियों ने इतने जुल्म किए हैं कि उनके गुनाहों का प्याला लबरेज हो चुका है। यहाँ तक कि अब हमारे पाक मजहब को नाश करने की नापाक ख्वाहिश भी उनमें पैदा हो गई है! क्या तुम अब भी खामोश बैठे रहोगे? खुदा अब यह नहीं चाहता कि तुम खामोश रहो; क्योंकि उसने हिंदू और मुसलमानों के दिलों में अंग्रेजों को अपने मुल्क से बाहर निकालने की ख्वाहिश पैदा कर दी है और खुदा के फजल और तुम लोगों की बहादुरी के प्रताप से जल्दी ही अंग्रेजों को इतनी कामिल शिकस्त मिलेगी कि हमारे इस मुल्क हिंदोस्तान में उनका जरा भी निशान न रह जाएगा! हमारी इस फौज में छोटे और बड़े की तमीज भुला दी जाएगी और सबके साथ बराबरी का बरताव किया जाएगा; क्योंकि इस पाक जंग में अपने धर्म की रक्षा के लिए जितने लोग तलवार खींचेंगे वे सब एक समान यश के भागी होंगे। वे सब भाई-भाई हैं, उनमें छोटे-बड़े का कोई भेद नहीं। इसलिए मैं फिर अपने तमाम हिंदी भाइयों से कहता हूँ, उठो, और ईश्वर के बताए हुए इस परम कर्त्तव्य को पूरा करने के लिए मैदाने-जंग में कूद पड़ो!

बहादुरशाह का एक खत

मेरी यह दिली ख्वाहिश है कि जिस जरिए से भी और जिस कीमत पर भी हो सके,

फिरंगियों को हिंदोस्तान से बाहर निकाल दिया जाए। मेरी यह जबरदस्त ख्वाहिश है कि तमाम हिंदोस्तान आजाद हो जाए। लेकिन इस मकसद को पूरा करने के लिए जो क्रांतिकारी युद्ध शुरू कर दिया गया है, वह उस समय तक फतहयाब नहीं हो सकता जिस समय तक कि कोई ऐसा शख्स जो इस तमाम तहरीक के भार को अपने ऊपर उठा सके, जो कौम की मुख्तलिफ ताकतों को संगठित करके एक ओर लगा सके और जो अपने तईं तमाम कौम का नुमाइंदा कह सके, मैदान में आकर इस क्रांति का नेतृत्व अपने हाथों में न ले ले। अंग्रेजों के निकाल दिए जाने के बाद अपने जाती फायदे के लिए हिंदोस्तान पर हुकूमत करने की मुझमें जरा भी ख्वाहिश बाकी नहीं है। अगर आप सब देशी नरेश दुश्मन को निकालने की गरज से अपनी तलवार खींचने के लिए तैयार हों, तो मैं इस बात के लिए राजी हूँ कि अपने तमाम शाही अख्तियारात और हकूक देशी नरेशों के किसी ऐसे गिरोह के हाथों में सौंप दूँ, जिसे हम काम के लिए चुन लिया जाए।

रुहेलखंड की स्वाधीनता की घोषणा

हिंदोस्तान के रहने वालो! स्वराज्य का पाक दिन, जिसका बहुत अरसे से इंतजार था, आ पहुँचा है! आप लोग इसे स्वीकार करेंगे या इससे इनकार करेंगे? आप इस जबरदस्त-मौके से फायदा उठाएँगे या इसे हाथ से जाने देंगे? हिंदू और मुसलमान भाइयों! आप सब को मालूम होना चाहिए कि यदि ये अंग्रेज हिंदोस्तान में रह गए तो ये सब को कत्ल कर देंगे और आप लोगों के मजहब को मिटा देंगे! हिंदोस्तान के बाशिंदे इतने दिनों तक अंग्रेजों के धोखे में आते रहे, और अपनी ही तलवारों से अपने गले काटते रहे हैं। इसलिए अब हमें मुल्क-फरोशी के अपने इस गुनाह का प्रायश्चित करना चाहिए! अंग्रेज अब भी अपनी पुरानी दगाबाजी से काम लेंगे। वे हिंदुओं को मुसलमानों के विरुद्ध और मुसलमानों को हिंदुओं के विरुद्ध उभारने की कोशिश करेंगे। किंतु हिंदू भाइयो! उनके जालों में न पड़ना। हमें अपने होशियार हिंदू भाइयों को यह बताने की जरूरत नहीं है कि अंग्रेज कभी अपने वादे पूरे नहीं करते। ये लोग चाल और दगाबाजी में ताक हैं! ये हमेशा से सिवाय अपने मजहब के और सब मजहबों को पृथ्वी से मिटाने की कोशिश करते रहे हैं। क्या उन्होंने गोद लिए हुए बच्चों के हक नहीं छीन लिए हैं? क्या उन्होंने हमारे नरेशों के राज्य और मुल्क नहीं हड़प लिए हैं? नागपुर का राज्य किसने ले लिया? लखनऊ की बादशाहत किसने छीन ली? हिंदू और मुसलमान दोनों को पैरों तले किसने रौंदा? मुसलमानो! यदि तुम कुरान की इज्जत करते हो तो, और हिंदुओ! यदि तुम गोमाता की इज्जत करते हो तो, अब अपने छोटे-छोटे भेदों को भूल जाओ और इस पाक जंग में मिल जाओ! युद्ध के मैदान में कूदकर एक झंडे के नीचे लड़ो और खून की नदियों से अंग्रेजों का नाम हिंदोस्तान से धो डालो!...गाय का मारा जाना बंद कर दिया जाए।

इस पाक जंग में जो आदमी स्वयं लड़ेगा अथवा जो धन से लड़ने वालों की सहायता करेगा, दोनों को इस लोक में और परलोक में दोनों जगह निजात मिलेगी! किंतु यदि कोई इस मुल्की जंग की मुखालफत करेगा तो वह अपने सर पर कुल्हाड़ी मारेगा और आत्महत्या के पाप का भागी होगा!

अजीमुल्ला खां का झंडा गीत

यह झंडा गीत दिल्ली के अखबार 'पयामे आजादी' में छपा था। इस अखबार को अंग्रेजों ने जब्त कर रखा था। अजीमुल्ला खां 1857 के स्वाधीनता संग्राम के नेता नाना साहब पेशवा के सहयोगी थे।

हम हैं इसके मालिक, हिंदुस्तान हमारा।
पाक वतन है कौम का, जन्नत से भी प्यारा।।
ये है हमारी मिल्कियत, हिंदुस्तान हमारा।
इसकी रूहानियत से रोशन है जग सारा।।
कितना कदीम, कितना नईम, सब दुनिया से न्यारा।
करती है जरखेज जिसे गंगो-जमुन की धारा।।
ऊपर बर्फीला पर्वत पहरेदार हमारा।
नीचे साहिल पर बजता सागर का नक्कारा।।
इसकी खानें उगल रही हैं, सोना-हीरा-पारा।
इसकी शानो-शौकत का दुनिया में जयकारा।।
आया फिरंगी दूर से, ऐसा मंतर मारा।
लूटा दोनों हाथ से प्यारा वतन हमारा।।
आज शहीदों ने है तुमको अहले वतन ललकारा।
तोड़ो गुलामी की जंजीरें बरसाओ अंगारा।।
हिंदु-मुसलमां-सिख हमारा भाई-भाई प्यारा।
यह है आजादी का झंडा, इसे सलाम हमारा।।

दलित पैंथर का घोषणापत्र

दलितों की सत्ता : श्रमिकों की सत्ता

पैंथर की भूमिका प्रस्तुत करने की आवश्यकता

आज पैंथर के सात वर्ष (स्थापना—9 जुलाई, 1972) पूर्ण हो रहे हैं। पैंथर की ठोस क्रांतिकारी भूमिका के कारण यह आंतरिक और बाह्य विरोध के बावजूद फौलादी रूप में बढ़ती जा रही है, क्योंकि जिस समाज के सुख-दुख से वह जन्म से जुड़ी हुई है, उस समाज के क्रांतिकारी अंगों को उसने पहचान लिया है। पिछले वर्ष भर पैंथर के सदस्यों-कार्यकर्त्ताओं में विशेषतः महाराष्ट्र के सुदूर कोनों से पैंथर की भूमिका के बारे में गलतफहमी फैलाने की जान-बूझ कर कोशिश की जा रही है। पैंथर का उद्देश्य, पैंथर की संपूर्ण क्रांतिकारी लोकतांत्रिक निष्ठा, नीतियाँ आदि अनेक बातों के संबंध में गलतफहमी का प्रसार किया जा रहा है। ऐसे समय में पैंथर की भूमिका स्पष्ट करना जरूरी हो गया है। क्योंकि अब पैंथर मात्र भावनात्मक नहीं रह गई है, बल्कि उसने एक निश्चित राजनैतिक स्वरूप धारण कर लिया है। 'अपने इर्द-गिर्द की राजनीतिक परिस्थिति का गहन अध्ययन करते हुए अपने राजनैतिक व्यवहार का समीकरण बनाते रहो', डॉ. बाबा साहब अंबेडकर अपने अनुयायियों से अक्सर यह कहा करते थे। इसी कथन को आदर्श रूप में सामने रखकर उसके अनुरूप व्यवहार करना पैंथर के लिए आवश्यक ही नहीं अपरिहार्य हो गया है। नहीं तो पत्थर मानकर कछुए की पीठ पर पाँव रखेंगे और अल्प समय में ही डूब जाएँगे।

जिस हिंदू सामंतशाही ने हजारों वर्षों से दलितों को सत्ता, संपत्ति और प्रतिष्ठा आदि से वंचित रखा, आज की कांग्रेस सरकार में वही सामंतशाही बड़ी संख्या में उपस्थित है। इसलिए कांग्रेस सरकार सामाजिक परिवर्तन नहीं कर सकती। वह लोकमत से घबराकर बनाए हुए कानूनों को अमल में नहीं लगा सकेगी, क्योंकि सत्ता के सभी क्षेत्रों में सामंतशाही व्याप्त हो गई है। धर्म ने जिस वर्ग को सत्ता, संपत्ति और शक्ति रखने की अनुमति दी थी, हजारों वर्षों से स्थापित उसी वर्ग के हाथों में आज भी खेती है, कारखाने हैं, संपत्ति है, सत्ता के साधन हैं। इसी वजह से स्वतंत्रता मिलने, लोकतंत्र आने पर भी दलितों की समस्या, अस्पृश्यता टिकी हुई है। वह टिकी रहेगी,

क्योंकि अस्पृश्यता नष्ट करने के लिए जब सरकार तैयार होगी तो मात्र कानून बना देने से काम नहीं चलेगा। समूची जमीन के बँटवारे में पूर्णतया बदलाव लाना पड़ेगा। रूढ़ियों, परंपराओं, धर्मग्रंथों की बलि देनी पड़ेगी और नए विचारों को स्वीकारना पड़ेगा। ग्राम-रचना, समाज-रचना और मनो-रचना ऐसी करनी पड़ेगी जो संपूर्ण लोकतंत्र के उद्देश्य का पोषण कर सके। जिस शक्ति ने दलितों को बाँधा है और जिस शक्ति द्वारा दलितों ने स्वयं को बाँध रखा है, उन सब बातों को वस्तुनिष्ठता से, समाज विकास के क्रम में देखकर ऐतिहासिक विश्लेषण किया जाना चाहिए। जिस हिंदू सामंतशाही ने दलितों को बाँधा है, वह मुस्लिम शासन और ब्रिटिश शासन काल में जितनी क्रूर थी, आज दलितों के लिए वह उससे सौगुनी अधिक क्रूर हो सकती है। क्योंकि उत्पादन के सारे साधन, नौकरशाही, न्याय व्यवस्था, सेना, पुलिस और इन सबके पूरक सामंत, पूँजीपति, धर्म के ठेकेदार आदि सब हिंदू सामंतशाही के ही हाथों में हैं। अतः दलितों की अस्पृश्यता का प्रश्न अब मात्र मानसिक गुलामी का नहीं रहा, क्योंकि अस्पृश्यता नियमित बदलती रहने वाली सत्ता के पूरक रूप में शोषण का ही एक अत्यंत हिंस्र रूप है, जो संसार भर में प्रचलित है। आज उसकी जमीन को, मूल स्वरूप को ढूँढ़ना आवश्यक है। यदि हमें यह समझ में आ गया तो शोषण के मर्म पर निश्चित रूप से प्रहार किया जा सकेगा। हमारे दो दिग्विजयी नेता (1) ज्योतिबा फुले (2) डॉ. बाबा साहब अंबेडकर, के जीवित न रहने के बाद भी दलितों का प्रश्न मात्र जीवंत ही नहीं है बल्कि हमेशा के लिए मजबूत हो गया है। इसीलिए यदि आज हमने दलित अस्पृश्य जीवन के एक क्रांतिकारी स्वरूप का निर्धारण नहीं कर लिया तो सामाजिक क्रांति की इच्छा रखने वाला एक भी व्यक्ति भारत में जीवित नहीं बचेगा। वस्तुतः दलितों की समस्या, उनमें भी अनुसूचित जाति, जन जाति की समस्या आज व्यापक हो गई है। अब वह सिर्फ दलित, अस्पृश्य किंवा वेश-बाहर या ग्रंथ-बाहर तक ही सीमित नहीं है, बल्कि वह जिस तरह दलित है, अस्पृश्य है, उसी तरह कामगार है, खेतमजूर है, भूमिहीन है, सर्वहारा है। और उसका यह क्रांतिकारी रूप यदि हमने हिम्मत से आगे नहीं बढ़ाया तो हमारे अस्तित्व का कोई भविष्य नहीं होगा। इस क्रम में आज उसे एक पूरक और क्रांतिकारी लोकसमूह में ढलने की शक्ति पैदा करनी चाहिए, तभी वह अपने शत्रु से सही ढंग से लड़ सकेगा। यदि ऐसा नहीं हुआ तो हमें गुलामों से भी बदतर अवस्था में सड़ते रहना पड़ेगा। यह बोध हमें प्रत्येक मिनट, घंटे, दिवस, महीने और वर्षों तक लगातार जगाए रखना चाहिए, तभी हम मनुष्य कहलाने लायक रहेंगे। आंबेडकर ने हमें जानवर से मनुष्य की श्रेणी में लाया है तो इसी बात के लिए। अतः हमें प्रत्येक स्थिति शांति से, गहरा विचार करके स्वीकार करनी चाहिए। मात्र घोषणाओं और बड़ी-बड़ी बातों की भूलभुलैया में खोने से काम नहीं चलेगा। अपने आस-पास की परिस्थिति की, अपनी मंडली की गहरी चीरफाड़ करनी चाहिए। हमें गुलाम बनाने वाली वर्ण व्यवस्था

और वर्ग व्यवस्था के जो षड्यंत्र हैं, उन्हें जड़ से उखाड़ना होगा। उन्हें पोषण देने वाली, बढ़ाने वाली जमीन को निर्बीज करना होगा। 'दलित' इस संज्ञा को समाप्त करने वाले जातीय स्वरूप को ध्यान में रखना चाहिए।

सरकार ने दलितों के लिए क्या किया?

1947 में भारत स्वतंत्र हुआ। काल क्रम में शासनकर्ता वर्ग के मुखौटे बदल गए। राजा के स्थान पर राष्ट्रपति आए। प्रधान की जगह लोकप्रतिनिधि ने ले ली। वेद, स्मृति, उपनिषद्, मनुस्मृति, गीता आदि को हटाकर संविधान आ गया। कोरे कागज पर स्वतंत्रता, समता और बंधुत्व की फसल पकी। 1947 से 1973 तक का लंबा समय व्यतीत हुआ। इन छब्बीस वर्षों में राष्ट्रीय आंदोलन की पूँजी के आधार पर कांग्रेस सरकार अव्याघात एकक्षत्र शासन कर रही है। चार पंचवर्षीय योजनाएँ, पाँच आम चुनाव और तीन युद्ध इस स्वतंत्रता की गदहपचीसी में हुए। परंतु दलितों के प्रश्न, जनता की समस्याएँ आदि का सरकार ने जरा भी स्पर्श नहीं किया। येन-केन-प्रकारेण अपने हाथों में सत्ता टिकाए रखने के प्रयत्नों के अतिरिक्त इस सरकार ने अन्य किसी उद्देश्य को महत्त्व नहीं दिया। इसके विपरीत लोकराज्य का, समाजवाद का, गरीबी हटाओ आंदोलन का, हरित क्रांति आदि का नाम लेकर इस सरकार ने दलितों, भूमिहीनों, खेत-मजूरों और कामगारों के सिर पर पैर रख कर उन्हें कुचला ही है। उनके जीवन से खेलते हुए सौदेबाजी के माध्यम से उनके गिने-चुने नेतृत्व को प्रलोभनों में फँसा कर सतत उनके अस्तित्व को नष्ट करने का ही प्रयत्न किया है। धार्मिक, जातीय भेद नीति का उपयोग करके प्रजातंत्र की एकता को ही खतरे में डाल दिया है। जिस लोकतंत्र में व्यक्ति को मान-सम्मान, सत्ता-संपत्ति, प्रतिष्ठा नहीं मिलती, व्यक्ति-विकास, सामाजिक विकास करना संभव नहीं होता, देश की मिट्टी के कण-कण को जिन्होंने अपने रक्त से सींचा है उन्हें ही भूखे और दरिद्र रहना पड़ता है, पैरों तले की जमीन और सिर के ऊपर का छत छोड़ना पड़ता है, सीधे-सरल लोगों को टूटकर बिखरना पड़ता है, माँ-बहनों की इज्जत से होता खिलवाड़ देखना पड़ता है—ऐसी स्वतंत्रता को स्वतंत्रता नहीं कहा जा सकता। स्वतंत्रता आंदोलन देशी पूँजीपतियों, सामंतों और जमींदारों ने अपने नेतृत्व में अपने हितों के लिए किया था। यह जनता के, दलितों के नेतृत्व में नहीं हुआ था और ऐसा होना चाहिए था—यह अंबेडकर का मत था। स्वतंत्रता का आंदोलन जिस गाँधी नाम के हाथों में था, वह व्यक्ति ढोंगी, कुटिल, सनातनी, वर्णाभिमानी और सत्ता के ठेकेदारों का समर्थक था। स्वतंत्रता आंदोलन खंडित न हो, यह सोचकर उसने नाममात्र के लिए दलित, अस्पृश्य और जनता के प्रश्नों को आंदोलन से जोड़ा था। इसीलिए बाबा साहेब ने समय-समय पर गाँधी की भर्त्सना जनता का शत्रु, राष्ट्र का खलनायक कहकर की। बाबा साहेब अक्सर कहा करते थे—गाँधीवाद यानी सनातन धर्म, गाँधीवाद यानी रूढ़िवाद, गाँधीवाद यानी

जातीयवाद, गाँधीवाद यानी पारंपरिक धंधावाद, गाँधीवाद यानी अवतारवाद, गाँधीवाद यानी गोमातावाद, गाँधीवाद यानी मूर्तिपूजकवाद, गाँधीवाद यानी अशास्त्रीय दृष्टिकोण। अंग्रेजों द्वारा इनके हाथों में सत्ता सौंपने का कारण केवल यह था कि नाविकों के विद्रोह, आजाद हिंद फौज की आगे कूच, किसानों, मजदूरों और दलितों के आंदोलन के कारण उन्हें सत्ता में बने रहना मुश्किल लगने लगा था। गाँधी संप्रदाय के हाथों में स्वतंत्रता देने के पीछे यह कारण भी स्पष्ट था कि इस मंडली के हाथों में साम्राज्यवाद के हित सुरक्षित रहेंगे। अतः यह एक उधार लिया हुआ स्वातंत्र्य था। जबकि खरी स्वतंत्रता तो शत्रु से छीन कर ली जाने वाली स्वतंत्रता को ही कहते हैं, किसी के द्वारा भीख में फेंका हुआ टुकड़ा स्वतंत्रता नहीं है। घर-घर में, मन-मन में स्वतंत्रता की ज्योति जलानी पड़ती है। भारतीय स्वतंत्रता की कीमत घर-घर से नहीं ली गई। इसी वजह से दलित, श्रमिक, भूमिहीन खेत-मजूर मुक्त नहीं हुआ। निचले वर्ग तक यह किरण नहीं पहुँची, उल्टे इन सब बातों की विरासत लेकर चलने वाली सरकार ने अभी तक दलितों को उनके हक से वंचित रखा है।

अन्य दलों ने दलितों के लिए क्या किया?

पाँच चुनाव लड़ने वाले वामपंथ का भी दिवाला निकल गया है। एक चुनाव से दूसरे चुनाव तक पहुँचना ही उनका सूत्र रहा है। 1967 के चुनाव में कांग्रेस-विरोधी मोर्चे की शुरुआत इसी वामपक्ष ने की। मोर्चे में संधि के ऐसे-ऐसे रूप थे कि संप्रदायवादियों (जनसंघ-मुस्लिम लीग) से कम्युनिस्ट पक्ष ने हाथ मिलाया। कुछ राज्यों में वामपंथी मोर्चे की सरकारें भी बनीं। परंतु किसी ठोस कार्यक्रम के अभाव में उनकी कांग्रेस-विरोधी भूमिका निरुपयोगी थी। जनता के समक्ष विकल्प रखने, दलितों की समस्या हल करने, देश में गरीबों की सत्ता स्थापित करने में ये सभी वामपंथी असफल रहे। परिणामतः क्रांतिकारी समाजोन्मुख तबके का संसदीय लोकतंत्र से विश्वास उठ गया। नक्सलबाड़ी सरीखे आंदोलनों की चिन्गारी पूरे भारत में फैली। 1972 के आम चुनाव में भी वही पुनरावृत्ति हुई। जनता और दलितों के सिर पर कांग्रेस का भस्मासुर बैठ गया। अकाल पड़ा, करोड़ों लोगों का जीवन उध्वस्त हुआ, जानवर मरे, कारखाने बंद हुए, मजदूर बेकार हो गए, महँगाई ने सबको अपना ग्रास बना लिया। इस देश को कांग्रेस के रूप में लगा हुआ खग्रास ग्रहण अब तक छूटा नहीं है। परंतु हमारे संसदीय वामपंथी 'सीट' की राजनीति करके कांग्रेस द्वारा मान्यता पाने में समय व्यतीत कर रहे हैं। कोई भी क्रांतिकारी बनने, जनता के प्रश्नों के बारे में विचार करने की हिम्मत नहीं करते।

इन सब वाममार्गी सत्ताविहीन पक्षों ने सामाजिक क्रांति की ओर ध्यान नहीं दिया। उन्होंने वर्ग-संघर्ष के साथ अस्पृश्यता के प्रश्न को नकार कर, आर्थिक घोषणाओं के साथ-साथ सांस्कृतिक-सामाजिक वर्चस्व प्राप्त वर्ग के विरुद्ध लड़ाई नहीं छेड़ी। अस्पृश्यता और कुछ नहीं, शोषण का एक अत्यंत विषैला प्रकार है। यह विशिष्ट

शोषण व्यवस्था हिंदू सामंती पद्धति के विकास-क्रम में जन्मी है। सेना, जेल, न्याय व्यवस्था, नौकरशाही आदि शासन व्यवस्था के इन अंगों के साथ अस्पृश्यता का घेरा भी बढ़ता जा रहा है। उदात्त तत्त्वज्ञान के नाम पर, मोक्ष-निर्वाण के नाम पर भौतिक सुखों से दलितों को वंचित रख कर उनकी लूट चल रही है। औद्योगिक क्रांति के समय यंत्रों का आगमन हुआ। दलितों को यंत्र मान लिया गया। परंतु उच्चवर्ण वालों का मन सामंती ही रहा, क्योंकि यंत्र-मालिकों को सामाजिक व्यवस्था में बदलाव किए बिना ही नफा मिल रहा था। इसलिए यदि सामाजिक क्रांति द्वारा दलितों के मन भड़कें, तभी राजनैतिक क्रांति होगी। अगर ऐसा हुआ तो उच्चवर्णियों की, उच्च वर्गीयों की सत्ता छिन जाएगी। वामपक्ष की नीतियाँ सर्वस्पर्शी क्रांतिकारी तत्त्वज्ञान का प्रसार करने वाली नहीं हैं। इन दलों द्वारा दलितों के लिए सही और प्रखर लड़ाई न लड़ने के कारण ही दलित और अधिक गाफिल हो गए, इन पर अनगिनत अत्याचार हुए।

रिपब्लिकन पक्ष और दलित पैंथर का रिश्ता

1952 के आम चुनाव में पराभव के पश्चात ही डॉ. बाबा साहेब के ध्यान में आ गया था कि आज के दलित समाज की अथवा सभी समाज की समस्याएँ, चाहे सामाजिक हों या राजनैतिक, धर्म और जाति के आधार पर सुलझने वाली नहीं हैं। दलितों के आंदोलन में वैज्ञानिक दृष्टिकोण, वर्गीय समझ और पूर्णतः धर्मनिरपेक्ष मानवतावाद की सहायता से ही गति आएगी। इसके लिए डॉ. बाबा साहेब शेतकरी-कामगार फेडरेशन का एक व्यापक पार्टी में रूपांतर करना चाहते थे। परंतु यह उनके जीते जी हो न पाया। उनके निर्वाण के पश्चात उनके अनुयायियों ने शे.का.फे. का 'रिपब्लिकन पार्टी' के रूप में नामांतर करके जातीय राजनीति का खेल रचाया। इस घेरे के बाहर के सभी दलितों और आर्थिक शोषण के शिकार लोगों को उन्होंने कभी अपने से नहीं जोड़ा। सबसे महत्त्वपूर्ण बात यह है कि दलित सरीखे क्रांतिकारक समूह की राजनीति इस दल ने वैधानिक मार्ग से चलाई। मत, माँगें, आरक्षण, सुविधाएँ आदि के चक्कर में रिपब्लिकन दल उलझ गया। इस कारण सुदूर गाँवों में रहने वाला अस्तव्यस्त दलित समाज राजनैतिक दृष्टि से भी जहाँ था, वहीं रहा। इसका नेतृत्व समाज के मध्यमवर्ग के हाथों में आ गया। गुटबाजी, स्वार्थ और फूट की शुरुआत हुई। डॉ. बाबा साहेब की क्रांतिकारी वाणी को मौत की राह दिखाकर इस पक्ष के गद्दार नेता उनके नाम पर अपनी झोली भरने लगे। 'यह पक्ष डॉक्टर का है' कहकर अपना स्वार्थ साधते रहे। इसीलिए दादासाहेब गायकवाड़ के नेतृत्व में हुए भूमिहीनों के सत्याग्रह के अलावा इस दल ने और कोई कार्यक्रम अपने हाथ में नहीं लिया। यही वजह है कि दलितों पर अत्याचारों की भरमार हुई। डेढ़-दो वर्षों में 1,117 दलितों का कत्ल हुआ। पानी की बूँदों की भाँति घर-द्वार उजड़े, इज्जत लूटी गई, आगजनी, खूनखराबा हुआ। जिंदा रहने की समस्या के साथ-साथ शारीरिक अत्याचार बढ़ा।

रिपब्लिकन दल ने क्या किया? यशवंतराव चव्हाण जैसे धूर्त सत्ताधीश नेता द्वारा बिछाए गए जाल में फँसकर यह पक्ष समाप्त हो गया। उनका तेज खो गया, एकता नष्ट हो गई और फिर नपुंसकों की तादाद बढ़ गई। ऐसे नपुंसक नेताओं के हाथों यदि हमने भी अपना भविष्य सौंपा तो हमारा भी वही हश्र होगा। इसलिए आज हम (शर्म से) गर्दन झुकाकर यह जाहिर करते हैं कि हमारा और रिपब्लिकन दल का रिश्ता रक्त का नहीं है।

संसार के दलितों से हमारा रिश्ता

अमरीकी साम्राज्यवाद की उन्मादी कारस्तानी से आज तीसरी दुनिया यानी उत्पीड़ित देश और दलित जनता झुलस गई है। स्वयं अमरीका में मुट्ठीभर प्रतिक्रियावादी गोरे निग्रो लोगों पर जुल्म कर रहे हैं। इस जुल्म का जैसे को तैसा उत्तर देने वाले ब्लैक पैंथर आंदोलन से ब्लैक पावर, काले लोगों की सत्ता उभरी। संघर्ष की लौ से निग्रो संगठन की चिनगारियाँ फैलने लगीं। इस आंदोलन के उग्र संघर्ष से हमारा रिश्ता है। वियतनाम, कंबोडिया, अफ्रीका आदि का आदर्श हमारी आँखों के सामने है।

दलित कौन हैं?

अनुसूचित जाति, अनुसूचित जन-जाति, बौद्ध, श्रमिक जनता, कामगार, भूमिहीन गरीब किसान, घुमंतू जन-जाति, आदिवासी।

हमारे मित्र कौन हैं?

1. वर्ण व्यवस्था तोड़ने वाले क्रांतिकारी पक्ष (पार्टियाँ)। सही अर्थों में समाजवादी समाज-रचना को मानने वाले वामपंथी।

2. आर्थिक, राजनैतिक दमन नीति के शिकार अन्य सभी सामाजिक घटक।

हमारे शत्रु कौन हैं?

1. सत्ता, संपत्ति, प्रतिष्ठा।

2. जमींदार, बड़े पूँजीपति, साहूकार, साम्राज्यवाद के दलाल, नौकरशाह, पूँजीपति और उनके पिट्ठू।

3. धार्मिक, जातिवादी राजनीति करने वाली पार्टियाँ और इन सबको समर्थन देने वाली सरकार।

आज के दलितों के ज्वलंत प्रश्न

1. अन्न, पानी, वस्त्र, आवास।

2. नौकरी, जमीन, अस्पृश्यता।

3. सामाजिक, शारीरिक अन्याय।

दलित मुक्ति संघर्ष संपूर्ण क्रांति चाहता है। आधा-अधूरा बदलाव संभव नहीं है और हमें चाहिए भी नहीं। संपूर्ण क्रांतिकारी परिवर्तन ही हमारा नारा है। यद्यपि हमें सामाजिक अपमान से अपने को बाहर निकालना है। हमारा मुख्य लक्ष्य आर्थिक, राजनैतिक और सांस्कृतिक रूप से प्रतिष्ठित स्थानों पर अपना प्रभुत्व स्थापित करना है। अब हम अल्प में संतुष्ट नहीं होंगे। हमें ब्राह्मण मोहल्ले वाला स्थान नहीं चाहिए। हमें सारे देश का राज्य चाहिए। हमारा लक्ष्य व्यक्ति नहीं, व्यवस्था है। हृदय परिवर्तन से शिक्षा द्वारा उदारमतवाद से हम पर होने वाला अन्याय, हमारा शोषण नहीं रुकेगा। हम क्रांतिकारी समूह जागृत करेंगे, संगठित करेंगे। इस प्रचंड समूह के संघर्ष से क्रांति का ज्वार आएगा। वैधानिक अर्जी और विनती, रियायत और छूट की माँगें, चुनाव, सत्याग्रह, केवल इनसे समाज नहीं बदलेगा। हमारी समाजक्रांति की संकल्पना और विद्रोह इस कागजी जहाज द्वारा वहन नहीं हो सकेंगे। वह तो मिट्टी में जमेगी, लोगों के मन में खिलेगी और फौलादी अस्तित्व लेकर सनसनाती हुई बढ़ेगी।

दलित पैंथर मात्र घोषणा नहीं है

यह हमारे प्रश्नों की ओर देखने का एक दृष्टिकोण है, उन्हें हल करने की शुरुआत है। पैंथर अस्पृश्यता, जाति-व्यवस्था, आर्थिक शोषण की पद्धतियों पर जोरदार प्रहार करेगा। हमें गुलाम बनाने के लिए इस सामाजिक और शासन व्यवस्था ने अनेक दुष्ट मार्ग बनाए हैं। हमें नीच और शूद्र ठहराया है। हमारा प्रयत्न होगा कि हम आधुनिक गुलामी की बौद्धिक दासता की शृंखला भी तोड़ें। अपने संघर्षों से हम इस गुलामी को उठाकर दूर फेंक देंगे।

हमारा कार्यक्रम

1. भारत की 80 प्रतिशत से अधिक जनता गाँवों में रहती है। इन किसानों में से 35 प्रतिशत भूमिहीन किसानों का और 23 प्रतिशत अनुसूचित जाति (जिन दलित गरीब किसानों के पास जमीन है, वह भी नाममात्र की है) का है। दलित किसानों की जमीन का प्रश्न हाथ में लेना चाहिए।

2. गाँवों में सामंती पद्धति के अवशेष अब तक बचे हुए हैं। इस पद्धति से दलितों का क्रूर उत्पीड़न होता है। जमींदार, धनी किसान आदि वर्गों को संपत्ति के साथ-साथ सामाजिक प्रतिष्ठा भी मिलने से दलितों पर हर तरह के अत्याचारों में वृद्धि हुई है। रोजमर्रा के जीवन की समस्याओं से लेकर आर्थिक समस्याओं तक यह पद्धति दलितों के गर्दन पर सवार है। इसे नष्ट करना ही होगा।

3. अधिकतम जमीन रखने के कानून द्वारा उपलब्ध जमीन का बँटवारा भूमिहीन किसानों में होना चाहिए।

4. खेत-मजूरों की मजदूरी में वृद्धि होनी चाहिए।

5. सार्वजनिक कुँओं से दलितों को पानी भरने का हक मिलना ही चाहिए।

6. गाँव के बाहर की दलित बस्तियाँ गाँव के अंदर आनी चाहिए।

7. उत्पादन के सभी साधनों पर दलितों का मालिकाना हक होना ही चाहिए।

8. निजी संपत्ति द्वारा होने वाला शोषण रोकना चाहिए। विदेशी पूँजी बिना भरपाई किए जब्त कर लेनी चाहिए।

9. सामाजिक, सांस्कृतिक और आर्थिक शोषण खत्म करके भारत में समाजवाद लाना ही चाहिए। सिर्फ नाम के लिए नहीं, सही अर्थों में राष्ट्रीयकरण करके समाजवाद की कार्यान्विति होनी चाहिए।

10. सभी दलितों को रोजगार की निश्चित गारंटी होनी ही चाहिए।

11. दलित बेकारों को तत्काल बेकारी-भत्ता दिया जाना चाहिए।

12. सभी दलितों को सभी प्रकार की शिक्षा मुफ्त में, औषधोपचार की सुविधा, आवास, सस्ता अनाज मिलना चाहिए।

13. शैक्षणिक संस्थाओं में नौकरी देते समय, जाति और धर्म जाहिर करने का नियम तत्काल रद्द किया जाना चाहिए।

14. धार्मिक संस्थाओं को दिया जाने वाला सरकारी अनुदान तत्काल बंद किया जाना चाहिए। मंदिरों की संपत्ति जब्त करके उसे दलितों के लिए उपयोग में लाना चाहिए।

15. धार्मिक-जातिवादी साहित्य पर प्रतिबंध लगाना चाहिए।

16. जाति के आधार पर बनाई गई सेना की रचना रद्द की जानी चाहिए।

17. काला बाजार करने वाले जमाखोरों, साहूकारों और जनता का आर्थिक शोषण करने वालों को दंडित करना ही चाहिए।

18. जीवनोपयोगी वस्तुओं के भाव उतरने ही चाहिए।

हम शहरों, कारखानों से कामगारों का, दलितों का, भूमिहीनों का, खेतमजूरों का संगठन करेंगे और दलितों पर होने वाले अन्याय का प्रतिकार करेंगे। जनता को दुःख में डालने वाली, शोषण करने वाली जाति-व्यवस्था, वर्ण-व्यवस्था को नष्ट करके सही अर्थों में दलितों को मुक्त करेंगे, दलितों पर होने वाले अन्याय का जैसे को तैसा न्याय के आधार पर मुकाबला करेंगे। प्रचलित न्याय संस्था ने, शासनतंत्र ने हमारे सारे प्रश्नों को चकनाचूर कर दिया है। दलितों के सारे अन्यायों का निवारण करने के लिए दलितों का राज्य आना ही चाहिए। वही सही मायने में जनता का लोकतंत्र होगा। दलित पैंथर के सदस्यों, सहानुभूति रखने वालों, दलितों के अंतिम ध्येय की लड़ाई के लिए तैयार रहो।

6 और 7 सितंबर, 1979 को मुंबई में महाराष्ट्र दलित पैंथर के सर्वोच्च मंडल की बैठक हुई। इस बैठक में आज की राजनीतिक परिस्थिति में इस की नीति पर

सविस्तार चर्चा हुई। सर्वोच्च मंडल के आदेशानुसार निम्नलिखित भूमिका निश्चित की गई—

अपने देश में लोकतंत्रीय समाजवाद की कितनी ही डोंडी पीटी जाती हो, पर मूल सत्ता तो साम्राज्यवाद के दलाल, पूँजीपति, जमींदार, नौकरशाह के ही हाथों में है—इसे विस्मृत नहीं किया जा सकता। देश के पूँजीपति वर्ग की कलई अब खुल चुकी है।

पुरोगामी कहलाने वालों द्वारा किए गए भ्रष्टाचार, लोकतंत्रीय समाजवाद की प्रतारणा, स्वार्थांधता, सत्ता-स्पर्धा, फूट-नीति आदि की दुष्ट छवि आज दलित श्रमजीवी जनता के सम्मुख स्पष्ट हो गई है। राष्ट्रपति ने वर्ष के अंत में (दिसंबर 1979) मध्यावधि चुनाव करवाने की घोषणा की है। 28 महीने तक केंद्र में सत्ता चलाने वाली जनता पार्टी की सरकार गिर गई है। जनता पार्टी के शासन में 1977 से 79 के मध्य की परिस्थिति का पर्दाफाश करने में यद्यपि सफलता मिली, पर बाद में परिस्थिति पर काबू पाना मुश्किल हो गया।

पिछले दो-ढाई वर्षों के कार्यकाल में अपनी पूँजीवादी, भ्रष्ट, प्रतिगामी और दिवालिया नीतियों के कारण जनता पार्टी लोगों का विश्वास खो चुकी है।

जनता पार्टी के शासनकाल में कामगार वर्ग में अनिवार असंतोष एवं आंदोलन हुए, परंतु मालिकों के हाथ की कठपुतली बनकर जनता पार्टी ने उन्हें दबाने-कुचलने का ही कार्य किया (कानून द्वारा/पुलिस द्वारा/गुंडों द्वारा)। बीमा, बैंक, सरकारी कर्मचारियों के देशव्यापी आंदोलन हुए। देश भर में भारी संख्या में दलित, आदिवासियों और खेत-मजूरों के आंदोलन हुए। उन पर अत्याचार हुए। पुलिस और आरक्षित पुलिस के भी देशव्यापी आंदोलन हुए।

अलीगढ़, जमशेदपुर, नादियाद आदि स्थानों पर हिंदू-मुस्लिम संघर्ष एवं दंगे हुए। राजहरा, पंतनगर, कानपुर आदि ठिकानों पर सैकड़ों कामगारों को मार डाला गया। बेलछी, पंथाडा में दलितों की क्रूर हत्या की गई। महाराष्ट्र में भी जनता पार्टी से हाथ मिलाने वाले पुरोगामी दलों की सरकार के बनते ही मराठवाड़ा में दलितों की बस्तियाँ नेस्तनाबूत कर दी गईं। जनता पक्ष के अंतर्गत जनसंघ, रा.स्व. संघ की संकीर्णतावादी नीतियों के कारण, तथा जनता पार्टी और शासनतंत्र पर अपना वर्चस्व स्थापित करने की उनकी भूमिका के कारण इस पार्टी में अभी न जुड़ने वाली फूट पड़ चुकी है। जनता पार्टी निष्प्रभ हो गई है। उसके वर्ग चरित्र को हम नजर अंदाज नहीं कर सकते। इसी के साथ-साथ कांग्रेस पार्टी के भी टुकड़े-टुकड़े हो गए हैं। कांग्रेस के एक गुट का नेतृत्व करने वाली इंदिरा गाँधी और उनकी पार्टी फिर से देश के राजनीतिक मंच पर महत्त्व का स्थान पाने की कोशिश में है। अपनी सत्ता फिर से प्राप्त करने के प्रयत्न में इंदिरा गाँधी और उनकी पार्टी ने जातीयतावाद विरोधी लड़ाई में अभी-अभी अवसरवादी भूमिका ग्रहण की है। बिहार, हरियाणा आदि राज्यों

में शासन करने वाली जनता पार्टी को जीवन-दान दिया है। 1971 में आर्थिक नीतियों पर पुरोगामी, प्रतिगामी रेखा खींच कर चुनाव करवाए गए थे। इंदिराबाई जीत गईं। बाद में '75 में उन्होंने आपातस्थिति की पार्श्वभूमि पर जो बीस सूत्री कार्यक्रम घोषित किया था, उससे आकर्षित (लगभग सम्मोहित) होकर हमने इंदिरा गाँधी और उनके पक्ष का साथ दिया। वास्तव में इंदिरा गाँधी और उनकी पार्टी का चरित्र देखा जाए तो वह साम्राज्यवाद, पूँजीपति, जमींदार और नौकरशाहों के पूर्णतः अनुकूल था। इसलिए जो संगठन उनके साथ जुड़े, उनका श्रमजीवी बोध नष्ट हो गया। वे निष्प्रभ होकर बिखर गए। पैंथर संगठन को भी इस कृत्य का नुकसान झेलना पड़ा, आज यह भूलने से काम नहीं चलेगा। जनता पार्टी और इंदिरा कांग्रेस पार्टी दोनों एक ही माला के मोती हैं—यह नहीं भूलना चाहिए। आज देश भर में संकीर्ण 'जातीय' शक्तियाँ एक ओर, और एकाधिकारवादी शक्ति दूसरी ओर है। इन दोनों के विरोध में न खड़ी हो पाने वाली शक्ति तीसरी ओर है। यह तीसरी शक्ति है वामपंथी मोर्चा की शक्ति। वामपंथी आंदोलन के पचास वर्षों के इतिहास के बावजूद यह ताकत देश के लिए विकल्प देने वाली नहीं बन सकी। फिर भी आने वाले कुछ वर्षों में वाम ताकत देश में अवश्य सत्ता प्राप्त करेगी, यह निश्चित है।

पिछले दो-एक वर्ष में राजनैतिक स्थिति बदल चुकी है। पूँजीवादी राजनीति की गति अधिकाधिक फूट की ओर तो वाममार्गियों की स्वाभाविक गति अधिकाधिक एकता की ओर बढ़ रही है। इस दिशा में वामपंथियों को तेजी से स्वतः विकसित होकर, क्षमता अर्जित करते हुए, ठोस विकल्प के रूप में सामने आने का प्रयत्न करना चाहिए। जनांदोलन करने चाहिए। क्रांतिकारी, प्रति-क्रांतिकारी, पुरोगामी, उदारतावादी और दलित श्रमजीवी जनता के अंतर्विरोधों को पहचान कर दलित-श्रमिक वर्ग को एकत्रित करना चाहिए। दलित-विरोधी, श्रमिक वर्ग-विरोधी शत्रु को पहचान कर काम करना ही उचित होगा। महाराष्ट्र में दलित-श्रमिक एकता के नेतृत्व में अनेक लड़ाइयाँ लड़ी गईं। दलित पैंथर को इन नवीन परिस्थितियों को नजरअंदाज न करके, डॉ. बाबा साहेब अंबेडकर के कथनानुसार वर्णरहित-वर्गरहित समाज की निर्मिति द्वारा सही अर्थों में लोकतांत्रिक समाज-रचना को मान्यता देने वालों का शासन लाने की ओर कदम बढ़ाना चाहिए।

—दलित पैंथर की ओर से नामदेव ढसाल द्वारा जारी

अनुवाद : **नीरा नाहटा**

स्त्री-शिक्षा विधायक

संपूर्ण भारतीय साहित्य में स्त्री शिक्षा के समर्थन में लिखी गई यह पहली पुस्तक है, जो सन् 1822 में कलकत्ता से प्रकाशित हुई थी। यहीं से इसका हिंदी में पहला अनुवाद 1823 में छपा। इसे आगरा स्कूल बुक सोसाइटी ने 1847 में हिंदी में छापा था। इसके लेखक थे गौरमोहन विद्यालंकार। यह स्कूलों में लंबे काल तक पढ़ाई जाती रही।

दो स्त्रियों में कथोपकथन

प्रश्न : अरी! अब तो बहुतेरी लड़कियाँ पढ़ने लगी हैं। यह कैसी बात है। समय बीतने के साथ कितनी ही बातें होंगी यह तुम्हें कैसा लगता है।

उत्तर : तो मन लगाकर सुनो दीदी। साहबों ने यह जो बात शुरू की है, इससे लगता है इतने दिनों बाद हमारा भाग खुला है।

प्रश्न : ऐसा क्यों? यह सब पुरुषों के काम हैं। इसमें हमारी बुराई कैसी।

उत्तर : सुनो जी! इससे हमारा भाग बहुत अच्छा लग रहा है, क्योंकि इस देश की स्त्रियाँ लिखती-पढ़ती नहीं हैं, इससे वे प्रायः पशु की तरह मूरख बनी रहती हैं। केवल घर-दुआर का कामधाम करके समय बिताती हैं।

प्रश्न : अच्छा! पढ़ने से क्या घर का कामधाम नहीं करना पड़ता है। स्त्रियाँ घर का काम रींधना-परोसना, बच्चों का लालन-पालन न करें तो काम कैसे चलेगा। यह सब क्या मर्द करेंगे।

उत्तर : नहीं। मर्द क्यों करेंगे, स्त्रियों को ही करना है, लेकिन अगर पढ़ने से कुछ गियान होता है तो घर का कामधाम करके फुरसत के अनुसार दो घड़ी पढ़ने में लगाने से मन स्थिर रहता है और अपना हिसाब-किताब भी समझ ले सकती हैं।

प्रश्न : अच्छा एक बात पूछती हूँ। लेकिन पुरानी स्त्रियाँ कहती हैं, स्त्रियाँ पढ़ती-लिखती हैं तो विधवा हो जाती हैं, यह बात क्या सच हैं? अगर सच है तो मैं इसे मानकर नहीं पढ़ूँगी। क्या जानूँ, फूटा भाग कहीं फूट न जाए।

उत्तर : नहीं बहिन, यह बस बात ही बात है। क्योंकि मैंने अपनी जेठानी दीदी से सुना है कि किसी शास्त्र में ऐसी बात नहीं लिखी है कि स्त्रियाँ पढ़ने से राँड हो जाती हैं। जाँगरचोर स्त्रियों ने राई का परबत बना दिया है। अगर बात ऐसी

होती तो न जाने कितनी स्त्रियों की विद्या की बात कथा-पुराणों में सुना है और बड़े घरों की स्त्रियाँ लगभग सभी लिखती-पढ़ती हैं, ऐसा सुनती हूँ। हाल की बात है, सो देखो न! बिबियाँ तो साहबों की तरह लिखना पढ़ना जानती हैं क्यों नहीं राँड़ होती हैं।

प्रश्न : अच्छा। अगर दोष नहीं है तो इतने दिनों से इस देश की स्त्रियों ने क्यों नहीं सीखा।

उत्तर : सुनो जी। जब स्त्रियाँ माँ-बाप के घर रहती हैं, वे खेलती-कूदती हैं और खेल-तमाशा देखती-फिरती हैं। माँ-बाप भी लिखने-पढ़ने की बात नहीं कहते। कहते हैं कि घर का कामधाम रींधना परोसना न सीखने से पराए की घर गृहस्थी कैसे चलाएगी। गृहस्थी का काम लेन-देन सीखने से ही पीहर में नाम होगा। नहीं तो अपयश का अंत नहीं। लेकिन गियान की बात कुछ भी नहीं कहते।

प्रश्न : हाय हाय कैसी दुःख की बात है दीदी! अच्छा तो लगभग सभी गाँवों में तो पाठशालाएँ हैं तो लड़कियाँ अपने आप वहाँ जाकर क्यों नहीं पढ़तीं। तब तो बालपन होता है, कहीं जाने में कोई रोकथाम नहीं रहती।

उत्तर : इधर देखो दीदी। बाहर की ओर झाँकने नहीं देते। अगर छोटी-छोटी लड़कियाँ घर के बालकों का लिखना-पढ़ना देखकर शौक से कुछ पढ़ें और बस्ता हाथ से लें तो इसकी बदनामी संसार भर में होती है। सभी कहते हैं कि यह मर्दानी छोकरी लड़कों की तरह लिखना-पढ़ना सीखती है, यह छोकरी बहुत बुरी होगी, अभी ही यह हाल है, आगे न जाने क्या होगा। होनहार बिरवान के होत चीकने पात।

प्रश्न : तो हमारी लिखाई-पढ़ाई शायद नहीं होगी दीदी।

उत्तर : होगी क्यों नहीं। हम तो भले घर की बहू-बेटियाँ हैं। पाठशाला में जाने से बाप-भाई गालियाँ देंगे। साहबों की पाठशाला से किसी लिखी-पढ़ी लड़की को बुलाकर हम घर पर ही पढ़ेंगी।

प्रश्न : हम तो बड़े आदमी नहीं हैं कि उन्हें महीना देकर पढ़ेंगी। तो हमारे इस चोले में शायद इतना ही होगा।

उत्तर : अगर साहब लोग कृपा करके धर्मार्थ भले आदमी के घरों में एक-एक लड़की भेजें तो भले हो सकता है।

प्रश्न : मन का लड्डू खाने से क्या होगा, उनसे हमारी बात कौन कहेगा और उनका ध्यान इधर क्यों जाएगा।

उत्तर : भलाई वे नहीं करेंगे यह सोच है, क्योंकि उनके सौहें हम परीक्षा नहीं दे सकेंगी और जा भी नहीं सकेंगी।

प्रश्न : अड़ोस-पड़ोस वालों की लड़कियों को देखकर क्या होगा। ऐसा दिन कब आएगा कि हमारा भाग खुलेगा।

उत्तर : अरी, हड़बड़ा क्यों रही है। रसरी आवत जात ते, सिल पर होत निशान।

इधर देख, हमारे टोले की रसी, मती, हीरा, भगी ये तो पाठशाला जाती हैं और सुनती हूँ मन लगाकर पढ़ भी रही हैं। हमारे पास तो साधन नहीं है कि रुपए देकर उन्हें लाएँ। लेकिन चार मीठी बातों से उनको खुश करके एक-एक को एक-एक दिन लाने से भी हम अच्छर पहचान लेंगी।

प्रश्न : नीकी बात कही दीदी! मेरा मन करता है इसी दम यह काम करूँ।

उत्तर : अच्छा, हम लिखने-पढ़ने की तैयारी करें। इधर देख धनी की माँ को बुलाकर चुपके से चार-चार पैसे कागदस्याही कलम मोल लेने के लिए दें। अंत में उन में से कोई न कोई लजाकर जरूर आएगी।

प्रश्न : अरी अगर किसी को पता चल जाता है तो बड़ी लाज की बात होगी। कहेगी कि ये दोनों बेहया छोकरियाँ क्या कर रही हैं। और सास-ननद भी ताना मारेंगी। तब तो मारे लाज के सिर नहीं उठाया जा सकेगा।

उत्तर : यह तो कोई कुकरम नहीं है। कितने ही लोग न जाने क्या-क्या करके पार पा जाते हैं। अजी हम जब घर का काम करके फुरसत पाएँगी तब एक ठाँव बैठकर चुपचाप चार अच्छर जो सीखेंगी। जो खेलना जानता है, वह फूटी कौड़ी से भी खेल सकता है।

प्रश्न : घर का झाड़-बुहार, तरकारी काटने, मसाला पीसने, रींधने, परोसने, देने लेने में ही दिन बीत जाता है तो पढ़ेंगी कब।

उत्तर : अरी जी रींधती है वह क्या बाल नहीं बनाती है। इसलिए उसी के अंदर दँवरी के बैल के चारा खाने की तरह थोड़ा-थोड़ा सीखने से बहुत हो जाएगा।

प्रश्न : अच्छी बात है दीदी! हम लिख-पढ़कर धन कमाएँगी, इसकी तो आशा नहीं रखती हैं बस गियान होने से अपने घर की लड़कियों को घर पर पढ़ाएँगी तो उन्हें भी विद्या आएगी।

उत्तर : अरी, जल में मछली नौ-नौ कुटिया बखरा, जौ है खेत, लला है पेट, मूड़न के दिन देखो आय, तब दूसरों को सिखाना। तू छोकरी आसमान में हाथ-पैर मारती है।

प्रश्न : भली कही दीदी। मैं कहती हूँ कि सभी इकट्ठा होकर घर पर सीखें तो लाग-डाँट में सभी पढ़ेंगी। लेकिन कोई किसी की निंदा-विंदा नहीं करने पाएँगी। क्योंकि सौ राँड़ एक अहिवात, जिसकी सेवा करे वही कहे मुझ जैसी होना।

उत्तर : नहीं बहिन पहिले ऐसी नादानी करने से कुछ भी नहीं बनेगा। चुपचाप पहिले अच्छर पहिचानें, बाद में जो कुछ करेंगी वही फबेगा। तू जा अब हीरा को बुला ला।

प्रश्न : हमने कागद सियाही तड़िया मिट्टी भी ले ली है। तुम लोग अगर एक-एक दिन एक-एक चुपचाप थोड़ी देर हमें अच्छर सिखा दो तो बड़ा उपकार हो। क्यों, आओगी!

उत्तर : भई जाना तो चाहती हूँ लेकिन मेरी बहन को जर आ गया है इसलिए मैं बहुत झंझट में हूँ। आज किसी भी तरह नहीं जा सकती। मुझे माफ करके आज भगी को ले जा भाई।

प्रश्न : अरी भगवती, हीरा की छोटी दीदी को आज जर हो गया है, उसने कहा कि आज भगवती को बुलाकर श्रीगणेश करो, कल मैं बिना बुलाए जाऊँगी, तो क्या तू जाएगी!

उत्तर : कड़ी धूप है। अभी पाठशाला से आकर घर का काम-धाम कर चार कौर खाकर बैठी हूँ, थोड़ी देर ठहरो बाद में जाऊँगी।

प्रश्न : अरी, तुझे तो फूलों की मार से मुर्छा आती है, थोड़ा सीख लिया है इसलिए तेरे पैर धरती पर नहीं पड़ते। हम भले घर की बहू-बेटियाँ हैं इसी से पाठशाला नहीं जा सकती हैं सो तुम लोगों से बिनती करती हैं, यह नहीं समझती है।

उत्तर : चलो भई, तुम जिस तरह नाराज हो गई हो उससे नहीं जाने से न जाने और क्या-क्या सुनाओगी। हम दुःखी स्त्रियाँ हैं, तुम लोगों से घमंड कैसा भई।

प्रश्न : नहीं भई, हम दोनों बहिनों ने बहुत सोच-विचार धनी की माँ को आठ पैसे देकर ताड़पत्र वगैरह जुटाया है। अब तुममें से कोई आए तो अच्छर सीख सकती हैं। लेकिन हमारे सिर की सौगंध जो कहीं पहले इस बात को बता दिया, ऐसा हुआ तो घर और बाहर ताना सुनना पड़ेगा।

उत्तर : इतना तोप-ढाँप क्यों। इसमें पाप नहीं है। बाहर भी नहीं जाएँगी, बस अपने घर में बैठ 10 स्त्रियाँ झूठमूठ बकझक न कर लिखेंगी-पढ़ेंगी, इससे किसके मुँह में कालिख पुतती है।

प्रश्न : अरी दीदी, हम तो मालकिन नहीं हैं कि जो कुछ करेंगी वही फबेगा, हम घर के कोने की बहू-बेटियाँ हैं, सबके पैरों की धूल।

उत्तर : अच्छी बात है। पहले सीखूँ पीछे जो होना है सो होगा। कभी की बहू कभी मालकिन, ऐसा सभी ठाँव होता है।

प्रश्न : अच्छी बात है दीदी! एक बात पूछती हूँ। साहबों की पाठशाला में जाकर पढ़ने में क्या दोष है?

उत्तर : नहीं, इसमें कोई दोष नहीं है। बस हमारे देश की स्त्रियों में लिखने-पढ़ने की चाल पहिले नहीं थी, इसलिए कुछ दिनों तक किसी ने नहीं किया। लेकिन पहिले पहल सन् 1820 ई. के जून महीने में श्रीयुत साहेब लोगों ने कलकत्ते के नंदनबागान में जुवनाइल पाठशाला नाम से एक पाठशाला बनाई, उसमें पहिले कोई लड़की पढ़ने के लिए तैयार न थी। अब इसी कलकत्ते में प्राय पचास पाठशालाएँ हैं। हर पाठशाला में कम से कम 16 कन्याओं को गिनने से 800 कन्याएँ पढ़ाई जा रही हैं, इसमें किसी को कोई हानि, अपयश नहीं हुआ है।

प्रश्न : इन 800 कन्याओं में किसी भले आदमी की कन्या है या नहीं? और

उनके नाते-रिश्ते के लोग क्या कहते हैं?

उत्तर : 'आए थे हरि भजन को, ओटन लगे कपास।' यह तो लिखने-पढ़ने के सिवाय कुछ नहीं है, इसमें नाते-रिश्तेवाले क्या कहेंगे। बल्कि वे और भी खुश होते हैं, कहते हैं इस लड़की ने अच्छा लिखा है। लेकिन भले आदमी की लड़की सरपट अभी तक नहीं जाती है, मगर लुक-छिप कर पढ़ती है।

प्रश्न : अरी बड़ी बहू, तुम लोग घर में बैठी नित चुपचाप क्या करती हो?

उत्तर : बोलती क्यों नहीं। हम स्त्रियों के ब्योहार में आने वाला दो-चार अच्छर सीखती हैं।

प्रश्न : अच्छा, झगड़ा-टंटा न करके एक काम में लगी रहती हो इससे बड़ा संतोष हुआ, जरा इधर दिखाना बिटिया ने कैसा लिखा है। तुम्हारे ससुरों को दिखाऊँगी।

उत्तर : हाय, हाय कैसी लाज की बात है, इससे नाक कटती है, मर्द देखेंगे तो बड़ी बदनामी होगी।

प्रश्न : नहीं बिटिया, यह तो बुरा काम नहीं है। गुन-गियान सीखने में हानि नहीं, इसे देखने से तुम्हारे ससुर बहुत मगन होंगे। लिखो लिखो बिटिया, अच्छी तरह लिखो। अरी भगि, तू नित आकर मेरी इन दोनों बहुओं को अगर पढ़ा सकती है तो तुझे बराहनगर की एक डोरिया मोल ले दूँगी। और घर से नित खाने के लिए चावल भी दूँगी।

उत्तर : जब मालकिन को क्रोध नहीं आया तो मालिक भी कुछ नहीं कहेंगे, वे दोनों एक मन हैं, इसे मैं भी भली-भाँति जानती हूँ।

प्रश्न : अरी बड़ी बहू! अच्छा लिखना-पढ़ना तो एक तरह से सीखा, अब कुछ सीने-पिरोने का काम सीखने से गुन और बढ़ेगा। बाल-बच्चे के कपड़े-लत्ते, टोपियाँ, अनरखे सीने से भी बहुत लाभ होगा। भगी से हो सके तो आज से उसे भी शुरू करो।

उत्तर : मालकिन से कह दो यह क्या बकरी से जौ की दवाई करना है। वह तो सिंगाबरदार का बोझ ढोने वाले के सिवा और कुछ नहीं है। शैलम पाठशाला की प्यारी नाम की एक लड़की ने सीना अच्छा सीखा है। पर वह बड़ी घमंडी है, अगर वह मिले तो हम झट सीना सीख सकती हैं।

प्रश्न : अरी बिटिया, जबानी जमाखर्च से तो काम नहीं बनता है। बेगार कब तक करूँ और उसे घमंडी कहती हो वह तो जाति सुभाव है, कुत्ते की दुम सीधी नहीं होती यह जानना।

उत्तर : अजी बड़ी दीदी, हमने पहले सोचा था कि इस काम में हमें सफलता नहीं मिलेगी। गोसाँई के अशीष से हमने लिखना-पढ़ना तो सीखा, सीना-पिरोना सीख सकें तो काम बने।

प्रश्न : सीना-पिरोना तो बड़ा कठिन काम है, चिरौरी-बिनती के बिना नहीं

बनता। तो हमें कैसे आएगा। मालकिन से कहकर मालिक से कहलवाने से शायद हो जाए।

उत्तर : गृहस्थी का तो यह हाल है, तिस पर मालिक बड़े कंजूस हैं। तो काम कैसे बनेगा।

प्रश्न : सो जो कुछ भी हो, मालकिन से एक बार कहना ही होगा सो तुम कह सकोगी कि नहीं?

उत्तर : कह क्यों नहीं सकूँगी, तो जाऊँ जो कुछ भाग में लिखा है होगा।

प्रश्न : मालकिन जी कहने की बात नहीं है पर बिना कहे बनता भी नहीं। सो कहती हूँ। जैसे पचपन वैसे छप्पन की तरह उस छोकरी को लाकर कुछ सीना-पिरोना सीखने की साध है। पहले तुमने कहा था कि हम लोग सीना-पिरोना सीखें इसलिए राई और प्यारी से सलाह की है, वे भी कुछ माहवार देंगी। सो दस की लाठी एक का बोझ हो जाएगा। और सब मिल करें काज, हार-जीत में नाहीं लाज। तुम क्या कहती हो?

उत्तर : अरी बिटिया, बात से बात नहीं बनती है। हाँ, रामधन को नौकरी मिली है। उसे महीना मिलते ही दो रुपए देकर लाऊँगी।

प्रश्न : अजी, तब क्या इस दम हम नहीं सीखेंगी। अगर हम समय नागा करती हैं तो जो सीखा है वह भी भूल जाएँगी।

उत्तर : नागा क्यों करोगी। घर में बैठ अपने आप दोनों जने धीरे-धीरे सीखो। अरी बिटिया धीरे-धीरे बीनकर जुलाहा काम बना लेता है।

प्रश्न : नागा काम को भारी बना देता है, हमें तो बाल बनाने की भी फुरसत नहीं। यह तो लिखने-पढ़ने जैसा नहीं है यह बहुत कठिन काम है, सीखें कब।

उत्तर : दोनों बहिनें बारी-बारी से काम करें तो फुरसत मिलेगी। इतना कामधाम ही क्या है। काम तो दो हैं, खाना और सोना।

प्रश्न : अरी बहिन, तुम गई तो मालकिन ने क्या कहा?

उत्तर : तुमने ठेलठाल कर भेजा। मैंने तभी कहा था मालकिन मुँह से मीठी बातें करती हैं लेकिन दिल में हलाहल भरा है।

प्रश्न : अजी इतनी चिरौरी-बिनती की कौन-सी बात है। अपने पास तिरिया ब्यौहार के जो दो-चार पैसे हैं उसी से खर्च कर क्यों न सीखें। तब बड़े मालिक के यहाँ से खर्च-वर्च आने पर हमारी लेही-पूँजी नहीं टूटेगी और ये रुपए भी मिल जाएँगे। यह जुगत कैसी रहेगी। दीदी?

उत्तर : बेल पका तो कौवे का क्या। अरी नादान लड़की जो खर्च हो जाता है वह क्या फिर मिलता है।

प्रश्न : तो इस बात को रहने दे बहिन? जो दस रुपए इधर-उधर करती हूँ खर्च करने पर भी यहीं मिलेंगे पर इतनी कड़ाई करने से क्या काम चलता है?

उत्तर : तुम्हारी जो इच्छा है मैं भी वही करूँगी। सो प्यारी को बुला ठीक-ठाक करके सुइ-ताग बेसाहकर शुरू करें।

प्रश्न : अरी धनी की माँ, भई कहने में भी लाज लगती है लेकिन तू हमारी लकुटी है। आदमी रखने पर गाढ़े समय में कहना ही पड़ता है। शैलम पाठशाला से जरा प्यारी को बुला ला सकती है?

उत्तर : जाऊँ भई, तुम लोगों का कहना सुनना ही होगा; क्योंकि आए-गए तुम लोगों के सामने हाथ पसारने से मुँह नहीं मोड़ती हो। इस गुन पर पसीजना ही पड़ता है।

प्रश्न : अरी प्यारी, उस घर की दो बहुएँ तुझसे सीना-पिरोना सीखना चाहती हैं तो तेरे ढिग भेजा है। तू तो यह काम करती है, वहाँ जाने पर कुछ पाएगी। खामखा घर में बैठ इधर-उधर की सोचने से क्या होगा।

उत्तर : इधर सुन धना की माँ, बात की बात में लोग कहते हैं। इधर सुनो सखी, मन की बात कहूँ; तू उन लोगों से कुछ न कहने जाना! यह जो भगी छोकरी है, उसने लगातार साल भर उन दोनों को लिखना-पढ़ना सिखाया है। सुना, उन लोगों ने हाथ उठाकर उसे कभी कुछ नहीं दिया; अजी हम तो दीन-दुखी मेहरारू हैं। कहावत है जूठा खाती हूँ मीठे के लोभ में और पेट में खाने से पीठ पर सहा भी जा सकता है; अगर कुछ नहीं पाती हूँ तो हमारे बाल-बच्चे क्या खाकर जिएँगे। मैं घर में बैठी दो चादरें भी सिऊँ तो चार आने पा सकती हूँ।

प्रश्न : अरी तू नहीं समझती है। बड़ी हाँड़ी का बासी भी अच्छा होता है। अब उनके रामधन को अच्छी नौकरी मिली है सो अब जाने से तेरे लिए अंत में अच्छा ही होगा; मैं तो यही समझती हूँ, तू क्या कहती है?

उत्तर : तो होने दो भई; 'आँख का अंधा नाम नैन सुख।' आदमी बड़ा मानी होता है उसके दोनों कान कटे होते हैं। इसलिए जाती हूँ, नहीं तो मैं नहीं जाती।

प्रश्न : मैं जाकर बुला लाती हूँ; अभी तक घर के जूठे बरतन पड़े हुए हैं तो चलूँ भइ?

उत्तर : जा भई, अब हम प्यारी से बतिआयँ।

प्रश्न : अरी प्यारी; तूने तो सीने का काम अच्छा सीखा है। यह सुनकर हमारा भी सीखने का मन करता है तो तू नित आकर हमें सिखाए तो हमारा उपकार होगा तुझे भी कुछ-कुछ लाभ होगा।

यहाँ प्रस्तुत है एक अंश। महादेव साहा द्वारा 1989 में पहले की भूमिकाओं के साथ पुनर्प्रकाशित

कांग्रेस के प्रस्ताव

1885 से 1929 तक

1885 में ह्यूम के प्रयास से कांग्रेस की मुंबई में स्थापना हुई। सरकार को जनता के विचारों से परिचित कराने के उद्देश्य से लेकर पूर्ण स्वाधीनता की माँग तक कांग्रेस के अधिवेशनों में सामाजिक गतिशीलता और पुनर्निर्माण के लिए जो प्रस्ताव पारित किए गए थे, उनमें से कुछ यहाँ प्रस्तुत हैं।

1885, पहला अधिवेशन, मुंबई

प्रस्ताव संख्या-4—गैर-फौजी सरकारी नौकरियों के लिए परीक्षाएँ—कांग्रेस की राय है कि सरकारी नौकरियों के अनेक गैर-फौजी महकमों में पहली बार नियुक्ति होने के लिए इस समय इंग्लैंड में जो प्रतिद्वंदी परीक्षाएँ होती हैं, वे सन् 1860 की 'इंडिया आफिस कमेटी' की राय के मुताबिक आगे से साथ ही यहाँ और इंग्लैंड दोनों जगहों में हों, दोनों जगहों की परीक्षाएँ जहाँ तक हो सके एक ही समान हों और इस प्रतिद्वंद्विता में दोनों देशों में जितने लोग शरीक हों उनकी योग्यता के क्रम से अंत में एक ही सूची बनाई जाए, और हिंदुस्तान में जो परीक्षार्थी उत्तीर्ण हों वे आगे की शिक्षा के लिए इंग्लैंड भेज दिए जाएँ और आवश्यकतानुसार वहाँ उनकी और परीक्षाएँ हों। दूसरे तरह की समस्त पहली नियुक्तियाँ (चपरासीगिरी आदि को छोड़कर) हिंदुस्तान में प्रतिद्वंद्वी परीक्षाएँ लेकर की जाएँ। इन परीक्षाओं के लिए ऐसी शर्तें रखी जाएँ जिनसे इन्हें पास करके नौकरी पाने वालों में वैसी मानसिक, नैतिक और शारीरिक योग्यता पाई जाए जैसी सरकार आवश्यक समझती हो। शर्तबंदी गैर-फौजी नौकरियों में प्रवेश करने के लिए उम्मेदवारों की उमर की ऊपरी हद 23 वर्षों से कम न रखी जाए।

प्रस्ताव संख्या-5—फौजी खर्च—कांग्रेस की राय है कि साम्राज्य के फौजी खर्च में वृद्धि करने का जो विचार हो रहा है वह अनावश्यक है और साम्राज्य की आय और देश की वर्तमान अवस्था पर ध्यान देते हुए (यह खर्च) बहुत ज्यादा है।

1886, दूसरा अधिवेशन, कोलकाता

प्रस्ताव संख्या-5–भारतवर्ष में रहनेवाला कोई भी व्यक्ति बिना वंश, धर्म, जाति या वर्ण के भेदभाव के निर्वाचित या नामजद होकर किसी भी व्यवस्थापक सभा का सदस्य होने का अधिकारी हो।

1888, चौथा अधिवेशन, प्रयाग

प्रस्ताव संख्या-13–हिंदू-मुसलिम प्रश्न–जिस प्रस्ताव के उपस्थित किए जाने में हिंदू या मुसलमान प्रतिनिधि अपने संप्रदाय के नाम पर सर्वसम्मति से या लगभग सर्वसम्मति से आपत्ति करेंगे, उस प्रस्ताव के विषय निर्वाचन समिति में विचारार्थ उपस्थित किए जाने की अनुमति सभापति न देंगे और न ऐसा प्रस्ताव कांग्रेस में ही पेश हो सकेगा, और जो प्रस्ताव विचारार्थ स्वीकृत हो चुका होगा उस पर विचार होने के बाद यदि यह मालूम होगा कि हिंदू या मुसलमान प्रतिनिधि सांप्रदायिक रूप से अपनी सर्वसम्मति से या लगभग सर्वसम्मति से उसका विरोध करते हैं तो वह प्रस्ताव पास नहीं किया जाएगा। किंतु यह व्यवस्था उन्हीं विषयों के संबंध में रहेगी जिन पर कांग्रेस ने उस समय तक अपना कोई मत प्रकट न कर दिया हो।

1889, पाँचवाँ अधिवेशन, मुंबई

प्रस्ताव संख्या-3–शिक्षा के प्रत्येक अंग में सार्वजनिक कोष का व्यय घटाने के स्थान पर जैसी कि इस समय सरकार की इच्छा मालूम होती है–बढ़ाने की अत्यंत आवश्यकता, और इसके एक अंग–कलाकौशल की शिक्षा को प्रोत्साहन देने की दृष्टि से देश की वर्तमान औद्योगिक अवस्था की जाँच कराने के लिए एक सम्मिलित कमीशन बिठाए जाने की आवश्यकता।

1894, दसवाँ अधिवेशन, चेन्नई

प्रस्ताव संख्या-19–समाचार पत्र–कांग्रेस की राय है कि भारत सरकार के विदेशी विभाग ने 25 जून, 1891 को जो विज्ञप्ति निकाली है और जिसके द्वारा ब्रिटिश भारत और देशी रियासतों के समाचार पत्रों पर दबाव डाला है वह अनुचित, स्वच्छंदतापूर्ण और हानिकर है और यह कांग्रेस अत्यंत नम्रतापूर्वक उसका विरोध करती है और प्रार्थना करती है कि वह बिना विलंब रद्द कर दिया जाए।

1898, चौदहवाँ अधिवेशन, चेन्नई

प्रस्ताव संख्या-3–(क) चूँकि अब वह समय आ गया है जब कि भारतीयों की शिक्षा और उचित मानसिक विकास के लिए आजकल केवल परीक्षाओं द्वारा जितनी सुविधाएँ

मिलती हैं उनसे भी अधिक सुविधाओं की नितांत आवश्यकता है; इसलिए कलकत्ता, मद्रास और बंबई विश्वविद्यालयों की स्थापना के कानून इस तरह परिवर्तित किए जाएँ जिससे कि उनके द्वारा पढ़ाने के कार्य भी व्यवस्था हो और शिक्षा का दायरा भी बढ़े ताकि आजकल की आवश्यकताओं की पूर्ति हो सके।

1904, बीसवाँ अधिवेशन, मुंबई

प्रस्ताव संख्या-2—शिक्षा—पिछले मार्च महीने के प्रस्ताव में सरकार ने यह प्रतिज्ञा की है कि प्रारंभिक शिक्षा पर अधिक खर्च किया जाएगा और विदेशों में कला-कौशल तथा उद्योग-धंधों की शिक्षा पाने के लिए दस छात्र-वृत्तियाँ दी जाएँगी—इसके लिए यह कांग्रेस भारत सरकार को धन्यवाद देती है; लेकिन सरकार ने ऊँची शिक्षा के संबंध में जो अनुचित नीति ग्रहण की है जिससे विश्वविद्यालयों की शासक समितियाँ सरकारी हो जाएँगी और विश्वविद्यालय की शिक्षा का क्षेत्र संकुचित हो जाएगा, उसका यह कांग्रेस पिछले वर्ष की भाँति विरोध करती है। इस कांग्रेस की यह जोरदार राय है कि चूँकि अब साल-दर-साल सरकार को बहुत बचत हो रही है इसलिए उसका यह स्पष्ट कर्तव्य है कि सरकारी कोष में से शिक्षा के लिए इस समय की अपेक्षा अधिक रकम खर्च करे ताकि—

(क) साधारण जनता में प्रारंभिक शिक्षा अधिक फैले और निःशुल्क और अनिवार्य शिक्षा की ओर बढ़ने का पहला कार्य हो।

(ख) शारीरिक कार्य और वैज्ञानिक शिक्षा देने का समुचित प्रबंध हो।

(ग) सरकारी कॉलेजों और हाई स्कूलों में अधिक योग्य शिक्षक रखे जाएँ ताकि वे वास्तव में आदर्श विद्यालय हो जाएँ।

(घ) देश में कम से कम एक ऐसा केंद्रीय विद्यालय खोला जाए जिसमें अनेक तरह के कला-कौशल की शिक्षा दी जाए और भिन्न-भिन्न प्रांतों में छोटी-छोटी कला-कौशल संबंधी पाठशालाएँ खोली जाएँ।

1906, बाईसवाँ अधिवेशन, कोलकाता

प्रस्ताव संख्या-6—बंग विच्छेद—यह कांग्रेस एक बार फिर बंगाल के विभाग किए जाने का विरोध करती है और इस बात पर दुःख प्रगट करती है कि यद्यपि वर्तमान सरकार ने यह स्वीकार किया है कि प्रारंभिक विचार में गलतियाँ थीं और यह कार्य पूर्णतया बंगाल के लोगों की इच्छा के प्रतिकूल है तो भी उसने लोगों के घोर-विरोध, और इसे स्वीकार न करने के विचार के रहते हुए भी बंगाल के विभाग को निश्चित समझ लिया।

इस देश के समस्त प्रांतों के प्रतिनिधियों की यह कांग्रेस ब्रिटिश पार्लियामेंट और वर्तमान लिबरल सरकार को यह बात बतलाना चाहती है कि यह बात न केवल

न्यायपूर्ण होगी वरन् इससे शासन की सुचारुता भी बढ़ेगी यदि इस विभाग को रद्द कर दिया जाए या इस तरह संशोधित कर दिया जाए जिससे समस्त बंगाली बोलने वाले एक शासन-सूत्र में आ जाएँ और इससे बंगाल के समान महत्त्वपूर्ण प्रांत में संतोष हो जाए।

प्रस्ताव संख्या-7—बहिष्कार आंदोलन—यह देखते हुए कि देश के शासन में यहाँ के लोगों का कुछ भी हाथ नहीं है और वे सरकार से जो प्रार्थनाएँ करते हैं उन पर उचित रूप से ध्यान नहीं दिया जाता इसलिए इस कांग्रेस की राय है कि बंगाल के विच्छेद के विरोध में उस प्रांत में जो बहिष्कार का आंदोलन चलाया गया वह न्याय संगत था और है।

प्रस्ताव संख्या-8—स्वदेशी—यह कांग्रेस स्वदेशी आंदोलन का समर्थन करती है और देश के लोगों से कहती है कि देशी उद्योग-धंधों की उन्नति करके और कुछ नुकसान सहकर भी देशी वस्तुओं को बाहरी वस्तुओं के मुकाबले में तरजीह देकर इसकी सफलता के लिए उद्योग करें।

1908 तेईसवाँ अधिवेशन, चेन्नई

प्रस्ताव संख्या-3—दंगे—हाल ही में देश के कुछ हिस्सों में जो निंदनीय दंगे और मारपीट हुए हैं, वे महाराज के सब तरह की राजभक्त और शांतिप्रिय प्रजा की प्रकृति के प्रतिकूल हैं और यह कांग्रेस जोरों के साथ उन कार्यों की निंदा करती है।

1912, सत्ताईसवाँ अधिवेशन, बांकीपुर

प्रस्ताव संख्या-3—उपनिवेशों में भारतीय—(क) हाल ही में जो प्रांतीय समझौता हुआ है उसके संबंध में जो कानून बनने वाला है उसे देखते हुए यह कांग्रेस श्री गाँधी और ट्रांसवाल के भारतीयों को, रजिस्ट्री और प्रवास के संबंध में एशियावासियों के प्रतिकूल कानून के रद्द होने पर बधाई देती है और मुसलमान तथा हिंदू, जोरोस्ट्रियन और ईसाई लोगों ने जिस देश-भक्ति, साहस और त्याग के साथ अनेक कठिनाइयों के रहते हुए भी अपने प्रारंभिक नागरिक अधिकारों की प्राप्ति की लड़ाई में अपने देशवासियों के लिए कष्ट सहे हैं उसके लिए यह कांग्रेस उनकी तारीफ करती है।

(ख) समय-समय पर दक्षिण अफ्रीका और अन्य ब्रिटिश उपनिवेशों के भारतीयों के कष्टों को दूर करने के लिए जो प्रयत्न किए गए हैं उनकी यह कांग्रेस तारीफ करती है, लेकिन चूँकि ब्रिटिश सरकार ने इस संबंध में एक दृढ़ नीति रखने में असमर्थता प्रगट की है इसलिए यह कांग्रेस प्रार्थना करती है कि भारत-सरकार को ऐसे बदले के कार्य करने चाहिए जिनसे साम्राज्य के उन भागों के भारतीयों के आत्म-सम्मान और हित की रक्षा हो और इस तरह इस देश के लोगों के असंतोष का एक कारण दूर हो जाए।

(ग) आगे यह कांग्रेस जिम्मेदार राजनीतिज्ञों की इस घोषणा का विरोध करती है कि ब्रिटिश साम्राज्य के स्वराज्य-प्राप्त उपनिवेशों को चाहिए कि अनुन्नत प्रांतों की बहुत सी जगह केवल श्वेतांगों के रहने के लिए अलग रख छोड़ें; और यह बतलाना अपना कर्त्तव्य समझती है कि एक ओर तो इन स्थानों को यूरोपियनों के लिए बंद रखने और उन्हें (एशियावासियों को) ब्रिटिश नागरिकता के अधिकार न देने की नीति और दूसरी ओर एशिया में मुक्तद्वार की नीति की शिक्षा देने और उसे व्यवहार में लाने से साम्राज्य की बड़ी हानि होगी और यह नीति बुद्धिमानी से रहित और अन्यायपूर्ण है।

(घ) भारत सरकार ने दक्षिण अफ्रीका के लिए शर्तबंदी कुलियों की भरती बंद कर दी है–इसके लिए यह कांग्रेस उसे धन्यवाद देती है और इसकी यह राय है कि सर्वोच्च राष्ट्रीय हित की दृष्टि से शर्तबंदी कुली की प्रथा अवांछनीय है और तोड़ दी जानी चाहिए और सरकार से प्रार्थना करती है कि आगे से देश में या बाहर काम करने के लिए शर्तबंदी कुलियों की भर्ती की मनाही कर दी जाए।

(ङ) सभापति, महात्मा गाँधी के पास नीचे लिखा समाचार भेजें–''कांग्रेस पिछले वर्ष के प्रस्ताव का समर्थन करती है, आपके प्रयत्नों की तारीफ करती है और आप को तथा आपके कार्यकर्ताओं को देश के हार्दिक समर्थन का विश्वास दिलाती है।'

1918, तैंतीसवाँ अधिवेशन, दिल्ली

प्रस्ताव संख्या-9–स्त्रियों का मताधिकार–यह कांग्रेस इस बात पर जोर देती है कि सुधार योजना में (मताधिकार के संबंध में) पुरुषों के लिए जो योग्यताएँ रखी गई हैं वही योग्यताएँ रखने वाली स्त्रियाँ (केवल) स्त्री होने के कारण अयोग्य न ठहरायी जाएँ।

1920, विशेष अधिवेशन, कोलकाता

प्रस्ताव संख्या-5–*असहयोग*–चूँकि खिलाफत के प्रश्न में भारत सरकार और साम्राज्य सरकार ने मुसलमानों के प्रति अपना कर्त्तव्य पूरा नहीं किया और प्रधान मंत्री ने उन्हें जो वचन दिया था उसे जान बूझ कर तोड़ा, और प्रत्येक गैरमुसलमान भारतीय का यह कर्तव्य है कि इस समय मुसलमानों पर जो धार्मिक विपत्ति आ गई है उसे दूर करने में उन्हें प्रत्येक न्यायपूर्ण उपाय से सहायता दें;

और चूँकि अप्रैल 1919 की घटना के संबंध में पंजाब के निरपराध लोगों की रक्षा करने, और जो अफसर उनके साथ सैनिकों के कर्त्तव्य के प्रतिकूल और जंगली व्यवहार करने के अपराधी थे उन्हें दंड देने में उपरोक्त दोनों सरकारों ने उपेक्षा भाव दिखलाया या अपना कर्तव्य नहीं किया है, और सर माइकल ओडायर को क्षमा कर दिया है जो सरकारी अफसरों के अपराधों के लिए प्रत्यक्ष या अप्रत्यक्ष रूप से और

उनके शासन के भीतर रहने वाली प्रजा के दुःखों के लिए जिम्मेदार साबित हो चुके हैं, और कॉमन सभा के और विशेषकर लार्ड सभा के वाद-विवाद में भारतीयों के प्रति सहानुभूति का अभाव पाया जाता है—जो कि दुःख की बात है; और यह स्पष्ट हो जाता है कि पंजाब में जो संगठित रूप से भय फैलाने और धमकाने का काम किया गया उसका समर्थन किया जा रहा है, और वाइसराय की पिछली घोषणा इस बात का पूरा सबूत है कि खिलाफत और पंजाब के संबंध में (सरकार के मन में) पश्चात्ताप का भाव बिल्कुल नहीं है;

इसलिए इस कांग्रेस की राय है कि उपरोक्त दोनों अपमानों का प्रतिकार हुए बिना भारतवर्ष में संतोष नहीं होगा, और राष्ट्रीय सम्मान कायम रखने और उस तरह के अत्याचार फिर न होने देने का एक मात्र सफल उपाय है—स्वराज्य की स्थापना। आगे इस कांग्रेस की यह राय है कि जब तक उन अत्याचारों का प्रतिकार न हो और स्वराज्य की स्थापना न हो जाए तब तक महात्मा गाँधी द्वारा प्रचारित क्रमिक अहिंसात्मक असहयोग की नीति का समर्थन करने और उसे स्वीकार करने के सिवाय भारतवर्ष के लोगों के लिए दूसरा चारा नहीं रह गया है :

और चूँकि इसका प्रारंभ उन लोगों के द्वारा होना चाहिए जिन्होंने आज तक जनता के मत को शिक्षित किया है और उनका प्रतिनिधित्व किया है, और चूँकि सरकार लोगों को उपाधियाँ और सम्मान प्रदान करके, अपने अधिकार की पाठशालाओं द्वारा, अपनी अदालतों द्वारा और अपनी व्यवस्थापक सभाओं द्वारा अपनी शक्ति संगठित करती है, और चूँकि यह उचित है कि इस आंदोलन के संचालन में कम से कम खतरा रहे और निश्चित उद्देश्य की सिद्धि के लिए कम से कम जितना त्याग आवश्यक हो उतना ही कराया जाए, इसलिए यह कांग्रेस आग्रहपूर्वक सलाह देती है कि—

(क) उपाधियों का वापस किया जाना—(सरकारी) उपाधियाँ और अवैतनिक पद त्याग दिए जाएँ और स्थानीय संस्थाओं में जो लोग नामजद किए हुए सदस्य हों वे अपना स्थान खाली कर दें।

(ख) दरबार—सरकारी उत्सवों या दरबारों में और सरकार द्वारा या सरकार के सम्मान में किए गए सरकारी या गैर-सरकारी उत्सवों में शरीक होने से इनकार किया जाए।

(ग) स्कूल और कॉलेज—सरकारी, सरकार से सहायता पाने वाले या सरकार के अधिकार के भीतर के कॉलेजों और स्कूलों से बालकों को धीरे-धीरे अलग कर लिया जाए और इन स्कूलों और कालेजों के स्थान पर भिन्न भिन्न प्रांतों में राष्ट्रीय स्कूल और कॉलेज स्थापित किए जाएँ।

(घ) अदालत—वकील और मुवक्किल धीरे-धीरे अदालतों का बहिष्कार कर दें और खानगी झगड़ों के निपटारे के लिए उनकी सहायता से खानगी पंचायती अदालत

स्थापित की जाएँ।

(ङ) फौज की भरती—सैनिक, कर्ल्की और मजदूरी पेशावाले लोग मेसोपोटामियाँ में काम करने के लिए भरती होने से इनकार कर दें।

(च) व्यवस्थापक सभाएँ—सुधार योजना के अनुसार बनने वाली व्यवस्थापक सभाओं के लिए जो लोग उम्मेदवार हों वे अपनी उम्मेदवारी वापस ले लें और जो उम्मेदवार कांग्रेस के निर्णय की अवहेलना करके निर्वाचन के लिए खड़े हों उनके लिए कोई मतदाता मत न दे।

(छ) विदेशी वस्तुओं का बहिष्कार (किया जाए)—हाथ की बुनाई और कताई—चूंकि असहयोग, संयम और आत्म बलिदान का एक उपाय समझा गया है, जिसके बिना कोई भी राष्ट्र सच्ची उन्नति नहीं कर सकता, और चूँकि असहयोग की प्रारंभिक अवस्था में प्रत्येक पुरुष, स्त्री और बालक को इस प्रकार के संयम और आत्म-बलिदान का मौका दिया जाना चाहिए इसलिए यह कांग्रेस बृहत् रूप से स्वदेशी वस्तुओं का उपयोग करने की सलाह देती है, और चूँकि देशी पूँजी और देशी अधिकार के भीतर की वर्तमान भारतीय मिलें राष्ट्र की आवश्यकता के लिए पर्याप्त सूत और पर्याप्त वस्त्र नहीं तैयार करती हैं, और बहुत दिनों तक ऐसा कर भी न सकेंगी। इसलिए यह कांग्रेस घर-घर में हाथ से सूत कातने का काम फिर से जारी करके, और जिन लाखों कपड़ा बुनने वालों ने प्रोत्साहन के अभाव में अपना प्राचीन और सम्मानित कार्य बंद कर दिया था उनके द्वारा हाथ से बुनने का काम फिर से प्रारंभ कराके वस्त्र की उत्पत्ति तुरंत बढ़ाने की सलाह देती है।

1920, पैंतीसवाँ अधिवेशन, नागपुर

(1) कांग्रेस का ध्येय—समस्त न्यायपूर्ण और शांतिमय मार्गों से भारतवासियों द्वारा स्वराज्य प्राप्त करना भारतीय राष्ट्रीय कांग्रेस का ध्येय है।

(यही कांग्रेस के संगठन की पहली धारा है।)

(2) असहयोग—चूँकि कांग्रेस की राय में भारतवर्ष की वर्तमान सरकार पर से देश का विश्वास उठ गया गया है; और

चूँकि भारतवासियों ने जब स्वराज्य स्थापित करने का निश्चय कर लिया है; और

चूँकि कांग्रेस के पिछले विशेष अधिवेशन के पहले भारतवर्ष के लोगों द्वारा जितने उपाय किए गए वे सब ही लोगों के अधिकार और उनकी स्वतंत्रता को उचित रूप से स्वीकार कराने और उनके ऊपर किए गए अनेक बड़े-बड़े अत्याचारों का—विशेष रूप से खिलाफत और पंजाब संबंधी अत्याचारों का—प्रतिकार करने में असफल हुए हैं;

इसलिए यह कांग्रेस अपने कलकत्ते के विशेष अधिवेशन द्वारा स्वीकृत अहिंसात्मक

असहयोग के प्रस्ताव को फिर से मंजूर करती हुई, यह घोषित करती है कि एक तरफ सरकार के साथ स्वेच्छा से संबंध त्यागने से लेकर दूसरी तरफ कर देना बंद करने तक, अहिंसात्मक असहयोग के समस्त या एक या अधिक कार्य कांग्रेस या भारतीय कांग्रेस कमेटी द्वारा निश्चित किए गए समय पर अमल में लाए जाएँ, और इस बीच में देश को तैयार करने के लिए (नीचे लिखे कार्यों द्वारा) सफलतापूर्वक कार्रवाई की जाए–

(क) पाठशालाओं का बहिष्कार–सोलह वर्ष से कम उम्र के बालकों के माता-पिताओं और संरक्षकों से (न कि बालकों से) कहा जाए कि वे सरकारी, सरकार से सहायता–प्राप्त, या किसी भी तरह से सरकार के अधिकार के भीतर की पाठशालाओं से बालकों को निकाल लेने का बहुत प्रयत्न करें और साथ ही राष्ट्रीय शालाओं में या जहाँ राष्ट्रीय शालाएँ न हों वहाँ अपने सामर्थ्यानुसार किसी दूसरी तरह से उनकी शिक्षा का प्रबंध करें।

(ख) सोलह वर्ष या इससे अधिक उम्र के विद्यार्थियों से कहा जाए कि यदि वे यह समझते हों कि जिस शासनप्रणाली के अंत कर देने का राष्ट्र ने निश्चय कर लिया है उसके अधिकार के भीतर की पाठशालाओं में रहना उनकी आत्मा की आज्ञा के विरुद्ध है, तो वे आगे के परिणाम का विचार न करते हुए, सरकारी, सरकार द्वारा सहायता-प्राप्त या किसी भी तरह से सरकार के अधिकार के भीतर के विद्यालयों से, बिना विलंब अलग हो जाएँ, और इन विद्यार्थियों को सलाह दी जाए कि वे या तो असहयोग आंदोलन के संबंध में कोई विशेष सेवा करें या राष्ट्रीय विद्यालयों में अपना अध्ययन जारी रखें।

(ग) विद्यालयों को राष्ट्रीय बनाना–सरकारी, सरकार से संबद्ध या सरकार से सहायता-प्राप्त पाठशालाओं के ट्रस्टियों, व्यवस्थापकों और अध्यापकों से, और म्युनिसिपालिटियों तथा लोकल-बोर्डों से कहा जाए कि वे उन (पाठशालाओं) को राष्ट्रीय बनाने में सहायता दें।

(घ) अदालत–कानून पेशा वालों से कहा जाए कि वे वकालत करना स्थगित करने का अत्यंत प्रयत्न करें और अपना ध्यान राष्ट्रीय सेवा में लगाएँ, जिसमें अन्य वकीलों और मुवक्किलों द्वारा अदालतों का बहिष्कार और आपसी पंचायतों द्वारा अदालतों का बहिष्कार और आपसी पंचायतों द्वारा झगड़ों का निर्णय होना शामिल है।

(ङ) हाथ की कताई और बुनाई–भारतवर्ष को आर्थिक रूप से स्वतंत्र और स्वावलंबी बनाने के विचार से व्यापारियों से कहा जाए कि वे क्रमशः वैदेशिक व्यापार संबंध का बहिष्कार करें, और हाथ की कताई और बुनाई को प्रोत्साहन दें, और इसके लिए भारतीय कांग्रेस कमेटी द्वारा नामजद विशेषज्ञों की एक कमेटी आर्थिक बहिष्कार की योजना बनाए।

(च) त्याग की आवश्यकता—चूँकि असहयोग की सफलता के लिए त्याग आवश्यक है, इसलिए देश के प्रत्येक समाज और प्रत्येक स्त्री और पुरुष से कहा जाए कि वह राष्ट्रीय आंदोलन में अधिक से अधिक जितना हो सके, त्याग करे।

(छ) कांग्रेस कमेटियों का संगठन—असहयोग की उन्नति करने के लिए प्रत्येक प्रांत के सदर-मुकाम में प्रांत का केंद्रीय संगठन बना करके, प्रत्येक गाँव या कुछ गाँवों के समूह में कमेटियाँ स्थापित की जाएँ।

(ज) कार्यकर्त्ता—भारतीय राष्ट्रीय सेवक (दल) के नाम से राष्ट्रीय कार्यकर्त्ताओं का एक दल संगठित किया जाए।

(झ) तिलक स्मारक स्वराज्य कोष—उपरोक्त राष्ट्रीय सेवा और साधारणतया असहयोग आंदोलन का खर्च पूरा करने के लिए एक राष्ट्रीय कोष स्थापित करने का पूरा प्रयत्न किया जाए, और इस कोष का नाम 'अखिल भारतीय तिलक स्मारक स्वराज्य कोष' हो।

व्यवस्थापक सभाएँ—असहयोग के कार्यक्रम को और विशेषकर मतदाताओं द्वारा व्यवस्थापक सभाओं के बहिष्कार को कार्यान्वित करने में इस समय तक राष्ट्र ने जो उन्नति की है, उस पर यह कांग्रेस उसे बधाई देती है, और यह दावा करती है कि जिन परिस्थितियों में नई व्यवस्थापक सभाएँ संगठित हुई हैं उन्हें देखते हुए वे देश की प्रतिनिधि नहीं हैं, और विश्वास करती है कि जान-बूझ कर अधिक संख्या में मतदाताओं के मत देने के लिए न जाने पर भी, जो लोग व्यवस्थापक सभाओं के लिए चुने गए हैं वे व्यवस्थापक सभाओं में अपने स्थान से इस्तीफा दे देंगे, और यदि मतदाताओं की इच्छा के प्रतिकूल प्रजातंत्र के सिद्धांतों की अवहेलना करते हुए वे अपनी जगहों पर बने रहे तो निर्वाचक इन (व्यवस्थापक सभाओं के) सदस्यों से किसी तरह की राजनैतिक सेवा करने के लिए न कहेंगे।

पुलिस—यह कांग्रेस पुलिस, सेना और जनता के बीच की बढ़ती हुई मित्रता को स्वीकार करती है और आशा करती है कि पुलिस के लोग अपने अफसरों की आज्ञा का पालन करने में अपने धर्म और देश को गौणस्थान नहीं देंगे, और लोगों के साथ सभ्यतापूर्वक व्यवहार करके अपने ऊपर का आज तक का यह कलंक दूर कर देंगे कि वे अपने ही लोगों के भावों और विचारों की कुछ भी परवाह नहीं करते।

सरकारी कर्मचारी—यह कांग्रेस समस्त सरकारी कर्मचारियों से प्रार्थना करती है कि जब तक उन्हें इस्तीफा देने के लिए नहीं कहा जाता तब तक वे जनता के साथ अधिक दया और ईमानदारी के साथ व्यवहार करके राष्ट्रीय कार्य में सहायता पहुँचाएँ, और निर्भय होकर समस्त सार्वजनकि सभाओं में शरीक हों, लेकिन उनकी कार्रवाई में कोई भाग न लें, और विशेषकर राष्ट्रीय आंदोलन को आमतौर पर आर्थिक सहायता पहुँचाएँ।

प्रस्ताव संख्या-19—सिक्ख लोग—चूँकि भारतवर्ष की भावी राज्य-व्यवस्था में

सिक्खों का क्या स्थान रहेगा इस संबंध में उन लोगों में गलतफहमी फैली हुई है, इसलिए यह कांग्रेस उन्हें विश्वास दिलाती है कि भारतीय स्वराज्य की किसी भी योजना में उनके स्वार्थ की रक्षा उसी तरह की जाएगी जिस तरह पंजाब के सिवाय अन्य प्रांतों में मुसलमानों या अन्य अल्प-संख्यक जातियों के स्वार्थों की रक्षा की गई है।

1921, छत्तीसवाँ अधिवेशन, अहमदाबाद

प्रस्ताव संख्या-2—अंतर्सामाजिक एकता, खद्दर और अस्पृश्यता—जो लोग पूर्ण असहयोग या असहयोग के सिद्धांत पर विश्वास नहीं करते किंतु जो राष्ट्रीय सम्मान के लिए खिलाफत और पंजाब के अत्याचारों का प्रतिकार होना आवश्यक समझते हैं और उस पर जोर देते हैं, और राष्ट्र के पूर्ण विकास के लिए तुरंत स्वराज्य स्थापित कराने पर जोर देते हैं, उन सब लोगों से यह कांग्रेस प्रार्थना करती है कि वे भिन्न-भिन्न धार्मिक समाजों में एकता कराने में पूरी सहायता दें, जो लाखों कृषक भूखों मरने की अवस्था में पहुँचे हुए हैं उनकी आमदनी बढ़ाने के लिए आर्थिक दृष्टि से धुनने, हाथ से कातने और बुनने के काम का प्रचार करें और इसके लिए हाथ से कते और बुने कपड़े को पहनने की शिक्षा दें और पहनें, नषैली वस्तुओं का प्रयोग पूर्णतया बंद करने में सहायता दें और यदि वे हिंदू हों तो अस्पृश्यता दूर करने और दलित जाति के लोगों की अवस्था सुधारने में मदद दें।

1923, विशेष अधिवेशन, दिल्ली

प्रस्ताव संख्या-17—हिंदू-मुसलिम संबंध—यह कांग्रेस इस बात पर अत्यंत दुःख प्रकट करती है कि पिछले बारह महीनों में अनेक शहरों और नगरों के रहने वालों ने धर्म और मनुष्यता के सिद्धांतों की अवहेलना करके अपने पड़ोसियों के शरीर, संपत्ति और पूजास्थलों पर आक्रमण किए हैं, और इसका यह विश्वास है कि ये आक्रमण निम्न हैं। यह कांग्रेस निश्चय करती है कि एक कमेटी बनाई जाए जो उन सब स्थानों का दौरा करे जहाँ-जहाँ झगड़े हुए हैं और इस बात की जाँच करे कि उन झगड़ों के लिए कौन जिम्मेदार थे और जो लोग इसके अपराधी हैं उनके कार्यों की सार्वजनिक रूप से भर्त्सना करे।

यह कांग्रेस आगे निश्चय करती है कि उपरोक्त कमेटी से कहा जाए कि वह ऐसे उपाय बतलाए जिससे भविष्य में ऐसी घटनाएँ न हों, ताकि सब ही समाज के लोग एक-दूसरे का दिल दुखाए बिना अपने अपने धर्मों का पालन करें और राष्ट्रीय कार्य में पारस्परिक सहयोगिता और विश्वास के साथ एक-दूसरे से मिलकर काम करें।

1924, उन्तालीसवाँ अधिवेशन, बेलगाँव

प्रस्ताव संख्या-7—अस्पृश्यता—अस्पृश्यता दूर करने के संबंध में हिंदुओं के विचारों में जो उन्नति हो रही है उस पर यह कांग्रेस संतोष प्रगट करती है किंतु उसकी यह राय है कि अभी बहुत काम बाकी है और इसलिए कांग्रेस की संस्थाओं के हिंदू सदस्यों से यह कांग्रेस अनुरोध करती है कि इस कार्य के लिए अधिकाधिक प्रयत्न करें। यह कांग्रेस प्रांतीय कांग्रेस कमेटियों के हिंदू सदस्यों से अनुरोध करती है कि वे कुएँ, मंदिर, शिक्षा की सुविधाएँ इत्यादि जरूरियात के संबंध में पता लगाकर और इन जरूरियात को पूरा करने का प्रबंध करके दलित जातियों की दशा सुधारने की ओर अधिक ध्यान दें। यह कांग्रेस वाहकोम के सत्याग्रहियों को, जो एक ऐसे राजपथ पर से अछूतों के चल सकने के अधिकार की रक्षा करने में लगे हैं जिस पर ऊँची जाति के हिंदू चल सकते हैं, उनकी अहिंसा उनके धैर्य, साहस, और सहनशक्ति के लिए बधाई देती है और आशा करती है कि त्रावणकोर-राज—शिक्षित समझा जाता है—सत्याग्रहियों के न्यायपूर्ण अधिकारों को स्वीकार करेगा और उनकी शिकायत शीघ्र दूर कर देगा।

1925, चालीसवाँ अधिवेशन, कानपुर

प्रस्ताव संख्या-8—हिंदोस्तानी—यह कांग्रेस निश्चय करती है कि कांग्रेस, भारतीय कांग्रेस कमेटी और कार्य समिति की कार्रवाई आम तौर पर हिंदोस्तानी में की जाएगी; यदि वक्ता हिंदोस्तानी में बोलने में असमर्थ हो, अथवा जहाँ आवश्यक हो वहाँ अंग्रेजी भाषा या कोई प्रांतीय भाषा भी व्यवहार में लाई जा सकती है;

प्रांतीय कांग्रेस कमेटियों की कार्रवाई आम तौर पर उस प्रांत की भाषा में की जाएगी। हिंदोस्तानी का भी व्यवहार किया जा सकता है।

1927, बयालीसवाँ अधिवेशन, चैन्नई

प्रस्ताव संख्या-14—*हिंदू मुसलिम एकता—भाग 'क' राजनैतिक अधिकार* :

यह कांग्रेस निश्चय करती है कि—1. किसी भी भावी शासन-विधान में जहाँ तक भिन्न-भिन्न व्यवस्थापक सभाओं के लिए प्रतिनिधित्व का संबंध है वहाँ तक समस्त प्रांतों और भारतीय व्यवस्थापक परिषदों में संयुक्त निर्वाचन प्रणाली रखी जाए।

2. (भारतवर्ष में रहने वाले) दो बड़े संप्रदायों के लोगों को इस बात का विश्वास दिलाने के लिए कि व्यवस्थापक सभाओं में उनके न्यायपूर्ण अधिकार सुरक्षित रहेंगे, इन संप्रदायों का फिलहाल और यदि वे चाहें तो प्रत्येक प्रांत में तथा भारतीय व्यवस्थापक सभा में उनकी आबादी के हिसाब से संयुक्त निर्वाचन प्रणाली में उनके प्रतिनिधियों की संख्या (निश्चय और) सुरक्षित कर दी जाए।

लेकिन आपस के समझौते से अल्पसंख्यक संप्रदायों के लिए इस प्रकार की पारस्परिक रिआयतें की जा सकती हैं जिससे किसी एक प्रांत में या अनेक प्रांतों में उन्हें अपनी आबादी के हिसाब से जितनी जगहें मिल सकतीं, उससे ज्यादा जगहें मिल सकें, और इस प्रकार के समझौते से इन दो संप्रदायों के लिए प्रांतों में उनके प्रतिनिधित्व का जो अनुपात निश्चित होगा वही अनुपात प्रांत की ओर से भारतीय व्यवस्थापक परिषदों के संबंध में भी रहेगा।

पंजाब में स्थान सुरक्षित रखने का निर्णय करते समय सिखों के प्रतिनिधित्व के प्रश्न पर जो कि (उस प्रांत में) एक महत्त्वपूर्ण अल्पसंख्यक संप्रदाय है—पूर्णतया विचार किया जाएगा।

3. (क) मुसलमान नेताओं ने जो यह प्रस्ताव रखा है कि पश्चिमोत्तर सीमा प्रांत और ब्रिटिश बलूचिस्तान में अन्य प्रांतों के समान ही शासन-प्रणाली चलाई जाए, वह इस कांग्रेस की राय में उचित और युक्तिसंगत है और उसके ऊपर अमल होना चाहिए, (लेकिन) इस बात का ध्यान रखते हुए कि शासन-संबंधी अन्य सुधारों के साथ साथ उन प्रांतों में न्याय विभाग भी पूर्णतया संगठित किया जाए।

(ख) (1) सिंध को एक अलग प्रांत बनाने के प्रस्ताव के संबंध में इस कांग्रेस की राय है कि अब वह समय आ गया है जब कि प्रांतों का बँटवारा फिर से भाषा की दृष्टि से किया जाए—इस बात को कांग्रेस ने अपने संगठन (के नियमों में) स्वीकार कर लिया है।

(2) इस कांग्रेस की यह भी राय है कि प्रांतों की सीमा इस प्रकार फिर से निश्चित करने का काम फौरन हाथ में ले लिया जाए और जो भी प्रांत इस प्रकार भाषा की दृष्टि से अपना अलग संगठन कराना चाहे उसके संबंध में उस प्रकार की कार्रवाई की जाए।

(3) इस कांग्रेस की आगे यह राय है कि इसकी शुरुआत आंध्र, उत्कल, सिंध और कर्नाटक को अलग-अलग प्रांत बनाकर की जाए।

(4) भावी शासन विधान में इस बात की व्यवस्था रहेगी कि प्रत्येक व्यक्ति अपने धार्मिक विश्वास के संबंध में पूर्णतया स्वतंत्र है और—प्रांतीय अथवा केंद्रीय—किसी भी व्यवस्थापक सभा को धार्मिक विश्वास संबंधी स्वतंत्रता में हस्तक्षेप करने वाले कानून बनाने का अधिकार न रहेगा।

'धार्मिक विश्वास संबंधी स्वतंत्रता' का अर्थ है विश्वास और उपासना की स्वतंत्रता, धार्मिक कृत्यों के करने और (उनके लिए) एकत्रित होने की स्वतंत्रता, और दूसरे के भावों का ख्याल रखते हुए तथा उनके इसी प्रकार के अधिकारों में हस्तक्षेप न करते हुए धार्मिक शिक्षा देने और (धार्मिक) प्रचार करने की स्वतंत्रता।

5. अंतर्साम्प्रदायिक मामलों के संबंध में कोई भी ऐसा बिल, प्रस्ताव, मंतव्य या संशोधन किसी भी व्यवस्थापक सभा में—चाहे वह केंद्रीय हो या प्रांतीय—न पेश

होगा और न उस पर बहस होगी और न वह स्वीकृत होगा, यदि जिन संप्रदायों पर उसका असर होने वाला है उनमें से किसी एक के उस व्यवस्थापक सभा के सदस्य अपने तीन चतुर्थांश के बहुमत से उस बिल, प्रस्ताव, मंतव्य या संशोधन के पेश किए जाने, उस पर बहस होने या उसके स्वीकृत किए जाने का विरोध करेंगे।

'अंतर्साम्प्रदायिक मामले' का अर्थ है वे मामले जो व्यवस्थापक सभा के प्रत्येक अधिवेशन के आरंभ में उस व्यवस्थापक सभा के—हिंदू और मुसलमान दोनों संप्रदायों के सदस्यों की 'सम्मिलित स्थायी कमेटी' द्वारा इस प्रकार के मामले (अंतर्साम्प्रदायिक मामले) करार दिए गए हों।

भाग 'ख'—धार्मिक और अन्य अधिकार :

यह कांग्रेस निश्चय करती है कि—

1. हिंदुओं और मुसलमानों को अपने-अपने अधिकारों के संबंध में यह दावा है कि एक को जहाँ वह चाहें वहाँ बाजा बजाने और जुलूस ले जाने का हक है और दूसरे को कुरबानी के लिए या खाने के लिए जहाँ वह चाहें वहाँ गायों का वध करने का हक है; उनके इन अधिकारों पर कोई हस्तक्षेप न करते हुए, मुसलमान मुसलमानों से यह अनुरोध करते हैं कि गाय के संबंध में जहाँ तक हो सके हिंदुओं की भावनाओं का ख्याल रखें (और उनका दिल न दुखाएँ,) और हिंदू हिंदुओं से अनुरोध करते हैं कि वे मसजिदों के सामने बाजा बजाने के संबंध में मुसलमानों की भावनाओं का ख्याल रखें (और उनका दिल न दुखाएँ।)

और इसलिए यह कांग्रेस हिंदू और मुसलमान दोनों से कहती है कि वे गोकुशी अथवा मसजिद के सामने से बाजा रोकने के लिए मारपीट न करें और न अदालत में जाएँ।

2. यह कांग्रेस आगे यह निश्चय करती है कि प्रत्येक व्यक्ति अथवा समूह को इस बात का अधिकार है कि वह दूसरे को तर्क के द्वारा या समझा-बुझा कर एक धर्म से दूसरे धर्म में लाए या फिर दूसरे से परिवर्तित कर के पहले में लाए, किंतु कोई भी व्यक्ति अथवा समूह जबर्दस्ती से, धोखे से या किसी दूसरे नाजायज तरीके से—जैसे भौतिक प्रलोभन देकर—किसी को एक धर्म से दूसरे में परिवर्तित नहीं करेगा और न परिवर्तित होने से रोकेगा। अठारह वर्ष से कम उम्र के व्यक्तियों का धर्म-परिवर्तन नहीं करना चाहिए, सिवाय उन सूरतों के जब कि उनके माँ-बाप या अभिभावक भी अपना धर्म परिवर्तन कर रहे हों। यदि अठारह वर्ष से कम उम्र का कोई व्यक्ति अपने माँ-बाप या अभिभावक के बिना किसी दूसरे धर्मावलंबी के कब्जे में पाया जाए तो उसे फौरन उसके सहधर्मियों के हाथों में दे देना चाहिए। किसी आदमी का धर्म परिवर्तित करते समय या उसे उसके पुराने धर्म में लाते समय उस व्यक्ति, स्थान, समय अथवा परिवर्तन के प्रकार के संबंध में किसी प्रकार का प्रदर्शन या उत्सव नही होना चाहिए।

किसी व्यक्ति का धर्म-परिवर्तन करने या उसे उसके पुराने धर्म में लाने के संबंध में जब कभी यह शिकायत आएगी कि यह कार्य छिपाकर अथवा बल-प्रयोग करके या किसी दूसरे नाजायज तरीके से किया गया है, या जब कभी किसी अठारह वर्ष से कम उम्र के व्यक्ति का धर्म-परिवर्तन किया जाएगा तब पंचायतों के द्वारा उसकी जाँच होगी और फैसला किया जाएगा। इन पंचायतों को (कांग्रेस की) कार्य-समिति या तो (स्वयं) नामजद कर देगी या उनके निर्माण के संबंध में साधारण नियम बना देगी।

1928, तैंतालीसवाँ अधिवेशन, कोलकाता

प्रस्ताव संख्या-10–ब्रिटिश माल का बहिष्कार–यह कांग्रेस निश्चय करती है कि कांग्रेस को आम तौर से सब विदेशी कपड़े और खास तौर से ब्रिटिश माल के बहिष्कार के लिए आंदोलन करना चाहिए।

1929, चौवालीसवाँ अधिवेशन, लाहौर

प्रस्ताव संख्या-4–पूर्ण स्वाधीनता–औपनिवेशिक-स्वराज संबंधी वाइसराय की 31 अक्टूबर की घोषणा पर (भिन्न-भिन्न) दलों के नेताओं ने, जिनमें कांग्रेस वाले भी थे, जो विज्ञप्ति निकाली थी (और) उस (विज्ञप्ति) के संबंध में कार्य समिति ने जो कार्रवाई की है उसका यह कांग्रेस समर्थन करती है और स्वराज के लिए होने वाले राष्ट्रीय आंदोलन का निपटारा करने के लिए वाइसराय ने जो प्रयत्न किए उनकी तारीफ करती है। फिर भी उसके बाद से अब तक जो कुछ हुआ है, तथा महात्मा गाँधी, पंडित मोतीलाल नेहरू और अन्य नेताओं तथा वाइसराय के बीच की बातचीत का जो नतीजा हुआ है, उस पर विचार करके कांग्रेस की यह राय है कि वर्तमान परिस्थितियों में प्रस्तावित गोलमेज सम्मेलन में कांग्रेस के प्रतिनिधियों के जाने से कोई लाभ होने को नहीं है। इसलिए यह कांग्रेस पिछले वर्ष अपने कलकत्ते के अधिवेशन में स्वीकृत प्रस्ताव के अनुसार यह घोषित करती है कि कांग्रेस के संगठन की धारा 1 में 'स्वराज' शब्द का अर्थ होगा पूर्ण स्वाधीनता, आगे कांग्रेस यह भी प्रगट करती है कि नेहरू कमेटी की रिपोर्ट की पूरी योजना अब रद्द हो गई और आशा करती है कि कांग्रेस के सब लोग आगे से अपनी सारी शक्ति भारतवर्ष के लिए पूर्ण स्वाधीनता प्राप्त करने में लगाएँगे। स्वाधीनता के आंदोलन को संगठित करने के लिए प्रारंभिक कार्य के रूप में तथा कांग्रेस की नीति को उसके परिवर्तित उद्देश्य के साथ यथासाध्य संगत करने के विचार से यह कांग्रेस केंद्रीय तथा प्रांतीय व्यवस्थापक सभाओं और सरकार द्वारा बनाई गई कमेटियों का बहिष्कार करने का निश्चय करती है और कांग्रेस के लोगों से तथा राष्ट्रीय आंदोलन में भाग लेने वाले अन्य लोगों से कहती है कि वे भविष्य के निर्वाचनों में अप्रत्यक्ष या अप्रत्यक्ष रूप से भाग लेने से अलग रहें और

व्यवस्थापक सभाओं तथा कमेटियों के वर्तमान कांग्रेसी सदस्यों को आदेश देती है कि वे अपनी जगहों से इस्तीफा दे दें। यह कांग्रेस राष्ट्र से अनुरोध करती है कि वह कांग्रेस के रचनात्मक कार्यक्रम को उत्साह के साथ पूरा करे, और भारतीय कांग्रेस कमेटी को अधिकार देती है कि वह जब ठीक समझे तब जिस प्रकार के प्रतिबंधों को यह आवश्यक समझे उस प्रकार के प्रतिबंधों के साथ, सविनय अवज्ञा का कार्यक्रम—जिसमें कर न देना भी शामिल है—चलाए।

प्रस्ताव संख्या-8—सांप्रदायिक प्रश्न—चूँकि नेहरू रिपोर्ट रद्द हो गई है, इसलिए यह आवश्यक है कि सांप्रदायिक प्रश्नों के संबंध में कांग्रेस की नीति जाहिर कर दी जाए, कांग्रेस यह विश्वास करती है कि स्वतंत्र भारत में सांप्रदायिक प्रश्न केवल पूर्ण राष्ट्रीय दृष्टि से ही हल किए जा सकते हैं। लेकिन चूँकि नेहरू रिपोर्ट में सांप्रदायिक प्रश्नों के हल करने का जो तरीका सुझाया गया था, उस पर सिखों ने खास तौर पर और मुसलमान तथा अन्य अल्पंसख्यक जातियों ने आमतौर पर असंतोष प्रगट किया था इसलिए यह कांग्रेस सिखों, मुसलमानों तथा अन्य अल्पसंख्यक जातियों को विश्वास दिलाती है कि किसी भी भावी शासन-विधान में (इस प्रश्न को हल करने के लिए बतलाया गया) कोई भी ऐसा तरीका कांग्रेस को मंजूर न होगा जिससे उससे संबंध रखने वाले संप्रदाय पूर्णतया संतुष्ट न होंगे।

एक अज्ञात हिंदू औरत

प्रामाणिक तौर पर सिर्फ इतना ही पता है कि यह अज्ञात हिंदू औरत पंजाब की एक विधवा थी और वह आर्य समाज से प्रभावित रही होगी। यह दुर्लभ और अज्ञात हिंदी पुस्तक 1882 में लुधियाना के मुंशी माधरे स्वरूप के 'धर्म सहायक प्रेस' से छपी थी। इसे डॉ. धर्मवीर ने पुनः छपवा कर सुलभ किया। इसमें स्त्री-चेतना का प्रबल स्वर है।

सीमंतनी उपदेश

एक : आर्य स्त्रियों की प्रार्थना

हे परमेश्वर, हमारी फरियाद को सुन। हम मजलूमों की फरियाद पर किसी ने ध्यान नहीं किया। हमने इस हिंदुस्तान में चारों तरफ पुकार-पुकार और रो-रो के हरेक के सामने फरियाद की, लेकिन किसी ने हमारे बावैले पर कान न धरे, न पलक उठा के देखा। हमने खूब गौर से इस दुनिया में देख लिया, मगर सिवा तेरे हमारी बेकसी, बेबसी, बेकद्री, बेइज्जती की फरियाद को सुनने वाला कोई नजर न आया। तू गौर से हमारी फरियाद को सुन। मुद्दत से हिंदियों के दिमाग में जहालत की अँधेरी चल रही है। उससे जुल्म की गर्द उड़-उड़ कर हमारे ऊपर पड़ती है। जैसे कोई मकान बहुत देर तक गर्द पड़ने से दब जाता है उसी माफिक हमारी हालत है। हम निकलने की ताकत नहीं रखती हैं। जैसे गन्ने का रस निकाल लेने से छिलका रह जाता है वैसे ही हमारी हालत है।

हे अंतर्यामी परमेश्वर, हमारे अपराधों को क्षमा कर क्योंकि हम बगैर जाने अपराध के अपराध करती हैं। अब क्षमा करके हमें भी वह ताकत दे जिससे हम इस जहालत और जुल्म की तारीकी से निकल के दुनिया का कुछ तमाशा देखें।

हे पिता, हमें कब इस जेलखाने से निकाल के आजाद करेगा? हे प्रभु, हमको कौन से अपराध के दंड में इस बंदीखाने में पैदा किया है? तेरे दरबार में हमेशा

इंसाफ ही होता है लेकिन इन जन्म-दुखियों के वास्ते कैसी बेइंसाफी है--अपराध कोई करे, दंड हमें मिले। काश कि हमसे गुनाह भी हुआ हो तो भी माफ कर दे। हम नहीं जानती हैं कि गुनाह या अपराध किसको कहते हैं। बस, इसका दंड भी उन्हीं को मिलना चाहिए जो हमें गुनाहों या अपराधों से आगाह नहीं करते हैं। हे अंतर्यामी, हमारा भी नाम उसी फेहस्ति में लिख ले जिसमें पागल, शराबी, बच्चे और हैवान, बेवकूफ, जाहिल लिखे हैं। जैसे इनके गुनाह अपराध में नहीं वैसे ही हमारा खयाल करना चाहिए।

हमसे वह अच्छे हैं जो इस दुनिया में जन्म भर को कैद किए जाते हैं, क्योंकि उन्होंने पहली उम्र में तो दुनिया को देख लिया है। हम तो एक दिन, बल्कि ख्वाब में भी यह ख्याल नहीं कर सकतीं। जो चीज देखी ही नहीं उसका खयाल भी नहीं हो सकता। बस, हम नहीं जानतीं कि दुनिया क्या चीज है, जहान किसको कहते हैं, और उसमें क्या-क्या चीजें हैं, और उसकी कैसी शक्ल है। जब हम कारण को नहीं देख सकतीं तब कर्त्ता का खयाल क्यों कर हो सकता है? ख्वाँदा लोग. तेरी सनअत को देख के तुझे कुछ पहचानते हैं; हम जहालत की तारीकी में फँसे हैं, तुझे क्यों कर पहचानें? बस, हम नहीं जानतीं कि खुदा तू ही है, या कोई और है, और तेरी कैसी शक्ल है, कहाँ रहता है। अगर्चे, तू सब ही की खबरगीरी करता है। मगर जिसका इस दुनिया में कोई नहीं उसकी रक्षा तू ही करता है। बस, अब हमारा इस दुनिया में कोई नहीं। हमारी भी तू रक्षा कर कि हम सिवाय चारदीवारी मकान के और कुछ नहीं देखतीं, और हम चाहे इसी को तमाम दुनिया खयाल करें, चाहे इसी को हिंदुस्तान समझें। इसी जेलखाने में पैदा हुई हैं और इसी में मर जाएँगी।

हे जगत पिता, क्या तूने हमको पैदा नहीं किया? क्या हमारा पैदा करने वाला कोई और खुदा है? लोगों ने तेरा नाम मर्द करार दिया, इसलिए तू भी हिंदियों की तरह बेरहम बन गया है। अगर तुझको हमारी यही हालत मंजूर थी तो हमारी पैदायश किसी और तरह से करता जिससे हमको भी तसल्ली होती। और मजलूमों की फरियाद तो दुनिया की अदालत में भी सुनी जाती है, क्या तूने हम मजलूमों के लश्कर को देख कर अपनी अदालत का दरवाजा बंद कर लिया है?

हे परमात्मा, अपने दयासिंधु नाम का खयाल करके हम पर दया कर। क्या तेरी दया का समुद्र हमारे जले दिल की आहों से सूख गया है? या हिंदियों की जुल्म की आग से जले दिल को जिस अमृत से तू ठंडा करता है, क्या वहाँ भी हमारा हिस्सा हिंदियों ने चुरा लिया है?

हे करुणामय पिता, निकालो हमको। हम जहालत के अँधेरे कुएँ में जालिमों के हाथ से गिरी अनाथ की मानिंद पुकार रही हैं। हे प्रभु, हमारी इस फरियाद को भी सुन के बजाय निकालने के और गहरे में डुबो देते हैं। अब हम में इस कद्र सख्तियाँ उठाने की ताकत नहीं है। हम में से कइयों ने इसी जुल्म से बचने को

अपनी आत्मा का घात किया है और कर रही हैं।

हे जगतनाथ, तुझसे यही प्रार्थना है कि हिंदुस्तान से जहालत का पर्दा उठा ले जिससे यह भी इंसान को इंसान की नजर से देखें और अपनी जिन्स से नेक सलूक करें जिससे हमारी जिंदगी व्यर्थ न जावे, हम भी कोई दिन आराम से गुजारें।

अब हमें इस दुनिया में सिवा तेरे किसी से उम्मीद नहीं जो इस विपत सागर से हमें पार उतारे। अब हम तुझसे बार-बार यही प्रार्थना करती हैं कि इस अविद्या के घोर सागर से निकाल ले।

दो : प्राचीन औरतों की हालत से आजकल की औरतों की निस्बत

क्या ये वही हिंदुस्तान की औरतें हैं जिनको ब्रह्मा ने अपने आधे अंग से पैदा किया था? अफसोस है कि आधा अंग मजे उड़ाए, आधा दुःख सहे!

क्या ये वही हैं जो रत्नों में गिनी जाती थीं? क्या परमेश्वर की शान है—आजकल ये पत्थर से भी ज्यादा भारी मालूम होती हैं! क्या ये वही हैं जिनसे राजा जयपाल न्याय शास्त्र पढ़ने आया था? अफसोस, अब इन्हीं के न्याय छीने गए! यहाँ तक कि न्याय के अर्थ भी इनके दिल से निकाले गए। अपने ऊपर बड़ी खुशी से अन्याय को सहती हैं और चूँ नहीं करतीं। क्या ये वही हैं जो अकेली तमाम राज्यों का हिसाब करती थीं? अब इतना भी नहीं जानतीं कि रुपए के कितने पैसे होते हैं। क्या ये वही हैं जिन्होंने विद्या के बल से गायत्री ब्रह्मवादिनी खिताब हासिल किया था? क्या गम का दिन है कि अब जहालत की बदौलत चुड़ैल, भूतनी, बदजात खिताब इनको मिलता है! क्या ये वही हैं जो शुभे, भद्रे, साध्वी नाम से पुकारी जाती थीं? अब उसकी बजाय बेवकूफ, कमअक्ल, कुटिल, कलनही, नाकिस नाम से पुकारी जाती हैं! क्या ये वही हैं जो एक ब्रह्म की ही उपासना करती थीं? अफसोस, अब पत्थर, पीतल, धातु, बूढ़ा बाबू, ऊपर वाली, सेख सदी, निगाहे वाला, साँप, बिच्छू, उल्लू, चील, कौवा को पूजती हैं!

क्या ये वही हैं जिनके उपदेश से, जिनकी सोहबत से, लोग ज्ञान हासिल करते थे? अब इनकी तरफ से लोगों को यहाँ तक नफरत है कि बगैर जरूरत बात करनी भी पसंद नहीं करते। जो इनकी सोहबत में बैठता है उसको जनखा खिताब मिलता है।

क्या ये वही हैं जिनकी इज्जत बड़े-बड़े महात्मा लोग करते थे! बड़े-बड़े राजा इनके इस्तकबाल को आते थे। अफसोस, हजार अफसोस, अब जूती के बराबर इनकी इज्जत गिनी जाती है!

क्या ये वही हैं जिनके मरने से लोग गम में सारी उम्र गुजार देते थे? अब इनकी जिंदगी में लोग दस-दस शादी करते हैं। क्या ये वही हैं जो आप पसंद कर गंधर्व विवाह और स्वयंवर विवाह करती थीं? आज कैसा इन पर जुल्म है कि बगैर

जाने, देखे-भाले चूढ़े-चांडाल को गाय-बैल की मानिंद दे दी जाती हैं! क्या ये वही हैं जो अठारह वर्ष या बीस वर्ष ब्रह्मचर्य धारण कर विद्या पढ़ती थीं? हाय अब कैसे शोक का दिन आ गया कि ये विद्या का नाम लेने से सौ-सौ कोस भागती हैं, और जो इनमें से कोई पढ़ती है उसे किरानी कहती हैं! अफसोस, अब विवाह सात वर्ष में हो जाता है और दस वर्ष में माँ बन जाती हैं।

क्या ये वही हैं जो बड़ी-बड़ी सभा में शास्त्रार्थ करती थीं? अब शास्त्रार्थ शब्द का भी अर्थ नहीं जानतीं! क्या ये वही हैं जो बड़ी-बड़ी सभाओं में मुँह खोले अव्वल नंबर में बैठती थीं? अफसोस, अब कैसा हिंदुओं की अक्ल पर पर्दा पड़ गया है कि औरतों को मर्दों के सामने जाने से भी रोकते हैं!

हे परमेश्वर, जल्द वह दिन ला, जब हिंदुस्तानी औरतें अपनी पहली हालत में हो जावें।

तीन : ऐ नेकबख्त हिंदनियो

देख ली तुमने मर्दों की मर्दानगी? यह खुदगर्ज कयामत तक भी तुम्हें इस पापों के घोर सागर से निकालने में सई न करेंगे। बस अब अपनी ही हिम्मत की कमर बाँधो, इन हिम्मतहारों के भरोसे न रहो। परमेश्वर के सामने अपना सुर्खरूह करो, चंद रोज जिंदगी के वास्ते अपनी आकवत न बिगाड़ो। दुनिया की झूठी लज्जतों के पीछे अपनी अमोल उम्र वृथा न खोवो। इंद्रियों के विषय में अपने धर्म को न गँवाओ। बेशक माना कि जिसको जिस काम के पाप-पुण्य की खबर ही न हो उसको गुनाह नहीं, मगर तुम अपना नफा-नुकसान सोच सकती हो। बुराई-भलाई जानती हो। जिस काम में हम हजारों को दुःख उठाते देखें, फिर उसी में आप गिर पड़ें तो कसूर हमारा ही है। बस हमको चाहिए—अपनी मदद करना। और यह बात भी ठीक है—जो अपनी मदद नहीं करते परमेश्वर भी उनकी मदद नहीं करता। जिस काम को हम जान-बूझ कर करें तो उसका पाप भी हमीं को होगा। बस अब अपने तईं इस पाप से छुड़ाओ और धर्म को पकड़ो। धर्म यह नहीं जो पुरोहित जी ने बताया। धर्म यह है—सत्य बोलना, सत्य काम करना, जाहिर वातन एक सार रखना। वह नहीं जो दुनिया के दिखाने को धार्मिक बन जाते हैं और मन में पापियों के गुरु रहते हैं। माँ, बाप, भाई, खाविंद, लड़के-सब यहाँ रह जाते हैं, सिर्फ धर्म ही साथ जाता है। जिन इंद्रियों के लिए पाप करती हो वह भी सब यहाँ ही रह जाएँगी। बस अब वही काम करो जिससे धर्म भी न बिगड़े और दुनिया में भी बदनामी न हो और अपनी उम्र भी आराम से गुजरे। तुम्हारी बेहतरी की यही तजवीज अच्छी है कि जब दिल इस इंद्रिय के विषय को चाहे दूसरी शादी कर लो। अगर कहो हमारी बदनामी होगी, हर्गिज नहीं। उन बदनामियों से यह बदनामी कम है क्योंकि उसमें सारी उम्र मुसीबतें उठानी पड़ती हैं, माँ-बाप, बच्चे छोड़ने पड़ते हैं। इसमें तमाम उम्र आराम से गुजरती है।

जो काम लोगों के बरखिलाफ पहले करते हैं, थोड़े दिन बदनाम होते हैं, लेकिन पीछे उनका आराम तमाम दुनिया को मिलता है। जब आप दस मिलकर यह काम करोगी तब रफ्ते-रफ्ते रिवाज हो जाएगा। फिर कोई बदनाम भी न करेगा। न माँ-बाप जुदा होंगे, न बच्चे छूटेंगे, न बेगुनाहों का खून तुम्हारी गरदन पर होगा, न लोगों की नजरों में हकीर होगी, न कोई बेइज्जती करेगा, न लोगों की बहू-बेटियाँ खराब कर जेलखाने में जाना पड़ेगा। अगर कहो कि हम घर में बैठी कैसे शादी करें? कहाँ तलाश करें? पहले जब शादी करना चाहो माँ-बाप से कहो। वे न मानें, मारें-पीटें, फौरन सरकार में इत्तिला कर किसी अच्छे नेक अशराफ जो गुजरान अच्छी तरह कर सकता हो, अपने लायक हो, उससे शादी कर लो। जब शादी करना चाहो अपनी मर्जी के मुवाफिक पसंद कर लो। बेसब्री को काम में न लाओ क्योंकि बुरे खाविंद से बगैर खाविंद रहना अच्छा है। छोटी उम्र के विवाह का इल्जाम माँ-बाप पर था। अब तुम अक्ल रखती हो। यहाँ पुरोहित जी टेवा नहीं देखेंगे, न पंडित साहब लग्न जुड़ाने आवेंगे। अपनी अक्ल के मुवाफिक जैसा आप करोगी वैसा ही सारी उम्र भोगना पड़ेगा। बहुत औरतें ऐसा कहती हैं—जिसने एक से फेरे ले दूसरे से शादी की, परमेश्वर उसको नरक में डालता है—दुनिया में वह किसी काम की नहीं रहती—मरने के बाद धर्मराज उन्हीं मर्दों को जिनकी वह संग करती है लोहे के बनाकर आग में तपाकर उसके गले से लगवाएगा। यह बिल्कुल झूठ है। जाहिलों को धोखा देने की एक बात पंडित जी ने बनाई है। पहले उन्हीं को तपी हुई स्त्रियों से मिलना पड़ेगा। बेशक जो औरत अपनी पसंद की शादी करे और फिर उस खाविंद को धोखा दे, दूसरे के पास जाए, अजब नहीं कि उसके वास्ते ऐसा हो।

शादी करने में कोई पाप नहीं, न परमेश्वर नाराज होता है। अगर शादी ही करने से पाप होता तो बड़े-बड़े ऋषि-मुनियों ने—वशिष्ठ, पराशर, वेदव्यास, (...) याज्ञवल्क्य, कश्यप, मनु—इन सब ने शादी यों ही की थी? किसी से परमेश्वर नाराज न हुआ बल्कि उम्दा से उम्दा जगह उनको स्वर्ग में दी कि आज तक सूर्य की तरह उनका नाम दुनिया में रोशन है। फिर हिंदू-मुसलमान जो एक औरत के जीते दस-दस शादियाँ करते हैं उन्हें कोई पाप नहीं लगता?

फिर तुमको खाविंद के मरने के बाद शादी करने से क्यों पाप लगेगा? पाप-पुण्य का ताल्लुक दिल से है, जिस्म से नहीं। जब आप बदकाम करती हैं, बेशक पाप होता है। अव्वल चोरी, दूसरी खून, तीसरा लोगों को रंज देना, चौथा अपने दिल को बेकरार रखना और तरह-तरह के आजाब देना पाप है। और यही सजा पापों की परमेश्वर की तरफ से है कि अपने दिल को पल भर भी चैन नहीं मिलती। जब शादी कर लेगी तब परमेश्वर खुश हो तुम्हें सारी उम्र खुश रखेगा। जो काम हम किसी की चोरी से करना चाहें तो कुदरत की ही तरफ से हमारे दिल में एक तरह का खौफ पैदा होगा। जब उसी काम को हम जाहिर में करते हैं तब दिल को बेखौफी,

खुशी, एक तरह की हिम्मत हो जाती है। जब आप सत्य बोलोगी, सत्य काम करोगी, तब खुद-ब-खुद दिल को ऐसी खुशी होगी जो बयान से बाहर है।

लोग तुमसे आप ही खुश हो जाएँगे और एक तरह का आनंद आत्मा को पहुँचेगा। इसी तरह से शादी करने से परमेश्वर की खुशी तुम पर जाहिर होगी। सत्य पुण्य, असत्य पाप है, और कोई पाप-पुण्य नहीं है। शादी करना सत्य, बदकाम करना असत्य है। शादी करने से परमेश्वर खुश, बदी करने से नाखुश होता है। बस, तुम वही काम करो जिससे परमेश्वर खुश हो और आपको आराम मिले।

चार : पतिव्रता धर्म

हिंदुओं के महाभारत, मनुस्मृति वगैरह में स्त्रियों के वास्ते सिवा पति सेवा के और किसी तरह का पुण्य भजन नियम नहीं लिखा। वेदव्यास, पराशर, वशिष्ठ, मार्कण्डेय, याज्ञवल्क्य, वाल्मीकि और सब ने स्त्रियों के वास्ते पतिव्रता धर्म ही मुख्य रखा है। ईश्वर की पूजा उपासना भक्ति सब स्त्रियों को पति सेवा से मिलती है। जो सिद्धि ऋषि लोग बड़ी तपस्या करके पाते हैं वह इसको पति सेवा से मिल जाती है, जैसे एक स्त्री को मिली थी।

महाराज युधिष्ठिर ने मार्कण्डेय से इस धर्म का महातम पूछा। ऋषि ने कहा—कोई ब्राह्मण किसी व्याध के पास धर्म उपदेश को गया। व्याध ने कहा—फलाने शहर में एक पतिव्रता है। उसके पास जाओ। ब्राह्मण उसी शहर में गया और भीख माँगता हुआ बमूजिब बताने उस व्याध के उस पतिव्रता के दरवाजे पर पहुँचा। इत्तिफाक से उस वक्त उसका खाविंद आ गया। उसने खाविंद की खिदमत देवता की मानिंद की और बाद खिदमत करने के एक घड़ा पानी खाविंद के पलंग के चारों ओर डाल दिया। जब ब्राह्मण को भीख देने आई ब्राह्मण ने पूछा—"देवी, पति सेवा के उपरांत पानी क्यों डाला?" पतिव्रता ने कहा—"तुम भिक्षा लो, तुम्हें इन झगड़ों से क्या काम है?" ब्राह्मण ने भीख न ली। तब उसने कहा—"फलाने शहर में आग लगी है। वहाँ मेरी बहन रहती है। इसलिए उसका घर बुझाने को यह पानी मैंने डाला है।" ब्राह्मण ने कहा—"इतनी दूर शहर है, तुम्हें किस तरह मालूम हुआ?" पतिव्रता ने कहा—"ऐ ब्राह्मण, यह सिद्धि मुझे पति सेवा ही से मिली है।"

ब्राह्मण इस बात के जाँचने को उसी शहर में गया जहाँ इसने आग लगी बताई थी और उसी के कहने के माफिक दरयाफ्त करने से मालूम हुआ कि तमाम शहर जल गया एक उसकी बहन का घर बाकी रहा।

यह कुछ ताज्जुब की बात नहीं है। इश्क का रुतबा बड़ा भारी है। जो इसकी हद को पहुँच जाता है, ताज्जुब नहीं कि तमाम दुनिया की खबर रखे! यह सिर्फ खाविंद पर ही मुनहसर नहीं है। जहाँ जिसके हाथ यह दर्जे-दर्जे पर पहुँचे बेशक सिद्धि को पावे जैसे योग वशिष्ठ में एक इंदु नाम ब्राह्मण और अहल्या नाम एक राजा

की स्त्री ने आपस में आशिक हो वह सिद्धि पाई थी कि जो बड़े-बड़े ऋषि-मुनियों को नहीं मिल सकती। और आजकल भी जो कोई गुरु ब्राह्मण महात्मा स्त्रियों को उपदेश करता है वह भी यही कहता है—'पति ही देवता है। पति ही का ध्यान करो। पति ही की पूजा। पति ही का भजन। स्त्रियों के वास्ते पति ही परमेश्वर है और दूसरा कोई नहीं। जो स्त्री सिवा पति के दूसरा परमेश्वर जानती है वह इस दुनिया में बड़ा दुःख और परलोक में नरक पाती है।' आदमी को ईश्वर ने पैदा किया, फिर आदमी क्यों कर परमेश्वर हो सकता है? दूसरा, स्त्री पुरुष के दो जिस्म अलहैदा अलहैदा हैं तब दोनों को अपनी तनपरवरी की जरूरत है। इस धर्म की ज्यादा हिदायत करने का खास मतलब उन लोगों का यह था कि स्त्री को अर्ध अंगी कहते हैं, यानी एक चीज की दो शक्ल। स्त्री-पुरुष को एक मानते हैं और जाहिर में भी स्त्री की कोई जात नहीं। जिससे शादी होती है उसी की जात गिनी जाती है। फिर न उसको कोई कर्म धर्मशास्त्र की बमूजिब करना होता है।

ब्राह्मण जनेऊ पहनते हैं। स्त्रियों को नहीं पहनाते। क्या वे ब्राह्मणी नहीं? इससे जाहिर है—स्त्री-पुरुष एक के कर्म होने से दो के हो जाते हैं। उसका भी वही परमेश्वर है जो उसके खाविंद का है। बस कुछ जरूरत नहीं है उसे उपासना भक्ति की। मगर यह उस जमाने के वास्ते था जब दोनों में प्रीति एक-सी होती थी। दोनों का दि़ल एक होता था। दोनों का स्वभाव एक-सा होता था। दोनों का मजहब एक होता था। दोनों का कर्म एक होता था। स्त्री-पुरुष दोनों पसंद करके शादी करते थे। स्त्री भी अपने तईं आजाद पुरुष की बराबर जानती थी। अपनी खुशी से गंधर्व विवाह, स्वयंवर विवाह करती थी और ब्राह्मण विवाह, प्रजापति विवाह होते थे। इस हालत में सिवा स्त्री के पति को और सिवा पति के स्त्री को दूसरे का ख्याल न होता होगा। उस वक्त के लिए स्त्री को पतिव्रता धर्म से कोई और अच्छा धर्म नहीं था।

स्त्री-पुरुष का रिश्ता रूहानी है, जिस्मानी नहीं है। रूह का रिश्ता प्रीत से है—जब तक स्त्री-पुरुष में प्रीत न हो विवाह नहीं! और इस हालत में कब प्रीत होने की उम्मीद है जब लड़का बंबई में है और लड़की कलकत्ता में? न वह उसके मिजाज से वाकिफ है न उसकी सूरत से आशना है। ऐसी जगह इत्तिफाक से प्रीत हो तो हो, नहीं तो कोई सूरत प्रीत होने की नहीं है। मसलन कन्या पाँच वर्ष की है और वर साठ वर्ष का, कन्या बीस वर्ष की वर पाँच वर्ष का। क्या यह मुमकिन है कि बड़े होने पर इनमें प्रीत हो?

प्रीत समान की समान से होती है। इसका तो बेवकूफ को भी तजुर्बा होगा। देखो, बालक कभी बूढ़े से खुश नहीं रहता है हमेशा बालकों में ही खुशी से खेलता है। जवान कभी बूढ़ी स्त्री से राजी नहीं रहेगा। जवान स्त्री कभी बूढ़े से खुश न होगी। बस यह धर्म इस वक्त के वास्ते नहीं है। आजकल की स्त्रियों को विद्या से महरूम रख, जेलखाने में डाल, तिस पर शक कर, विधवाओं की दूसरी शादी न

कर, आप दस-दस शादियाँ करते हैं। क्या यह बेइंसाफी नहीं इनको इस धर्म की राह बताना? क्या जुल्म नहीं अंधे को कुएँ में धकेल देना? क्या अंधे के बराबर इनकी हालत नहीं है?

दोहा :

ग्राह ग्रसित पुन बातरस तेह पर बीछू मार;
ताह पियासी वारणी कहो कवन उपचार?

क्या इनको अविद्या के ग्राह ने नहीं घेरा है? क्या इन पर जबर्दस्ती नहीं? क्या बगैर पसंद किए हुए शादी बिच्छू के जहर से कुछ कम दुःख देती है? जिस पर इस धर्म की शराब मिलाना! क्या इससे भी बढ़कर दुनिया में कोई पाप होगा?

यह पतिव्रता धर्म नहीं, खुद मतलबी धर्म है। बेवकूफ से जो कहो करता है और जिस तरह कहो मानता है। तिस पर पतिव्रता धर्म के वाइस इन्हें किसी तरह का इन्कार नहीं क्योंकि इस धर्म का मतलब यही है—खाविंद जो कहे मानना। अगर कहे-कुएँ में गिरो फौरन गिर पड़े। अगर न गिरे स्वर्ग से निकाली जावे। अगर कहे, मेरे फलाने दोस्त से बच्चा पैदा करो, तो फौरन चली जावे चाहे अपना धर्म टूटे। और कई स्त्रियाँ इसी धर्म के पीछे अपने खास धर्म का भी ख्याल नहीं करतीं।

यह खुद मतलबी धर्म है। आप जो चाहे सो करें। इन्हें खाविंद के मरे पर भी इसी धर्म को रुलाए। आप रंडी लौंडों की बगल में आराम करें; इन्हें पंडित जी से धर्म का महात्म्य सुनवावें।

पाँच : कुछ कथा का हाल लिखा जाता है

हिंदू और उनकी स्त्रियों का धर्म-कर्म खोने वाले इस धर्म की कथाएँ बना-बना सुनाते हैं। उसका कुछ खुलासा लिखा जाता है।

स्त्रियो, पति ही को देवता परमेश्वर मानो। इस दुनिया में सिवा पति के तुम्हारा उद्धारकारक दूसरा कोई नहीं है। इस धर्म के प्रभाव को ब्रह्मा भी नहीं जानते। जो स्त्री इस धर्म को करती है, देवता सब उसके अधीन हो जाते हैं।

इस धर्म के चार दर्जे हैं—उत्तम, मध्यम, कनिष्ठ और नीच। उत्तम वह है जो अपने खाविंद के सिवा दूसरे को दुनिया में पैदा हुआ ही न जाने। मध्यम वह है जो दूसरे के पास नहीं जा सकती। नीच वह है जो लोगों के खौफ से अवसर न मिलने से रुकी रहती है। पाँचवाँ दर्जा अपनी तरफ से और आजकल की स्त्रियों की दशा देखकर लिखती हूँ यानी जबर्दस्ती इस धर्म को कराना। घर में बंद रखना, बाहर न जाने देना। लोगों ने इसी का नाम धर्म रखा है। जो घर से बाहर निकली इस धर्म से गिरायी गई। घर में चाहे कुछ करें। ऐ श्री शृगाल वृत्ति शर्मा, श्री वराह वृत्ति शर्मा, श्री काक वृत्ति शर्मा, श्री वका वृत्ति शर्मा, श्री कूर्म वृत्ति शर्मा पंडितो, जो आदमी धर्म अर्थ ही नहीं जानता भला वह इस धर्म को कैसे करेगा?

पंडित जी कहते हैं–'देखो, एक स्त्री ने इस धर्म के प्रभाव से धर्मराज का आधा अंग काला कर दिया था।' क्यों न हो? धर्मराज भी तो मर्द की अलामत रखते थे। आखिर अपने जिन्सी धर्म पर आ गए होंगे। स्त्री ने एक ऐसी चपेड़ धर्म के मारी–आधा मुँह काला कर दिया। और दूसरा मतलब यह भी है–जो कोई किसी से किसी तरह की बदचाली करता है उसको भी मुँह काला करना कहते हैं।

एक स्त्री ने इस धर्म के जोर से सूर्य का निकलना बंद कर दिया। कोई ऋषि सूली पर लटकता था। यह अपने पिंगला पति को टोकरे में धरे सिर पर उठाए फिरती थी। इत्तिफाक से उसी रास्ते आ निकली। ऋषि के पाँव पिंगला के सिर में लगे। उसने आह खींची। स्त्री ने श्राप दिया। यह सुनकर सूली चढ़े ऋषि ने कहा–'जा, जिसे उठाए फिरती है कल वह सूर्य के निकलने से मर जाएगा।' स्त्री ने कहा–'अगर मैं पतिव्रता हूँ तो सूर्य ही न निकलेगा।' स्त्री ने कई दिन तक सूर्य को निकलने न दिया। आखिर देवताओं को तलाश करने से मालूम हुआ कि एक पतिव्रता ने सूर्य को रोक रखा है। फिर विष्णु भगवान ने आकर सती को समझाया और सब देवताओं ने स्तुति की।

अगर वह पिंगला खाविंद को उठाए फिरती थी तो बजा था, बल्कि हर एक औरत को ऐसी ही वफादारी करनी चाहिए। सिर्फ खाविंद पर ही नहीं, माँ, बाप, भाई, बेटा जो ऐसी मुसीबत में गिरफ्तार हो, सब पर ऐसा ही रहम करना चाहिए। बेशक, जो आदमी औरों पर रहम करता है परमेश्वर जरूर उस पर रहम करेगा। अगर देवता कुछ चीज हैं तो वे भी ऐसे आदमी के ताबेदार हो जाते हैं बल्कि वह खुद देवता बन जाता है।

पुराण में लिखा है–एक स्त्री बड़ी पतिव्रता थी, मगर पति उसका महामूर्ख, कुरूप, निर्धन, व्यभिचारी था। कभी स्त्री से खुश होकर नहीं बोलता था। एक दिन स्त्री ने हाथ जोड़कर कहा–'स्वामी, तुम किसलिए हर वक्त उदास रहते हो? जो कुछ तुम्हारे मन की बात हो कृपा कर मुझसे कहिए। जहाँ तक मुझसे हो सकेगा सिर आँखों से करूँगी। अगर मेरी जान भी आपके काम में आवेगी तब भी दरेग न करूँगी।'

खफा होकर खाविंद ने जवाब दिया–'इस शहर के बादशाह की आशना अगर एक रात मेरे पास रहे तो मैं खुश हूँ।' उस दिन से स्त्री चार घड़ी रात रहे उठकर उसी रंडी के मकान पर जाती और सुबह होते उसके घर का सारा काम कर खाविंद की खिदमत में आ हाजिर हो जाती थी। एक दिन उस वेश्या ने दिल में कहा–ऐसा कौन शख्स है जो रात में मेरा काम कर जाता है? बस वह रात को जागती रही। जब वह स्त्री आई इसने हाथ पकड़ कहा–'तू कौन है और क्या गर्ज रखती है?' स्त्री ने दोनों हाथ जोड़कर पाँवों में सिर धरा और कहा–'अगर मेरा काम पूरा करो तो मैं अर्ज करूँ।' रंडी ने खयाल किया कि दौलत से बढ़कर क्या माँगेगी? कहा–

'अच्छा, बेखौफ अर्ज कर।' जो इसके खाविंद ने कहा था इसने अर्ज कर दिया। तब वेश्या ने वादा किया कि कल रात को तेरे घर आऊँगी। स्त्री ने खाविंद को यह खुशखबरी सुनाई। तब उसने और-और चीजें मँगायीं। स्त्री ने सब अपना जेवर बेच कर ला दीं। दूसरे दिन शाम को वेश्या आई। यह उसको देखकर बहुत खुश हुआ और दोनों ने खाना खा शराब पी। एक जगह आराम किया और इससे कहा–'तू पानी की झारी लिए दरवाजे पर खड़ी रह, जब हम माँगें देना।' दोनों नशे में सो रहे। यह वहाँ खड़ी रही। इतने में ठंडी हवा चली। फिर बादल गरजा। फिर ओले पड़े। लेकिन यह स्त्री जरा न हिली। पानी लिए वैसी खड़ी रही इसलिए कि खाविंद की आज्ञा भंग न हो। इस वक्त का मरना तीनों लोक को जीतना है। उस वक्त भगवान का सिंहासन हिला। जाना कि किसी भक्त पर कष्ट पड़ा। मालूम किया कि पतिव्रता को कष्ट है। बस उसके लाने को विमान भेजा कि स्त्री को स्वर्ग में ले आओ। स्त्री ने दूतों से कहा–'जब तक मेरे खाविंद को विमान न आवेगा, मैं न जाऊँगी।' दूसरा विमान आया तब उस व्यसनी ने कहा–'जब तक यह वेश्या न जाए मैं हरगिज न जाऊँगा।' वेश्या ने कहा–'जब तक मेरा प्यारा राजा स्वर्ग में न जाएगा मैं जाकर क्या करूँगी?' राजा ने कहा–'मैं अकेला जाकर क्या करूँगा जब तक मेरी सारी प्रजा न जाएँगी मैं नहीं आने का।' भगवान ने उस पतिव्रता के धर्म से सारे नगर को विमान भेजे। वह स्त्री सारी पुरी स्वामी सहित स्वर्ग को गई।

ऐ स्त्रियो, अगर तुम अपना भला चाहती हो पति की सेवा करो। चाहे पति कैसा ही बुरा हो पर तुम देवता की मानिंद जानो। देखो, रामायण में तुलसीदास ने कहा :

चौपाई :

बुद्धि रोग सब जड़ मति हीना, अंध बधिर क्रोधी अति दीना।
ऐसेहुँ पति कर कर्म अपमाना, नार पावे यमपुर दुःख नाना।।

सोरठा :

सहज अपावन नार पति सेवत शुभ गति लहे।
यश गावत श्रुति चार अजहुँ तुलसी हरि हैं पिये।।

स्त्री जात शुद्ध और पवित्र किसी तरह से मुक्ति नहीं पा सकती। बस, तुम्हारा उद्धार सिवा इस धर्म के और किसी तरह नहीं हो सकता।

बेशक खाविंद बिना दुनिया में गुजारा करना बड़ा कठिन है, मगर ऐसे खाविंद से जिसको अपना दिल प्यार करता हो, ऐसे से नहीं जो जबर्दस्ती खाविंद बना दिया गया है। ऐसे खाविंद से इस दुनिया में ही नरक है। यह कुछ पुराने जमाने का ही हाल नहीं है। आजकल बहुत स्त्रियाँ इससे ज्यादा-ज्यादा कष्ट उठाती हैं। सिर्फ इसी धर्म के बाइस कई जगह सुनने में आया और देखा भी गया है–खाविंद जब अपनी

दोस्त को लेकर पलंग पर आराम करता है, यह बराबर पंखा झला करती है। फिर औरत से बराबर उसके और अपने पाँव दबवाते हैं। अगर सब नहीं कोई ऐसा करता होगा। नहीं, इसी रोशन जमाने में हजार में आठ सौ औरतें ऐसा ही करती हैं। हमने कभी नहीं सुना कि किसी को विमान आया हो। हाँ, बेशक आप ही जहर से या किसी हथियार से अपना घात कर चली जाती हैं। अगर कोई कहे—आजकल की स्त्रियाँ सच्चे दिल से इस धर्म को नहीं करतीं तब पंडित जी से पूछा जाता है कि जब आपकी स्त्री अपने यार को घर में बुला तुमसे उसकी खिदमत करावे तब आपको मालूम हो कि सच्चे दिल से क्यों कर यह धर्म होता है।

कसाई के घर गायें जभी तक रहती हैं जब तक मकान में बंद रहें, जब मकान से बाहर हों, फौरन भाग जाती हैं। जेलखाने में कैदियों से हर तरह का काम लिया जाता है मगर जब जेलखाने से बाहर हुवे, किसी की ताकत नहीं जो कोई उनसे कुछ काम करा सके। इसके लिखने की कुछ जरूरत नहीं। इसका सबूत खुद उनके दिलों में आ जाएगा। जैसे हिफ्ज किया हुआ सबक किताब बंद करने से भी याद आ जाता है वैसे ही पाठकों को इसके देखने से तमाम स्त्रियों के धर्म जो वे जबर्दस्ती इस पतिव्रता धर्म के पीछे सहारती हैं याद आ जाएँगे।

ऐ असाध्य बीमार को मरने की खबर सुनाने वाले पंडितो, जरा इंसाफ की नजर से अपने दिल में खयाल करो। इस धर्म उपदेश ने आपकी क्या-क्या बुरी दशा कर दी है और कितने दर्जे का पाप तुममें फैल गया है! यह सिर्फ स्त्रियों को ही दुःखदायक नहीं है। नहीं, इसका फल तमाम हिंदुस्तान में फैला है। जिसका फल यह है कि व्यभिचार करने को लोग कुछ पाप नहीं मानते बल्कि जो इस काम में नहीं पड़ता उसे नामर्द करार देते हैं।

फिर जो जो दोष आदमी में कामी होने से आ जाते हैं सब तुम पर जाहिर हैं। जो पुरुष व्यभिचारी होते हैं उनका मन कुत्ते की मानिंद हमेशा मैले ही में लगा रहता है! फिर यह दस दोष उनमें झटपट आ जाते हैं—चोरी, हिंसा, व्यभिचार, निंदा, दुर्वचन, झूठ, क्रोध, ईर्ष्या, अहंकार, छल। जहाँ इनमें से एक भी हो वहाँ कभी पुण्य या शुभ कर्म नहीं हो सकता और जहाँ यह दसों होंगे वहाँ पाप का क्या ठिकाना है! फिर जिस आदमी में वे और उसकी शाखें सब हैं विद्या तो उसे कभी ख्वाब में भी दर्शन नहीं देती और जहालत रहती है, और आज हिंदुस्तान की जहालत छिपी नहीं है।

फिर मर्द व्यभिचार करते हैं और अपनी स्त्रियों को मार-पीटकर सब तरह के दुःख देते हैं। वे बेचारी तंग हो या तो इस धर्म के पीछे अधर्म करती हैं या इस धर्म सहित अपने तईं तमाम करती हैं। यह तो वही मिसाल हुई कि अंधे को राह न बताना, उलटा कुएँ में धक्का दे देना। औरतों के वास्ते यह धर्म ऐसा है जैसा नीम जान के मरने की खबर या गिरे को लात मारना, और मर्दों की व्यभिचार में

हिम्मत बढ़ाना, दिलेरी करना, इस काम में पुख्ता करना। ऐ श्री शृगाल वृत्ति शर्मा, श्री वराह वृत्ति शर्मा, श्री काक वृत्ति शर्मा, श्री वक वृत्ति शर्मा, श्री कूर्म वृत्ति शर्मा पंडितो, क्या यह पाप नहीं है? क्या सिवाय भीख माँगने के तुम्हारा कोई और धर्म कर्म है? एक भोले विद्याहीन आदमी को स्वर्ग का धोखा दे नरक में धक्का दे देना। मेरे नजदीक जान से मार देना पाप नहीं है जितना कि धोखा दे खराब रास्ते में डालकर खराब करना।

मरा हुआ आदमी अपने फैल अपने संग ले जाता है मगर जिंदा आदमी खराब हो औरों को खराब रास्ते में घात करता है। बस, यह जिंदा रह औरों की खराबी का वाइस बन जाता है।

ऐ ब्रह्म से हुए, गिरे पंडितो, वह वक्त और था जब लोग इस धर्म से स्वर्ग में जाते थे, मगर आजकल इस धर्म से लोग अधर्म कर, रात-दिन पापियों की रेल नरक के दरवाजे पर खड़ी रहती है।

ऐ हिंदुओं को नेक रास्ता बताने वालो, अगर परमेश्वर से अपना कसूर माफ करा फिर हिंदुस्तान को नेक राह पर लाना चाहते हो तो पहले उन किताबों को आग में फूँक दो जिनमें स्त्रियों के वास्ते इस धर्म की हिदायत है और मर्दों के वास्ते कुछ नहीं है।

बस, अब इस जमाने के वास्ते नया धर्म बनाओ जिसमें स्त्री पतिव्रता धर्म करे। मर्द दूसरी का खयाल ख्वाब में भी न लावे। अगर खयाल करे फौरन स्वर्ग से निकाला जावे।

मेरा यह मतलब नहीं है कि मर्द स्त्री के ही वश में हो जाए। नहीं, जैसा पाप स्त्री को दूसरे पुरुष के पास जाने से होता है वैसा ही पुरुष को भी दूसरी स्त्री के पास जाने से समझाओ।

ऐ नेक गरीब भोली हिंदनियो, इस खुद मतलबियों के कहने को हर्गिज न मानो। तुमको पतिव्रता माहात्म्य सुनाते हैं और तुम्हारे खाविंदों को कोकशास्त्र और नायिका भेद और बाहर ऐश और लज्जतुल निसा की पोथियाँ सुनाकर कहते हैं—इस दुनिया में जिसने दो-चार, दस-बीस कन्याओं से संग नहीं किया उसका पैदा होना ही निष्फल।

बस अब तुम इस धर्म को छोड़ दो। ऐसी पति-सेवा से स्वर्ग नहीं मिलेगा। लेकिन कुंभीपाक नरक जो सिर्फ इन पंडितों के वास्ते ही बनाया गया है तुम्हें भी वहीं जाना पड़ेगा।

यह बड़े-बड़े महात्मा का वाक्य है—जो किसी को बद काम में मदद देता है या उसे मना नहीं करता वह उसके आधे पाप का भागी हो जाता है।

बस, तुम्हारे इस धर्म करने से तुम्हारे पति अधर्म करते हैं। जब वे किसी गैर-स्त्री के पास जाते हैं या उसे घर में ले आते हैं, तुम उस वक्त इस धर्म के वाइस बोल नहीं सकतीं क्योंकि खाविंद के बरखिलाफ न बोलना ही धर्म है। बस, वे इस काम

में दिलेर हो जाते हैं। गरज, उस वक्त तुम्हारा कुछ न कहना आइंदा के लिए उन्हें अधर्मी बना देता है। ज्यों-ज्यों तुम इस धर्म में दृढ़ होती जाती हो त्यों-त्यों वे अधर्म में ज्यादा हो जाते हैं। फिर यकीन नहीं हो सकता कि तुम्हारे दिल पर कुछ सदमा न होता हो। बस, अपने ही दिल पर सहारती हो। जब नहीं सहारा जाता तब आप ही मर जाती हो। गोया यह धर्म, उनका अधर्म, तुम्हारी जान लेने वाला है। तुम्हारा मतलब इस धर्म के करने से था कि वे तुम पर ऐतबार रखें। उलटा तुम्हीं जेलखाने में डाली गईं और शक तुम पर किया गया। मैं यह नहीं कहती कि इस धर्म को ही छोड़ दो बल्कि सच्चे दिल से इस धर्म को करो। सच्चे दिल से धर्म तब हो सकता है जब तुम्हारे खाविंद तुम्हारा खयाल करें। वह खयाल तब कर सकते हैं जब जानकारी से बाज आएँ।

उनको जानकारी से रोकने की यह अच्छी तजवीज है। जब किसी औरत के पास जावें तुम कहो हम भी दूसरे मर्द के पास जावेंगी। अगर किसी रंडी-लौंडे को घर में लाएँ तुम फौरन शादी तोड़ दो। और आदि वेद में लिखा है कि–'तैने कीती राम जनी, मैंने कीता राम जना।'

फिर जो जो सदमे तुमको उनकी जानकारी से गुजरते हैं वे फिर इनके दिल पर बीतेंगे। और उम्मीद है कि शायद इस काम से बाज आ जाएँ। अगर कहो, वे हमारे ऐसा करने से मारें-पीटेंगे, नहीं, हमको परमेश्वर ने श्रीमती न्यायकारिणी के हाथ में सौंपा हुआ है। ऐसे राज्य में हमको किसी तरह का खौफ न करना चाहिए।

इस जमाने में शेर-बकरी एक घाट पानी पीते हैं। बस, अब किसी की ताकत नहीं जो किसी के बदन पर किसी तरह का जुल्म कर सके।

ऐ प्यारी बहनो, तुम सच्चे दिल से, लोगों के खौफ से नहीं, उसी पहले दर्जे के पतिव्रता धर्म में जो ऊपर लिखा गया है, अपने मन को लगाओ और अपनी तमाम सारी ताकतों से कोशिश करो जिससे तुम्हारे खाविंद भी इसी धर्म के लायक हो जावें।

(कुछ अंश)

–1882

हिंदी स्त्री-चेतना की पीठिका

नवजागरण के युग में व्यापक साहित्यिक या सामाजिक असर वाली कोई हिंदी लेखिका नहीं हुई। हिंदी की पहली कहानी लिखने वाली बंगमहिला को अपना नाम तक छिपाना पड़ा। हिंदी में समकालीन स्त्री कवियों का पहला संग्रह 'स्त्री-कवि-कौमुदी' है, जो गाँधी पुस्तक भंडार, प्रयाग से 1931 में छपा। इसमें संकलित कवयित्रियाँ ऊँचे घराने की हैं। यहाँ कुछ की प्रस्तुत की जा रही कविताओं में धार्मिक पाखंड से विरोध, स्त्री-उत्थान के लिए छटपटाहट, देश और समाज को लेकर चिंता और स्वाधीनता की भावना में तीव्रता लक्षित की जा सकती है। इन कवयित्रियों में जुगलप्रिया सबसे वरिष्ठ हैं और सुभद्रा कुमारी चौहान सबसे नई। यहाँ कविताओं के अलावा पुष्प कुमारी, किशोरी देवी, विमला देवी 'रमा', चंद्रावती लखनपाल और कुमारी एम. बी. गुप्ता की टिप्पणियाँ हैं। ये सभी 1907 से 1939 के बीच की हैं। इनमें चंद्रावती लखनपाल की 1933 में प्रकाशित पुस्तक 'स्त्रियों की स्थितियाँ' एक स्त्री के द्वारा पहला ठोस स्त्री-विमर्श है। यहाँ इस पुस्तक से कुछ अंश हैं। महादेवी वर्मा हिंदी की पहली महत्त्वपूर्ण स्त्री-आवाज हैं। उनके छायावादी सार्वभौमिकता के विस्तृत दायरे में स्त्री चेतना का आयाम क़म अनोखा नहीं है।

जुगलप्रिया

बुंदेलखंड की जुगलप्रिय का जन्म 1871 में हुआ था। मुख्यतः भक्ति के पद रचे। धार्मिक पाखंडों का हमेशा विरोध किया। राजघराने की महिला। मृत्यु 1921 में। उनकी कविता 'बगुला-भक्तन सों डरिये री' से एक अंश।

इक पग ठाढ़े ध्यान धरत हैं, दीन-मीन लों किमि बचिये री।
ऊपर ते उज्ज्वल रंग दीखत हिए कपट हिंसक लखिये री।।
इनते दूरीह रहे भलाई निकट गये फंदनि फँसिये री।
'जुगलप्रिया' मायावी पूरे भूलि न इन संग पल बसिये री।।

राजरानी देवी

नरसिंहपुर, मध्य प्रदेश में 1870 में जन्म। राजरानी स्त्री समाज की दुर्दशा को लेकर हमेशा चिंतित रहती थीं। साधारण स्त्रियों को भी उत्थान के लिए हमेशा प्रोत्साहन देती थीं। इनके

पुत्र रामकुमार वर्मा को साहित्यिक प्रसिद्धि मिली। मासिक पत्र-पत्रिकाओं में कविताओं का प्रकाशन। कुछ कविता-संग्रह प्रकाशित हुए। 'सती संयुक्ता' काव्य पुस्तक से निम्नलिखित कवितांश चुना गया है। मृत्यु 1928 में।

देवियो! क्या पतन अपना देखकर,
नेत्र से आँसू निकलते हैं नहीं?
भाग्यहीन क्या स्वयं को लेख कर,
पाप से कुलषित हृदय जलते नहीं?
क्या तुम्हारी बदन-श्री सब खो गई,
उच्च गौरव का नहीं कुछ ध्यान है?
क्या तुम्हारी आज अवनति हो गई,
क्या सहायक भी नहीं भगवान है?
हो रहा क्यों भीष्म-अत्याचार है,
इस तुम्हारे फूल से मृदु गात पर?
मच रहे क्यों आज हाहाकार हैं,
अब नृशंसों के महा उत्पात पर?
क्या न अब कुछ देश का अभिमान है?
खो गई सुखमय सभी स्वाधीनता।
हो रहा कितना अधिक अपमान है,
स-मुद इसको कौन सकता है बता?
नव-हरिद्रा-रंग-रञ्जित अंग में,
सर्वदा सुख में तुम्हीं लवलीन हो।
ग्रंथि-बंधन के अनूप प्रसंग में,
दूसरे ही के सदा अधीन हो।।
बस तुम्हारे हेतु इस संसार में,
पथ प्रदर्शक अब न होना चाहिए।
सोच लो, संसार के कांतार में,
बद्ध होकर यदि जिए तो क्या जिए?
कर्म के स्वच्छंद सुखमय क्षेत्र में
किंकिणी के साथ भी तलवार हो।
शौर्य हो चंचल तुम्हारे नेत्र में,
सरलता का अंग पर मृदुभार हो।

सरस्वती देवी

आजमगढ़ में 1876 में जन्म। पिता से ही बांग्ला, अंग्रेजी और संस्कृत का ज्ञान। पत्रिकाओं में रचनाएँ प्रकाशित। 'सुंदरी सुपथ', 'नीति-निचोड़', 'शारदा-शतक' पुस्तकें। उपनाम शारदा।

प्रात समय अनमोल बीतिगो बनन ठनन में।
जुगल याम लै कीन्ह चेलियाँ भोग-ललन में।
पिता-पुत्र, पति समय देव-दर्शन के भर्रे।
पहुँचत मंदिर-द्वार उड़न लागे गुलछर्रे।।
सेवक दरबारी है खड़े दर्शक जान न पावहीं।
'शारदा' यह भाँति महँतजु नित नव-ध्यान लगावहीं।।

जगत सृष्टि करता ललाट आड़े सिर जायो।
भसम त्रिपुरार बताय रेख आड़ी निरमायो।।
ताहि दुरावत ठानि पतित पंडित बनि न्यारे।
लीक बड़न की तजत लाज नहिं लजत गँवारे।।
'शारदा' अरीति अनरीति में जे नहिं पशु पहिचानते।
तिनके हित सींग बनावटी ऊर्ध्व मुंड मनमानते।।
प्रथम कार्यारंभ में, सबकी सम्मति लेहु।
निज विचार पति आदि पर तुरत प्रकट करि देहु।।
बहु हुनर सीखि सुसयानि है, सुयश सहित सुख पावहू।
जासों असमय मँह काहु सों निज दुख नाहिं सुनावहू।।

रमा देवी

प्रयाग में 1883 में जन्म। एक ईसाई महिला द्वारा घर में ही शिक्षा। 'मर्यादा' सहित कई पत्रिकाओं में रचनाएँ प्रकाशित। पुस्तकें : 'अबला पुकार', 'रमा-विनोद' आदि।

आज कहना है हमारा बस अमीरों के लिए।
हाथ लोहे के बने क्या दिल टटोला आपने।।
दिल भी पत्थर का बना हिलता नहीं, डुलता नहीं।
मुँह से उगले आग के जलते लुआरे आपने।।
चाल चल करके खनाखन से भरी हैं कोठियाँ।
देश की क्या कम किया इतनी भलाई आपने।।
बेगुनाहों का गला घोंटा तरक्की पा गए।
जड़ दिए तारीफ पे सलमे सितारे आपने।।

दर्द सिर होता है सुन करके गरीबों की पुकार।
शान का जौहर नहीं कब है दिखाया आपने।।
देख कर आँखों में आँसू लुत्फ आता है तुम्हें।
मुँहचले कब दिलजलों पर तर्स खाया आपने।।
पंगुलों की भीख पर तुमको हसद होती रहे।
ख्वाब में खैरात का आँसू बहाया आपने।।
ऐश में देखा कभी कुछ कुढ़ गए कुछ लड़ गए।
नेकनीयत बन कभी करतब निभाया आपने।।
तंग गलियों में कभी तो आप हैं जाते नहीं।
मेंबरी के वक्त तो चक्कर लगाया आपने।।
चाल चलते कौंसिलों में आप जाने के लिए।
सर हिलाने के सिवा क्या कर दिखाया आपने।।
देश के हित के लिए एक-दो कदम चलते नहीं।
घिस न जावें पाँव खुद पे रहम खाया आपने।।
बंद बहुएँ मर गईं पर साँस नहिं लेने दिया।
खुदबखुद को शर्म का शानी जनाया आपने।।
जुल्म कितने हो गए इस देश में देखो 'रमा'।
किंतु बस लाली लहू को गुल है समझा आपने।।

राज देवी

प्रयाग में 1892 में जन्म। आरंभिक शिक्षा क्रास्थवेट गर्ल्स स्कूल में। हिंदी के कई मुख्य पत्रों 'मर्यादा', 'स्वदेश बांधव', 'रसिक मित्र' आदि में कविताएँ प्रकाशित। कई कवि सम्मेलनों में सम्मानित।

होइ है भारत फेर सुखारी।
विद्या वेद सबै नर पढ़ि हैं, होइहैं शिल्प कला पुनि जारी।
उत्तम शिक्षा सब नर लहिहैं इक समान नर-नारी।।
उच्च शिक्षिता पुत्री होइहैं, पुत्र सकल बनिहैं ब्रह्मचारी।
नहिं निज देश कि निंदा करिहैं, नहिं बनिहैं कपटी दुराचारी।।
धीर गंभीर वीर सुत भारत, लेइहैं आपन काज संभारी।
निज पौरुष बल द्रव्य कमइहैं, आलस तामस दूर निकारी।।

× × ×

लखि देश की आरत दशा व्यापी मुझे इतनी व्यथा
मुझसे रहा जाता नहीं है बिना कहे दुःख की कथा।

जीवन हमारा आजकल है, हाय पशुओं से गिरा,
हा! घिर रही है कौन जन से आज यह प्यासी घटा।।
वैभव विमल गौरव हमारा पूर्व का जाता रहा,
जिस शक्ति से भारत भुवन-सिरमौर कहलाता रहा।
गुण-हीन भारत हो गया धन-हीन भारत हो गया,
बहु दीन भारत हो गया सब भांति आरत हो गया।।
हिरदय विदारक है दशा जाता कलेजा है फटा,
होता है क्या अब शोक से जो समय हाथों से घटा।
लख-लख दशा इस काल की गाते पुरानी हम कथा,
पर यत्न कुछ मन में न आता दूर हो जिससे व्यथा।
इस देश की समता अगर हम अन्य देशों से करें,
अवलोक तिनकी नव-कला दृग लाज से नीचा करें।
इस देश में मतिहीनता अरु फूट की ज्वाला दहै,
देखो विदेशों में सुविधा-शांति की धारा बहै।।
देखो विदेशों में अहा! व्यापार कितना बढ़ रहा,
हर साल ही दिन-दिन निहारो लाभ कितना हो रहा।
हर साल ही इस देश की संपत्ति सब वे हर रहे,
वे देश अपना भर रहे व्यापार अपना कर रहे।।
प्रति अंग उन्नति के लिए, मस्तिष्क उन्नति के लिए,
हैं धाम कितने ही बने हर एक शिल्प के लिए।
है जागने का यह समय हे पाठको! बहु सो चुके,
अरु अब तलक धन समय अपना व्यर्थ में ही खो चुके।
जो कुछ बचा है धन समय उत्तम बनाना चाहिए,
निज देश उन्नति जाति उन्नति में लगाना चाहिए।
हे देश हितकारी सुनो यह सोचना अब चाहिए,
इस देश-सेवा के लिए यक यूथ होना चाहिए।
जिनके हृदय में ऊँच-नीचों का न कुछ भी भेद हो,
जिनके हृदय में धर्म अरु मत का न कुछ भी भेद हो।
जिनके हृदय में कुपढ़, कपटी, मूढ़ से भी प्रेम हो,
जिनके हृदय में कुपथगामी यूथ पर भी प्रेम हो।
उपदेश हो इतना सरल जो असर उन पर हो सके,
जो दे पलट आचरण जीवन शांति सुख से कट सके।
होगा बहुत कुछ लाभ भी इस देश को इस रीति से
हर एक का जीवन नया हो जाएगा इस रीति से।

सुभद्रा कुमारी चौहान

1904 में इलाहाबाद में जन्म। विवाह के बाद भी विद्याध्ययन जारी रहा। एक बार राष्ट्रीय झंडा सत्याग्रह के दौरान जबलपुर में गिरफ्तार। दूसरी बार नागपुर में गिरफ्तार। कविताएँ 'माधुरी', 'चांद', 'श्रीशारदा', 'प्रताप', 'कर्मवीर', 'स्वदेश' आदि पत्र-पत्रिकाओं में प्रकाशित। 1947 में मोटर दुर्घटना में मृत्यु।

घायल होकर गिरी सिंहनी उसे वीरगति पानी थी।
बुंदेले हरबोलों के मुँह हमने सुनी कहानी थी।
खूब लड़ी मर्दानी वह तो झाँसीवाली रानी थी।।
रानी गई सिधार, चिता अब उसकी दिव्य सवारी थी।
मिला तेज से तेज, तेज की वह सच्ची अधिकारी थी।
अभी उम्र कुल तेइस की थी, मनुज नहीं अवतारी थी।
हमको जीवित करने आई बन स्वतंत्रता-नारी थी।
दिखा गई पथ सिखा गई हमको जो सीख सिखानी थी।
बुंदेले हरबोलों के मुँह हमने सुनी कहानी थी।
खूब लड़ी मर्दानी वह तो झाँसी वाली रानी थी।।
जाओ रानी याद रखेंगे ये कृतज्ञ भारतवासी।
यह तेरा बलिदान जगावेगा स्वतंत्रता अविनाशी,
होवे चुप इतिहास रचो सच्चाई को चाहे फाँसी।
हो मदमाती विजय मिटा दे गोलों से चाहे झाँसी।
तेरा स्मारक तू ही होगी तू खुद अमिट निशानी थी।
बुंदेले हरबोलों के मुँह हमने सुनी कहानी थी।
खूब लड़ी मर्दानी वह तो झाँसीवाली रानी थी।।

पुष्प कुमारी

कलकत्ते से प्रकाशित 'कमला' पत्रिका के महिला विभाग की संपादिका। यह लेख इसी पत्रिका के दिसंबर 1907 के अंक में छपा।

कुरीति प्रकाश

जनरव है कि पूर्वापेक्षा भारतीय स्त्री समाज में चरित्र का अभाव वा कुरीतियों का प्रचार दिनोंदिन बढ़ता जाता है। वास्तव में यह बात सत्य भी है।...

अब उन शास्त्र अविहित और देश निंदित कुरीतियों का वर्णन किया जाता है जिससे गृहिणियों में स्पष्ट रूप से चरित्र की दरिद्रता प्रतीति होती है। आशा है भारत भगिनीगण इस पर ध्यान देंगी और उनके प्रियतमगण उनको समझाने में कटिबद्ध होंगे।

दीठ लगना

दीठ (इविल आई) दृष्टि शब्द का अपभ्रंश है। देखने मात्र से सुंदर बच्चों वा वस्तुओं का अहित और अनिष्ट माना जाता है। जिससे बचने के लिए सिंदूर लगाते हैं, गाय, बैल, घोड़े आदि पशुओं के गले में काला गंडा बाँधते हैं। अच्छे उपजे हुए खेतों में हांडी कालिख से रंगकर चूने की टिकिया लगाकर लटका देते हैं। जब कभी छोटे अबोध बच्चे बीमार पड़ जाते हैं तो उनकी बीमारी का कारण 'दीठ लगना' समझा जाता है। उनकी यथार्थ चिकित्सा न कराकर झाड़-फूँक, यंत्र-मंत्र द्वारा 'दीठ' विमुक्त कराने की चेष्टा की जाती है। तैंतीस कोटि देवता रहते भी अन्य धर्मावलंबी पीर फकीरादि का आश्रय ग्रहण करना पड़ता है। प्रायः सायं प्रातःकाल मस्जिदों के द्वार पर मुसलमानों के नमाज काल में दीन भाव से बच्चे लिए स्त्रियाँ खड़ी रहती हैं। जब वे नमाज पढ़कर निकलते हैं तो बच्चों को फूँकते हुए जाते हैं।

पढ़े-लिखे सुविज्ञ नगरस्थ तो रोग-ग्रस्त बच्चों की औषधि की ओर कुछ ध्यान भी देते हैं परंतु अज्ञानी, विचार रहित ग्रामीण स्त्रियाँ तो विशेषतः 'दीठ' ही अस्वास्थ्य का प्रधान कारण मान उसी के विदूरित कराने में सयत्न रहती हैं। और यही असावधानी इस देश में अत्यधिक बच्चों की मृत्यु का मुख्य कारण है।

'दीठ' से किसी प्रकार की क्षति नहीं है। इंग्लैंड देश में कैसे-कैसे सुंदर बालक बालिकाएँ, पशु, वाटिकाएँ हैं परंतु वहाँ दीठ की कुछ परवा नहीं की जाती।

सत्य है, ईश्वर ने जिसमें जो स्वभाव दिया है, उसका प्रभाव सब पर पड़ता है। वर्षा-धूप सब के लिए होती है और आग में हाथ डालने से सबका हाथ जल जाता है, चाहे कोई किसी धर्म या मत का क्यों न हो। इसका कोई कारण नहीं कि दृष्टि का प्रकोप अल्पज्ञों ही पर हो और पंडितों पर न हो। इससे स्पष्ट प्रतीति होती है कि दीठ लगने की भावना एकमात्र निर्मूल है।

मनौती

प्राणियों के व्याधिग्रस्त होने पर अनेक प्रांत की स्त्रियाँ मन्नत मानती हैं कि रोगी बच्चे आरोग्य हो जावें तो भीख माँगकर पूजा की जावेगी। प्रायः इस प्रकार की प्रतिज्ञा भी की जाती है कि दाँतों से जूती दाब कर और माथे पर अंगीठी रखकर भीख माँगी जावेगी। और रोगी के आरोग्यार्थ गले में मूँज की फाँसी बाँधी जाती है।

पूर्वोक्त मन्नतें शूद्र स्त्रियाँ ही नहीं वरन् उच्च वर्ण और प्रतिष्ठित कुल की

स्त्रियाँ भी मानती हैं। अंतर इतना ही है कि उच्च वित्तवाली स्त्रियाँ स्वयं भीख माँगने के लिए नहीं जातीं किंतु वैतनिक ब्राह्मणियों को प्रतिनिधि नियुक्त करती हैं।

देवी-देवता जिनसे सब प्रकार का भरोसा है, जो देव सब कुछ कर सकते हैं वे क्या ऐसी गंदी बात के इच्छुक होंगे? कदापि नहीं। फिर उन्हें ऐसा खराब लालच देना कहाँ तक संगत वा उचित है? भीख उस दशा में माँगी जाती है जब घर में कुछ नहीं हो और कोई काम करने से न मिल सके। दाँतों में निषिद्ध चमड़े को दबाना, सिर पर अंगीठी रखना, गले में फाँसी लगाना युक्तिसिद्ध वा बुद्धि का काम नहीं है। जब प्रिय पिता रोगी पर दवा न करेंगे तो फाँसी लगाने की धमकी पर वह रोग कब डरने लगा!

ऐसी-ऐसी बुद्धिविहीन अविहित निरर्थक बातों से स्त्रियों का चरित्र नष्ट हो जाता है। जब तक उनके पति, पिता अविद्यारूपी अंधकार को विद्यारूपी दीपक से दूर न करेंगे तब तक ये सब घृणित बातें छूटने की नहीं। हाँ, पूजा अर्चा अपने भावानुसार करने में कोई त्रुटि नहीं।

ब्रह्म की चौरी और पीर का दरगाह

देखा जाता है कि ब्रह्म की चौरी और पीर के दरगाहों में जो ठग, अन्यायी, दुष्ट लोलुप अन्यायोपार्जन और हास्य कौतुक समय-समय और स्थान-स्थान पर जहाँ करते रहते हैं वहाँ प्रायः सभी वर्णों की कुलांगनाएँ धन, संतति तथा रोग विमुक्ति के प्रयोजन से सुंदर वस्त्राभूषण धारण कर जाती हैं और वहाँ वस्त्रों को तितिर-बितिर कर सिर खोल लज्जा की तिलांजलि देकर खेलने और चिल्लाने लगती हैं, तब वहाँ के ओझा डफाली आदि चोटी पकड़ और अंग स्पर्श कर उन हास्य कौतुकों को करते हैं जिन्हें देखकर बहुत दुख होता है। कभी-कभी उनके विचारहीन पति, पुत्र साथ में जाते हैं और बड़ी श्रद्धा-भक्ति से उपचार में योग देते हैं।

अनुभवी लोगों का कथन है कि इनमें प्रपंची, दुश्चरित्रा, दुष्टाओं की संख्या अधिक है और कुछ ऐसी भी हैं जिनकी भावना बाल्यावस्था से ही भूत-प्रेतों में है। जब वे इस समाज में पहुँचीं तो निर्बल मस्तिष्क होने के कारण उन ओझा के उपदेशानुरूप सिर घूमने लगा और डफालीगण चिल्लाने लगे 'खेलो-खेलो, खुलकर खेलो।'' फिर क्या, वह भी वैसा ही कौतुक करने लगीं और उसी के समाज में मिल गईं।

ओझाई

सुविज्ञ धार्मिक विचारवान विद्वानों के अतिरिक्त सर्वसाधारण भूत-प्रेत के विश्वासी तथा आशक्त हो, अपना तन, मन, प्राण, चरित्र, मर्यादा का नाश कर रहे हैं। स्त्रियों के अस्वास्थ्य के कारण अधिकतर भूत-प्रेत ही समझे जाते हैं। और इनसे जो क्षति

एवं दुर्दशा इन विचारियों की हो रही है उसका विचार सुविज्ञ पाठक-पाठिकाओं के ऊपर छोड़ दिया जाता है।

जहाँ अज्ञानांधकार फैला हुआ है, वहाँ लोगों का अनुमान है कि जिन प्राणियों की मौत अकाल ही हो जाती है, अर्थात् जो आत्मघात कर लेते या पानी में डूब जाने, या वृक्षादि ऊँचे स्थानों से गिर जाने, अथवा महामारी, आदि विष-दूषित संक्रामक रोगों में पड़ जाने से मर जाते हैं उन्हीं की आत्मा प्रेतयोनि में उत्पन्न होकर उन लोगों को जिनसे जीवनकाल में वैमनस्य था; अथवा जो उनके ऋणी संबंधी थे उन्हीं को सताते और दुःख देते हैं। और जो उनके प्यारे होते हैं उन पर भी स्नेह के कारण धावा करते रहते हैं जिससे स्नेही जी भी दुःखी रहते हैं। वह प्रेत यह नहीं जानता कि मेरे कारण मेरा प्यारा दुःखी है। वाह कैसा उत्तम विचार है! बलिहारी है इस बुद्धि की; सब बातों का तो उसको परिज्ञान है पर इस बात का नहीं कि निष्प्रयोजन ही अपने स्नेही जनों को सताना और दुःखी करना अच्छा नहीं है।

भूत-प्रेतों का निवास निर्जन उद्यान, उपवन, पुराने पिप्पलादि वृक्ष, टूटे-फूटे खंडहर, बालवी, कुएँ और शून्यलयादि स्थानों ही में माना जाता है। अंधेरे में, वैशाख-जेष्ठ की दुपहरी धूप तथा निस्तब्ध अर्द्धरात्रि में इनका कौतुक करना, घूमना, फिरना, खेलना कहा जाता है। इसी कारण प्रेतों के माननेवाले इन बेलाओं में अकेले गमनागमन नहीं करते।

गप्पी स्त्री-पुरुष भूतों का देखा जाना भी कहते हैं। किंतु अनुसंधान या कूट प्रश्न द्वारा परीक्षा के समय वे नहीं ठहरते, उनका वर्णन मिथ्या तथा भ्रममूलक ही ठहरता है। अनुभवी गंभीर विचारवान लोगों का अनुमान है कि जब कभी विचारहीन डरपोक मनुष्य रात की बेला में ऐसे स्थान में जाते हैं जहाँ उनको भयभीत होना पड़ता है और उनके अनुमान की प्रतिमूर्ति उनके आगे खड़ी हो जाती है, वास्तव में वह कोई वस्तु नहीं है। वह उनका चक्षुभ्रम मात्र है। जिससे वे रोग-ग्रस्त हो जाते हैं। जहाँ किसी ने छुआ कर खाक विभूति दे उनका भ्रमोच्छेदन किया और इस बात पर विश्वास दिला दिया कि वह प्रेत जो तुम पर सवार था अब भाग गया, उसी समय से भले-चंगे होने लग जाते हैं। वस्तुतः न उनको कोई रोग ही था, न भूत-प्रेत ही उन पर सवार था, उनका भ्रम उनको दुःखी कर रहा था जिससे वे उद्विग्न हो गए थे।

स्त्रियाँ जो पूर्वोक्त कारणों से मरती हैं वे चुड़ायल या मरी आदि के नाम से पुकारी जाती हैं।...

जनश्रुति है कि भूत-प्रेतों के परमाचार्य भर, पासी, डोम, चमार, खटिकादि अंत्यज ही होते हैं। कोई-कोई ब्राह्मण क्षत्रियाधम भी जो निर्लज्ज पाखंडी निरुद्यमी होते हैं, वे पेट पालनार्थ उपर्युक्त नीचों के चेले बनकर इस निंदनीय कार्य द्वारा भोले-भाले ज्ञानशून्य मनुष्यों को ठगते हैं, जिससे उनका देश में सदा अपमान और अनादर होता

है। सत्य-सत्य पूछने पर वे लोग भी मनुष्यों के मध्य छिपाना चाहते हैं। यदि उत्तम कार्य होता तो छिपाने का क्या प्रयोजन था?

बिहार और युक्त प्रदेश में ये प्रेताचार्य अनेक नामों से पुकारे जाते हैं। कहीं ओझा, कहीं नौतिहा, कहीं गुणी, कहीं सयाने आदि। इनके मंत्र भी विलक्षण होते हैं। पानी में कपूर जलाकर या युक्तियों से निराधार यव पर यव और लवंग पर लवंग खड़ी कर अंगुली पर पैसा खड़ा कर दर्शकों को विमोहित और आश्चर्यचकित करते तथा विश्वास दिलाते हैं। यद्यपि इसमें कोई सिद्धपन नहीं, क्योंकि बड़े-बड़े आश्चर्ययुक्त खेल-कौतुक आज-कल अंग्रेजी राज्य में होते हैं किंतु अज्ञानी लोग ऐसी दशा में जब उनके घर का कोई दुःखी पीड़ित व्याधि-ग्रस्त हो जाता है तो जानते रहते भी किंकर्तव्यविमूढ़ हो जाते हैं, और ये झूठे ठग जम्हाई ले-लेकर अंग तोड़ने और अपने दांतों को पीसने लगते हैं।

ओझाई का मंत्र

धूरलोटों धूरपोटों धुरियै करों सिंगार,
ठाढ़े करों टकटकी बैठे करों विचार।
दोहाई नारसिंह बाबा की,
दोहाई नोना चमारिन की।

जब किसी व्यक्ति की भार्या मर जाती है और वह दूसरा विवाह कर लेता है तो उसकी दूसरी भार्या को प्रत्येक कार्यारंभ में प्रथम मृत भार्या का डर बना रहता है। कभी वह नवीन वस्त्राभूषण बिना उसके अर्पण किए नहीं पहन सकती। एक चाँदी की सौत बनवा कर गले में पहने रहती है। यह नियम शूद्र ही का नहीं है वरन उसे उच्चवर्णा कुलांगनाएँ और राजमहिषीगण भी करती हैं। यह सब करने पर भी सौत उन लोगों को सताती और दुःख देती ही रहती है। वह अपने पति का कुछ नहीं कर सकती। शूद्रा जो पति के मरने पर अन्य पति करती है उसको भी उसका पूर्व पति कष्ट देता है। और किसी-किसी उप पति को भी प्रथम पति सताता है। उस पति की संज्ञा मानुषदेवा है। वर्ष में नियमित समय पर उनकी आराधना भी होती है। यदि न हो तो वे तुरंत पहुँच जाते और कष्ट देने लगते हैं।

यह विचार करने की बात है कि यदि मृत स्त्री, पुरुष सताते होते तो भूमंडल भर में यह बात होती, न कि अभागे भारतवर्ष ही में!

भूत-ग्रस्त स्त्रियों की दुर्गति

उन्मादादि मस्तिष्क विकार और सन्निपात, पैत्तिक ज्वरादि के कारणों से ज्ञानशून्य होकर जब कभी स्त्रियाँ निरर्थक अंड-बंड निष्प्रयोजन बक-झक करने लगती हैं या जब उनका कोई रोग जल्दी अच्छा नहीं होता तब बैठे-बैठे अकस्मात् कोई व्याधि

उनको हो जाती है उस समय संतानोत्पत्ति में विलंब होता है, या संतति मर जाया करती है तो ऐसी अवस्था में नैहर-ससुराल आदि स्थानों के भेजे-भिजाए, किए-कराए, दिए-दिलाए भूत-प्रेत ही उनके कारण माने जाते हैं, जिनके लिए नीच जाति के प्रेताचार्य ओझागण स्त्रियों की बड़ी-बड़ी दुर्दशाएँ करते हैं। बलपूर्वक उनका केश पकड़-पकड़ कर खींचते हैं। थप्पड़ जमाते हैं। प्रायः जूतों से भी खबर लेकर भूत कबुलवाते हैं। मिर्चा आदि उत्कृष्ट गंध पदार्थों की धुनी उनकी नाक में देते हैं, जिससे उन बिचारी व्याधि-ग्रस्ताओं को महाकष्ट और दुःख होता है। कभी-कभी उनके शुभेच्छु पति, पिता, श्वसुरादि को हटाकर स्वच्छंद हो उन बिचारियों पर मनमाना अत्याचार करते हैं।

ये ओझागण जिनके घर में प्रवेश करते हैं उनको नितांत दरिद्र बना देते हैं। वे भूत-प्रेतों को बाँधते हैं और उनके लिए चारा-पानी का मासिक दाम लेते हैं। उतारे पुतारे में रुपया ठगते हैं। दूर-दूर नदी-तड़ागों में ले जाकर उस स्त्री से किसी अन्य स्त्री पर अक्षत फेंकवाते हैं। मेलाओं के समय उस स्त्री के हाथ में हल्दी-चावल देकर अन्य किसी स्त्री के वस्त्र में, जब वह भीड़-भाड़ के कारण असावधान रहती है, बँधवा देते हैं। घर पहुँचने पर जब वह देखती है तो उसे भी भय और शंका उत्पन्न हो जाती है और वह भी पूर्ववर्णित स्त्रियों की भाँति ओझों के द्वारा शासित होने लगती है। यह कह कर कि तुम्हारे पूर्वज इस प्रेत के ऋणी थे जब तक ऋणोद्धार न होगा वह तुम लोगों को नहीं छोड़ेगा, सब को सतावेगा और मार डालेगा। रुपए, बर्तन ले जाकर किसी एकांत स्थान में गड़वाते और पीछे जाकर खोद लाते हैं। हरे-भरे वृक्षों के नीचे स्त्री को स्नान कराकर और उस वृक्ष का आलिंगन कराकर कोख खोलवाते हैं। ऐसे अनेक अनर्गल निर्मूल, कौतुक प्रपंच कर अपनी अर्थसाधना करते और रचते रहते हैं।

इन झूठे प्रपंचों में पड़ने से स्त्रियों का चरित्र नष्ट हो जाता है। लोक निंदा और कलंक होता है। बिना औषधि दवा के प्राण गँवाने पड़ते हैं। शारीरिक रोगोत्पन्न होने पर सुविज्ञ अनुभवी वैद्य डॉक्टर का आश्रय लेना चाहिए न कि झूठे मूर्ख ठगड़े पाखंडियों के जाल में फँस कर अपना धन प्राण चरित्र नष्ट करना, देश में हँसी कराना पाप कलंक की गठरी सिर पर लेकर यमपुरी में यातना भोगना। आशा है कि प्रिय पाठिका भगिनी वर्ग इस निबंध पर ध्यान देवेंगी तथा वे अपनी परिचित पड़ोसिनियों और संबंधियों को इस महादुःख, हानिकारक दुष्कर्म से बचाने की चेष्टा कर उभय पक्ष में यश लाभ करेंगी। सती, साध्वी, सुचरित्रा स्त्रियों में गणना करा कर जब तक संसार रहेगा, भारत के इतिहास में अपनी सुकीर्ति रखेंगी।

शहीद और जिन

मुसलमानी मतानुसार जो मुसलमान धर्म संबंधी लड़ाई में मारे जाते हैं वे शहीद और जो जयलाभ करते हैं वे गाजी कहलाते हैं। मनुष्यगणों की उत्पत्ति के सदृश 'जिन'

की भी उत्पत्ति मानी जाती है। केवल भेद इतना ही है कि मनुष्य देहधारी पार्थिव (खाकी) और जिन अनंगतैजस् (आतशी) होते हैं।

वैदिक मतावलंबी पुनर्जन्म और मरते ही धर्मराज के सम्मुख पुण्य-पाप का निपटारा होना मानते हैं। किंतु मुसलमान पुनर्जन्म नहीं मानते, वे सृष्टि के अंत में न्याय-सिंहासन पर विराजमान होकर अपने भेजे हुए मत प्रदर्शकों के साक्षी द्वारा परमेश्वर का विचार करना मानते हैं। तब तक मृत प्राणियों की आत्मा बिना देह के संसार भ्रमण करती रहती हैं। इस विचार के दिन को कयामत का दिन कहते हैं। शहीद की विशुद्धात्मा और 'जिन' सुंदर बालक, बालिका वा यौवनकालीन स्त्रियों पर प्रेमासक्त हो जाते हैं। इनके छोड़ाने वाले मौलवी अथवा शाह साहब होते हैं और वे यंत्र-मंत्र द्वारा छोड़ाने का यत्न करते हैं। फलीता अर्थात् बत्ती आदि की धुनी का प्रयोग इनके मत में भी उचित माना गया है। इन लोगों का यह भी कथन है कि शहीद और जिन सेवा-शुश्रूषा तथा प्रार्थना से छोड़ते है; बलपूर्वक इनको कोई नहीं छुड़ा सकता। एतदर्थ सुगंधित पुष्प, सुस्वादु मिठाई आदि इनको अर्पण करते हैं।

इनके आक्रमण से सुरक्षित रहने के लिए जब स्त्रियाँ नैहर-ससुराल जाने-आने लगती हैं तो हींग आदि दुर्गंधित द्रव्य अंग वा वस्त्रों में लगा दिया जाता है कि जिससे इनको शहीद वा जिन न पकड़े।

यह व्यवस्था भी सर्वथा ओझाई की व्यवस्था की भाँति अमान्य तथा मिथ्या है।

हाँ! जिनके मत की यह बात है वे चाहें मान लें। उनसे कोई विवाद नहीं, पर हिंदू संतानों को इन प्रपंचों में पड़ने की क्या आवश्यकता?

शाकिनी, डाकिनी

दश महाविद्याओं की सहचरी दासी शाकिनी डाकिनी आदि नामों से मानी गई हैं। विशूचिका महामारी आदि प्राणघातक विषदूषित वायु संबंधी रोगों के फैलने का कारण इन्हीं का कोप कहा जाता है। प्राणियों की मृत्यु से जब प्रजा व्याकुल रहती है तब माली आदि जिनकी संज्ञा 7 दर्शनिया है, साधारण बुद्धिवालों को पूर्ण रूप से ठगते और लूटते हैं। चूड़ी, तरकी, कागज की जाली, तैल की डोबी, गुड़िया, रंगीन वस्त्र, मुद्रा मद्यादि तथा रुपया-पैसा उस पर रखवा कर उतारा कराते हैं। पीछे जो-जो वस्तु उनके काम की होती है उठा लाते हैं। भेड़, बकरे, मुर्गे की बलि भी कराते हैं। कहते हैं कि शकिनी डाकिनी इससे परितृप्त होकर रक्त नहीं चूसतीं। दवा करने से और भी कोप करती हैं और कदापि आरोग्य नहीं होता। यह सब ठगपना है इससे कुछ लाभ नहीं। हाँ! गृह को परिष्कृत और स्वच्छ कराना, लिपवाना, योग्य पंडितगणों से पाठ कराना, दशांग तथा कर्पूर जलाना, हवन कराना उचित तथा युक्तिसिद्ध जान पड़ता है और श्रेयस्कर यत्नों से रहित नहीं है। फिर मेवा पीसकर जो धार दी जाती

है उससे यह लाभ संभव है कि मेवा की सुगंधि विष-दूषित वायु का आकर्षण कर लेती है जिससे घर स्वच्छ हो जाता है। वायु बिगड़ने के समय से सेहुड़ का खंड घर में रखना, आग जलाना पुराना नियम है (अब नए नियमानुसार फेनवायल या नैथलिन भी वायु को शुद्ध करती है) मतलब यह कि रोगी की प्रत्येक रोगावस्था में औषधि अनुभवी डॉक्टर, वैद्यों से कराना उचित है। माली आदि मूर्खों के पंजे में पड़ना कदापि श्रेयस्कर नहीं।

कुलदेव

ये कुलदेव वेद वर्णित 33 कोटि देवों में, जो उच्चवर्णों और गोत्रों के होते हैं, नहीं हैं वरन ये सब भूत-प्रेत अनार्यों के देवता हैं और इनकी उपासना मद्य, मांस और कपोलकल्पित गीतों और मंत्रों से होती है, जिनकी चर्चा ओझाई के प्रकरण में की गई है। यदि इनके उपासक अंत्यज वर्णाधम अनार्य शूद्र ही होते तो इस निबंध में उल्लेख का प्रयोजन न होता। प्रायः बहुत से अपरिणामदर्शी ब्राह्मण क्षत्रियादि उच्च वर्णाभिमानी भी इस कलंक से बचे नहीं हैं जिससे इस प्रस्ताव के प्रस्तुत करने की आवश्यकता पड़ी।

द्विजातियों के घरों में जहाँ पूजा अर्चा स्वाध्याय अग्निहोत्रादि के लिए स्थान नियत रहते थे वहाँ अब देवकुरी बनाई जाती है। जिनके शिव, विष्णु, आदि देवता होते थे उनके देवता अब भूत-प्रेत, गाजी मियाँ, पाँचों पीर हो गए हैं। ब्राह्मणों के स्थान में डफाली मियाँ और ओझा लोग पुरोहित और आचार्य का काम दे रहे हैं। हाँ! काल की भी क्या ही कुटिल गति है। वर्ष में नियमित समय पर और विवाहादि शुभोत्सवों में ये भेड़, बकरा, मुर्गा, सुअर का बच्चा, मद्य, पूड़ी-कचौड़ी आदि वस्तुओं को चढ़ाते हैं।

मिर्जापुर, प्रयाग और इनके दक्षिण में बाब हरदिया देव घर-घर पूजे जाते हैं। इनकी पूजा बड़ी कष्ट-साध्य है। पाक बनाते समय और पूजा करते समय यदि उनके उपासक के मुँह से कोई शब्द निकल आवे तो बड़ा अनर्थ हो जावे और उनके घर का कोई मनुष्य हल्दी खा लेवे तो प्रेत उसके घर चला जावे (इसलिए यहाँ के लोग लड़कियों का विवाह करते हैं तो हल्दी का रंगा वस्त्र लड़कियों को नहीं देते और जमाता को हल्दी डाले हुए कोई पदार्थ भोजनार्थ नहीं देते हैं) मेरे परम पूज्य पति महाशय ने इन लोगों का भ्रम दूर करने के लिए अपने पूज्यपाद श्री अप्तिताजी के ननिहाल में जो चंद्रवंशीय गहवार क्षत्रिय राजा विजयपुर के भाई बिरादरी हैं; बरिआई से हल्दी खाई और प्रत्यक्ष उन लोगों को दिखा दिया कि 9-10 वर्ष बीत गए पर वह प्रेत मेरे यहाँ नहीं आया। इस पर वे लोग हार मान कर यह कहने लगे कि अंग्रेजी पढ़े हुए लोगों के सन्निकट देवता नहीं जाते इत्यादि-इत्यादि। इतना अनुमान हुआ परंतु मिथ्या प्रपंच और भ्रम का त्याग न हुआ।

पांचो पीर, बंदी, वाई, गाजी मियाँ बहुत लोगों के कुलदेव हैं जिनको बड़ी जाति के मुसलमान तक न जानते हैं, न पूजते हैं। हिंदू ही इनको पूजते हैं और डफाली स्वाना बजा-बजा कर पुजवाते हैं एवं हलाली मांस खाते हैं। यदि बलि प्रदान कर मांस उनको दिया जाए तो छूने में दोष और पाप समझते हैं। मृत पंडित देवकी नंदन त्रिपाठी, भूतपूर्व संपादक 'प्रयाग समाचार' ने अपनी पुस्तक में डफालियों का गीत लिखा है।

—मासिक पत्रिका 'कमला', दिसंबर, 1907

बिहार में पर्दाप्रथा

किशोरी देवी

आजकल बिहार की स्त्रियों में एक क्रांति-सी मची है। संपूर्ण बिहार की महिलाएँ उस बेहूदी प्रथा को हटाने के अनुष्ठान में लगी हैं, जिसने हमारी सभी शक्तियों का नाश कर दिया है, जिसने स्त्रियों के जीवन को बिल्कुल निकम्मा कर दिया है। हम लोगों को पशुवत बना डाला है और जो हम लोगों की अवनति का मूल कारण है।

पर्दा का स्थान आर्य सभ्यता में कहीं भी नहीं है। वेदों के समय से लेकर बौद्धकाल तक बराबर स्त्रियाँ पुरुषों की ही तरह स्वतंत्र थीं। आजकल की तरह घरों की चहारदीवारी में बंद नहीं रहती थीं। वे सभी कामों में पुरुषों का साथ देती थीं। वेदों का निर्माण, यज्ञ करना-कराना, पढ़ना-पढ़ाना यहाँ तक कि युद्ध विद्या और अस्त्र परिचालन में भी वे पुरुषों से पीछे नहीं थीं। महारानी कैकेयी राजा दशरथ के साथ युद्ध में गई थीं। सुभद्रा जी लड़ाई में अर्जुन के रथ की सारथी बनी थीं, भगवान बुद्ध की शिष्य-सेना में उनकी स्त्री यशोधरा भी शामिल थीं तथा सम्राट अशोक ने धर्म प्रचार के लिए भिक्षु बाना पहनाकर अपने भाई के साथ अपनी बहिन को भी सिंहलद्वीप भेजा था। सीता, द्रौपदी और दमयंती का चरित्र तथा तत्कालीन स्वयंवर की प्रथा बतला रही है कि प्राचीन भारत में पर्दा का कहीं नाम-निशान भी न था। वास्तव में पर्दा मुसलमानी सभ्यता का अंग है और मुसलमानों के अत्याचारों से स्त्रियों को बचाने के लिए अथवा उनके सहवास के कारण हिंदुओं में भी यह प्रथा प्रचलित हो गई होगी। किंतु यह सत्य है कि पर्दा मुसलमानी काल से ही आरंभ होता है। परंतु आजकल का पर्दा तो अब और भी गया-गुजरा हो गया है। अपरिचितों के बदले अब तो हमारे यहाँ पर्दा अपने परिचित व्यक्तियों से, यहाँ तक कि स्त्रियाँ स्त्रियों से भी पर्दा करने लगी हैं। भला बतलाइए इसके भीतर कौन सा सिद्धांत धरा है? पर्दे के कारण शारीरिक, मानसिक तथा अन्यान्य बुराइयाँ किसी से छिपी नहीं हैं।

इस कारण पर्दा के विरुद्ध आंदोलन बहुत ठीक से हो रहा है। जब इसके अपने आप जाने का कोई लक्षण दिखाई नहीं दे रहा है, तब क्यों न दबाव और आंदोलन द्वारा इसे मिटाने की कोशिश की जाए। अगर यह कहिए कि शिक्षा के विस्तार के साथ यह प्रथा भी आप ही आप दूर हो जाएगी, तो क्या वर्षों तक, जब तक महिलाएँ पूर्ण शिक्षिता न हो लें तब तक उन्हें अंधकार और पर्दे में छोड़ देना बुद्धिमानी होगी? यदि मान लिया जाए तो असहयोग, अछूतोद्धार, बालविवाह-प्रथा विरोध आदि आंदोलनों की आवश्यकता है? क्योंकि शिक्षा के साथ-साथ देश और समाज की दशा भी तो आप सुधर जाएगी और भारत को स्वराज्य भी मिल जाएगा। परंतु वास्तव में यह संभव नहीं है क्योंकि समाज में कुरीतियों का प्रचार तो अपने आप ही हो जाता है परंतु सुरीतियों के लिए चेष्टा करने की जरूरत पड़ती है।

इसलिए जरूरी है कि इस प्रकार के आंदोलन तथा सभाएँ बिहार के गाँव-गाँव में हों, ताकि लोगों के कानों तक यह बात पहुँच जाए और उनके पुराने विचारों में जबरदस्त परिवर्तन हो जाए। साथ ही हम लोगों को यह भी ध्यान रखना होगा कि यह आंदोलन यूरोपियन ढंग न पकड़ ले और पर्दा के छूटते कहीं स्वेच्छाचार न बढ़ जाए। इसलिए पुराने वैदिक तथा आर्य आदर्शों से परिपूर्ण इतिहास और साहित्य तथा देशभक्ति, समाजसेवा और हिंदूधर्म की शिक्षा का प्रचार भी स्त्रियों में करना अत्यंत आवश्यक होगा। नहीं तो हमारा समाज यूरोपियन कुप्रथाओं का शिकार बन जाएगा और हमारा उद्देश्य नष्ट हो जाएगा।

—साप्ताहिक पत्र 'मतवाला', 18 अगस्त, 1925

पुनर्विवाह और आर्य समाज

विमला देवी 'रमा'

आज भारत के वक्षस्थल पर दुर्दिन अपना सिक्का जमाए बैठा है, इसलिए यहाँ के अधिवासी बुद्धि को तिलांजलि दे तथा विवेक का श्राद्ध कर बैठे हैं। विवेकी भी अविवेकी के साथ जौ के साथ घुन की नाई पिसे जा रहे हैं। हृदय इतना दुर्बल हो गया है कि, अपने काम की बातों को समझकर भी कार्यरूप में परिणत नहीं कर पाते। इसका परिणाम यह हो रहा है कि आज हिंदू समाज अवनति के गहरे गर्त में गिरा जा रहा है। आज हिंदू समाज पतन की पराकाष्ठा तक पहुँच गया है। अनाचार और अत्याचार की हद हो गई है। उफ! क्या कहा जाए? कहते हृदय विदीर्ण होता है। लाखों की संख्या में हिंदू ललनाएँ वेश्या बन शहरों की अट्टालिकाओं पर बैठी हुई अपने नारकीय समाज के नाम पर करुण क्रंदन कर रही हैं! तब फिर इस समाज

का विनाश नहीं होगा तो, होगा किसका? विधवाओं की आहें व्यर्थ नहीं जातीं।

कहते हैं नारी जाति को पुनर्विवाह करने का अधिकार नहीं है। यदि करेंगी तो कुलटाएँ कही जाएँगी। वाह, कैसा न्याय है? पुरुष समाज को मृत्यु शय्या पर भी पुनर्विवाह करने का अधिकार है, पर अबलाओं को एक बार भी नहीं। अभी दस या आठ वर्ष की अवोढ़ा बाला है। दुर्भाग्यवश उसके पतिदेव सर्वदा के लिए मृत्यु की गोद में सो गए। अब क्या हो? कुछ नहीं। निरीह बाला का जीवन सर्वदा के लिए अंधकार में विलीन हो गया। उसे अब कोई अधिकार नहीं है कि, वह अपने जीवन में एक बार भी दांपत्य-प्रेम के स्वर्गीय सुख का अनुभव प्राप्त कर सके। भला, इससे भी बढ़कर कहीं अनर्थ होता है? एक-एक पुरुष, आठ-आठ, दस-दस स्त्रियों के साथ विवाह करे, और स्त्री-जिसमें शास्त्री ने अठगुणा काम बताया है, अपने पति के मरने पर एक बार भी दूसरे पति का दर्शन न कर सके! फिर ऐसी परिस्थिति में जो स्त्रियाँ वारांगना बन शहरों में डेरा डाल देती हैं तो बेजा क्या करती हैं? क्या करें? कामाग्नि की प्रज्वलित लपटें असह्य हो जाती हैं, समाज से दूसरा कोई प्रबंध होता नहीं। मजबूर हो किसी के साथ अनाचार कर बैठती हैं, बस फिर क्या है, समाज उस ललना को घर से बाहर कर देता है। छि! ऐसे क्रूर और अत्याचारी समाज को तो एक भी स्त्री का दर्शन नहीं होना चाहिए।

खेद की बात है, हमारे कितने ही भाई पुनर्विवाह का हृदय से समर्थन करते हैं पर अपने हृदय की दुर्बलता के कारण उसे कार्य-रूप में परिणत नहीं करते। अनपढ़ लकीर के फकीरों की तो कोई बात ही नहीं, बड़े-बड़े ऐसे विद्वान भी, जो इसे धर्म तथा देश के लिए सब प्रकार से उचित समझते हैं, इसकी उपयोगिता पर सिवा मंचों पर लंबे-लंबे भाषण देने के स्वयं कार्य क्षेत्र में नहीं उतरते। वे प्रत्येक बात में वेद स्मृति की दुहाई देते रहते हैं, पर अफसोस है, हमेशा उन वाक्यों के प्रतिकूल ही चला करते हैं। घर में नवयौवना विधवा दुःखमय जीवन व्यतीत कर रही है और आप कुछ ध्यान तक नहीं देते। कहते हैं, शास्त्र जानते हैं, वेद जानते हैं, पर क्या सिर्फ संस्कृत के चार श्लोक याद करने से ही कोई किसी विषय का ज्ञाता हो सकता है? कभी नहीं। विद्वान वह है, जो सच्ची बातों को मनसा, वाचा और कर्मणा करने के लिए तैयार रहे।

इसके सिवा देश के अन्य लोग तो पुनर्विवाह नाम से ऐसे भड़क उठते हैं, जैसे बाजे बजने से भेड़ें। आर्य शब्द से भी लोग ऐसे हड़बड़ा उठते हैं, मानो सिर पर आफत आ गई है। आर्य समाज के नाम से उनके प्राण ही सूख जाते हैं। वे नास्तिक हैं, इनसे नहीं बोलना चाहिए, आदि शब्द उच्चारण कर घर में जा छिपते हैं। उनमें इतनी भी बुद्धि नहीं कि, जरा अपना मत इस प्रकार स्थिर करने के पूर्व इन लोगों की बातों को सुन तो लें। मुझे पूर्ण निश्चय है कि, जो अच्छी तरह से स्वामी दयानंद जी तथा उनके अनुयायियों के विचारों पर विवेकपूर्ण मनन करेगा,

वह कभी आर्य समाज तथा इसके प्रबल प्रवर्तक स्वामी जी महाराज को हिंदू-जाति का ह्रासक नहीं समझ सकता। स्वामी जी ने कोई बात अपने मन से नहीं लिखी है। सदा आर्य ग्रंथों का ही प्रमाण देते रहे हैं। सत्यार्थ प्रकाश में कहीं भी मनमानी बात नहीं लिखी है। आर्य समाज वेद का प्रबल पोषक है। वह वेद को ही ईश्वरीय ग्रंथ समझता है। उसने अपने यहाँ जो भी नियम बनाया है, शास्त्रों के आधार पर ही। क्या आर्य समाज ने पुनर्विवाह की प्रथा अपने मन से चलाई है? नहीं, मनु भगवान ने साफ शब्दों में कहा है–

'सा चेदक्षतयोनिः स्याद्गत प्रत्यांगतापि वा।
पौनर्भवेन मर्त्रा सा, पुनः संस्कार मर्हति।'

पुनर्विवाह के प्रमाण और भी शास्त्रों में मिलते हैं। लेख बढ़ जाने के डर से विशेष नहीं दे सकते।

जाने दीजिए, प्राचीन ऋषियों की ओर ही बढ़िए। पराशर जी ने सधवा से विवाह किया था या विधवा से? कुंती ने पुनर्विवाह किया था या नहीं? इन सब प्रश्नों का उत्तर आप ही दें। मैं तो इतना ही कह देना चाहती हूँ कि, जो अपने पूर्व-पुरुषों के नाम से इतना भयभीत हो उसकी गति प्रत्यक्ष है, पतन निश्चित है। स्वामी जी के हाथ किसी का अपकर्ष नहीं हो सकता। जिनका भाग्य उदय हुआ, वे कृतार्थ हो गए। मनुष्यत्व को समझ गए, देश, काल तथा धर्म को पहचान गए। ऋषि ने हमारा ज्ञान-चक्षु खोल दिया। अब हम लोगों को ज्ञात होने लगा है कि 'पुनर्विवाह' धर्म विरुद्ध नहीं है।

मेरे लिखने का यह आशय कदापि नहीं कि कोई विधवा बिना पुनर्विवाह के रहे ही नहीं। मेरे हृदय में उन देवियों के लिए जो नियमपूर्वक वैधव्य जीवन व्यतीत करती हैं, वही स्थान है जो आद्या-शक्ति प्रचंड देवी के लिए। मैं ऐसा कहकर ब्रह्मधर्म का महत्त्व नष्ट करना कदापि नहीं चाहती। ब्रह्मचर्य पालन एक महान तप है। पर क्या जिससे यह तप न हो सके, उसके लिए कोई मार्ग ही नहीं? महान् धर्म वही है जिसमें यहाँ सब विचारों के लोगों का निर्वाह हो सके। संकीर्णता धर्म के अंदर नहीं गिनी जा सकती। हिंदू धर्म के अंदर हो, गिरी हुई विधवाओं को कोई स्थान न दिया जाए, यह कभी भी मान्य नहीं हो सकता।

वर्तमान काल में समाज के अंदर ऐसे साधनों का भी तो सर्वथा अभाव है जिनके सहारे ब्रह्मचर्य व्रत का पालन यथावत् हो सके। फिर काम वासना भी कैसी प्रबल शक्ति है, यह कौन नहीं जानता? उसकी उद्दाम धारा सदा विनाश सागर की ओर प्रबल वेग से प्रवाहित होती है। वेद, पुराण और शास्त्र भी कभी-कभी उसके मार्ग को अवरोध करने में असमर्थ हो जाते हैं। प्रखर वासना से प्रमत्त प्राणी लोक-परलोक एवं भविष्य की ओर से बिल्कुल उदासीन हो, पाप-पथ पर प्रबल वेग से अग्रसर होता है। उस समय उसे यह ज्ञान नहीं होता कि, थोड़ी ही दूर पर विनाश

अपना विशाल मुख फैलाए उसे निगलने की प्रतीक्षा कर रहा है। इस दशा में किसी विधवा का ऊँचा-नीचा पैर पड़ जाए तो इसमें आश्चर्य ही क्या है? परंतु खेद है, समाजशास्त्र में विधुरों के लिए मरते दम तक विवाह करने की व्यवस्था है, पर उसी वृद्ध विवाह के परिणामस्वरूप विधवा बनी हुई रमणियों के लिए कोई व्यवस्था नहीं। समाज में बाल-विवाह, वृद्ध-विवाह और बेजोड़-विवाह से समाज का हित मानता है, पर 'विधवा विवाह' के नाम को समाज को रसातल पहुँचाने वाला समझता है। कैसा अंधेर है। इसलिए हिंदू समाज के विवेकशील व्यक्तियों से मेरा विनम्र निवेदन है कि अब बहुत हो चुका, अन्याय और क्रूरता की हद हो चुकी है। अब तो जरा इन अबलाओं की दयनीय दशा पर तरस खाओ, और वीर प्रसविणी होने लायक हिंदू ललनाओं को अनायिनी और अनाश्रिता बनाकर वीरांगना बनने के लिए बाध्य न करो, बल्कि जो वैधव्य जीवन को ब्रह्मचर्य पूर्वक नहीं निभा सकतीं, उनका 'पुनर्विवाह' कर दो। आज जो लाखों की संख्या में हिंदू विधवाएँ वेश्या बन या मुसलमानों के हाथ में जाकर गो-भक्षकों की संख्या बढ़ा रही हैं उसे रोकने की चेष्टा करो। आर्तनाद करती हुई विधवाओं को शरण दो, उनका पुनर्विवाह कर उनके दुःख दूर करो, नहीं तो, निश्चय समझो, तुम्हारा रहा—सहा विनाश भी बहुत जल्द हो जाएगा।

—साप्ताहिक पत्र 'श्रीकृष्ण संदेश', 13 जनवरी, 1929

स्त्रियों की स्थितियाँ

चंद्रावती लखनपाल

आभूषण

अनेक स्त्रियाँ मानो जेवरों के लिए जन्मती हैं। शौक इतना बढ़ गया है कि कई स्त्रियाँ अपने वजन से भी भारी जेवर अपने कोमल शरीर पर लाद लेती हैं। जो देवियाँ अपने एक साल के बच्चे के बोझ से दबी जाती हैं, वही घड़ियों सोने-चाँदी को फूल की तरह हल्का समझती हैं। हमारी बहनें, सोने-चाँदी की ईंटों को, जिनकी शक्ल ईंटों की-सी नहीं होती, दुनिया को दिखला-दिखलाकर ढोने में अपनी इज्जत समझती हैं।...

जेवर पहनने वाली बहनों में से अधिक संख्या उनकी है, जो आभूषण इसलिए पहनती हैं, क्योंकि बहुत दिनों से उनके पहाने का रिवाज चला आया है, क्योंकि ज्यादा जेवर पहनने वाली को सब डाह की नजरों से देखती हैं, क्योंकि जेवर का इज्जत से कोई खास संबंध माना जाता है।...

जहाँ पुरुषों के आभूषणों में हम उनकी विजय के चिह्न पाते हैं, वहाँ स्त्रियों

के आभूषणों में पुरुष के द्वारा स्त्री की पराजय के चिह्न स्पष्ट दिखलाई पड़ते हैं। पुरुष ने पशुओं को मारा, शत्रुओं से दंगल लड़े—उन विजयों के चिह्न उनके आभूषण हैं। पुरुष ने स्त्री को काबू किया, उसे कैद रखा—और उसकी पराजय के चिन्ह सदा के लिए उसके साथ बाँध दिए; वही दासता के चिह्न स्त्री के आज आभूषण समझे जाते हैं, और स्त्रियाँ दासता के इन चिह्नों को बड़ी खुशी से धारण करती हैं।

अब निस्संदेह स्त्रियों में से दासता का भाव निकलता जा रहा है, परंतु अब भी पुराने भाव अधिकांश में बने हुए हैं, और स्त्री-जाति में पूर्ण स्वतंत्रता के भाव विकसित होने में शताब्दियों की देर है। दासता उनकी रग-रग में भरी हुई है। वे सहस्रों वर्षों से उसी में पाली-पोसी गई हैं। स्त्री जाति का पिछला इतिहास उसकी पुरुष के प्रति जघन्य दासता का लज्जा-जनक इतिहास है, जो कि मानव-जाति के मस्तिष्क पर कलंक के तौर से अब भी बना हुआ है।

स्त्रियों के आभूषण इसी दासता के चिह्न हैं। प्राचीन काल में दासों के कान, नाक छेदकर, उनमें छल्ले डालकर, उन्हें रस्सियों से बाँध कर जहाँ ले जाना होता था, ले जाते थे। असीरियन शिल्प को देखने से पता चलता है कि युद्ध में पकड़े हुए कैदियों की नाक में छेद करके, उसमें छल्ला डालकर कैदी को रस्सी से बाँध देते थे। जब दासियों अथवा दासों को युद्ध में जीतकर लाया जाता था, उस समय दासता स्त्रियों तक ही सीमित थी, तब उनके हाथों में, पैरों में, गले में, कमर में रस्सी बाँध दी जाती थी, नाक और कान में छेद कर दिए जाते थे, और इस भय से कि वे भाग न जावें, उन्हें बाँधकर रखा जाता था। आजकल भी कैदी के हाथों में हथकड़ियाँ, पैरों में बेड़ियाँ और कमर में रस्सी बाँध देते हैं, ताकि वह भाग न सके। आगे चलकर वे स्त्रियाँ स्वयं काबू में आ जाती थीं, वे अपना भाग्य दासता में काटना निश्चित समझती थीं, भागने की कशमकश करना छोड़ देती थीं। बाल-बच्चे हो जाने पर तो उनके भाग्य का अंतिम निर्णय ही हो जाता था, क्योंकि जहाँ रस्सियों आदि के बंधन उन्हें नहीं भागने देते थे, वहाँ अब बच्चों से प्रेम का बंधन उन्हें जकड़ लेता था। ऐसी अवस्था में रस्सी आदि से बाँध रखने की आवश्यकता न रहती थी। परंतु फिर भी पुरुष का अविश्वास स्त्री को स्वतंत्र विचरने न देता था। स्त्रियों में लोभ की अथवा संग्रह की प्रवृत्ति स्वभावतः होती थी। थिलिंकीट-जाति के लोग लोहे की चीजों और मनकों को इतना चाहते हैं कि अपने बच्चे दे-देकर उन्हें मोल लेते हैं। इसी लोभ की प्रवृत्ति का फायदा उठाकर स्त्रियों के बंधन बहुमूल्य बनाए जाने लगे। हाथों में रस्सी बाँधने के स्थान पर लोहे का कड़ा डालकर उसे रस्सी से बाँधा जाने लगा। उससे जंहाँ स्त्री लोभ-वश बंधन के लिए तैयार हो गई, वहाँ पुरुष का काम भी सहज हो गया। धीरे-धीरे बाँध रखने की आवश्यकता जाती रही, परंतु क्योंकि अब बंधन बहुमूल्य वस्तु बन चुके थे, इसीलिए स्त्रियों ने उन्हें उतारना न चाहा। उन्हीं में परिष्कार होने लगा। परिष्कार होते-होते अब समय आ चुका है, जब हाथ

की हथकड़ियाँ सोने के 'कड़ों' का रूप धारण कर चुकी हैं, पैरों की बेड़ियाँ 'पटरियाँ' कहाती हैं, जो कि कभी-कभी तो इतनी भारी होती हैं कि अब भी उनसे चलना कठिन हो जाता है। गले की रस्सी 'जंजीर' कहलाती है, जो कि बड़ा अच्छा जेवर समझा जाता है। इसी रस्सी के 'गुलूबंद', 'हार' आदि दूसरे जेवर बन गए हैं, जो कि स्त्री-जाति की कैद की निशानियाँ हैं! कमर की रस्सी को 'तँगड़ी' कहने लगे हैं, कानों के छल्ले 'बालियाँ' कहाती हैं, और नाकों के छल्ले 'कोका' और 'नथ' का रूप धारण कर चुके हैं। इस समय ये जेवर बहुत सुंदर लगते हैं, और संभव है, इनमें और भी उन्नति हो, परंतु ये सब स्त्री-जाति की प्राथमिक दासता के चिह्न हैं।...

डेरा गाजीखाँ तथा उधर ही के पठानों की स्त्रियों के कानों में सहस्रों छेद रहते हैं, और हर एक छेद में एक-एक चाँदी का छल्ला होता है। उनका कान अक्सर उन छेदों के कारण पका रहता है, और सारा-का-सारा छलनी हो जाता है। राजस्थान की स्त्रियाँ सारे हाथ में हाथी दाँत की चूड़ियों को इस तरह भर लेती हैं कि हाथ हिलाना मुश्किल हो जाता है। यही हालत उनके पैरों की रहती है। जिन स्त्रियों के लिए अपना बोझ उठाना ही मुश्किल होता है, वे भी पैरों को लादे रहती हैं। घर की बूढ़ियाँ कहती हैं कि बहू के घुँघरू बहुत सुंदर बजते हैं, परंतु उन्हें क्या मालूम कि बहू कितने बोझों से लदी हुई है! बहू क्या है, बच्ची है, जो झम-झम पर ही रीझ जाती है। उसकी मनोवृत्ति भी इसी प्रकार की हो जाती है।

यदि यह सच है कि स्त्रियों के आभूषण उनकी सदियों की दासता के चिह्न हैं, तो क्या ये चिह्न ऐसे ही बने रहेंगे? क्या उनके लिए हमारी बहनों का मोह बढ़ता ही चला जाएगा? क्या जिस प्रकार वे उनके बोझ से अपने को लादती हैं, उसी प्रकार अपनी आगामी संतति को भी लादती ही चली जाएँगी?

पर्दा

स्त्री जाति का इतिहास, जो हमसे बहुत अधिक नजदीक का है, स्त्रियों की दासता का इतिहास है। अत्यंत अधिक प्राचीन युग में क्या था, क्या न था, इस पर विद्वानों का सदा से मतभेद रहा है, और संभवतः रहेगा। कई कहते हैं, प्राचीन काल में स्त्रियों की स्थिति बहुत ऊँची थी, कई कहते हैं, बहुत नीची थी; परंतु इसमें किसी को संदेह नहीं कि अत्यंत प्राचीन काल को अगर छोड़ दिया जाए, और जिस काल में से निकलकर वर्तमान काल का उदय हो रहा है, उसी तक अपनी दृष्टि को परिमित रखा जाए, तो मानना पड़ता है कि स्त्रियों की वर्तमान स्थिति दासता के बंधनों के शिथिल होने से ही उत्पन्न हो रही है। पहले स्त्री को स्वतंत्र नहीं समझा जाता था, उसे पुरुष की संपत्ति समझा जाता था, पुरुष उसका जो कुछ चाहता था, करता था। पुरुष अपने इच्छानुसार जितनी स्त्रियों से शादी करना चाहता था, कर सकता था। जब

उसकी इच्छा होती, वह स्त्री को तलाक दे सकता था, उसे छोड़ सकता था। ये बातें अब तक हमारे समाज में पाई जाती हैं। अनेक जंगली जातियों में स्त्रियों को चुरा लेने की प्रथा मौजूद है। स्त्रियों को भगाने के दृष्टांत आज दिन भी सुनने में आते हैं। पति के मरने के बाद विधवा को नजदीकी रिश्तेदारों के सुपुर्द कर दिया जाता था, कभी-कभी उसे पति के शव के साथ जला दिया जाता था। स्त्री के साथ यह व्यवहार ऐसा ही था, जैसा गाय-भैंस के साथ होता है। गाय-भैंस की स्वतंत्र स्थिति नहीं, इसी प्रकार स्त्री की भी स्वतंत्र स्थिति नहीं थी। अपनी संपत्ति को जिस प्रकार प्रयत्न से सुरक्षित रखा जाता है, लुका-छिपाकर रखा जाता है, उसी प्रकार स्त्री को भी छिपाकर रखने का प्रयत्न होता था, उसे सब किसी की आँखों से बचाने की कोशिश होती थी। स्त्री की दासता का यही भाव पर्दे के रूप में हमारे समाज में अब तक बना हुआ है। जैसे स्त्रियों के जेवर स्त्री की दासता की निशानियाँ रह गई हैं, वैसे ही अनेक स्त्रियों से शादी कर लेना, मर्जी से जब इच्छा हुई स्त्री को तलाक दे देना, लड़की का पिता की संपत्ति में कोई अधिकार न होना, पर्दे की प्रथा—ये सब स्त्री की दासता की निशानियाँ रह गई हैं, जिनके विरुद्ध अब मानव-समाज में विद्रोह उत्पन्न हो रहा है, जिन्हें कम-से-कम स्त्रियाँ अब एक क्षण के लिए भी बर्दाश्त करने को तैयार नहीं।...

पर्दे का अर्थ यह है कि पुरुष स्त्री को अपनी चीज समझकर उसे दूसरों की नजरों से बचाना चाहता है, वह स्त्री पर विश्वास नहीं कर सकता। किसी स्त्री के लिए इससे गर्हित स्थिति क्या हो सकती है कि उसका पति उस पर विश्वास न करे, और उसे एक कृत्रिम उपाय से अपने अधीन रखने का प्रयत्न करे।...

कई लोग पर्दे के प्रश्न को आसान समझते हैं। वे समझते हैं कि मुख पर से पर्दा हटा देना-मात्र पर्दे के प्रश्न को हल कर देने के लिए काफी है, परंतु वास्तव में ऐसा नहीं है। पर्दे का अभिप्राय यह है कि अब तक मानव-समाज में स्त्री की स्वतंत्र रूप से कोई स्थिति नहीं है। वह पुरुष की गुलाम है। अगर पर्दा हटेगा—जैसा कि अवस्थाएँ बतला रही हैं कि वह हटकर रहेगा—तो स्त्री की समाज में स्वतंत्र स्थिति बनेगी, वह पुरुष की गुलाम बनकर नहीं रहेगी। पर्दे का प्रश्न स्त्रियों की दृष्टि से इसीलिए इतना महत्त्व रखता है, क्योंकि वह केवल मुख पर से कपड़ा उतार देने का प्रश्न नहीं है, वह सदियों की गुलामी को परे उतार फेंकने का प्रश्न है।...

पर्दे के कारण इस समय हमारा समाज एक अधूरा समाज है। पुरुष अलग हैं, स्त्रियाँ अलग हैं। उनमें आपस में किसी प्रकार का संबंध नहीं है। इस समय हमारे समाज की अवस्था यह है कि अपनी धर्मपत्नी, बहन, माता आदि के अतिरिक्त यदि अन्य किसी स्त्री के साथ कोई पुरुष बातचीत करे, अथवा कोई स्त्री अपने पति, भाई, पिता आदि के अतिरिक्त अन्य किसी पुरुष के प्रति उन स्वाभाविक सामाजिक प्रेम के उत्कृष्ट तथा पवित्रतम भावों का परिचय दे, जिन्हें प्रत्येक पुरुष

तथा स्त्री के हृदय में स्वयं भगवान् ने अपने हाथों से रखा है, तो उन पर 'बदमाश' होने का संदेह किया जाता है। हम इस बात की कल्पना भी नहीं कर सकते कि पुरुष तथा स्त्री, समाज के क्षेत्र में, ऐसे ही स्वतंत्र मिल सकते हैं, जैसे पुरुष पुरुषों के साथ तथा स्त्रियाँ स्त्रियों के साथ मिलती हैं। अभी तक पुरुषों का समाज सर्वथा अलग है, और स्त्रियों का सर्वथा अलग—दोनों का एक-दूसरे से कोई संबंध नहीं है। यदि हो सकता है, तो केवल पति-पत्नी का, एक ही माता-पिता से उत्पन्न भाई-बहन का, माता-पुत्र और पिता-पुत्री का। इस प्रकार को छोड़कर किसी दूसरे प्रकार का संबंध अनुचित होगा, नाजायज होगा। हमारी यह समझ में ही नहीं आ सकता कि यदि किसी पुरुष-स्त्री का पति-पत्नी का संबंध नहीं है, एक ही रुधिर का भी संबंध नहीं है, तो फिर वह नाजायज संबंध के अतिरिक्त तीसरा संबंध हो ही कौन-सा सकता है। हमारे समाज में ये विचार घर कर गए हैं। प्रत्येक व्यक्ति इन्हें वेद-वाक्यवत् सत्य मानता है, और इसीलिए जहाँ स्त्री-पुरुषों में मिलना-जुलना दिखाई देता है, उसके विरुद्ध हृदय में क्रांति-सी उत्पन्न हो जाती है। फरक इतना ही है कि कई ईमानदारी से अपने भावों को कह डालते हैं, और कई उन्हें दबाए रखते हैं। युवक-दल तो नई रोशनी से प्रभावित होकर पुराने बंधनों को तोड़-फोड़ डालना चाहता है, परंतु जिनके हाथ में समाज की बागडोर है, वे नौजवानों का कुछ चलने नहीं देते। वे विवाहित स्त्री-पुरुष के ही प्रातःकाल इकट्ठे सैर करने जाने को निर्लज्जता तथा उद्दंडता की पराकाष्ठा समझते हैं, फिर वे गैर स्त्री-पुरुष के किसी प्रकार भी परस्पर संपर्क में आने को क्योंकर सह सकते हैं। उनकी सम्मति में इस प्रकार का संबंध अनौचित्य तथा उच्छृंखलता की चरम सीमा है।...

इसमें संदेह नहीं कि हमारे समाज की वर्तमान अवस्था उपर्युक्त विचारों की ही पुष्टि करती है। यदि किसी युवक की सामयिक सहायता पाने के कारण कोई युवती उसके प्रति कोमल शब्दों में कृतज्ञता के भाव प्रकट करती है, तो वह मूर्ख उस युवती को अपने ऊपर लट्टू हुआ समझने लगता है। उसके हृदय में इससे उच्च किन्हीं मानवीय विचारों के लिए स्थान ही नहीं दिखाई देता। स्त्रियों को हमारे समाज में पुरुषों से इतनी दूर रखा जाता है कि वे साधारणतम मानवीय भावों को भी प्रकाशित नहीं कर सकतीं। किसी भारी मेले में रास्ता भटक गई बुढ़िया को ठीक स्थान पर पहुँचा देने से वह तो अवश्य जरूरत से ज्यादा धन्यवाद की झड़ी लगा देती है, परंतु एक युवती उसी प्रकार की अवस्था में वैसी ही सहायता पाकर कृतज्ञता में जबान तक नहीं हिला सकती। यह नहीं कि उसके हृदय में वे साधारण-से कृतज्ञता के भाव उदित ही नहीं होते, जो पशुओं तक में पाए जाते हैं; नहीं, इसलिए कि कहीं उसके शब्दों का अनर्थ न कर लिया जाए।...

क्या पर्दे को दूर करने का अभिप्राय मुख पर से बुर्का उतार देना-मात्र होगा, अथवा इसका अभिप्राय कुछ और गहरा होगा? क्या स्त्रियाँ पर्दा हटाकर सामाजिक

जीवन में पुरुषों से उतनी ही दूर खड़ी रहेंगी, जितनी दूर वे अब तक थीं, अथवा उन्हें भी समाज का उसी प्रकार अंग समझा जाएगा, जिस प्रकार पुरुषों को समझा जाता है?

स्त्री-पुरुषों के खुला मिलने से कहीं-कहीं खराबी पैदा हो जाती है, इतना कह देने-मात्र से कुछ सिद्ध नहीं होता। खराबी तो वहाँ भी पैदा हो जाती है, जहाँ दोनों को रुई में लपेटकर अलग-अलग रखा जाता है। प्रश्न यह है कि इन दोनों अवस्थाओं में अधिक हानिकर अवस्था कौन-सी है? अनुभव यही बतलाता है कि जहाँ स्त्रियाँ पुरुषों को अजीब चीज नहीं समझतीं, और न पुरुष स्त्रियों को आसमान में उड़नेवाली बुलबुल समझते हैं, वहाँ का आचार दूसरे लोगों से कहीं बढ़कर होता है। मद्रास तथा महाराष्ट्र में स्त्रियाँ पर्दा नहीं करतीं। सिर तक नंगा रखती हैं। लड़कों के साथ स्कूल-कॉलेज में पढ़ती हैं। उनमें कोई खराबी नहीं दिखाई देती। वे समाज में उसी प्रकार हिस्सा लेती हैं, जैसे पुरुष। वहाँ की स्त्रियों में आत्मबल है। वे बाजार से निकलती हुई दुनिया-भर से बचती-बचती नहीं निकलतीं। दूसरी गली के घर में जाते समय उनकी हिफाजत के लिए दो सिपाही तैनात नहीं करने पड़ते। वे ऐसी निर्भय होकर घूमती-फिरती हैं, साँस लेती हैं, जैसे पुरुष। अफ्रीका में हब्शी लोग नंगे फिरते हैं। इस अवस्था में भी स्त्री-पुरुष अपने दैनिक कार्य करते हैं। उन लोगों को देखकर संदेह हो जाता है कि क्या नंगेपन तथा दुराचार में कोई संबंध है भी या नहीं। यदि होता, तो क्या अफ्रीका के नंगधड़ंग हब्शी कोट-पतलून पहनने वालों के साथ सदाचार की तुलना में रखे जा सकते थे? फिर भी सभ्यता की डींग हाँकने वालों को अफ्रीका के जंगली लोगों की बातें सुनकर लज्जा से सिर नीचा कर लेना पड़ता है।...

इस समय समाज में एक नवीन भाव को जाग्रत करने की आवश्यकता है। स्त्रियों को हम जिस प्रकार समाज से निर्वासित किए हुए हैं, पर्दे के पीछे ढके हुए हैं, उससे हमारा समाज पुरुषों का ही समाज कहला सकता है, अधूरा ही रह सकता है, उसमें पूर्णता नहीं आ सकती। इस अवस्था को दूर किया जाना जरूरी है। कपड़े का पर्दा हटा देने-मात्र से पर्दा नहीं हटेगा, पर्दे को हटाने के लिए समाज में स्त्रियों की स्थिति को ही मूल से बदलना होगा।

पर्दे के प्रश्न को हमें इन्हीं दो दृष्टियों से देखना चाहिए। एक दृष्टि स्त्री की दृष्टि है; जिसमें पर्दे का हटना स्त्री की सदियों की गुलामी का हटना है। स्त्रियाँ इसी दृष्टि से इस प्रश्न को महत्त्व देती हैं। पर्दे के हटने का मतलब उनके लिए यह है कि उनके मानवता के अधिकारों को स्वीकार कर लिया जाय, उन्हें भी पुरुषों के ही पैमाने से मापा जाए। यह समझ लिया जाए कि अगर पुरुष अपनी स्त्री को सती-साध्वी देखना चाहता है, तो स्त्री भी चाहती है कि पुरुष सदाचारी रहे, अगर पुरुष स्त्री से कुछ आदर्शों के पालन की आशा रखता है, तो स्त्री भी पुरुष से उन आदर्शों के पालने में वैसी ही आशा रखती है। पर्दे के प्रश्न को हल करने में दूसरी

दृष्टि समाज की दृष्टि है। अगर समाज में पुरुष अलग रहेंगे, और स्त्रियाँ अलग रहेंगी, तो समाज का विकास अधूरा विकास होगा, और क्योंकि स्त्रियाँ पर्दे में ही बंद रहेंगी, इसलिए समाज का विकास केवल पुरुषों के दृष्टिकोण का ही विकास होगा।...

पर्दे का हटना जहाँ स्त्री की गुलामी को दूर करने के लिए जरूरी है, वहाँ समाज के सर्वांगीण विकास के लिए भी उतना ही जरूरी है।...

समाज की रचना में स्त्रियों का हाथ

आज लोग शिकायत करते हैं कि एक सज्जन बड़े पढ़े-लिखे हैं, प्रगतिशील विचारों के हैं, परंतु वही मुसलमानों के पीरों की कब्रों पर जाकर दुआएँ माँगते हैं! दूसरे सज्जन बड़े भारी समाज-सुधारक हैं, बड़े-बड़े व्याख्यान देते हैं, वही अपनी छोटी-सी दुधमुँही बच्ची का छोटी उम्र में विवाह रच डालते हैं! एक तीसरे देश के नेता दो घंटे तक गला फाड़कर दहेज की कु-प्रथा का विरोध करते हैं, और वही अपने लड़के की शादी पर दहेज के लिए अड़ जाते हैं! सुधारक संस्थाओं के बड़े-बड़े संचालक जन्म-मूलक जाति-पाँति के बंधनों को तोड़ने के लिए कागज-के-कागज स्याह कर डालते हैं, परंतु वही अपने लड़के के लिए अपनी जाति की कन्या ढूँढ़ने के लिए अखबारों में नोटिस देते हैं! आज हम जैसा कहते हैं, वैसा करते नहीं! यह क्यों?

जाति-पाँति की उलझनों को दूर करने के लिए व्याख्यान तो दिए जा सकते हैं, परंतु जब सुधारक अपने घर में माँ, बहन, स्त्री सबको अपने विरुद्ध खड़ा हुआ देखता है, तब उसकी भी हिम्मत टूट जाती है! स्त्रियों को समाज से अलग रखने का परिणाम यह हुआ है कि स्त्रियों ने प्रत्यक्ष रूप से नहीं, तो अप्रत्यक्ष रूप से, परोक्ष रूप से, समाज को प्रभावित करना शुरू कर दिया है, और उसी का नतीजा यह हुआ है कि पुरुषों के कहने तथा करने में जमीन-आसमान का अंतर पड़ गया है। पुरुष कहता वह है, जो उसका दिमाग सोचता है, परंतु करता वह है, जो स्त्री कहती है। विकास के मार्ग में स्त्री को अपने साथ न रखने का परिणाम यह हुआ है कि आज पुरुष कहने को बहुत कुछ कहता है, परंतु करने को उसका सौवाँ हिस्सा भी नहीं करता। जो कुछ करता है, वह वही होता है, जो उसे स्त्री करने को कहती है। क्या इससे अच्छा यह न होता कि पुरुष स्त्री को अपने साथ लेकर चलता, और समाज में जो कहा जाता, वही किया भी जाता?...

स्त्री-समाज को मनुष्य-समाज से सर्वथा अलहदा करने का नतीजा आज हिंदू-जगत् भुगत रहा है। अगर किसी की आँखें हों, तो वह देख सकता है कि स्त्री-समाज को मानव-समाज से सर्वथा काटकर अलग कर देना कितना असंभव है।...

जाति-पाँति तोड़ना भी भला कोई मुश्किल काम है! नवयुवक का तो सीधा जवाब है—जाति में विवाह न किया, जाति अपने आप टूट गई। परंतु नहीं; यह प्रश्न

आज शायद पुरुष-समाज को अनुभव हो रहा है कि स्त्रियों को इस प्रकार समाज से निकाला नहीं जा सकता। आज स्त्रियाँ पुरुषों से कौड़ी-कौड़ी का हिसाब चुका रही हैं...

इस समय भी जबकि हम समझ रहे हैं कि स्त्रियाँ समाज की रचना से सर्वथा अलग हैं, स्त्रियों का छिपा हुआ हाथ समाज के प्रत्येक कार्य में दिखलाई दे रहा है। यद्यपि स्त्रियाँ हमारे समाज की रचना में प्रत्यक्ष रूप से कोई हिस्सा नहीं ले रहीं, तो भी समाज का कोई कार्य ऐसा नहीं, जिसमें उनकी छाप न हो, उनका प्रतिबिंब न हो। स्त्रियों का काम प्रत्येक कार्य में उत्तेजना देना, उसके लिए उत्साह उत्पन्न करना, उसमें जान डाल देना है। अगर वह अच्छा कार्य है, तो वह तेजी से और खूबसूरती से होने लगता है; अगर बुरा कार्य है, तो वह भी तेजी से और जोर से होता है।...

यूरोप की वर्तमान सामाजिक उन्नति का भी मुख्य कारण वहाँ की स्त्रियों का उन्नतिशील होना है। इस समय यूरोप में स्त्रियाँ सुशिक्षिता हैं, वे अपने अधिकारों को समझती हैं, उन्हें चहारदीवारी में बंद करके नहीं रखा जाता, इसीलिए यूरोप का सामाजिक जीवन एक खुला विस्तृत तथा उदार जीवन है। उस जीवन में अन्य चाहे कितने ही दोष क्यों न हों, परंतु उसे भारतीय जीवन की तरह संकुचित, रूढ़ियों से घिरा हुआ तथा तंग दायरों में बंद नहीं कहा जा सकता। वहाँ की स्त्रियाँ पढ़-लिखकर जीवन के प्रश्नों पर स्वयं विचार करती हैं, और उन्हीं के प्रकाश में अपने प्रश्नों को हल करती हैं। हमारा समाज लाख कोशिश करने पर भी करवट नहीं ले रहा, अफीम खाए पड़ा है—इस दुरवस्था को दूर करने का एक-मात्र उपाय है स्त्री-समाज का चैतन्य हो जाना।...

—1933 में प्रकाशित पुस्तक के कुछ अंश

नारी-जागरण

सौदामिनी मेहता

कितने ही वर्ष सुषुप्ति में, बंधन में, पराधीनता में व्यतीत करने के बाद आज भारत की स्त्रियाँ जागृत हुई हैं। शिक्षा ने उनकी आँखें खोली हैं और अब वे अपनी पराधीन अवस्था का स्पष्ट अनुभव कर रही हैं। गुलामी की जंजीरों को तोड़कर बाहर आने के लिए वे हर प्रकार से प्रयत्नशील हैं। यद्यपि हिंदुस्तान को दृष्टि में रखकर विचार किया जाए तो पढ़ी-लिखी और सुसंस्कृत महिलाओं की संख्या बहुत कम है परंतु ये इनी-गिनी बहनें ही आज स्त्री-सुधार के लिए जिस लगन के साथ प्रयत्न कर रही

हैं वह सचमुच आश्चर्यजनक है। सदूशिक्षिता तथा सुसंस्कृता महिलाएँ चाहे हिंदुस्तान के किसी भी भाग में—शहरों में या गाँवों में रहती हों, परंतु वे अपने क्षेत्र में अज्ञान तथा पीड़ित बहनों के लाभार्थ कुछ न कुछ काम अवश्य कर रही हैं। कोई बड़ी उम्र की अपढ़ बहनों को अक्षर-ज्ञान कराने की कोशिश करती है तो कोई कन्या-विद्यालयों का संचालन करके भविष्य में सच्ची महिला बनने के लिए कन्याओं की समुचित शिक्षा का प्रबंध करती है। कोई स्त्रियों की आर्थिक स्थिति सुधारने के लिए शिल्प-शालाओं का आयोजन करती है तो कोई निराधार विधवा, अनाथ परित्यक्ता स्त्रियों के लिए आश्रमों की स्थापना करके उनकी रक्षा की व्यवस्था करती है। यहीं स्त्री संस्थाओं की तरफ से स्त्रियों की खास समस्याओं पर विवेचन करने के लिए समय समय पर इस प्रकार के साहित्य के प्रचार का भी प्रबंध किया जाता है। स्त्रियों द्वारा संचालित तथा संपादित पत्र-पत्रिकाएँ लगभग सभी प्रांतीय भाषाओं में प्रकाशित होती हैं।

सुशिक्षित स्त्रियाँ समझती हैं कि कानून में उनके साथ बहुत ही अन्याय किया गया है इसीलिए उसमें संशोधन करने के लिए वे कौंसिलों में प्रस्ताव भी उपस्थित कर रही हैं। लेकिन इतना सब होते हुए भी जो कुछ हो रहा है वह हमारी स्थिति को देखते हुए संतोषजनक तो है परंतु यथेष्ट नहीं है। हमने अभी सुधार के क्षेत्र में कदम ही रखा है और हमें अभी बहुत कुछ करने की जरूरत है। एक बात भूलनी न चाहिए। अपने देश में, शहरों में रहने वाली स्त्रियाँ में जागृति उत्पन्न हुई है। इससे यह न समझना चाहिए कि समस्त देश की स्त्रियाँ जागृत हो गई हैं। बहुत अंश में स्त्रियों को अभी अपनी पराधीन स्थिति का पता भी नहीं है। गाँवों में जहाँ पुरुषों में ही शिक्षा का प्रचार नहीं है, स्त्रियाँ बेचारी तो चूल्हे-चौके से अधिक उनकी और भी दुनिया है, इसकी कल्पना ही नहीं कर सकतीं। शहरों में भी शिक्षित स्त्रियों की संख्या बहुत ही कम है। हिंदुस्तान की नारी शक्ति को जागृत करने के लिए भागीरथ प्रयत्न की आवश्यकता है। जब तक देश के कोने-कोने में शिक्षा का प्रचार नहीं होता तब तक हमारी सर्वतोमुखी उन्नति कदापि नहीं हो सकती। जब विचार ज्ञान का सूर्य उदय होगा तभी अज्ञान और अंधविश्वास के कारण प्रचलित अनेक रूढ़ियों और रिवाजों का समूल नाश होगा। हिंदू समाज में आज कितने ही दुष्ट रीति-रिवाज, जिनसे प्रतिक्षण स्त्री समाज का ह्रास हो रहा है, चालू हैं। उन्हें पढ़ी-लिखी बहनें ही मिटा सकती हैं। यदि सारे देश का स्त्री समाज शिक्षित हो जाए तो समाज के रूढ़ियों के बंधन अपने आप टूट जाएँ और हम स्त्रियाँ स्वतंत्र तथा संस्कृत वातावरण में भारत की राष्ट्रीय उन्नति में सब प्रकार से सहयोग देकर इस कथन को पूर्ण रूप से सिद्ध कर सकें कि जो हाथ पालने की डोरी को हिलाते हैं उन्हीं में सारे राष्ट्र के संचालन की शक्ति भी निहित है।

अतः प्रत्येक पढ़ी-लिखी बहन का यह कर्तव्य हो जाता है कि वह अपनी विद्या

का लाभ दूसरी बहनों को अवश्य दे। यदि अधिक कुछ न हो सके तो अपने पड़ोस में रहने वाली दूसरी बहनों की निरक्षरता को दूर कर उन्हें अक्षर ज्ञान का बोध तो हर एक बहन आसानी से करा सकती है। अपने आस-पास की जिन बहनों ने थोड़ी शिक्षा प्राप्त कर ली हो उन्हें उच्च शिक्षा देने का काम भी सरलता से हाथों में लिया जा सकता है। पढ़ी-लिखी स्त्रियों के लिए यह बहुत आवश्यक है कि वे अपने दैनिक जीवन को सदैव आदर्शपूर्ण रखें। प्रत्येक शिक्षित बहन को ईर्ष्या-द्वेष तथा परनिंदा से दूर रहना चाहिए। यदि शिक्षित स्त्री में यह दोष विद्यमान हो तो सचमुच उसकी शिक्षा का कुछ अर्थ ही नहीं रह जाता। निंदा, चुगली वगैरह आलसी आदमी का काम है और भारत की आजकल की परिस्थिति में आलसी जीवन हमारे लिए लज्जा की वस्तु होनी चाहिए। जो व्यक्ति अपने जीवन को समाज हितकारी कामों में लगाता है उसे इन व्यर्थ की बातों के लिए अवकाश ही नहीं मिलता और ऐसी हल्की बातें उसके मन में आती ही नहीं। ईर्ष्या, द्वेष और दूसरे की झूठी आलोचना, प्रत्यालोचना की प्रवृत्ति ही मूर्खता की द्योतक है। इसी प्रकार कोई भी अच्छा कार्य करते हुए किसी की निंदा या आलोचना को महत्त्व भी न देना चाहिए। यदि हममें साहस और बल होगा तो हम अवश्य आगे बढ़ेंगी और अपने उद्योग में सफल होकर रहेंगी।

आशा है, समस्त भारत के महिला-समाज को पूर्ण जागृत और उन्नत देखने का सुअवसर शीघ्र प्राप्त होगा। हम इस 'महिला' मासिक पत्रिका से भी बहुत कुछ आशा रखती हैं। कारण कि इसका हेतु भी स्त्रियों की आर्थिक, सामाजिक एवं राजनैतिक समस्याओं को विस्तृत रूप में उनके सामने रखकर उनको सुचारु रूप से सुलझाने में यथाशक्ति सहायता प्रदान कर नारी जाति को पुनः अपने खोए हुए गौरव को प्राप्त करने में सहायभूत होना है। इस प्रयास के लिए श्रीमती सीता देवी धन्यवाद की पात्री हैं। कलकत्ता तथा बाहर की सभी हिंदी भाषा-भाषी बहनें इस मासिक पत्रिका का स्वागत कर इससे यथेष्ट लाभ उठाएँगी, ऐसी मुझे पूरी आशा है। इस पत्रिका का उद्देश्य स्त्रियों में पढ़ने-लिखने की प्रवृत्ति का विकास करना तथा उनके ज्ञान को बढ़ाकर उन्हें आदर्श महिला के पथ पर अग्रसर करना है। श्रीमती सीता देवी को अपने उद्योग में पूर्ण सफलता मिले, यह मेरी आतंरिक कामना है।

—मासिक पत्रिका 'महिला', पहला अंक, अक्टूबर, 1938

राष्ट्रनिर्माण और स्त्रियाँ

कुमारी एम.बी. गुप्त

राष्ट्र का पुनर्निमाण करने में शिक्षक के बाद माता का ही स्थान है। जिस समाज

में माताएँ अशिक्षित रहती हैं, उसमें शिक्षितों का उत्तरदायित्व बहुत अधिक बढ़ जाता है। जो राष्ट्र माताओं के मूल्य को समझता है और उनको अपने बच्चों को शिक्षा देने की सुविधाएँ देता है, उसका उत्कर्ष अवश्य होता है।

प्राचीन जमाने में माताएँ ही बच्चों को पढ़ने-लिखने एवं दस्तकारी की शिक्षा देती थीं, किंतु औद्योगिक क्रांति के बाद दस्तकारी का महत्त्व घट गया और उसकी शिक्षा आजकल कारखानों में ही दी जाती है। भारत के लिए यह बहुत ही आवश्यक है कि बच्चों को उनकी माताएँ कुछ दस्तकारी सिखला दें जिनसे वे आगे जाकर उस कला के विशेषज्ञ हों।

आजकल हमारे देश में अनेक प्रकार की शिक्षा योजनाएँ बन रही हैं और आशा की जाती है कि देश को आवश्यक लाभ होगा। किंतु छोटे बच्चों के दिमाग पर प्रभाव डालने के लिए स्त्रियाँ ही अधिक उपयुक्त हैं। यद्यपि वे सब योजनाएँ विशेषतः पुरुषों द्वारा ही सफलीभूत हो सकती हैं एवं वयस्क और वृद्ध लोगों को पढ़ाने के लिए अनुभवी शिक्षक ही अधिक उपयुक्त हो सकते हैं। किंतु जहाँ तक छोटे बच्चों का प्रश्न है, उनके विषय में स्त्रियाँ ही अपने स्वाभाविक मातृत्व के प्रभाव से आश्चर्यजनक काम करती हैं। बच्चों को स्वभावतः अपनी माता से अधिक प्रेम होता है और भारत की मातृ जाति में सुविधा मिलने पर ऐसी संतान उत्पन्न करने की क्षमता है, जो भारत के लिए ही नहीं किंतु समस्त विश्व के लिए गौरव की वस्तु हो सकते हैं।

किंतु इन सब उद्देश्यों की प्राप्ति के पहले भारतीय स्त्रियों की उन्नति करना अत्यंत आवश्यक है, साथ ही साथ हमें यह भी गंभीरतापूर्वक विचारना होगा कि हम अपनी वर्तमान परिस्थिति को देखते हुए स्त्रियों को कैसी शिक्षा दें। यह तो प्रायः सभी जानते हैं कि स्त्री शिक्षा विषयक प्राचीन रूढ़ियों के लिए अब हमारे यहाँ कोई स्थान नहीं है और न हम अपनी स्त्रियों को आधुनिकता के रंग में ही रंगना चाहते हैं। हमारा मुख्य उद्देश्य यह है कि वे साहसी और विदुषी बनें जिससे वे हमारे देश की महत्त्वपूर्ण सेवा करके अपना नाम सार्थक कर सकें।

दहेज और अंतर्जातीय विवाह

हमें उस समय बड़ा आश्चर्य होता है जब हम देखते हैं कि शिक्षा के साथ ही साथ दहेज की प्रथा बढ़ती जाती है। शिक्षा की दृष्टि से तो बंगाल प्रांत सबसे आगे बढ़ा हुआ है लेकिन दहेज की प्रथा भी वहाँ सबसे अधिक है। किसी दैनिक समाचार पत्र को उठाकर उसके विज्ञापन कालमों को देखने से पता चल जाएगा कि देहज से शिक्षा का कितना संबंध हो गया है। कोई व्यक्ति तो इसलिए विवाह करना चाहता है कि विलायत जाकर पढ़ने के लिए उसके पास पैसे नहीं हैं और कोई इसलिए कि वह यहीं विश्वविद्यालय की फीस नहीं दे सकता। इसमें कोई संदेह की बात नहीं कि देहज का रोग भारत में ही है। यहाँ विवाह में माता-पिता की जितनी चलती है उतनी

वर-वधू की नहीं, जो धन से अधिक प्रेम के भूखे होते हैं। किंतु इस रोग का रूपांतर संसार के उन्नत देशों में अर्थात् यूरोपीय देशों में पाया जाता है।

दहेज क्या है? सौदा है। यह सौदा यूरोप में भी खूब चलता है। वहाँ दहेज लिया जाएगा तो कम से कम इतना तो अवश्य देखा जाएगा कि वधू बड़े घराने की है या नहीं, उसकी सामाजिक स्थिति से अपनी स्थिति बढ़ेगी या नहीं। यूरोप में जाति में विचार नहीं है। कम से कम उस अर्थ में तो नहीं है जिस अर्थ में भारत में है। किंतु वहाँ विवाह के समय इस जाति-पाँति का असर प्रत्यक्ष दिखाई पड़ता है। कहते हैं कि एक बार जर्मन सेना के एक सेनापति ने एक चौकीदार की लड़की से विवाह कर लिया। इससे अन्य सेनापतियों की पत्नियाँ इतनी नाराज हुईं कि उन्होंने इस सेनापति का एक तरह से सामाजिक बहिष्कार कर दिया। विवाह में इस प्रकार का ऊँच-नीच ख्याल ही प्रेम की जगह सौदा पैदा कर देता है। और यह बातें जर्मनी में ही नहीं यूरोप के सभी देशों में हैं। इंग्लैंड में आठवें एडवर्ड का सिंहासनच्युत किया जाना इस बात को और स्पष्ट कर देता है कि पाश्चात्य जीवन में विवाह में सामाजिक बंधनों का उतना ही दखल है, जितना भारत में।

यह तो कहना ही पड़ेगा कि विवाह सामाजिक जीवन का एक अंग है और उस पर सामाजिक बंधन रहेंगे। किंतु जब ये बंधन कठिन हो जाते हैं तो वे प्रगति में बाधक होते हैं। सामाजिक बंधनों के कारण न मालूम कितने युवक-युवतियों ने अपने प्राणों को खो दिया है। अंतर्जातीय विवाह असामाजिक समझा गया है। इस बंधन से और चाहे जो कुछ हानि हो, एक हानि तो यह है कि अच्छी संतान पैदा नहीं हो पाती। वैज्ञानिकों का कहना है कि एक जाति के लोगों का दूसरी जाति के लोगों से विवाह-संबंध होना मनुष्य के विकास में लाभप्रद है। कहने का तात्पर्य यह है कि दूर के संबंध से जो संतान पैदा होती है, वह बल-बुद्धि में श्रेष्ठ होती है। आपस में विवाह-संबंध होने से निस्तेज संतान पैदा होती है। एक वैज्ञानिक ने कई महापुरुषों का दृष्टांत देते हुए बतलाया है कि वे सब अवर्ण विवाह की उपज थे। भारत में ही हम देखते हैं कि जहाँगीर और शाहजहाँ मुगल पित: और राजपूत माता की संतान थे। पर इस संबंध में यह ध्यान देने वाली बात है कि पति-पत्नी की जाति में अत्यधिक भिन्नता पड़ जाती है तो यह फल नहीं होता। सन् 1847 के लगभग अंग्रेज अफसरों ने बेगमों से विवाह किया, उनसे संतान पैदा हुई किंतु कोई बड़ा पैदा हुआ हो, वह हमें नहीं दिखाई पड़ा। राजपूत और मुगल एशिया के थे, इसलिए उनकी संस्कृति और सभ्यता में बहुत कुछ समानता थी। किंतु अंग्रेजों और मुगलों में बहुत अंतर है। इसी अंतर के कारण उनकी संतान तेजवान न हो सकी। इसलिए जहाँ एक ओर दूर का और अंतर्जातीय विवाह पसंद किया जाता है तो यह भी ख्याल रखा जाता है कि वर-वधू की संस्कृति और सभ्यता में ज़मीन आसमान का अंतर न हो। एक गोरे का एक हब्शी के साथ विवाह हो जाए तो

क्या यह आशा की जा सकती है कि उनकी संतान तेजवान पैदा होगी। वास्तविक घटना भी इस आशा का समर्थन नहीं करती। पर यदि विशेष अंतर न रहे तो इसमें कोई संदेह नहीं कि संतान बल-बुद्धि में श्रेष्ठ पैदा होगी।

—साप्ताहिक पत्र 'लोकमान्य', 1939

शृंखला की कड़ियाँ

महादेवी वर्मा

(1907-1987)

छायावाद की एक प्रमुख कवयित्री एवं नारी स्वतंत्रता की मुखर प्रवक्ता। उत्तर प्रदेश के फर्रुखाबाद में जन्म। 1932 में प्रयाग विश्वविद्यालय से संस्कृत में एम.ए. की उपाधि पाकर प्रयाग महिला विद्यापीठ में आचार्य बनीं। कवयित्री होने के साथ सामाजिक चेतना संपन्न सशक्त गद्यकार भी। प्रमुख गद्य कृतियाँ—स्मृति की रेखाएँ, अतीत के चलचित्र, मेरा परिवार, पथ के साथी, शृंखला की कड़ियाँ। कविता संग्रह 'यामा' पर भारतीय ज्ञानपीठ पुरस्कार। उनके संस्मरणों के दायरे में पशु-पक्षी से लेकर समाज के साधारण उपेक्षित लोग आते हैं। स्त्री के प्रश्न पर काफी कुछ सोचा और लिखा।

प्रायः जो वस्तु लौकिक साधारण वस्तुओं से अधिक सुंदर या सुकुमार होती है उसे या तो मनुष्य अलौकिक और दिव्य की पंक्ति में बैठाकर पूजार्ह समझने लगता है या वह तुच्छ समझी जाकर उपेक्षा और अवहेलना की भाजन बनती है। अदृश्य की विडंबना से भारतीय नारी को दोनों ही अवस्थाओं का पूर्ण अनुभव हो चुका है। वह पवित्र देव-मंदिर की अधिष्ठात्री देवी भी बन चुकी है और अपने गृह के मलिन कोने की बंदिनी भी। कभी जिन गुणों के कारण उसे समाज में अजस्र सम्मान और अतुल श्रद्धा मिली, जब प्रकारांतर से वे ही त्रुटियों में गिने जाने लगे तब उसे उतनी ही मात्रा में अश्रद्धा और अनादर भी, अपना जन्मसिद्ध अधिकार मानकर स्वीकार करना पड़ा। उसे जगाने का प्रयास करने वाले भी प्रायः उसी संदेह में पड़े रहते हैं कि यह जाति सो रही है या मृतक ही हो चुकी है जिसकी जागृति स्पप्नमात्र है।...

—1931

नारीत्व का अभिशाप

चाहे हिंदू नारी की गौरव-गाथा से आकाश गूँज रहा हो, चाहे उसके पतन से पाताल काँप उठा हो परंतु उसके लिए 'न सावन सूखे न भादों हरे' की कहावत ही चरितार्थ

होती रही है। उसे अपने हिमालय को लजा देने वाले उत्कर्ष तथा समुद्रतल की गहराई से स्पर्धा करने वाले अपकर्ष दोनों का इतिहास आँसुओं से लिखना पड़ा है और संभव है भविष्य में भी लिखना पड़े। प्राचीन से प्राचीनतम काल में जब उसने त्याग, संयम तथा आत्मदान की आग में अपना सारा व्यक्तित्व, सारी सजीवता और मनुष्य-स्वभावोचित इच्छाएँ तिल-तिल गलाकर उन्हें कठोर आदर्श के साँचे में ढालकर एक देवता की मूर्ति गढ़ डाली तब भी क्या संसार विस्मित हुआ या मनुष्यता कातर हुई? क्या नारी के बड़े से बड़े त्याग को, आत्म-निवेदन को, संसार ने अपना अधिकार नहीं किंतु उसका अद्‌भुत दान समझकर नम्रता से स्वीकार किया है? कम से कम इतिहास तो नहीं बताता कि उसके किसी बलिदान को पुरुष ने उसकी दुर्बलता के अतिरिक्त कुछ और समझने का प्रयत्न किया।

अग्नि में बैठकर अपने आपको पतिप्राणा प्रमाणित करने वाली स्फटिक-सी स्वच्छ सीता में नारी की अनंत युगों की वेदना साकार हो गई है। कौन कह सकता है, उस भागते हुए युग ने अपनी उस अलौकिक कृति, अपने मनुष्यत्व की क्षुद्र सीमा में बँधे विशाल देवत्व की ओर एक बार मुड़कर देखने का भी कष्ट सहा! मनुष्य की साधारण दुर्बलता से युक्त दीन माता का वध करते हुए न पराक्रमी परशुराम का हृदय पिघला, न मनुष्यता की असाधारण गरिमा से गुरु सीता को पृथ्वी में समाहित करते हुए राम का हृदय विदीर्ण हुआ। मानो पुरुष-समाज के निकट दोनों जीवनों का एक ही मूल्य था। एक जीवित व्यक्ति का इतना कठोर त्याग, इतना निर्मम बलिदान दूसरा हृदयवान व्यक्ति इतने अकातर भाव से स्वीकार कर सकता है, यह कल्पना में भी क्लेश देती है, वास्तविकता का तो कहना ही क्या!

इस विषमता का युगांतरदीर्घ कारण केवल एक ही कहा जा सकता है—दुर्बलता, जिसका प्रायः कोमलता के नाम से नामकरण किया जाता है। नारी के स्वभाव में कोमलता के आवरण में जो दुर्बलता छिप गई है वही उसके शरीर में सुकुमारता बन गई। यह सत्य नहीं है कि वह इस दुर्बलता पर विजय नहीं पा सकती, पर यह निर्विवाद सिद्ध है कि वह अनादि काल से उसे अपना अलंकार समझती रहने के कारण त्यागने पर उद्यत ही नहीं होती। उसके विचार में इसके बिना नारीत्व अधूरा है। दुर्बलता मनुष्य-जीवन का अभिशाप रही है और रहेगी। परंतु शरीर और मन दोनों से संबंध रखने वाली दुर्बलताओं में कौन घोरतर अभिशाप है, यह कहना कठिन है। समयविशेष तथा अवस्थाविशेष के अनुसार हम पशुबल तथा मानसिक बल का प्रयोग करने पर विवश होते हैं और समय तथा अवस्था के अनुसार ही हमारे लिए मानसिक और शारीरिक दुर्बलताएँ अभिशाप सिद्ध होती रही हैं। जीवन में उन दोनों शक्तियों का समन्वय ही सफलता का विधायक रहा है अवश्य, परंतु यह कहना असत्य न होगा कि प्रायः एक शक्ति की न्यूनता दूसरी की अधिकता से भर जाती है। विशेषकर नारी के लिए पशुबल की न्यूनता को आत्मबल से पूर्ण कर लेना स्वभावसिद्ध है।

वह यदि सम्मुख युद्ध में अस्त्र-संचालन द्वारा प्रतिद्वंद्वियों को विस्मित कर सकी है तो बिना अस्त्र के या बलदर्शन के असंख्य विपक्षियों से घिरी रहकर भी अपने सम्मान की रक्षा कर चुकी है।

नारी ने अपनी शक्ति को कभी जाना और कभी नहीं जाना। वर्तमान युग तो उसके न जानने की ही करुण कहानी है। नारीत्व की कोमलता नाम से पुकारी जाने वाली दुर्बलता के साथ सदा से बँधी हुई वेदना और तज्जनित आपत्ति प्रत्येक युग तथा प्रत्येक परिस्थिति में नवीन रूप में आती रही है, परंतु उसकी वर्तमान दशा करुणतम है। उसके आज के और अतीत के बलिदानों में उतना ही अंतर है जितना स्वेच्छा से स्वीकृत नारीत्व की गरिमा से गौरववती के जौहर-व्रत और बलात् लाठियों से घेर-घार कर बलिपशु के समान झोंकी जाने वाली नारी के अग्निप्रवेश में। आज की मातृशक्ति की वेदना भार से जर्जर परंतु अपने कष्ट के कारण या निराकरण के साधनों से एकदम अनभिज्ञ मूक पशु के करुण नेत्रों से बहती हुई अश्रुधारा के समान ही निरंतर प्रवाहित हो रही है। वह स्वयं अपनी वेदना के कारण नहीं जानती और न अपने असह्य कष्ट के प्रतिकार की भावना से परिचित है। जिन कष्टों से उसके जीवन का एक बार भी संस्पर्श हो जाता है उन्हें वह अपने कर्तव्य की परिधि में रख लेती है। कष्ट सहते-सहते उसमें क्लेश की तीव्रता के अनुभव करने की चेतना भी नहीं रही, उसकी उपयुक्तता, अनुपयुक्तता पर विचार करना तो दूर की बात है। हमारे समाज ने उसे पाषाण प्रतिमा के समान सर्वदा एकरूप, एकरस, जीवित मनुष्य के स्पंदन, कंपन और विकार से रहित होकर जीने की आज्ञा दी है, अतः युगों से इसी प्रकार जीवित रहने का प्रयास करते-करते यदि वह निर्जीव-सी हो उठी तो आश्चर्य ही क्या है! हम जब बहुत समय तक अपने किसी अंग से उसकी शक्ति से अधिक कार्य लेते रहते हैं तो वह शिथिल और संज्ञाहीन-सा हुए बिना नहीं रहता। नारी जाति भी समाज को अपनी शक्ति से अधिक देकर अपनी सहन-शक्ति से अधिक त्याग स्वीकार करके संज्ञाहीन-सी हो गई है, नहीं तो क्या बलिष्ठ से बलिष्ठ व्यक्ति को दहला देने वाली, कठोर से कठोर व्यक्ति को रुला देने वाली यंत्रणाएँ वह इतने मूक भाव से सहती रह सकती!

हिंदू नारी का, घर और समाज इन्हीं दो से विशेष संपर्क रहता है। परंतु इन दोनों ही स्थानों में उसकी स्थिति कितनी करुण है इसके विचारमात्र से ही किसी भी सहृदय का हृदय काँपे बिना नहीं रहता। अपने पितृगृह में उसे वैसा ही स्थान मिलता है जैसा किसी दूकान में उस वस्तु को प्राप्त होता है जिसके रखने और बेचने दोनों ही में दूकानदार को हानि की संभावना रहती है। जिस घर में उसके जीवन को ढलकर बनना पड़ता है, उसके चरित्र को एक विशेष रूप-रेखा धारण करनी पड़ती है, जिस पर वह अपने शैशव का सारा स्नेह ढुलकाकर भी तृप्त नहीं होती, उसी घर में वह भिक्षुक के अतिरिक्त और कुछ नहीं है। दुःख के समय अपने आहत

हृदय और शिथिल शरीर को लेकर वह उसमें विश्राम नहीं पाती, भूल के समय वह अपना लज्जित मुख उसके स्नेहाचल में नहीं छिपा सकती और आपत्ति के समय एक मुट्ठी अन्न की भी उस घर से आशा नहीं रख सकती। ऐसी ही है उसकी वह अभागी जन्मभूमि, जो जीवित रहने के अतिरिक्त और कोई अधिकार नहीं देती! पतिगृह, जहाँ इस उपेक्षित प्राणी को जीवन का शेष भाग व्यतीत करना पड़ता है, अधिकार में उससे कुछ अधिक परंतु सहानुभूति में उससे बहुत कम है इसमें संदेह नहीं। यहाँ उसकी स्थिति पल भर भी आशंका से रहित नहीं। यदि वह विद्वान पति की इच्छानुकूल विदुषी नहीं है तो उसका स्थान दूसरी को दिया जा सकता है, यदि वह सौंदर्योपासक पति की कल्पना के अनुरूप अप्सरी नहीं है तो उसे अपना स्थान रिक्त कर देने का आदेश दिया जा सकता है, यदि वह पति-कामना का विचार करके संतान या पुत्रों की सेना नहीं दे सकती, यदि वह रुग्ण है या दोषों का नितांत अभाव होने पर भी पति की अप्रसन्नता की दोषी है तो भी उसे उस घर में दासत्व स्वीकार करना पड़ेगा।

इस विषय में उसके 'क्यों' का उत्तर देने को गृहस्वामी बाध्य नहीं, समाज बाध्य नहीं और धर्म भी बाध्य नहीं। यदि स्त्री ऐसे घर को, ऐसी अस्थायी स्थिति को, संतोषजनक न समझे तो उसे इन सबके निकट दोषी होना पड़ेगा। उसे अपने विषय में कुछ सोचने-समझने का अधिकार नहीं, क्योंकि उसका जीवन 'वृद्ध रोगवश जड़ धनहीना' में से जो पिता का बोझ हलका करने में समर्थ हो गया उसी को जन्म-जन्मांतर के लिए निवेदित हो गया। चाहे वह स्वर्ण-पिंजर की बंदिनी हो चाहे लोह-पिंजर की, परंतु बंदिनी तो वह है ही और ऐसी कि जिसके निकट स्वतंत्रता का विचार तक पाप कहा जाएगा। 'स्त्री न स्वातंत्र्यम् अर्हति' शास्त्र ने कहा है न! जिसके चरणों में उसका जीवन निवेदित है, यदि वह उसे संदूक में बंद बालक की गुड़िया के समान संसार की दृष्टि से, सूर्य की धूप और पवन के स्पर्श से बचाकर रखना चाहता है तो भी सब इस कार्य के लिए उसे साधुवाद ही देना उचित समझेंगे। उनके विचार में नारी मानवी नहीं, देवी है और देवताओं को मनुष्य के लिए आवश्यक सुविधाओं का करना ही क्या है! नारी के देवत्व की कैसी विडंबना है!

यदि दुर्भाग्य से स्त्री के मस्तक का सिंदूर धुल गया तब तो उसके लिए संसार ही नष्ट हो गया। यह ऐसा अपराध है जिसके कारण उसे मृत्यु-दंड से भी भीषणतर दंड भोगते हुए तिल-तिल घुल कर जीवन के शेष, युग न जाने वाले क्षण व्यतीत करने होते हैं। ऐसी परिस्थिति में यदि दीर्घकाल तक गुड़िया नहीं रहने वाली स्त्री मातृत्व के उत्तरदायित्व से युक्त होती है तो उसे अपने अभिशापमय जीवन के साथ अनेक दुधमुँहे बालकों को लेकर ऐसे अंधकार में मार्ग ढूँढ़ना पड़ता है जिसमें प्रत्येक यात्री दूसरे को भ्रांति में डाल देना अपराध ही नहीं समझता। यदि वह अबोध बालिका है तो भी समाज और परिवार, सनातन नियम के पालन में अपने आपको राजा हरिश्चंद्र

जो मकड़ी के जाले को मिटा देने के समान तुच्छ है, आज जटिल बना हुआ है। कोई छिपी हुई शक्ति मकड़ी के जाले के एक-एक तंतु को फौलादी तारों में बदलती जा रही है, या नवयुवकों के आत्मिक बल का इतना शोषण कर रही है कि उनमें मकड़ी के जाले को भी छिन्न-छिन्न कर देने की शक्ति नहीं रहती। इस शक्ति-हीनता का क्या कारण है? कारण है केवल एक, और वह यह कि जाति तोड़ने का नाम लेते ही घर में कोहराम मच जाता है। होनहार युवक की माता समझती है कि बेटा कुल को कलंक लगाने लगा है। 'हाय! वह बूढ़ी पड़ोसिनों में बैठकर उनके वाक्य रूपी तीरों को कैसे सहन करेगी!' 'लोग क्या कहेंगे!' ये 'लोग' क्या चीज है? 'लोग' का मतलब है मूर्खता की मूर्तिमती अड़ोसिन-पड़ोसिन वृद्धाएँ! चाहो, तो चार बरस के लड़के-लड़की को ब्याह दो, बूढ़े के गले में नन्हीं बालिका को लटका दो, यह सब धर्म के दायरे में गिना जाता है, बस, जाति-पाँति के घेरे के बाहर पाँव न रखो।...

हमारी माननीय वृद्धाओं की ही फिलॉसफी का नतीजा है कि आज जो लड़कियाँ पढ़-लिख कर देश के बोझ को हल्का करने में हाथ बँटा रही होतीं, वे आज स्वयं भार बनकर देश को डुबो रही हैं। बहुत लड़कियों के पिता ऋण के बोझ से कमर तोड़ लेते हैं; क्या इस नरक-यातना को वे स्वयं मोल ले लेते हैं? नहीं, यह हो ही नहीं सकता! इसका कारण उनके पाँव की बेड़ियाँ और हाथों की हथकड़ियाँ—उनके घर की स्त्रियाँ—हैं! उन्हें अपने पति की कमाई से कोई सरोकार नहीं। उन्हें तो अपनी पड़ोसिनों से कंपिटीशन' करना है। उनका मुकाबिला करना है। नाक बहुत बढ़ा ली है, उसी की हिफाजत की फिक्र करना है! कोई कुएँ में कूद पड़ने का डर दिखलाकर, कोई जहर खाकर प्राण छोड़ने की धमकी देकर, कोई दिन-रात आँसुओं की झड़ी लगाकर पुरुष-जाति से ऐसे-ऐसे अनर्थ करवा रही हैं, जिनसे समाज-वृक्ष की जड़ों को घुन खाता चला जा रहा है। कम-से-कम हिंदू-समाज तो इन्हीं कारणों से संसार की सभ्य जातियों के सम्मुख मुख दिखलाने के लायक भी नहीं रहा।

इसी प्रकार के और न जाने कितने सुधार हैं, जो स्त्रियों के पुरुष-जाति का साथ न देने के कारण रुके पड़े हैं, सब कु-प्रथाओं का पिता 'बिरादरी' को कहा जा सकता है। इसमें संदेह नहीं कि किसी समय बिरादरियाँ ही हिंदू-समाज को उन्नति की तरफ ले जाने वाली संस्थाएँ थीं, परंतु इसमें भी संदेह नहीं कि वर्तमान अवस्था में जब तक बिरादरियों को तोड़-फोड़ नहीं दिया जाता, तब तक हमारा समाज उन्नति की तरफ एक कदम भी आगे नहीं बढ़ सकता। आज सुधार इसलिए नहीं चलते, क्योंकि बिरादरियाँ उन्हें चलने ही नहीं देतीं। जिसकी नसें बहुत अधिक फड़कती हों, उसे बिरादरियाँ एकदम दूध से मक्खी की तरह उठाकर अलग फेंक देती हैं। पहले जहाँ समाज को गंदगी से अलग रखने का साधन बिरादरी बनी हुई थी, वहाँ आज जब कि छिद्र पाकर एक बार गंदगी अंदर आ घुसी है, उसे अंदर से बाहर न निकलने की ठेकेदार भी बिरादरी ही बनी हुई है।...

से अधिक दृढ़प्रतिज्ञ प्रमाणित करने में पीछे न रहेंगे। जिन मानवीय दुर्बलताओं को वे स्वयं अविरत संयम और अटूट साधना से भी जीवन के अंतिम क्षणों तक न जीत सकेंगे उन्हीं दुर्बलताओं को, किसी भूली हुई अस्पष्ट सुधि द्वारा जीत लेने का आदेश वे उन अबोध बालिकाओं को दे डालेंगे जो जीवन से अपरिचित हैं। उनकी आज्ञा है, उनके शास्त्रों की आज्ञा है और कदाचित् उनके निर्मम ईश्वर की भी आज्ञा है कि वे जीवन की प्रथम अँगड़ाई को अंतिम प्राणायाम में परिवर्तित कर दें, आशा की पहली सुनहली किरण को विषाद के निविड़ अंधकार में समाहित कर दें और सुख के मधुर पुलक को आँसुओं में बहा डालें। इस विराग की साधना के लिए उन्हें अनंत प्रलोभनों से भरे हुए, वैभव से सजे हुए और बधिकों से पूर्ण स्थान के अतिरिक्त कोई एकांत स्थान भी मिल नहीं पाता।

इतने प्रकार के शारीरिक और मानसिक कष्टों को देकर भी स्त्री के दुर्भाग्य को संतोष नहीं हुआ, इसका प्रमाण आज की नारी-अपहरण की समस्या है। नारी-जीवन की उस करुण कहानी का इससे घोरतर उपसंहार और हो भी क्या सकता था? जिस रूप से, जिन साधनों के द्वारा इस लोमहर्षक कार्य का संपादन हो रहा है उसे सुनकर निर्जीव भी जाग जाते, परंतु हमारी निद्रा तो मृत्यु की महानिद्रा को भी लजा देने वाली हो गई है, बिना सर्वनाश के उसका टूटना संभव नहीं। अपहृत हिंदू स्त्रियों में कुछ तो ऐसी रहती हैं जिनका जीवन गृह और समाज की अमानुषिक यातनाओं से इतना दुर्वह हो जाता है कि छुटकारे का कोई भी द्वार उन्हें बुरा नहीं लगता और वे बहकावे में आकर एक नरक से बचने के लिए दूसरे नरक की शरण लेने को उद्यत हो जाती हैं! उनका आहत हृदय इतना चेतना-शून्य हो उठता है कि उसमें मानापमान का अनुभव करने की शक्ति ही नहीं रह जाती है। उन्हें तो घायल के समान क्षण-भर के लिए ऐसा स्थान चाहिए जहाँ उनके शीर्ण शरीर को कुछ विश्राम मिल सके अतः सहानुभूति के, चाहे वह सच्ची हो या झूठी, दो शब्द उन्हें बेदाम खरीद सकते हैं। यदि ऐसे हृदयों के समय पर हमीं से आश्वासन तथा सांत्वना मिल सकती, यदि हमीं इन्हें मनुष्य समझ सकते, वर्षों से जम-जम कर इनके जीवन को पाषाण बनाने वाले आँसुओं की करुण कहानी सुन लेते और इनके असह्य दुःख भार को अपनी सहानुभूति से हल्का करने का प्रयत्न कर सकते तो आज का इतिहास कुछ और ही हो जाता। परंतु हम पशु-पक्षी को, पाषाणों को, अपनी सहानुभूति बाँट सकते हैं, नारी को निर्मम आदेश के अतिरिक्त और कुछ नहीं दे पाते। देवता की भूख हम समझते हैं, परंतु मानवी की नहीं। इसके अतिरिक्त ऐसी महिलाओं की संख्या भी कम नहीं, जिनका बलात् अपहरण किए जाने पर भी खोज के लिए विशेष प्रयत्न नहीं होता। पत्रों में प्रकाशित ऐसी घटनाओं की संख्या भी कम नहीं, अप्रकाशित अपहरण कहानियों के विषय में तो कुछ कहना ही व्यर्थ है। इन अभागिनियों के उद्धार के लिए जो उपाय किया जा रहा है वह तो बहुत सराहनीय नहीं जान पड़ता।

जिस समाज में ऐसी घटनाएँ 12-13 की संख्या में प्रतिदिन घटित होती हों उसके युवकों को सुख की नींद आना संसार का आठवाँ आश्चर्य है।

कुछ अधिक तर्कशील पुरुषों का कहना है कि स्त्रियों को स्वयं अपनी रक्षा करने से कौन रोकता है? इस कथन पर हँसना चाहिए या रोना, यह नहीं कहा जा सकता। युगों की कठोर यातना और निर्मम दासत्व ने स्त्रियों को अपनापन भी भुला देने पर विवश न किया होता तो क्या आज ये अपने सम्मान की रक्षा में समर्थ न हो सकतीं? आज विवश पशु के समान इन्हें हाँक ले जाना इसलिए सहज है कि ये पशुओं की श्रेणी में बैठा दी गईं और ज्ञान-शून्य कर्म के अतिरिक्त और किसी वस्तु का इन्हें बोध नहीं है। आज भी इनमें जो मनुष्य कहलाने की अधिकारी हैं उन्हें अपनी रक्षा के लिए शस्त्र या सैनिक नहीं रखने पड़ते! पृथ्वी के एक छोर से दूसरे छोर तक उनकी गति अबाध है। उनके जीवन में साहस की शक्ति और आत्मसम्मान की गरिमा, प्राणों में आशा और सुनहली कल्पना है। परंतु ऐसी सजीव नारियाँ उँगलियों पर गिनने योग्य हैं। इच्छा प्रयत्न से अन्य बहिनें भी अपनी रक्षा में स्वयं समर्थ हो सकती हैं इसमें संदेह नहीं, परंतु इस इच्छा और प्रयत्न का जन्म उनके हृदय में सहज ही न हो सकेगा। वे तो आत्मनिर्भरता भूल ही चुकी हैं फिर उसकी उपयोगिता कैसे समझ सकेंगी, उनके जीवन को सुव्यवस्थित करने तथा उन्हें मनुष्यता की परिधि में लौटा लाने का प्रयत्न कुछ विदुषी बहिनें तथा पुरुष समाज ही कर सकता है। परंतु यह न भूलना चाहिए कि जिस समय घर में आग लगती है उसी समय कुआँ खोदने वाले को राख के अतिरिक्त और कुछ नहीं मिलता, इसी से आपत्ति का धर्म सम्पत्ति के धर्म से भिन्न कहा गया है। इस समय आवश्यकता है एक ऐसे देशव्यापी आंदोलन की जो सबको सजग कर दे, उन्हें इस दिशा में प्रयत्नशीलता दे और नारी की वेदना का यथार्थ अनुभव करने के लिए उनके हृदय को संवेदनशील बना दे जिससे मनुष्य जाति के कलंक के समान लगने वाले इन अत्याचारों का तुरंत अंत हो जाए, अन्यथा नारी के लिए नारीत्व अभिशाप तो है ही।

—1933

आधुनिक नारी

...आधुनिकता की वायु में पली स्त्री का यदि स्वार्थ में केंद्रित विकसित रूप देखना हो तो हम उसे पश्चिम में देख सकेंगे। स्त्री वहाँ आर्थिक दृष्टि से स्वतंत्र हो चुकी है, अतः सारे सामाजिक बंधनों पर उसका अपेक्षाकृत अधिक प्रभुत्व कहा जा सकता है। उसे पुरुष के मनोविनोद की वस्तु बने रहने की आवश्यकता नहीं है, अतः वह चाहे तो परंपरागत रमणीत्व को तिलांजलि देकर सुखी हो सकती है। परंतु उसकी स्थिति क्या प्रमाणित कर सकेगी कि वह आदिम नारी की दुर्बलता से रहित है? संभवतः

नहीं। शृंगार के इतने संख्यातीत उपकरण, रूप को स्थिर रखने के इतने कृत्रिम साधन, आकर्षित करने के उपहास-योग्य प्रयास आदि क्या इस विषय में कोई संदेह का स्थान रहने देते हैं? नारी का रमणीत्व नष्ट नहीं हो सका, चाहे उसे गरिमा देने वाले गुणों का नाश हो गया हो। यदि पुरुष को उन्मत्त कर देने वाले रूप की इच्छा नहीं मिटी, उसे बाँध रखने वाले आकर्षण की खोज नहीं की गई तो फिर नारीत्व की ही उपेक्षा क्यों की गई, यह कहना कठिन है। यदि भावुकता ही लज्जा का कारण थी तो उसे समूल नष्ट कर देना था, परंतु नारी ऐसा करने में भी असमर्थ रही। जिस कार्य को वह बहुत सफलतापूर्वक कर सकी है वह प्रकृति से विकृति की ओर जाना मात्र था। वह अपनी प्रकृति को वस्त्रों के समान जीवन का बाह्य आच्छादनमात्र बनाना चाहती है, जिसे इच्छा और आवश्यकता के अनुसार जब चाहे पहना या उतारा जा सके। बाहर के संघर्षमय जीवन में जिस पुरुष को नीचा दिखाने के लिए वह सभी क्षेत्रों में कठिन से कठिन परिश्रम करेगी, जीवन-यापन के लिए आवश्यक प्रत्येक वस्तु को अपने स्वदेकणों से तौल कर स्वीकार करेगी, उसी पुरुष में नारी के प्रति जिज्ञासा जाग्रत रखने के लिए वह अपने सौंदर्य और अंग-सौष्ठव के रक्षार्थ असाध्य से असाध्य कार्य करने के लिए प्रस्तुत है। आज उसे अपने रूप, अपने शरीर और अपने आकर्षण का जितना ध्यान है उसे देखते हुए कोई भी विचारशील, स्त्री को स्वतंत्र न कह सकेगा।

...हमारे यहाँ की स्त्री शताब्दियों से अपने अधिकारों से वंचित चली आ रही है। अनेक राजनीतिक और सामाजिक परिस्थितियों ने उसकी अवस्था में परिवर्तन करते-करते उसे जिस अधोगति तक पहुँचा दिया है वह दयनीयता की सीमा के अतिरिक्त और कुछ नहीं कही जा सकती। इस स्थिति को पहुँचकर भी जो व्यक्ति असंतोष प्रकट नहीं करता उसे उस स्थिति के योग्य ही समझना चाहिए। कोमल तूल-सी वस्तु भी बहुत दबाए जाने पर अंत में कठिन जान पड़ने लगती है। भारतीय स्त्री भी एक दिन विद्रोह कर ही उठी। उसने भी पुरुष के प्रभुत्व का कारण अपनी कोमल भावनाओं को समझा और उन्हीं को परिवर्तित करने का प्रयत्न किया। अनेक सामाजिक रूढ़ियों और परंपरागत संस्कारों के कारण उसे पश्चिमीय स्त्री के समान न सुविधाएँ मिलीं और न सुयोग, परंतु उसने उन्हीं को अपना मार्गप्रदर्शक बनाना निश्चित किया।

...राष्ट्रीय आंदोलन में भाग लेने वाली महिलाओं ने आधुनिकता को राष्ट्रीय जागृति के रूप में देखा और उसी जागृति की ओर अग्रसर होने में अपने सारे प्रयत्न लगा दिए। उस उथल-पुथल के युग में स्त्री ने जो किया वह अभूतपूर्व होने के साथ-साथ उसकी शक्ति का प्रमाण भी था। यदि उसके बलिदान, उसके त्याग भूले जा सकेंगे तो उस आंदोलन का इतिहास भी भूला जा सकेगा। इस प्रगति द्वारा सार्वजनिक रूप से स्त्री समाज को भी लाभ हुआ। उसके चारों ओर फैली हुई दुर्बलता नष्ट हो गई,

उसकी कोरी भावुकता छिन्न-भिन्न हो गई और उसके स्त्रीत्व से शक्तिहीनता का लांछन दूर हो गया। पुरुष ने अपनी आवश्यकतावश ही उसे साथ लाने की आज्ञा दी, परंतु स्त्री ने उससे पग मिलाकर चलकर प्रमाणित कर दिया कि पुरुष ने उसकी गति पर बंधन लगाकर अन्याय ही नहीं, अत्याचार भी किया है। जो पंगु है उसी के साथ गतिहीन होने का अभिशाप लगा है, गतिवान को पंगु बनाकर रखना सबसे बड़ी क्रूरता है।

...उस करुण युग के अनुष्ठान में भाग लेने वाली स्त्रियों ने जीवन की सारी सुकोमल कला नष्ट करके संसार-संग्राम में विद्रोह को अपना अमोघ अस्त्र बनाया। समाज उनके त्याग पर श्रद्धा रखता है, परंतु उनकी विद्रोहमयी रुक्षता से सभीत है। जीवन का पहले से सुंदर और पूर्ण चित्र उनमें नहीं मिलता, अतः अनेक आधुनिकता के पोषक भी उन्हें संदिग्ध दृष्टि से देखते हैं। अनंतकाल से स्त्री का जीवन तरल पदार्थ के समान सभी परिस्थितियों के उपयुक्त बनता आ रहा है, इसलिए उसकी कठिनता आश्चर्य और भय का कारण बन गई है। अनेक व्यक्तियों की धारणा है कि उच्छृंखलता की सीमा का स्पर्श करती हुई स्वतंत्रता, प्रत्येक अच्छे-बुरे बंधन के प्रति उपेक्षा का भाव, अनेक अच्छे-बुरे व्यक्तियों से सख्यत्व और अकारण कठोरता आदि उनकी विशेषताएँ हैं। इस धारणा में भ्रांति का भी समावेश है, परंतु नितांत निर्मूल नहीं कही जा सकती। अनेक परिवारों में जीवन की कटुता का प्रत्यक्ष कारण स्त्रियों की कठोरता का सीमातीत हो जाना ही है, यह सत्य है, परंतु इसके लिए केवल स्त्रियाँ ही दोषी नहीं ठहराई जा सकतीं। परिस्थिति इतनी कठोर थी कि उन्हें उस पर विजय पाने के लिए कठोरतम अस्त्र ग्रहण करना पड़ा। उनमें जो विचारशील थीं, उन्होंने प्राचीन नारियों के समान कृपाण और कंकण का संयोग कर दिया, जो नहीं थीं उन्होंने अपने स्त्रीत्व से अधिक विद्रोह पर विश्वास किया। वे जीने की कला नहीं जानतीं, परंतु संघर्ष की कला जानती हैं, जो वास्तव में अपूर्ण है। संघर्ष की कला लेकर तो मनुष्य उत्पन्न ही हुआ है, उसे सीखने कहीं जाना नहीं पड़ता। यदि वास्तव में मनुष्य ने इतने युगों में कुछ सीखा है तो वह जीने की कला कही जा सकती है। संघर्ष जीवन का आदि हो सकता है, अंत नहीं। इसका यह अर्थ नहीं कि संघर्षहीन जीवन ही जीवन है। वास्तव में मनुष्य जाति नष्ट करने वाले संघर्ष से अपने आपको बचाती हुई विकास करने वाले संघर्ष की ओर से बढ़ती जाती है।

...भविष्य में भारतीय समाज की क्या रूप रेखा हो, उसमें नारी की कैसी स्थिति हो, उसके अधिकारों की क्या सीमा हो आदि समस्याओं का समाधान आज की जाग्रत और शिक्षित नारी पर निर्भर है। यदि वह अपनी दुरवस्था के कारणों को स्मरण रख सके और पुरुष की स्वार्थपरता का विस्मरण कर सके तो भावी समाज का स्वप्न सुंदर और सत्य हो सकता है, परंतु यदि वह अपने विरोध को ही चरम लक्ष्य मान

ले और पुरुष से समझौते के प्रश्न को ही पराजय का पर्याय समझ ले तो जीवन की व्यवस्था अनिश्चित और विकास का क्रम शिथिल होता जाएगा।

क्रांति की अग्रदूती और स्वतंत्रता की ध्वजा-धारिणी नारी का कार्य जीवन के स्वस्थ निर्माण में शेष होगा, केवल ध्वंस में नहीं।

—कुछ अंश 1934

हीरा डोम

परिचय अज्ञात। यह कविता 'सरस्वती' में 1914 में छपने के लिए भेजी गई थी। हिंदी में दलित की पहली आवाज!

अछूत की शिकायत

हमनी के रात दिन दुखवा भोगत बानी,
हमनी के सहेबे से मिनती सुनाइबि
हमनी के दुख भगवनओ नाऽ देखताजे
हमनी के कबले कलेसवा उठाइबि
पदरी सहेब के कचहरी में जाइबिजा
बेधरम होके रंगरेज बनि जाइबि
हाय राम! धरम न छोड़त, बनत बाजे,
बे-धरम होके कइसे मुंहवा देखाइबि

खंभवा के फारि पहलाद के बचवले जा,
ग्राह के मुँहे से गजराज के बचवले
धोती जुरजोधन के भइया छोरत रहे
परगट होके तहंवा कपड़ा बढ़वले
मरले रवनवां के पलले भभिखना के,
कानी अंगुरी पे धैके पथरा उठवले
कहवां सुतल बाटे सुनत न बाटे अब,
होम जानि हमनी के छुए से डेराइले

हमनी के रात दिन मेहनत करीलेजा,
दुइगो रुपयवा दरमहा में पाइबि

ठकुरे के सुखसेत घर सुतल बानी,
हमनी के जोति-जोति खेतिया कमाइबि
हकिमे के लसकरि उतरल, बानी,
जेत उहओं बेगरिया में पकरल जाइबि
मुँह बान्हि ऐसन नौकरिया करत बानी,
ई कुल खबर सरकार के सुनाइबि

बभने के लेखे हम भिखिया न मांगबजा,
ठकुरे के लेखे नहिं लउरि चलाइबि
सहुआ के लेखे हम डंडी न मारबजा,
अहिरा के लेखे नहि गइया चराइबि
भंटवा के लेखे न कवित हम जोरबजां,
पगड़ी न बान्हि के कचहरी में जाइबि
अपने पसीनवा के पइसा कमाइबिजा,
घर भर मिलि-जुलि बाटि-चोटि खाइबि

हड़वा मसुइआ के देहिया हे हमनी के,
ओकरे के देहियां बभनवौ के बानी
ओकरा के घर-घर पुजवा होखत बाजे,
सगरे इलकवा भइले जजमानी
हमनी के इनरा के निगिचे न जाइलेजा,
पांके में से भरि-भरि पिअतानी पानी
पनही से पिटि-पिटि हाथ-गोड़ तुरि देलैं,
हमनी के एतनी काहे के हलकानी

मौलिक अधिकार एवं राज्य के नीति-निदेशक सिद्धांत

लगभग डेढ़ सौ सालों के सामाजिक आंदोलनों और राजनीतिक संघर्षों का ही नतीजा है जनता की आकांक्षाओं के अनुरूप बना भारत का संविधान। यह 26 जनवरी, 1950 को लागू हुआ। यहाँ प्रस्तुत हैं भारतीय नागरिक के मौलिक अधिकार तथा राज्य के नीति-निदेशक सिद्धांत से संबंधित जरूरी हिस्से।

मौलिक अधिकार
साधारण

परिभाषा

12. यदि प्रसंग से दूसरा अर्थ अपेक्षित न हो तो इस भाग में 'राज्य' के अंतर्गत भारत की सरकार और संसद्, तथा राज्यों में से प्रत्येक की सरकार और विधान-मंडल, तथा भारत राज्य-क्षेत्र के भीतर अथवा भारत सरकार के नियंत्रण के अधीन सब स्थानीय और अन्य प्राधिकारी भी हैं।

मूल अधिकारों से असंगत अथवा उनका अल्पीकरण करने वाली विधियाँ

13. (1) इस संविधान के प्रारंभ होने से ठीक पहले भारत राज्य-क्षेत्र में सब प्रवृत्त विधियाँ उस मात्रा तक शून्य होंगी जिस तक कि वे इस भाग के उपबंधों से अंसगत हैं।

(2) राज्य ऐसी कोई विधि नहीं बनाएगा जो इस भाग द्वारा दिए अधिकारों को छीनती या न्यून करती हो और इस खंड के उल्लंघन में बनी प्रत्येक विधि उल्लंघन की मात्रा तक शून्य होगी।

(3) यदि प्रसंग से दूसरा अर्थ अपेक्षित न हो तो इस अनुच्छेद में,–

(क) भारत राज्य-क्षेत्र में विधि के समान प्रभावी कोई अध्यादेश, आदेश, उपविधि, नियम, विनियम, अधिसूचना, रूढ़ि अथवा प्रथा 'विधि' के अंतर्गत होगी;

(ख) भारत राज्य-क्षेत्र में किसी विधान-मंडल या अन्य क्षमताशाली प्राधिकारी

द्वारा इस संविधान के प्रारंभ से पूर्व पारित अथवा निर्मित विधि, जो पहिले ही निरसित न हो गई हो, चाहे ऐसी कोई विधि या उसका कोई भाग उस समय पूर्णतया या विशेष क्षेत्रों में प्रवर्तन में न भी हो, 'प्रवृत्त विधियों' के अंतर्गत होगी।

समता-अधिकार

विधि के समक्ष समता

14. भारत राज्य-क्षेत्र में किसी व्यक्ति को विधि के समक्ष समता से अथवा विधियों के समान संरक्षण से राज्य द्वारा वंचित नहीं किया जाएगा।

धर्म, मूलवंश, जाति, लिंग या जन्मस्थान के आधार पर विभेद का प्रतिषेध

15. (1) राज्य किसी नागरिक के विरुद्ध केवल धर्म, मूलवंश, जाति, लिंग, जन्मस्थान अथवा इनमें से किसी के आधार पर कोई विभेद नहीं करेगा।

(2) केवल धर्म, मूलवंश, जाति, लिंग, जन्मस्थान अथवा इनमें से किसी के आधार पर कोई नागरिक–

(क) दुकानों, सार्वजनिक भोजनालयों, होटलों तथा सार्वजनिक मनोरंजन के स्थानों में प्रवेश के, अथवा

(ख) पूर्ण या आंशिक रूप में राज्य-निधि से पोषित अथवा साधारण जनता के उपयोग के लिए समर्पित कुओं, तालाबों, स्नानघाटों, सड़कों तथा सार्वजनिक समागम स्थानों के उपयोग के बारे में किसी भी निर्योग्यता, दायित्व, निर्बंधन अथवा शर्त के अधीन न होगा।

(3) इस अनुच्छेद की किसी बात से राज्य को स्त्रियों और बालकों के लिए कोई विशेष उपबंध बनाने में बाधा न होगी।

संविधान (प्रथम संशोधन) अधिनियम, 1951 की धारा 2 द्वारा अनुच्छेद 15 में, खंड (3) के पश्चात् निम्नलिखित खंड जोड़ दिया गया है–

"(4) इस अनुच्छेद की या अनुच्छेद 29 के खंड (2) की किसी बात से राज्य को सामाजिक और शिक्षात्मक दृष्टि से पिछड़े हुए किन्हीं नागरिक वर्गों की उन्नति के लिए या अनुसूचित जातियों और अनुसूचित आदिमजातियों के लिए कोई विशेष उपबंध करने में बाधा न होगी।"

"(3) जो किसी राज्य या संघ राज्य-क्षेत्र की सरकार के या उसमें के किसी स्थानीय या अन्य प्राधिकारी के अधीन किसी प्रकार की नौकरी में या पद पर नियुक्ति के विषय में वैसी नौकरी या नियुक्ति के पूर्व उस राज्य या संघ राज्य-क्षेत्र के अंदर निवास विषयक कोई अपेक्षा विहित करती हो।"

इस खण्ड के जम्मू-कश्मीर राज्य को लागू होने के संबंध में परिशिष्ट 2 देखना होगा।

(2) उक्त उपखंड द्वारा दिए गए अधिकारों के प्रयोग पर भारत की प्रभुता और अखंडता, राज्य की सुरक्षा, विदेशी राज्यों के स्थान मैत्रीपूर्ण संबंधों, सार्वजनिक

व्यवस्था, शिष्टाचार या सदाचार के हित में, या न्यायालय-अवमान, मानहानि या अपराध-उद्दीपन के संबंध में युक्तियुक्त निर्बन्धन जहाँ तक कोई वर्तमान विधि लगाती हो वहाँ तक उसके प्रवर्तन पर प्रभाव, अथवा वैसे निर्बंधन लगाने वाली कोई विधि बनाने में राज्य के लिए कोई रुकावट, न डालेगी।

(3) उक्त खंड के उपखंड (ख) की कोई बात उक्त उपखंड द्वारा दिए गए अधिकार के प्रयोग पर भारत की प्रभुता और अखंडता या सार्वजनिक व्यवस्था के हित में युक्तियुक्त निर्बंधन जहाँ तक कोई वर्तमान विधि लगाती हो वहाँ तक उसके प्रवर्तन पर प्रभाव, अथवा वैसे निर्बंधन लगाने वाली कोई विधि बनाने में राज्य के लिए रुकावट, न डालेगी।

राज्याधीन नौकरी के विषय में अवसर समता

16. (1) राज्याधीन नौकरियाँ या पदों पर नियुक्ति के संबंध में सब नागरिकों के लिए अवसर की समता होगी।

(2) केवल धर्म, मूलवंश, जाति, लिंग, उद्भव, जन्मस्थान, निवास अथवा इनमें से किसी के आधार पर किसी नागरिक के लिए राज्याधीन किसी नौकरी या पद के विषय में न अपात्रता होगी और न विभेद किया जाएगा।

(3) इस अनुच्छेद की किसी बात से संसद् को कोई ऐसी विधि बनाने में बाधा न होगी जो प्रथम अनुसूची में उल्लिखित किसी राज्य के अथवा उसके राज्य-क्षेत्र में किसी स्थानीय या अन्य प्राधिकारी के अधीन किसी प्रकार की नौकरी में या पद पर नियुक्ति के विषय में वैसी नौकरी या नियुक्ति के पूर्व उस राज्य के अंदर निवास विषयक कोई अपेक्षा विहित करती हो।

(4) इस अनुच्छेद की किसी बात से राज्य को पिछड़े हुए किसी नागरिक वर्ग के पक्ष में, जिनका प्रतिनिधित्व राज्य की राय में राज्याधीन सेवाओं में पर्याप्त नहीं है, नियुक्तियों या पदों के रक्षण के लिए उपबंध करने में कोई बाधा न होगी।

(5) इस अनुच्छेद की किसी बात का किसी ऐसी विधि के प्रवर्तन पर कोई प्रभाव न होगा जो उपबंध करती हो कि किसी धार्मिक या सांप्रदायिक संस्था के कार्य से संबद्ध कोई पदधारी अथवा उसके शासी निकाय का कोई सदस्य किसी विशिष्ट धर्म का अनुयायी अथवा किसी विशिष्ट संप्रदाय का ही हो।

अस्पृश्यता का अंत

17. 'अस्पृश्यता' का अंत किया जाता है और उसका किसी भी रूप में आचरण निषिद्ध किया जाता है। 'अस्पृश्यता' से उपजी किसी निर्योग्यता को लागू करना अपराध होगा जो विधि के अनुसार दंडनीय होगा।

खिताबों का अंत

18 (1) सेना या विद्या संबंधी उपाधि के सिवाय और कोई खिताब राज्य प्रदान नहीं करेगा।

(2) भारत का कोई नागरिक किसी विदेशी राज्य से कोई खिताब स्वीकार नहीं करेगा।

(३) कोई व्यक्ति जो भारत का नागरिक नहीं है राज्य के अधीन लाभ या विश्वास के किसी पद को धारण करते हुए किसी विदेशी राज्य से कोई खिताब राष्ट्रपति की सम्मति के बिना स्वीकार न करेगा।

(4) राज्य के अधीन लाभ-पद या विश्वास-पद पर आसीन कोई व्यक्ति किसी विदेशी राज्य से या के अधीन किसी रूप में कोई भेंट, उपलब्धि या पद राष्ट्रपति की सम्मति के बिना स्वीकार न करेगा।

स्वातंत्र्य-अधिकार

वाक्-स्वातंत्र्य आदि विषयक कुछ अधिकारों का संरक्षण

19. (1) सब नागरिकों को–

(क) वाक्-स्वातंत्र्य और अभिव्यक्ति-स्वातंत्र्य का,

(ख) शांतिपूर्वक और निरायुध सम्मेलन का,

(ग) संस्था या संघ बनाने का

(घ) भारत राज्य-क्षेत्र में सर्वत्र अबाध संचरण का,

(ङ) भारत राज्य-क्षेत्र के किसी भाग में निवास करने और बस जाने का,

(च) संपत्ति के अर्जन, धारण और व्ययन का, तथा

(छ) कोई वृत्ति, उपजीविका, व्यापार या कारबार करने का, अधिकार होगा।

(2) उक्त उपखंड द्वारा दिए गए अधिकारों के प्रयोग पर भारत की प्रभुता और अखंडता, राज्य की सुरक्षा, विदेशी राज्यों के साथ मैत्रीपूर्ण संबंधों, सार्वजनिक व्यवस्था, शिष्टाचार या सदाचार के हित में या न्यायालय-अवमान, मानहानि या अपराध-उद्दीपन के संबंध में युक्तियुक्त निर्बन्धन जहाँ तक कोई वर्तमान विधि लगाती हो वहाँ तक उसके प्रवर्तन पर प्रभाव अथवा वैसे निर्बन्धन लगाने वाली कोई विधि बनाने में राज्य में लिए कोई रुकावट, न डालेगी।"

(३) एक्त खंड के उपखंड (ख) की कोई बासत उक्त उपखंड द्वारा दिए गए अधिकार के प्रयोग पर भारत की प्रभुता और अखंडता या सार्वजनिक व्यवस्था के हित में युक्तियुक्त निर्बनधन जहाँ तक कोई वर्तमान विधि लगाती हो वहाँ तक उसके प्रवर्तन पर प्रभावख अथवा वैसे निर्बन्धन लगाने वाली कोई विधि बनाने में राज्य के लिए रुकावट, न डालेगी।

(4) उक्त खंड के उपखंड (ग) की कोई बात उक्त उपखंड द्वारा दिए गए अधिकार के प्रयोग पर भारत की प्रभुता और अखंडता या सार्वजनिक व्यवस्था या सदाचार के हित में युक्तियुक्त निर्बनधन जहाँ तक कोई वर्तमान विधि लगाती हो वहाँ तक उसके प्रवर्तन पर प्रभाव, अथवा वैसे निर्बन्धन नगाने वाली कोई व़िधि

बनाने में राज्य के लिए रुकावट, न डालेगी।"

जहाँ तक कोई वर्तमान विधि संबंध रखती है वहाँ तक उसके प्रवर्तन पर प्रभाव, अथवा इस प्रकार संबंध रखने वाली किसी विधि को बनाने में राज्य के लिए रुकावट, न डालेगी।

(5) उक्त खंड के उपखंड (घ), और (च) की कोई बात उक्त उपखंडों द्वारा दिए गए अधिकारों के प्रयोग पर साधारण जनता के हितों के अथवा किसी अनुसूचित आदिमजाति के हितों के संरक्षण के लिए युक्तियुक्त निर्बंधन जहाँ तक कोई वर्तमान विधि लगाती हो वहाँ तक उस के प्रवर्तन पर प्रभाव, अथवा वैसे निर्बंधन लगाने वाली कोई विधि बनाने में राज्य के लिए रुकावट, न डालेगी।

(6) उक्त खंड के उपखंड (छ) की कोई बात उक्त खंड द्वारा दिए गए अधिकार के प्रयोग पर साधारण जनता के हितों में युक्तियुक्त निर्बंधन जहाँ तक कोई वर्तमान विधि लगाती हो वहाँ तक उसके प्रवर्तन पर प्रभाव, अथवा वैसे निर्बंधन लगाने वाली कोई विधि बनाने में राज्य के लिए रुकावट, न डालेगी; तथा विशेषतः उक्त उपखंड की कोई बात, कोई वृत्ति, उपजीविका, व्यापार या कारबार करने के लिए आवश्यक वृत्तिक या शिल्पिक अर्हताओं को जहाँ तक कोई वर्तमान विधि विहित करती है अथवा किसी प्राधिकारी को विहित करने की शक्ति देती है वहाँ तक उसके प्रवर्तन पर प्रभाव, अथवा विहित करने, या विहित करने की शक्ति किसी प्राधिकारी को देने वाली कोई विधि बनाने में राज्य के लिए रुकावट, न डालेगी।

अपराधों के लिए दोषसिद्धि के विषय में संरक्षण

20. (1) कोई व्यक्ति किसी अपराध के लिए सिद्ध-दोष नहीं ठहराया जाएगा, जब तक कि उसने अपराधारोपित क्रिया करने के समय किसी प्रवृत्त विधि का अतिक्रमण न किया हो, और न वह उससे अधिक दंड का पात्र होगा जो उस अपराध के करने के समय प्रवृत्त विधि के अधीन दिया जा सकता था।

(2) कोई व्यक्ति एक ही अपराध के लिए एक बार से अधिक अभियोजित और दंडित न किया जाएगा।

(3) किसी अपराध में अभियुक्त कोई व्यक्ति स्वयं अपने विरुद्ध साक्षी होने के लिए बाध्य न किया जाएगा।

प्राण और दैहिक स्वाधीनता का संरक्षण

21. किसी व्यक्ति को अपने प्राण अथवा दैहिक स्वाधीनता से विधि द्वारा स्थापित प्रक्रिया को छोड़कर अन्य प्रकार वंचित न किया जाएगा।

कुछ अवस्थाओं में बंदीकरण और निरोध से संरक्षण

22. (1) कोई व्यक्ति जो बंदी किया गया है, ऐसे बंदीकरण के कारणों से यथाशक्य शीघ्र अवगत कराए गए बिना हवालात में निरुद्ध नहीं किया जाएगा और न अपनी रुचि के विधि-व्यवसायी से परामर्श करने तथा प्रतिरक्षा कराने के अधिकार

से वंचित रखा जाएगा।

(2) प्रत्येक व्यक्ति, जो बंदी किया गया है और हवालात में निरुद्ध किया गया है, बंदीकरण के स्थान से दंडाधिकारी के न्यायालय तक यात्रा के लिए आवश्यक समय को छोड़ कर ऐसे बंदीकरण से चौबीस घंटे की कालावधि में निकटतम दंडाधिकारी के समक्ष पेश किया जाएगा, तथा ऐसा कोई व्यक्ति उक्त कालावधि से आगे दंडाधिकारी के प्राधिकार के बिना हवालात में निरुद्ध नहीं रखा जाएगा।

(3) खंड (1) और (2) में कोई बात–

(क) जो व्यक्ति तत्समय शत्रु अन्यदेशीय है उसको, अथवा

(ख) जो व्यक्ति निवारक निरोध उपबंधित करने वाली किसी विधि के अधीन बंदी या निरुद्ध किया गया है उसको, लागू न होगी।

(4) निवारक विरोध उपबंधित करने वाली कोई विधि किसी व्यक्ति को तीन महीने से अधिक कालावधि के लिए निरुद्ध किया जाना प्राधिकृत तब तक न करेगी जब तक कि–

(क) ऐसे व्यक्तियों से, जो उच्च न्यायालय के न्यायाधीश हैं, रह चुके हैं अथवा नियुक्त होने की अर्हता रखते हैं, मिलकर बनी मंत्रणा-मंडली ने तीन महीने की उक्त कालावधि की समाप्ति के पूर्व प्रतिवेदित नहीं किया है कि ऐसे निरोध के लिए उसकी राय में पर्याप्त कारण हैं :

परंतु इस उपखंड की कोई बात किसी व्यक्ति के, उस अधिकतम कालावधि से आगे, विरोध को प्राधिकृत न करेगी जो खंड (7) के उपखंड (ख) के अधीन संसद्-निर्मित किसी विधि द्वारा विहित की गई है; अथवा

(ख) ऐसा व्यक्ति खंड (7) के उपखंड (क) और (ख) के अधीन संसद्-निर्मित किसी विधि के उपबंधों के अनुसार निरुद्ध नहीं है।

(5) निवारक निरोध उपबंधित करने वाली किसी विधि के अधीन दिए गए आदेश के अनुसरण में जब कोई व्यक्ति निरुद्ध किया जाता है तब आदेश देने वाला प्राधिकारी यथाशक्य शीघ्र उस व्यक्ति को जिन आधारों पर वह आदेश दिया गया है उनको बताएगा तथा उस आदेश के विरुद्ध अभ्यावेदन करने के लिए उसे शीघ्रातिशीघ्र अवसर देगा।

(6) खंड (5) की किसी बात से ऐसा आदेश, जैसा कि उस खंड में निर्दिष्ट है, देने वाले प्राधिकारी के लिए ऐसे तथ्यों को प्रकट करना आवश्यक नहीं होगा जिन्हें प्रकट करना ऐसा प्राधिकारी लोकहित के विरुद्ध समझता है।

(7) संसद् विधि द्वारा विहित कर सकेगी कि–

(क) किन परिस्थितियों के अधीन तथा किस प्रकार या प्रकारों के मामलों में किसी व्यक्ति को निवारक निरोध को उपबंधित करने वाली किसी विधि के अधीन तीन महीने से अधिक कालावधि के लिए खंड (4) के उपखंड (क) के उपबंधों के

अनुसार मंत्रणा-मंडली की राय प्राप्त किए बिना निरुद्ध किया जा सकेगा,

(ख) किस प्रकार या प्रकारों के मामलों में कितनी अधिकतम कालावधि के लिए कोई व्यक्ति निवारक निरोध उपबंधित करने वाली किसी विधि के अधीन निरुद्ध किया जा सकेगा, तथा

(ग) खंड (4) के उपखंड (क) के अधीन की जाने वाली जांच में मंत्रणा-मंडली द्वारा अनुसरणीय प्रक्रिया क्या होगी।

शोषण के विरुद्ध अधिकार

मानव के पण्य और बलात्‌श्रम का प्रतिषेध

23. (1) मानव का पण्य और बेट बेगार तथा इसी प्रकार का अन्य जबर्दस्ती लिया हुआ श्रम प्रतिषिद्ध किया जाता है और इस उपबंध का कोई भी उल्लंघन अपराध होगा जो विधि के अनुसार दंडनीय होगा।

(2) इस अनुच्छेद की किसी बात से, राज्य को सार्वजनिक प्रयोजन के लिए बाध्य सेवा लागू करने में रुकावट न होगी। ऐसी सेवा लागू करने में केवल धर्म, मूलवंश, जाति या वर्ग या इन में से किसी के आधार पर राज्य कोई विभेद नहीं करेगा।

कारखाने आदि में बच्चों को नौकर रखने का प्रतिषेध

24. चौदह वर्ष से कम आयु वाले किसी बालक को किसी कारखाने अथवा खान में नौकर न रखा जाएगा और न किसी दूसरी संकटमय नौकरी में लगाया जाएगा।

धर्म-स्वातंत्र्य का अधिकार

अंतःकरण की तथा धर्म को अबाध मानने, आचरण और प्रचार करने की स्वतंत्रता

25. (1) सार्वजनिक व्यवस्था, सदाचार और स्वास्थ्य तथा इस भाग के दूसरे उपबंधों के अधीन रहते हुए, सब व्यक्तियों को अंतःकरण की स्वतंत्रता का तथा धर्म के अबाध रूप से मानने, आचरण करने और प्रचार करने का समान हक होगा।

(2) इस अनुच्छेद की कोई बात किसी ऐसी वर्तमान विधि के प्रवर्तन पर प्रभाव, अथवा राज्य के लिए किसी ऐसी विधि के बनाने में रुकावट, न डालेगी जो–

(क) धार्मिक आचरण से संबंद्ध किसी आर्थिक, वित्तीय, राजनैतिक अथवा अन्य किसी प्रकार की लौकिक क्रियाओं का विनियमन अथवा निर्बंधन करती हो,

(ख) सामाजिक कल्याण और सुधार उपबंधित करती हो, अथवा हिंदुओं की सार्वजनिक प्रकार की धर्म-संस्थाओं को हिंदुओं के सब वर्गों और विभागों के लिए खोलती हो।

व्याख्या 1–कृपाण धारण करना तथा लेकर चलना सिक्ख धर्म के मानने का अंग समझा जाएगा।

व्याख्या 2–खंड (2) के उपखंड (ख) में हिंदुओं के प्रति निर्देश में सिक्ख, जैन या बौद्ध धर्म के मानने वाले व्यक्तियों को भी निर्देश अंतर्गत है तथा हिंदू धर्म-संस्थाओं के प्रति निर्देश का अर्थ भी तदनुकूल ही किया जाएगा।

धार्मिक कार्यों के प्रबंध की स्वतंत्रता

26. सार्वजनिक व्यवस्था, सदाचार और स्वास्थ्य के अधीन रहते हुए प्रत्येक धार्मिक संप्रदाय अथवा उसके किसी विभाग को–

(क) धार्मिक और पूर्त प्रयोजनों के लिए संस्थाओं की स्थापना और पोषण का,

(ख) अपने धार्मिक कार्यों संबंधी विषयों का प्रबंध करने का,

(ग) जंगम और स्थावर संपत्ति के अर्जन और स्वामित्व का, तथा

(घ) ऐसी संपत्ति का विधि-अनुसार प्रशासन करने का, अधिकार होगा।

किसी विशेष धर्म की उन्नति के लिए करों के देने के बारे में स्वतंत्रता

27. कोई भी व्यक्ति ऐसे करों को देने के लिए बाध्य नहीं किया जाएगा जिन के आगम किसी विशेष धर्म अथवा धार्मिक संप्रदाय की उन्नति या पोषण में व्यय करने के लिए विशेष रूप से विनियुक्त कर दिए गए हों।

कुछ शिक्षा-संस्थाओं में धार्मिक उपासना में उपस्थित होने के विषय में स्वतंत्रता

28. (1) राज्य-निधि से पूरी तरह से पोषित किसी शिक्षा-संस्था में कोई धार्मिक शिक्षा न दी जाएगी।

(2) खंड (1) की कोई बात ऐसी शिक्षा-संस्था पर लागू न होगी जिसका प्रशासन राज्य करता हो किंतु जो किसी ऐसे धर्मस्व या न्यास के अधीन स्थापित हुई है जिसके अनुसार उस संस्था में धार्मिक शिक्षा देना आवश्यक है।

(3) राज्य से अभिज्ञात अथवा राज्य-निधि से सहायता पाने वाली, शिक्षा-संस्था में उपस्थित होने वाले किसी व्यक्ति को ऐसी संस्था में दी जाने वाली धार्मिक शिक्षा में भाग लेने के लिए अथवा ऐसी संस्था में या उससे संलग्न स्थान में की जाने वाली धार्मिक उपासना में उपस्थित होने के लिए बाध्य न किया जाएगा जब तक उस व्यक्ति ने, या यदि वह अवयस्क हो तो उसके संरक्षक ने, इसके लिए अपनी सम्मति न दे दी हो।

संस्कृति और शिक्षा संबंधी अधिकार

अल्पसंख्यकों के हितों का संरक्षण

29. (1) भारत के राज्य-क्षेत्र अथवा उसके किसी भाग के निवासी नागरिकों के किसी विभाग को, जिसकी अपनी विशेष भाषा, लिपि या संस्कृति है, उसे बनाए रखने का अधिकार होगा।

(2) राज्य द्वारा पोषित अथवा राज्य-निधि से सहायता पाने वाली किसी

शिक्षा-संस्था में प्रवेश से किसी भी नागरिक को केवल धर्म, मूलवंश, जाति, भाषा अथवा इनमें से किसी के आधार पर वंचित न रखा जाएगा।

शिक्षा-संस्थाओं की स्थापना और प्रशासन करने का अल्पसंख्यकों का अधिकार

30. (1) धर्म या भाषा पर आधारित सब अल्पसंख्यक-वर्गों को अपनी रुचि की शिक्षा-संस्थाओं की स्थापना और प्रशासन का अधिकार होगा।

(2) शिक्षा-संस्थाओं को सहायता देने में राज्य किसी विद्यालय के विरुद्ध इस आधार पर विभेद न करेगा कि वह धर्म या भाषा पर आधारित किसी अल्पसंख्यक वर्ग के प्रबंध में है।

संपत्ति का अधिकार

संपत्ति का अनिवार्य अर्जन

31. (1) कोई व्यक्ति विधि के प्राधिकार के बिना अपनी संपत्ति से वंचित नहीं किया जाएगा।

(2) कोई संपत्ति, सार्वजनिक प्रयोजन के लिए ही और केवल ऐसी विधि के प्राधिकार से अनिवार्यतः अर्जित या अधिगृहीत की जाएगी, जो संपत्ति के अर्जन या अधिग्रहण का, ऐसी राशि के बदले जो उस विधि द्वारा नियत की जाए या जो ऐसे सिद्धांतों के अनुसार अवधारित की जाए और ऐसी रीति से दी जाए जो उस विधि में विनिर्दिष्ट हों, उपबंध करती है, और ऐसी किसी विधि पर किसी न्यायालय में इस आधार पर आपत्ति नहीं की जाएगी कि इस प्रकार नियत या अवधारित राशि पर्याप्त नहीं है अथवा ऐसी पूरी राशि या उसका कोई भाग ध्छनकद न दिया जा कर अन्यथा दिया जाना है :

परंतु अनुच्छेद 30 के खंड (1) में निर्दिष्ट किसी अल्पसंख्यक-वर्ग द्वारा स्थापित और प्रशासित किसी शिक्षा-संस्था की संपत्ति के अनिवार्य अर्जन के लिए उपबंध करने से संबद्ध विधि बनाते समय, राज्य या सुनिश्चित करेगा कि ऐसी संपत्ति के अर्जन के लिए ऐसी विधि के अधीन जो राशि नियत या अवधरित की जाए वह ऐसी हो जो उस खंड के अधीन प्रत्याभूत अधिकार को निर्बंधित या निराकृत न करे।

(²क) जहाँ विधि किसी संपत्ति के स्वामित्व का या कब्जा रखने के अधिकार का हस्तांतरण राज्य या किसी ऐसे नियम को, जो कि राज्य के स्वामित्व या नियंत्रण के अधीन है, करने के लिए उपबंध नहीं करती है वहाँ, इस बात के होते हुए भी कि वह किसी व्यक्ति को उसकी संपत्ति से वंचित करती है, उसकी बाबत यह न समझा जाएगा कि यह संपत्ति के अनिवार्य अर्जन या अधिग्रहण के लिए उपबंध करती है।

(²ख) अनुच्छेद 19 के खंड (1) के उपखंड (च) की कोई बात किसी ऐसी

विधि पर प्रभाव नहीं डालेगी जो खंड (2) में निर्दिष्ट है।"

(3) राज्य के विधान-मंडल द्वारा बनाई गई कोई ऐसी विधि, जैसी कि खंड (2) में निर्दिष्ट है, तब तक प्रभावी नहीं होगी जब तक कि ऐसी विधि को, राष्ट्रपति के विचार के लिए रक्षित किए जाने के पश्चात, उसकी अनुमति न मिल गई हो।

(4) यदि इस संविधान के प्रारंभ पर किसी राज्य के विधान-मंडल के सामने लंबित किसी विधेयक को, ऐसे विधान-मंडल द्वारा पारित किए जाने के पश्चात् राष्ट्रपति के विचार के लिए रक्षित किया जाता है तथा उसकी अनुमति मिल जाती है तो इस संविधान में किसी बात के होते हुए भी, इस प्रकार अनुमत विधि पर किसी न्यायालय में इस आधार पर आपत्ति नहीं की जाएगी कि वह खंड (2) के उपबंधों का उल्लंघन करती है।

(5) खंड (2) की किसी बात से—

(क) ऐसी किसी विधि को छोड़ कर जिस पर कि खंड (6) के उपबंध लागू होते हैं, किसी अन्य वर्तमान विधि के उपबंधों पर, अथवा

(ख) एतत्पश्चात् राज्य जो कोई विधि—

(1) किसी कर या अर्थ-दंड के आरोपण या उद्ग्रहण के प्रयोजन के लिए बनाए उसके उपबंधों पर, अथवा

(2) सार्वजनिक स्वास्थ्य की उन्नति के अथवा प्राण या संपत्ति के संकट-निवारण के लिए बनाए उसके उपबंधों पर, अथवा

(3) भारत डोमीनियन की अथवा भारत की सरकार और अन्य देश की सरकार के बीच किए गए करार के अनुसरण में, अथवा अन्यथा, उस संपत्ति के लिए बनाए जो संपत्ति विधि द्वारा निष्क्राम्य संपत्ति घोषित की गई है उसके उपबंधों पर, प्रभाव नहीं होगा।

(6) राज्य की कोई विधि, जो इस संविधान के प्रारंभ से अठारह महीने से अनधिक पहले अधिनियमित हुई हो, ऐसे प्रारंभ से तीन महीने के अंदर राष्ट्रपति के समक्ष उस के प्रमाणन के लिए रखी जा सकेगी, तथा ऐसा होने पर यदि लोक-अधिसूचना द्वारा राष्ट्रपति ऐसा प्रमाणन देता है तो किसी न्यायालय में उस पर इस आधार पर आपत्ति नहीं की जाएगी कि वह खंड (2) के उपबंधों का उल्लंघन करती है अथवा भारत शासन अधिनियम, 1935 की धारा 299 की उपधारा (2) के उपबंधों का उल्लंघन कर चुकी है। संशोधन के बाद वर्तमान स्वरूप—

संपदाओं आदि के अर्जन के लिए उपबंध करने वाली विधियों की व्यावृत्ति

31क. (1) अनुच्छेद 13 में अंतर्विष्ट किसी बात के होते हुए भी,—

(क) किसी संपदा के या उसमें किन्हीं अधिकारों के राज्य द्वारा अर्जन के लिए या किन्हीं ऐसे अधिकारों के निर्वापन या उनमें परिवर्तन के लिए, या

(ख) किसी संपत्ति का प्रबंध या तो लोकहित में या उस संपत्ति का उचित

प्रबंध सुनिश्चित करने के उद्देश्य से राज्य द्वारा मर्यादित कालावधि के लिए ले लिए जाने के लिए, या

(ग) दो या अधिक निगमों को या तो लोकहित में या उन निगमों में से किसी का उचित प्रबंध सुनिश्चित करने के उद्देश्य से समामेलित करने के लिए, या

(घ) निगमों के प्रबंध अभिकर्ताओं, सचिवों और कोषाध्यक्षों, प्रबंध निदेशकों, निदेशकों या प्रबंधकों के किन्हीं अधिकारों या अंशधारियों के किन्हीं मतदान-अधिकारों के निर्वापन या उनमें परिवर्तन के लिए, या

(ङ) किसी खनिज या खनिज तेल को खोजने या लब्ध करने के प्रयोजन के लिए किसी करार, पट्टे या अनुज्ञप्ति के बल पर प्रोद्भूत होने वाले किन्हीं अधिकारों के निर्वापन या उनमें परिवर्तन के लिए या किसी ऐसे करार, पट्टे या अनुज्ञप्ति को समय से पूर्व पर्यवसित करने या प्रतिसंहृत करने के लिए, उपबंध करने वाली विधि इस आधार पर शून्य न समझी जाएगी कि वह अनुच्छेद 14, अनुच्छेद 19 या अनुच्छेद 31 द्वारा प्रदत्त अधिकारों में से किसी से असंगत है अथवा उसे छीनती या न्यून करती है :

परंतु जहाँ ऐसी विधि किसी राज्य के विधान-मंडल द्वारा निर्मित विधि है वहाँ जब तक कि ऐसी विधि को, राष्ट्रपति के विचार के लिए रक्षित किए जाने के पश्चात् उसकी अनुमति न मिल गई हो, इस अनुच्छेद के उपबंध उस विधि के संबंध में लागू नहीं होंगे :

परंतु यह और भी कि जहाँ किसी विधि द्वारा किसी संपदा के राज्य द्वारा अर्जन के लिए कोई उपबंध किया गया है और जहाँ उसमें समाविष्ट किसी भूमि को कोई व्यक्ति अपनी काश्त में धारण करता है वहाँ राज्य के लिए ऐसी भूमि का कोई प्रभाग, जो किसी तत्समय प्रवृत्त विधि के अधीन उसको लागू नियत चरम मर्यादा के अंदर या उस पर निर्मित या उससे संलग्न किसी भवन या सन्निर्माण के अंदर है, अर्जित करना उस दशा के सिवाय विधिसंगत न होगा जिसमें कि ऐसी भूमि, भवन या सन्निर्माण के अर्जन से संबद्ध विधि द्वारा उस दर से प्रतिकर की देनगी के लिए उपबंध किया गया है जो उसके बाजार-मूल्य से कम न हो।

(2) इस अनुच्छेद में–

(क) 'संपदा' पद का किसी स्थानीय क्षेत्र के संबंध में वही अर्थ है जो कि उस या उसकी स्थानीय समतुल्य अभिव्यक्ति का उस क्षेत्र में प्रवृत्त भू-धृतियों से संबद्ध वर्तमान विधि में है और इसके अंतर्गत–

(1) कोई जागीर, इनाम या मुआफी अथवा अन्य सामान्य प्रकार का अनुदान और तमिलनाडु और केरल राज्यों में कोई जन्मम् अधिकार भी होगा,

(2) रैयतवाड़ी बंदोबस्त के अधीन धृत कोई भूमि भी होगी,

(3) कृषि के प्रयोजनों के लिए या उसके सहायक प्रयोजनों के लिए धृत या

पट्टे पर दी गई कोई भूमि भी होगी, जिसके अंतर्गत बंजर भूमि, वन भूमि, चरागाह या भूमि के खेतिहरों, श्रमिकों और ग्राम्य दस्तकारों द्वारा दखलकृत भवनों और अन्य सन्निर्माणों के आस्थान के लिए भूमि भी है,

(ख) 'अधिकार' पद के अंतर्गत किसी संपदा के संबंध में, किसी स्वत्वधारी, उपस्वत्वधारी, अवर स्वत्वधारी, भूधृतिधारी, रैयत, अवर रैयत या अन्य मध्यवर्ती में निहित कोई अधिकार और भू-राजस्व के बारे में कोई अधिकार या विशेषाधिकार भी होंगे।

कतिपय अधिनियमों और विनियमों का मान्यकरण

31ख. अनुच्छेद 31क में अंतर्विष्ट उपबंधों की व्यापकता पर प्रतिकूल प्रभाव डाले बिना, नवम अनुसूची में उल्लिखित अधिनियमों और विनियमों में से और उनके उपबंधों में से कोई इस आधार पर शून्य या कभी शून्य हुआ न समझा जाएगा कि वह अधिनियम, विनियम या उपबंध इस भाग के किन्हीं उपबंधों द्वारा प्रदत्त अधिकारों में से किसी से असंगत है अथवा उसे छीनता या न्यून करता है, और किसी न्यायालय या न्यायाधिकरण के किसी प्रतिकूल निर्णय, आज्ञप्ति या आदेश के होते हुए भी, उक्त अधिनियमों और विनियमों में से प्रत्येक, उसे निरसित या संशोधित करने की किसी सक्षम विधान-मंडल की शक्ति के अधीन रहते हुए, प्रवृत्त बना रहेगा।

कतिपय निदेशक तत्त्वों को प्रभावी करने वाली विधियों की व्यावृत्ति

"31ग. अनुच्छेद 13 में किसी बात के होते हुए भी, कोई विधि, जो अनुच्छेद 39 के खंड (ख) या खंड (ग) में उल्लिखित तत्त्वों को सुनिश्चित करने के लिए राज्य की नीति को प्रभावी करने वाली हो, इस आधार पर शून्य न समझी जाएगी कि वह अनुच्छेद[14], अनुच्छेद 19 या अनुच्छेद 31 द्वारा प्रदत्त अधिकारों में से किसी से असंगत है अथवा उसे छीनती या न्यून करती है, और जिस विधि में यह घोषणा हो कि वह ऐसी नीति को प्रभावी करने के लिए है, उस पर किसी न्यायालय में इस आधार पर आपत्ति नहीं की जाएगी कि वह ऐसी नीति को प्रभावी नहीं करती :

परंतु जहाँ ऐसी विधि किसी राज्य के विधान-मंडल द्वारा बनाई जाए वहाँ इस अनुच्छेद के उपबंध उसे तब तक लागू न होंगे जब तक कि ऐसी विधि को, राष्ट्रपति के विचार के लिए रक्षित किए जाने के पश्चात्, उसकी अनुमति न मिल गई हो।

इस भाग द्वारा दिए गए अधिकारों को प्रवर्तित कराने के लिए उपचार

32. (1) इस भाग द्वारा दिए गए अधिकारों को प्रवर्तित कराने के लिए उच्चतम न्यायालय को समुचित कार्यवाहियों द्वारा प्रचालित करने का अधिकार प्रत्याभूत किया जाता है।

(2) इस भाग द्वारा दिए गए अधिकारों में से किसी को प्रवर्तित कराने के लिए उच्चतम न्यायालय को ऐसे निदेश या आदेश या लेख, जिन के अंतर्गत बंदीप्रत्यक्षीकरण, परमादेश, प्रतिषेध, अधिकार-पृच्छा और उत्प्रेषण के प्रकार के लेख

भी हैं, जो भी समुचित हो, निकालने की शक्ति होगी।

(3) उच्चतम न्यायालय को खंड (1) और (2) द्वारा दी गई शक्तियों पर बिना प्रतिकूल प्रभाव डाले, संसद् विधि द्वारा किसी दूसरे न्यायालय को अपने क्षेत्राधिकार की स्थानीय सीमाओं के भीतर उच्चतम न्यायालय द्वारा खंड (2) के अधीन प्रयोग की जाने वाली सब अथवा किन्हीं शक्तियों का प्रयोग करने की शक्ति दे सकेगी।

(4) इस संविधान द्वारा अन्यथा उपबंधित अवस्था को छोड़ कर, इस अनुच्छेद द्वारा प्रत्याभूत अधिकार निलंबित न किया जाएगा।

इस भाग प्रदत्त अधिकारों में, बलों के लिए प्रयुक्ति की अवस्था में, परिवर्तन करने की संसद् की शक्ति

33. संसद् विधि द्वारा निर्धारण कर सकेगी कि इस भाग द्वारा दिए गए अधिकारों में से किसी को सशस्त्र बलों अथवा सार्वजनिक व्यवस्था-भार वाले बलों के सदस्यों के लिए प्रयोग होने की अवस्था में किस मात्रा तक निर्बंधित या निराकृत किया जाए ताकि उनके कर्तव्यों का उचित पालन तथा उनमें अनुशासन बना रहना सुनिश्चित रहे।

जब किसी क्षेत्र में सेना-विधि प्रवृत्त है तब इस भाग द्वारा दिए गए अधिकारों पर निर्बंधन

34. इस भाग के पूर्ववर्ती उपबंधों में किसी बात के होते हुए भी, संसद् विधि द्वारा संघ या राज्य की सेवा में के किसी व्यक्ति को, अथवा किसी अन्य व्यक्ति को, किसी ऐसे कार्य के विषय में तारण दे सकेगी जो उसने भारत राज्य-क्षेत्र के भीतर किसी ऐसे क्षेत्र में, जहाँ सेना-विधि प्रवृत्त थी, व्यवस्था के बनाए रखने या पुनःस्थापन के संबंध में किया है अथवा ऐसे क्षेत्र में सेना-विधि के अधीन किसी दिए गए दंडादेश, दिए गए दंड, आदेश की हुई जब्ती, अथवा किए गए अन्य कार्य को मान्य कर सकेगी।

35. इस संविधान में किसी बात के होते हुए भी,–

(क) संसद् को शक्ति होगी तथा किसी राज्य के विधान-मंडल को शक्ति न होगी कि वह–

(1) जिन विषयों के लिए अनुच्छेद 16 के खंड (3), अनुच्छेद 32 के खंड (3), अनुच्छेद 33 और अनुच्छेद 34 के अधीन संसद् विधि द्वारा उपबंध कर सकेगी, उनमें से किसी के लिए, तथा

(2) इस भाग में अपराध घोषित कार्यों का दंड विहित करने के लिए,

विधि बनाए तथा संसद् इस संविधान के प्रारंभ के पश्चात् यथाशीघ्र ऐसे कार्यों के लिए, जो उपखंड (2) में निर्दिष्ट हैं, दंड विहित करने के लिए विधि बनाएगी,

(ख) खंड (क) के उपखंड (1) में निर्दिष्ट विषयों में से किसी से संबंध रखने वाली, अथवा उस खंड के उपखंड (2) में निर्दिष्ट किसी कार्य के लिए दंड का उपबंध

करने वाली, कोई प्रवृत्त विधि, जो भारत राज्य-क्षेत्र में इस संविधान के प्रारंभ होने से ठीक पहले लागू थी, उस में दिए हुए निबंधनों के तथा अनुच्छेद 372 के अधीन उसमें किए गए किन्हीं अनुकूलनों और परिवर्तनों के अधीन रह कर तब तक प्रवृत्त रहेगी जब तक कि वह संसद् द्वारा परिवर्तित या निरसित या संशोधित न की जाए।

व्याख्या—"प्रवृत्त विधि" पदावलि का जो अर्थ इस संविधान के अनुच्छेद 372 में है वही इस अनुच्छेद में भी होगा।

भारतीय संविधान, भाग-3

राज्य के नीति निदेशक तत्त्व

परिभाषा

36. यदि प्रसंग से दूसरा अर्थ अपेक्षित न हो तो इस भाग में 'राज्य' का वही अर्थ है जो इस संविधान के भाग 3 में है।

इस भाग में वर्णित तत्त्वों की प्रयुक्ति

37. इस भाग में दिए गए उपबंध किसी न्यायालय द्वारा प्रवर्तनीय न होंगे किंतु तो भी इनमें दिए हुए तत्त्व देश के शासन में मूलभूत हैं और विधि बनाने में इन तत्त्वों का प्रयोग करना राज्य का कर्तव्य होगा।

लोक-कल्याण की उन्नति के हेतु राज्य सामाजिक व्यवस्था बनाएगी

38. राज्य ऐसी सामाजिक व्यवस्था की, जिसमें सामाजिक, आर्थिक और राजनैतिक न्याय राष्ट्रीय जीवन की सभी संस्थाओं को अनुप्राणित करे, भरसक कार्यसाधक रूप में स्थापना और संरक्षण कर के लोक कल्याण की उन्नति का प्रयास करेगा।

राज्य द्वारा अनुसरणीय कुछ नीति-तत्त्व

39. राज्य अपनी नीति का विशेषतया ऐसा संचालन करेगा कि सुनिश्चित रूप से—

(क) समान रूप से नर और नारी सभी नागरिकों को जीविका के पर्याप्त साधन प्राप्त करने का अधिकार हो,

(ख) समुदाय की भौतिक संपत्ति का स्वामित्व और नियंत्रण इस प्रकार बँटा हो कि जिससे सामूहिक हित का सर्वोत्तम रूप से साधन हो,

(ग) आर्थिक व्यवस्था इस प्रकार चले कि जिस से धन और उत्पादन-साधनों का सर्वसाधारण के लिए अहितकारी केंद्रण न हो,

(घ) पुरुषों और स्त्रियों दोनों का समान कार्य के लिए समान वेतन हो,

(ङ) श्रमिक पुरुषों और स्त्रियों का स्वास्थ्य और शक्ति तथा बालकों की सुकुमार अवस्था का दुरुपयोग न हो तथा आर्थिक आवश्यकता से विवश होकर नागरिकों को ऐसे रोजगारों में न जाना पड़े जो उनकी आयु या शक्ति के अनुकूल न हों,

(च) शैशव और किशोर अवस्था का शोषण से तथा नैतिक और आर्थिक परित्याग से संरक्षण हो।

ग्राम-पंचायतों का संघटन

40. राज्य ग्राम-पंचायतों का संघटन करने के लिए अग्रसर होगा, तथा उन को ऐसी शक्तियाँ और प्राधिकार प्रदान करेगा जो उन्हें स्वायत्त शासन की इकाइयों के रूप में कार्य करने योग्य बनाने के लिए आवश्यक हों।

कुछ अवस्थाओं में काम, शिक्षा और लोक-सहायता पाने का अधिकार

41. राज्य अपनी आर्थिक सामर्थ्य और विकास की सीमाओं के भीतर काम पाने के, शिक्षा पाने के तथा बेकारी, बुढ़ापा, बीमारी और अंगहानि तथा अन्य अनर्ह अभाव की दशाओं में सार्वजनिक सहायता पाने के, अधिकार को प्राप्त कराने का कार्यसाधक उपबंध करेगा।

काम की न्याय तथा मानवोचित दशाओं का तथा प्रसूति-सहायता का उपबंध

42. राज्य काम की न्याय और मानवोचित दशाओं को सुनिश्चित करने के लिए तथा प्रसूति-सहायता के लिए उपबंध करेगा।

श्रमिकों के लिए निर्वाह-मजूरी आदि

43. उपयुक्त विधान या आर्थिक संघटन द्वारा, अथवा और किसी दूसरे प्रकार से राज्य कृषि के, उद्योग के या अन्य प्रकार के सब श्रमिकों को काम, निर्वाह-मजूरी, शिष्ट-जीवन-स्तर, तथा अवकाश का सम्पूर्ण उपभोग सुनिश्चित करने वाली काम की दशाएँ तथा सामाजिक और सांस्कृतिक अवसर प्राप्त कराने का प्रयास करेगा तथा, विशेष रूप से ग्रामों में कुटीर-उद्योगों को वैयक्तिक अथवा सहकारी आधार पर बढ़ाने का प्रयास करेगा।

नागरिकों के लिए एक समान व्यवहार संहिता

44. भारत के समस्त राज्य-क्षेत्र में नागरिकों के लिए राज्य एक समान व्यवहार-संहिता प्राप्त कराने का प्रयास करेगा।

बालकों के लिए निःशुल्क और अनिवार्य शिक्षा का उपबंध

45. राज्य इस संविधान के प्रारंभ से दस वर्ष की कालावधि के भीतर सब बालकों को चौदह वर्ष की अवस्था-समाप्ति तक निःशुल्क और अनिवार्य शिक्षा देने के लिए उपबंध करने का प्रयास करेगा।

अनुसूचित जातियों, आदिमजातियों तथा अन्य दुर्बल विभागों के शिक्षा और अर्थ संबंधी हितों की उन्नति

46. राज्य जनता के दुर्बलतर विभागों के, विशेषतया अनुसूचित जातियों तथा अनुसूचित आदिमजातियों के शिक्षा तथा अर्थ संबंधी हितों की विशेष सावधानी से उन्नति करेगा तथा सामाजिक अन्याय तथा सब प्रकारों के शोषण से उनका संरक्षण करेगा।

आहारपुष्टि-तल और जीवन-स्तर को ऊँचा करने तथा सार्वजनिक स्वास्थ्य का सुधार करने का राज्य का कर्तव्य

47. राज्य अपने लोगों के आहारपुष्टि-तल और जीवन-स्तर को ऊँचा करने तथा सार्वजनिक स्वास्थ्य के सुधार को अपने प्राथमिक कर्तव्यों में से मानेगा तथा विशेषतया, मादक पेयों और स्वास्थ्य के लिए हानिकार ओषधियों के औषधीय प्रयोजनों से अतिरिक्त उपभोग का प्रतिषेध करने का प्रयास करेगा।

कृषि और पशुपालन का संघटन

48. राज्य कृषि और पशुपालन को आधुनिक और वैज्ञानिक प्रणालियों से संघटित करने का प्रयास करेगा तथा विशेषतः गायों और बछड़ों तथा अन्य दुधारू और वाहक ढोरों की नस्लों के परिरक्षण और सुधारने के लिए तथा उनके वध का प्रतिषेध करने के लिए अग्रसर होगा।

राष्ट्रीय महत्त्व के स्मारकों, स्थानों और चीजों का संरक्षण

49. संसद् से, विधि द्वारा, राष्ट्रीय महत्त्व वाले घोषित कलात्मक या ऐतिहासिक अभिरुचि वाले प्रत्येक स्मारक या स्थान या चीज की, यथास्थिति, लुंठन, विरूपण, विनाश, अपनयन, व्ययन अथवा निर्यात से रक्षा करना राज्य का आधार होगा।

50. राज्य की लोक-सेवाओं में, न्यायपालिका को कार्यपालिका से पृथक् करने के लिए राज्य अग्रसर होगा।

51. राज्य–

(क) अंतर्राष्ट्रीय शांति और सुरक्षा की उन्नति का,

(ख) राष्ट्रों के बीच न्याय और सम्मानपूर्ण संबंधों को बनाए रखने का,

(ग) संघटित लोगों के एक-दूसरे से व्यवहारों में अंतर्राष्ट्रीय विधि और संधि-बंधनों के प्रति आदर बढ़ाने का, तथा

(घ) अंतर्राष्ट्रीय विवादों के मध्यस्थता द्वारा निबटारे के लिए प्रोत्साहन देने का, प्रयास करेगा।

–भारतीय संविधान, भाग-4

रामविलास शर्मा द्वारा प्रस्तावित स्वदेशी (नए राष्ट्रीय) आंदोलन का कार्यक्रम

(बीसवीं सदी के प्रमुख साहित्यिक आलोचक एवं चिंतक रामविलास शर्मा (1912-2000) ने हिंदी जातीय विकास और इसकी समस्याओं पर चिंतन के अलावा दीर्घ समय तक साम्राज्यवाद और सामंतवाद के खिलाफ अनथक संघर्ष किया। यहां प्रस्तुत है व्यक्तिगत रूप से साहस के साथ प्रस्तावित उनका स्वदेशी आंदोलन का कार्यक्रम, जो वस्तुतः नए राष्ट्रीय आंदोलन का कार्यक्रम है। वैश्वीकरण, बाजारवाद और कट्टरतावाद के वर्तमान परिदृश्य में, यह कार्यक्रम ग्रहण करना काफी चुनौतीपूर्ण है। फिर भी 'आरक्षण' 'हिंदी प्रदेशों को मिलाकर एक राज्य बनाने' के मुद्दे यदि हटा दिए जाएँ या इन लक्ष्यों का विस्तार कर दिया जाए तो प्रस्तावित कार्यक्रम में भविष्य के नए राष्ट्रीय आंदोलन की कई सारवान जन युद्ध-रेखाएँ दिखाई दे सकती हैं।)

1. विदेशी बैंकों से कर्ज लेना बंद करो। जो कर्ज लिया है उसे वापस मत करो।
2. बहुराष्ट्रीय कंपनियों के माल की बिक्री पर रोक लगाओ।
3. विदेशी पूँजी के सहयोग से नए उद्योग मत लगाओ।
4. औद्योगिक विकास के लिए देश के संसाधनों का उपयोग करो।
5. प्रौद्यागिकी के विकास के लिए अपने विशेषज्ञों की प्रतिभा का भरोसा करो।
6. सामाजिक न्याय के लिए भूमि सुधार कानून सख्ती से लागू करो।
7. प्रचार साधनों द्वारा देशी-विदेशी अपसंस्कृति के प्रसार को बंद करो।
8. जिन बड़े-बड़े देवस्थानों से प्रतिवर्ष करोड़ों की आमदनी होती है, उनका राष्ट्रीयकरण करो। उनकी आय से शिक्षा संस्थाएँ चलाओ।
9. देवस्थानों के संचालक लोक सेवा आयोग द्वारा उपयुक्त परीक्षाएँ लेने के बाद नियुक्त करो।
10. देशी भाषाओं को प्रारंभिक से लेकर उच्चतम शिक्षा का माध्यम बनाओ।

11. अखिल भारतीय सेवाओं में अंग्रेजी की जगह हिंदी का व्यवहार करो। आर्य भाषाएँ बोलने वालों के लिए एक द्रविड़ भाषा का ज्ञान और द्रविड़ भाषाएँ बोलने वालों के लिए हिंदी का ज्ञान अनिवार्य करो।
12. हिंदी प्रदेश के विश्वविद्यालयों में द्रविड़ भाषाओं के अध्ययन अध्यापन की व्यवस्था करो।
13. बड़े पूँजीपतियों के वार्षिक मुनाफे का एक अंश साक्षरता प्रसार पर खर्च करो।
14. आरक्षण संबंधी सारे कानून रद्द करो।
15. गरीबों की निःशुल्क शिक्षा की व्यवस्था सरकारी साधनों से करो।
16. सामान्य शिक्षा के लिए आठ साल और विशेष योग्यता की शिक्षा के लिए छह साल की अवधि निश्चित करो।
17. विज्ञान और प्रौद्योगिकी की शिक्षा में अंग्रेजी का व्यवहार पाँच साल की अवधि में क्रमशः बंद करो।
18. अल्पसंख्यक अहिंदीभाषियों के लिए सामान्य शिक्षा मातृभाषा के द्वारा निश्चित करो। (आगे विशेष योग्यता की शिक्षा उन्हें हिंदी के माध्यम से दी जाएगी।)
19. दूरदर्शन और आकाशवाणी के केंद्रीय संचालन का भार देशी पत्रों के संपादकों की परिषद् को सौंपो। इसी तरह दूरदर्शन और आकाशवाणी के प्रादेशिक केंद्रों के संचालन का भार वहाँ के देशी पत्रों के संपादकों की परिषद् को सौंपो।
20. सरकारी और पूँजीवादी प्रतिष्ठानों द्वारा धन देकर वैज्ञानिकों और साहित्यकारों को सम्मानित करने की प्रथा बंद करो।
21. वैज्ञानिकों और साहित्यकारों की अखिल भारतीय और प्रादेशिक परिषदें बनाओ जो धनराशि दिए बिना योग्य व्यक्तियों को सम्मानित करें।
22. हर प्रदेश में मानव अधिकार आयोग बनाओ जो पुलिस की कार्रवाई की निगरानी रखें और समय रहते उसे रोकें और किसी को दोषी पाएँ तो उसे दंड दें।
23. राज्यों के पुनर्गठन के लिए नया आयोग बनाओ।
24. जो क्षेत्र जातीय प्रदेश से बाहर रखे गए हैं, उन्हें बड़े प्रदेश में मिलाओ (जैसे कि गोवा महाराट्र से अलग रखा गया है)।
25. जातीय भाषा के मुकाबले बोलियों या उपभाषाओं को साहित्य अकादमी के माध्यम से प्रोत्साहन देना बंद करो। जैसे मराठी के मुकाबले कोंकणी को अलग भाषा माना है, हिंदी के मुकाबले राजस्थानी और मैथिली को अलग भाषाएँ माना है, इस नीति को बदलो।

26. संप्रदायवाद और जाति बिरादरीवाद के आधार पर चुनाव लड़नेवालों या चुनाव के लिए वातावरण तैयार करने वालों पर पाबंदी लगाओ।
27. जम्मू और कश्मीर में कश्मीरी, डोगरी और लद्दाखी भाषाओं को उनके क्षेत्रों में सांस्कृतिक और राजनीतिक कार्यों का माध्यम बनाओ।
28. हिंदी प्रदेश में सबसे पहले बोलियों के आधार पर जनपदों का पुनर्गठन करो। इसके बाद हिंदी भाषी राज्यों को मिलाकर एक राज्य बनाओ।
29. बहुत सी विधान सभाओं, विधायकों और सरकारी तामझाम पर जो करोड़ों रुपया खर्च होता है, उसे आर्थिक विकास में लगाओ।
30 हिंदी प्रदेश की केंद्रीय विधान सभा द्वारा शिक्षा, संस्कृति, आर्थिक विकास की सामान्य नीत निर्धारित करो।
31. पुनर्गठित प्रत्येक जनपद को प्रशासन की बुनियादी इकाई बनाओ।
32. प्रत्येक जनपद में उच्च न्यायालय की एक खंड पीठ स्थापित करो।
33. जनपदों में स्थित विश्वविद्यालयों में वहाँ की लोक संस्कृति और लोकभाषाओं के अध्ययन की व्यवस्था करो।
34. हिंदी प्रदेश के विश्वविद्यालयों में एशिया और भारत की प्रमुख भाषाओं के अध्ययन-अध्यापन की व्यवस्था करो।
35. हिंदी प्रदेश के आदिवासी क्षेत्रों को स्वायत्तशासी क्षेत्र घोषित करो। उनकी भाषाओं को शिक्षा का माध्यम बनाओ और उनके साहित्य की प्रगति के लिए विशेष व्यवस्था करो।
36. हिंदी प्रदेश के विश्वविद्यालयों में सहयोग स्थापित करो। योजना के अनुसार इनसे अनुसंधान कार्य कराओ। जहाँ भाषा-विज्ञान की व्यवस्था है, उनसे भारत का और सबसे पहले हिंदी प्रदेश का भाषा सर्वेक्षण कराओ।
37. उर्दू का नया पुराना साहित्य यथा संभव बड़े परिमाण में देवनागरी लिपि में प्रकाशित कराओ।
38. बच्चे अपना बस्ता उठाकर स्कूल जा सकें, इसके लिए प्रारंभिक शिक्षा की पाठ्य पुस्तकों की संख्या आधी करो।
39. सार्वजनिक छुट्टियों की संख्या पचास फीसदी कम करो।
40. वैज्ञानिकों, कलाकारों और साहित्यकारों को आयकर से पूरी तरह मुक्त करो।

यह कार्यक्रम हिंदी प्रदेश के लिए और सारे देश के लिए है। भारत में हिंदी प्रदेश सबसे बड़ा जातीय क्षेत्र है। हिंदी भाषी जाति भारत की सबसे बड़ी जाति है। इसलिए उसका यह कर्तव्य है कि इस आंदोलन में वह पहल करे। अनेक आंदोलनों में वह पहल कर चुकी है, इसलिए उसे आत्मविश्वास होना चाहिए कि इस बार भी वह पहल कर सकती है, करेगी और उसमें वह सफल होगी।

—1996, भारतीय साहित्य की भूमिका

उपसंहार

अमरीकी साम्राज्यवाद अज्ञेय नहीं है। छोटा सा क्यूबा अमरीका की नाक के नीचे आर्थिक नाकेबंदी की चुनौती स्वीकार कर रहा है। तीस साल से अमरीकियों ने क्यूबा की सरकार को उलटने में कुछ उठा नहीं रखा। भीतरघात, हत्याएँ, आक्रमण, नाकेबंदी, सब कुछ उन्होंने किया लेकिन क्यूबा की व्यवस्था को बदल नहीं सके। कारण यह है कि उस शासन व्यवस्था में जनता भागीदार है। उसे अपनी भाषा और संस्कृति, अपनी जीवन पद्धति पर गर्व है। इसलिए कठिनाइयाँ सहते हुए भी वह अपनी स्वाधीनता की रक्षा कर रही है। 2 फरवरी 1995 के *टाइम्स ऑफ इंडिया* में सुनील चोपड़ा ने क्यूबा की यात्रा के बाद अपने अनुभवों के आधार पर लिखा है कि अमरीकी प्रशासन अपनी कोशिशों में असफल हो रहा है और स्वयं अमरीका में जो क्यूबा के लोग रहते हैं, वे अब अपनी आवाज बुलंद करने लगे हैं कि आर्थिक नाकेबंदी खत्म की जाए। इससे पता चलता है कि अमरीकी प्रशासन ने जो बहुत बड़ी इमारत खड़ी की थी, तीस साल के बाद वह ढहने लगी है।

ग्रेनाडा, पनामा जैसे देशों में अमरीका ने घुसकर जो चाहा, वह किया लेकिन यह काम वह क्यूबा में नहीं कर सका जहाँ की जनता संगठित होती है, प्रशासन में भाग लेती है, अपनी भाषा और संस्कृति पर जिसे गर्व होता है, उसे अमरीका झुका नहीं सकता। क्यूबा जैसे देशों की सबसे बड़ी सहायता यह होगी कि अमरीकी इजारेदारों को भारत में हम मुनाफा कमाने न दें। यहाँ वे जो मुनाफा कमाते हैं, उसी के आधार पर वे सारी दुनिया में दादागीरी करते हैं। इसलिए स्वदेशी का आंदोलन केवल भारत के हित में नहीं है, उसका अंतर्राष्ट्रीय साम्राज्यवाद विरोधी महत्त्व है। ध्यान देने की बात है कि फिदेल कास्त्रों और उनके सहयोगियों ने जब क्यूबा में सामंत विरोधी साम्राज्यविरोधी क्रांति की थी, तब वे कम्युनिस्ट नहीं थे। अब सोवियत संघ विघटित हो गया, है कोई बड़ी कम्युनिस्ट सत्ता उन्हें मदद करने आगे नहीं आ रही है। वहाँ ज्यादातर शक्कर की उपज होती है। उसे उन्हें सस्ते दामों मजबूर होकर बेचना पड़ता है। फिर भी वे मैदान में डटे हुए हैं। कम्युनिस्ट पार्टी के बिना उन्होंने क्रांति की, कम्युनिस्ट महाशक्ति की सहायता के बिना वे मैदान में हैं। भारत के कम्युनिस्टों को समझना चाहिए कि यदि वे मार्क्सवाद को सही ढंग से लागू नहीं

करते, कुछ प्रदेशों में एक नीति अपनाते हैं, हिंदी प्रदेश में दूसरी नीति अपनाते हैं, तो वे रास्ते से हटा दिए जाएँगे। कोई न कोई दल क्रांतिकारी मार्ग पर बढ़ेगा, लेकिन इससे उन्हें भारी नुकसान होगा, साम्राज्यवाद को दखलअंदाजी करने का मौका भी मिलेगा।

—1996, भारतीय साहित्य की भूमिका

□□□

शंभुनाथ

जन्म 21 मई, 1948 में देवघर में और शिक्षा कोलकाता में। हिंदी विभाग, कलकत्ता विश्वविद्यालय में 1979 से प्राध्यापन।

आलोचना पुस्तकें : साहित्य और जनसंघर्ष (1980), तीसरा यथार्थ (1984) मिथक और आधुनिक कविता (1985), प्रेमचंद का पुनर्मूल्यांकन (1988), रामचंद्र शुक्ल और बौद्धिक उपनिवेशवाद की चुनौती (1988), दूसरे नवजागरण की ओर (1993), धर्म का दुखांत (2000), संस्कृति की उत्तरकथा (2000), दुस्समय में साहित्य (2002), हिंदी नवजागरण और संस्कृति (2004)।

संपादन : मिथक और भाषा (1980), भारतेन्दु और भारतीय नवजागरण (1986), राष्ट्रीय मुक्ति आंदोलन और प्रसाद (1989), जातिवाद और रंगभेद (1990), गणेश शंकर विद्यार्थी और हिंदी पत्रकारिता (1991), राहुल सांकृत्यायन : अंतर्विरोधों में लय (1993), हिंदी नवजागरण : बंगीय विरासत (दो खंडों में, 1993) आधुनिकता की पुनर्व्याख्या (2001) इत्यादि।